The Origin of
THE NEW BANTAM-MEGIDDO
HEBREW & ENGLISH DICTIONARY

Changes in both English and Hebrew are coming so swiftly and contacts between the two languages are growing so much closer that it seems logical there should be a new dictionary which recognizes these developments.

THE NEW BANTAM-MEGIDDO HEBREW & ENGLISH DICTIONARY reflects the rapid evolution of both languages in the fields of science and technology and in everyday social conversation. Further, it understands the vital necessity for an up-to-date, portable dictionary within the price range of the ever-growing number of people throughout the world for whom such a reference work is indispensable.

AUTHORS:
DR. REUVEN SIVAN, Jerusalem-born educator, philologist, author, translator, is a founder and executive member of the Israeli Association of Applied Linguistics and a senior lecturer in Israeli universities and teachers' colleges.

DR. EDWARD A. LEVENSTON, head of the Department of English at the Hebrew University and a senior lecturer in English linguistics, is an educator, philologist and the author of many works on translation, grammar, linguistics, teaching, and literary style.

THE NEW BANTAM-MEGIDDO
HEBREW & ENGLISH DICTIONARY

By Dr. Reuven Sivan and Dr. Edward A. Levenston

Based on **The Megiddo Modern Dictionary**
By Dr. Reuven Sivan and Dr. Edward A. Levenston

BANTAM BOOKS
TORONTO · NEW YORK · LONDON · SYDNEY

This book was completely typeset in Israel.

THE NEW BANTAM-MEGIDDO HEBREW & ENGLISH DICTIONARY

A Bantam Book / April 1975

2nd printing .... *September 1975*	*4th printing* .... *October 1976*
3rd printing ...... *October 1976*	*5th printing* .... *July 1978*
	6th printing ..... *June 1980*

ISBN 0-553-14420-0

Published simultaneously in the United States and Canada

Bantam Books are published by Bantam Books, Inc. Its trade-
mark, consisting of the words ''Bantam Books'' and the por-
trayal of a bantam, is Registered in U.S. Patent and Trademark
Office and in other countries. Marca Registrada. Bantam
Books, Inc., 666 Fifth Avenue, New York, New York 10019.

PRINTED IN THE UNITED STATES OF AMERICA

15 14 13 12 11

CONTENTS

Preface vi

The Hebrew Verb ix

Declension of Hebrew Nouns xx

Declension of Hebrew Prepositions xx

Hebrew Cardinal and Ordinal Numbers xxi

English-Hebrew Dictionary 1–399

PREFACE

The contacts between the two languages, Hebrew and English, have been growing ever closer in our time. Both languages are developing at great speed. For Hebrew, the tongue of the Bible, a new era opened at the end of the nineteenth century with the revival of the spoken language, the organized return of the Jewish people to its ancient homeland and, most significantly, the rise of the State of Israel. English, so rich in content, so far-flung in its use, is becoming the prime medium of international communication; and it is in common use by the majority of the Jewish people throughout the world.

An up-to-date pocket dictionary of the two languages, reflecting their development in the fields of science and technology and in every day social intercourse, a dictionary, moreover, within the reach of every purse, is thus a vital necessity for an ever-growing number of people throughout the world.

A new method has been employed in its compilation. The users' attention is drawn to the following principles, on which this dictionary is based. The first two represent a revolutionary change in Hebrew foreign language lexicography. Their usefulness has been proved in the major two-volume Megiddo Hebrew/English–English/Hebrew dictionary.

1. *The spelling.* The Hebrew column in both parts of the dictionary is given in the *plene* spelling, in accordance with the latest rules of the Hebrew Language Academy. All the relevant additional letters *yod* and *vav* have been inserted so that the user can identify the word in the form in which he will encounter it in all modern books and newspapers. On the other hand the full and precise pointing has been added (except for the silent sh'va) thus ensuring the precise *pronunciation* of each word.

The order of the word list is thus arranged in accordance with the *plene* spelling. The user requiring a translation of words like אֹרֶן

vi

גיבור, חייל, מוות, סידור, שולחן, תורגם will find them in their proper place in this spelling and not, as in the older dictionaries, by first 'converting" them mentally into the "grammatical" spelling.

2. *The verb.* The Hebrew verb will be found in its place in alpha-etical order – not under its root spelling. For example: the word הִתְעַקְ will be found under ה and not under ע. The user will find נִכְנַ under נ – and not under כ. The word הפיל will be found under ה (and not under נ).

Thus also while למד will be under לם, לימד will be under לִי, and לומ, under לו.

The Hebrew verbs appear throughout in the past tense third person ngular, e.g. אָכַל, נֶעֱלַם, הֶאֱשִׁים, הִתְפַּטֵּר

The verbs in the English column appear in their root form, e.g. sist, disappear, blame.

3. *The adjective.* In translating the adjective in the English/ ebrew section the Hebrew equivalent is given in the masculine sing-lar. Thus *good* is translated טוֹב. While the adjective in English is naffected by gender or number, *good* can be rendered in Hebrew lso by טוֹבָה (fem. sing.), טוֹבִים, (masc. pl.) and טוֹבוֹת (fem. pl.).

4. *Signs and abbreviations.* Meanings close to each other are eparated by a comma. Where a word has distinctly different meanings hese are separated by a semi-colon. See, for example, חֶבְרָה in the Hebrew/English section and *just* in the English/Hebrew.

The English abbreviations are as follows:

abbrev	— abbreviation	*masc*	— masculine
adj	— adjective	*n*	— noun
adv	— adverb	*pl*	— plural
alt	— alternative	*pp*	— past or passive participle
art	— article	*prep*	— preposition
coll	— colloquial	*pron*	— pronoun
conj	— conjunction	*pt*	— past tense
def	— definite	*s, sing*	— singular
fem	— feminine	*sl*	— slang
fig	— figurative	*v aux*	— verb auxiliary
imp	— imperative	*vi*	— verb intransitive
inf	— infinitive	*v refl*	— verb reflexive
interj	— interjection	*vt*	— verb transitive

THE HEBREW VERB

The following are the conjugations of the eight basic paradigms of the Hebrew verb. The *plene* spelling is used throughout.

גזרת השלמים

פָּעַל:

עבר	קָשַׁרְתִּי, קָשַׁרְתָּ, קָשַׁרְתְּ, קָשַׁר, קָשְׁרָה, קָשַׁרְנוּ, קְשַׁרְתֶּם, קְשַׁרְתֶּן, קָשְׁרוּ
הווה	קוֹשֵׁר, קוֹשֶׁרֶת, קוֹשְׁרִים, קוֹשְׁרוֹת
עתיד	אֶקְשׁוֹר, תִּקְשׁוֹר, תִּקְשְׁרִי, יִקְשׁוֹר, תִּקְשׁוֹר, נִקְשׁוֹר, תִּקְשְׁרוּ, יִקְשְׁרוּ
ציווי	קְשׁוֹר, קִשְׁרִי, קִשְׁרוּ

נִפְעַל:

עבר	נִקְשַׁרְתִּי, נִקְשַׁרְתָּ, נִקְשַׁרְתְּ, נִקְשַׁר, נִקְשְׁרָה, נִקְשַׁרְנוּ, נִקְשַׁרְתֶּם, ־תֶּן, נִקְשְׁרוּ
הווה	נִקְשָׁר, נִקְשֶׁרֶת, נִקְשָׁרִים, נִקְשָׁרוֹת
עתיד	אֶקָּשֵׁר, תִּיקָּשֵׁר, תִּיקָּשְׁרִי, יִיקָּשֵׁר, תִּיקָּשֵׁר, נִיקָּשֵׁר, תִּיקָּשְׁרוּ, יִיקָּשְׁרוּ
ציווי	הִיקָּשֵׁר, הִיקָּשְׁרִי, הִיקָּשְׁרוּ

פִּיעֵל:

עבר	קִישַּׁרְתִּי, קִישַּׁרְתָּ, קִישַּׁרְתְּ, קִישֵּׁר, קִישְּׁרָה, קִישַּׁרְנוּ, קִישַּׁרְתֶּם, ־תֶּן, קִישְּׁרוּ
הווה	מְקַשֵּׁר, מְקַשֶּׁרֶת, מְקַשְּׁרִים, מְקַשְּׁרוֹת
עתיד	אֲקַשֵּׁר, תְּקַשֵּׁר, תְּקַשְּׁרִי, יְקַשֵּׁר, תְּקַשֵּׁר, נְקַשֵּׁר, תְּקַשְּׁרוּ, יְקַשְּׁרוּ
ציווי	קַשֵּׁר, קַשְּׁרִי, קַשְּׁרוּ

פּוּעַל:

עבר	קוּשַּׁרְתִּי, קוּשַּׁרְתָּ, קוּשַּׁרְתְּ, קוּשַּׁר, קוּשְּׁרָה, קוּשַּׁרְנוּ, קוּשַּׁרְתֶּם, קוּשַּׁרְתֶּן קוּשְּׁרוּ
הווה	מְקוּשָּׁר, מְקוּשֶּׁרֶת, מְקוּשָּׁרִים, מְקוּשָּׁרוֹת
עתיד	אֲקוּשַּׁר, תְּקוּשַּׁר, תְּקוּשְּׁרִי, יְקוּשַּׁר, תְּקוּשַּׁר, נְקוּשַּׁר, תְּקוּשְּׁרוּ, יְקוּשְּׁרוּ

הִפְעִיל:

עבר הִשְׁלַמְתִּי, הִשְׁלַמְתָּ, הִשְׁלַמְתְּ, הִשְׁלִים, הִשְׁלִימָה, הִשְׁלַמְנוּ, הִשְׁלַמְתֶּם, הִשְׁלַמְתֶּן, הִשְׁלִימוּ

הווה מַשְׁלִים, מַשְׁלִימָה, מַשְׁלִימִים, מַשְׁלִימוֹת

עתיד אַשְׁלִים, תַּשְׁלִים, תַּשְׁלִימִי, יַשְׁלִים, תַּשְׁלִים, נַשְׁלִים, תַּשְׁלִימוּ, יַשְׁלִימוּ

ציווי הַשְׁלֵם, הַשְׁלִימִי, הַשְׁלִימוּ

הוּפְעַל:

עבר הוּשְׁלַמְתִּי, הוּשְׁלַמְתָּ, הוּשְׁלַמְתְּ, הוּשְׁלַם, הוּשְׁלְמָה, הוּשְׁלַמְנוּ, הוּשְׁלַמְתֶּם, הוּשְׁלַמְתֶּן, הוּשְׁלְמוּ

הווה מוּשְׁלָם, מוּשְׁלֶמֶת, מוּשְׁלָמִים, מוּשְׁלָמוֹת

עתיד אוּשְׁלַם, תּוּשְׁלַם, תּוּשְׁלְמִי, יוּשְׁלַם, תּוּשְׁלַם, נוּשְׁלַם, תּוּשְׁלְמוּ, יוּשְׁלְמוּ

הִתְפַּעֵל:

עבר הִתְקַשַּׁרְתִּי, הִתְקַשַּׁרְתָּ, הִתְקַשַּׁרְתְּ, הִתְקַשֵּׁר, הִתְקַשְּׁרָה, הִתְקַשַּׁרְנוּ, הִתְקַשַּׁרְתֶּם, הִתְקַשַּׁרְתֶּן, הִתְקַשְּׁרוּ

הווה מִתְקַשֵּׁר, מִתְקַשֶּׁרֶת, מִתְקַשְּׁרִים, מִתְקַשְּׁרוֹת

עתיד אֶתְקַשֵּׁר, תִּתְקַשֵּׁר, תִּתְקַשְּׁרִי, יִתְקַשֵּׁר, תִּתְקַשֵּׁר, נִתְקַשֵּׁר, תִּתְקַשְּׁרוּ, יִתְקַשְּׁרוּ

ציווי הִתְקַשֵּׁר, הִתְקַשְּׁרִי, הִתְקַשְּׁרוּ

גזרת פ״א

פָּעַל:

עבר אָכַלְתִּי, אָכַלְתָּ, אָכַלְתְּ, אָכַל, אָכְלָה, אָכַלְנוּ, אֲכַלְתֶּם,־תֶּן, אָכְלוּ

הווה אוֹכֵל, אוֹכֶלֶת, אוֹכְלִים, אוֹכְלוֹת

עתיד אוֹכַל, תֹּאכַל, תֹּאכְלִי, יֹאכַל, תֹּאכַל, נֹאכַל, תֹּאכְלוּ, יֹאכְלוּ

ציווי אֱכוֹל, אִכְלִי, אִכְלוּ

נִפְעַל:

עבר נֶאֱסַפְתִּי, נֶאֱסַפְתָּ, נֶאֱסַפְתְּ, נֶאֱסַף, נֶאֶסְפָה, נֶאֱסַפְנוּ, נֶאֱסַפְתֶּם,־תֶּן, נֶאֶסְפוּ

הווה נֶאֱסָף, נֶאֱסֶפֶת, נֶאֱסָפִים, נֶאֱסָפוֹת

עתיד אֵאָסֵף, תֵּאָסֵף, תֵּאָסְפִי, יֵאָסֵף, תֵּאָסֵף, נֵאָסֵף, תֵּאָסְפוּ, יֵאָסְפוּ

ציווי הֵאָסֵף, הֵאָסְפִי, הֵאָסְפוּ

הִפְעִיל:

עבר הֶאֱכַלְתִּי, הֶאֱכַלְתָּ, הֶאֱכַלְתְּ, הֶאֱכִיל, הֶאֱכִילָה, הֶאֱכַלְנוּ, הֶאֱכַלְתֶּם,־תֶּן, הֶאֱכִילוּ

הווה מַאֲכִיל, מַאֲכִילָה, מַאֲכִילִים, מַאֲכִילוֹת

עתיד אַאֲכִיל, תַּאֲכִיל, תַּאֲכִילִי, יַאֲכִיל, תַּאֲכִיל, נַאֲכִיל, תַּאֲכִילוּ, יַאֲכִילוּ

ציווי הַאֲכֵל, הַאֲכִילִי, הַאֲכִילוּ

הוּפְעַל:

עבר הוֹאֳכַלְתִּי, הוֹאֳכַלְתָּ, הוֹאֳכַלְתְּ, הוֹאֳכַל, הוֹאָכְלָה, הוֹאֳכַלְנוּ, הוֹאֳכַלְתֶּם,־תֶּן, הוֹאָכְלוּ

הווה מוֹאֳכָל, מוֹאֳכֶלֶת, מוֹאֳכָלִים, מוֹאֳכָלוֹת

עתיד אוֹאֳכַל, תּוֹאֳכַל, תּוֹאָכְלִי, יוֹאֳכַל, תּוֹאֳכַל, נוֹאֳכַל, תּוֹאָכְלוּ, יוֹאָכְלוּ

פִּיעֵל:

עבר אִמַּצְתִּי, אִמַּצְתָּ, אִמַּצְתְּ, אִמֵּץ, אִמְּצָה, אִמַּצְנוּ, אִמַּצְתֶּם,־תֶּן, אִמְּצוּ

הווה מְאַמֵּץ, מְאַמֶּצֶת, מְאַמְּצִים, מְאַמְּצוֹת

עתיד אֲאַמֵּץ, תְּאַמֵּץ, תְּאַמְּצִי, יְאַמֵּץ, תְּאַמֵּץ, נְאַמֵּץ, תְּאַמְּצוּ, יְאַמְּצוּ

ציווי אַמֵּץ, אַמְּצִי, אַמְּצוּ

פּוּעַל:

עבר אוּמַּצְתִּי, אוּמַּצְתָּ, אוּמַּצְתְּ, אוּמַּץ, אוּמְּצָה, אוּמַּצְנוּ, אוּמַּצְתֶּם,־תֶּן, אוּמְּצוּ

הווה מְאוּמָּץ, מְאוּמֶּצֶת, מְאוּמָּצִים, מְאוּמָּצוֹת

עתיד אֲאוּמַּץ, תְּאוּמַּץ, תְּאוּמְּצִי, יְאוּמַּץ, תְּאוּמַּץ, נְאוּמַּץ, תְּאוּמְּצוּ, יְאוּמְּצוּ

הִתְפַּעֵל:

עבר	הִתְאַמַּצְתִּי, הִתְאַמַּצְתָּ, הִתְאַמַּצְתְּ, הִתְאַמֵּץ, הִתְאַמְּצָה, הִתְאַמַּצְנוּ, הִתְאַמַּצְתֶּם,־תֶּן, הִתְאַמְּצוּ
הווה	מִתְאַמֵּץ, מִתְאַמֶּצֶת, מִתְאַמְּצִים, מִתְאַמְּצוֹת
עתיד	אֶתְאַמֵּץ, תִּתְאַמֵּץ, תִּתְאַמְּצִי, יִתְאַמֵּץ, תִּתְאַמֵּץ, נִתְאַמֵּץ, תִּתְאַמְּצוּ, יִתְאַמְּצוּ
ציווי	הִתְאַמֵּץ, הִתְאַמְּצִי, הִתְאַמְּצוּ

גזרת פ״י

פָּעַל:

עבר	יָשַׁבְתִּי, יָשַׁבְתָּ, יָשַׁבְתְּ, יָשַׁב, יָשְׁבָה, יָשַׁבְנוּ, יְשַׁבְתֶּם,־תֶּן, יָשְׁבוּ
הווה	יוֹשֵׁב, יוֹשֶׁבֶת, יוֹשְׁבִים, יוֹשְׁבוֹת
עתיד	אֵשֵׁב, תֵּשֵׁב, תֵּשְׁבִי, יֵשֵׁב, תֵּשֵׁב, נֵשֵׁב, תֵּשְׁבוּ, יֵשְׁבוּ
ציווי	שֵׁב, שְׁבִי, שְׁבוּ

נִפְעַל:

עבר	נוֹסַדְתִּי, נוֹסַדְתָּ, נוֹסַדְתְּ, נוֹסַד, נוֹסְדָה, נוֹסַדְנוּ, נוֹסַדְתֶּם,־תֶּן, נוֹסְדוּ
הווה	נוֹסָד, נוֹסֶדֶת, נוֹסָדִים, נוֹסָדוֹת
עתיד	אִיוָּסֵד, תִּיוָּסֵד, תִּוָּסְדִי, יִיוָּסֵד, תִּיוָּסֵד, נִיוָּסֵד, תִּיוָּסְדוּ, יִיוָּסְדוּ
ציווי	הִיוָּסֵד, הִיוָּסְדִי, הִיוָּסְדוּ

פִּיעֵל:

עבר	יִישַּׁבְתִּי, יִישַּׁבְתָּ, יִישַּׁבְתְּ, יִישֵּׁב, יִישְּׁבָה, יִישַּׁבְנוּ, יִישַּׁבְתֶּם,־תֶּן, יִישְּׁבוּ
הווה	מְיַישֵּׁב, מְיַישֶּׁבֶת, מְיַישְּׁבִים, מְיַישְּׁבוֹת
עתיד	אֲיַישֵּׁב, תְּיַישֵּׁב, תְּיַישְּׁבִי, יְיַישֵּׁב, תְּיַישֵּׁב, נְיַישֵּׁב, תְּיַישְּׁבוּ, יְיַישְּׁבוּ
ציווי	יַשֵּׁב, יַשְּׁבִי, יַשְּׁבוּ

פּוּעַל:

עבר	יוּשַּׁבְתִּי, יוּשַּׁבְתָּ, יוּשַּׁבְתְּ, יוּשַּׁב, יוּשְּׁבָה, יוּשַּׁבְנוּ, יוּשַּׁבְתֶּם,־תֶּן, יוּשְּׁבוּ
הווה	מְיוּשָּׁב, מְיוּשֶּׁבֶת, מְיוּשָּׁבִים, מְיוּשָּׁבוֹת
עתיד	אֲיוּשַּׁב, תְּיוּשַּׁב, תְּיוּשְּׁבִי, יְיוּשַּׁב, תְּיוּשַּׁב, נְיוּשַּׁב, תְּיוּשְּׁבוּ, יְיוּשְּׁבוּ

הִפְעִיל:

עבר הוֹרַדְתִּי, הוֹרַדְתָּ, הוֹרַדְתְּ, הוֹרִיד, הוֹרִידָה, הוֹרַדְנוּ, הוֹרַדְתֶּם,־תֶּן, הוֹרִידוּ

הווה מוֹרִיד, מוֹרִידָה, מוֹרִידִים, מוֹרִידוֹת

עתיד אוֹרִיד, תּוֹרִיד, תּוֹרִידִי, יוֹרִיד, תּוֹרִיד, נוֹרִיד, תּוֹרִידוּ, יוֹרִידוּ

ציווי הוֹרֵד, הוֹרִידִי, הוֹרִידוּ

הוּפְעַל:

עבר הוּרַדְתִּי, הוּרַדְתָּ, הוּרַדְתְּ, הוּרַד, הוּרְדָה, הוּרַדְנוּ, הוּרַדְתֶּם,־תֶּן, הוּרְדוּ

הווה מוּרָד, מוּרֶדֶת, מוּרָדִים, מוּרָדוֹת

עתיד אוּרַד, תּוּרַד, תּוּרְדִי, יוּרַד, תּוּרַד, נוּרַד, תּוּרְדוּ, יוּרְדוּ

הִתְפַּעֵל:

עבר הִתְייַשַּׁבְתִּי, הִתְייַשַּׁבְתָּ, הִתְייַשַּׁבְתְּ, הִתְייַשֵּׁב, הִתְייַשְּׁבָה, הִתְייַשַּׁבְנוּ, הִתְייַשַּׁבְתֶּם, הִתְייַשַּׁבְתֶּן, הִתְייַשְּׁבוּ

הווה מִתְייַשֵּׁב, מִתְייַשֶּׁבֶת, מִתְייַשְּׁבִים, מִתְייַשְּׁבוֹת

עתיד אֶתְייַשֵּׁב, תִּתְייַשֵּׁב, תִּתְיַשְּׁבִי, יִתְייַשֵּׁב, תִּתְייַשֵּׁב, נִתְייַשֵּׁב, תִּתְייַשְּׁבוּ, יִתְייַשְּׁבוּ

ציווי הִתְייַשֵּׁב, הִתְייַשְּׁבִי, הִתְייַשְּׁבוּ

גזרת פ״נ

פָּעַל:

עבר נָפַלְתִּי, נָפַלְתָּ, נָפַלְתְּ, נָפַל, נָפְלָה, נָפַלְנוּ, נְפַלְתֶּם,־תֶּן, נָפְלוּ

הווה נוֹפֵל, נוֹפֶלֶת, נוֹפְלִים, נוֹפְלוֹת

עתיד אֶפּוֹל, תִּיפּוֹל, תִּיפְּלִי, יִיפּוֹל, תִּיפּוֹל, נִיפּוֹל, תִּיפְּלוּ, יִיפְּלוּ

ציווי נְפוֹל, נִפְלִי, נִפְלוּ

נִפְעַל:

עבר נִיגַּפְתִּי, נִיגַּפְתָּ, נִיגַּפְתְּ, נִיגַּף, נִיגְּפָה, נִיגַּפְנוּ, נִיגַּפְתֶּם, נִיגַּפְתֶּן, נִיגְּפוּ

הווה נִיגָּף, נִיגֶּפֶת, נִיגָּפִים, נִיגָּפוֹת

עתיד אֶנָּגֵף, תִּינָּגֵף, תִּינָּגְפִי, יִינָּגֵף, תִּינָּגֵף, נִינָּגֵף, תִּינָּגְפוּ, יִינָּגְפוּ

ציווי הִינָּגֵף, הִינָּגְפִי, הִינָּגְפוּ

פִּיעֵל:

עבר נִישַּׁקְתִּי, נִישַּׁקְתָּ, נִישֵּׁק, נִישְּׁקָה, נִישַּׁקְנוּ, נִישַּׁקְתֶּם,־תֶּן, נִישְּׁקוּ

הווה מְנַשֵּׁק, מְנַשֶּׁקֶת, מְנַשְּׁקִים, מְנַשְּׁקוֹת

עתיד אֲנַשֵּׁק, תְּנַשֵּׁק, תְּנַשְּׁקִי, יְנַשֵּׁק, תְּנַשֵּׁק, נְנַשֵּׁק, תְּנַשְּׁקוּ, יְנַשְּׁקוּ

ציווי נַשֵּׁק, נַשְּׁקִי, נַשְּׁקוּ

פּוּעַל:

עבר נוּטַשְׁתִּי, נוּטַשְׁתָּ, נוּטַשְׁתְּ, נוּטַשׁ, נוּטְשָׁה, נוּטַשְׁנוּ, נוּטַשְׁתֶּם,־תֶּן, נוּטְשׁוּ

הווה מְנוּטָשׁ, מְנוּטֶשֶׁת, מְנוּטָשִׁים, מְנוּטָשׁוֹת

עתיד אֲנוּטַשׁ, תְּנוּטַשׁ, תְּנוּטְשִׁי, יְנוּטַשׁ, תְּנוּטַשׁ, נְנוּטַשׁ, תְּנוּטְשׁוּ, יְנוּטְשׁוּ

הִפְעִיל:

עבר הִפַּלְתִּי, הִפַּלְתָּ, הִפַּלְתְּ, הִפִּיל, הִפִּילָה, הִפַּלְנוּ, הִפַּלְתֶּם, הִפַּלְתֶּן, הִפִּילוּ

הווה מַפִּיל, מַפִּילָה, מַפִּילִים, מַפִּילוֹת

עתיד אַפִּיל, תַּפִּיל, תַּפִּילִי, יַפִּיל, תַּפִּיל, נַפִּיל, תַּפִּילוּ, יַפִּילוּ

ציווי הַפֵּל, הַפִּילִי, הַפִּילוּ

הוּפְעַל:

עבר הוּפַּלְתִּי, הוּפַּלְתָּ, הוּפַּלְתְּ, הוּפַּל, הוּפְּלָה, הוּפַּלְנוּ, הוּפַּלְתֶּם,־תֶּן, הוּפְּלוּ

הווה מוּפָּל, מוּפֶּלֶת, מוּפָּלִים, מוּפָּלוֹת

עתיד אוּפַּל, תּוּפַּל, תּוּפְּלִי, יוּפַּל, תּוּפַּל, נוּפַּל, תּוּפְּלוּ, יוּפְּלוּ

הִתְפַּעֵל:

עבר הִתְנַפַּלְתִּי, הִתְנַפַּלְתָּ, הִתְנַפַּלְתְּ, הִתְנַפֵּל, הִתְנַפְּלָה, הִתְנַפַּלְנוּ, הִתְנַפַּלְתֶּם, הִתְנַפַּלְתֶּן, הִתְנַפְּלוּ

הווה מִתְנַפֵּל, מִתְנַפֶּלֶת, מִתְנַפְּלִים, מִתְנַפְּלוֹת

עתיד אֶתְנַפֵּל, תִּתְנַפֵּל, תִּתְנַפְּלִי, יִתְנַפֵּל, תִּתְנַפֵּל, נִתְנַפֵּל, תִּתְנַפְּלוּ, יִתְנַפְּלוּ

ציווי הִתְנַפֵּל, הִתְנַפְּלִי, הִתְנַפְּלוּ

גזרת ע״ו, ע״י

פָּעַל:

עבר קַמְתִּי, קַמְתָּ, קַמְתְּ, קָם, קָמָה, קַמְנוּ, קַמְתֶּם, קַמְתֶּן, קָמוּ

הווה קָם, קָמָה, קָמִים, קָמוֹת

עתיד אָקוּם, תָּקוּם, תָּקוּמִי, יָקוּם, תָּקוּם, נָקוּם, תָּקוּמוּ, יָקוּמוּ

ציווי קוּם, קוּמִי, קוּמוּ

פָּעַל:

עבר שַׂמְתִּי, שַׂמְתָּ, שַׂמְתְּ, שָׂם, שָׂמָה, שַׂמְנוּ, שַׂמְתֶּם, שַׂמְתֶּן, שָׂמוּ

הווה שָׂם, שָׂמָה, שָׂמִים, שָׂמוֹת

עתיד אָשִׂים, תָּשִׂים, תָּשִׂימִי, יָשִׂים, תָּשִׂים, נָשִׂים, תָּשִׂימוּ, יָשִׂימוּ

ציווי שִׂים, שִׂימִי, שִׂימוּ

נִפְעַל:

עבר נְסוּגוֹתִי, נְסוּגוֹתָ, נְסוּגוֹת, נָסוֹג, נָסוֹגָה, נְסוּגוֹנוּ, נְסוּגוֹתֶם,־תֶן, נָסוֹגוּ

הווה נָסוֹג, נְסוֹגָה, נְסוֹגִים, נְסוֹגוֹת

עתיד אֶסּוֹג, תִּיסּוֹג, תִּיסּוֹגִי, יִיסּוֹג, תִּיסּוֹג, נִיסּוֹג, תִּיסּוֹגוּ, יִיסּוֹגוּ

ציווי הִיסּוֹג, הִיסּוֹגִי, הִיסּוֹגוּ

פִּיעֵל:

עבר קוֹמַמְתִּי, קוֹמַמְתָּ, קוֹמַמְתְּ, קוֹמֵם, קוֹמְמָה, קוֹמַמְנוּ, קוֹמַמְתֶּם, קוֹמַמְתֶּן, קוֹמְמוּ

הווה מְקוֹמֵם, מְקוֹמֶמֶת, מְקוֹמְמִים, מְקוֹמְמוֹת

עתיד אֲקוֹמֵם, תְּקוֹמֵם, תְּקוֹמְמִי, יְקוֹמֵם, תְּקוֹמֵם, נְקוֹמֵם, תְּקוֹמְמוּ, יְקוֹמְמוּ

ציווי קוֹמֵם, קוֹמְמִי, קוֹמְמוּ

פּוּעַל:

עבר כּוֹנַנְתִּי, כּוֹנַנְתָּ, כּוֹנַנְתְּ, כּוֹנַן, כּוֹנְנָה, כּוֹנַנּוּ, כּוֹנַנְתֶּם, כּוֹנַנְתֶּן, כּוֹנְנוּ

הווה מְכוֹנָן, מְכוֹנֶנֶת, (מְכוֹנָנָה), מְכוֹנָנִים, מְכוֹנָנוֹת

עתיד אֲכוֹנַן, תְּכוֹנַן, תְּכוֹנְנִי, יְכוֹנַן, תְּכוֹנַן, נְכוֹנַן, תְּכוֹנְנוּ, תְּכוֹנַנָּה, יְכוֹנְנוּ

הִפְעִיל:

עבר הֵקַמְתִּי, הֵקַמְתָּ, הֵקַמְתְּ, הֵקַמְנוּ, הֲקַמְתֶּם,־תֶן, הֵקִימוּ

הווה מֵקִים, מְקִימָה, מְקִימִים, מְקִימוֹת

עתיד אָקִים, תָּקִים, תָּקִימִי, יָקִים, תָּקִים, נָקִים, תָּקִימוּ, יָקִימוּ

ציווי הָקֵם, הָקִימִי, הָקִימוּ

הוּפעַל:

עבר הוּקַמְתִּי, הוּקַמְתָּ, הוּקַמְתְּ, הוּקַם, הוּקְמָה, הוּקַמְנוּ, הוּקַמְתֶּם, ־תֶּן, הוּקְמוּ

הווה מוּקָם, מוּקֶמֶת, מוּקָמִים, מוּקָמוֹת

עתיד אוּקַם, תּוּקַם, תּוּקְמִי, יוּקַם, תּוּקַם, נוּקַם, תּוּקְמוּ, יוּקְמוּ

הִתפַּעֵל:

עבר הִתקוֹמַמְתִּי, הִתקוֹמַמְתָּ, הִתקוֹמַמְתְּ, הִתקוֹמֵם, הִתקוֹמְמָה, הִתקוֹמַמְנוּ, הִתקוֹמַמְתֶּם, ־תֶּן, הִתקוֹמְמוּ

הווה מִתקוֹמֵם, מִתקוֹמֶמֶת, מִתקוֹמְמִים, מִתקוֹמְמוֹת

עתיד אֶתקוֹמֵם, תִּתקוֹמֵם, תִּתקוֹמְמִי, יִתקוֹמֵם, תִּתקוֹמֵם, נִתקוֹמֵם, תִּתקוֹמְמוּ, יִתקוֹמְמוּ

ציווי הִתקוֹמֵם, הִתקוֹמְמִי, הִתקוֹמְמוּ

גזרת ל״א

פָּעַל:

עבר קָרָאתִי, קָרָאתָ, קָרָאת, קָרָא, קָרְאָה, קָרָאנוּ, קְרָאתֶם, ־תֶן, קָרְאוּ

הווה קוֹרֵא, קוֹרֵאת, קוֹרְאִים, קוֹרְאוֹת

עתיד אֶקְרָא, תִּקְרָא, תִּקְרְאִי, יִקְרָא, תִּקְרָא, נִקְרָא, תִּקְרְאוּ, יִקְרְאוּ

ציווי קְרָא, קִרְאִי, קִרְאוּ

נִפעַל:

עבר נִקְרֵאתִי, נִקְרֵאתָ, נִקְרֵאת, נִקְרָא, נִקְרְאָה, נִקְרֵאנוּ, נִקְרֵאתֶם, נִקְרֵאתֶן, נִקְרְאוּ

הווה נִקְרָא, נִקְרֵאת, נִקְרָאִים, נִקְרָאוֹת

עתיד אֶקָּרֵא, תִּיקָּרֵא, תִּיקָּרְאִי, יִיקָּרֵא, תִּיקָּרֵא, נִיקָּרֵא, תִּיקָּרְאוּ, יִיקָּרְאוּ

ציווי הִיקָּרֵא, הִיקָּרְאִי, הִיקָּרְאוּ

פִּיעֵל:

עבר מִילֵאתִי, מִילֵאתָ, מִילֵאת, מִילֵא, מִילְאָה, מִילֵאנוּ, מִילֵאתֶם, מִילֵאתֶן, מִילְאוּ

הווה מְמַלֵּא, מְמַלֵּאת, מְמַלְאִים, מְמַלְאוֹת

עתיד אֲמַלֵּא, תְּמַלֵּא, תְּמַלְאִי, יְמַלֵּא, תְּמַלֵּא, נְמַלֵּא, תְּמַלְאוּ, יְמַלְאוּ

ציווי מַלֵּא, מַלְאִי, מַלְאוּ

פּוּעַל:

עבר מוּלֵאתִי, מוּלֵאתָ, מוּלֵאת, מוּלָא, מוּלְאָה, מוּלֵאנוּ, מוּלֵאתֶם,־תֶן, מוּלְאוּ

הווה מְמוּלָּא, מְמוּלָּאָה, מְמוּלָּאִים, מְמוּלָּאוֹת

עתיד אֲמוּלָּא, תְּמוּלָּא, תְּמוּלְאִי, יְמוּלָּא, תְּמוּלָּא, נְמוּלָּא, תְּמוּלְאוּ, יְמוּלְאוּ

הִפְעִיל:

עבר הִמְצֵאתִי, הִמְצֵאתָ, הִמְצֵאת, הִמְצִיא, הִמְצִיאָה, הִמְצֵאנוּ, הִמְצֵאתֶם,־תֶן, הִמְצִיאוּ

הווה מַמְצִיא, מַמְצִיאָה, מַמְצִיאִים, מַמְצִיאוֹת

עתיד אַמְצִיא, תַּמְצִיא, תַּמְצִיאִי, יַמְצִיא, תַּמְצִיא, נַמְצִיא, תַּמְצִיאוּ, יַמְצִיאוּ

ציווי הַמְצֵא, הַמְצִיאִי, הַמְצִיאוּ

הוּפְעַל:

עבר הוּמְצֵאתִי, הוּמְצֵאתָ, הוּמְצֵאת, הוּמְצָא, הוּמְצְאָה, הוּמְצֵאנוּ, הוּמְצֵאתֶם, הוּמְצֵאתֶן, הוּמְצְאוּ

הווה מוּמְצָא, מוּמְצֵאת, מוּמְצָאִים, מוּמְצָאוֹת

עתיד אוּמְצָא, תּוּמְצָא, תּוּמְצְאִי, יוּמְצָא, תּוּמְצָא, נוּמְצָא, תּוּמְצְאוּ, יוּמְצְאוּ

הִתְפַּעֵל:

עבר הִתְמַצֵּא, הִתְמַצֵּאתִי, הִתְמַצֵּאתָ, הִתְמַצֵּאת, הִתְמַצֵּא, הִתְמַצְּאָה, הִתְמַצֵּאנוּ, הִתְמַצֵּאתֶם,־תֶן, הִתְמַצְּאוּ

הווה מִתְמַצֵּא, מִתְמַצֵּאת, מִתְמַצְּאִים, מִתְמַצְּאוֹת

עתיד אֶתְמַצֵּא, תִּתְמַצֵּא, תִּתְמַצְּאִי, יִתְמַצֵּא, תִּתְמַצֵּא, נִתְמַצֵּא, תִּתְמַצְּאוּ, יִתְמַצְּאוּ

גזרת ל״ה

פָּעַל:

עבר	קָנִיתִי, קָנִיתָ, קָנִית, קָנָה, קָנְתָה, קָנִינוּ, קְנִיתֶם, ־תֶן, קָנוּ
הווה	קוֹנֶה, קוֹנָה, קוֹנִים, קוֹנוֹת
עתיד	אֶקְנֶה, תִּקְנֶה, תִּקְנִי, יִקְנֶה, תִּקְנֶה, נִקְנֶה, תִּקְנוּ, יִקְנוּ
ציווי	קְנֵה, קְנִי, קְנוּ

נִפְעַל:

עבר	נִגְלֵיתִי, נִגְלֵיתָ, נִגְלֵית, נִגְלָה, נִגְלְתָה, נִגְלֵינוּ, נִגְלֵיתֶם, ־תֶן, נִגְלוּ
הווה	נִגְלֶה, נִגְלֵית, נִגְלִים, נִגְלוֹת
עתיד	אֶגָּלֶה, תִּיגָּלֶה, תִּיגָּלִי, יִיגָּלֶה, תִּיגָּלֶה, נִיגָּלֶה, תִּיגָּלוּ, יִיגָּלוּ
ציווי	הִיגָּלֵה, הִיגָּלִי, הִיגָּלוּ

פִּיעֵל:

עבר	שִׁינִּיתִי, שִׁינִּיתָ, שִׁינִּית, שִׁינָּה, שִׁינְּתָה, שִׁינִּינוּ, שִׁינִּיתֶם, ־תֶן, שִׁינּוּ
הווה	מְשַׁנֶּה, מְשַׁנָּה, מְשַׁנִּים, מְשַׁנּוֹת
עתיד	אֲשַׁנֶּה, תְּשַׁנֶּה, תְּשַׁנִּי, יְשַׁנֶּה, תְּשַׁנֶּה, נְשַׁנֶּה, תְּשַׁנּוּ, יְשַׁנּוּ

פּוּעַל:

עבר	שׁוּנֵּיתִי, שׁוּנֵּיתָ, שׁוּנֵּית, שׁוּנָּה, שׁוּנְּתָה, שׁוּנֵּינוּ, שׁוּנֵּיתֶם, ־תֶן, שׁוּנּוּ
הווה	מְשׁוּנֶּה, מְשׁוּנָּה, מְשׁוּנִּים, מְשׁוּנּוֹת
עתיד	אֲשׁוּנֶּה, תְּשׁוּנֶּה, תְּשׁוּנִּי, יְשׁוּנֶּה, תְּשׁוּנֶּה, נְשׁוּנֶּה, תְּשׁוּנּוּ, יְשׁוּנּוּ

הִפְעִיל:

עבר	הִקְנֵיתִי, הִקְנֵיתָ, הִקְנֵית, הִקְנָה, הִקְנְתָה, הִקְנֵינוּ, הִקְנֵיתֶם, ־תֶן, הִקְנוּ
הווה	מַקְנֶה, מַקְנָה, מַקְנִים, מַקְנוֹת
עתיד	אַקְנֶה, תַּקְנֶה, תַּקְנִי, יַקְנֶה, תַּקְנֶה, נַקְנֶה, תַּקְנוּ, יַקְנוּ
ציווי	הַקְנֵה, הַקְנִי, הַקְנוּ

הוּפְעַל:

עבר	הוּגְלֵיתִי, הוּגְלֵיתָ, הוּגְלֵית, הוּגְלָה, הוּגְלְתָה, הוּגְלֵינוּ, הוּגְלֵיתֶם, ־תֶן, הוּגְלוּ

הווה מוּגְלֶה, מוּגְלֵית, מוּגְלִים, מוּגְלוֹת

עתיד אוּגְלֶה, תּוּגְלֶה, תּוּגְלִי, יוּגְלֶה, תּוּגְלֶה, נוּגְלֶה, תּוּגְלוּ, יוּגְלוּ

הִתְפַּעֵל:

עבר הִתְגַּלֵּיתִי, הִתְגַּלֵּיתָ, הִתְגַּלֵּית, הִתְגַּלָּה, הִתְגַּלְּתָה, הִתְגַּלֵּינוּ, הִתְגַּלֵּיתֶם, הִתְגַּלֵּיתֶן, הִתְגַּלּוּ

הווה מִתְגַּלֶּה, מִתְגַּלֵּית, מִתְגַּלִּים, מִתְגַּלּוֹת

עתיד אֶתְגַּלֶּה, תִּתְגַּלֶּה, תִּתְגַּלִּי, יִתְגַּלֶּה, תִּתְגַּלֶּה, נִתְגַּלֶּה, תִּתְגַּלּוּ, יִתְגַּלּוּ

ציווי הִתְגַּלֵּה, הִתְגַּלִּי, הִתְגַּלּוּ

מרוּבּעים

פִּיעֵל:

עבר גִּלְגַּלְתִּי, גִּלְגַּלְתָּ, גִּלְגַּלְתְּ, גִּלְגֵּל, גִּלְגְּלָה, גִּלְגַּלְנוּ, גִּלְגַּלְתֶּם,־תֶּן, גִּלְגְּלוּ

הווה מְגַלְגֵּל, מְגַלְגֶּלֶת, מְגַלְגְּלִים, מְגַלְגְּלוֹת

עתיד אֲגַלְגֵּל, תְּגַלְגֵּל, תְּגַלְגְּלִי, יְגַלְגֵּל, תְּגַלְגֵּל, נְגַלְגֵּל, תְּגַלְגְּלוּ, יְגַלְגְּלוּ

ציווי גַּלְגֵּל, גַּלְגְּלִי, גַּלְגְּלוּ

פּוּעַל:

עבר גּוּלְגַּלְתִּי, גּוּלְגַּלְתָּ, גּוּלְגַּלְתְּ, גּוּלְגַּל, גּוּלְגְּלָה, גּוּלְגַּלְנוּ, גּוּלְגַּלְתֶּם,־תֶּן, גּוּלְגְּלוּ

הווה מְגוּלְגָּל, מְגוּלְגֶּלֶת, מְגוּלְגָּלִים, מְגוּלְגָּלוֹת

עתיד אֲגוּלְגַּל, תְּגוּלְגַּל, תְּגוּלְגְּלִי, יְגוּלְגַּל, תְּגוּלְגַּל, נְגוּלְגַּל, תְּגוּלְגְּלוּ, יְגוּלְגְּלוּ

הִתְפַּעֵל:

עבר הִתְגַּלְגַּלְתִּי, הִתְגַּלְגַּלְתָּ, הִתְגַּלְגַּלְתְּ, הִתְגַּלְגֵּל, הִתְגַּלְגְּלָה, הִתְגַּלְגַּלְנוּ הִתְגַּלְגַּלְתֶּם,־תֶּן, הִתְגַּלְגְּלוּ

הווה מִתְגַּלְגֵּל, מִתְגַּלְגֶּלֶת, מִתְגַּלְגְּלִים, מִתְגַּלְגְּלוֹת

עתיד אֶתְגַּלְגֵּל, תִּתְגַּלְגֵּל, תִּתְגַּלְגְּלִי, יִתְגַּלְגֵּל, תִּתְגַּלְגֵּל, נִתְגַּלְגֵּל, תִּתְגַּלְגְּלוּ, יִתְגַּלְגְּלוּ

ציווי הִתְגַּלְגֵּל, הִתְגַּלְגְּלִי, הִתְגַּלְגְּלוּ

DECLENSION OF HEBREW NOUNS

שׁוּלְחָן (זָכָר יָחִיד)

שׁוּלְחָנִי, שׁוּלְחָנְךָ, שׁוּלְחָנֵךְ, שׁוּלְחָנוֹ, שׁוּלְחָנָהּ, שׁוּלְחָנֵנוּ, שׁוּלחַנְכֶם, שׁוּלחַנְכֶן,
שׁוּלְחָנָם, שׁוּלְחָנָן.

בַּיִת (זָכָר יָחִיד)

בֵּיתִי, בֵּיתְךָ, בֵּיתֵךְ, בֵּיתוֹ, בֵּיתָהּ, בֵּיתֵנוּ, בֵּיתְכֶם, בֵּיתְכֶן, בֵּיתָם, בֵּיתָן.

סֵפֶר (זָכָר יָחִיד)

סִפְרִי, סִפְרְךָ, סִפְרֵךְ, סִפְרוֹ, סִפְרָהּ, סִפְרֵנוּ, סִפְרְכֶם, סִפְרְכֶן, סִפְרָם,
סִפְרָן.

אֲדָמָה (נְקֵבָה – יְחִידָה)

אַדְמָתִי, אַדְמָתְךָ, אַדְמָתֵךְ, אַדְמָתוֹ, אַדְמָתָהּ, אַדְמָתֵנוּ, אַדְמַתְכֶם, אַדְמַתְכֶן,
אַדְמָתָם, אַדְמָתָן.

סְפָרִים (זָכָר – רַבִּים)

סְפָרַיי, סְפָרַיִךְ, סְפָרַיִךְ, סְפָרָיו, סְפָרֶיהָ, סְפָרֵינוּ, סִפְרֵיכֶם, סִפְרֵיכֶן,
סִפְרֵיהֶם, סִפְרֵיהֶן.

מַחְבָּרוֹת (נְקֵבָה – רַבּוֹת)

מַחְבְּרוֹתַיי, מַחְבְּרוֹתֶיךָ, מַחְבְּרוֹתַיִךְ, מַחְבְּרוֹתָיו, מַחְבְּרוֹתֶיהָ, מַחְבְּרוֹתֵינוּ,
מַחְבְּרוֹתֵיכֶם, מַחְבְּרוֹתֵיכֶן, מַחְבְּרוֹתֵיהֶם, מַחְבְּרוֹתֵיהֶן.

DECLENSION OF HEBREW PREPOSITIONS

אֶת – אִתִּי, אִתְּךָ, אִתָּךְ, אִתּוֹ, אִתָּהּ, אִתָּנוּ, אִתְּכֶם, אִתְּכֶן, אִתָּם, אִתָּן.

אֶת – אוֹתִי, אוֹתְךָ, אוֹתָךְ, אוֹתוֹ, אוֹתָהּ, אוֹתָנוּ, אֶתְכֶם, אֶתְכֶן, אוֹתָם, אוֹתָן.

שֶׁל – שֶׁלִּי, שֶׁלְּךָ, שֶׁלָּךְ, שֶׁלּוֹ, שֶׁלָּהּ, שֶׁלָּנוּ, שֶׁלָּכֶם, שֶׁלָּכֶן, שֶׁלָּהֶם, שֶׁלָּהֶן.

עַל – עָלַיי, עָלֶיךָ, עָלַיִךְ, עָלָיו, עָלֶיהָ, עָלֵינוּ, עֲלֵיכֶם, עֲלֵיכֶן, עֲלֵיהֶם, עֲלֵיהֶן.

אֵצֶל – אֶצְלִי, אֶצְלְךָ, אֶצְלֵךְ, אֶצְלוֹ, אֶצְלָהּ, אֶצְלֵנוּ, אֶצְלְכֶם, אֶצְלְכֶן, אֶצְלָם,
אֶצְלָן.

אֶל – אֵלַיי, אֵלֶיךָ, אֵלַיִךְ, אֵלָיו, אֵלֶיהָ, אֵלֵינוּ, אֲלֵיכֶם, אֲלֵיכֶן, אֲלֵיהֶם, אֲלֵיהֶן.

בְּ – בִּי, בְּךָ, בָּךְ, בּוֹ, בָּהּ, בָּנוּ, בָּכֶם, בָּכֶן, בָּהֶם, בָּהֶן.
לְ – לִי, לְךָ, לָךְ, לוֹ, לָהּ, לָנוּ, לָכֶם, לָכֶן, לָהֶם, לָהֶן.
מִן – מִמֶּנִּי, מִמְּךָ, מִמֵּךְ, מִמֶּנּוּ, מִמֶּנָּה, מִמֶּנּוּ (מאתנו), מִכֶּם, מִכֶּן, מֵהֶם, מֵהֶן.

HEBREW CARDINAL AND ORDINAL NUMBERS

feminine			masculine
אַחַת, רִאשׁוֹנָה	1	א	אֶחָד, רִאשׁוֹן
שְׁתַּיִם, שְׁנִיָּה	2	ב	שְׁנַיִם, שֵׁנִי
שָׁלוֹשׁ, שְׁלִישִׁית	3	ג	שְׁלוֹשָׁה, שְׁלִישִׁי
אַרְבַּע, רְבִיעִית	4	ד	אַרְבָּעָה, רְבִיעִי
חָמֵשׁ, חֲמִישִׁית	5	ה	חֲמִשָּׁה, חֲמִישִׁי
שֵׁשׁ, שִׁשִּׁית	6	ו	שִׁשָּׁה, שִׁשִּׁי
שֶׁבַע, שְׁבִיעִית	7	ז	שִׁבְעָה, שְׁבִיעִי
שְׁמוֹנֶה, שְׁמִינִית	8	ח	שְׁמוֹנָה, שְׁמִינִי
תֵּשַׁע, תְּשִׁיעִית	9	ט	תִּשְׁעָה, תְּשִׁיעִי
עֶשֶׂר, עֲשִׂירִית	10	י	עֲשָׂרָה, עֲשִׂירִי

After ten, the ordinal number is formed by adding the definite article, e.g. הָאַחַת עֶשְׂרֵה, הַשְּׁלוֹשִׁים. In multiples of ten, hundreds etc., there is no distinction brtween masculine and feminine.

אַחַת־עֶשְׂרֵה	11	י״א	אַחַד־עָשָׂר
שְׁתֵּים־עֶשְׂרֵה	12	י״ב	שְׁנֵים־עָשָׂר
שְׁלוֹשׁ־עֶשְׂרֵה	13	י״ג	שְׁלוֹשָׁה־עָשָׂר
אַרְבַּע־עֶשְׂרֵה	14	י״ד	אַרְבָּעָה־עָשָׂר
חֲמֵשׁ־עֶשְׂרֵה	15	ט״ו	חֲמִשָּׁה־עָשָׂר
שֵׁשׁ־עֶשְׂרֵה	16	ט״ז	שִׁשָּׁה־עָשָׂר
שְׁבַע־עֶשְׂרֵה	17	י״ז	שִׁבְעָה־עָשָׂר
שְׁמוֹנֶה־עֶשְׂרֵה	18	י״ח	שְׁמוֹנָה עָשָׂר

feminine			masculine
תְּשַׁע־עֶשְׂרֵה	19	י״ט	תִּשְׁעָה־עָשָׂר
עֶשְׂרִים	20	כ	עֶשְׂרִים
עֶשְׂרִים וְאַחַת	21	כ״א	עֶשְׂרִים וְאֶחָד
שְׁלוֹשִׁים	30	ל	שְׁלוֹשִׁים
אַרְבָּעִים	40	מ	אַרְבָּעִים
חֲמִישִּׁים	50	נ	חֲמִישִּׁים
שִׁשִּׁים	60	ס	שִׁשִּׁים
שִׁבְעִים	70	ע	שִׁבְעִים
שְׁמוֹנִים	80	פ	שְׁמוֹנִים
תִּשְׁעִים	90	צ	תִּשְׁעִים
מֵאָה	100	ק	מֵאָה
מָאתַיִם	200	ר	מָאתַיִם
שְׁלוֹשׁ מֵאוֹת	300	ש	שְׁלוֹשׁ מֵאוֹת
אֶלֶף	1,000	א̅	אֶלֶף
אַלְפַּיִם	2,000	ב̅	אַלְפַּיִם
שְׁלוֹשֶׁת אֲלָפִים	3,000	ג̅	שְׁלוֹשֶׁת אֲלָפִים
חֲמֵשֶׁת אֲלָפִים מָאתַיִם שְׁלוֹשִׁים וְחָמֵשׁ	5,235	ה̅רלה	חֲמֵשֶׁת אֲלָפִים מָאתַיִם שְׁלוֹשִׁים וַחֲמִישָׁה

A

A, a *n* אֵי (האות הראשונה
באלפבית)
a, an *adj* תָּוִית מְסַתֶּמֶת; אֶחָד
A *abbr* (ראשי תיבות של
היסוד הכימי) אַרגון
aback *adv* אָחוֹרָה, לְאָחוֹר
(לגבי מפרשים)
abaft *prep, adv* מֵאֲחוֹרֵי, לְאָחוֹר
abandon *vt* נָטַשׁ, הִפְקִיר
abandon *n* מוּפקָרוּת, פְּרִיצוּת
abase *vt* הִשְׁפִּיל, בִּיזָּה
abash *vt* הֵבִיךְ; בִּיֵּישׁ; הִכלִים
abate *vt, vi* הִפחִית; פָּחַת
abatis *n* מַחסוֹם עֵצִים
abbess *n* (אישה) רֹאשׁ מִנזָר
abbey *n* מִנזָר
abbot *n* רֹאשׁ מִנזָר
abbreviate *vt* קִיצֵּר, נִטרֵק
abbreviation *u* קִיצּוּר, רָאשֵׁי תֵּיבוֹת
A.B.C. אָלֶף־בֵּית
abdicate *vt, vi* יָצָא בְּדִימוֹס, הִתפַּטֵּר
abdomen *n* בֶּטֶן, כָּרֵס
abduct *vt* כָּלָא; חָטַף בְּכוֹחַ
abed *adv* בַּמִּיטָּה, בִּשְׁכִיבָה
abet *vt* סִייֵּעַ לִדבַר עֲבֵירָה
abeyance *n* הַשְׁהָיָה, אִי־הַפעָלָה
זְמַנִּית
abhor *vt* תִּיעֵב, סָלַד בּ...,
שִׁיקֵּץ, בָּחַל בּ...
abhorrent *adj* מְעוֹרֵר גוֹעַל, מַסלִיד

abide *vt, vi* נִשׁאַר, הִמשִׁיךְ;
נִשׁאַר נֶאֱמָן ל...
ability *n* כּוֹשֶׁר; יְכוֹלֶת
abject *adj* מוּשׁפָּל, שָׁפָל, נִתעָב
ablative *adj* (בדקדוק) אַבּלָטִיבִי
ablaut *n* (בדקדוק) שִׁינּוּי תְּנוּעָה
ablaze *adj, adv* בּוֹעֵר; בְּאֵשׁ, בְּלֶהָבוֹת
able *adj* מְסוּגָּל; מוּכשָׁר, כִּשׁרוֹנִי
able-bodied *adj* כָּשִׁיר
abloom *adv* בִּפרִיחָה
abnormal *adj* לֹא תָּקִין, לֹא נוֹרמָלִי,
חָרִיג
aboard *adv, prep* עַל גַּבֵּי, עַל, בּ...
(אונייה)
abode *n* דִּירָה, מְגוּרִים, בַּיִת
abolish *vt* בִּיטֵּל, חִיסֵּל
A–bomb *n* פִּצְצַת־אָטוֹם
abomination *n* תִּיעוּב; תּוֹעֵבָה
aborigines *n pl* הַתּוֹשָׁבִים הַמְּקוֹרִיִּים
abort *vt, vi* הִפִּילָה (עוּבָּר)
abortion *n* הַפָּלָה; נֵפֶל
abound *vi* שָׁפַע, הָיָה מְשׁוּפָּע
about *prep* עַל, עַל אוֹדוֹת, בְּנוֹגֵעַ
ל..., בִּדבַר־; בְּעֵרֶךְ, קָרוֹב ל...;
סָבִיב ל...
about *adv* כִּמעַט; קָרוֹב, מִסָּבִיב;
לְאָחוֹר; הֵנָּה וָהֵנָּה
above *prep* עַל, מֵעַל; גָּבוֹהַּ מִן
above *adv* מֵעַל, שֶׁלְּמַעלָה; לְעֵיל
above *adj* נִזכָּר לְעֵיל, נ״ל

above-mentioned *adj* הַנִּזְכָּר לְעֵיל, הַנַּ״ל
abrasive *n* (חומר) שׁוֹחֵק, מְשַׁפְשֵׁף
abrasive *adj* שׁוֹרֵט, מְגָרֶה
abreast *adv* בְּשׁוּרָה אַחַת, זֶה בְּצַד זֶה
abridge *vt* קִיצֵּר; צִמְצֵם
abroad *adv* בְּחוּץ־לָאָרֶץ; בַּחוּץ
abrupt *adj* נִמְהָר (בשׂיחה); לְלֹא נִימּוּס יֶתֶר; פִּתְאוֹמִי
abscess *n* מוּרְסָה, כִּיב
abscond *vi* בָּרַח; הִתְחַמֵּק
absence *n* הֵיעָדְרוּת; חוֹסֶר
absent *adj* חָסֵר, נֶעְדָּר
absent *v refl* הִסְתַּלֵּק; הֶחְסִיר
absentee *n* סְתַלְּקָן, נֶעְדָּר
absent-minded *adj* מְפוּזָּר, פְּזוּר־נֶפֶשׁ
absinthe *n* אַבְּסִינת
absolute *adj* שָׁלֵם, מוּחְלָט
absolutely *adv* בְּהֶחְלֵט, בְּוַדַּאי; בִּשְׁרִירוּת; לְלֹא סְיָיג
absolve *vt* פָּטַר מֵעוֹנֶשׁ
absorb *vt* סָפַג; קָלַט
absorbent *adj* סוֹפֵג; קוֹלֵט
absorbing *adj* מוֹשֵׁךְ לֵב, מְרַתֵּק
abstain *vi* נִמְנַע; הִתְנַזֵּר
abstemious *adj* מִסְתַּפֵּק בְּמוּעָט
abstinent *adj* מִתְנַזֵּר, פָּרוּשׁ
abstract *adj* מוּפְשָׁט; לֹא מוּחָשׁ
abstract *n* תַּמְצִית, תַּקְצִיר
abstract *vt* הֶחְסִיר; גָּנַב, ׳סָחַב׳
abstruse *adj* קָשֶׁה לַהֲבָנָה, מוּקְשֶׁה
absurd *adj* מְגוּחָךְ, טִיפְּשִׁי, אַבְּסוּרְדִי
absurdity *n* טִיפְּשׁוּת, דָּבָר מְגוּחָךְ
abundant *adj* מָצוּי בְּשֶׁפַע, שׁוֹפֵעַ
abuse *vt* הִשְׁתַּמֵּשׁ לְרָעָה; הִתְעַלֵּל בּ...; גִּידֵּף
abuse *n* שִׁימּוּשׁ לְרָעָה; הִתְעַלְּלוּת גִּידּוּף
abusive *adj* פּוֹגְעָנִי, מַעֲלִיב
abut *vi* גָּבַל עִם, נִשְׁעַן עַל
abutment *n* יַרְכָּה, מַשְׁעֵנָה
abyss *n* תְּהוֹם
academic *adj* אֲקָדֶמָאִי, אֲקָדֵמִי; עִיּוּנִי, לֹא מַעֲשִׂי
academician *n* חֲבֵר אֲקָדֶמְיָה
academy *n* אֲקָדֶמְיָה
accede *vi* נַעֲנָה, הִסְכִּים; נִכְנַס (לתפקיד)
accelerate *vt, vi* הֵאִיץ, הִגְבִּיר מְהִירוּת
accelerator *n* מֵחִישׁ, מֵאִיץ; דַּוְושַׁת הַדֶּלֶק (בּרכב מנועי)
accent *n* נַחַץ, הַטְעָמָה; טַעַם, תָּג; מִבְטָא, אַקְצֶנְט
accentuate *vt* הִדְגִּישׁ, הִטְעִים
accept *vt* קִיבֵּל, הִסְכִּים; הִשְׁלִים עִם; נַעֲנָה ל...
acceptable *adj* רָאוּי לְהִתְקַבֵּל, רָצוּי
acceptance *n* הִתְקַבְּלוּת; קַבָּלָה מֵרָצוֹן
access *n* כְּנִיסָה, זְכוּת כְּנִיסָה, גִּישָׁה
accessary, accessory *n* אַבְזָר; מְסַיֵּיעַ לִדְבַר עֲבֵירָה
accessible *adj* נוֹחַ לְגִישָׁה, נָגִישׁ
accession *n* הַגָּעָה (לזכויות, למעמד וכד׳); תּוֹסֶפֶת; הֵיעָנוּת
accident *n* תְּאוּנָה, תַּקָּלָה
accidental *adj* מִקְרִי

acclaim *vt* הֵרִיעַ
acclaim *n* תְּרוּעוֹת, תְּשׁוּאוֹת
acclimatize, acclimate *vt, vi* אִקְלֵם; הִתְאַקְלֵם
accolade *n* אוֹת הַעֲנָקַת תּוֹאַר אַבִּיר, עִיטוּר
accommodate *vt, vi* אִכְסֵן, אֵירֵחַ; הִתְאִים
accommodating *adj* נוֹחַ; גָּמִישׁ, מִסְתַּגֵּל
accommodation *n* אִכְסוּן; תֵּיאוּם, הַתְאָמָה
accompaniment *n* לִיוּוּי
accompanist *n* מְלַוֶּה; לַוַּאי (בְּמוּסִיקָה בִּלְבַד)
accompany *vt* לִיוָּה, נִלְוָה
accomplice *n* שׁוּתָּף לִדְבַר עֲבֵירָה
accomplish *vt* בִּיצֵּעַ, הִגְשִׁים; הִשְׁלִים
accomplished *adj* מוּגְמָר, מוּשְׁלָם
accomplishment *n* הַשְׁלָמָה; הַגְשָׁמָה; הֶישֵּׂג; סְגוּלָה, מַעֲלָה
accord *vt, vi* תָּאַם, הִתְאִים; הֶעֱנִיק
accord *n* תֵּיאוּם, הַתְאָמָה; תַּצְלִיל, אַקּוֹרְד; הַסְכָּמָה, הֶסְכֵּם
accordance *n* תֵּיאוּם, הֶתְאֵם
according *adv* לְפִי, אַלִּיבָּא ד...
accordingly *adv* לְפִיכָךְ, אִי לְכָךְ
accordion *n* מַפּוּחוֹן, אַקּוֹרְדִיּוֹן
accost *vt* קָרַב, נִיגַּשׁ; הִזְמִינָה (לִזְנוּת)
accouchement *n* תְּקוּפַת הַלֵּידָה
account *n* חֶשְׁבּוֹן; דִּין וְחֶשְׁבּוֹן; הֶסְבֵּר; עֵרֶךְ, חֲשִׁיבוּת
account *vt, vi* הִסְבִּיר; דִּיוֵּחַ; חָשַׁב הֶעֱרִיךְ
accountable *adj* אַחֲרָאִי
accountant *n* חֶשְׁבּוֹנַאי, מְנַהֵל חֶשְׁבּוֹנוֹת
accounting *n* נִיהוּל חֶשְׁבּוֹנוֹת, חֶשְׁבּוֹנָאוּת
accoutrements *n pl* חֲלִיצָה, בִּגְדֵי שְׂרָד; חֲגוֹר
accredit *vt* הִסְמִיךְ, יִיפָּה כּוֹחַ
accrue *vi* צָמַח, הִתְרַבָּה, הִצְטַבֵּר
accumulate *vt, vi* צָבַר; נִצְטַבֵּר
accuracy *n* דִּיּוּק, דַּיְיקָנוּת
accurate *adj* מְדוּיָּק, דַּיְיקָנִי
accusation *n* הַאֲשָׁמָה, אִישׁוּם
accusative *n* יַחַס הַפָּעוּל
accuse *vt* הֶאֱשִׁים
accustom *vt* הִרְגִּיל
ace *n* יְחִידָה, אַחַת (בִּקְלָפִים וּבְקוּבִּיּוֹת); אַלּוּף, מוּמְחֶה
acetate *n* אֲצֵטָט
acetic *adj* שֶׁל חוֹמֶץ, חוּמְצִי
acetic acid *n* חוֹמֶץ, חוּמְצָה אֲצֵטִית
acetify *vt* חִימֵּץ, עָשָׂה לְחוֹמֶץ
acetone *n* אֲצֵטוֹן
acetylene *n* אֲצֵטִילִין
acetylene torch *n* מַבְעֵר אֲצֵטִילִין
ache *vi* כָּאַב; סָבַל כְּאֵב
ache *n* כְּאֵב, מַכְאוֹב
achieve *vt* הִגְשִׁים, הִשִּׂיג
achievement *n* הֶישֵּׂג, הַגְשָׁמָה
Achilles' heel *n* עֲקֵב אֲכִילֶס
acid *adj* חָמוּץ; חוּמְצָתִי; חָמִיץ
acid *n* חוּמְצָה
acidify *vt, vi* הָפַךְ לְחוּמְצָה
acidity *n* חוּמְצָתִיּוּת; חֲמִיצוּת
ack-ack *n* אֵשׁ נֶגֶד מְטוֹסִים, נ"מ

acknowledge *vt* הוֹדָה ב...; הִכִּיר ב...; אִישֵּׁר
acknowledgement *n* אִישּׁוּר; הַכָּרָה; הַבָּעַת תּוֹדָה
acme *n* שִׂיא, תַּכְלִית הַשְּׁלֵמוּת
acolyte *n* שַׁמָּשׁ (בכנסיה), חָנִיךְ, טִירוֹן
acorn *n* בַּלּוּט, אִצְטְרוּבָּל
acoustic *adj* אָקוּסְטִי, שְׁמִיעוּתִי
acoustics *n pl* תּוֹרַת הַקּוֹל
acquaint *vt* וִידֵּעַ, הִכִּיר; הִצִּיג
acquaintance *n* מַכָּר; הֶיכֵּרוּת
acquiesce *vi* הִסְכִּים
acquiescence *n* הַסְכָּמָה
acquire *vt* רָכַשׁ לְעַצְמוֹ, הִשִּׂיג; קָנָה
acquisition *n* רְכִישָׁה; קִנְיָן חָשׁוּב
acquit *vt, vi* זִיכָּה; שִׁילֵּם (חוב); קִיֵּם (חובה)
acquittal *n* זִיכּוּי
acrid *adj* חָרִיף, צוֹרֵב
acrobat *n* לוּלְיָן, אַקְרוֹבָּט
acrobatic *adj* לוּלְיָנִי, אַקְרוֹבָּטִי
acrobatics *n pl* לוּלְיָנוּת, אַקְרוֹבָּטִיקָה
acronym *n* מִלַּת נטרוק, אַקְרוֹנִים
acropolis *n* אַקְרוֹפּוֹלִיס, מְצוּדַת הָעִיר
across *prep* לָרוֹחַב, בַּחֲצִיָּיה, מֵעֵבֶר
across *adv* בָּעֵבֶר הַשֵּׁנִי; דֶּרֶךְ
across-the-board *adj* כָּל כּוּלּוֹ, לְלֹא יוֹצֵא מֵהַכְּלָל
acrostic *n* אַקְרוֹסְטִיכוֹן
act *n* מַעֲשֶׂה, פְּעוּלָּה; חוֹק; מַעֲרָכָה (במחזה); מוּצָג (בקרקס)
act *vt, vi* פָּעַל, מִילֵּא תַּפְקִיד, שִׁימֵּשׁ; שִׂיחֵק (במחזה); הֶעֱמִיד פָּנִים

acting *adj* ־בְּפוֹעַל, מְמַלֵּא מָקוֹם; פּוֹעֵל
action *n* פְּעוּלָּה, מַעֲשֶׂה, תְּבִיעָה לְמִשְׁפָּט; קְרָב
activate *vt* שִׁפְעֵל, תִּפְעֵל, הִפְעִיל
active *adj* פָּעִיל; פְּעַלְתָּנִי; זָרִיז
activity *n* פְּעִילוּת, פְּעַלְתָּנוּת
actor *n* שַׂחְקָן
actress *n* שַׂחְקָנִית
actual *adj* מַמָּשִׁי
actually *adv* לְמַעֲשֶׂה, לַאֲמִיתּוֹ שֶׁל דָּבָר
actuary *n* אַקְטוּאָר, מַעֲרִיךְ
actuate *vt* הֵנִיעַ; הִפְעִיל, תִּפְעֵל
acuity *n* חַדּוּת, חֲרִיפוּת
acumen *n* טְבִיעַת־עַיִן, מְהִירוּת תְּפִיסָה
acute *adj* חַד, חָרִיף; צוֹרֵב; חָמוּר
ad *abbr* מוֹדָעָה
A.D. – anno domini לִספִירַת הַנּוֹצְרִים
adage *n* מֵימְרָה, פִּתְגָם
Adam *n* אָדָם
adamant *adj* מִתְעַקֵּשׁ
Adam's apple *n* תַּפּוּחַ־אָדָם, פִּיקַת הַגַּרְגֶּרֶת
adapt *vt* סִיגֵּל, הִתְאִים, תֵּיאֵם, עִיבֵּד
adaptation *n* עִיבּוּד; סִיגּוּל, הִסְתַּגְּלוּת
add *vt* חִיבֵּר, צֵירֵף; הוֹסִיף
adder *n* פֶּתֶן, אֶפְעֶה
addict *v refl* הִתְמַכֵּר, הָיָה שָׁטוּף
addict *n* שָׁטוּף, מִתְמַכֵּר
addiction *n* הִתְמַכְּרוּת, שְׁטִיפוּת
adding machine *n* מְכוֹנַת סִיכּוּם
addition *n* הוֹסָפָה; מוּסָף; תּוֹסֶפֶת

additive *n, adj* צֵירוּף; נוֹסָף; מִתְווַסֵּף
address *n* כְּתוֹבֶת, מַעַן; נְאוּם
address *vt* פָּנָה בִּדְבָרִים; כָּתַב כְּתוֹבֶת
addressee *n* נִמְעָן
addressing machine *n* מְכוֹנָה מְמַעֶנֶת
adduce *vt* הֵבִיא רְאָיָה, הוֹכִיחַ
adenoids *n pl* פּוֹלִיפִּים
adept *n, adj* מוּמְחֶה, מְיוּמָּן
adequate *adj* מַסְפִּיק, דַּיּוֹ
adhere *vi* דָּבַק בּ...; דָּגַל בּ...
adherence *n* תְּמִיכָה, נֶאֱמָנוּת, דְּבֵקוּת
adherent *adj* חָסִיד, נֶאֱמָן
adhesion *n* דְּבֵקוּת, נֶאֱמָנוּת
adhesive *adj* דָּבִיק, נִצְמָד
adhesive tape *n* סֶרֶט דָּבִיק
adieu *int, n* שָׁלוֹם (לפרידה)
adjacent *adj* סָמוּךְ, גּוֹבֵל
adjective *n, adj* תּוֹאַר־הַשֵּׁם; תָּלוּי
adjoin *vt* גָּבַל עִם
adjoining *adj* סָמוּךְ, גּוֹבֵל
adjourn *vt, vi* הִפְסִיק; הוּפְסַק
adjournment *n* דְּחִיָּיה; הַפְסָקָה
adjust *vt* הִתְאִים, סִיגֵּל; תִּיקֵּן; הִסְדִּיר
adjustable *adj* סָגִיל, נִיתָּן לְהַתְאָמָה
adjustment *n* תִּיקּוּן, הַתְאָמָה; הִסְתַּגְּלוּת
adjutant *n* שָׁלִישׁ; עוֹזֵר
adjutant bird *n* חֲסִידָה הוֹדִית (גדולה ביותר)
Adjutant General *n* שָׁלִישׁ רָאשִׁי, רַב־שָׁלִישׁ
ad lib *vt, vi* אִלְתֵּר חוֹפְשִׁית
administer *vt, vi* נִיהֵל; הִנְהִיג
administrator *n* אֲמַרְכָּל, מְנַהֵל
admiral *n* אַדְמִירָל, מְפַקֵּד חֵיל־יָם
admiralty *n* אַדְמִירָלִיּוּת
admire *vt* הֶעֱרִיץ; הִתְפַּעֵל
admirer *n* מַעֲרִיץ; חָסִיד
admissible *adj* קָבִיל; מוּתָּר
admission *n* הַכְנָסָה, כְּנִיסָה; הוֹדָאָה
admit *vt, vi* הִכְנִיס, הִרְשָׁה לְהִיכָּנֵס; הוֹדָה
admittance *n* רְשׁוּת כְּנִיסָה
admonish *vt* הוֹכִיחַ, הִזְהִיר
ado *n* הֲמוּלָּה, טוֹרַח
adobe *n* לְבֵנָה מֵחוֹמֶר; בֵּית חוֹמֶר
adolescence *n* הִתְבַּגְּרוּת
adolescent *n, adj* מִתְבַּגֵּר
adopt *vt* אִימֵּץ
adoption *n* אִימּוּץ
adorable *adj* (דיבורית) נֶחְמָד, חָמוּד
adore *vt* הֶעֱרִיץ; (דיבורית) חִיבֵּב בְּיוֹתֵר, אָהַב
adorn *vt* יִיפָּה; קִישֵּׁט
adornment *n* יִיפּוּי; קִישּׁוּט; תַּכְשִׁיט
adrenal gland *n* בַּלּוּטַת הַכְּלָיוֹת
Adriatic *n, adj* הַיָּם הָאַדְרִיאָטִי; אַדְרִיאָטִי
adrift *adv, predic adj* נִטְרָד; נִישָּׂא בָּרוּחַ אוֹ בַּזֶּרֶם
adroit *adj* זָרִיז, פִּקְחִי
adult *n* מְבוּגָּר, בּוֹגֵר
adult *adj* בָּגוּר, בָּשֵׁל
adulterer *n* נוֹאֵף, זַנַּאי
adulteress *n* מְנָאֶפֶת
adultery *n* נִיאוּף, נַאֲפוּפִים

advance *n* הִתקַדְּמוּת, עֲלִייָה
advance *vt, vi* קִידֵּם; הִתקַדֵּם; שִׁלֵּם מֵרֹאשׁ
advanced *adj* קְדוּמָנִי; מִתקַדֵּם
advancement *n* הִתקַדְּמוּת; עֲלִייָה בְּדַרגָה
advances *n pl* תְּמרוּנֵי אַהֲבָה
advantage *n* יִתרוֹן, מַעֲלָה; תּוֹעֶלֶת, רֶוַח
advantageous *adj* מוֹעִיל; מֵקֵל, נוֹחַ; מַכנִיס
advantageously *adv* בְּיִתרוֹן, בְּרֶוַח
advent *n* הוֹפָעָה, הִתגַּלּוּת
adventure *n* הַרפַּתקָה
adventure *vt, vi* הֵעֵז; הִסתַּכֵּן
adventurer *n* הַרפַּתקָן
adventuresome *adj* נוֹעָז, הַרפַּתקָנִי
adventuress *n* הַרפַּתקָנִית
adventurous *adj* נוֹטֶה לְהַרפַּתקָנוּת
adversary *n* יָרִיב; מִתחָרֶה
adversity *n* רוֹעַ הַגּוֹרָל; מְצוּקָה
advertise *vt* פִּרסֵם, הִדפִּיס מוֹדָעָה, עָשָׂה פִּרסוֹמֶת
advertisement *n* מוֹדָעָה
advertiser *n* מְפַרסֵם
advertising *n* פִּרסוּם בְּמוֹדָעוֹת; פִּרסוּם
advertising man *n* סוֹכֵן מוֹדָעוֹת
advice *n* עֵצָה; יְדִיעָה
advisable *adj* רָצוּי, מוּמלָץ
advise *vt, vi* יָעַץ, יִיעֵץ, הִמלִיץ; הוֹדִיעַ
advisement *n* שִׁיקּוּל־דַּעַת
advisory *adj* מְייָעֵץ
advocate *vt* הִמלִיץ בְּפוּמבֵּי; דָּגַל בּ...
advocate *n* עוֹרֵךְ־דִּין, פְּרַקלִיט; חָסִיד
Aegean Sea *n* הַיָּם הָאֵיגֵאִי
aegis *n* מָגֵן, חָסוּת
aerate *vt* אִוורֵר; חִמצֵן
aerial *adj* אֲוִירִי
aerial *n* מְשׁוֹשָׁה, אַנטֶנָּה
aerialist *n* טַרפֵּזָן, לוּליָין
aerodrome *n* שְׂדֵה תְּעוּפָה
aerodynamics *n pl* אֵירוֹדִינָמִיקָה
aeronaut *n* טַיַּיס כַּדּוּר פּוֹרֵחַ
aeronautics *n pl* אֲוִירוֹנוֹטִיקָה
aerosol *n* תְּמִיסָווִיר, אֶרוֹסוֹל
aerospace *n* הֶחָלָל (הסמוך לכדור־הארץ)
aesthete *n* אֶסתֵּטִיקָן
aesthetic *adj* אֶסתֵּטִי
aesthetics *n pl* אֶסתֵּטִיקָה, תּוֹרַת הַיָּפֶה
afar *adv* רָחוֹק, הַרחֵק
affable *adj* חָבִיב, נְעִים הֲלִיכוֹת
affair *n* מַעֲשֶׂה, עִניָין; עֵסֶק; עִיסוּק
affect *vt* הִשׁפִּיעַ עַל, פָּעַל עַל; נָגַע עַד לֵב
affectation *n* הַעֲמָדַת־פָּנִים
affected *adj* מְעוּשֶׂה; (על אדם) מְזוּיָּף בְּנִימוּסָיו; מוּשׁפָּע
affection *n* חִיבָּה
affectionate *adj* מְחַבֵּב, מַבִּיעַ חִיבָּה
affidavit *n* תַּצהִיר, הַצהָרָה בִּשׁבוּעָה
affiliate *vt, vi* קִיבֵּל כְּחָבֵר; הִצטָרֵף
affinity *n* זִיקָה; הִימָּשְׁכוּת
affirm *vt, vi* אִישֵּׁר בְּתוֹקֶף; הִצהִיר
affirmative *adj* מְאַשֵּׁר, חִיּוּבִי
affix *vt* קָבַע; טָבַע; צֵירֵף

affix *n* תּוֹסֶפֶת, הוֹסָפָה
afflict *vt* יִיסֵּר, הִכְאִיב, הֵצִיק
affliction *n* פֶּגַע, סֵבֶל
affluence *n* שֶׁפַע; עוֹשֶׁר
afford *vt* הָיָה יָכוֹל; עָמַד בּ...
affray *n* מְהוּמָה, תִּגְרָה
affront *vt* הֶעֱלִיב, בִּיזָּה, בִּיֵּשׁ
affront *n* הַעֲלָבָה; דִבְרֵי עֶלְבּוֹן
Afghan *n* אַפְגָנִי; שְׂפַת אַפְגָנִיסְטָן
Afghanistan *n* אַפְגָנִיסְטָן
afire *adv*, *adj* בְּאֵשׁ; מוּצָּת
aflame *adv*, *adj* בְּלֶהָבוֹת; זוֹהֵר, מְשׁוּלְהָב
afloat *adv*, *adj* בַּיָּם; צָף
afoot *adv* בִּפְעוּלָּה; בְּשִׁימּוּשׁ
afoul *adv*, *adj* בְּתִסְבּוֹכֶת; מִסְתַּבֵּךְ
afraid *adj* מְפַחֵד, חוֹשֵׁשׁ
Africa *n* אַפְרִיקָה
African *n*, *adj* אַפְרִיקָנִי, אַפְרִיקָאִי
aft *adv* בַּיַּרְכָתַיִם, בַּחֵלֶק הָאֲחוֹרִי
after *prep* אַחֲרֵי, בְּעִיקְּבוֹת; עַל שֵׁם, בְּהֶתְאֵם ל...
after *adv* מֵאָחוֹר; מְאוּחָר יוֹתֵר
after *conj* לְאַחַר שֶׁ...
after-dinner *adj* שֶׁלְּאַחַר סְעוּדָה
after hours *adv* לְאַחַר שְׁעוֹת הָעֲבוֹדָה
afterlife *n* חַיֵּי הָעוֹלָם הַבָּא
aftermath *n* תּוֹצָאָה, עוֹלֵלוֹת
afternoon *n* אַחַר־הַצָּהֳרַיִם
aftertaste *n* טַעַם לְוַואי, טַעַם גְּרָר
afterthought *n* הִרְהוּר שֵׁנִי; תְּגוּבָה כִּלְאַחַר מַעֲשֶׂה
afterwards *adv* אַחַר־כָּךְ, לְאַחַר מִכֵּן
afterwhile *adv* בִּמְהֵרָה
afterworld *n* עוֹלָם הַבָּא
again *adv* שׁוּב, עוֹד פַּעַם
against *prep* כְּנֶגֶד; לְעֵבֶר, לִקְרַאת
agape *adj* פְּעוּר פֶּה
age *vt*, *vi* הִזְקִין, הִתְיַישֵּׁן, בָּלָה
age *n* גִּיל; תְּקוּפָה; אוֹרֶךְ־חַיִּים
aged *adj* זָקֵן, קָשִׁישׁ; בֶּן־
ageless *adj* שֶׁאֵינוֹ מַזְקִין
agency *n* סוֹכְנוּת, מִשְׂרָד מִסְחָרִי; שְׁלִיחוּת; אֶמְצָעִי
agenda *n* סֵדֶר הַיּוֹם; סֵדֶר פְּעוּלּוֹת
agent *n* סוֹכֵן; נָצִיג; אֶמְצָעִי
Age of Enlightenment *n* תְּקוּפַת הַהַשְׂכָּלָה
agglomeration *n* צוֹבֶר, גּוּשׁ; הִצְטַבְּרוּת
aggrandizement *n* הַאֲדָרָה
aggravate *vt* הֶחְמִיר, הֵרַע; הִרְגִּיז
aggregate *n*, *adj* סַךְ, סַךְ־הַכּוֹל; מְצוֹרָף, מְקוּבָּץ
aggression *n* תּוֹקְפָנוּת
aggressive *adj* תּוֹקְפָן, תּוֹקְפָנִי
aggressor *n* תּוֹקְפָן
aghast *adj* מוּכֵּה תַּדְהֵמָה
agile *adj* זָרִיז, קַל תְּנוּעָה
agitate *vt*, *vi* זִעְזַע; הֵסִית, סִכְסֵךְ; תִּיעֲמֵל
aglow *adv*, *adj* בְּלַהַט; בּוֹעֵר, לוֹהֵט
agnostic *adj*, *n* אַגְנוֹסְטִי
ago *adv* בֶּעָבָר, לְפָנִים
agog *adj*, *adv* בְּמַצַּב שֶׁל צִיפִּיָּה רַגְשָׁנִית
agony *n* יָגוֹן, יִיסּוּרִים
agrarian *adj* חַקְלָאִי, אַגְרָרִי

agree *vi* הִסכִּים; הָיָה תְּמִים־דֵעִים; תָּאַם
agreeable *adj* נָעִים; תּוֹאֵם; מוּכָן וּמְזוּמָּן
agreement *n* הַסכָּמָה; הֶסכֵּם; תְּמִימוּת־דֵעִים
agriculture *n* חַקלָאוּת
agronomy *n* אַגרוֹנוֹמְיָה
aground *adj, adv* עַל שִׂרטוֹן
ague *n* קַדַּחַת הַבִּיצוֹת; צְמַרמוֹרֶת; רְעָדָה
ahead *adv, adj* בְּרֹאשׁ; קָדִימָה, לִפנֵי
ahoy *interj* אֱהוֹי! (קריאת ספנים)
aid *n, vt* עֶזרָה, סִיוּעַ; עוֹזֵר; עָזַר
aide-de-camp *n* שָׁלִישׁ אִישִׁי
ail *vt, vi* הִכאִיב, הֵצִיק; כָּאַב, חָלָה
aileron *n* מַאֲזֶנֶת
ailing *adj* יְדוּעַ חוֹלִי
ailment *n* מֵיחוּשׁ, חוֹלִי, מַכאוֹב
aim *vt, vi* כִּיוּוֵן, כּוֹוֵן (כּלי־ ירייה); שָׁאַף, הִתכַּוֵּון
aim *n* כִּיוּוּן; מַטָּרָה, שְׁאִיפָה
air *vt, vi* אִוורֵר; הִבִּיעַ בְּפוּמבֵּי; הִתאַוורֵר
air *n* אֲוִויר; רוּחַ קַלָּה; מַנגִינָה
air-borne *adj* מוּטָּס
air-brake *n* בֶּלֶם־אֲוִויר
air-castle *n* מִגדָּל פּוֹרֵחַ בָּאֲוִויר
air-condition *n* מִיזּוּג־אֲוִויר
air-conditioned *adj* בְּמִיזּוּג־אֲוִויר
air-conditioning *n* מִיזּוּג־אֲוִויר
air corps *n pl* חֵיל־אֲוִויר
aircraft *n* מָטוֹס, כְּלִי־טִיסָה
aircraft-carrier *n* נוֹשֵׂא מְטוֹסִים
airdrome *n* שְׂדֵה תְּעוּפָה
airdrop *n* אַספָּקָה מוּצנַחַת
airfield *n* שְׂדֵה תְּעוּפָה
airfoil *n* מִשׁטַח אֲוִויר
air force *n* חֵיל אֲוִויר
air-gap *n* מִרווַח אֲוִויר
air-ground *adj* (טיל) אֲוִויר־קַרקַע
air-hostess *n* דַּיֶּילֶת
air-lane *n* נְתִיב אֲוִויר
air-lift *n* רַכֶּבֶת אֲוִירִית
airliner *n* מְטוֹס נוֹסְעִים
airmail *n* דוֹאַר אֲוִויר
airmail pilot *n* טַיָּס דוֹאַר אֲוִויר
airmail stamp *n* בּוּל דוֹאַר אֲוִויר
airman *n* טַיָּס; אֲוִוירַאי; חַיָּיל בְּחֵיל הָאֲוִויר
airplane *n* מָטוֹס, אֲוִוירוֹן
airpocket *n* כִּיס אֲוִויר
air-pollution *n* זִיהוּם אֲוִויר
airport *n* נְמַל תְּעוּפָה
air-raid *n* הַתקָפָה אֲוִירִית
air-raid drill *n* תַּרגִיל הָגָ״א
air-raid shelter *n* מִקלָט
air-rifle *n* רוֹבֶה־אֲוִויר
airship *n* סְפִינַת־אֲוִויר
airsick *adj* חוֹלֶה מְטִיסָה, חוֹלֵה אֲוִויר
air sleeve *n* שַׁרווּל אֲוִויר
air sock *n* שַׂק אֲוִויר
airstrip *n* מַסלוּל מְטוֹסִים
airtight *adj* מְהוּדָּק, לֹא חָדִיר
airwaves *n pl* גַּלֵּי הָאֶתֶר
airway *n* פֶּתַח לָאֲוִויר, נָתִיב אֲוִוירִי
airy *adj* אֲוִוירִי; קַל, עַלִּיז; שִׁטחִי, מְרַפרֵף
aisle *n* מַעֲבָר; אֲגַף

ajar *adv* פָּתוּחַ לְמֶחֱצָה
akimbo *adv* בְּיָדַיִם עַל הַמּוֹתְנַיִם
akin *adj* קָרוֹב, דּוֹמֶה
alabaster *n* בַּהַט, אֲלַבַּסְטְרוֹן
alarm *n* אַזְעָקָה, אוֹת אַזְעָקָה; חֲרָדָה, תַּבְהֵלָה
alarm-clock *n* שָׁעוֹן מְעוֹרֵר
alarmist *n* תַּבְהֵלָן, זוֹרֵעַ בֶּהָלָה
alas *interj* אֲהָהּ!, אוֹי!, אֲבוֹי!
alb *n* גְּלִימָה לְבָנָה, מַדֵּי כּוֹמֶר
albacore *n* טוּנּוּס גָּדוֹל
Albanian *n, adj* אַלְבָּנִי
albatross *n* יַסְעוּר, קַלְנִית, אַלְבַּטְרוֹס
album *n* תַּלְקִיט, אַלְבּוֹם
albumen *n* חֶלְבּוֹן, אַלְבּוּמִין
alchemy *n* אַלְכִּימִיָּה
alcohol *n* כּוֹהַל, אַלְכּוֹהוֹל
alcoholic *adj, n* כּוֹהֲלִי; אַלְכּוֹהוֹלִי
alcove *n* פִּינָּה מוּפְנֶמֶת
alder *n* אַלְמוֹן
alderman *n* חֲבֵר עִירִיָּה
ale *n* שֵׁיכָר
alembic *n* מַזְקֵק, אַבִּיק
alert *adj* בְּמַצַּב הִיכּוֹן; עֵרָנִי
alert *n* אוֹת אַזְעָקָה
alert *vt* הִכְרִיז כּוֹנְנוּת; הִזְהִיר
Aleutian Islands *n pl* אִיֵּי הָאָלֵאוּטִים
Alexandrian *adj* אֲלֶכְּסַנְדְּרוֹנִי
algae *n pl* אַצּוֹת
algebra *n* אַלְגֶּבְּרָה
algebraic *adj* אַלְגֶּבְּרָאִי
Algeria *n* אַלְג'ִירְיָה
Algerian *n adj* אַלְג'ִירִי
Algiers *n* אַלְג'ִיר
alias *n* שֵׁם מְזוּיָּף
alibi *n* טַעֲנַת אָלִיבִּי; (דיבורית) תֵּירוּץ
alien *n* זָר, אֶזְרַח חוּץ
alien *adj* זָר; שׁוֹנֶה; נוֹגֵד, מִתְנַגֵּד
alienate *vt* הִרְחִיק
alight *vi* יָרַד (מכלי־רכב), נָחַת
alight *adj* מוּאָר; דּוֹלֵק
align *vt* יִישֵּׁר, סִידֵּר בְּשׁוּרָה
alike *predic adj, adv* דּוֹמֶה, זֵהֶה; בְּאוֹתוֹ אוֹפֶן
alimentary canal *n* צִינּוֹר הָעִיכּוּל
alimony *n* מְזוֹנוֹת, סַעַד
alive *predic adj* חַי, בַּחַיִּים; עֵר, זָרִיז; הוֹמֶה, רוֹעֵשׁ
alkali *n* אַלְקָלִי
alkaline *adj* אַלְקָלִינִי
all *n, adj* הַכּוֹל; מִכְלוֹל; כָּל־
Allah *n* אַלַּהּ
all at once פִּתְאוֹם
allay *vt* הִשְׁקִיט, הִרְגִּיעַ; הֵקֵל
all-clear *n* אוֹת אַרְגָּעָה
allege *vt* טָעַן; הֶאֱשִׁים
allegiance *n* נֶאֱמָנוּת, אֱמוּנִים
allegoric(al) *adj* אַלֵּגוֹרִי, מְשָׁלִי
allegory *n* אַלֵּגוֹרְיָה
allergy *n* אַלֶּרְגְּיָה
alleviate *vt* הֵקֵל (כאב); רִיכֵּךְ (עונש)
alley *n* סִמְטָה
All Fools' Day *n* אֶחָד בְּאַפְּרִיל
All Hallows Day *n* יוֹם כָּל הַקְּדוֹשִׁים
alliance *n* בְּרִית
alligator *n* אַלִּיגָטוֹר, תַּנִּין
alligator pear *n* אֲבוֹקָדוֹ
alligator wrench *n* מַפְתֵּחַ לְצִינּוֹרוֹת

alliteration *n* לָשׁוֹן נוֹפֵל עַל לָשׁוֹן, אַלִּיטֵרַצְיָה
all-knowing *adj* יוֹדֵעַ הַכּוֹל
allocate *vt* הִקְצִיב, הִקְצָה
allot *vt* הִקְצָה, הִקְצִיב
all-out *adj* כָּל כּוּלוֹ, כּוֹלְלָנִי, שָׁלֵם
allow *vt* הִרְשָׁה, הִתִּיר
allowance *n* הַקְצָבָה; הֲנָחָה
alloy *n* סַגְסוֹגֶת, תַּעֲרוֹבֶת
all-powerful *adj* כּוֹל יָכוֹל
all right *adv* בְּסֵדֶר, כַּשּׁוּרָה
All Saints Day see All Hallows
allspice *n* תְּבָלִים מְעוֹרָבִים
allude *vi* אִזְכֵּר, רָמַז, הִזְכִּיר
allure *vt* פִּיתָּה, מָשַׁךְ, הִקְסִים
alluring *adj* מְפַתֶּה, קוֹסֵם, מוֹשֵׁךְ
allusion *n* אִזְכּוּר, רְמִיזָה
ally *vt* אִיחֵד, הֵבִיא בִּבְרִית
ally *n* בֶּן־בְּרִית; בַּעַל־בְּרִית
almanac *n* אַלְמָנָךְ, שְׁנָתוֹן
almighty *adj* כּוֹל־יָכוֹל, רַב־כּוֹחַ
almond *n, adj* שָׁקֵד; מְשׁוּקָד
almond brittle *n* שְׁקֵדִים מְסוּכָּרִים
almond tree *n* שָׁקֵד, שְׁקֵדִיָּה
almost *adv* כִּמְעַט
alms *n pl* צְדָקָה, נְדָבָה
alms-house *n* בֵּית־מַחְסֶה לָעֲנִיִּים
aloe *n* אַלְוַי
aloft *adv, predic adj* כְּלַפֵּי מַעְלָה; גָּבוֹהַּ
alone *predic adj* לְבַד, בְּעַצְמוֹ, בִּלְבַד
along *prep, adv* לְאוֹרֶךְ, מִקָּצֶה אֶל קָצֶה
alongside *adv* בְּצַד, בַּצַּד

aloof *adv, predic adj* מִתְבַּדֵּל, מְרוּחָק, מְסוּגָּר
aloud *adv* בְּקוֹל
alphabet *n* אָלֶף־בֵּית
alpine *adj* הֲרָרִי, אַלְפִּינִי
Alps *n pl* הָאַלְפִּים
already *adv* כְּבָר, מִכְּבָר
alright see all right
Alsace *n* אֶלְזַס
Alsatian *n* אֶלְזַסִּי; כֶּלֶב אֶלְזַסִּי
also *adv* גַּם, וְכֵן, מִלְּבַד זֹאת
also-ran *n* (המונית) נֶחֱשָׁל
altar *n* מִזְבֵּחַ
altar boy *n* נַעַר מִזְבֵּחַ
altar cloth *n* כִּיסּוּי הַמִּזְבֵּחַ
alter *vt* שִׁינָּה
alternate *adj* מִתְחַלֵּף, בָּא לְפִי תּוֹר
alternate *vi, vt* בָּא אַחֲרֵי; הֶחֱלִיף
alternating current *n* זֶרֶם חִילּוּפִין
although *conj* אַף־עַל־פִּי, אִם־כִּי
altimetry *n* מְדִידַת גְּבָהִים
altitude *n* גּוֹבַהּ
alto *n* אַלְט
altogether *adv* בְּסַךְ הַכּוֹל, לְגַמְרֵי; בִּכְלָלוֹ
altruist *n* זוּלָתָן, אַלְטרוּאִיסְט
altruistic *adj* זוּלָתָנִי, אַלְטרוּאִיסְטִי
alum *n* אָלוּם, צָרִיף
alumina *n* תַּחְמוֹצֶת־חַמְרָן
aluminium, aluminum *n* חַמְרָן, אֲלוּמִינְיוּם
alumna *n* חֲנִיכָה לְשֶׁעָבַר
alumnus *n* חָנִיךְ לְשֶׁעָבַר
alveolus *n* נְאָדִית (לגבי הריאה); מַכְתֵּשׁ (לגבי השיניים)

always *adv* תָּמִיד, לְעוֹלָם
a.m. *abbr* ante meridiem לִפְנֵי הַצָּהֳרַיִים
Am. *abbr* American
amalgam *n* אֲמַלְגָם, תִּצְרוֹפֶת כַּסְפִּית
amalgamate *vt, vi* אִיחֵד; צָרַף; הִתְאַחֵד
amass *vt* עָרַם, צָבַר
amateur *n, adj* חוֹבְבָן, חוֹבֵב
amaze *vt* הִפְתִּיעַ, הִפְלִיא, הִתְמִיהַּ
amazing *adj* מַפְתִּיעַ, מַפְלִיא, מַדְהִים
Amazon *n* אֲמָזוֹנָה
ambassador *n* שַׁגְרִיר
ambassadress *n* שַׁגְרִירָה
amber *n* עִנְבָּר
ambiguity *n* דו־מַשְׁמָעוּת
ambiguous *adj* דו־מַשְׁמָעִי
ambition *n* שְׁאִיפָה
ambitious *adj* שְׁאַפְתָנִי; יוֹמְרָנִי
amble *vi* הָלַךְ לְאִטּוֹ
ambulance *n* אַמְבּוּלַנְס
ambulance train *n* רַכֶּבֶת פְּצוּעִים
ambush *vt, vi* מַאֲרָב
ambush *vt, vi* הִתְקִיף מִמַּאֲרָב; אָרַב
amelioration *n* שִׁיפּוּר; הִשְׁתַּפְּרוּת
amen *n* אָמֵן
amenable *adj* נוֹחַ לִרְצוֹת, נוֹטֶה לְהַסְכִּים
amend *vt* תִּיקֵן, הִשְׁבִּיחַ
amendment *n* תִּיקּוּן, הַשְׁבָּחָה
amends *n pl* שִׁילּוּמִים, פִּיצּוּיִים
amenity *n* נוֹחוּת, נְעִימוּת
America *n* אֲמֵרִיקָה
American *n, adj* אֲמֵרִיקָנִי
American Indian *n* אִינְדִיאָנִי
Americanize *vt, vi* אִמְרֵק; הִתְאַמְרֵק
amethyst *n* אַחְלָמָה
amiable *adj* חָבִיב; נָעִים
amicable *adj* חֲבֵרִי, יְדִידוּתִי
amid, amidst *prep* בְּתוֹךְ, בְּקֶרֶב
amidships *adv* בְּאֶמְצַע הָאוֹנִיָּה
amiss *adv* לֹא כַּשּׁוּרָה
amity *n* יְדִידוּת; יַחֲסֵי חֲבֵרוּת
ammeter *n* אַמֶּטֶר, מַד־אַמְפֶּר
ammonia *n* אַמּוֹנְיָה
ammunition *n* תַּחְמוֹשֶׁת
amnesty *n* חֲנִינָה כְּלָלִית
amoeba *n* חִילּוּפִית, אֲמֶבָּה
amoeboid *adj* דְמוּי חִילּוּפִית
amok *adv* אַמּוֹק
among, amongst *prep* בֵּין, בְּתוֹךְ, בְּקֶרֶב
amorous *adj* חַמְדָנִי; אַהֲבָנִי
amortize *vt* הִפְחִית בְּעֶרְכּוֹ
amount *n* סְכוּם; שִׁיעוּר; כַּמּוּת
amount *vi* הִסְתַּכֵּם
ampere *n* אַמְפֶּר
amphibious *adj* דוּחַיִי, אַמְפִיבִי
amphitheater *n* אַמְפִיתֵיאַטְרוֹן; זִירָה
ample *adj* נִרְחָב; רַב־מִידּוֹת; מְרוּבֶּה; מַסְפִּיק
amplifier *n* מַגְדִיל; מַרְחִיב; מַגְבֵּר
amplify *vt* הִגְדִיל; הִרְחִיב
amplitude *n* הִתְפַּשְּׁטוּת; הִתְרַחֲבוּת; תְּנוּפָה
amputate *vt* קָטַע
amuck see amok
amulet *n* קָמִיעַ
amuse *vt* שִׁיעֲשַׁע; שִׂימֵּחַ; הֵינָה

amusement *n* עוֹנֶג; בִּידּוּר; שַׁעֲשׁוּעַ
amusement park *n* גַּן־שַׁעֲשׁוּעִים
amusing *adj* מְשַׁעֲשֵׁעַ, מְהַנֶּה, מְבַדֵּחַ
an *see* a
anachronism *n* אֲנַכְרוֹנִיזם, עֵירוּב זְמַנִּים
anaemia *n* אֲנֶמְיָה, חִיוָּרוֹן חוֹלָנִי
anaemic *adj* חֲסַר דָם, אֲנֵמִי
anaesthesia *n* אַלחוּשׁ, הַרְדָּמָה
anaesthetic *adj*, *n* מְאַלְחֵשׁ, מַרְדִּים
anaesthetise *vt* אִלְחֵשׁ, הִרְדִּים
analogous *adj* דּוֹמֶה, מַקְבִּיל
analogy *n* הֶיקֵּשׁ, אֲנָלוֹגְיָה
analysis *n* נִיתּוּחַ, אַבחָנָה; אֲנָלִיזָה
analyst *n* בּוֹדֵק, מְאַבְחֵן; פְּסִיכוֹאֲנָלִיטִיקָן
analytic *adj* נִיתּוּחִי, אֲנָלִיטִי
analyze, analyse *vt* נִיתֵּחַ, אִבחֵן
anarchist *n* אֲנַרכִיסט
anarchy *n* אֲנַרכְיָה; הֶיעָדֵר שִׁלְטוֹן; אִי־סֵדֶר
anathema *n* נִידּוּי, קְלָלָה
anatomic(al) *adj* אֲנָטוֹמִי
anatomy *n* אֲנָטוֹמְיָה; שֶׁלֶד
ancestor *n* אָב קַדמוֹן
ancestral home *n* נַחֲלַת אָבוֹת
ancestry *n* שׁוֹשֶׁלֶת; אָבוֹת
anchor *n* עוֹגֶן; מִשְׁעָן
anchor *vt* עָגַן, הִשְׁלִיךְ עוֹגֶן
anchovy *n* עַפְיָן, דַג הָאַנצ׳וֹבִי
anchovy pear *n* אֲגַס אַנצ׳וֹבִי
ancient *adj* עַתִּיק, קָדוּם; קַדמוֹן
and *conj* ו..., וכן, עִם, גַם, ל...
andirons *n* מִתמַךְ עֵצִים (בּאח)
anecdote *n* אֲנֶקְדוֹטָה, בְּדִיחָה
anemia *see* anaemia, anemic *see* anaemic
aneroid barometer *n* בָּרוֹמֶטֶר אֲנֶרוֹאִידִי
anesthesia *see* anaesthesia
aneurysm *n* מִפְרֶצֶת
anew *adv* שׁוּב, מֵחָדָשׁ
angel *n* מַלְאָךְ
anger *n* כַּעַס, זַעַם
anger *vt* הִרגִיז, הִכְעִיס
angina pectoris *n* תְּעוּקַת הַלֵּב
angle *n* זָווִית
angle-iron *n* זָווִיתוֹן
angle *vi* דַג בְּחַכָּה
angler *n* דַייָג חוֹבֵב
Anglo-Saxon *n*, *adj* אַנגלוֹ־סַקְסִי
angry *adj* כּוֹעֵס, רוֹגֵז; זוֹעֵם
anguish *n* יִיסּוּרִים, כְּאֵב לֵב
angular *adj* זָוִויתִי; גַּרְמִי
anhydrous *adj* נְטוּל מַיִם
aniline dyes *n pl* צִבְעֵי אֲנִילִין
animal *n* חַי; בַּעַל־חַיִּים
animal *adj* שֶׁל חַיָּה; בַּהֲמִי; בְּשָׂרִי
animal magnetism *n* כּוֹחַ מְשִׁיכָה פִיסִי
animated cartoon *n* צִיּוּר נוֹעַ
animation *n* זְרִיזוּת; עֵרָנוּת; הֲכָנַת צִיּוּר נוֹעַ
animosity *n* אֵיבָה
anion *n* אַניוֹן
anise *n* כַּמְנוֹן
aniseed *n* זַרְעֵי כַּמְנוֹן
anisette *n* לִיקֶר מְכוּמְנָן
ankle *n* קַרסוֹל
ankle support *n* מִתמַךְ קַרסוֹל

anklet *n* גַּרְבִּית, קַרְסוּלִית, עֶכֶס
annals *n pl* תּוֹלָדוֹת
anneal *vt* לִיבֵּן; חִישֵּׁל
annex *vt* צֵירֵף, סִיפֵּחַ
annexe, annex *n* נִסְפָּח, צֵירוּף; אֲגַף (בְּבִנְיָין)
annihilate *vt* הִשְׁמִיד, חִיסֵּל
anniversary *n* יוֹבֵל; חֲגִיגַת יוֹם שָׁנָה
annotate *vt* פֵּירֵשׁ, כָּתַב הֶעָרוֹת
announce *vt* הִכְרִיז, הוֹדִיעַ, קִרְיֵין
announcement *n* הוֹדָעָה; מוֹדָעָה
announcer *n* מוֹדִיעַ; קַרְיָין (בְּרַאדְיוֹ)
annoy *vt* הִטְרִיד, הֵצִיק
annoyance *n* הַטְרָדָה; מִטְרָד
annoying *adj* מַטְרִיד, מֵצִיק
annual *adj* שְׁנָתִי
annual *n* שְׁנָתוֹן
annuity *n* קִצְבָּה שְׁנָתִית; הַכְנָסָה שְׁנָתִית
annul *vt* בִּיטֵּל
anode *n* אֲנוֹדָה
anoint *vt* מָשַׁח
anomalous *adj* חָרִיג; לֹא סָדִיר; לֹא תָּקִין
anomaly *n* חֲרִיגָה; סְטִיָּיה
anon. *abbr* אַלְמוֹנִי, עֲלוּם־שֵׁם, אֲנוֹנִימִי
anonymity *n* אַלְמוֹנִיּוּת, עִילּוּם־שֵׁם
anonymous *adj* אַלְמוֹנִי, עֲלוּם־שֵׁם
another *pron, adj* נוֹסָף; אַחֵר
answer *n* תְּשׁוּבָה, מַעֲנֶה; פִּתְרוֹן
answer *vt, vi* הֵשִׁיב, עָנָה; הָיָה אַחֲרַאי; הָלַם
ant *n* נְמָלָה
antagonism *n* נִיגּוּד, קוֹטְבִּיּוּת דֵּעוֹת
antagonize *vt* הִשְׂנִיא, דָּחָה מֵעָלָיו
antarctic, antartic *adj* אַנְטַרְקְטִי
antecedent *n, adj* קוֹדֵם, קוֹדְמָן
antecedents *n, pl* מוֹצָאוֹת
antechamber *n* פְּרוֹזְדוֹר, מָבוֹא
antedate *vt* הִקְדִּים בִּזְמַן
antelope *n* דִּישׁוֹן, אַנְטִילוֹפָּה
antenna *n* מְשׁוֹשָׁה, אַנְטֶנָּה
antepenult *n* הֲבָרָה שְׁלִישִׁית מִסּוֹף הַמִּלָּה
anteroom *n* קְדַם־חֶדֶר, מָבוֹא; חֲדַר־הַמְתָּנָה
anthem *n* הִימְנוֹן
anthology *n* אַנְתּוֹלוֹגְיָה, לֶקֶט
anthracite *n* אַנְתְּרָצִיט
anthrax *n* גַּחֶלֶת, פַּחֶמֶת
anthropology *n* אַנְתְּרוֹפּוֹלוֹגְיָה
antiaircraft *adj* נֶגֶד־מְטוֹסִי
antibiotic *adj, n* אַנְטִיבִּיוֹטִי
antibody *n* נוֹגְדָן
anticipate *vt* רָאָה מֵרֹאשׁ; צִיפָּה; הִקְדִּים
antics *n pl* תַּעֲלוּלִים
antidote *n* סַם שֶׁכְּנֶגֶד; תְּרוּפָה
antifreeze *n* נוֹגֵד הַקְפָּאָה
antiglare *n* נוֹגֵד סְנוּור, מְעַמְעֵם
antiknock *n* מוֹנֵעַ נְקִישׁוֹת
antimissile *adj* נֶגֶד טִיל
antimony *n* אַנְטִימוֹן
antipasto *n* מְתַאֲבֵן
antipathy *n* אַנְטִיפַּתְיָה, סְלִידָה
antiquary *n* חוֹקֵר עַתִּיקוֹת; אוֹסֵף עַתִּיקוֹת
antiquated *adj* מִתְיַישֵּׁן; מְיוּשָּׁן
antique *n, adj* עַתִּיק; מְיוּשָּׁן
antique dealer *n* סוֹחֵר עַתִּיקוֹת

antique store *n* חֲנוּת עַתִּיקוֹת
antiquity *n* קַדְמָאִיּוּת; יְמֵי־קֶדֶם
anti-Semitic *adj* אַנְטִישֶׁמִי
antiseptic *adj*, *n* אַנְטִיסֶפְּטִי, מְחַטֵּא
antislavery *n* הִתְנַגְּדוּת לָעַבְדוּת
anti-Soviet *adj* אַנְטִי סוֹבְיֶיטִי
antitank *adj* נֶגֶד טַנְקִים
antithesis *n* אַנְטִיתֵיזָה, הַנָּחָה שֶׁכְּנֶגֶד
antitoxin *n* אַנְטִיטוֹקְסִין
anti-trust *adj* מִתְנַגֵּד לְאִיחוּד הוֹן
antiwar *adj* מִתְנַגֵּד מִלְחָמָה
antler *n* קֶרֶן הַצְּבִי
antonym *n* אַנְטוֹנִים, הֶפֶךְ מַשְׁמָע
Antwerp *n* אַנְטְווֶרְפֶּן
anvil *n* סַדָּן; כַּן
anxiety *n* חֲרָדָה, חֲשָׁשׁ, דְּאָגָה
anxious *adj* מוּדְאָג, חָרֵד
any *pron*, *adj*, *adv* ׳אֵיזֶה אֶחָד׳; כָּלשֶׁהוּ; כָּל אֶחָד
anybody *pron* כָּל אֶחָד; מִישֶׁהוּ
anyhow *adv* בְּכָל אוֹפֶן, מִכָּל מָקוֹם, עַל כָּל פָּנִים
anyone *pron* כָּל אָדָם; כָּל אֶחָד
anything *pron* כָּל דָּבָר שֶׁהוּא; כָּלשֶׁהוּ
anyway *adv* בְּכָל אוֹפֶן; בְּכָל צוּרָה
anywhere *adv* בְּכָל מָקוֹם; לְכָל מָקוֹם
apace *adv* בִּמְהִירוּת; בִּזְרִיזוּת
apart *adv* הַצִּדָּה; בְּנִפְרָד, בִּמְפוֹרָק
apartment *n* דִּירָה
apartment house *n* בֵּית־דִּירוֹת
apathetic(al) *adj* אָדִישׁ, אַפָּתֵטִי
apathetically *adv* בַּאֲדִישׁוּת
apathy *n* אֲדִישׁוּת, אַפַּתְיָה
ape *n*, *vt* קוֹף; חִיקָּה
aperture *n* חוֹר, פֶּתַח, חָרִיר

apex (*pl* apexes, apices) *n* רֹאשׁ, שִׂיא; קוֹדְקוֹד
aphorism *n* אֲפוֹרִיזם, פִּתְגָּם
aphrodisiac *adj*, *n* מְעוֹרֵר תְּשׁוּקָה מִינִית
apiary *n* כַּוֶּרֶת
apiece *adv* לְכָל אֶחָד
apish *adj* קוֹפִי; חִיקּוּיִי; אֱוִילִי
aplomb *n* בִּטְחָה עַצְמִית
apogee *n* שִׂיא הַמֶּרְחָק, שִׂיא הַגּוֹבַהּ
apologize *vi* הִצְטַדֵּק; הִתְנַצֵּל, בִּיקֵּשׁ סְלִיחָה
apology *n* הִתְנַצְּלוּת; הִצְטַדְּקוּת
apoplectic *adj* שֶׁל שָׁבָץ, שְׁבָצִי
apoplexy *n* שָׁבָץ, שְׁבַץ־הַלֵּב
apostle *n* שָׁלִיחַ, מְבַשֵּׂר
apostrophe *n* גֶּרֶשׁ, תָּג
apothecary *n* רוֹקֵחַ
apothecaries' jar *n* צִנְצֶנֶת חֶרֶס (לִתְרוּפוֹת וכד׳)
apothecaries' shop *n* בֵּית־מִרְקַחַת
appal *vt*, *vi* הֶחֱרִיד, זִעֲזַע
appalling *adj* מַחֲרִיד, מְזַעֲזֵעַ
apparatus *n* מִתְקָן; מַעֲרֶכֶת מַכְשִׁירִים
apparel *n* לְבוּשׁ
apparent *adj* נִרְאֶה, גָּלוּי
apparition *n* הוֹפָעָה; רוּחַ
appeal *n* קְרִיאָה לִתְמִיכָה; מַגְבִּית; בַּקָּשַׁת עֶזְרָה; עִרְעוּר; כּוֹחַ מְשִׁיכָה
appeal *vi* הִתְחַנֵּן; עִרְעֵר; פָּנָה; מָשַׁךְ לֵב
appear *vi* הוֹפִיעַ; נִרְאָה; יָצָא לָאוֹר
appearance *n* הוֹפָעָה; הִתְיַצְּבוּת; מַרְאֶה חִיצוֹנִי
appease *vt* פִּיֵּיס; הִשְׁלִים; הִשְׂבִּיעַ

appeasement *n* פִּיּוּס; הַשְׁלָמָה; הַשְׂבָּעָה

appendage *n* צֵירוּף; תּוֹסֶפֶת, יוֹתֶרֶת

appendicitis *n* דַּלֶּקֶת הַתּוֹסֶפְתָּן

appendix (*pl* –ixes, –ices) *n* תּוֹסֶפְתָּן; נִסְפָּח

appertain *vi* הָיָה שַׁיָּךְ ל...; נָגַע ל...;

appetite *n* תֵּיאָבוֹן; תְּשׁוּקָה

appetizer *n* מְתַאֲבֵן, מְעוֹרֵר תֵּיאָבוֹן

appetizing *adj* מְתַאֲבֵן, מְעוֹרֵר תֵּיאָבוֹן

applaud *vt, vi* מָחָא כַּף, הֵרִיעַ; שִׁיבֵּחַ

applause *n* מְחִיאַת כַּפַּיִם, תְּרוּעָה, תְּשׁוּאוֹת

apple *n* תַּפּוּחַ

applejack *n* שֵׁיכַר תַּפּוּחִים

apple of the eye *n* בָּבַת הָעַיִן

apple pie *n, adj* פַּשְׁטִידַת תַּפּוּחִים

apple polisher *n* (המונית) מְלַחֵךְ פִּנְכָּה

apple tree *n* עֵץ תַּפּוּחַ

appliance *n* מַכְשִׁיר, שִׁימּוּשׁ

applicant *n* מְבַקֵּשׁ, מַגִּישׁ בַּקָּשָׁה

apply *vt, vi* הִנִּיחַ עַל; יִישֵּׂם; הִגִּישׁ בַּקָּשָׁה

appoint *vt* מִינָּה; הוֹעִיד; קָבַע

appointment *n* מִינּוּי; תַּפְקִיד; רֵאָיוֹן

apportion *vt* הִקְצָה; הִקְצִיב; מִינֵּן

appraisal *n* הַעֲרָכָה; שׁוּמָה

appraise *vt* הֶעֱרִיךְ; אָמַד

appreciable *adj* נִיתָּן לְהַעֲרָכָה; נִיכָּר

appreciate *vt, vi* הֶעֱרִיךְ, הֶחֱשִׁיב

appreciation *n* הַעֲרָכָה; הוֹקָרָה; עֲלִיַּית הָעֵרֶךְ

appreciative, appreciatory *adj* מַבִּיעַ הַעֲרָכָה

apprehend *vt, vi* עָצַר, אָסַר; הֵבִין, הִשִּׂיג

apprehension *n* חֲשָׁשׁ, פַּחַד מֵהַבָּאוֹת; הֲבָנָה; עֲצִירָה

apprehensive *adj* חוֹשֵׁשׁ לַבָּאוֹת

apprentice *n* שׁוּלְיָה; חָנִיךְ

apprentice *vt* הִפְקִיד לְהִתְאַמְּנוּת

apprenticeship *n* חֲנִיכוּת, אִימּוּן

apprise, apprize *vt* הוֹדִיעַ, דִּיוֵּחַ

approach *n* גִּישָׁה; מָבוֹא

approach *vt, vi* קָרַב, הִתְקָרֵב, נִיגַּשׁ

approbation *n* אִישׁוּר, הֶיתֵּר

appropriate *vt* רָכַשׁ; הִקְצָה, יִיחֵד

appropriate *adj* מַתְאִים, הוֹלֵם

approval *n* הַסְכָּמָה, חִיּוּב, אִישׁוּר

approve *vt, vi* הִסְכִּים ל..., חִייֵּב; אִישֵּׁר

approximate *vt, vi* קֵירֵב; קָרַב

approximate *adj* מְשׁוֹעָר; קָרוֹב; מְקוֹרָב

apricot *n* מִשְׁמֵשׁ

April *n* אַפְּרִיל

April-fool *n* מְרוּמֵּה־אֶחָד־בְּאַפְּרִיל

April-fool's Day *n* אֶחָד בְּאַפְּרִיל ('יוֹם שֶׁקֶר')

apron *n* סִינָּר; סוֹכְכִית

apropos *adv, adj* אַגַּב; בְּקֶשֶׁר ל...; מַתְאִים, קוֹלֵעַ

apse *n* אַכְסַדְרָה מְקוּשֶּׁתֶת

apt *adj* הוֹלֵם, מַתְאִים; מְהִיר תְּפִיסָה

aptitude *n* נְטִיָּה; כִּשְׁרוֹן; חָרִיצוּת

aquamarine *adj, n* כְּעֵין הַשּׁוֹהַם, כָּחוֹל־יְרַקְרַק

aquaplane *n* לוּחַ מַיִם

aquarium (*pl* –iums, –ia) *n* אַקְוַורְיוֹן

aquatic *adj* שֶׁל מַיִם
aquatics *n pl* ספּוֹרט מַיִם
aqueduct *n* מוֹבִיל־מַיִם
aquiline *adj* נִשְׁרִי
Arab *n, adj* עַרְבִי; סוּס עַרְבִי
Arabia *n* עֲרָב
Arabian *adj* עַרְבִי
Arabic *adj, n* עַרְבִי; עַרְבִית (השׂפה)
Arabist *n* עֲרַבִּיסט
arbiter *n* בּוֹרֵר; קוֹבֵעַ
arbitrary *adv* שְׁרִירוּתִי; רוֹדָנִי
arbitrate *vt, vi* תִּיוּוֵךְ; בֵּירֵר; הִכְרִיעַ
arbitration *n* מִשְׁפַּט בּוֹרְרוּת; תִּיווּךְ
arbor *n* מִסְעָד לִמְכוֹנָה; צִיר
arboretum *n* גַּן עֵצִים בּוֹטָנִי
arbor vitae *n* עֵץ הַחַיִּים
arbutus *n* קְטָלָב
arc *n* קֶשֶׁת
arcade *n* מִקְמֶרֶת; שְׂדֵירַת קְשָׁתוֹת
arch *n* קֶשֶׁת; שַׁעַר מְקוּשָּׁת; כִּיפָּה
arch *vt* קִישֵּׁת; הִתְקַשֵּׁת
arch *adj* רֹאשׁ, רִאשׁוֹן בַּמַּעֲלָה; עַרְמוּמִי, שׁוֹבָב
archaeology *n* אַרְכֵיאוֹלוֹגְיָה
archaic *adj* אַרְכָאִי, קַדְמָאִי
archaism *n* אַרְכָאִיזם
archangel *n* רַב־מַלְאָכִים, גְּדוֹל הַמַּלְאָכִים
archbishop *n* אַרְכִיבִּישׁוֹף
archduke *n* אַרְכִידוּכָּס
arch-enemy *n* הָאוֹיֵב הָרָאשִׁי; הַשָּׂטָן
archer *n* קַשָּׁת
archery *n* קַשָּׁתוּת
archipelago *n* קְבוּצַת אִיִּים
architect *n* אַדְרִיכָל, אַרְכִיטֶקְט
architectural *adj* אַדְרִיכָלִי, אַרְכִיטֶקְטוֹנִי
architecture *n* אַדְרִיכָלוּת, אַרְכִיטֶקְטוּרָה
archives *n pl* גַּנְזַךְ; גְּנָזִים
archway *n* מִקְמֶרֶת
arc lamp *n* נוּרַת קֶשֶׁת
arctic *adj* אַרקְטִי
arc welding *n* רִיתּוּךְ בְּקֶשֶׁת־אוֹר
ardent *adj* נִלְהָב; לוֹהֵט
ardor *n* לַהַט, הִתְלַהֲבוּת
arduous *adj* כָּרוּךְ בְּמַאֲמַצִּים רַבִּים, קָשֶׁה
area *n* שֶׁטַח; אֵיזוֹר; תְּחוּם
area way *n* כְּנִיסָה מְשׁוּקַּעַת
Argentine *n* אַרגֶנְטִינָה
Argentinian *adj* אַרגֶנְטִינִי
Argonaut *n* הָאַרגוֹנָאוּטִי
argue *vt, vi* טָעַן; הִתְוַכֵּחַ; נִימֵּק
argument *n* וִיכּוּחַ, דִּיוּן; נִימּוּק
argumentative *adj* וַכְּחָנִי
aria *n* נְעִימָה, אַרְיָה
arid *adj* צָחִיחַ, יָבֵשׁ
aridity, aridness *n* צְחִיחוּת, יוֹבֶשׁ
arise *vi* עָלָה; קָם; הוֹפִיעַ; נָבַע
aristocracy *n* אֲצוּלָה, אֲרִיסטוֹקְרַטְיָה
aristocrat *n* אָצִיל, אֲרִיסטוֹקְרָט
aristocratic *adj* אֲצִילִי, אֲרִיסטוֹקְרָטִי
Aristotelian *adj* שֶׁלְּפִי תּוֹרַת אֲרִיסטוֹ
Aristotle *n* אֲרִיסטוֹ
arithmetic *n* אֲרִיתְמֵטִיקָה, חֶשְׁבּוֹן
arithmetic(al) *adj* אֲרִיתְמֵטִי, חֶשְׁבּוֹנִי
arithmetically *adv* אֲרִיתְמֵטִית
arithmetician *n* אֲרִיתְמֵטִיקָן
ark *n* תֵּיבָה; אָרוֹן

Ark of the Covenant *n* אֲרוֹן־הַבְּרִית
arm *n* זְרוֹעַ; חַיִל
arm-in-arm *adv* שְׁלוּבֵי־זְרוֹעַ
armature *n* שִׁרְיוֹן; (בחשמל) עוֹגֶן
armchair *n* כּוּרְסָה
Armenia *n* אַרְמֶנְיָה
Armenian *adj* אַרְמֵנִי
armful *n* מְלוֹא הַזְּרוֹעַ
armhole *n* חוֹר הַשַּׁרְווּל
armistice *n* שְׁבִיתַת־נֶשֶׁק
armor *n* שִׁרְיוֹן, מָגֵן
armored *adj* מְשׁוּרְיָן; מוּגָן
armored car *n* מְכוֹנִית מְשׁוּרְיֶנֶת
armorial bearings *n pl* לְבוּשׁ שִׁרְיוֹן
armor-plate *n* שִׁרְיוֹן
armor-plate *vt* שִׁרְיֵן
armory *n* בֵּית־נֶשֶׁק; סַדְנַת נֶשֶׁק
armpit *n* בֵּית־הַשֶּׁחִי, שֶׁחִי
armrest *n* מִסְעַד־יָד
arms *n pl* נֶשֶׁק
army *n* צָבָא
army corps *n* גַּיִס
aroma *n* נִיחוֹחַ
aromatic *adj* אֲרוֹמָטִי; נִיחוֹחִי
around *adv, prep* מִסָּבִיב, מִכָּל צַד, פֹּה וָשָׁם; סָבִיב, בְּעֵרֶךְ
arouse *vt* עוֹרֵר; הֵנִיעַ
arpeggio *n* תַּצְלִיל שָׁבוּר, שְׁבָרִים
arraign *vt* הִזְמִין לְמִשְׁפָּט; הֶאֱשִׁים
arrange *vt* סִידֵּר; עָרַךְ; הִסְדִּיר
array *n* הֵיעָרְכוּת; לְבוּשׁ
array *vt* סִידֵּר; עָרַךְ (צבא)
arrears *n pl* חוֹבוֹת רוֹבְצִים
arrest *vt* עָצַר; עִיכֵּב
arrest *n* מַעְצָר; בְּלִימָה; עִיכּוּב
arresting *adj* מְצוֹדֵד, מוֹשֵׁךְ לֵב
arrival *n* הַגָּעָה; הוֹפָעָה
arrive *vi* הוֹפִיעַ; הִגִּיעַ; בָּא
arrogance *n* שַׁחֲצָנוּת; יְהִירוּת
arrogant *adj* שַׁחֲצָן; יָהִיר
arrogate *vt* תָּבַע שֶׁלֹּא כַּדִּין; יִיחֵס שֶׁלֹּא כַּדִּין
arrow *n* חֵץ; (חפץ) דְּמוּי־חֵץ
arsenal *n* בֵּית־נֶשֶׁק, מַחְסַן נֶשֶׁק
arsenic *n* זַרְנִיךְ, אַרְסָן
arson *n* הַצָּתָה
art *n* אוּמָנוּת; מְיוּמָּנוּת; מְלֶאכֶת־מַחֲשֶׁבֶת; אוּמָּנוּת
artery *n* עוֹרֵק
artful *adj* עָרוּם, עַרְמוּמִי; נוֹכֵל
arthritic *adj* שֶׁל דַּלֶּקֶת הַפְּרָקִים, אַרְתְּרִיטִי
arthritis *n* דַּלֶּקֶת הַפְּרָקִים, אַרְתְּרִיטִיס
artichoke *n* חַרְשָׁף, קִנְרֵס
article *n* מַאֲמָר; דָּבָר, עֶצֶם; פְּרִיט; תָּווִית הַיִּידוּעַ; סְעִיף תַּקָּנָה
articulate *vt, vi* בִּיטֵּא כַּהֲלָכָה; מִפְרֵק
artifact *n* אַרְטִיפַקְט, מוּצָר לְעָתִיד
artifice *n* אַמְצָאָה, תַּחְבּוּלָה
artificial *adj* מְלָאכוּתִי, מְעוּשֶׂה
artillery *n* חֵיל תּוֹתְחָנִים; אַרְטִילֶרְיָה
artilleryman *n* תּוֹתְחָן
artisan *n* אוּמָּן; חָרָשׁ
artist *n* אוֹמָן; צַיָּיר
artistic *adj* אוֹמָנוּתִי
artless *adj* לֹא אוֹמָנוּתִי; טִבְעִי, תָּמִים

Aryan *n, adj* אָרִית; אָרִי

as *adv* כּ..., כְּמוֹ, עַד כַּמָּה שׁ...

as for *adv* אֲשֶׁר ל...

as long as כָּל עוֹד

as regards בְּנוֹגֵעַ

as soon as מִיָּד לִכְשֶׁ...

as though כְּאִילוּ

asbestos *n* אַסְבֶּסְטוֹס

ascend *vi, vt* עָלָה, טִיפֵּס

ascendancy, –ency *n* שְׁלִיטָה; עֲלִיָּה; הַשְׁפָּעָה

ascension *n* עֲלִיָּה

Ascension Day *n* יוֹם הַחֲמִישִׁי הַקָּדוֹשׁ

ascent *n* עֲלִיָּה; מַעֲלֶה

ascertain *vt* וִידֵּא, אִימֵּת

ascertainable *adj* נִיתָּן לְבֵירוּר

ascetic *n, adj* סַגְּפָן, מִתְנַזֵּר

ascorbic acid *n* וִיטָמִין נֶגֶד צַפְדִּינָה

ascribe *vt* יִיחֵס ל..., תָּלָה בּ..., שִׁייֵּךְ

aseptic *adj* לֹא אָלוּחַ

ash, ashes *n* אֵפֶר, רֶמֶץ

ashamed *pred adj* בּוֹשׁ, מְבוּיָּשׁ, נִכְלָם

ashlar *n* אַבְנֵי גָזִית

ashore *adv* אֶל הַחוֹף; עַל הַחוֹף

ashtray *n* מַאֲפֵרָה

Ash Wednesday *n* יוֹם הָאֵפֶר

Asia *n* אַסְיָה

Asia Minor *n* אַסְיָה הַקְּטַנָּה

Asian *adj* אַסְיָנִי, אַסְיָתִי

Asiatic *adj* אַסְיָנִי, אַסְיָתִי

aside *adv* הַצִּדָּה; בַּצַּד

aside *n* (בְּתֵיאַטְרוֹן) שִׂיחַ מוּסְגָּר

asinine *adj* חֲמוֹרִי; אֱווִילִי

ask *vt* שָׁאַל; בִּיקֵּשׁ; תָּבַע; דָּרַשׁ

askance *adv* בַּחֲשְׁדָנוּת; בְּאִי־אֵימוּן

asleep *adv, pred adj* בְּשֵׁנָה; יָשֵׁן

asp *n* אֶפְעֶה

asparagus *n* אַסְפָּרָג

aspect *n* הֶיבֵּט, בְּחִינָה, אַסְפֶּקְט

aspen *n* צַפְצָפָה רַעֲדָנִית

aspersion *n* הַשְׁמָצָה

asphalt *n* אַסְפַלְט, חֵימָר

asphalt *vt* רִיבֵּד בְּאַסְפַלְט

asphyxiate *vt* שִׁינֵּק, הֶחֱנִיק

aspirant *adj, n* שׁוֹאֵף

aspire *vt* שָׁאַף, הִתְאַוּוָה

aspirin *n* אַסְפִּירִין

ass *n* חֲמוֹר; שׁוֹטֶה; (המונית) תַּחַת

assail *vt* הִתְקִיף; הִסְתָּעֵר

assassin *n* מִתְנַקֵּשׁ, רוֹצֵחַ

assassinate *vt* הִתְנַקֵּשׁ, רָצַח

assassination *n* הִתְנַקְּשׁוּת, רֶצַח

assault *n* הִתְנַפְּלוּת; תְּקִיפָה

assay *vt* בָּדַק; נִיסָּה

assay *n* בְּדִיקָה (שֶׁל מתכת)

assemble *vt, vi* כִּינֵּס; הִרְכִּיב; הִתְכַּנֵּס

assembly *n* כִּינּוּס, עֲצֶרֶת; הַרְכָּבָה

assembly plant *n* מִפְעַל הַרְכָּבָה

assent *vi* הִסְכִּים

assent *n* הַסְכָּמָה

assert *vt* טָעַן; עָמַד עַל שֶׁלּוֹ

assertion *n* הַכְרָזָה; עֲמִידָה עַל זְכוּת

assess *vt* הֶעֱרִיךְ, שָׂם; קָבַע

assessment *n* הַעֲרָכָה; שׁוּמָה

asset *n* נֶכֶס, קִניָין

assiduous *adj* מַתְמִיד, שַׁקְדָנִי

assign *vt* הִקְצָה; מִינָּה; הוֹעִיד

assignment *n* מְשִׂימָה; הַעֲבָרַת נְכָסִים

assimilate *vt, vi* טִימֵּעַ; הִטְמִיעַ; הִתְבּוֹלֵל

Austria *n* אוסטרִייָה
Austrian *n, adj* אוסטרִי
authentic *adj* אוֹתֶנטִי
authenticate *vt* וִידֵא, אִישֵׁר
author *n* מְחַבֵּר; יוֹצֵר
authoress *n* מְחַבֶּרֶת; יוֹצֶרֶת
authoritarian *n, adj* אוֹתוֹרִיטָרִי, סַמכוּתִי
authoritative *adj* מוּסמָך
authority *n* סַמכוּת; יִיפּוּי־כּוֹחַ; בַּעַל סַמכוּת; אַסמַכתָּה
authorize *vt* יִיפָּה כּוֹחַ; הִסמִיך
authorship *n* מְחַבְּרוּת
auto *n* מְכוֹנִית, רֶכֶב מְמוּנָּע
autobiography *n* אוֹטוֹבִּיוֹגרַפיָה
autobus *n* אוֹטוֹבּוּס
autocratic *adj* אוֹטוֹקרָטִי, רוֹדָנִי
autograph *n* אוֹטוֹגרָף, חֲתִימָה
autograph *vt* חָתַם
automat *n* מִסעָדָה אוֹטוֹמָטִית
automatic *adj, n* אוֹטוֹמָטִי
automatic pilot *n* נִיוּוּט אוֹטוֹמָטִי
automation *n* אוֹטוֹמַציָה, אִטמוּט
automaton (*pl* –ata,–atons) *n*, רוֹבּוֹט, אוֹטוֹמָט
automobile *n* אוֹטוֹמוֹבִּיל, מְכוֹנִית
autonomous *adj* אוֹטוֹנוֹמִי, רִיבּוֹנִי
autonomy *n* אוֹטוֹנוֹמיָה, רִיבּוֹנוּת
autopsy *n* בְּדִיקָה לְאַחַר הַמָּוֶת, נְתִיחָה
autumn *n* סְתָיו; שַׁלֶּכֶת
autumnal *adj* סְתָוִי, סְתוָונִי
auxiliary *n* מְשָׁרֵת, עוֹזֵר; פּוֹעֵל עוֹזֵר
avail *n* תּוֹעֶלֶת, רֶווַח
avail *vt, vi* הוֹעִיל, סִייֵעַ; הָיָה לְעֵזֶר
available *adj* נִיתָּן לְהַשִּׂיג, זָמִין; עוֹמֵד לִרשׁוּת
avalanche *n* מַפּוֹלֶת שֶׁלֶג, אֲבָלַנְשׁ
avant-garde *n, adj* אֲבַנגַרד
avarice *n* תַּאֲוַות מָמוֹן, קַמצָנוּת
avaricious *adj* חוֹמֵד מָמוֹן, קַמצָן
avenge *vt, vi* נָקַם, הִתנַקֵּם
avenue *n* שְׂדֵירוֹת
aver *vt* אִישֵּׁר, קָבַע בְּבִטחָה
average *n, adj* מְמוּצָּע, בֵּינוֹנִי
average *vt, vi* חִישֵּׁב אֶת הַמְּמוּצָּע
averse *adj* מִתנַגֵּד; לֹא נוֹטֶה
aversion *n* סְלִידָה, אִי־נְטִייָה
avert *vt* הִפנָה הַצִּדָּה, מָנַע
aviary *n* כְּלוּב צִיפּוֹרִים
aviation *n* תְּעוּפָה, טִיסָה
aviation medicine *n* רְפוּאָה אֲוִוירִית
aviator *n* טַיָּס
avid *adj* לָהוּט, מִשׁתּוֹקֵק
avidity *n* לְהִיטוּת, תְּשׁוּקָה
avocation *n* עִיסּוּק, מִקצוֹעַ
avoid *vt* הִתחַמֵּק, נִמנַע
avoidable *adj* נִיתָּן לִמנִיעָה
avoidance *n* חֲמִיקָה, הִימָּנְעוּת
avow *vt, refl* הוֹדָה; הִתוַודָּה
avowal *n* הַכרָזָה; אִישּׁוּר
await *vt* חִיכָּה, צִיפָּה
awake *vt, vi* הֵעִיר; הִתעוֹרֵר
awake *adj* עֵר, לֹא יָשֵׁן
awaken *vt, vi* הֵעִיר; הִמרִיץ; הִתעוֹרֵר
awakening *n* הִתעוֹרְרוּת; הִתפַּכְּחוּת
award *n* הַחלָטַת בּוֹרְרוּת; פְּרָס; עִיטּוּר
award *vt* הֶעֱנִיק; זִיכָּה

aware *predic adj*	יוֹדֵעַ; חָשׁ
awareness *n*	חִישָׁה, הַכָּרָה; מוּדָעוּת
away *adv*	הָלְאָה מִזֶּה; רָחוֹק; בַּצַּד
awe *n*	יִרְאַת־כָּבוֹד
awesome *adj*	מְעוֹרֵר יִרְאַת־כָּבוֹד
awestruck *adj*	מָלֵא יִרְאַת־כָּבוֹד
awful *adj*	נוֹרָא, אָיוֹם
awfully *adv*	(דיבורית) „נוֹרָא", אָיוֹם
awhile *adv*	זְמַן־מָה; לִזְמַן־מָה
awkward *adj*	מְסוּרְבָּל, מְגוּשָּׁם; חֲסַר חֵן; מֵבִיךְ
awkward squad *n*	פְּלוּגָּה לֹא־יוּצְלָחִית
awl *n*	מַרְצֵעַ
awning *n*	גְּגוֹנָה
axe *n*	גַּרְזֶן
axiom *n*	אַקְסִיוֹמָה, מוּשְׂכָּל רִאשׁוֹן
axiomatic *adj*	אַקְסִיוֹמָתִי
axis *n* (*pl* axes)	צִיר, קַו הָאֶמְצַע
axle *n*	צִיר, סֶרֶן
axle-tree *n*	שׁוֹק, רְפִיד תַּחְתּוֹן
ay, aye *n, interj*	הֵן, כֵּן (תשובה חיובית)
ay, aye *adv*	תָּמִיד, לָנֶצַח
azimuth *n*	אַזִּימוּת

B

B, b	בִּי (האות השנייה באלפבית)
baa *vi*	פָּעָה
baa *n*	פְּעִיָּה
baa-lamb *n*	טָלֶה פּוֹעֶה
babble *vi, vt*	מִלְמֵל; פִּטְפֵּט, קִשְׁקֵשׁ
babble *n*	מִלְמוּל; פִּטְפּוּט, „קִשְׁקוּשׁ"
babe *n*	תִּינוֹק, עוֹלָל; (המונית) בַּחוּרוֹנֶת
baboon *n*	בַּבּוּן
baby *n*	תִּינוֹק, עוֹלָל
baby-carriage *n*	עֶגְלַת יְלָדִים
baby-grand *n*	פְּסַנְתֵּר־כָּנָף זָעִיר
babyhood *n*	יַנְקוּת
Babylon *n*	בָּבֶל
Babylonia *n*	בָּבֶל
Babylonian *adj, n*	בַּבְלִי; בַּבְלִית
baby-sitter *n*	שְׁמַרְטַף
baccalaureate *n*	תֹּאַר הַבּוֹגֵר
bachelor *n*	רַוָּק; בּוֹגֵר אוּנִיבֶרְסִיטָה
bachelorhood *n*	רַוָּקוּת
bachelor-seal *n*	כֶּלֶב־יָם פַּרְוָתִי רַוָּק
bacillus *n* (*pl* bacilli)	חַיְדַּק, מֶתֶג
back *n*	גַּב; אָחוֹר; מִסְעָד; (בכדורגל) מֵגֵן
back *adj*	אֲחוֹרִי; לְשֶׁעָבַר; בְּכִיוּוּן לְאָחוֹר
back *vt, vi*	תָּמַךְ, „גִּיבָּה"; הֵזִיז אֲחוֹרַנִּית; הִימֵּר לְטוֹבַת (פלוני)
back *adv*	אֲחוֹרָה; בַּחֲזָרָה
backache *n*	כְּאֵב־גַּב

backbone *n* עַמּוּד־הַשִּׁדְרָה
back-breaking *adj* מְעַיֵּף, מְפָרֵק
back down הוֹדָה בְּטָעוּת
backdown *n* נְסִיגָה (מהתחייבות או מטענה)
backer *n* תּוֹמֵךְ; פַּטְרוֹן
backfire *n* (במנוע) הַצָּתָה קוֹדֶם זְמַנָּהּ
back-fire *vi* הִצִּית (מנוע) קוֹדֶם זְמַנּוֹ; הֵבִיא תּוֹצָאוֹת הֲפוּכוֹת
background *n* רֶקַע, מוֹצָא
backing *n* תִּימּוּכִין, „גִּיבּוּי"
backlash *n* מַהֲלַךְ־סְרָק; תְּגוּבָה חֲרִיפָה
backlog *n* הִצְטַבְּרוּת (של עבודה)
back-number *n* מִסְפָּר יָשָׁן (של כתב־עת); מְיוּשָּׁן
back out הִתְחַמֵּק
back-pay *n* פִּיגּוּרֵי שָׂכָר
back-room boys *n* הָעוֹבְדִים הַנֶּעֱלָמִים, אַנְשֵׁי הַמֶּחְקָר
back-seat *n* מוֹשָׁב אֲחוֹרִי; תַּפְקִיד מִשְׁנִי
backside *n* „יַשְׁבָן", אָחוֹר
backslide *vi* הִתְגַּלְגֵּל לְחֵטְא
backstage *n, adj* אֲחוֹרֵי הַקְּלָעִים; שֶׁמֵּאֲחוֹרֵי הַקְּלָעִים
backstairs *n, adj* דֶּרֶךְ אֲפֵלָה; עָקִיף
backstitch *n, vt, vi* תַּךְ כָּפוּל; תָּפַר תַּכִּים כְּפוּלִים
backstop *n* בּוֹלֵם כַּדּוּר
backswept wing *n* כָּנָף מָשׁוּךְ לְאָחוֹר
back-talk *n* חוּצְפָּה; תְּשׁוּבָה מְחוּצֶּפֶת
backward *adj* מְכוּוָּן לְאָחוֹר; מְפַגֵּר; בַּיְישָׁן
backward(s) *adv* אֲחוֹרַנִּית, לְאָחוֹר; בְּהִיפּוּךְ

backwater *n* מַיִם סְכוּרִים; נֶחֱשָׁלוּת
backwoods *n pl* שְׁמָמָה
backyard *n* חָצֵר
bacon *n* קוֹתֶל חֲזִיר
bacteria *n* (*pl.* bacterium *sing.*) חַיְדַּקִּים, מְתַגִּים
bacteriologist *n* חַיְדַּקַאי, בַּקְטֶרְיוֹלוֹג
bacteriology *n* חַיְדַּקָאוּת, בַּקְטֶרְיוֹלוֹגְיָה
bad *adj* רַע; לָקוּי; רָקוּב, מוּשְׁחָת
badge *n* תָּג; סֶמֶל
badger *n* גִּירִית
badger *vt* הִטְרִיד, הֵצִיק
badly *adv* רַע; מְאוֹד, בְּמִידָּה רַבָּה
badly off דָּחוּק בְּכֶסֶף
badminton *n* בֶּדְמִינְטוֹן
baffle *vt* סִיכֵּל; הֵבִיךְ
baffle *n* חַיִץ
baffling *adj* מֵבִיךְ, מְבַלְבֵּל, מְתַעְתֵּעַ
bag *n* תִּיק, יַלְקוּט; שַׂקִּית; אַרְנָק; צַיִד (שניצוד)
bag and baggage *adv* עִם כָּל הַמִּיטַּלְטְלִים, בַּכֹּל מִכֹּל כֹּל
baggage *n* מִטְעָן; מִזְוָודוֹת
baggage-car *n* קְרוֹן מִטְעָן
baggage-check *n* תְּלוּשׁ מִטְעָן
baggage-rack *n* כּוֹנַן מִטְעָן
baggage-room *n* חֲדַר מִטְעָן
bagpipe *n* חֵמַת חֲלִילִים
bail *n* עֲרֵבוּת; עֲרוּבָּה
bail *vt* הִפְקִיד; שִׁחְרֵר בַּעֲרֵבוּת
bail *vt, vi* הֵרִיק מַיִם (מסירה)
bailiff *n* פְּקִיד הוֹצָאָה לְפוֹעַל; מְפַקֵּחַ עַל אֲחוּזָּה
bailiwick *n* מְחוֹז שִׁיפּוּט

bail out *vi* צָנַח (ממטוס); עָרַב (לעציר)
bait *vt, vi* הִתְגָּרָה; לָעַג; שָׂם פִּיתָיוֹן
bait *n* פִּיתָיוֹן; מִקְסָם, פִּיתּוּי
baize *n* אָרִיג שָׂעִיר
bake *vt, vi* אָפָה; נֶאֱפָה
bakehouse *n* מַאֲפִיָּה
bakelite *n* בָּקֵלִיט
baker *n* אוֹפֶה
baker's dozen *n* שְׁלוֹשָׁה־עָשָׂר
bakery *n* מַאֲפִיָּה
baking powder *n* אַבְקַת־מַאֲפֶה; אֲפִיוֹן
baking soda *n* סוֹדָה לַאֲפִיָּה
bal. *abbr* balance
balance *n* מֹאזְנַיִם; אִיזּוּן; שִׁיוּוּי־מִשְׁקָל; יִתְרָה
balance *vt, vi* אִיזֵּן; הֵבִיא לְשִׁיוּוּי־מִשְׁקָל; הִשְׁוָה; קִיזֵּז
balance of payments *n* מַאֲזַן הַתַּשְׁלוּמִים
balance of power *n* מַאֲזַן הַכּוֹחוֹת
balance-sheet *n* מַאֲזָן
balcony *n* מִרְפֶּסֶת, גְזוּזְטְרָה; יָצִיעַ
bald *adj* קֵרֵחַ, גִּיבֵּחַ; יָבֵשׁ, חַדְגּוֹנִי; גָּלוּי
baldness *n* קָרַחַת, גַּבַּחַת
baldric *n* חֲגוֹרָה, רְצוּעָה
bale *n* חֲבִילָה; צְרוֹר גָּדוֹל
bale *vt* אָרַז; קָשַׁר בַּחֲבִילוֹת
Balearic Islands *n pl* הָאִיִּים הַבָּלֵיאָרִיִּים
baleful *adj* מֵבִיא רָעָה, מַשְׁחִית
balk, baulk *vt, vi* נֶעֱצַר; שָׂם מִכְשׁוֹל
Balkan *adj* בַּלְקָנִי
Balkans *n pl* מְדִינוֹת הַבַּלְקָן
balky *adj* סָרְבָנִי, עַקְשָׁן
ball *n* כַּדּוּר; נֶשֶׁף רִיקּוּדִים
ballad *n* בַּלָּד, בַּלָּדָה
ballade *n* בַּלָּדָה
ballad-monger *n* כַּתְבָן בַּלָּדוֹת; חַרְזָן
ballast *vt* הִנִּיחַ זְבוֹרִית; אִיזֵּן
ballast *n* זְבוֹרִית
ball-bearing *n* מֵסַב כַּדּוּרִיּוֹת
ballerina *n* בַּלֶּרִינָה, רַקְדָנִית
ballet *n* בַּלֶּט
ballistic *adj* בַּלִּיסְטִי
balloon *n* כַּדּוּר פּוֹרֵחַ, בַּלּוֹן
ballot *n* פֶּתֶק הַצְבָּעָה; הַצְבָּעָה חֲשָׁאִית
ballot-box *n* קַלְפֵּי
ball player *n* מְשַׂחֵק בְּמִשְׂחַק כַּדּוּר
ballpoint pen *n* עֵט כַּדּוּרִי
ballroom *n* אוּלַם רִיקּוּדִים
ballyhoo *n* פִּרְסוֹמֶת מְנוּפַּחַת
balm *n* צֳרִי וָלוֹט, בֹּשֶׂם; שֶׁמֶן מִשְׁחָה; נֶחָמָה
balm of Gilead *n* צֳרִי גִלְעָד
balmy *adj* בָּשׂוּם; מַרְגִּיעַ, נָעִים; לָקוּי בְּשִׂכְלוֹ
balsam *n* שְׂרָף מַרְפֵּא, צֳרִי
Baltic *n* בַּלְטִי
Baltimore oriole *n* זַהֲבָן
baluster *n* עַמּוּד יָצִיעַ; עַמּוּד מַעֲקֶה
bamboo *n, adj* בַּמְבּוּק, חִזְרָן
bamboozle *vt* רִימָּה; בִּלְבֵּל
bamboozler *n* רַמַּאי; מְאַחֵז עֵינַיִם
ban *n* אִיסּוּר; חֵרֶם
ban *vt* אָסַר; הֶחֱרִים, נִידָּה
banana *n* בָּנָנָה, מוֹז
banana-oil *n* שֶׁמֶן בָּנָנָה, שֶׁמֶן־מוֹז

band *n* פַּס, סֶרֶט, קִישּׁוּר; קְבוּצָה; תִּזְמוֹרֶת

band *vi* הִתְאַחֵד, הִתְקַבֵּץ

bandage *n* תַּחְבּוֹשֶׁת

bandage *vt* חָבַשׁ, תִּחְבֵּשׁ

bandanna *n* בַּנְדָנָּה

band-box *n* תֵּיבָה לְכוֹבָעִים

bandit *n* (*pl* –its, –itti) שׁוֹדֵד, לִסְטִים

bandmaster *n* מְנַצֵּחַ

bandoleer *n* תְּלִי, פוּנְדָּה

band-saw *n* מַסּוֹר־סֶרֶט

bandstand *n* בִּימַת הַתִּזְמוֹרֶת

baneful *adj* אַרְסִי; מְחַבֵּל

bang *n* חֲבָטָה, מַכָּה; קוֹל נֶפֶץ

bang *vt*, *vi* הָלַם; טָרַק (דלת); הִשְׁמִיעַ קוֹל נֶפֶץ

bang *adv*, *interj* בְּרַעַשׁ; הַךְ־הַךְ!

bangs *n pl* פֵּאָה מוּקֶּפֶת

banish *vt* גֵּירֵשׁ; הִגְלָה

banishment *n* גֵּירוּשׁ; הַגְלָיָה

banisters *n pl* עַמּוּדֵי מַעֲקֶה

bank *vt*, *vi* סָכַר (בשיפוע, בגדה); טָס בְּאֲוִירוֹן מוּטֶּה הַצִּדָּה; נֶעֱרַם; פָּעַל כְּבַנְק; הִפְקִיד בְּבַנְק; סָמַךְ

bank *n* בַּנְק; קוּפָּה

bank account *n* חֶשְׁבּוֹן בְּבַנְק

bankbook *n* פִּנְקַס בַּנְק

banker *n* בַּנְקַאי; הַמַּחֲזִיק בַּקּוּפָּה

banking *n* בַּנְקָאוּת; עִסְקֵי בַּנְק

banknote *n* שְׁטַר כֶּסֶף

bankroll *n* צְרוֹר שְׁטָרוֹת כֶּסֶף

bankrupt *n*, *adj* פּוֹשֵׁט רֶגֶל

bankrupt *vt* הֵבִיא לִפְשִׁיטַת־רֶגֶל

bankruptcy *n* פְּשִׁיטַת־רֶגֶל

banner *n* דֶּגֶל

banner cry *n* זַעֲקַת קְרָב

banner headline *n* כּוֹתֶרֶת בּוֹלֶטֶת (בעיתון)

banquet *n* מִשְׁתֶּה

banquet *vt*, *vi* עָרַךְ מִשְׁתֶּה; נֶהֱנָה בְּמִשְׁתֶּה

banter *n* לָצוֹן, הִתלוֹצְצוּת

banter *vt*, *vi* חָמַד לָצוֹן, הִתְלוֹצֵץ

baptism *n* טְבִילָה, שְׁמָד

Baptist *n* בַּפְּטִיסְט, מַטְבִּיל

baptist(e)ry *n* אֲגַף הַטְּבִילָה; אַגַּן הַטְּבִילָה

baptize *vt* הִטְבִּיל; הִזָּה מַיִם; קָרָא שֵׁם

bar *n* מוֹט; בְּרִיחַ; (במוסיקה) מַקַּף תָּווִים; חַיִץ; מַעֲצָר מוּסָרִי; מַעֲקֵה תָּא הָאָסִיר; דֶּלְפֵּק מַשְׁקָאוֹת, בַּר

bar *vt* הִבְרִיחַ; הֶחֱרִים; מָנַע

bar *prep* חוּץ מִן, בְּלִי

bar association *n* לִשְׁכַּת עוֹרְכֵי־דִין

barb *n* חוֹד, חִדּוּד; עוֹקֶץ; מַלְעָן

Barbados *n* בַּרְבָּדוֹס

barbarian *n*, *adj* בַּרְבָּר, לֹא תַּרְבּוּתִי

barbaric *adj* בַּרְבָּרִי, אַכְזָרִי

barbarism *n* בַּרְבָּרִיּוּת; שִׁיבּוּשׁ בַּלָּשׁוֹן

barbarous *adj* אַכְזָרִי; לֹא־תַרְבּוּתִי

Barbary Ape *n* מַקָּק גִּיבְּרַלְטָרִי

barbed *adj* דּוֹקֵר, עוֹקֵץ

barbed wire *n* תַּיִל דּוֹקְרָנִי

barber *n* סַפָּר

barber shop *n* מִסְפָּרָה

barber's pole *n* מוֹט סַפָּרִים

bard *n* מְשׁוֹרֵר, בַּרְד; שִׁרְיוֹן סוּס

bard *vt* הִלְבִּישׁ שִׁרְיוֹנִים, שִׁרְיֵן (סוס)

bare *adj* עָרוֹם; גָּלוּי; חָשׂוּף; רֵיק; מְצוּמְצָם

bare *vt* הִפְשִׁיט; גִּילָּה; עִרְטֵל
bareback *adj, adv* לֹא מְאוּכָּף
barefaced *adj* לְלֹא בּוּשָׁה
barefoot *adj, adv* יָחֵף
bareheaded *adj, adv* גְּלוּי רֹאשׁ
barelegged *adj* גְּלוּי רַגְלַיִים, חֲשׂוּף יְרֵכַיִים
barely *adv* בְּדוֹחַק
bargain *n* מְצִיאָה, קְנִיָּה בְּזוֹל
bargain counter *n* דוּכַן מְצִיאוֹת
bargain sale *n* מְכִירַת מְצִיאוֹת
barge *n* אַרְבָּה; אוֹנִיַּית טֶקֶס
barge *vi* נִדְחַף
barge pole *n* מָשׁוֹט
barium *n* בַּרְיוּם
bark *n* נְבִיחָה; קְלִיפַּת הָעֵץ
bark *vi vt* נָבַח; צָרַח; (דיבורית) הִשְׁתַּעֵל; קִילֵּף, קִרְצֵף
barley *n* שְׂעוֹרָה
barley water *n* מֵי־שְׂעוֹרִין
barmaid *n* מוֹזֶגֶת
barn *n* אָסָם
barnacle *n* סַפּוּחַ (הנדבק לאונייה); אַוַּז הַצָּפוֹן
barn owl *n* תִּנְשֶׁמֶת
barnyard *n* חֲצַר־הַמֶּשֶׁק
barometer *n* בָּרוֹמֶטֶר
baron *n* רוֹזֵן; בָּרוֹן; אֵיל הוֹן
baroness *n* בָּרוֹנִית
baroque *adj* בָּרוֹקִי
barracks *n pl* קְסַרְקְטִין
barrage *n* מָסַךְ אֵשׁ, מְטַר יְרִיּוֹת
barrel *n* חָבִית; קְנֵה רוֹבֶה
barrel organ *n* תֵּיבַת נְגִינָה
barren *adj* עָקָר; שָׁמֵם
barricade *n* מִתְרָס, בָּרִיקָדָה
barricade *vt* חָסַם, תָּרַס, מִתְרֵס; הִתְגּוֹנֵן בְּמִתְרָסִים; הִתְמַתְרֵס
barrier *n* מַחְסוֹם; מַעֲקֶה
barrier reef *n* מֵזַח אַלְמוּגִּים
barrister *n* פְּרַקְלִיט, עוֹרֵךְ־דִּין
barroom *n* חֲדַר־מַשְׁקָאוֹת
bartender *n* מוֹזֵג
barter *n* סַחַר חֲלִיפִין
barter *vt, vi* סָחַר בַּחֲלִיפִין; הֵמִיר
base *n* בָּסִיס; תַּחְתִּית; יְסוֹד; מַסַּד
base *vt* בִּיסֵּס, יִיסֵּד
base *adj* שָׁפָל; מוּג־לֵב; נִבְזֶה
baseball *n* בֵּייסְבּוֹל
base coin *n* מַטְבֵּעַ מְזוּיָּף
Basel *n* בָּאזֶל
base metals *n pl* מַתָּכוֹת זוֹלוֹת
baseless *adj* חֲסַר יְסוֹד; עוֹמֵד עַל בְּלִימָה
basement *n* קוֹמַת־מַסַּד; מַסַּד
bashful *adj* בַּיְישָׁן, בַּיְישָׁנִי
basic *adj* בְּסִיסִי; עִיקָּרִי, יְסוֹדִי
basilica *n* בָּזִילִיקָה
basin *n* כִּיּוֹר, אַגָּן, קְעָרָה
basis *n* בָּסִיס, יְסוֹד, עִיקָּר
bask *vi* הִתְפָּרֵק, הִתְחַמֵּם; נֶהֱנָה
basket *n* סַל, טֶנֶא
basket weave *n* חִיבּוּר פָּשׁוּט
basket work *n* קְלִיעָה; טְווִיַּית קְלִיעָה
bas relief *n* תַּבְלִיט נָמוּךְ
bass *n, adj* בַּס (מוסיקה)
bass *n* מוּשְׁט (דג); תִּרְזָה
bass drum *n* תּוֹף גָּדוֹל
bass horn *n* טוּבָּה
bassoon *n* בַּסּוֹן

bass viol *n* כּוֹנֶרֶת־בֶּרֶךְ, וִיוֹלָה דָא גַמְבָּא
bass wood *n* תִּרְזָה
bastard *n* מַמְזֵר, יֶלֶד לֹא חוּקִי; מְעוֹרָב, מְזוּיָּף; נָבָל
bastard title *n* חֲצִי תּוֹאַר
baste *vt* הִכְלִיב, תָּפַר אַרְעִית; הִרְטִיב בְּשֶׁמֶן; הִלְקָה, הִצְלִיף
bat *n* עֲטַלֵּף; מַחְבֵּט, אַלָּה
bat *vt, vi* חָבַט, הִיכָּה
batch *n* מַעֲרֶכֶת, קְבוּצָה
bath *n* רְחִיצָה בְּאַמְבָּט; אַמְבָּט; בֵּית־מֶרְחָץ
bathe *vt, vi* הִטְבִּיל; הִרְטִיב; רָחַץ; הִתְאַמְבֵּט, הִתְרַחֵץ בְּאַמְבָּט
bather *n* מִתְרַחֵץ
bathhouse *n* בֵּית־מֶרְחָץ; מֶרְחָצָה (בְּחוֹף)
bathing *n* רְחִיצָה, רְחִיצָה בַּיָּם
bathing beach *n* חוֹף רַחְצָה
bathing beauty *n* נַעֲרַת מַיִם
bathing resort *n* מֶרְחֲצָאוֹת
bathing trunks *n pl* מִכְנְסֵי רַחְצָה
bathrobe *n* מְעִיל רַחְצָה, גְּלִימַת רַחְצָה
bathroom *n* חֲדַר־רַחְצָה, חֲדַר־אַמְבָּט
bathroom fixtures *n pl* אַבְזְרֵי חֲדַר־אַמְבָּט
bathtub *n* אַמְבַּטְיָה
baton *n* שַׁרְבִיט; אַלַּת שׁוֹטֵר
battalion *n* בַּטַּלְיוֹן; גְּדוּד
batter *n* טִשְׁטוּשׁ בִּדְפוּס; תַּבְלִיל; הַמְשַׂחֵק שֶׁתּוֹרוֹ לְשַׂחֵק (בְּמִשְׂחֲקֵי מַחְבֵּט)
batter *vt, vi* הִיכָּה לִפְצוֹעַ; הָלַם לְשַׁבֵּר
battering ram *n* אֵיל־בַּרְזֶל
battery *n* סוֹלְלָה; גּוּנְדָה (יְחִידַת חֵיל־תּוֹתְחָנִים); מַעֲרֶכֶת מְכוֹנוֹת; תְּקִיפָה
battle *n* קְרָב, מַעֲרָכָה
battle *vi* נִלְחַם בּ..., נֶאֱבַק בּ...
battle array *n* מַעֲרָךְ קְרָבִי
battle-cry *n* קְרִיאַת מִלְחָמָה
battledore *n* מַחְבֵּט קַל
battledore and shuttlecock *n* מִשְׂחַק כַּדּוּר הַנּוֹצָה
battlefield *n* שְׂדֵה־קְרָב
battlefront *n* חֲזִית
battleground *n* שְׂדֵה מַעֲרָכָה
battlement *n* חוֹמַת אֶשְׁנַבִּים
battlepiece *n* יְצִירָה עַל קְרָב
battleship *n* אוֹנִיַּת־קְרָב
battue *n* הַחֲרָדַת חַיָּה מֵרִבְצָהּ; רְדִיפָה אַחַר חַיָּה
bauble *n* תַּכְשִׁיט זוֹל
Bavaria *n* בַּאוּוַארְיָה
Bavarian *adj, n* בַּאוּוַארִי
bawd *n* סַרְסוּרִית לִזְנוּת; נִיבּוּל־פֶּה
bawdy *adj* זְנוּנִי; נִיבּוּלִי, שֶׁל נִיבּוּל־פֶּה
bawdy house *n* בֵּית־זוֹנוֹת, בֵּית־בּוֹשֶׁת
bawl *vi, vt* הִרְעִישׁ; בָּכָה
bay *n* מִפְרָץ; רָצִיף צְדָדִי (בְּתַחֲנַת־רַכֶּבֶת); נְבִיחָה־יַבָּבָה
bay *vi, vt* נָבַח־יִיבֵּב
bay *adj* חוּם־אָדוֹם; עַרְמוֹנִי
bay leaves *n pl* עֲלֵי דַפְנָה
bayonet *n* כִּידוֹן
bayonet *vt* כִּידֵּן, דָּקַר בְּכִידוֹן
bay rum *n* בּוֹשֶׂם
bay window *n* גַּבְלִית

bazooka *n* בָּזוּקָה
B. C. לִפְנֵי סְפִירַת הַנּוֹצְרִים, לפסה״נ
be *vi* הָיָה; חַי; הִתְקַיֵּם
beach *n* שְׂפַת־הַיָּם, חוֹף
beachcomber *n* נַוָּד חוֹפִים
beachhead *n* רֹאשׁ חוֹף
beach robe *n* מְעִיל יָם
beach shoe *n* נַעַל יָם
beach umbrella *n* סוֹכֵךְ חוֹף
beach wagon *n* מְכוֹנִית דו־שִׁימוּשִׁית
beacon *n* מִגְדַל־אִיתּוּת, מִגְדַלּוֹר; מַשּׂוּאָה
beacon *vt* אוֹתֵת; הִבְהִיק
bead *n* חָרוּז, חוּלְיָה
beadle *n* שַׁמָּשׁ
beagle *n* שַׁפְלָן
beak *n* מַקּוֹר, חַרְטוֹם; זִיז
beam *n* קֶרֶן; קוֹרָה
beam *vt, vi* קָרַן, הֵאִיר
bean *n* שְׁעוּעִית, פּוֹל
beanpole *n* סָמוֹכַת שְׁעוּעִית
bear *n* דּוֹב; סַפְסָר זוֹלָן
bear *vi, vt* נָשָׂא; תָּמַךְ; הוֹבִיל; סָבַל; יָלַד; נָתַן (פרי)
beard *n* זָקָן; (בבוטניקה) מַלְעָן
beardless *adj* לְלֹא חֲתִימַת זָקָן
bearer *n* נוֹשֵׂא, מוֹבִיל; מוֹכָּ״ז (מוסר כתב זה)
bearing *n* הִתְנַהֲגוּת; קֶשֶׁר, יַחַס
bearings *n pl* הִתְמַצְּאוּת
bearish *adj* דּוּבִּי; גַּס; נִזְעָם
bear market *n* שׁוּק זוֹלָנִי (בבורסה)
bearskin *n* עוֹר־דּוֹב; כּוֹבַע־פַּרְוָה
beast *n* חַיָּה, בְּהֵמָה
beastly *adj* חַיָּתִי, בַּהֲמִי
beast of burden *n* בֶּהֱמַת־מַשָּׂא
beat *n* מַכָּה בְּתוֹף, אוֹת (על־ידי תיפוף); הוֹלֶם (לב); פַּעֲמָה (יחידת המקצב); מַקּוֹף (של שוטר)
beat *adj* רָצוּץ
beat *vt, vi* הִלְקָה, הִיכָּה, הָלַם
beater *n* מַקִּישׁ, מַקְצֵף
beatify *vt* הִכְרִיז כְּקָדוֹשׁ
beating *n* הַכָּאָה, הַלְקָאָה; תְּבוּסָה
beau *n* מְחַזֵּר, אוֹהֵב
beautician *n* יַפַּאי
beautiful *adj* יָפֶה, יָפָה
beautify *vt* יִיפָּה; פֵּיאֵר
beauty *n* יוֹפִי; יְפֵהפִיָּה
beauty contest *n* תַּחֲרוּת יוֹפִי
beauty parlor *n* מְכוֹן יוֹפִי
beauty queen *n* מַלְכַּת יוֹפִי
beauty spot *n* נְקוּדַת־חֵן
beaver *n* בּוֹנֶה; כּוּמְתַּת פַּרְוָה
becalm *vt* עָצַר; הִשְׁקִיט, הִרְגִּיעַ
because *conj, adv* מִשּׁוּם שֶׁ..., מִפְּנֵי שֶׁ..., כִּי
because of בִּגְלַל
beck *n* רְמִיזָה, מֶחְוָה
beckon *vt, vi* רָמַז, הֶחֱוָה; אוֹתֵת
become *vi, vt* נַעֲשָׂה, הָיָה ל...; הִתְאִים, הָלַם
becoming *adj* הוֹלֵם, מוֹשֵׁךְ עַיִן; מַתְאִים
bed *n* מִיטָּה; עֲרוּגָה (של פרחים); קַרְקָעִית
bed and board *n* דִּירָה וּמְזוֹנוֹת
bedbug *n* פִּשְׁפֵּשׁ
bedchamber *n* חֲדַר־מִיטּוֹת
bedclothes *n pl* כְּלֵי־מִיטָּה
bed cover *n* צִיפּוּי מִיטָּה

bedding *n* כְּלֵי־מִיטָּה; יְסוֹד, מַסָּד

bedevil *vt* בִּלְבֵּל, קִלְקֵל

bedfast *n* מְרוּתָּק לְמִיטָּתוֹ

bedfellow *n* שׁוּתָּף לַמִּיטָּה; חָבֵר קָרוֹב

bedlam *n* מְהוּמָה; בֵּית מְשׁוּגָּעִים

bed-linen *n* לִבְנֵי מִיטָּה

bedpan *n* עֲבִיט מִיטָּה, סִיר

bedpost *n* כֶּרַע מִיטָּה

bedridden *adj* מְרוּתָּק לַמִּיטָּה

bedroom *n* חֲדַר־מִיטּוֹת, חֲדַר־שֵׁינָה

bedside *n, adj* צַד הַמִּיטָּה; שֶׁלְּיַד הַמִּיטָּה

bedsore *n* כְּאֵב שְׁכִיבָה, פַּחֶסֶת

bedspread *n* צִיפּוּי מִיטָּה

bedspring *n* מַעֲרֶכֶת קְפִיצֵי מִיטָּה

bedstead *n* מִיטָּה

bedstraw *n* עֵשֶׂב יָם

bedtick *n* צִיפִּית

bedtime *n, adj* שְׁעַת הַשֵּׁינָה

bee *n* דְּבוֹרָה

beech *n* תְּאַשּׁוּר, אַשּׁוּר

beechnut *n* פְּרִי הָאַשּׁוּר

beef *n* בְּשַׂר בָּקָר; תְּלוּנָה

beef *vi* הִתְאוֹנֵן, רָטַן

beef cattle *n* בָּקָר לִשְׁחִיטָה

beefsteak *n* אוּמְצַת בָּשָׂר, כְּתִיתָה

beehive *n* כַּוֶּורֶת

beeline *n* מְעוּף צִיפּוֹר, קַו יָשָׁר

beer *n* בִּירָה, שֵׁכָר

beeswax *n* דּוֹנַג, שַׁעֲוָוה

beet *n* סֶלֶק

beetle *n* חִיפּוּשִׁית

beetle-browed *adj* בַּעַל גַּבּוֹת בּוֹלְטוֹת

beet sugar *n* סוּכַּר־סֶלֶק

befall *vt, vi* אֵירַע, קָרָה

befitting *adj* מַתְאִים, רָאוּי

before *adv* לִפְנֵי, קוֹדֶם; לִפְנֵי־כֵן

before *prep* לִפְנֵי, בְּנוֹכְחוּת

before *conj* לִפְנֵי שֶׁ..., קוֹדֶם שֶׁ...

beforehand *adj* מִקּוֹדֶם, מֵרֹאשׁ

befriend *vt* הֶרְאָה יְדִידוּת, קֵירֵב

befuddle *vt* שִׁיכֵּר, הִקְהָה חוּשִׁים; בִּלְבֵּל

beg *vt, vi* בִּיקֵּשׁ, הִתְחַנֵּן

beget (begot, begat; begotten) *vt* הוֹלִיד; גָּרַם

beggar *n* קַבְּצָן, פּוֹשֵׁט יָד; (דיבורית) בַּרְנָשׁ

begin *vt, vi* הִתְחִיל

beginner *n* מַתְחִיל; טִירוֹן

beginning *n* הַתְחָלָה; רֵאשִׁית

begrudge *vt* קִינֵּא בּ..., עֵינוֹ הָיְתָה צָרָה בּ...

beguile *vt* הִטְעָה, הִשְׁלָה; מָשַׁךְ בְּחַבְלֵי־קֶסֶם

behalf *n* צַד, טַעַם (מִטַּעַם)

behave *vi, v reflex* נָהַג; הִתְנַהֵג, הִתְנַהֵג כָּרָאוּי

behavior *n* הִתְנַהֲגוּת, יַחַס לַזּוּלַת

behead *vt* עָרַף רֹאשׁ

behind *adv* מֵאָחוֹר, לְאָחוֹר

behind *prep* מֵאֲחוֹרֵי, אַחֲרֵי; בְּפִיגּוּר

behind *n* אֲחוֹרַיִים, יַשְׁבָן

behold *vt* רָאָה

behold! *interj* הִנֵּה!

behove, behoove *vt* (impersonal) הָיָה עַל, שׁוּמָה עַל

being *n* הֲוָויָה, קִיּוּם; מְצִיאוּת

belch *n* גִּיהוּק; יְרִיקַת אֵשׁ (וכד׳)

belch *vi, vt* גִּיהֵק; יָרַק (אש וכד׳)
beleaguer *vt* כִּיתֵּר, צָר
belfry *n* מִגדַל פַּעֲמוֹן
Belgian *adj, n* בֶּלגִי
Belgium *n* בֶּלגִיָה
belie *vt* הִפרִיךְ, סָתַר
belief *n* אֱמוּנָה; אֵימוּן
believable *adj* נִיתָּן לְהֵיאָמֵן, מְהֵימָן
believe *vt, vi* הֶאֱמִין, נָתַן אֱמוּנוֹ; חָשַׁב
believer *n* מַאֲמִין
belittle *vt* מִיעֵט; זִלזֵל
bell *n* פַּעֲמוֹן; צִלצוּל
bell *vi, vt* גָּעָה, שָׁאַג; קָשַׁר פַּעֲמוֹן ל...
bellboy *n* נַעַר מְשָׁרֵת (במלון)
belle *n* אִישָּׁה יָפָה
belles-lettres *n pl* סִפרוּת יָפָה, בֶּלֶטרִיסטִיקָה
bell gable *n* גַּמלוֹן פַּעֲמוֹנִים
bellhop *n* נַעַר מְשָׁרֵת (במלון)
bellicose *adj* תּוֹקְפָנִי
belligerent *adj* צַד לוֹחֵם; לוֹחֲמָנִי, מִלחַמתִּי
bellow *n* גְּעִייָה; רַעַם
bellow *vi* גָּעָה, שָׁאַג; רָעַם
bell-ringing *n* צִלצוּל פַּעֲמוֹנִים
bellwether *n* מַשׁכּוֹכִית, תַּיִשׁ (ההולך בראש העדר)
belly *n* בֶּטֶן, כֶּרֶס; גָּחוֹן
belly *vt, vi* נִיפֵּחַ; הִתנַפֵּחַ (בעיקר לגבי מפרשׂים)
belly-ache *n* כְּאֵב בֶּטֶן
belly button *n* טַבּוּר
belly dance *n* רִיקּוּד בֶּטֶן
bellyful *n* מְלוֹא הַכֶּרֶס; דַּי וְהוֹתֵר
bellylanding *n* נְחִיתַת מָטוֹס גְּחוֹנִית
belong *vi* הָיָה שַׁיָּךְ, הִשׁתַּיֵּךְ; הָיָה מַתאִים, הָיָה הוֹלֵם
belongings *n pl* מִיטַּלטְלִים, חֲפָצִים אִישִׁיִּים
beloved *adj, n* אָהוּב, יָקָר
below *adv* לְמַטָּה; לְהַלָּן
below *prep* לְמַטָּה מִן, עָמוֹק יוֹתֵר
belt *n* חֲגוֹרָה; חֲגוֹר, רְצוּעָה; אֵיזוֹר
bemoan *vt* סָפַד, קוֹנֵן
bench *n* סַפסָל; כֵּס הַמִּשׁפָּט; חֶבֶר שׁוֹפְטִים
bend *n* סִיבּוּב; כְּפִיפָה, עִיקּוּם, עִיקּוּל
bend *vt, vi* כָּפַף, עִיקֵּם; סִיבֵּב; הִתכּוֹפֵף
beneath *prep* מִתַּחַת, לְמַטָּה מִן
benediction *n* הַבָּעַת בְּרָכָה; בִּרכַּת סִיּוּם
benefaction *n* גְּמִילוּת־חֶסֶד, צְדָקָה
benefactor *n* נָדִיב, גּוֹמֵל חֶסֶד
benefactress *n* נְדִיבָה, גּוֹמֶלֶת חֶסֶד
beneficence *n* חֶסֶד, צְדָקָה
beneficent *adj* עוֹשֶׂה חֶסֶד, נָדִיב
beneficial *adj* מוֹעִיל, מֵיטִיב
beneficiary *n* מַרוִויחַ; נֶהֱנֶה
benefit *n* טוֹבָה, תּוֹעֶלֶת; קִצבָּה, גִּמלָה; רֶוַח, יִתרוֹן
benefit *vt, vi* הִשׁפִּיעַ טוֹבָה; נֶהֱנָה
benefit performance *n* הַצָּגַת צְדָקָה
benevolence *n* רוֹחַב־לֵב, נְדִיבוּת־לֵב
benevolent *adj* שׁוֹחֵר טוֹב, גּוֹמֵל חֶסֶד
benign *adj* טוֹב־לֵב; לֹא מַמאִיר (גידול)
benignity *n* חֶסֶד, נְדִיבוּת, טוּב־לֵב
bent *adj* מְעוּקָּם, מְעוּקָל

benzine *n* בֶּנְזִין

bequeath *vt* הוֹרִישׁ, הִנְחִיל

bequest *n* עִיזָּבוֹן, יְרוּשָּׁה

berate *vt* גִידֵּף, נָזַף

bereave *vt* שָׁכַל

bereavement *n* שְׁכוֹל, יְתוֹם, אַלְמוֹן

Berliner *n* תּוֹשַׁב בֶּרְלִין

berry *n* גַּרְגֵּר

berserk *adj* מִשְׁתּוֹלֵל

berth *n* מִיטַּת מַדָּף; מִרְוָח; מִשְׂרָה; מַעֲגָן

beryllium *n* בֵּרִילְיוּם

beseech *vt* הִפְצִיר; בִּיקֵּשׁ, הִתְחַנֵּן

beset *vt* צָר, הִתְקִיף

beside *prep* לְיַד, לְצַד; נוֹסָף עַל; מִלְּבַד

beside oneself נָבוֹךְ (מרוב שׂמחה, צער וכד׳)

besiege *vt* צָר, הִקִּיף

besmirch *vt* הִכְתִּים, הִשְׁמִיץ

bespatter *vt* הִתִּיז בּוֹץ; הִשְׁמִיץ

bespeak *vt* בִּיקֵּשׁ; הִזְמִין מֵרֹאשׁ

best *adj*, *adv*, *n* הַטּוֹב בְּיוֹתֵר, „הֲכִי טוֹב״

best girl *n* אֲהוּבָה

bestir *v reflex* הִתְעוֹרֵר הֵנִיעַ אֶת עַצְמוֹ

best man *n* מְלַוֵּה הֶחָתָן

bestow *vt* הִפְקִיד; הֶעֱנִיק

best seller *n* רַב־מֶכֶר

bet *n* הִתְעָרְבוּת, הִימּוּר

bet *vt*, *vi* הִתְעָרֵב, הִימֵּר

betake *v reflex* הָלַךְ, פָּנָה אֶל

bethink *v reflex* נִזְכַּר; הֶחֱלִיט

Bethlehem *n* בֵּית־לֶחֶם

betide *vt*, *vi* אֵירַע, בָּא עַל, הִתְרַחֵשׁ

betoken *vt* צִיֵּין; בִּיטֵּא, סִימֵּל

betray *vt* בָּגַד; גִּילָּה (סוֹד), הֶרְאָה, הֵעִיד עַל

betrayal *n* בְּגִידָה; גִּילּוּי סוֹד

betroth *vt* הִתְאָרֵס

betrothal *n* אֵירוּסִין

betrothed *n*, *adj* אָרוּס, אֲרוּסָה

better *n*, *adj* יִתְרוֹן; מוּבְחָר, עוֹלֶה עַל

better *adv* יָפֶה יוֹתֵר, בְּאוֹפֶן טוֹב יוֹתֵר

better half *n* (דיבורית) בֶּן־זוּג, בַּת־זוּג

betterment *n* הַשְׁבָּחָה, שֶׁבַח בְּמַקַּרְקְעִין

between *prep*, *adv* בֵּין שְׁנַיִים, בֵּין, בַּתָּוֶךְ

between-decks *n pl* בֵּין הַסִּיפּוּנַיִים

bevel *n* מֶדֶר, מַזְוִית; שִׁיפּוּעַ

beverage *n* מַשְׁקֶה

bewail *vt*, *vi* סָפַד, הִסְפִּיד; בָּכָה

beware *vi*, *vt* הִזְהִיר; נִזְהַר

beyond *prep*, *adv* מֵעֵבֶר ל...,, לְמַעְלָה מִן, יוֹתֵר מִן

bias *n* דֵּעָה מוּקְדֶּמֶת; נְטִיָּיה, פְּנִיָּיה

bias *vt* הִשְׁפִּיעַ (לנטייה מן הצדק)

bib *n* סִינָּרִית

Bib. *abbr* Biblical

Bible *n* תּוֹרָה נְבִיאִים וּכְתוּבִים (תנ״ך), כִּתְבֵי־הַקּוֹדֶשׁ

Biblical, biblical *adj* מִקְרָאִי, שֶׁעַל־פִּי הַתְּנָ״ךְ

bibliographer *n* בִּיבְּלִיוֹגְרָף

bibliography *n* בִּיבְּלִיוֹגְרַפְיָה, רְשִׁימַת סְפָרִים

bibliophile *n* בִּיבְּלִיוֹפִיל, אוֹהֵב סְפָרִים

bicameral *adj* דו־בֵּיתִי, דו־אֲגַפִּי
bicarbonate *n* דו־פַּחְמָה, דו־קַרְבּוֹנָט
bicker *vt* הִתְנַצֵּחַ, רָב
bicycle *n* אוֹפַנַּיִם
bid *n* הַצָּעַת מְחִיר; הַצָּעָה; צַו
bid *vt, vi* הִצִּיעַ (מחיר); צִיוָּה, הוֹרָה
bidder *n* מַצִּיעַ, מַכְרִיז הַצָּעָה
bidding *n* הוֹרָאָה; הַצָּעָה
bide *vt* נִשְׁאַר
biennial *n, adj* דו־שְׁנָתִי
bier *n* אֲרוֹן הַמֵּת; כַּן לְגוִיַּת הַמֵּת
bifocal *adj* דו־מוֹקְדִי
bifocals *n pl* מִשְׁקָפַיִם דו־מוֹקְדִיִּים
big *adj* גָּדוֹל, מְגוּדָּל; מְבוּגָּר
bigamist *n* בִּיגָמִיסְט, בִּיגָמִיסְטִית
bigamous *adj* בִּיגָמִי, כָּרוּךְ בְּבִיגַמְיָה
bigamy *n* בִּיגַמְיָה
big-bellied *adj* בַּעַל כָּרֵס, כַּרְסְתָן
Big Dipper *n* הָעֲגָלָה הַגְּדוֹלָה
big game *n* צַיִד גָּדוֹל
big-hearted *adj* נָדִיב, רְחַב־לֵב
bigot *n* קַנַּאי עִיוֵּר
bigoted *adj* עִיוֵּר בֶּאֱמוּנָתוֹ
bigotry *n* קַנָּאוּת עִיוֶּרֶת, אֱמוּנָה עַקְשָׁנִית
big shot *n* אָדָם חָשׁוּב
bile *n* מָרָה, מִיץ מָרָה; זְרִיקַת מָרָה
bile-stone *n* אֶבֶן מָרָה
bilge *n* רֶפֶשׁ שִׁיפּוּלַיִם (באונייה); (המונית) הֶבֶל, שְׁטוּיוֹת
bilge-pump *n* מַשְׁאֵבַת הַשִּׁיפּוּלַיִם
bilge-water *n* מֵי שִׁיפּוּלַיִם
bilge ways *n pl* מְסִילָה נָעָה
bilingual *adj, n* דו־לְשׁוֹנִי
bilious *adj* מָרָתִי, זוֹרֵק מָרָה, רוֹגְזָנִי
bilk *vt* הִשְׁתַּמֵּט מִפֵּרָעוֹן חוֹב; הוֹנָה
bill *n* חַרְטוֹם; מַקּוֹר; חֶשְׁבּוֹן; שְׁטָר; הַצָּעַת חוֹק; מוֹדָעָה (על גבי לוח מודעות); רְשִׁימָה (של פריטים); (במשפט) תְּבִיעָה
bill *vt* הִגִּישׁ חֶשְׁבּוֹן; חִיֵּב; פִּרְסֵם בְּמוֹדָעָה
billboard *n* לוּחַ־מוֹדָעוֹת
billet *n* דִּירַת חַיָּל; מִשְׂרָה, מִינּוּי; פֶּתֶק
billet-doux (*pl* billets-doux) *n* מִכְתַּב אַהֲבָה
billfold *n* תִּיק, אַרְנָק
billhead *n* טוֹפֶס חֶשְׁבּוֹן
bill of exchange *n* שְׁטַר חֲלִיפִין
bill of fare *n* תַּפְרִיט; תּוֹכְנִית
bill of lading *n* תְּעוּדַת מִטְעָן
bill of sale *n* שְׁטַר מְכִירָה
billow *n* נַחְשׁוֹן
billow *vi* הִתְנַחְשֵׁל
billposter, billsticker *n* מַדְבִּיק מוֹדָעוֹת
billy *n* אַלַּת שׁוֹטֵר
billy-goat *n* תַּיִשׁ, עַתּוּד
bin *n* אַרְגָּז, כְּלִי־קִיבּוּל
bind *vt* קָשַׁר, הִידֵּק; חָבַשׁ; כָּרַךְ; חִיֵּב
bindery *n* כְּרִיכִיָּה
binding *n* קִישּׁוּר, חִיזּוּק; כְּרִיכַת סֵפֶר
binding *adj* מְחַיֵּב
binding post *n* עַמּוּד קִישּׁוּר
binge *n* (המונית) מִשְׁתֶּה, הִילּוּלָא

binnacle *n* בֵּית־מַצְפֵּן
binoculars *n pl* מִשְׁקֶפֶת
biochemical *adj* בִּיוֹכִימִי
biochemist *n* בִּיוֹכִימַאי
biochemistry *n* בִּיוֹכִימִייָה
biographer *n* בִּיוֹגְרָף
biographic(al) *adj* בִּיוֹגְרָפִי, שֶׁל חַיֵּי אָדָם
biography *n* בִּיוֹגְרַפְיָה
biologist *n* בִּיוֹלוֹג
biology *n* בִּיוֹלוֹגְיָה
biophysical *adj* בִּיוֹפִיסִי
biophysics *n pl* בִּיוֹפִיסִיקָה
birch *n* בֵּתוּל, לִבְנֶה, שַׁדָּר; מַקֵּל
birch *vt* הִיכָּה בְּמַקֵּל
bird *n* צִיפּוֹר; עוֹף; בַּחוּרוֹנֶת; טִיפּוּס
bird-cage *n* כְּלוּב לְצִיפּוֹר
bird-call *n* קוֹל צִיפּוֹר
bird-lime *n* דֶּבֶק מַלְכּוֹדֶת לְצִיפּוֹרִים
bird of passage *n* עוֹף נוֹדֵד; צַיָּיר אֲרָעִי
bird of prey *n* עוֹף דּוֹרֵס
birdseed *n* זֵרְעוֹן
bird's-eye view *n* מַרְאֶה מִמְעוֹף הַצִּיפּוֹר
birdshot *n* כַּדּוּרֵי צַיִד עוֹפוֹת
birth *n* לֵידָה; יְלוּדָה; מוֹצָא
birth certificate *n* תְּעוּדַת לֵידָה
birth control *n* אֶמְצָעֵי מְנִיעַת לֵידָה
birthday *n* יוֹם־הוּלֶּדֶת
birthday cake *n* עוּגַת יוֹם־הוּלֶּדֶת
birthday present *n* מַתְּנַת יוֹם־הוּלֶּדֶת
birthmark *n* סִימָן מִלֵּידָה
birthplace *n* מְקוֹם הוּלֶּדֶת
birthright *n* זְכוּת בְּכוֹרָה

Biscay *n* בִּיסְקָיָה
biscuit *n* אֲפִיפִית, בִּיסְקְוִויט
bisect *vt, vi* חָצָה לִשְׁנֵי חֲלָקִים שָׁוִים
bishop *n* בִּישׁוֹף, הֶגְמוֹן; (בשחמט) רָץ
bismuth *n* בִּיסְמוּת
bison *n* בִּיסוֹן, תְּאוֹ
bit *n* רֶסֶן; מַקְדֵּחַ; מַשֶּׁהוּ, קוֹרְטוֹב; רֶגַע קָט
bitch *n* כַּלְבָּה
bite (bit, bitten) *vt, vi* נָשַׁךְ; נָגַס
bite *n* נְשִׁיכָה; נְגִיסָה
biting *n* נוֹשֵׁךְ; צוֹרֵב; עוֹקְצָנִי
bitter *adj* מַר; צוֹרֵב
bitterness *n* מְרִירוּת
bitumen *n* בִּיטוּמֶן, אַסְפַלְט, חֵימָר
bivouac *n* מַחֲנֶה צְבָאִי
bivouac *vi* חָנָה
bizarre *adj* תִּמְהוֹנִי, מוּזָר
blabber *n* פַּטְפְּטָן
black *adj* שָׁחוֹר; קוֹדֵר
black and blue *adj* כּוּלוֹ פֶּצַע וְחַבּוּרָה
black and white *adj* שָׁחוֹר עַל־גַּבֵּי לָבָן
blackberry *n* אוּכְמָנִית
blackbird *n* קִיכְלִי הַשַּׁחְרוּר
blackboard *n* לוּחַ
black damp *n* גַּאז שָׁחוֹר
blacken *vt, vi* הִשְׁחִיר; הִשְׁמִיץ
blackguard *n* נָבָל, נִבְזֶה
blackguard *vi, vt* הִתְנַהֵג בְּנִבְזוּת; גִּידֵּף
blackhead *adj* חָטָט; סִבְכִּי שְׁחוֹר־רֹאשׁ (צִיפּוֹר)
blackish *adj* כֵּהֶה, שְׁחַרְחַר

blackjack *n* אַלָּה; סוֹכָּר שָׂרוּף
blackjack *vt* הִכָּה בְּאַלָּה
blackmail *n* סַחטָנוּת, דְמֵי לֹא־יֶחֱרַץ
blackmail *vt* סָחַט
blackmailer *n* סוֹחְטָן
Black Maria *n* מְכוֹנִית סוֹגֵר
black market *n* שׁוּק שָׁחוֹר
blackness *n* שְׁחוֹר, אֲפֵלָה
blackout *n* הַאֲפָלָה, אִיפּוּל; דִמדוּם חוּשִׁים; אִיבּוּד זִיכָּרוֹן
blackout *vt, vi* אִיפֵּל; הִגִּיעַ לְדִמדוּם חוּשִׁים
black sheep *n* נָבָל
blacksmith *n* נַפָּח
blackthorn *n* פּרוּנוּס קוֹצָנִי; עוּזרָד
black tie *n* עֲנִיבַת עֶרֶב
bladder *n* שַׁלפּוּחִית
blade *n* לַהַב
blame *n* אַשְׁמָה, קוֹלָר; גִינּוּי
blame *vt* הֶאֱשִׁים, תָּלָה קוֹלָר בּ...
blameless *adj* חַף מִפֶּשַׁע, לֹא אָשֵׁם
blanch *vt, vi* הִלבִּין, נִיקָּה; הֶחֱוִיר
bland *adj* נָעִים, אָדִיב; רַךְ, מַרגִיעַ
blandish *vt* הֶחֱנִיף
blank *n* רֵיק, חָלָל; רֶקַע מוּכָן לִטבִיעָה
blank *adj* חָלָל, רֵיק
blank check *n* שֶׁק חָלָק; יָד חוֹפשִׁית
blanket *n* שְׂמִיכָה, כִּיסּוּי
blanket *adj* מַקִיף, כּוֹלֵל
blanket *vt* כִּיסָּה בִּשְׂמִיכָה; כִּיסָּה
blasé *adj* עָיֵף מֵעִינּוּגִים
blaspheme *vt, vi* חִילֵל הַשֵּׁם, חִילֵל הַקּוֹדֶשׁ
blasphemous *adj* שֶׁל חִילּוּל הַשֵּׁם; שֶׁל נִיאוּף
blasphemy *n* חִילּוּל הַשֵּׁם; נִיאוּף
blast *n* הִתפָּרְצוּת רוּחַ; שְׁרִיקָה; נְשִׁיפָה חֲזָקָה; הִתפּוֹצְצוּת
blast *vt, vi* פּוֹצֵץ (סלעים וכד׳); הִקמִיל, נִיוֵּן
blast furnace *n* כִּבשַׁן אֵשׁ
blast off *vi* הִתפּוֹצֵץ
blatant *adj* זוֹעֵק, רַעֲשָׁנִי; גַס
blaze *n* לֶהָבָה; זוֹהַר; הִתפָּרְצוּת
blaze *vt, vi* סִימֵּן (שביל); בָּעַר
bleach *n* חוֹמֶר מַלבִּין
bleach *vt, vi* הִלבִּין
bleacher *n* מַלבִּין; כְּלִי לְהַלבָּנָה
bleaching powder *n* אֲבָקָה מַלבִּינָה
bleak *adj* שׁוֹמֵם; פָּתוּחַ לָרוּחַ; עָגוּם
bleat *n* פְּעִייָה, גְעִייָה
bleed *vt, vi* שָׁתַת דָם; נִנקַז; הִקִּיז דָם
blemish *vt* הֵטִיל מוּם, הִשׁחִית
blemish *n* לִיקּוּי, פְּגָם
blend *n* תַּעֲרוֹבֶת, תִּמזוֹגֶת
blend *vt* עֵירֵב, מָזַג
bless *vt* בֵּירֵךְ, קִידֵּשׁ; הֶעֱנִיק אוֹשֶׁר
blessed *adj* קָדוֹשׁ; מְבוֹרָךְ; נַעֲרָץ
blessedness *n* אוֹשֶׁר; בִּרכַּת שָׁמַיִם
blessing *n* בְּרָכָה
blight *n* כִּימָּשׁוֹן; פֶּגַע
blight *vt* הִכמִישׁ, הִקמִיל; סִיכֵּל
blimp *n* סְפִינַת אֲוִויר
blind *adj* עִיוֵּר; אָטוּם
blind *vt* עִיוֵּר
blind *n* וִילוֹן, מְחִיצָה
blind alley *n* סִמטָה סְגוּרָה
blind date *n* פְּגִישָׁה עִיוֶּורֶת
blindfold *adj* חֲבוּשׁ עֵינַיִים
blindfold *vt* חָבַשׁ עֵינַיִים

blind flying *n* טִיסָה עִיוֶּרֶת
blind landing *n* נְחִיתָה עִיוֶּרֶת
blind man *n* עִיוֵּר
blind man's buff *n* לֶמֶךְ וְנַעֲרוֹ; 'גְּשָׁה־נָּא וַאֲמוּשְׁשֶׁךָ'; יַעֲקֹב יַעֲקֹב
blindness *n* עִיוָּרוֹן
blink *vt, vi* נִצְנֵץ; מִצְמֵץ בָּעֵינַיִים
blink *n* נִצְנוּץ; מִצְמוּץ עַיִן
blip *n* כִּתְמוּם רָדָאר
bliss *n* אוֹשֶׁר עִילָּאִי; שִׂמְחָה שְׁמֵימִית
blissful *adj* מְאוּשָּׁר; מֵבִיא אוֹשֶׁר
blister *n* חַבּוּרָה, בּוּעָה
blister *vt, vi* הִבְעָה; כּוּסָּה בּוּעוֹת
blithe *adj* שָׂמֵחַ, עַלִּיז
blitzkrieg *n* מִלְחֶמֶת־בָּזָק
blizzard *n* סוּפַת שֶׁלֶג
bloat *vt, vi* נִיפֵּחַ, מִילֵּא אֲוִויר; הִתְפִּיחַ; הִתְנַפֵּחַ
block *n* בּוּל עֵץ, גֶּזֶר אֶבֶן; גַּרְדּוֹם; מַעְצוֹר; גְּלוּפָה (בִּדְפוּס); בְּלוֹק, גּוּשׁ
block *vt* חָסַם, עָצַר; אִימֵּם (כּוֹבַע)
blockade *n* הֶסְגֵר צְבָאִי יַמִּי
blockade-runner *n* עוֹקֵף הֶסְגֵר
blockbuster *n* פְּצָצָה גְּדוֹלָה
blockhead *n* שׁוֹטֶה, אֱוִיל
block signal *n* אוֹת בְּלִימָה
blond, blonde *n, adj* בְּלוֹנְדִּי(ת)
blood *n* דָּם
bloodcurdling *adj* מַפְחִיד, מַקְפִּיא דָּם
bloodhound *n* כֶּלֶב גִּישּׁוּשׁ, כֶּלֶב מִשְׁטָרָה
blood poisoning *n* הַרְעָלַת־דָּם
blood pressure *n* לַחַץ דָּם
blood pudding *n* מְלִית בָּשָׂר
blood relation *n* קִרְבַת־דָּם
bloodshed *n* שְׁפִיכַת דָּמִים
bloodshot *adj* עֲקוּבָּה מִדָּם, מוּכְתֶּמֶת בְּדָם
blood test *n* בְּדִיקַת דָּם
bloodthirsty *adj* צְמֵא דָּם
blood transfusion *n* עֵירוּי דָּם
blood vessel *n* כְּלִי דָּם
bloody *adj* מְגוֹאָל בְּדָם; עָקוֹב מִדָּם (לְגַבֵּי קְרָב וכד'); דָּמִי; אָרוּר
bloom *n* פֶּרַח; פְּרִיחָה, לִבְלוּב
bloom *vi* לִבְלֵב, פָּרַח
blossom *n* פֶּרַח; פְּרִיחָה
blossom *vi* הִפְרִיחַ, פָּרַח
blot *n* כֶּתֶם
blot *vt, vi* הִכְתִּים; סָפַג (בְּסוֹפֵג)
blotch *n* כֶּתֶם גָּדוֹל
blot out *vt* מָחַק, הִשְׁמִיד
blotter *n* נְיָיר סוֹפֵג
blotting paper *n* נְיָיר סוֹפֵג
blouse *n* חוּלְצָה
blow *n* מַהֲלוּמָה
blow *vt, vi* נָשַׁב; פּוּצַץ; בִּזְבֵּז
blow out (a candle) כִּיבָּה (נֵר) בִּנְשִׁיפָה
blow-out *n* הִתְפּוֹצְצוּת
blowpipe *n* מַפּוּחַ; צִינּוֹר נִיפּוּחַ
blowtorch *n* מַבְעֵר הַלְחָמָה
blubber *n* שׁוּמַּן לִוְיָתָן; בְּכִיָּיה בְּקוֹל
blubber *vi* דִּיבֵּר בִּבְכִיָּיה
bludgeon *n* אַלָּה, שֵׁבֶט
bludgeon *vt* הִכָּה בְּאַלָּה
blue *n* תְּכֵלֶת, כָּחוֹל
blue *adj* כָּחוֹל; מְדוּכָּא

blue *vt* הִכְחִיל, צָבַע בְּכָחוֹל
blueberry *n* אוּכְמָנִית
blue chip *n* נֶכֶס חָשׁוּב
bluejacket *n* יַמַּאי; מַלָּח בְּחֵיל הַיָּם
blue jay *n* עוֹרְבָנִי כָּחוֹל
Blue Nile *n* הַנִּילוּס הַכָּחוֹל
blue-pencil *vt* תִּיקֵּן, צִנְזֵר
blueprint *n* הַדְפָּסַת־צִילּוּם; תּוֹכְנִית מְפוֹרֶטֶת
blueprint *vt* עָשָׂה הַדְפָּסַת־צִילּוּם; עִיבֵּד תּוֹכְנִית
blues *n pl* דִכְדּוּךְ; שִׁירֵי עַצְבוּת
bluestocking *n* כְּחוּלַּת־גֶּרֶב (לגבי אישה)
blue streak *n* (דיבורית) בָּזָק
bluff *n* כֵּף, שֶׁן־סֶלַע; יוֹהֲרָה; אִיּוּם סְרָק; רַמָּאוּת
bluff *adj* גְּלוּי־לֵב, לְבָבִי
blunder *n* שְׁגִיאָה גַּסָּה
blunder *vi* שָׁגָה שְׁגִיאָה חֲמוּרָה
blunt *adj* קֵהֶה; (לגבי דיבור) יָבֵשׁ, גָּלוּי
blunt *vt* הִקְהָה
bluntness *n* קֵהוּת; גִּילּוּי־לֵב
blur *n* כֶּתֶם כֵּהֶה; טִשְׁטוּשׁ
blur *vt, vi* טִשְׁטֵשׁ; נִיטַשְׁטֵשׁ
blurb *n* פִּרְסוֹמֶת קוֹלָנִית
blurt *vt* הֵסִיחַ לְפִי תּוּמּוֹ
blush *n* סוֹמֶק, אַדְמוּמִית
blush *vi* הִסְמִיק
bluster *n* הֲמוּלָּה; רַבְרְבָנוּת קוֹלָנִית
bluster *vi, vt* הִרְעִישׁ, הִרְעִים; כָּפָה בִּצְעָקוֹת
blustery *n* מַרְעִישׁ עוֹלָמוֹת, צוֹעֵק־מְאַיֵּם
boar *n* חֲזִיר־בַּר
board *n* אוֹכֶל; וַעַד מְנַהֵל
board *vt, vi* כִּיסָּה בְּלוּחוֹת; הִתְאַכְסֵן (עם אוכל); יָרַד (באונייה), עָלָה (על אוטובוס וכד׳)
board and lodging *n* חֶדֶר עִם אֲרוּחָה
boarder *n* מִתְאַכְסֵן; תַּלְמִיד בִּפְנִימִיָּה
boarding house *n* אַכְסַנְיָה, ׳פֶּנְסִיוֹן׳
boarding school *n* בֵּית־סֵפֶר פְּנִימוֹנִי
board of health *n* וַעֲדַת בְּרִיאוּת
board of trade *n* וַעֲדַת מִסְחָר
board of trustees *n* וַעֲדַת נֶאֱמָנִים
boardwalk *n* טַיֶּלֶת עֵץ
boast *n* הִתְרַבְרְבוּת
boast *vt, vi* הִתְפָּאֵר, הִתְרַבְרֵב
boastful *adj* יוֹהֲרָנִי, מִתְפָּאֵר
boat *n* סִירָה, סְפִינָה
boat hook *n* אוּנְקַל הַסִּירָה
boat house *n* בֵּית־סִירוֹת
boating *n* שִׁיּוּט בְּסִירוֹת
boatman *n* סַוָּר
boat race *n* מֵרוֹץ סִירוֹת
boatswain *n* רַב מַלָּח
boatswain's chair *n* כִּיסֵּא רַב־מַלָּח
boatswain's mate *n* סְגַן רַב־מַלָּח
bob *vt, vi* הֵנִיעַ בִּמְהִירוּת; הֶחֱוָה קִידָה; סִיפֵּר תִּסְפּוֹרֶת קְצָרָה
bobbed hair *n* תִּסְפּוֹרֶת קְצָרָה
bobbin *n* סְלִיל
bobby pin *n* מַכְבֵּנָה, סִיכַּת־שֵׂיעָר
bobbysocks *n pl* גַּרְבִּיּוֹת
bobbysoxer *n* בּוֹגְרָנִית
bobolink *n* בּוֹבּוֹלִינְק, צִיפּוֹר סוּף

bobsled *n* שַׁחְלָקָה, מִגְרָרָה
bobtail *n, adj* זָנָב קָצָר; קְצַר־זָנָב
bobwhite *n* חוּגְלָה
bockbeer *n* בִּירָה בּוֹק
bodice *n* חוּלְצָה מְרוּקֶּמֶת, גוּפִית
bodily *adj, adv* גוּפָנִי; בִּכְלָלוֹ, בִּשְׁלֵמוּת; גוּפָנִית
bodkin *n* מַקְדֵּחַ, מַרְצֵעַ
body *n* גּוּף; גְּוִיָּה; מֶרְכָּב (של כלי־רכב)
bodyguard *n* שׁוֹמֵר־רֹאשׁ
Boer *n, adj* בּוּרִי
Boer War *n* מִלְחֶמֶת הַבּוּרִים
bog *n* בִּיצָּה, מַדְמֵנָה
bog *vt, vi* הִשְׁקִיעַ בְּבִיצָּה; שָׁקַע בְּבִיצָּה
bogey, bogy *n* מִפְלֶצֶת, שֵׁד
bogeyman *n* שֵׁד
bogus *adj* מְזוּיָּף
Bohemian *adj, n* בּוֹהֶמִי
boil *n* רְתִיחָה
boil *vt, vi* הִרְתִּיחַ; רָתַח, הִתְבַּשֵּׁל
boiler *n* דּוּד הַרְתָּחָה
boilermaker *n* מַתְקִין דְּוָדִים
boiler room *n* תָּא הַדּוּד
boiling *n* רְתִיחָה; הַרְתָּחָה
boiling point *n* נְקוּדַּת הָרְתִיחָה
boisterous *adj* סוֹעֵר, רוֹגֵשׁ; קוֹלָנִי־עַלִּיז
bold *adj* נוֹעָז, אַמִּיץ, בּוֹטֵחַ
boldface *n* אוֹת שְׁחוֹרָה
boldness *n* הֶעָזָה
Bolivia *n* בּוֹלִיבְיָה
Bolivian *adj, n* בּוֹלִיבִי
boll weevil *n* זִיפִית, תּוֹלַעַת הַכּוּתְנָה

Bolshevik *n* בּוֹלְשֶׁבִיק
bolster *n* כֶּסֶת; כַּר
bolster *vt, vi* רִיפֵּד; תָּמַךְ
bolt *n* בְּרִיחַ; לוֹלָב; בּוֹרֶג; בְּרִיחַת פֶּתַע
bolt *vt, vi* בָּרַג, חִיזֵּק בִּבְרָגִים, לִילֵּב; בָּרַח, הִשְׁתַּמֵּט
bolter *n* בּוֹרֵחַ
bomb *n* פְּצָצָה
bomb *vt, vi* הִפְצִיץ
bombard *vt* הִרְעִישׁ
bombardment *n* הַפְצָצָה
bombast *n* גִּיבּוּב מְלִיצוֹת
bombastic(al) *adj* מְלִיצִי, בּוֹמְבַּסְטִי
bomb crater *n* מַכְתֵּשׁ פְּצָצָה
bombproof *adj* חֲסִין פְּצָצוֹת
bomb release *n* הַתָּרַת פְּצָצָה
bombshell *n* פְּצָצָה
bond *n* קֶשֶׁר; חֶבֶל; מְקַשֵּׁר, כּוֹבֵל; הִתְחַיְּבוּת, אִיגֶּרֶת חוֹב
bondage *n* עַבְדוּת; שִׁעְבּוּד
bonded warehouses *n* מַחְסְנֵי עֲרוּבָּה
bondholder *n* מַחֲזִיק תְּעוּדַת־מִלְוֶה
bondsman *n* עֶבֶד
bone *n* עֶצֶם
bone *vt, vi* הוֹצִיא עֲצָמוֹת; לָמַד בִּשְׁקִידָה
bone-head *n* אֱוִיל, עַקְשָׁן
boneless *adj* חֲסַר עֲצָמוֹת
boner *n* טָעוּת מְגוּחֶכֶת
bonfire *n* מְדוּרָה
bonnet *n* מִצְנֶפֶת, כּוּמְתָּה; חִיפַּת הַמָּנוֹעַ
bonus *n* הֲטָבָה, תּוֹסֶפֶת מְיוּחֶדֶת
bony *adj* גַּרְמִי; מָלֵא עֲצָמוֹת

boo *interj, n* בּוּ!, בּוּז!
boo *vt, vi* הִשְׁמִיעַ קְרִיאוֹת־גְנַאי
booby *n* שׁוֹטֶה, אֱוִיל
booby prize *n* פְּרָס לָאַחֲרוֹן
booby trap *n* מַלְכּוֹדֶת מִשְׂחָק; פֶּצֶץ מוּסוֶה
boogie-woogie *n* בּוּגִי־ווּגִי
book *n* סֵפֶר; כֶּרֶךְ; פִּנְקָס; רְשִׁימַת הִימּוּרִים
book *vt* הִזְמִין מָקוֹם; הִכְנִיס לִרְשִׁימָה
bookbinder *n* כּוֹרֵךְ סְפָרִים
bookbindery *n* כְּרִיכִיָּה
bookbinding *n* כְּרִיכַת סְפָרִים
bookcase *n* אֲרוֹן סְפָרִים
book-end *n* זָוִיתָן לִסְפָרִים
bookie *n* סוֹכֵן הִימּוּרִים
booking *n* הַזְמָנָה
bookish *adj* לַמְדָנִי
bookkeeper *n* מְנַהֵל סְפָרִים
bookkeeping *n* הַנְהָלַת־סְפָרִים
bookmaker *n* עוֹשֶׂה סְפָרִים; סוֹכֵן הִימּוּרִים
bookmark(er) *n* סִימָנִית; תָּוִית סֵפֶר
bookplate *n* תָּוִית סֵפֶר
book review *n* מַאֲמַר בִּיקּוֹרֶת סְפָרִים
bookseller *n* מוֹכֵר סְפָרִים
bookshelf *n* מַדַּף סְפָרִים
bookstand *n* דּוּכַן סְפָרִים
bookstore *n* חֲנוּת סְפָרִים
bookworm *n* תּוֹלַעַת סְפָרִים
boom *n* קוֹל גּוֹעֵשׁ; זִמְזוּם; עֲלִיַּית פִּתְאוֹם (בּמחירים); מוֹט מִפְרָשׂ; שַׁרְשֶׁרֶת חוֹסֶמֶת
boom *vt, vi* גָּעַשׁ; זִמְזֵם; קָפַץ קְפִיצַת־דֶּרֶךְ (בּהתפּתחוּת וכד׳)
boomerang *n* בּוּמֵרַנְג; חֶרֶב פִּיפִיּוֹת
boom town *n* עִיר גֵּאוּת
boon *n* הֲנָאָה; חֶסֶד, בְּרָכָה
boon companion *n* חָבֵר שָׂמֵחַ
boor *n* גַּס־רוּחַ; בּוּר
boorish *adj* גַּס, מְגוּשָּׁם
boost *n* הֲרָמָה; עִידוּד; הַגְבָּרָה
boost *vt* הֵרִים; דִּיבֵּר בְּשֶׁבַח
booster *n, adj* תּוֹמֵךְ, מְעוֹדֵד
boot *n* נַעַל (שׁלמה); סִבְכַת חֲבִילוֹת (בּמכוֹנית)
boot *vt* נָעַל; בָּעַט
bootblack *n* מְצַחְצֵחַ נַעֲלַיִים
booth *n* סֻכָּה; תָּא (לטלפוֹן וכד׳)
bootjack *n* חוֹלֵץ נַעַל
bootleg *vt, adj* סָחַר בְּשׁוּק שָׁחוֹר
bootlegger *n* מַבְרִיחַ מַשְׁקָאוֹת
bootlegging *n* הַבְרָחָה
bootlicker *n* חַנְפָן, ׳מְלַקֵּק׳
bootstrap *n* לוּלְאַת נַעַל
booty *n* שָׁלָל, בִּיזָּה
booze *n* מַשְׁקֶה
booze *vi* שָׁתָה לְשָׁכְרָה
borax *n* בּוֹרַקְס
border *n* גְּבוּל; סְפָר; קָצֶה
border *vt, vi* הֵקִים גְּבוּל; גָּבַל
border clash *n* הִתְנַגְּשׁוּת בַּגְּבוּל
borderline *adj* גּוֹבֵל; שָׁנוּי בְּמַחֲלוֹקֶת
bore *n* לוֹעַ הַתּוֹתָח; קוֹטֶר לוֹעַ הַתּוֹתָח; (אדם) מְשַׁעֲמֵם; שִׁעֲמוּם
bore *vt, vi* קָדַח, קִידֵּחַ, נִיקֵּב; חָדַר; שִׁיעֲמֵם
boredom *n* שִׁיעֲמוּם, מִטְרָד
boring *n* קִידּוּחַ; נִיקּוּב; נֶקֶב
born *adj* נוֹלָד; מִלֵּידָה

borough *n* אֵיזוֹר עִיר; עִיר
borrow *vt, vi* לָוָוה, שָׁאַל
borrower *n* לֹוֶוה, שׁוֹאֵל
bosom *n* חָזֶה, חֵיק
bosom friend *n* יְדִיד קָרוֹב
Bosporus *n* בּוֹסְפּוֹר
boss *n* זִיז; מַטְבַּעַת; בַּעַל עֵסֶק; מְנַהֵל; (בּארה״ב) מְרַכֵּז מִפְלָגָה
boss *vt, vi* נִיהֵל; הִשְׁתַּלֵּט
bossy *adj* שְׁתַלְטָנִי
botanic(al) *adj* בּוֹטָנִי
botanist *n* בּוֹטָנַאי, בּוֹטָנִיקָן
botany *n* בּוֹטָנִיקָה
botch *vt, vi* בִּיצֵּעַ מְלָאכָה גְרוּעָה
botch *n* מְלָאכָה גְרוּעָה; טְלַאי גַס
both *adj pron, adv* הַשְּׁנַיִם; שְׁנֵיהֶם
both... and גַּם וְגַם
bother *n* טִרְחָה, מִטְרָד; טַרְחָן
bother *vt, vi* הִדְאִיג, הִטְרִיד
bothersome *adj* מַטְרִיד, מַדְאִיג
bottle *vt* מִילֵּא בְּבַקְבּוּקִים; בִּקְבֵּק
bottle *n* בַּקְבּוּק
bottleneck *n* צַוַּאר בַּקְבּוּק
bottle opener *n* פּוֹתְחָן
bottom *n* תַּחְתִּית, קַרְקָעִית; קַעַר (בּספינה); מוֹשָׁב (של כיסא); יַשְׁבָן
bottomless *adj* לְלֹא קַרְקָעִית, לְלֹא תַּחְתִּית
boudoir *n* בּוּדוּאָר, חֲדַר הָאִישָּׁה
bough *n* עָנָף
bouillon *n* מְרַק בָּשָׂר
boulder *n* גּוּשׁ אֶבֶן
boulevard *n* שְׂדֵירָה
bounce *n* הֲעָפָה; הִתְרַבְרְבוּת
bounce *vt, vi* זִינֵּק, הֵעִיף; הִתְרַבְרֵב
bouncer *n* מֵעִיף, זוֹרֵק
bouncing *adj* בַּעַל־גּוּפִי, גְּבַרְתָּנִי
bound *n* זִינּוּק, קְפִיצָה, נְתִירָה
bound *n* גְּבוּל, תְּחוּם
bound *adj* בַּדֶּרֶךְ, נוֹעָד; קָשׁוּר, אָנוּס; מְכוֹרָךְ (לגבי ספר); חַיָּיב
boundary *n* גְּבוּל
boundary stone *n* אֶבֶן גְּבוּל
bounder *n* חֲסַר נִימּוּס
boundless *adj* לְלֹא גְּבוּל
bountiful *adj* נְדִיב־לֵב; מְשׁוּפָּע
bounty *n* נְדִיבוּת; מַעֲנָק
bouquet *n* זֵר פְּרָחִים; נִיחוֹחַ יַיִן
bourgeois *n, adj* בּוּרְגָנִי
bourgeoisie *n* הַבּוּרְגָנוּת
bout *n* הִתְמוֹדְדוּת; מִשְׁמֶרֶת; הַתְקָפָה (של שתייה או מחלה)
bow *vi, vt* הֶחֱוָוה קִידָּה; נִכְנַע; הִכְנִיעַ; הִרְכִּין; קִישֵּׁת; הִתְקַשֵּׁת; (בּמוּסיקה) קָשַׁת
bow *n* קֶשֶׁת; עִיקּוּל; לוּלָאָה; קִידָּה; חַרְטוֹם הַסְּפִינָה
bowdlerize *vt* טִיהֵר (ספר)
bowel, bowels *n* מֵעַיִם, קְרָבַיִים
bowel movement *n* פְּעוּלַּת מֵעַיִים
bower *n* סוּכַּת יֶרֶק
bowery *n* חַוָּוה
bowie knife *n* סַכִּין אָרוֹךְ
bow knot *n* קֶשֶׁר סֶרֶט
bowl *n* קְעָרָה, קַעֲרִית
bowl *vi, vt* שִׂיחֵק בְּכַדּוֹרֶת; נָע בִּמְהִירוּת
bow-legged *adj* מְקוּשַּׁט רַגְלַיִים
bowler *n* מְגַלְגֵּל כַּדּוּר; מִגְבַּעַת גְּבָרִים

bowling *n* מִשְׂחַק הַכַּדּוֹרֶת
bowling alley *n* אוּלַם כַּדּוֹרֶת
bowling green *n* מִגְרַשׁ כַּדּוֹרֶת
bowshot *n* מְטַחֲוֵי־קֶשֶׁת
bowsprit *n* זִיז
bow tie *n* עֲנִיבַת קֶשֶׁת
bow-wow *n* הַבְהָבִים; כֶּלֶב
box *n* תֵּיבָה, אַרְגָּז; תָּא (בְּתֵיאַטְרוֹן); מַהֲלוּמָה בָּאוֹזֶן; (עֵץ) תְּאַשּׁוּר
box *vt* שָׂם בְּתֵיבָה אוֹ בְּאַרְגָּז
box *vt, vi* הִתְאַגְרֵף; הָלַם בְּאֶגְרוֹפָיו
boxcar *n* קְרוֹן מִטְעָן סָגוּר
boxer *n* מִתְאַגְרֵף; (כֶּלֶב) בּוֹקְסֶר
boxing *n* אִגְרוּף
boxing glove *n* כְּפְפַת אִגְרוּף
box office *n* קוּפָּה
box office hit *n* הַצְלָחָה קוּפָּתִית
box office record *n* שִׂיא קוּפָּתִי
box office sale *n* מְכִירַת כַּרְטִיסִים בַּקּוּפָּה
box pleat *n* קֶפֶל כָּפוּל
box seat *n* מוֹשַׁב תָּא
boxwood *n* עֵץ תֵּיבוֹת (תְּאַשּׁוּר)
boy *n* יֶלֶד; נַעַר; בָּחוּר
boycott *n* חֵרֶם
boycott *vt* הֶחֱרִים, נִידָּה
boyish *adj* שֶׁל נַעַר, תָּמִים
boy scout *n* צוֹפֶה
bra *n* חֲזִיָּה
brace *n* מַאֲחֵז; הֶדֶק; אֶגֶד; זוּג; מְיַישֵּׁר שִׁנַּיִם
brace *vt* הִידֵּק, צִימֵּד; חִיזֵּק; אוֹשֵׁשׁ
brace and bit *n* מַקְדֵּחַת אַרְכּוּבָּה
braces *n* כְּתֵפוֹת
bracelet *n* צָמִיד
bracer *n* מְחַזֵּק, מְאוֹשֵׁשׁ
bracing *adj* מְחַזֵּק, מְאוֹשֵׁשׁ
bracket *n* כַּן, מִסְעָד; זִיז פִּינָּה; (בְּסִימְנֵי־פִּיסּוּק) סוֹגֵר
bracket *vi* תָּמַךְ, סָעַד; שָׂם בְּסוֹגְרַיִים; הִצְמִיד; צִיֵּין יַחַד
brackish *adj* (מַיִם) מְלוּחִים בְּמִקְצָת
brad *n* מַסְמֵר
brag *n* דִּבְרֵי הִתְפָּאֲרוּת
brag *vi* הִתְרַבְרֵב, הִתְפָּאֵר
braggart *n* רַבְרְבָן, מִתְיַיהֵר
braid *n* מִקְלַעַת, צַמָּה
braid *vt* קָלַע; קָשַׁר בְּסֶרֶט
brain *n* מוֹחַ; (בְּרַבִּים) תְּפִיסָה, הֲבָנָה
brain child *n* פְּרִי רוּחַ, יְצִירָה
brain drain *n* הֲגִירַת אֲקָדֵמָאִים
brainless *adj* חֲסַר שֵׂכֶל, שׁוֹטֶה
brain power *n* יְכוֹלֶת רוּחָנִית
brain-storm *n* הַתְקָפַת עֲצַבִּים; הַשְׁרָאָה פִּתְאוֹמִית
brain(s) trust *n* צֶוֶות מוֹחוֹת
brain-washing *n* שְׁטִיפַת מוֹחַ
brain-wave *n* הַשְׁרָאָה פִּתְאוֹמִית
brainy *adj* פִּיקֵּחַ
braise *vt* טִיגֵּן־צָלָה
brake *n* בֶּלֶם; מַעְצֵר; מַפֵּץ פִּשְׁתָּן; מֶרְכָּבָה; סְבַךְ שִׂיחִים; שָׂרָךְ
brake *vt, vi* בָּלַם
brake band *n* סֶרֶט הַבֶּלֶם
brake drum *n* תּוֹף הַבֶּלֶם
brake lining *n* רְפִידַת הַבֶּלֶם
brakeman *n* בַּלְמָן
brake shoe *n* גְּשִׁישׁ הַבֶּלֶם
bramble *n* אָטָד

brambly *adj* קוֹצָנִי
bran *n* סוּבִּין
branch *n* עָנָף, חוֹטֶר; סְנִיף
branch *vi* הִסְתָּעֵף
branch line *n* שְׁלוּחַת מְסִילַּת בַּרְזֶל
branch office *n* מִשְׂרָד סְנִיפִי
brand *n* סִימָן מִסְחָרִי; סוּג, טִיב; סִימָן מְקוּעֲקָע; אוֹת קָלוֹן; אוּד
brand *vt* צִיֵּן סִימָן; שָׂם אוֹת קָלוֹן
branding iron *n* מוֹט קַעֲקוּעַ
brandish *vt* נוֹפֵף (חרב וכד׳)
brand-new *adj* חָדִישׁ
brandy *n* בְּרַנְדִי, יַי״שׁ
brash *adj* פָּזִיז; מְחוּצָּף
brass *n* פְּלִיז; (במוסיקה) כְּלִי־נְשִׁיפָה
brass band *n* תִּזְמוֹרֶת כְּלֵי־נְשִׁיפָה
brass hat *n* (המונית) קָצִין גָּבוֹהַּ
brassière *n* חֲזִיַּית אִשָּׁה
brass winds *n pl* כְּלֵי־נְשִׁיפָה מִמַּתֶּכֶת
brassy *adj* פְּלִיזִי, מַתַּכְתִּי; מְחוּצָּף
brat *n* יֶלֶד (כינוי של בוז)
bravado *n* הִתְפָּאֲרוּת, יוֹמְרָנוּת
brave *n* לוֹחֵם (אינדיאני)
brave *adj* אַמִּיץ
brave *vt* הִתְנַגֵּד בְּאוֹמֶץ
bravery *n* אוֹמֶץ, הֶעָזָה
bravo *n* רוֹצֵחַ שָׂכוּר
bravo *interj*, *n* הֵידָד!, יִישַׁר כּוֹחַ!
brawl *n* הִתְכַּתְּשׁוּת, מְרִיבָה
brawl *vi* הִתְכַּתֵּשׁ, רָב
brawler *n* אִישׁ רִיב
brawn *n* כּוֹחַ שְׁרִירִי; בְּשַׂר חֲזִיר כָּבוּשׁ
brawny *adj* שְׁרִירִי, חָזָק
braze *vt* צִיפָּה בִּפְלִיז; הִלְחִים
brazen *adj* עָשׂוּי פְּלִיז; חֲסַר בּוּשָׁה
brazen *vt* הִתְחַצֵּף
brazier, brasier *n* עוֹבֵד בִּפְלִיז
breach *n* שְׁבִירָה; בְּקִיעַ; הֲפָרָה
breach *vt*, *vi* בִּיקֵּעַ, פָּרַץ
breach of faith *n* הֲפָרַת אֵימוּן
breach of peace *n* הֲפָרַת שָׁלוֹם
breach of promise *n* הֲפָרַת הַבְטָחַת נִישּׂוּאִין
breach of trust *n* הֲפָרַת אֱמוּנִים
bread *n* לֶחֶם
bread crumbs *n pl* פֵּירוּרֵי לֶחֶם
breaded *adj* קָלוּעַ
bread line *n* תּוֹר לֶחֶם
breadth *n* רוֹחַב
breadwinner *n* מְפַרְנֵס
break *n* שֶׁבֶר; בְּקִיעַ; בְּרִיחָה; הַפְסָקָה; שִׁינּוּי נִיכָּר (בקול, בכיוון); הִזְדַּמְּנוּת
break *vt*, *vi* שָׁבַר; פָּרַץ (כלא וכד׳); נִשְׁבַּר
breakable *adj* שָׁבִיר, פָּרִיךְ
breakage *n* שְׁבִירָה; שֶׁבֶר
breakdown *n* הִתְמוֹטְטוּת; קִלְקוּל; אֲנָלִיזָה
breaker *n* מְשַׁבֵּר; מִשְׁבָּר (גל)
breakfast *n* אֲרוּחַת־בּוֹקֶר
breakneck *adj* מְסוּכָּן
break of day *n* עֲלוֹת הַשַּׁחַר
breakthrough *n* פְּרִיצָה, חֲדִירָה
break-up *n* הִתְפָּרְקוּת
breakwater *n* מֵזַח
breast *n* חָזֶה, שַׁד
breastbone *n* עֶצֶם הֶחָזֶה
breastpin *n* סִיכַּת חָזֶה, סִיכַּת צַוָּאר
breaststroke *n* שְׂחִיַּית חָזֶה

breath *n* נְשִׁימָה; שְׁאִיפַת רוּחַ
breathe *vt, vi* נָשַׁם; הִתְנַשֵּׁם
breathe in *vi* נָשַׁם, שָׁאַף
breathe out *vi* נָשַׁף
breathing spell *n* שָׁהוּת לִנְשׁוֹם לִרְוָחָה
breathless *adj* חֲסַר נְשִׁימָה
breathtaking *adj* עוֹצֵר נְשִׁימָה
breech *n* מִכְנָס
breeches *n pl* מִכְנְסֵי־רְכִיבָה
breed *n* גֶּזַע
breed *vt, vi* הֵקִים וְלָדוֹת; גִּידֵּל; הִשְׁבִּיחַ גֶּזַע
breeder *n* מְגַדֵּל, מְטַפֵּחַ
breeding *n* גִּידּוּל; תַּרְבּוּת הַבַּיִת
breeze *n* מַשַּׁב־רוּחַ
breezy *adj* פָּתוּחַ לָרוּחַ; רַעֲנָן
brevity *n* קוֹצֶר
brew *vt* בִּישֵּׁל; זָמַם
brewer *n* מְבַשֵּׁל שֵׁיכָר
brewer's yeast *n* שִׁמְרֵי שֵׁיכָר
brewery *n* בֵּית מְבַשֵּׁל שֵׁיכָר
bribe *n* שׁוֹחַד
bribe *vt* שִׁיחֵד
bribery *n* שׁוֹחַד; שִׁיחוּד
bric-a-brac *n* תַּקְשִׁיטִים קְטַנִּים
brick *n* לְבֵנָה
brick *vt* בָּנָה בִּלְבֵנִים, נִדְבֵּךְ
brickbat *n* (דִּיבּוּרִית) הֶעָרָה פּוֹגַעַת
brick-kiln *n* כּוּר לְבֵנִים
bricklayer *n* בַּנַּאי
brickyard *n* מִלְבָּנָה
bridal *adj* שֶׁל כַּלָּה, שֶׁל כְּלוּלוֹת
bride *n* כַּלָּה
bridegroom *n* חָתָן
bridesmaid *n* שׁוֹשְׁבִינַת הַכַּלָּה
bridge *n* גֶּשֶׁר; בְּרִידְג׳ (משחק קלפים)
bridge *vt* גִּישֵּׁר
bridgehead *n* רֹאשׁ־גֶּשֶׁר
bridle *n* רֶסֶן
bridle *vt, vi* רִיסֵּן; הִגְבִּיהַּ רֹאשׁ (בכעס)
bridle path *n* שְׁבִיל לְרוֹכְבֵי סוּסִים
brief *n* תַּדְרִיךְ
brief *adj* קָצָר
brief *vt* תִּדְרֵךְ
brief case *n* תִּיק
brier *n* עוֹקֶץ; חוֹחַ; וֶרֶד יֵינִי; עֶצְבּוֹנִית
brig *n* (ספינה) דּוּ־תּוֹרְנִית; כֶּלֶא אוֹנִיָּה
brigade *n* בְּרִיגָדָה, חֲטִיבָה
brigadier *n* בְּרִיגָדִיר, תַּת־אַלּוּף
brigand *n* לִסְטִים
brigantine *n* דּוּ־תּוֹרְנִית קְטַנָּה (ספינה)
bright *adj* זוֹרֵחַ, מֵאִיר; מַזְהִיר
brighten *vt, vi* הֵאִיר יוֹתֵר; הוּאַר יוֹתֵר
brilliance, brilliancy *n* זוֹהַר, זִיו; הִצְטַיְּנוּת
brilliant *adj* מַזְהִיר; מִצְטַיֵּן
brim *n* שָׂפָה; אוֹגֶן (במגבעת וכד׳)
brimstone *n* גּוֹפְרִית, גָּפְרִית
brine *n* מֵי־מֶלַח; מֵי־יָם
bring *vt, vi* הֵבִיא
bring about *vt* גָּרַם
bring up *vt* גִּידֵּל (ילד)
brink *n* שָׂפָה (של שטח מים); קָצֶה, גְּבוּל, סַף

bristle *n* זִיף
bristle *vt, vi* הִזדַקֵר כְּזִיף; הִסמִיר שֵׂעָר
Britannic *adj* בּרִיטִי
British *adj* בּרִיטִי
Britisher *n* בּרִיטִי
Briton *n* בּרִיטִי
Brittany *n* בּרֶטוֹן
brittle *adj* שָׁבִיר, פָּרִיךְ
broach *n* שַׁפּוּד (לצלייה); חוּד (בּראש סיכּה); מַקדֵחַ
broach *vt* נִיקֵב (חבית); פָּתַח
broad *adj* רָחָב, נִרחָב
broadcast *n* שִׁידוּר
broadcast *vt, vi* שִׁידֵר; הֵפִיץ
broadcasting station *n* תַּחֲנַת שִׁידוּר
broadcloth *n* אָרִיג מְשׁוּבָּח
broaden *vt, vi* הִרחִיב; הִתפַּשֵׁט
broadloom *n* נוֹל רָחָב
broadminded *adj* רְחַב־אוֹפֶק; סוֹבְלָנִי
broadshouldered *adj* רְחַב כְּתֵפַיִים
broadside *n* פְּנֵי הָאוֹנִייָה; סוֹלְלַת צַד הָאוֹנִייָה
broadsword *n* חֲנִית רַחֲבַת לַהַב
brocade *n* מַעֲשֵׂה רִקמָה
broccoli *n* בּרוֹקוֹלִי
brochure *n* עָלוֹן
brogue *n* הִיגּוּי אִירִי (בּאנגלית); נַעַל (חזקה וּמקוּשטת)
broil *vt* צָלָה
broiler *n* תַּנּוּר צְלִייָה; עוֹף צָעִיר
broken *adj* שָׁבוּר, רָצוּץ
brokendown *adj* הָרוּס; נִכנָע
brokenhearted *adj* שְׁבוּר־לֵב
broker *n* סַרסוּר; מְתַוֵּוךְ
brokerage *n* סַרסָרוּת; דְּמֵי סַרסָרוּת
bromide *n* בּרוֹמִיד
bromine *n* בּרוֹם
bronchitis *n* דַּלֶּקֶת הַסִּימפּוֹנוֹת
broncho, bronco *n* בּרוֹנקוֹ
broncho-buster *n* מְאַלֵּף סוּסֵי בּרוֹנקוֹ
bronze *n, adj* אָרָד, בּרוֹנזָה
brooch *n* סִיכַּת תַּכשִׁיט, מַכבֵּנָה
brood *n* דּוֹר גּוֹזָלִים
brood *vi* דָּגְרָה; הִרהֵר
brook *n* פֶּלֶג
brook *vt* נָשָׂא, סָבַל
broom *n* מַטאֲטֵא
broomcorn *n* דּוּרָה
broomstick *n* מַקֵל מַטאֲטֵא
broth *n* מְרַק בָּשָׂר; מְרַק דָּגִים
brothel *n* בֵּית־זוֹנוֹת, בֵּית־בּוֹשֶׁת
brother *n* אָח
brother-in-law *n* גִּיס
brotherly *adj* כְּאָח, יְדִידוּתִי
brow *n* גַּבָּה; מֵצַח
browbeat *vt* רָדַף, הִפחִיד (בּמלים)
brown *adj* חוּם
brownish *adj* שְׁחַמתָּן, שַׁחֲמוּמִי
brown sugar *n* סוּכָּר חוּם
brown study *n* שְׁקִיעָה בְּמַחֲשָׁבוֹת
browse *n* חוֹטָרִים; קְלָחִים
browse *vi* לִיחֵך; הֵצִיץ בִּסְפָרִים
bruise *n* חַבּוּרָה
bruise *vt, vi* פָּצַע בְּמַכָּה; הִכחִיל (ממכּה)
brunet *n, adj* שָׁחוּם, בּרוּנֶטִי
brunette *n, adj* שְׁחוּמָה, בּרוּנֶטִית

brunt *n* נֶטֶל
brush *n* סְבַךְ שִׂיחִים; מִבְרֶשֶׁת; מִכְחוֹל; הִתְנַגְּשׁוּת קַלָּה
brush *vt, vi* בֵּירֵשׁ; צִחְצֵחַ; נָגַע קַלּוֹת
brush-off *n* סֵירוּב, מֵיאוּן
brushwood *n* עֲנָפִים שְׁבוּרִים; סִבְכֵי שִׂיחִים
brusque *adj* מָהִיר; לֹא אָדִיב
brusqueness *n* פְּזִיזוּת, חוֹסֶר אֲדִיבוּת
Brussels *n* בְּרִיסֶל
Brussels sprouts *n pl* כְּרוּב בְּרוּסֶלִי
brutal *adj* פִּרְאִי, חַיָּתִי, אַכְזָרִי
brutality *n* אַכְזְרִיּוּת, פִּרְאוּת
brute *n* חַיָּה; יֵצֶר חַיָּתִי
brute *adj* חֲסַר מַחֲשָׁבָה, חַיָּתִי
brutish *adj* חַיָּתִי, אַכְזָרִי
bubble *n* בּוּעָה; בִּעְבּוּעַ
bubble *vt, vi* הֶעֱלָה בּוּעוֹת; גִּרְגֵּר
buck *n* זָכָר (שֶׁל צְבִי וכד׳); טַרְזָן; (דִּיבּוּרִית) דּוֹלָר
buck *vi, vt* (לְגַבֵּי סוּס) דָּהַר בִּזְקִיפוּת; הִתְנַגֵּד בְּעַקְשָׁנוּת; טוּלְטַל
bucket *n* דְּלִי
buckle *n* אַבְזֵם
buckle *vt, vi* אִבְזֵם; הִתְכּוֹנֵן
buck private *n* טוּרַאי
buckram *n* בַּד מִקְשֶׁה
bucksaw *n* מַסּוֹר לִשְׁנַיִם
buckshot *n* כַּדּוּר עוֹפֶרֶת
bucktooth *n* שֵׁן בּוֹלֶטֶת
buckwheat *n* חִיטָּה שְׁחוֹרָה, כּוּסֶּמֶת
bud *n* נִיצָּן, צִיץ; נֶבֶט
buddy *n* (דִּיבּוּרִית) חָבֵר
budge *vt, vi* זָע; הֵנִיעַ
budget *n* תַּקְצִיב; הַקְצָבָה
budget *vi, vt* תִּקְצֵב; תִּכְנֵן
budgetary *adj* תַּקְצִיבִי
buff *n* חוּם־צְהַבְהַבּוֹנִי; עוֹר אָדָם
buff *adj* עוֹרִי; חוּם־צְהַבְהַבּוֹנִי
buff *vt* הִבְרִיק, לִיטֵּשׁ
buffalo *n* תְּאוֹ, בּוּפָלוֹ
buffalo *vt* אִיֵּים
buffer *n* בּוֹלֵעַ הֶלֶם
buffer state *n* מְדִינַת חַיִץ
buffet *vt, vi* הָלַם; נֶאֱבַק
buffet *n* מִזְנוֹן; מַכַּת אֶגְרוֹף
buffet car *n* מִזְנוֹן רַכֶּבֶת
buffet lunch *n* אֲרוּחַת־צָהֳרַיִים בְּמִזְנוֹן
buffet supper *n* אֲרוּחַת־עֶרֶב בְּמִזְנוֹן
buffoon *n* בַּדְּחָן
buffoonery *n* בַּדְּחָנוּת
bug *n* חֶרֶק; פִּשְׁפֵּשׁ
bug *vt* (דִּיבּוּרִית) צוֹתֵת
bugbear *n* דַּחְלִיל
buggy *n* מֶרְכָּבָה
buggy *adj* נָגוּעַ בְּפִשְׁפְּשִׁים, מְפוּשְׁפָּשׁ
bughouse *n* בֵּית־מְשׁוּגָּעִים
bugle *n* חֲצוֹצְרָה
bugle call *n* קְרִיאַת חֲצוֹצְרָה
bugler *n* מְחַצְצֵר
build *n* מִבְנֶה
build *vt* בָּנָה
building *n* בִּנְיָין; בְּנִיָּיה
building and loan association *n* חֶבְרַת הַלְוָואוֹת לְבִנְיָין
building lot *n* מִגְרַשׁ בְּנִיָּיה
building site *n* מִגְרַשׁ בְּנִיָּיה
building trades *n pl* מִקְצוֹעוֹת הַבְּנִיָּיה
build-up *adj* הִצְטַבְּרוּת; תַּעֲמוּלָה מוּקְדֶּמֶת

built-in *adj* בָּנוּי בַּקִּיר
built-up *adj* מְכוּסֶּה בִּנְיָנִים
bulb *n* בָּצָל; כַּדּוּרוֹן; נוּרַת־חַשְׁמַל
Bulgaria *n* בּוּלְגַרְיָה
Bulgarian *adj, n* בּוּלְגָרִי; בּוּלְגָרִית
bulge *n* בְּלִיטָה; הִתְנַפְּחוּת
bulge *vt, vi* הִבְלִיט; בָּלַט, הִתְנַפֵּחַ
bulk *n* נֶפַח; עִיקָר; צוֹבֶר
bulkhead *n* מְחִיצָה
bulky *adj* גַּמְלוֹנִי; נָפוּחַ
bull *n* פַּר; זָכָר (כְּגוֹן פִּיל); (בַּבּוּרְסָה) סַפְסָר יַקְרָן; צַו שֶׁל הָאַפִּיפְיוֹר
bulldog *n* כֶּלֶב בּוּלְדוֹג
bulldoze *vt* כָּפָה בְּאִיּוּמִים
bulldozer *n* דַּחְפּוֹר
bullet *n* קָלִיעַ, כַּדּוּר
bulletin *n* עָלוֹן; יְדִיעוֹן
bulletin board *n* לוּחַ מוֹדָעוֹת
bulletproof *adj* חֲסִין קְלִיעִים
bullfight *n* מִלְחֶמֶת פָּרִים
bullfighter *n* לוֹחֵם בְּמִלְחֶמֶת פָּרִים
bullfighting *n* מִלְחֶמֶת פָּרִים
bullfinch *n* תַּמָּה
bullfrog *n* צְפַרְדֵּעַ־הַשּׁוֹר
bullheaded *adj* עַקְשָׁנִי, אֱוִילִי
bullion *n* זָהָב, כֶּסֶף; מְטִיל (זהב או כסף)
bullish *adj* פַּרִי; עַקְשָׁנִי, אֱוִילִי; (בַּבּוּרְסָה) גּוֹרֵם לַעֲלִיַּת מְחִירִים
bullock *n* שׁוֹר, בְּהֵמָה עֲקוּרָה
bull pen *n* מִכְלָאָה; בֵּית־מַעֲצָר
bullring *n* זִירַת הַפָּרִים
bull's-eye *n* 'בּוּל'
bully *n* רוֹדָן וּפַחְדָן
bully *vt* רָדַף (גופנית או מוסרית)
bully *interj* מְצוּיָּן!, יוֹפִי!
bulrush *n* אַגְמוֹן
bulwark *n* סוֹלְלָה, דָּיֵק; הֲגַנָּה
bum *n* הוֹלֵךְ בָּטֵל; שַׁתְיָן
bum *vt, vi* חַי עַל חֶשְׁבּוֹן הַכְּלָל; הָלַךְ בָּטֵל
bumblebee *n* דְּבוֹרָה
bump *n* מַכָּה, חַבּוּרָה; הִתְנַגְּשׁוּת
bump *vi, vt* הִתְנַגֵּשׁ; הֵטִיחַ
bumper *n* (במכונית) פָּגוֹשׁ
bumpkin *n* כַּפְרִי מְגוּשָּׁם
bumptious *adj* קוֹפֵץ בְּרֹאשׁ, בּוֹטֵחַ בְּעַצְמוֹ
bumpy *adj* לֹא חָלָק
bun *n* עוּגִית; לַחְמָנִית (מתוקה)
bunch *n* צְרוֹר, אֶשְׁכּוֹל; חֲבוּרָה
bunch *vt, vi* אִיגֵּד, צֵירֵף; הִתְאַגֵּד
bundle *n* חֲבִילָה; אֲלוּמָּה
bundle *vt, vi* אָרַז, אִיגֵּד
bung *n* פְּקַק
bungalow *n* בּוּנְגָלוֹ
bung hole *n* פֶּתַח מְגוּפָה
bungle *vi, vt* קִלְקֵל, סָרַח
bungling *adj* מְקַלְקֵל, 'מְפַסְפֵס'
bunion *n* יַבֶּלֶת
bunk *n* מִיטַּת־קִיר; (המונית) שְׁטוּיּוֹת
bunker *n* תָּא הַפֶּחָם (באונייה); מַחְסֶה תַּת־קַרְקָעִי, 'בּוּנְקֶר'
bunny *n* שָׁפָן קָטָן
bunting *n* אֲרִיג דְּגָלִים; גִּבְתּוֹן (ציפור)
buoy *n* מָצוֹף
buoyancy *n* צִיפָנוּת; כּוֹחַ הָעִילּוּי
buoyant *adj* צִיפָנִי; מְעוֹדָד, עַלִּיז
bur, burr *n* קְלִיפָּה קָשָׁה

burble *vi* גִרגֵר; פִּטפֵּט
burble *n* גִרגוּר; מִלמוּל, פִּטפּוּט
burden *n* מַשָׂא, נֵטֶל
burden of proof *n* נֵטֶל הַהוֹכָחָה
burdensome *adj* מֵעִיק
burdock *n* סְרִיכוֹנִית, לַפָּה
bureau *n* שׁוּלחַן־כְּתִיבָה; מִשׂרָד, לִשׁכָּה
bureaucracy *n* בִּיוּרוֹקרַטְיָה, נַיֶּירֶת, סַחֶבֶת
bureaucrat *n* בִּיוּרוֹקרָט
bureaucratic(al) *adj* בִּיוּרוֹקרָטִי
burgess *n* אֶזרָח
burglar *n* פּוֹרֵץ
burglar alarm *n* אַזעָקַת שׁוֹד
burglar proof *adj* חֲסִין פְּרִיצָה
burglary *n* פְּרִיצָה
burial *n* קְבוּרָה
burial-ground *n* אֲחוּזַת־קֶבֶר
burlap *n* אָרִיג גַס
burlesque *n* בּוּרלֶסקָה, פָּרוֹדיָה
burlesque *vt, vi* לִגלֵג, עָשָׂה לִצחוֹק
burlesque show *n* הַצָּגַת בּוּרלֶסקָה
burly *adj* בַּעַל גוּף
Burma *n* בּוּרמָה
Burmese *n, adj* בּוּרמָנִית (שָׂפָה); בּוּרמָנִי
burn *n* כְּוִויָּה
burn *vt, vi* דָלַק; בָּעַר
burn down *vi* עָלָה בָּאֵשׁ
burner *n* מַבעֵר, מַדלֶקֶת
burning *adj* בּוֹעֵר, לוֹהֵט
burnish *n* בָּרָק, בּוֹהַק
burnish *vt, vi* צִחצֵחַ, מֵירֵט; הִבִרִיק
burnous(e) *n* בּוּרנוּס
burnt almond *n* שָׁקֵד צָלוּי
burr *n* זִיז; קְלִיפָּה קָשָׁה
burrow *n* שׁוּחָה
burrow *vi, vt* חָפַר שׁוּחָה, חָפַר מִנהָרָה; הִתחַפֵּר
bursar *n* גִזבָּר
burst *n* הִתפּוֹצְצוּת; הִתפָּרְצוּת; (בצבאיות) צְרוֹר
burst *vi, vt* הִתפּוֹצֵץ; הִתפָּרֵץ; נִיפֵּץ; בָּקַע
bury *vt* קָבַר, הִטמִין
burying-ground *n* בֵּית־קְבָרוֹת
bus *n* אוֹטוֹבּוּס
busboy *n* עוֹזֵר לְמֶלצַר
busby *n* מִגבַּעַת פַּרוָוה
bush *n* שִׂיחַ; סְבַךְ; יַעַר
bushel *n* בּוּשֶׁל
bushing *n* תּוֹתָב
bushy *adj* דְמוּי שִׂיחַ; מְכוּסֶּה שִׂיחִים
business *n* עֵסֶק; עִיסּוּק
business district *n* אֵיזוֹר עֲסָקִים
business-like *adj* שִׁיטָתִי, מַעֲשִׂי
businessman *n* אִישׁ־עֲסָקִים, סוֹחֵר
business suit *n* חֲלִיפַת עֲבוֹדָה
busman *n* נַהַג אוֹטוֹבּוּס
buss *n* נְשִׁיקַת תַּאֲוָוה
buss *vt, vi* נִישֵּׁק בְּתַאֲוָוה, הִתנַשֵּׁק
bust *n* פֶּסֶל רֹאשׁ, חָזֶה; כִּישָּׁלוֹן; פְּשִׁיטַת רֶגֶל
bust *vi, vt* הִתפּוֹצֵץ; פּוֹצֵץ, הָרַס
buster *n* נַעַר קָטָן
bustle *n* פְּעִילוּת חֲזָקָה; נִיפּוּחַ שִׂמלָה
bustle *vt, vi* נָע בִּמהִירוּת; זֵירֵז
busy *adj* עָסוּק; פְּעַלתָּנִי
busy *v refl, vt* הֶעֱסִיק; הִתעַסֵּק בּ...

busybody *n*	מִתְעָרֵב בַּכֹּל
busy signal *n*	צְלִיל תָּפוּס
but *conj*	אֲבָל, אַךְ; חוּץ מִן; אֶלָּא שֶׁ...; מִבְּלִי שֶׁ...
but *adv, prep*	חוּץ מִן, אֶלָּא; כִּמְעַט
butcher *n*	קַצָּב, בַּעַל אִטְלִיז; שׁוֹחֵט
butcher *vt*	שָׁחַט; רָצַח בְּאַכְזְרִיּוּת
butcher knife *n*	סַכִּין קַצָּבִים
butcher shop *n*	אִטְלִיז
butchery *n*	בֵּית־מִטְבָּחַיִים; קַצָּבוּת; טֶבַח
but for	אִלְמָלֵא
butler *n*	מְשָׁרֵת רָאשִׁי
butt *vt, vi*	נָגַע בּ...; גָּבַל עִם; נָגַח
butter *n*	חֶמְאָה
butter *vt, vi*	מָרַח בְּחֶמְאָה; הֶחֱמִיא, הֶחֱנִיף
buttercup *n*	נוּרִית
butter dish *n*	מַחְמֵאָה
butterfly *n*	פַּרְפַּר
butter knife *n*	סַכִּין לְחֶמְאָה
buttermilk *n*	חוֹבֶץ, חֲלֵב־חֶמְאָה
butter sauce *n*	רוֹטֶב חֶמְאָה
butterscotch *n*	סוּכָּרִית חֶמְאָה
buttocks *n pl*	אֲחוֹרַיִים, 'יַשְׁבָן'
button *n*	כַּפְתּוֹר; נִיצָן; (בחשמל) לְחִיץ
button *vt, vi*	כִּפְתֵּר, רָכַס
buttonhole *n*	לוּלָאָה; פֶּרַח (בדש המעיל)
buttonhole *vt*	תָּפַר לוּלָאוֹת; אָחַז בְּדַשׁ הַבֶּגֶד
buttonhook *n*	קֶרֶס, פּוֹרְפָן
buttonwood *n*	דּוֹלֶב מַעֲרָבִי
buttress *n*	מִתְמָךְ; מִסְעָד
buttress *vt*	סָעַד בְּמִתְמָךְ, תָּמַךְ
butt weld *n*	חִיבּוּר בְּלִיבּוּן
buxom *adj*	דַּדָּנִית, בְּרִיאָה
buy *vt, vi*	קָנָה, רָכַשׁ
buy *n*	קְנִיָּיה
buyer *n*	קוֹנֶה, לָקוֹחַ
buzz *n*	זִמְזוּם; הֲמוּלָּה
buzz *vt, vi*	זִמְזֵם; הָמָה
buzzard *n*	אַיָּה, בַּז
buzz-bomb *n*	פְּצָצָה מְזַמְזֶמֶת
buzzer *n*	זַמְזָם
buzz-saw *n*	מַסּוֹר מְעוּגָּל
by *prep, adv*	עַל־יַד; דֶּרֶךְ, בְּאֶמְצָעוּת; לְיַד; בּ...; עַל־יְדֵי; מֵאֵת; עַל; בְּסָמוּךְ; בְּצַד
by and by *adv*	עוֹד מְעַט
by and large *adv*	בְּדֶרֶךְ כְּלָל
bye-bye *interj*	הֱיֵה שָׁלוֹם!
by far	הַיּוֹתֵר, 'הֲכִי'
bygone *adj*	שֶׁעָבַר
by-law *n*	חוֹק עִירוֹנִי
by-pass *n*	כְּבִישׁ עוֹקֵף
by-pass *vt*	עָקַף; הֶעֱקִיף
by-product *n*	מוּצָר־לְוַואי; תּוֹצָאַת לְוַואי
bystander *n*	עוֹמֵד מִן הַצַּד
by the way	דֶּרֶךְ אַגַּב
byway *n*	דֶּרֶךְ צְדָדִית
byword *n*	מֵימְרָה, מָשָׁל
Byzantine *adj*	בִּיזַנְטִי
Byzantium *n*	בִּיזַנְטְיָה

C

C סִי – (האות השלישית באלפבית)
cab *n* מוֹנִית; תָּא הַנֶּהָג
cabaret *n* קַבָּרֶט, קָפֶה בִּידּוּר
cabbage *n* כְּרוּב
cab driver *n* נַהַג מוֹנִית
cabin *n* בִּיתָן, תָּא
cabinet *n* מֶמְשָׁלָה; קַבִּינֶט; אָרוֹן
cabinetmaking *n* נַגָּרוּת רָהִיטִים
cable *n* כֶּבֶל; חֶבֶל עָבֶה; מִבְרָק
cable *vt, vi* חִיזֵּק בְּכֶבֶל; הִבְרִיק
cablegram *n* מִבְרָק
caboose *n* קָרוֹן מְאַסֵּף
cab stand *n* תַּחֲנַת מוֹנִיּוֹת
cache *n* מַחֲבוֹא
cache *vt* הִטְמִין
cachet *n* חוֹתֶמֶת; תְּכוּנָה
cackle *n* קִרְקוּר; פִּטְפּוּט הֶבֶל
cackle *vi* קִרְקֵר; פִּטְפֵּט
cactus *n* צָבָר, קַקְטוּס
cad *n* נִבְזֶה
cadaver *n* גְּוִויָּה
cadaverous *adj* פִּגְרִי
caddie *n* נוֹשֵׂא־כֵּלִים (בגולף)
cadence *n* קֶצֶב, מִקְצָב, תֶּנַח
cadet *n* צוֹעֵר; צְעִיר הַבָּנִים
cadmium *n* קַדְמִיּוּם
cadre *n* מִסְגֶּרֶת; תֶּקֶן, סֶגֶל
Caesar *n* קֵיסָר; שַׁלִּיט
café *n* בֵּית־קָפֶה
café society *n* הַחוּג הַנּוֹצֵץ
cafeteria *n* קָפֶטֶרְיָה, מִסְעֶדֶת שֵׁירוּת עַצְמִי
cage *n* כְּלוּב
cage *vt* כָּלָא בִּכְלוּב, כִּילֵּב
cageling *n* צִיפּוֹר בִּכְלוּב
cagey, cagy *adj* זָהִיר, מְסוּגָּר
cahoots *n* שׁוּתָּפוּת
Cain *n* קַיִן, רוֹצֵחַ אָח
Cairo *n* קָהִיר
cajole *vt* פִּיתָּה, הִדִּיחַ
cajolery *n* פִּיתּוּי, הַדָּחָה
cake *n* עוּגָה, רָקִיק
cake *vt, vi* גִּיבֵּשׁ; הִתְגַּבֵּשׁ
calabash *n* בַּקְבּוּק הַדְּלַעַת
calamitous *adj* הֲרֵה אָסוֹן
calamity *n* אָסוֹן
calcify *vt, vi* גָּרַם הִסְתַּיְּדוּת; הִסְתַּיֵּד
calcium *n* סִידָן
calculate *vt, vi* חִישֵּׁב, תִּכְנֵן; חָשַׁב
calculating *adj* מְחַשְּׁבֵן; מְחַשֵּׁב, עָרוּם
calculus *n* דֶּרֶךְ חִישּׁוּב; חֶשְׁבּוֹן
calendar *n* לוּחַ שָׁנָה
calf *n* עֵגֶל; גּוּר; סוֹבֶךְ
calfskin *n* עוֹר עֵגֶל
caliber *n* קוֹטֶר; מִידַּת כּוֹשֶׁר
calibrate *vt* סִימֵּן מִידּוֹת
calico *n* בַּד לָבָן
caliph *n* כָּלִיף
caliphate *n* כָּלִיפוּת
calisthenics *n pl* הִתְעַמְּלוּת יוֹפִי
calk *vt* סָתַם בְּקִיעַ; חָמַר (ספינה)
calk *n* זִיז פַּרְסָה
call *vt, vi* קָרָא, הִשְׁמִיעַ קוֹל; כִּינָּה; טִלְפֵּן
call *n* קְרִיאָה, צְעָקָה; הַזְמָנָה; בִּיקּוּר
calla *n* לוּף, קָלָה

call-boy *n* נַעַר מְשָׁרֵת
caller *n* קוֹרֵא; מְבַקֵּר
call girl *n* נַעֲרַת טֶלֶפוֹן
calling *n* קְרִיאָה; מִשְׁלַח־יָד
calling card *n* כַּרְטִיס בִּיקּוּר
calliope *n* קַלִּיאוֹפֶּה
call number *n* מִסְפַּר טֶלֶפוֹן
callous *adj* מוּקְשֶׁה, נוּקְשֵׁה עוֹר
callus *n* עוֹר נוּקְשֶׁה, קַלּוּס
calm *n* שֶׁקֶט, רְגִיעָה
calm *adj* שָׁקֵט, רָגוּעַ
calm *vt*, *vi* הִשְׁקִיט, הִרְגִּיעַ
calm down *n* נִרְגַּע
calmness *n* שֶׁקֶט, שַׁלְוָוה
calorie *n* קָלוֹרְיָה, חוּמִּית
calumny *n* דִּיבָּה, עֲלִילַת־שֶׁקֶר
Calvary *n* מְקוֹם צְלִיבַת יֵשׁוּ; יִיסּוּרִים
calypso *n* קָלִיפְּסוֹ
cam *n* זִיז, פִּיקָה, מְשַׁנֵּה־תְּנוּעָה
cambric *adj*, *n* שֶׁל אָרִיג לָבָן; בַּד לָבָן מְשׁוּבָּח
camel *n* גָּמָל
cameo *n* קָמֵעַ
camera *n* מַצְלֵמָה
cameraman *n* צַלָּם
camomile *n* קַחְוָון, בַּבּוּנָג
camouflage *n* הַסְוָואָה
camouflage *vt* הִסְוָוה
camp *n* מַחֲנֶה; מַאֲהָל
camp *vi* הֵקִים מַחֲנֶה
campaign *vi* נֶאֱבַק; עָרַךְ מַסָּע
campaign *n* מַסָּע, מַעֲרָכָה
campaigner *n* תַּעֲמוּלָן, מְנַהֵל מַסַּע הַסְבָּרָה
campfire *n* מְדוּרָה
camphor *n* כּוֹפֶר, קַמְפוֹר
campstool *n* שְׁרַפְרַף מִתְקַפֵּל
campus *n* קִרְיַת אוּנִיבֶרְסִיטָה
camshaft *n* גַּל פִּיקוֹת
can *v aux*, *vt* יָכוֹל, הָיָה רַשַּׁאי; שִׁימֵּר (בְּפַח)
can *n* פַּח; קוּפְסַת שִׁימּוּרִים
Canadian *n*, *adj* קָנָדִי
canal *n* תְּעָלָה
canary *n* בַּזְבּוּז קַנָּרִי; יֵין קַנָּרִי
cancel *vt* בִּיטֵּל
cancellation *n* בִּיטּוּל
cancer *n* סַרְטָן
cancerous *adj* סַרְטָנִי
candelabrum (*pl* bra) *n* מְנוֹרָה
candid *adj* גְּלוּי־לֵב
candidacy *n* מוּעֲמָדוּת
candidate *n* מוּעֲמָד
candied *adj* מְסוּכָּר
candle *n* נֵר
candle-holder *n* פָּמוֹט
candor *n* גִּילּוּי־לֵב, כֵּנוּת
candy *n* סוּכָּרִיָּה, מַמְתָּק
cane *n* קָנֶה; מַקֵּל הֲלִיכָה; קְנֵה־סוּכָּר
canine *adj* כַּלְבִּי
canned goods *n pl* מִצְרָכִים מְשׁוּמָּרִים
cannery *n* בֵּית תַּעֲשִׂיַּת שִׁימּוּרִים
cannibal *n* אוֹכֵל אָדָם, קַנִּיבָּל
canning *n* שִׁימּוּר
cannon *n* תּוֹתָח
cannonade *n* הַרְעָשַׁת תּוֹתָחִים
cannon fodder *n* בְּשַׂר תּוֹתָחִים
canny *adj* חַד־עַיִן
canoe *n* סִירָה קַלָּה, בּוּצִית
canon *n* קָנוֹן, חוּקַּת כְּנֵסִיָּה

canonical *adj* קָנוֹנִי; מוּסְמָךְ
canonize *vt* כָּלַל בִּרְשִׁימַת הַקָּנוֹן
can-opener *n* פּוֹתְחָן
canopy *n* אַפִּרְיוֹן, כִּילָּה
cant *n* הַכְרָזָה צְבוּעָה, הִתְחַסְּדוּת
cant *n* תְּנוּעַת פִּתְאוֹם; לִכְסוּן; לוֹכְסָן
cantaloup(e) *n* מֵלוֹן מָתוֹק
cantankerous *adj* רַגְזָן
canteen *n* קַנְטִינָה, מִסְעָדָה
canter *n* דְּהִירָה קַלָּה
canter *vi* דָּהַר קַלּוֹת
canticle *n* שִׁיר הַשִּׁירִים
cantilever *n* שְׁלוּחָה, קוֹרַת בַּרְזֶל
cantle *n* מִסְעַד אֲחוֹרֵי הָאוּכָּף
canton *n* מָחוֹז
canton *vt* חִילֵּק לִמְחוֹזוֹת
cantonment *n* מַחֲנֵה אִימּוּנִים
cantor *n* חַזָּן
canvas *n* צַדְרָה, אֲרִיג מִפְרָשִׂים
canvass *vt, vi* חָקַר וְדָרַשׁ; נִיהֵל תַּעֲמוּלָה
canvass *n* חֲקִירָה וּדְרִישָׁה; בַּקָּשָׁה (לתמיכה)
canyon *n* עָרוּץ עָמוֹק, קַניוֹן
cap. *abbr* capital, capitalize
cap *n* כּוּמְתָּה, כּוֹבַע
cap *vt* כִּיסָּה בְּכוֹבָעִית; סָגַר בְּמִכְסֶה
capability *n* יְכוֹלֶת, כּוֹשֶׁר
capable *adj* מוּכְשָׁר, מְסוּגָּל
capacious *adj* רַב־קִיבּוּל
capacity *n* קִיבּוֹלֶת; קִיבּוּל; תְּפִיסָה; יְכוֹלֶת
cap and gown *n* כּוֹבַע וּגְלִימָה
caparison *n* טַפִּיטוֹן; מַחֲלָצוֹת
caparison *vt* כִּיסָּה בְּטַפִּיטוֹן
cape *n* שִׁכְמָה; כֵּף, מִפְרָץ
Cape of Good Hope *n* כֵּף הַתִּקְוָה הַטּוֹבָה
caper *n* צְלָף קוֹצָנִי; קְפִיצָה
caper *vi* דִּילֵּג, חוֹלֵל
capital *n* עִיר בִּירָה; הוֹן
capitalism *n* רְכוּשָׁנוּת, קַפִּיטָלִיזם
capitalize *vt* כָּתַב בְּאוֹתִיּוֹת רֵישִׁיּוֹת; הִיוּן, הָפַךְ לְהוֹן
capital letter *n* אוֹת רֵישִׁית
capitol *n* בֵּית מְחוֹקְקִים, קַפִּיטוֹל
capitulate *vi* נִכְנַע
capon *n* תַּרְנְגוֹל מְסוֹרָס
caprice *n* הֲפַכְפְּכָנוּת, קַפְּרִיסָה
capricious *adj* נָתוּן לַהֲפַכְפְּכָנוּת
capricorn *n* מַזַּל גְּדִי
capsize *vt, vi* הָפַךְ; הִתְהַפֵּךְ
capstan *n* כַּנָּן, מְנוֹף־מַשָּׂא
capstone *n* אֶבֶן הָרֹאשָׁה
capsule *n* כְּמוּסָה
captain *n* סֶרֶן; רַב־חוֹבֵל, קַבַּרְנִיט; רֹאשׁ קְבוּצָה
captain *vt* פִּיקֵּד, נִיהֵל
captaincy *n* מַנְהִיגוּת; סְרָנוּת; קַבַּרְנִיטוּת
caption *n* כּוֹתֶרֶת
captivate *vt* שָׁבָה לֵב
captive *n, adj* אָסִיר, שָׁבוּי
captivity *n* מַאֲסָר; שְׁבִי
captor *n* שׁוֹבֶה
capture *n* תְּפִיסָה, כִּיבּוּשׁ
capture *vt* שָׁבָה
Capuchin *n* קַפּוּשִׁין (נזיר פרנציסקני)
car *n* מְכוֹנִית; קָרוֹן
carafe *n* צְלוֹחִית

caramel *n* סוּכָּרִייָה, שֶׁזֶף סוּכָּר

carat *n* קָרָט

caravan *n* שְׁיָירָה; קְרוֹן־דִירָה

caravanserai *n* חָן, מְלוֹן־אוֹרְחִים

caraway *n* כְּרַוְיָה תַּרְבּוּתִית

carbarn *n* מוּסַךְ חַשְׁמַלִיּוֹת

carbide *n* קַרְבִּיד

carbine *n* קַרְבִּין

carbolic acid *n* חוּמְצָה קַרְבּוֹלִית

carbon dioxide *n* דו־תַּחְמוֹצֶת הַפַּחְמָן

carbon monoxide *n* תַּחְמוֹצֶת הַפַּחְמָן

carboy *n* בַּקְבּוּק לְחוּמְצוֹת

carbuncle *n* פַּחֶמֶת, דֶמֶל, פּוּרוּנְקֶל

carburetor *n* קַרְבּוּרָטוֹר, מְאַדֶּה

carcass *n* נְבֵלָה, פֶּגֶר

card *n* כַּרְטִיס; קְלָף

cardboard *n* קַרְטוֹן

card-case *n* קוּפְסַת כַּרְטִיסֵי בִּיקּוּר

card catalogue *n* כַּרְטֶסֶת, כַּרְטִיסִיָּה

cardiac *adj* שֶׁל הַלֵּב

cardigan *n* אֲפוּדָּה

cardinal *n* חַשְׁמָן

cardinal *adj* עִיקָּרִי, יְסוֹדִי

card index *n* כַּרְטֶסֶת

card party *n* מְסִיבַּת קְלָפִים

card-sharp *n* רַמַּאי קְלָפִים

card trick *n* לַהֲטוּט קְלָפִים

care *n* דְּאָגָה; תְּשׂוּמֶת־לֵב, זְהִירוּת

care *vi* דָּאַג, טִיפֵּל; חִיבֵּב

careen *vt, vi* הִיטָּה עַל צִדּוֹ; נָטָה עַל צִדּוֹ

career *n* פְּעוּלַּת חַיִּים; עִיסּוּק

career *vi* נָע בִּמְהִירוּת

carefree *adj* חֲסַר דְּאָגָה

careful *adj* זָהִיר

careless *adj* רַשְׁלָנִי; מְרוּשָּׁל

carelessness *n* חוֹסֶר תְּשׂוּמֶת־לֵב

caress *n* לְטִיפָה

caress *vt* לִיטֵּף

caretaker *n* מְטַפֵּל, מְמוּנֶּה

careworn *adj* עָיֵיף מִדְּאָגָה

carfare *n* דְּמֵי נְסִיעָה בְּאוֹטוֹבּוּס (וכד׳)

cargo *n* מִטְעָן (של ספינה)

cargo boat *n* אוֹנִיַּת סַחַר

caricature *n, vt* קָרִיקָטוּרָה; עָשָׂה קָרִיקָטוּרָה מ...

carillon *n* מַעֲרֶכֶת פַּעֲמוֹנִים

carillon *vi* נִיגֵּן בְּפַעֲמוֹנִים

carload *n* מִטְעַן מַשָּׂאִית

carnage *n* הֶרֶג רַב, טֶבַח

carnation *n* צִיפּוֹרֶן הַקָּרְנִפוֹל

carnival *n* עַדְלָיָדַע

carol *n* זֶמֶר; הִימנוֹן חַג־הַמּוֹלָד

carol *vt, vi* שָׁר בַּעֲלִיזוּת

carom *n* פְּגִיעָה כְּפוּלָה

carousal *n* הִילוּלָה

carouse *vi* הִתְהוֹלֵל

carp *n* קַרְפִּיוֹן

carp *vi* מָצָא מוּם

carpenter *n* נַגַּר בִּנְיָין

carpentry *n* נַגָּרוּת בִּנְיָין

carpet *n* שָׁטִיחַ

carpet *vt* כִּיסָּה בִּשְׁטִיחִים

carpet sweeper *n* שׁוֹאֵב אָבָק, שַׁאֲבָק

car rental service *n* שֵׁירוּת לְהַשְׂכָּרַת מְכוֹנִיוֹת

carriage *n* מֶרְכָּבָה, עֲגָלָה; קָרוֹן

carrier *n* סַבָּל; מוֹבִיל; שָׁלִיחַ; חֶבְרָה לְהוֹבָלָה

carrion *n, adj* פֶּגֶר, נְבֵלָה

carrot *n* גֶּזֶר

carrousel, carousel *n* סְחַרְחֵרָה

carry *vt, vi* נָשָׂא, הוֹבִיל; הִצְלִיחַ ב...

carry *n* טְוָוח; נְשִׂיאָה, הוֹבָלָה

cart *n* עֲגָלָה

cart *vt* הֶעֱבִיר בַּעֲגָלָה

carte blanche *n* מִסְמָךְ חָתוּם;
יָד חוֹפְשִׁית

cartel *n* קַרְטֶל

Carthage *n* קַרְתָּגוֹ

Carthaginian *n, adj* קַרְתָּגִי

cart-horse *n* סוּס עֲגָלָה

cartilage *n* חַסחוּס, סְחוּס

cartoon *n* קָרִיקָטוּרָה; תַּבְדִּיחַ קוֹלְנוֹעִי

cartoon *vt, vi* קִרְקֵט, צִיֵּיר מִלְעָג

cartridge *n* כַּדּוּר, תַּרְמִיל

carve *vt, vi* חָרַת; חָקַק; גָּלַף; פִּיסֵּל

caryatid *n* קַרְיָתִידָה

cascade *n* אֶשֶׁד־מַיִם

cascade *vi* נִיגַּר

case *n* קוּפְסָה, תֵּיבָה; מִקְרֶה,
פָּרָשָׁה; מִשְׁפָּט

case *vt* שָׂם בְּתֵיבָה

casement *n* אֲגַף חַלּוֹן

cash *n* מְזוּמָּנִים

cash *vt* הֶחֱלִיף בִּמְזוּמָּנִים

cash box *n* קוּפָּה

cashew nut *n* אֱגוֹז אֲנַקַרְדִּיוֹן

cashier *n* גִּזְבָּר קוּפַּאי

cashier *vt* פִּיטֵּר מִמִּשְׂרָה

cashier's check *n* שֵׁק קוּפַּאי

cashmere *n* קַשְׁמִיר

cash register *n* קוּפָּה רוֹשֶׁמֶת

casing *n* קוּפְסָה, כִּיסּוּי; חוֹמֶר אֲרִיזָה

cask *n* חָבִית

casket *n* תֵּיבָה; אֲרוֹן מֵתִים

casserole *n* קְדֵירָה; תַּבְשִׁיל אֲפִיָּיה

cassock *n* גְּלִימַת כְּמָרִים

cast *vt, vi* זָרַק; הִפִּיל; לִיהֵק

cast *n* זְרִיקָה, הַשְׁלָכָה;
דָּבָר מוּשְׁלָךְ; סִידּוּר; צֶוֶות

castanet *n* עַרְמוֹנִית

castaway *n* שָׂרִיד (שֶׁל אונייה); מְנוּדֶּה

caste *n* כַּת, קַסְטָה

caster *n* זוֹרֵק; גַּלְגַּלִּית

casting-vote *n* קוֹל מַכְרִיעַ

cast iron *n* בַּרְזֶל יָצוּק

castle *n* טִירָה; מִבְצָר; צְרִיחַ

castle *vi* שָׂם בְּטִירָה; הִצְרִיחַ

cast-off *n, adj* בְּגָדִים זְנוּחִים;
זָנוּחַ (בגדים)

castor oil *n* שֶׁמֶן קִיק

castrate *vt* סֵירֵס; קִיצֵּץ

casual *n, adj* אַרְעִי; מִקְרִי

casualty *n* מִקְרֶה אָסוֹן; תְּאוּנָה;
מִפְגָּע

cat *n* חָתוּל; מְרוּשַּׁעַת

catacomb *n* מְעָרַת־קְבָרִים, קָטָקוֹמְבָּה

catalogue *vt, vi* קִטְלֵג, כִּרְטֵס

catalogue *n* קָטָלוֹג

catapult *n* מִקְלַעַת

catapult *vt, vi* זָרַק בְּבַלִּיסְטְרָה
בְּמַרְגֵּמָה; זָרַק בְּמִקְלַעַת

cataract *n* מַפַּל־מַיִם, אֶשֶׁד

catarrh *n* נַזֶּלֶת

catastrophe *n* שׁוֹאָה, אָסוֹן

catcall *n* יִלְלַת חָתוּל

catcall *vi* יִילֵּל כְּחָתוּל

catch *vt, vi* תָּפַס; לָכַד; רִימָּה

catch *n* תְּפִיסָה; עוֹצֶר; צַיִד
catcher *n* תּוֹפֵס
catching *adj* מִידַּבֵּק; מַקְסִים
catch question *n* שְׁאֵלַת מַלְכּוֹדֶת
catchup *n* מִיץ תַּבְלִין
catchword *n* אִמְרַת־כָּנָף
catchy *adj* נִתְפָּס בְּנָקֵל
catechism *n* מִקְרָאָה דָתִית (נוֹצרית)
category *n* סוּג, קָטֵגוֹרְיָה
cater *vi* סִיפֵּק מָזוֹן; סִיפֵּק שֵׁירוּת
cater-cornered *adj* אֲלַכסוֹנִי
caterer *n* סַפַּק־מָזוֹן
caterpillar *n* זַחַל
catfish *n* שְׂפַמנוּן
catgut *n* חוּטֵי מֵעַיִים
cathartic *adj* מְטַהֵר, מְנַקֶּה אֶת הַמֵּעַיִים
cathedral *n, adj* קָתֶדְרָלָה; שֶׁל קָתֶדְרָה
catheter *n* צַנְתָּר
catheterize *vi* צִנְתֵּר
cathode *n* קָתוֹדָה
catholic *adj* עוֹלָמִי, אוּנִיבֶרסָלִי; רְחַב אוֹפָקִים
Catholic *n, adj* קָתוֹלִי
catkin *n* עָגִיל
catnap *n* נִמנוּם קַל
catnip *n* נֶפִּית הַחֲתוּלִים
cat-o'-nine-tails *n* מַגלֵב שֶׁבַע הָרְצוּעוֹת
cat's cradle *n* עֲרִיסָה
cat's paw *n* כְּלִי שָׁרֵת
cattle *n pl* בָּקָר
cattle crossing *n* חֲצָיַת בְּהֵמוֹת
cattleman *n* בּוֹקֵר; חַוַּאי בָּקָר
cattle raising *n* גִּידּוּל בָּקָר
cattle ranch *n* חַוַּת בָּקָר
catty *adj* חֲתוּלִי; מְרוּשָּׁע
catwalk *n* מַעֲבָר צַר
Caucasian *n, adj* קַווקָזִי
caucus *n* כֶּנֶס מִפלַגתִּי
cauliflower *n* כְּרוּבִית
cause *n* סִיבָּה; גּוֹרֵם; עִניָן
cause *vt* גָּרַם
causeway *n* מְסִילָּה, שְׁבִיל מוּגבָּה
caustic *adj* צוֹרֵב, חוֹרֵק
caustic *n* חוֹמֶר צוֹרֵב
cauterize *vt* צָרַב בְּבַרזֶל לוֹהֵט
caution *n* זְהִירוּת; אַזהָרָה
caution *vt* הִזהִיר
cautious *adj* זָהִיר
cavalcade *n* מִצעַד פָּרָשִׁים
cavalier *n* פָּרָשׁ; אַבִּיר
cavalier *adj* שַׁחֲצָנִי; מְזַלזֵל
cavalry *n* חֵיל פָּרָשִׁים, פָּרָשִׁים
cavalry-man *n* פָּרָשׁ
cave *n* מְעָרָה
cave *vt, vi* כָּרָה, חָצַב; שָׁקַע
cave-in *n* הִתמוֹטְטוּת
cave-man *n* שׁוֹכֵן מְעָרוֹת
cavern *n* מְעָרָה, מְחִילָּה
cavil *vi* הִתגּוֹלֵל עַל
cavity *n* חָלָל, חוֹר
cavort *vi* קִיפֵּץ
caw *n* צְרִיחַת עוֹרֵב
caw *vi* צָרַח (עוֹף)
c. c. – *abbr* cubic centimeter
cease *vt, vi* פָּסַק, הִפסִיק
cease *n* הֶפסֵק
cease-fire *n* הַפסָקַת אֵשׁ

ceaseless *adj* לֹא פּוֹסֵק
cedar *n* אֶרֶז
cede *vt* וִיתֵּר
ceiling *n* תִּקְרָה
celebrant *n* חוֹגֵג
celebrate *vt, vi* חָגַג; שִׁיבֵּחַ
celebrated *adj* מְפוּרְסָם
celebration *n* חֲגִיגָה; טֶקֶס
celebrity *n* אִישִׁיּוּת מְפוּרְסֶמֶת
celery *n* כַּרְפַּס רֵיחָנִי, סֶלֶרִי
celestial *adj, n* שְׁמֵימִי
celibacy *n* רַוָּקוּת
celibate *n, adj* רַוָּק
cell *n* תָּא
cellar *n* מַרְתֵּף; מַחְסַן יַיִן
cellaret *n* מִזְנוֹן יַיִן
cell house *n* בֵּית־כֶּלֶא
cellist *n* צֶ'לָן
cello *n* צֶ'לוֹ
cellophane *n* צֶלוֹפָן
celluloid *n* צֶלוּלוֹאִיד
cellulose *n* תָּאִית, צֶלוּלוֹזָה
Celt *n* קֶלְטִי
cement *n* צֶמֶנְט; מֶלֶט
cement *vt* צִמֵּנְט; דִּיבֵּק
cemetery *n* בֵּית־עָלְמִין
cen. *abbr* central
censer *n* מַחְתָּה, מִקְטֶרֶת
censor *n* צֶנְזוֹר
censor *vt* צִנְזֵר
censure *n* בִּיקּוֹרֶת חֲמוּרָה
censure *vt* בִּיקֵּר קָשׁוֹת
census *n* מִפְקַד תּוֹשָׁבִים
cent. *abbr* centigrade, central, century
cent *n* סֶנְט, מֵאִית
centaur *n* קֶנְטָאוּר
centennial *n, adj* יוֹבֵל הַמֵּאָה; שֶׁל יוֹבֵל מֵאָה
center *vt, vi* רִיכֵּז; הָיָה בַּמֶּרְכָּז
center *n* מֶרְכָּז
center-piece *n* קִישּׁוּט מֶרְכַּז שׁוּלְחָן
center punch *n* מַקּוֹד
centigrade *adj* צֶלְזִיוּס
centimeter *n* סֶנְטִימֶטֶר
centipede *n* נַדָּל
central *adj* מֶרְכָּזִי
Central America *n* אֲמֵרִיקָה הַמֶּרְכָּזִית
Central American *adj* שֶׁל אֲמֵרִיקָה הַמֶּרְכָּזִית
centralize *vt, vi* מִרְכֵּז; הִתְמַרְכֵּז
century *n* מֵאָה שָׁנָה, מֵאָה
century plant *n* אֲגָבַת מֵאָה שָׁנָה
ceramic *adj* שֶׁל כְּלֵי חֶרֶס
ceramics *n pl* קֵרָמִיקָה
cereal *n* דָּגָן; גַּרְגְּרֵי דָּגָן
ceremonious *adj* טִקְסִי
ceremony *n* טֶקֶס
certain *adj* בָּטוּחַ; מְסוּיָּם
certainly *adv, interj* בְּוַדַּאי, וַדַּאי!
certainty *n* וַדָּאוּת; דָּבָר בָּטוּחַ
certificate *n* תְּעוּדָה; אִישּׁוּר בִּכְתָב
certified public accountant *n* רוֹאֵה חֶשְׁבּוֹן מוּסְמָךְ
certify *vt* אִישֵּׁר בִּכְתָב
cervix *n* צַוַּאר הָרֶחֶם; צַוָּאר
cessation *n* הַפְסָקָה
cesspool *n* בּוֹר־שְׁפָכִים
Ceylon *n* צֵילוֹן

Ceylonese *n, adj* צֵילוֹנִי

C.F.I. צִי״ף, סִיף

cg. *abbr* centigram

ch. *abbr* chapter

chafe *n* שִׁפְשׁוּף; דַלֶּקֶת

chafe *vt, vi* חִימֵּם בְּשִׁפְשׁוּף; הִכְאִיב בְּחִיכּוּךְ; הָיָה חֲסַר סַבְלָנוּת

chaff *n* מוֹץ; חֲמִידַת לָצוֹן

chaff *vt, vi* חָמַד לָצוֹן

chafing-dish *n* מְנוֹרַת־חִימּוּם

chagrin *n* אַכְזָבָה, דִיכָּאוֹן

chagrin *vt* צִיעֵר, הִשְׁפִּיל

chain *n* שַׁרְשֶׁרֶת

chain *vt* כָּבַל

chain gang *n* קְבוּצַת אֲסִירִים מְשׁוּרְשֶׁרֶת

chain reaction *n* תְּגוּבַת שַׁרְשֶׁרֶת

chain smoker *n* מְעַשֵּׁן בְּשַׁרְשֶׁרֶת

chain store *n* חֲנוּת שַׁרְשֶׁרֶת

chair *n* כִּיסֵּא

chair *vt* הוֹשִׁיב עַל כִּיסֵּא

chair lift *n* רַכֶּבֶל

chairman *n* יוֹשֵׁב־רֹאשׁ

chairmanship *n* רָאשׁוּת

chair rail *n* מְסִילַּת רַכֶּבֶל

chalice *n* גָּבִיעַ

chalk *n* גִּיר, קִרְטוֹן

chalk *vt* כָּתַב בְּגִיר

challenge *n* אֶתְגָּר

challenge *vt* אִתְגֵּר; עִרְעֵר

chamber *n* חֶדֶר

chamberlain *n* מְמוּנֶּה עַל נְכָסִים

chambermaid *n* חַדְרָנִית

chamber pot *n* סִיר לַיְלָה

chameleon *n* זִיקִית

chamfer *n* מֶדֶר, חִיתּוּךְ מְלוּכְסָן

champ *vi, vt* נָשַׁךְ (מקוצר סבלנות)

champ *n* נְשִׁיכָה; לְעִיסָה

champagne *n* יֵין שַׁמְפַּנְיָה

champion *n, adj* אַלּוּף; מְנַצֵּחַ; דוֹגֵל, תּוֹמֵךְ

champion *vt* דָּגַל, תָּמַךְ בּ...

championess *n* תּוֹמֶכֶת, דוֹגֶלֶת; מְנַצַּחַת, אַלּוּפָה

championship *n* אַלִּיפוּת

chance *n* מִקְרֶה; מַזָּל; אֶפְשָׁרוּת

chance *adj* מִקְרִי

chance *vt, vi* אֵירַע בְּמִקְרֶה; נִתְקַל

chancel *n* אֵיזוֹר הַמִּזְבֵּחַ

chancellery *n* בֵּית הַנָּגִיד

chancellor *n* נָגִיד; קַנְצְלֶר

chandelier *n* נִבְרֶשֶׁת

change *n* שִׁינּוּי; כֶּסֶף חֲלִיפִין; עוֹדֶף; הַחֲלָפָה

change *vi, vt* שִׁינָּה; הֶחֱלִיף; פָּרַט; נִשְׁתַּנָּה

changeable *adj* עָשׂוּי לְהִשְׁתַּנּוֹת

channel *n* אָפִיק; תְּעָלָה; צִינּוֹר

channel *vt* הֶעֱבִיר בִּתְעָלָה; הִכְוִין

chant *n* שִׁירָה, זִמְרָה; מִזְמוֹר

chant *vt, vi* זִימֵּר

chanter *n* זַמָּר; זַמָּר רָאשִׁי

chanticleer *n* תַּרְנְגוֹל

chaos *n* תּוֹהוּ וָבוֹהוּ

chaotic *adj* שֶׁל תּוֹהוּ וָבוֹהוּ

chap. *abbr* chapter

chap *n* בְּקִיעָה; בָּחוּר

chap *vt, vi* בִּיקֵּעַ, סִידֵּק; נִבְקַע; נִסְדַּק

chaparral *n* סְבַךְ אַלּוֹנִים

chapel *n* כְּנֵסִיָּיה קְטַנָּה

chaperon *n* מְלַוָּה
chaplain *n* כּוֹמֶר מַלכוּתִי
chaplet *n* זֵר פְּרָחִים, עֲטָרָה
chapter *vt* חִילֵּק לִפרָקִים
chapter *n* פֶּרֶק; סְנִיף
char *vt, vi* פִּיחֵם; חָרַך; נֶחרַך
character *n* אוֹפִי; תְּכוּנָה; אוֹת
characteristic *n* תְּכוּנָה בּוֹלֶטֶת
characteristic *adj* אוֹפְייָנִי
characterize *vt* אִפייֵן
charcoal *n* פַּחַם־עֵץ; פֶּחָם לְצִיוּר
charcoal burner *n* תַּנּוּר פְּחָמִים
charge *vt, vi* קָבַע מְחִיר; חִייֵּב; הֶאֱשִׁים; הִסתָּעֵר, הִטעִין; פָּקַד
charge *n* מְחִיר; הַאֲשָׁמָה; הִסתָּעֲרוּת; מִטעָן; תַּפקִיד
charge account *n* חֶשׁבּוֹן הֲקָפָה
chargé d'affaires *n* מְמוּנֶּה עַל הַשַּׁגרִירוּת
charger *n* מַאֲשִׁים; מַטעֵן
chariot *n* רֶכֶב בַּרזֶל
charioteer *n* נוֹהֵג בְּמֶרכָּבָה
charitable *adj* נַדבָנִי; שֶׁל צְדָקָה
charity *n* צְדָקָה; נְדִיבוּת
charity performance *n* הַצָּגַת צְדָקָה
charlatan *n* נוֹכֵל, שַׁרלָטָן
charlatanism *n* נְכָלִים, שַׁרלָטָנִיּוּת
charlotte *n* תּוּפִין, שַׁרלוֹט
charm *n* חֵן, קֶסֶם; קָמֵיעַ
charm *vt* קָסַם, כִּישֵּׁף
charming *adj* נֶחמָד, מַקסִים
charnel *adj, n* שֶׁל מֵתִים; חֲדַר מֵתִים
chart *n* שִׂרטוּט
chart *vt* שִׂרטֵט
charter *n* תְּעוּדַת רִישּׁוּם חֶברָה
charter *vt* הִשׂכִּיר; שָׂכַר
charter member *n* חָבֵר מְייַסֵּד
charwoman *n* עוֹזֶרֶת בַּיִת
Charybdis *n* שָׁרִיבְּדִיס
chase *n* רְדִיפָה; צַיִד
chase *vt* רָדַף אַחֲרֵי
chase away *vt* גֵּירֵשׁ
chasm *n* בְּקִיעַ; חָלָל
chassé *n* צַעֲדַת רִיחוּף
chassé *vi* צָעַד צַעֲדַת רִיחוּף
chaste *adj* פָּרוּשׁ, צָנוּעַ
chasten *vt* יִיסֵּר; טִיהֵר
chastise *vt* יִיסֵּר, הִלקָה
chastity *n* צְנִיעוּת; בְּתוּלִים
chasuble *n* גְּלִימַת כּוֹמֶר
chat *n* שִׂיחָה קַלָּה
chat *vt* שׂוֹחַח שִׂיחָה קַלָּה
chatelaine *n* בַּעֲלַת הַטִּירָה
chattels *n pl* מִיטַּלטְלִים
chatter *vi, vt* קִשׁקֵשׁ; פִּטפֵּט
chatterbox *n* פַּטפְּטָן
chauffeur *n* נֶהָג שָׂכִיר
chauffeur *vt, vi* הִסִּיעַ; עָבַד כְּנֶהָג
cheap *adj, adv* זוֹל; בְּזוֹל
cheapen *vt, vi* הוֹזִיל
cheapness *n* זוֹלוּת
cheat *n* רַמַּאי
cheat *vt, vi* רִימָּה; הֶעֱרִים עַל
check *n* עֲצִירָה; בְּדִיקָה; הַמחָאָה, שֶׁק; חֶשׁבּוֹן (בּמסעדה וכד׳)
check *vt,vi* עָצַר, רִיסֵּן; בָּדַק; הוּכַח כְּנָכוֹן
checker *n* כְּלִי בְּמִשׂחַק הַגְּבִירָה
checker *vt* עָשָׂה מִשׁבְּצוֹת, נִימֵּר

checkerboard *n* לוּחַ שַׁחְמָט

checkers *n pl* מִשְׂחַק הַגְּבִירָה ('דמקה')

checkmate *n* מָט

checkmate *vt* נָתַן מָט, מִטְמֵט

checkout *n* עֲקִירָה, עֲזִיבָה (ממלון)

checkpoint *n* תַּחֲנַת בִּיקּוֹרֶת

checkrein *n* רְצוּעַת הָעוֹרֶף

checkroom *n* מֶלְתָּחָה

checkup *n* בְּדִיקָה

cheek *n* לֶחִי; חוּצְפָּה

cheek *vt* הִתְחַצֵּף

cheekbone *n* עֶצֶם הַלֶּחִי

cheeky *adj* חוּצְפָּנִי

cheer *n* תְּרוּעָה; עִידּוּד

cheer *vt, vi* הֵרִיעַ ל...; עוֹדֵד

cheerful *adj* עַלִּיז; נָעִים

cheerio *interj* הֱיֵה שָׁלוֹם!

cheerless *adj* לֹא שָׂמֵחַ, עַגְמוּמִי

cheer up *vt, vi* עוֹדֵד; הִתְעוֹדֵד

cheese *n* גְּבִינָה

cheesecloth *n* חוֹרִי, אֲרִיג רֶשֶׁת

chef *n* טַבָּח רָאשִׁי

chem. *abbr* chemical; chemist; chemistry

chemical *adj, n* כִּימִי; חוֹמֶר כִּימִי

cheval glass *n* מַרְאָה סוֹבֶבֶת

chevalier *n* אַבִּיר

chevron *n* סֶרֶט; יְתִיב

chew *n* לְעִיסָה

chew *vt* לָעַס; הִרְהֵר

chewing gum *n* גּוּמִי לְעִיסָה

chic *adj, n* מְהוּדָּר (בסגנונו); (סגנון) מְצוּדָד; שִׁיק

chicanery *n* גְּנֵיבַת־דַּעַת

chick *n* גּוֹזָל

chicken *n, adj* פַּרְגִּית; מוּג־לֵב

chicken coop *n* לוּל

chickenhearted *adj* רַךְ־לֵב

chicken-pox *n* אֲבַעְבּוּעוֹת־רוּחַ

chicken wire *n* רֶשֶׁת שֶׁל לוּלִים

chick-pea *n* חִימְצָה

chicory *n* עוֹלֶשׁ תַּרְבּוּתִי

chide *vt, vi* נָזַף בּ...; הִבִּיעַ מוֹרַת־רוּחַ

chief *n* רֹאשׁ, מְנַהֵל; רֹאשׁ שֵׁבֶט

chief *adj* רָאשִׁי

chief executive *n* נְשִׂיא הַמְּדִינָה

chief justice *n* שׁוֹפֵט רָאשִׁי

chiefly *adv* בְּעִיקָּר, מֵעַל לַכּוֹל

chief of staff *n* רֹאשׁ הַמַּטֶּה הַכְּלָלִי, רַמַטְכָּ"ל

chieftain *n* רֹאשׁ שֵׁבֶט, רֹאשׁ קְבוּצָה

chiffon *n* אֲרִיג מֶשִׁי אוֹ זְהוֹרִית

chiffonier, chiffonnier *n* שִׁידָּה

chignon *n* צוֹבֶר שֵׂיעָר

chilblain *n* אֲבַעְבּוּעוֹת־חוֹרֶף

child *n* יֶלֶד, תִּינוֹק; נַעַר, נַעֲרָה

childbirth *n* לֵידָה

childhood *n* תְּקוּפַת הַיַּלְדוּת

childish *adj* יַלְדוּתִי; תִּינוֹקִי

childishness *n* יַלְדוּתִיּוּת; תִּינוֹקִיּוּת

child labor *n* הַעֲסָקַת יְלָדִים

childless *adj* חֲשׂוּךְ בָּנִים

childlike *adj* תָּמִים, כְּיֶלֶד

children *n pl of* child בָּנִים, יְלָדִים

Children of Israel בְּנֵי יִשְׂרָאֵל

child welfare *n* סַעַד לַיֶּלֶד, רַווחַת הַיֶּלֶד

Chilean *adj* צִ'ילִיאָנִי

Chile *n* צִ'ילֶה

chile, chili, chilli *n*	פִּלְפֶּלֶת הַגִּינָּה
chill *n*	קוֹר, קְרִירוּת; צְמַרְמוֹרֶת
chill *adj*	קַר
chill *vt*	צִינֵּן; קֵירֵר
chilly *adj*	קָרִיר
chime *n*	צִלְצוּל פַּעֲמוֹנִים
chime *vt, vi*	צִלְצֵל
chimera *n*	כִּימֵרָה; דִּמְיוֹן שָׁוְא
chimney *n*	אֲרוּבָּה, מַעֲשֵׁנָה
chimney cap *n*	גַּג אֲרוּבָּה
chimney flue *n*	מִפְלַשׁ אֲוִויר בָּאֲרוּבָּה
chimney pot *n*	גְּלִיל אֲרוּבָּה
chimney-sweep *n*	מְנַקֵּה אֲרוּבּוֹת
chimpanzee *n*	שִׁמְפַּנְזֶה
chin *n*	סַנְטֵר
China *n*	סִין
china *n, adj*	כְּלֵי־חֶרֶס, חַרְסִינָה; עָשׂוּי מֵחֶרֶס
china closet *n*	מַדַּף דִּבְרֵי חַרְסִינָה
Chinaman *n*	סִינִי
Chinese *n, adj*	סִינִי; סִינִית
Chinese gong *n*	גּוֹנג סִינִי
Chinese lantern *n*	פַּנַּס נְיָיר צִבְעוֹנִי
Chinese puzzle *n*	תִּסְבּוֹכֶת
Chinese strap *n*	רְצוּעַת כּוֹבַע
chink *n*	סֶדֶק
chink *vt, vi*	קִשְׁקֵשׁ (בְּמַטְבְּעוֹת)
chink *n*	צִלְצוּל מַתַּכְתִּי
chintz *n*	אָרִיג עִיטּוּרִי
chip *n*	שְׁבָב; קֵיסָם
chip *vt, vi*	שִׁיבֵּב; קִיצֵּץ, נִיתֵּץ
chipmunk *n*	הַסְּנָאִי הֶעָקוּד
chipper *vi*	צִפְצֵף; פִּטְפֵּט
chipper *n*	מְשַׁבֵּב; סַתָּת
chiropractor *n*	כִּירוֹפְּרַקְטִיקָן
chirp *vt*	צִיֵּיץ
chirp *n*	צִיּוּץ
chisel *n*	מַפְסֶלֶת
chisel *vt, vi*	סִיתֵּת, שִׁיבֵּב
chiseled *adj*	מְפוּסָּל, מְסוּתָּת
chitchat *n*	שִׂיחָה קַלָּה
chivalric, chivalrous *adj*	אַבִּירִי
chivalry *n*	אַבִּירוּת
chloride *n*	כְּלוֹרִיד
chlorine *n*	כְּלוֹר
chloroform *n*	כְּלוֹרוֹפוֹרְם
chloroform *vt*	הִשְׁתַּמֵּשׁ בִּכְלוֹרוֹפוֹרְם
chlorophyll *n*	כְּלוֹרוֹפִיל, יָרֶק
chock-full *adj*	מָלֵא וְגָדוּשׁ
chocolate *n*	שׁוֹקוֹלָד
choice *n*	בְּחִירָה, בְּרֵירָה
choice *adj*	מְשׁוּבָּח, מְיוּחָד בְּמִינוֹ
choir *n*	מַקְהֵלָה
choirboy *n*	נַעַר מַקְהֵלָן
choir loft *n*	יְצִיעַ הַמַּקְהֵלָה
choirmaster *n*	מְנַצֵּחַ מַקְהֵלָה
choke *vt, vi*	חָנַק, הֶחֱנִיק; הִשְׁנִיק; נֶחֱנַק
choke *n*	מַשְׁנֵק; חֲנִיקָה
choke coil *n*	מַשְׁנֵק
cholera *n*	חוֹלִירַע
choleric *adj*	זוֹרֵק מָרָה, רוֹגְזָנִי
cholestrol *n*	כּוֹלֶסְטֶרוֹל
choose *vt, vi*	בָּחַר
chop *n*	קִיצּוּץ; טְחִינָה; חֲטִיבָה
chop *vi, vt*	קִיצֵּץ, טָחַן; חָטַב
chophouse *n*	מִסְעָדָה
chopper *n*	מְקַצֵּץ; מַטְחֵנָה; קוֹפִיץ
chopping block *n*	סַדַּן עֲרִיפָה
choppy *adj*	רוֹגֵשׁ

chopstick *n* מַזְלֵג סִינִי
choral *adj, n* מַקְהֶלָתִי; כּוֹרָל
chorale *n* כּוֹרָל
choral society *n* אֲגוּדַּת מַקְהֵלָה
chord *n* מֵיתָר; אַקּוֹרְד
chord *vt, vi* פָּרַט עַל
chore *n* מְלָאכָה, עֲבוֹדַת בַּיִת
choreography *n* כּוֹרֵיאוֹגְרַפְיָה
chorine *n* זַמֶּרֶת־רַקְדָנִית
chorus *n* מַקְהֵלָה; חָרוּז חוֹזֵר
chorus *vt* שָׁר אוֹ דִקְלֵם בְּמַקְהֵלָה
chorus girl *n* זַמֶּרֶת־רַקְדָנִית (בלהקה)
chowder *n* מְרַק דָּגִים
Chr. *abbr* Christ, Christian
Christ *n* יֵשׁוּ הַנּוֹצְרִי
christen *vt* הִטְבִּיל
Christendom *n* הָעוֹלָם הַנּוֹצְרִי
christening *n* טֶקֶס הַטְבִילָה
Christian *adj, n* נוֹצְרִי
Christianity *n* נַצְרוּת
Christianize *vt, vi* נִיצֵּר
Christian name *n* שֵׁם רִאשׁוֹן
Christmas *n* חַג־הַמּוֹלָד הַנּוֹצְרִי
Christmas card *n* כַּרְטִיס־בְּרָכָה לְחַג־הַמּוֹלָד
Christmas Eve *n* עֶרֶב חַג־הַמּוֹלָד
Christmas tree *n* אִילַן חַג־הַמּוֹלָד
chromium, chrome *n* כְּרוֹם
chromosome *n* כְּרוֹמוֹזוֹם
chron. *abbr* chronology, chronological
chronic *adj* כְּרוֹנִי, מַתְמִיד, מְמוּשָּׁךְ
chronicle *n* סִיפּוּר, שַׁלְשֶׁלֶת מְאוֹרָעוֹת
chronicle *vt* רָשַׁם בְּסֵפֶר זִכְרוֹנוֹת

chronicler *n* רוֹשֵׁם בְּסֵפֶר זִכְרוֹנוֹת
chronology *n* סֵדֶר זְמַנִּים, כְּרוֹנוֹלוֹגְיָה
chronometer *n* כְּרוֹנוֹמֶטֶר
chrysanthemum *n* חַרְצִית
chubby *adj* עֲגַלְגַל, שְׁמַנְמַן
chuck *n* טְפִיחָה קַלָּה; יָתֵד
chuck *vt* טָפַח; הִשְׁלִיךְ
chuckle *n* צְחוֹק מְאוּפָּק
chuckle *vi* צָחַק צְחוֹק מְאוּפָּק
chug *n* טִרְטוּר
chug *vi* טִרְטֵר; נָע בְּטִרְטוּר
chum *n* חָבֵר, חָבֵר לְחֶדֶר
chum *vi* הִתְחַבֵּר, הִתְיַידֵּד
chummy *adj* חֲבֵרִי, חַבְרוּתִי
chump *n* שׁוֹטֶה
chunk *n* פְּרוּסָה, חֲתִיכָה
church *n* כְּנֵסִיָּה
churchgoer *n* מִתְפַּלֵּל קָבוּעַ
churchman *n* כּוֹמֶר; אָדוּק בְּנַצְרוּת
Church of England *n* הַכְּנֵסִיָּה הָאַנְגְלִיקָנִית
churchwarden *n* נָצִיג שֶׁל הַכְּנֵסִיָּה הַמְּקוֹמִית
churchyard *n* בֵּית־עָלְמִין כְּנֵסִיָּתִי
churl *n* גַּס, בּוּר
churlish *adj* בּוּר, גַּס
churn *n* מַחְבֵּצָה
churn *vt* חִיבֵּץ; בָּחַשׁ
chute *n* תְּעָלָה; מַחֲלֵק; אֶשֶׁד
ciborium *n* חוּפָּה; קוּפְסַת לֶחֶם הַקּוֹדֶשׁ
Cicero *n* קִיקֶרוֹ, צִיצֶרוֹ
cider *n* יֵין תַּפּוּחִים
C.I.F., c.i.f. *abbr* cost, insurance and freight סִי״ף

cigar *n* סִיגָר, סִיגָרָה
cigar band *n* חֶבֶק סִיגָר
cigar case *n* נַרְתִּיק סִיגָרִים
cigar cutter *n* מַחְתֵּךְ סִיגָר
cigarette *n* סִיגָרִיָּה
cigarette case *n* נַרְתִּיק סִיגָרִיּוֹת
cigarette-holder *n* קְנֵה סִיגָרִיָּה
cigarette lighter *n* מַצִּית
cigarette-paper *n* נְיַר סִיגָרִיּוֹת
cigar-holder *n* מַחֲזֵק סִיגָר
cigar store *n* חֲנוּת סִיגָרִים
cinch *n* דָּבָר בָּטוּחַ
cinch *vt* תָּפַס בְּבִטְחָה
cinder *n* אוּד
cinder bank *n* תְּלוּלִית אֵפֶר
Cinderella *n* סִינְדֶרֶלָּה, לִכְלוּכִית
cinder track *n* מַסְלוּל אֵפֶר (לְמֵירוֹץ)
cinema *n* קוֹלְנוֹעַ, רְאִינוֹעַ
cinematograph *n* מַצְלֵמַת קוֹלְנוֹעַ
cinnabar *n, adj* צִינַּבָּר
cinnamon *n, adj* קִינָּמוֹן
cipher *n* אֶפֶס; סִפְרָה; צוֹפֶן
cipher *vt, vi* הִשְׁתַּמֵּשׁ בִּסְפָרוֹת; חִשְׁבֵּן; כָּתַב בְּצוֹפֶן
cipher key *n* מַפְתֵּחַ צוֹפֶן
circle *n* עִיגּוּל; מַעְגָּל; חוּג
circle *vt, vi* הִקִּיף; סָבַב
circuit *n* סִיבּוּב; סִיּוּר בְּסִיבּוּב
circuit breaker *n* מֶתֶג
circuitous *adj* עוֹקֵף, עָקִיף
circular *adj* עִיגּוּלִי, מְעוּגָּל
circular *n* מִכְתָּב חוֹזֵר
circularize *vt* שָׁלַח חוֹזֵר
circulate *vt, vi* חִילֵּק, הֵפִיץ; נָע בְּמַחֲזוֹר
circumcise *vt* מָל
circumference *n* הֶיקֵּף; קַו מַקִּיף
circumflex *n, adj* סְגוֹלְתָּא, תָּג
circumflex *vt* שָׂם סְגוֹלְתָּא; תִּיֵּיג
circumlocution *n* מֶלֶל רַב, גִּיבּוּב דְּבָרִים
circumnavigate *vt* הִפְלִיג סָבִיב
circumnavigation *n* הַפְלָגָה סָבִיב
circumscribe *vt* הִקִּיף בְּעִיגּוּל; הִגְבִּיל
circumspect *adj* זָהִיר, פְּקוּחַ עַיִן
circumstance *n* תְּנַאי; (בְּרִיבּוּי) נְסִיבּוֹת
circumstantial *adj* נְסִיבָּתִי
circumstantiate *vt* בִּיסֵּס עַל יְסוֹד נְסִיבּוֹת אוֹ פְּרָטִים
circumvent *vt* עָקַף בְּעוֹרְמָה
circus *n* קִירְקָס; כִּיכָּר
cistern *n* בּוֹר, מִקְוֵה מַיִם
citadel *n* מְצוּדָה, מִבְצָר
citation *n* צִיטּוּט; מוּבָאָה; צִיּוּן לְשֶׁבַח
cite *vt* צִיטֵּט; צִיֵּין לְשֶׁבַח
citizen *n* אֶזְרָח
citizenry *n* צִיבּוּר הָאֶזְרָחִים
citizenship *n* אֶזְרָחוּת, נְתִינוּת
citron *n* אֶתְרוֹג
citronella *n* זַקְנָן רֵיחָנִי
citrus *n* פְּרִי הָדָר
city *n* עִיר, כְּרַךְ
city council *n* מוֹעֲצַת הָעִיר
city editor *n* הָעוֹרֵךְ לַחֲדָשׁוֹת מְקוֹמִיּוֹת
city father *n* אַב־עִיר
city hall *n* עִירִיָּה
city plan *n* תָּכְנִית עִיר
city planner *n* מְתַכְנֵן עָרִים

city planning *n* תִּכְנוּן עָרִים
city room *n* חֲדַר הַחֲדָשׁוֹת (בְּעִיתּוֹן)
city-state *n* מְדִינָה־עִיר
civic *adj* עִירוֹנִי; אֶזְרָחִי
civics *n pl* אֶזְרָחוּת
civil *adj* אֶזְרָחִי; מְנוּמָּס
civilian *n, adj* אֶזְרָח
civility *n* נִימּוּס, אֲדִיבוּת
civilization *n* תַּרְבּוּת, צִיוּוִילִיזַצְיָה
civilize *vt* תִּרְבֵּת
civil servant *n* עוֹבֵד מְדִינָה
civvies *n pl* לְבוּשׁ אֶזְרָחִי
claim *vt, vi* תָּבַע; טָעַן
claim *n* תְּבִיעָה
claim check *n* תְּעוּדַת שִׁחְרוּר (שֶׁל פִּיקָדוֹן וכד׳)
clairvoyance *n* רְאִיָּה חוֹדְרָנִית
clairvoyant *n, adj* בַּעַל רְאִיָּה חוֹדְרָנִית
clam *vi* אָסַף צְדָפוֹת
clam *n* צִדְפָּה
clamor *n* צְעָקָה; הֲמוּלָּה
clamor *vi* צָעַק; תָּבַע בְּקוֹל
clamorous *adj* רַעֲשָׁנִי, תּוֹבְעָנִי
clamp *n* מַלְחֶצֶת; מֶלְחָצַיִים
clamp *vt* הִידֵּק בְּמַלְחֶצֶת
clan *n* חֲמוּלָה, שֵׁבֶט
clandestine *adj* סוֹדִי
clang *n, v* הַקָּשָׁה, צִלְצוּל; הִקִּישׁ
clank *n* רַעַשׁ שַׁרְשְׁרוֹת
clank *vi* הִשְׁמִיעַ רַעַשׁ שַׁרְשְׁרוֹת
clannish *adj* דָּבֵק בְּשִׁבְטוֹ
clap *vt, vi* טָפַח; מָחָא כַּפַּיִים
clap *n* טְפִיחָה; מְחִיאַת כַּפַּיִים
clapper *n* עִנְבָּל
claptrap *n* מְלִיצוֹת רֵיקוֹת
claque *n* מַחֲאָנִים שְׂכוּרִים
claret *n, adj* קְלָרֶט; אָדוֹם
clarify *vt, vi* הִבְהִיר; הִתְבָּרֵר
clarinet *n* קְלַרְנִית
clarion *n, adj* קְלַריוֹן; בָּרוּר וְצַרְחָנִי
clarity *n* בְּהִירוּת
clash *vi* הִתְנַגֵּשׁ בְּרַעַשׁ
clash *n* הִתְנַגְּשׁוּת
clasp *vt, vi* אִבְזֵם; חִיבֵּק
clasp *n* הֶדֶק; אַבְזֵם; לְחִיצָה
class *n* מַעֲמָד; סוּג; כִּיתָּה; דַּרְגָּה
class *vt* סִיוּוֵג
class consciousness *n* תּוֹדָעָה מַעֲמָדִית
classer, classeur *n* עוֹקְדָן
classic *n* יְצִירָה קְלַסִּית; סוֹפֵר קְלַסִּי
classic, classical *adj* קְלַסִּי; מוֹפְתִי
classical scholar *n* מְלוּמָּד, קְלָסִיקוֹן
classicist *n* קְלָסִיקוֹן
classified *adj* מְסוּוָּג
classify *vt* סִיוּוֵג
classmate *n* בֶּן־כִּיתָּה
classroom *n* כִּיתָּה
class struggle *n* מִלְחֶמֶת מַעֲמָדוֹת
classy *adj* מִמַּדְרֵגָה גְבוֹהָה
clatter *n* רַעַשׁ
clatter *vi* הִשְׁמִיעַ רַעַשׁ
clause *n* מִשְׁפָּט טָפֵל; סְעִיף
clavichord *n* מֵיתַרְיוֹן, קְלָוִויכוֹרד
clavicle *n* עֶצֶם הַבְּרִיחַ
clavier *n* מִקְלֶדֶת; קְלָווִיר
claw *n* טוֹפֶר
claw *vt* תָּפַס בְּצִיפּוֹרְנָיו
claw hammer *n* פַּטִּישׁ שְׁסוּעַ חַרְטוֹם

clay *n, adj* חוֹמֶר, שֶׁל חוֹמֶר
clay pigeon *n* יוֹנַת חוֹמֶר
clay pipe *n* מִקְטֶרֶת חֶרֶס
clean *adj* נָקִי, טָהוֹר
clean *adv* בְּצוּרָה נְקִיָּה
clean *vt, vi* נִיקָּה; הִתְנַקָּה
cleaner *n* מְנַקֶּה
cleaning *n* נִיקּוּי, טִיהוּר
cleaning fluid *n* נוֹזֵל נִיקּוּי
cleaning woman *n* מְנַקָּה
cleanliness *n* נִיקָּיוֹן
cleanly *adj, adv* נְקִי גוּף; בְּצוּרָה נְקִיָּה
cleanse *vt* נִיקָּה, טִיהֵר
clean-shaven *adj* מְגוּלָּח לְמִשְׁעִי
clean-up *n* נִיקּוּי, טִיהוּר; רֶוַח הָגוּן
clear *adj* בָּהִיר; בָּרוּר; חַף מִפֶּשַׁע
clear *adv* לְגַמְרֵי
clear *vt, vi* הִבְהִיר; טִיהֵר; זִיכָּה; פָּדָה; הִתְבַּהֵר
clearance *n* רֶוַח בֵּינַיִים; סִילּוּק חֶשְׁבּוֹן
clearance sale *n* מְכִירַת חִיסּוּל
clearing *n* חֶלְקָה מְנוּקָּה; סִילּוּק חֶשְׁבּוֹנוֹת
clearing house *n* לִשְׁכַּת סִילּוּק
clear-sighted *adj* בְּהִיר רְאִיָּה; מַבְחִין
clearstory *see* clerestory
cleat *n* יָתֵד
cleat *vt* חִיזֵּק בְּיָתֵד
cleavage *n* פִּילּוּג; הִתְבַּקְּעוּת
cleave *vt, vi* פִּיצֵּל; בָּקַע; דָּבַק
cleaver *n* מְפַצֵּל; סַכִּין קַצָּבִים
clef *n* מַפְתֵּחַ (במוסיקה)
cleft *n* סֶדֶק, שֶׁסַע
cleft palate *n* חֵךְ שָׁסוּעַ
clematis *n* זַלְזֶלֶת (צמח)
clemency *n* סַלְחָנוּת
clement *adj* סַלְחָנִי
clench *vt, n* קָמַץ; קְמִיצָה
clerestory *n* צוֹהַר
clergy *n* כְּמוּרָה
clergyman *n* כּוֹמֶר, כּוֹהֵן דָּת
cleric *n, adj* כּוֹמֶר; שֶׁל הַכְּמוּרָה
clerical *adj* לַבְלָרִי; שֶׁל הַכְּמוּרָה
clerical error *n* שְׁגִיאַת כַּתְבָנִית, שְׁגִיאַת לַבְלָר
clerical work *n* עֲבוֹדָה מִשְׂרָדִית
clerk *n* פָּקִיד
clerk *vi* לִבְלֵר
clever *adj* פִּיקֵּחַ
cleverness *n* פִּיקְחוּת
clew *n* מַפְתֵּחַ לְפִתְרוֹן
cliché *n* בִּיטּוּי נָדוֹשׁ; גְּלוּפָה
click *vi* הִקִּישׁ
click *n* נֶקֶשׁ, תִּקְתּוּק
client *n* לָקוֹחַ; מַרְשֶׁה
clientele *n* צִיבּוּר הַלָּקוֹחוֹת
cliff *n* צוּק, מָצוֹק
climate *n* אַקְלִים
climax *n* שִׂיא; מַשְׁבֵּר (בדרמה)
climax *vt, vi* הֵבִיא לְשִׂיא; הִגִּיעַ לְשִׂיא
climb *n* טִיפּוּס
climb *vi* טִיפֵּס
climber *n* מְטַפֵּס
clinch *n* קְבִיעַת מַסְמֵר
clinch *vt* קָבַע מַסְמֵר; קָבַע בְּהֶחְלֵטִיּוּת
cling *vi* דָּבַק, נֶאֱחַז בְּחוֹזְקָה
clingstone peach *n* אֲפַרְסֵק (שבּוֹ הגלעין דבוק בציפה)
clinic *n* מִרְפָּאָה

clinical *adj* שֶׁל מִרְפָּאָה; קְלִינִי
clinician *n* קְלִינִיקָן
clink *vt, vi* הִקִּישׁ, צִלְצֵל
clink *n* קוֹל נְקִישָׁה; בֵּית־סוֹהַר
clinker *n* אֶבֶן־רִיצּוּף; אֶבֶן גְּבִישִׁית
clip *n* גְּזִיזָה, גְּזִירָה; צֶמֶר גָּזוּז; מִגְזָזַיִים; מַאֲחֵז (בעניבה); מַכְבֵּנָה (בשיער אישה); קוֹלָר (בחשמל)
clip *vt, vi* גָּזַז, חָתַךְ; קִיצֵּץ, קִיצֵּר
clipper *n* גּוֹזֵז; מִגְזָזַיִים, קוֹטֵם; כְּלִי־שַׁיִט מָהִיר
clipping *n* קֶטַע עִיתּוֹנוּת; קְטִימָה
clique *n* כַּת
clique *vi* יִיסֵּד כַּת
cliquish *adj* כִּיתָּתִי, בַּדְלָנִי
cloak *n* גְּלִימָה; מַסְוֶה
cloak *vt, vi* כִּיסָּה בִּגְלִימָה; הִסְוָה
cloak-and-dagger *adj* שֶׁל תְּכָכִים וְרִיגּוּל
cloak-and-sword *adj* שֶׁל אַבִּירִים
cloakhanger *n* קוֹלָב
cloak-room *n* מֶלְתָּחָה
clock *n* שָׁעוֹן
clock *vt* קָבַע זְמַן לְפִי שָׁעוֹן
clockmaker *n* עוֹשֶׂה שְׁעוֹנִים; שֶׁעָן
clock tower *n* מִגְדַּל שָׁעוֹן
clockwise *adv* בְּכִיווּן הַשָּׁעוֹן
clockwork *n* מַנְגְּנוֹן הַשָּׁעוֹן
clod *n* גּוּשׁ אֲדָמָה; טִיפֵּשׁ
clodhopper *n* גַּס, מְגוּשָּׁם
clog *n* קַבְקַב; מִכְשׁוֹל
clog *vt, vi* חָמַס; נֶעֱצַר
clog dance *n* רִיקּוּד בְּשִׁקְשׁוּק
cloister *n* מִנְזָר
cloister *vt* סָגַר בְּמִנְזָר
cloistral *adj* מִנְזָרִי; חַי בְּמִנְזָר
close *vt, vi* סָגַר; סִייֵּם; הִתְקָרֵב ל...; נִסְגַּר
close *n* סְגִירָה; סִיּוּם; מָקוֹם סָגוּר; חָצֵר
close *adj* קָרוֹב; סָגוּר, מֵעִיק
close *adv* קָרוֹב
closed *adj* סְגוּרָה (לגבי הברה)
closed chapter *n* פָּרָשָׁה שֶׁנֶּחְתְּמָה
closed season *n* עוֹנַת צַיִד סְגוּרָה
close-fisted *adj* קַמְּצָן
close-fitting *adj* הָדוּק
close-lipped *adj* שַׁתְקָנִי
closely *adv* קָרוֹב; בִּתְשׂוּמֶת־לֵב
close quarters *n pl* מַגָּע בִּלְתִּי־אֶמְצָעִי
closet *n* אָרוֹן; חֶדֶר מְיוּחָד
closet *vt* הִסְתַּגֵּר
close-up *n* תַּצְלוּם מִקָּרוֹב
closing *n* סְגִירָה, נְעִילָה
closing prices *n pl* מְחִירֵי נְעִילָה
clot *n* גּוּשׁ; קְרִישׁ דָּם
clot *vt, vi* עָשָׂה לְגוּשׁ; נִקְרַשׁ; הִקְרִישׁ
cloth *n* אָרִיג; מַעֲשֵׂה אָרִיג
clothe *vt, vi* הִלְבִּישׁ
clothes *n pl* בְּגָדִים
clothes hanger *n* קוֹלָב
clotheshorse *n* חוֹמֶדֶת מַחְלָצוֹת
clothesline *n* חֶבֶל כְּבִיסָה
clothes-peg, -pin *n* הֶדֶק־כְּבִיסָה, אֶטֶב
clothes tree *n* קוֹלָב־עַמּוּד
clothier *n* מוֹכֵר אֲרִיגִים, מוֹכֵר בְּגָדִים
clothing *n* הַלְבָּשָׁה
cloud *n* עָנָן, עֲנָנָה
cloud *vt* כִּיסָּה בְּעָנָן, הֵעִיב, הֶעֱנִין
cloud bank *n* גּוּשׁ עֲנָנִים

cloudburst *n* שֶׁבֶר עָנָן
cloud-capped *adj* שֶׁרֹאשׁוֹ בָּעֲנָנִים
cloudless *adj* בָּהִיר, לְלֹא עָנָן
cloudy *adj* מְעוּנָּן; לֹא צָלוּל; מְעוּרפָּל
clove *n* אֵיגֶנְיָה רֵיחָנִית; בְּצַלצוּל
clover *n* תִּלתָּן
clover leaf *n* צוֹמֶת מֶחלָף
clown *n* מוּקיוֹן
clown *vi* הִתמַקיֵין
clownish *adj* מוּקיוֹנִי
cloy *vt, vi* הֶאֱכִיל עַד לְזָרָא; הִתפַּטֵּם
club *n* אַלָּה; מוֹעֲדוֹן
club *vt, vi* הִכָּה בְּאַלָּה; הִתאַגֵּד בְּמוֹעֲדוֹן
club car *n* קְרוֹן מוֹעֲדוֹן
clubhouse *n* מוֹעֲדוֹן
clubman *n* חֲבֵר מוֹעֲדוֹן
cluck *vi* קִרקֵר
cluck *n* קִרקוּר
clue *n* מַפתֵּחַ לְפִתרוֹן
clump *n* סְבַך (עצים); מִקבָּץ
clump *vt, vi* פָּסַע בִּכבֵדוּת; שָׁתַל יַחַד
clumsy *adj* מְגוּשָּׁם, מְסוּרבָּל
cluster *n* אֶשׁכּוֹל; מִקבָּץ
cluster *vt, vi* קִיבֵּץ; צָמַח בְּאֶשׁכּוֹלוֹת; הִתקַהֵל
clutch *vt, vi* אָחַז בְּחוֹזקָה
clutch *n* מַצמֵד; אֲחִיזָה
clutter *n* אִי־סֵדֶר
clutter *vt, vi* עָרַם בְּעִרבּוּביָה
cm. *abbr* centimeter ס״מ
cml. *abbr* commercial

Co. *abbr* Company
c/o – care of אֵצֶל
coach *n* מְאַמֵּן; אוֹטוֹבּוּס טִיוּלִים; קְרוֹן נוֹסְעִים
coach *vt* הִדרִיךְ, אִימֵּן
coagulate *vi, vt* הִקרִישׁ
coal *n* פֶּחָם
coal *vt, vi* סִיפֵּק פֶּחָמִים
coal bin *n* מְכַל פְּחָמִים
coal bunker *n* מַחסַן פֶּחָם
coal-car *n* קְרוֹן פֶּחָמִים
coaling-station *n* תַּחֲנַת־פֶּחָם (לספינות)
coalition *n* קוֹאָלִיצִיָה; הִתמַזְּגוּת
coal mine *n* מִכרֵה פֶּחָם
coal oil *n* נֵפט
coal scuttle *n* כְּלִי־קִיבּוּל לְפֶחָם
coal tar *n* עִטרָן
coal yard *n* תַּחֲנַת פֶּחָם
coarse *adj* גַּס, מְחוּספָּס
coast *n* חוֹף הַיָּם
coast *vi* שִׁייֵט מִנָּמֵל לְנָמֵל; נָסַע בִּירִידָה לְלֹא דִיווּשׁ
coastal *adj* חוֹפִי
coaster *n* מַפלִיג בַּחוֹף
coast guard *n* מִשׁמַר הַחוֹף
coast guard cutter *n* סְפִינַת מִשׁמַר הַחוֹף
coasting trade *n* סַחַר חוֹף
coast land *n* אֵיזוֹר הַחוֹף
coastline *n* קַו הַחוֹף
coastwise *adv* לְאוֹרֶךְ הַחוֹף
coat *n* מְעִיל; מַעֲטֶה
coat *vt* כִּיסָּה בִּמעִיל; צִיפָּה
coated *adj* (נייר) מַבהִיק; מְצוּפֶּה

coat hanger *n* קַשְׁתִּית
coating *n* שִׁכְבַת צִיפּוּי
coat of arms *n* שֶׁלֶט גִיבּוֹרִים
coat-tail *n* שׁוֹבֶל הַמִּקְטוֹרֶן
coax *vt* פִּיתָּה
cob *n* אֶשְׁבּוֹל; סוּס רְכִיבָה
cobalt *n* קוֹבַּלְט
cobbler *n* סַנְדְּלָר
cobblestone *n* חַלּוּק־אֶבֶן
cobweb *n* קוּרֵי־עַכָּבִישׁ
cocaine *n* קוֹקָאִין
cock *n* תַּרְנְגוֹל; בֶּרֶז;
נוֹקֵר (בְּרוֹבֶה); אֵיבַר הַזָּכָר
cock *vt, vi* דָּרַךְ (כְּלִי יְרִייָה);
זָקַף; הִזְדַּקֵּף
cock *n* תַּרְנְגוֹל
cockade *n* שׁוֹשֶׁנֶת
cock-a-doodle-doo *n* קוּקוּרִיקוּ
cock-and-bull story *n* סִיפּוּר הֲבָאִי
cocked hat *n* מִגְבַּעַת מוּפְשֶׁלֶת אוֹגֶן
cockeyed *adj* פּוֹזֵל; מְעוּקָּם
cockney *adj, n* קוֹקְנִי
cock of the walk *n* שְׁתַלְטָן
cockpit *n* תָּא הַטַּיָּס;
מָקוֹם לִקְרַב תַּרְנְגוֹלִים
cockroach *n* תִּיקָן
cockscomb *n* כַּרְבּוֹלֶת
cocksure *adj* בָּטוּחַ מִדַּי בְּעַצְמוֹ
cocktail *n* קוֹקְטֵייל
cocktail party *n* מְסִיבַּת קוֹקְטֵייל
cocktail shaker *n* מַמְזֵג קוֹקְטֵיל
cocky *adj* חָצוּף, יָהִיר
cocoa *n, adj* קָקָאוֹ
coconut *n* קוֹקוֹס
coconut palm *n* דֶּקֶל הַקּוֹקוֹס

cocoon *n* קוּקָלָה, פְּקַעַת מֶשִׁי
C.O.D., c.o.d. *abbr* collect on delivery; cash on delivery
cod *n* בַּקָּלָה
coddle *vt* פִּינֵּק
code *n* צוֹפֶן; סֵפֶר חוּקִּים, קוֹד
code *vt* רָשַׁם בְּצוֹפֶן, קוֹדֵד
code number *n* מִסְפַּר מִיקּוּד
code word *n* מִלַּת צוֹפֶן
codex *n* (*pl* codices) כְּתַב־יָד עַתִּיק
codfish *n* בַּקָּלָה
codger *n* כִּילַי
codicil *n* נִסְפָּח לְצַוָּואָה
codify *vt* עָרַךְ חוּקִּים בְּסֵפֶר
cod-liver oil *n* שֶׁמֶן דָּגִים
co-ed *n* סְטוּדֶנְטִית
coeducation *n* חִינּוּךְ מְעוֹרָב
coefficient *n, adj* מְקַדֵּם
coerce *vt* כָּפָה
coercion *n* כְּפִייָה
coeval *adj* שֶׁל אוֹתָהּ תְּקוּפָה
coexist *vi* הִתְקַיֵּים יַחַד
coexistence *n* דּוּ־קִיּוּם
coffee *n* קָפֶה, קַהֲוָוה
coffee beans *n pl* גַּרְגְּרֵי קָפֶה
coffee grinder *n* מַטְחֵנַת קָפֶה
coffee grounds *n pl* מִשְׁקַע קָפֶה
coffee mill *n* מַטְחֵנַת קָפֶה
coffee plantation *n* מַטַּע קָפֶה
coffeepot *n* קוּמְקוּם קָפֶה
coffee tree *n* עֵץ הַקָּפֶה
coffer *n* תֵּיבָה
cofferdam *n* מִבְנֶה לֹא חָדִיר לְמַיִם
coffers *n pl* אוֹצָר, קֶרֶן
coffin *n* אֲרוֹן מֵתִים

cog *n* שֵׁן בְּגַלְגַּל
cogency *n* כּוֹחַ שִׁכְנוּעַ
cogent *adj* מְשַׁכְנֵעַ
cogitate *vi* חָשַׁב, הִרְהֵר בַּדָּבָר
cognac *n* יַי״שׁ, קוֹנְיָאק
cognizance *n* יְדִיעָה
cognizant *adj* יוֹדֵעַ; נוֹתֵן דַעְתּוֹ
cogwheel *n* גַּלְגַּל מְשׁוּנָּן
cohabit *vt* חָיוּ יַחַד
coheir *n* שׁוּתָּף לִירוּשָּׁה
cohere *vi* הִתְדַּבֵּק, הִתְלַכֵּד
coherent *adj* הֶגְיוֹנִי, עָקִיב
cohesion *n* לִיכּוּד, הִתְלַכְּדוּת
coiffeur *n* סַפָּר
coiffure *n* תִּסְרוֹקֶת
coil *n* סְלִיל; נַחְשׁוֹן
coil *vt, vi* כָּרַךְ; נָע חֶלְזוֹנִית
coil spring *n* קְפִיץ בּוֹרְגִי
coin *n* מַטְבֵּעַ
coin *vt* טָבַע (מטבעות); חִידֵּשׁ מִלִּים
coincide *vi* נִזְדַּמֵּן יַחַד; הִתְאִים בְּדִיּוּק
coincidence *n* זֶהוּת אֵירוּעִים
coition *n* הִזְדַּוְּגוּת, מִשְׁגָּל
coitus *n* הִזְדַּוְּגוּת, מִשְׁגָּל
coke *n* קוֹקְס
coke *vt* הָפַךְ לְקוֹקְס
col *n* אוּכָּף
colander *n* מְשַׁמֶּרֶת
cold *adj* קַר, צוֹנֵן
cold *n* קוֹר, הִצְטַנְּנוּת
cold-blooded *adj* אַכְזָרִי
cold chisel *n* מִפְסֶלֶת פְּלָדָה
cold comfort *n* נֶחָמָה פּוּרְתָּא
cold cuts *n pl* בָּשָׂר קַר
cold feet *n* מוֹרֶךְ־לֵב
cold-hearted *adj* אָדִישׁ
coldness *n* קוֹר, קְרִירוּת
cold shoulder *n* אֲדִישׁוּת גְּלוּיָה
cold shoulder *vt* הִתְיַיחֵס בִּקְרִירוּת
cold snap *n* תְּקוּפַת קוֹר פִּתְאוֹמִי
cold storage *n* אִחְסוּן בְּקֵירוּר
cold war *n* מִלְחָמָה קָרָה
coleslaw *n* סָלָט כְּרוּב
colic *n* כְּאֵב בֶּטֶן
coliseum, colosseum *n* קוֹלוֹסֵאוּם, אַמְפִיתֵיאַטְרוֹן
collaborate *vt, vi* שִׁיתֵּף פְּעוּלָּה
collaborationist *n* מְשַׁתֵּף פְּעוּלָּה (עם אויב)
collaborator *n* מְשַׁתֵּף פְּעוּלָּה
collapse *n* הִתְמוֹטְטוּת
collapse *vi* הִתְמוֹטֵט
collapsible *adj* נִיתָּן לְהִתְמוֹטֵט
collar *n* צַוָּארוֹן, עֲנָק
collar *vt* שָׂם צַוָּארוֹן; תָּפַס בַּצַּוָּאר
collarbone *n* עֶצֶם הַבְּרִיחַ
collate *vt* לִיקֵּט וְעָרַךְ; הִישְׁוָה (טקסטים)
collateral *adj, n* צְדָדִי; מַקְבִּיל; מְסַיֵּיעַ; עֲרֵבוּת
collation *n* לֶקֶט; הַשְׁוָואָה; אֲרוּחָה קַלָּה
colleague *n* עָמִית
collect *vt, vi* אָסַף, קִיבֵּץ; גָּבָה; הִתְאַסֵּף
collect *adv* בְּתַשְׁלוּם עַל־יְדֵי הַנִּמְעָן
collection *n* אִיסּוּף; אוֹסֶף
collection agency *n* סוֹכְנוּת לִגְבִיָּיה
collective *adj, n* קִיבּוּצִי, מְשׁוּתָּף; גּוּף קִיבּוּצִי

collector *n* גּוֹבֶה; אַסְפָן
college *n* מִדְרָשָׁה
collide *vi* הִתְנַגֵּשׁ
collie, colly *n* כֶּלֶב רוֹעֶה
collier *n* כּוֹרֵה פֶּחָם
colliery *n* מִכְרֵה פֶּחָם
collision *n* הִתְנַגְּשׁוּת
colloid *adj, n* דַּבְקָנִי, קוֹלוֹאִיד
colloquial *adj* דִּיבּוּרִי
colloquialism *n* נִיב דִּיבּוּרִי
colloquy *n* שִׂיחָה
collusion *n* קֶשֶׁר לְהוֹנָאָה
colon *n* הַמְּעִי הַגַּס; נְקוּדָתַיִים
colonel *n* קוֹלוֹנֶל, אַלּוּף מִשְׁנֶה
colonelcy, colonelship *n* אַלִּיפוּת מִשְׁנֶה
colonial *adj, n* קוֹלוֹנְיָאלִי; תּוֹשַׁב מוֹשָׁבָה
colonize *vt, vi* הֵקִים מוֹשָׁבָה; יִישֵּׁב
colonnade *n* שְׂדֵירַת עַמּוּדִים אוֹ עֵצִים
colony *n* מוֹשָׁבָה
colophon *n* קוֹלוֹפוֹן
color *n* צֶבַע; סוֹמֶק פָּנִים
color *vt, vi* נָתַן צֶבַע, גִּיוּוּן; הִסְמִיק
color bar *n* הַפְלָיָה מִטַּעֲמֵי צֶבַע
color bearer *n* נוֹשֵׂא דֶגֶל
color blind *adj* סוּמְגוֹן; עִיוּוֵר לִצְבָעִים
colored *adj* צָבוּעַ; צִבְעוֹנִי, לֹא לָבָן; מוּשְׁפָּע
colorful *adj* סַסְגּוֹנִי
coloring *n* צְבִיעָה; חוֹמֶר צֶבַע
colorless *adj* חֲסַר צֶבַע
color screen *n* מִרְקַע צֶבַע
color sergeant *n* סַמָּל גְּדוּדִי
color television *n* טֶלֶוִויזְיָה צִבְעוֹנִית
colossal *adj* עֲנָקִי
colossus *n* אַנְדַּרְטָה עֲנָקִית
colt *n* סְיָיח; אֶקְדָּח
Columbus *n* קוֹלוּמְבּוּס
column *n* טוּר עַמּוּד
com. *abbr* comedy, commerce, common
Com. *abbr* Commander, Commissioner, Committee
coma *n* תַּרְדֶּמֶת, קוֹמָה
comb *vt, vi* סֵרֵק
comb *n* מַסְרֵק; כַּרְבּוֹלֶת
combat *vt, vi* נִלְחַם בְּ..., נֶאֱבַק
combat *n, adj* קְרָב; קְרָבִי
combat duty *n* תּוֹרָנוּת קְרָב
combination *n* צֵירוּף, אִיחוּד
combine *vt, vi* צֵירֵף, אִיחֵד; הִתְחַבֵּר
combine *n* צֵירוּף; אִיגּוּד; קוֹמְבַּיין (בחקלאות)
combustible *adj, n* דָּלִיק; חוֹמֶר דָּלִיק
combustion *n* דְּלִיקָה, בְּעֵירָה
come *vi* בָּא, הִגִּיעַ; אֵירַע
comeback *n* חֲזָרָה לְמַצָּב קוֹדֵם
come between הִפְרִיד בֵּין, חָצַץ
comedian *n* שַׂחְקָן בְּקוֹמֶדְיָה, קוֹמִיקָן
comedienne *n* שַׂחְקָנִית בְּקוֹמֶדְיָה, קוֹמִיקָנִית
comedown *n* נְפִילָה מֵאִיגְּרָא רָמָא
comedy *n* מַחֲזֶה הִיתּוּלִי, מַהֲתַלָּה, קוֹמֶדְיָה
comely *adj* נָעִים, חִנָּנִי
comet *n* כּוֹכַב־שָׁבִיט

come true הִתְאַמֵּת

comfort *vt* נִיחֵם

comfort *n* נֶחָמָה

comfortable *adj* נוֹחַ

comforter *n* מְנַחֵם; סוּדַר צֶמֶר

comfort station *n* תַּחֲנַת נוֹחִיּוּת

comfrey *n* קִיוּוִיָּה; סִימְפִּיטוֹן

comic, comical *adj* מְבַדֵּחַ, קוֹמִי

comic *n* בַּדְּחָן

comic strip *n* מִבְדָּח מְצוּיָּר

coming *n* הִתְקָרְבוּת, הוֹפָעָה

comma *n* פְּסִיק

command *vt*, *vi* צִיוָּה, פָּקַד; שָׁלַט בּ...

command *n* פְּקוּדָּה, צַו; פִּיקּוּד

commandant *n* קְצִין־מְפַקֵּד; קוֹמַנְדַנְט

commandeer *vt* גִּיֵּיס בְּכוֹחַ

commander *n* מְפַקֵּד

commandment *n* דִּיבְּרָה

commemorate *vt* שִׁימֵּשׁ כְּזִיכָּרוֹן; הִזְכִּיר (בּאזכרה)

commence *vt*, *vi* הִתְחִיל

commencement *n* הַתְחָלָה

commend *vt* הִזְכִּיר לְשֶׁבַח; הִמְלִיץ

commendable *adj* רָאוּי לְשֶׁבַח

commendation *n* צִיּוּן לְשֶׁבַח

comment *n* הֶעָרָה

comment *vi* הֵעִיר

commentary *n* פֵּירוּשׁ

commentator *n* מְפָרֵשׁ, פַּרְשָׁן

commerce *n* מִסְחָר

commercial *n* (בּרדיו) תּוֹכְנִית מִסְחָרִית

commercial *adj* מִסְחָרִי

commiserate *vi* הִבִּיעַ צַעַר, הִשְׁתַּתֵּף בְּצַעַר

commiseration *n* רַחֲמִים, הַבָּעַת צַעַר

commissar *n* מְנַהֵל מַחְלָקָה מֶמְשַׁלְתִּית (בּברית־המוֹעצוֹת)

commissary *n* (בּצבא) מַחְסַן מָזוֹן וְצִיּוּד; קְצִין אַסְפָּקָה

commission *n* עַמְלָה, קוֹמִיסְיוֹן; בִּיצּוּעַ (פּשע וכד׳); וַעֲדָה, מִשְׁלַחַת; מִינּוּי, הַטָּלַת תַּפְקִיד

commission *vt* הִטִּיל תַּפְקִיד

commissioned officer *n* קָצִין (מסגן־משנה ומעלה)

commissioner *n* נְצִיב

commit *vt* עָשָׂה, בִּיצֵּעַ; מָסַר; חִיֵּיב

commitment *n* הִתְחַיְּבוּת

committal *n* שְׁלִיחָה (לכלא, וכד׳)

committee *n* וַעֲדָה, וַעַד

commode *n* שִׁידָּה; אֲרוֹנִית

commodious *adj* מְרוּוָּח

commodity *n* מִצְרָךְ

common *adj* מְשׁוּתָּף, הֲדָדִי; רָגִיל; שִׁגְרָתִי; הֲמוֹנִי

common *n* קַרְקַע צִיבּוּרִית

common carrier *n* רֶכֶב צִיבּוּרִי
פָּשׁוּט

commoner *n* פְּשׁוּט עַם

common law *n* הַמִּשְׁפָּט הַמְּקוּבָּל

common law marriage *n* נִישּׂוּאִים לְלֹא טֶקֶס

commonplace *n*, *adj* מֵימְרָה נְדוֹשָׁה

common sense *n* שֵׂכֶל יָשָׁר

common-sense *adj* שֶׁל שֵׂכֶל יָשָׁר

common stock *n* מְנָיָה רְגִילָה

commonwealth *n* קְהִילִיָּה

commotion *n* מְהוּמָה
commune *n* קְהִילָּה
commune *vi* שׂוֹחַח שִׂיחָה אִינְטִימִית
communicant *n, adj* חֲבֵר־הַכְּנֵסִיָּיה
communicate *vt, vi* הוֹדִיעַ; הִתְקַשֵּׁר
communicating *adj* מְקַשֵּׁר
communicative *adj* נָכוֹן לְהִידָּבֵר; שֶׁל תִּקְשׁוֹרֶת
communion *n* הִידָּבְרוּת; הִשְׁתַּתְּפוּת
communion rail *n* מַעֲקֵה לֶחֶם הַקּוֹדֶשׁ
communiqué *n* תַּמְסִיר
communism *n* קוֹמוּנִיזם
communist *n, adj* קוֹמוּנִיסט; קוֹמוּנִיסטִי
community *n* קְהִילָּה; עֵדָה
communize *vt* הָפַךְ לִרכוּשׁ הַכְּלָל
commutation ticket *n* כַּרְטִיס מָנוּי (לִנסִיעוֹת)
commutator *n* מְחַלֵּף; מֶתֶג
commute *vt, vi* נָסַע כְּיוֹמֵם
commuter *n* יוֹמֵם
compact *n* בְּרִית, חוֹזֶה; קוּפסַת עִידּוּן
compact *adj* מְהוּדָּק, דָחוּס
companion *n* חָבֵר; מְלַוֶּוה; מַדרִיךְ
companion *n* (באונייה) חוּפַּת הַיְּרִידָה
companionable *adj* חֲבֵרִי
companionship *n* חֲבֵרוּת, יְדִידוּת
companionway *n* יְרִידָה
company *n* חֲבוּרָה; חֶבְרָה, אֲגוּדָה; אוֹרְחִים
company *adj* שֶׁל חֶבְרָה
comparative *adj, n* הַשְׁוָואָתִי, יַחֲסִי; דַרגַּת הַיּוֹתֵר
compare *vt, vi* הִשְׁוָה עִם; הִשְׁתַּוָּוה
compare *n* הַשְׁוָואָה
comparison *n* הַשְׁוָואָה
compartment *n* תָּא; חֵלֶק נִפְרָד
compass *adj* עִיגּוּלִי
compass *n* מַצְפֵּן; הֶיקֵּף, תְּחוּם
compass card *n* שׁוֹשַׁנַּת־הָרוּחוֹת
compassion *n* רַחֲמִים
compassionate *adj* רַחוּם, רַחֲמָנִי
compel *vt* הִכְרִיחַ
compendious *adj* תַּמְצִיתִי, מְקוּצָּר
compendium *n* תַּקְצִיר, תַּמְצִית
compensate *vt, vi* פִּיצָּה; אִיזֵּן
compensation *n* פִּיצּוּי
compete *vi* הִתְחָרָה
competence, competency *n* כּוֹשֶׁר; הַכְנָסָה מַסְפֶּקֶת
competent *adj* הוֹלֵם; מוּסמָךְ; מוּכשָׁר, כָּשִׁיר
competition *n* הִתְחָרוּת, תַּחֲרוּת
competitive *adj* שֶׁל הִתְחָרוּת
competitive examination *n* בְּחִינַת הִתְחָרוּת
competitive price *n* מְחִיר הִתְחָרוּת
competitor *n* מִתְחָרֶה, מִתְמוֹדֵד
compilation *n* לִיקּוּט; אוֹסֶף
compile *vt* לִיקֵּט, חִיבֵּר
complacence, complacency *n* שַׁאֲנַנּוּת; שְׂבִיעוּת רָצוֹן מֵעַצְמוֹ
complacent *adj* שְׂבַע־רָצוֹן מֵעַצְמוֹ
complain *vi* הִתְאוֹנֵן
complainant *n* מִתְלוֹנֵן
complaint *n* תְּלוּנָּה; מַחֲלָה
complaisance *n* נְעִימוּת, אֲדִיבוּת
complaisant *adj* נָעִים אָדִיב

complement *n* הַשְׁלָמָה; כַּמּוּת מְלֵאָה

complement *vt* הִשְׁלִים

complete *vt* הִשְׁלִים; סִיֵּים

complete *adj* שָׁלֵם; מוּשְׁלָם

completion *n* הַשְׁלָמָה; סִיּוּם

complex *n, adj* הֶרְכֵּב מְסוּבָּךְ; תַּסְבִּיךְ; מוּרְכָּב

complexion *n* צֶבַע הָעוֹר; מַרְאֶה

compliance *n* הֵיעָנוּת

complicate *vt* סִיבֵּךְ

complicated *adj* מְסוּבָּךְ; מוּרְכָּב

complicity *n* שׁוּתָּפוּת לִדְבַר עֲבֵירָה

compliment *n* מַחֲמָאָה

compliment *vt* חָלַק מַחֲמָאָה

complimentary copy *n* עוֹתֶק חִינָּם

complimentary ticket *n* כַּרְטִיס חִינָּם

comply *vi* נַעֲנָה, צִיֵּית

component *n* מַרְכִּיב, רְכִיב

component *adj* מְהַוֶּה חֵלֶק בְּ...

compose *vt, vi* הִרְכִּיב; הָיָה מוּרְכָּב מ...

composed *adj* רָגוּעַ, שָׁלֵו

composer *n* מְחַבֵּר, מַלְחִין

composing stick *n* מְשׁוּרָה

composite *n* דָּבָר מוּרְכָּב, הֶרְכֵּב

composite *adj* מוּרְכָּב; מִמִּשְׁפַּחַת הַמּוּרְכָּבִים

composition *n* הַרְכָּבָה; הֶרְכֵּב; (בְּמוּסִיקָה) הַלְחָנָה; חִיבּוּר

compositor *n* סַדָּר

composure *n* שַׁלְוָה, רְגִיעוּת

compote *n* לִפְתָּן פֵּירוֹת

compound *n* תִּרְכּוֹבֶת; מִלָּה מוּרְכֶּבֶת; מָקוֹם גָּדוּר

compound *vt, vi* עֵירֵב; חִיבֵּר, הִרְכִּיב; הִתְפַּשֵּׁר

compound *adj* מוּרְכָּב, מְחוּבָּר

compound interest *n* רִיבִּית דְּרִיבִּית

comprehend *vt* הֵבִין

comprehensible *adj* נִיתָּן לַהֲבָנָה

comprehension *n* הֲבָנָה, תְּפִיסָה

comprehensive *adj* מַקִּיף, כּוֹלֵל

compress *vt* דָּחַס, הִידֵּק יַחַד

compress *n* תַּחְבּוֹשֶׁת, רְטִיָּה

compression *n* דְּחִיסָה; דְּחִיסוּת

comprise *vt* כָּלַל, הֵכִיל

compromise *n* פְּשָׁרָה, וִיתּוּר הֲדָדִי

compromise *vt, vi* הִתְפַּשֵּׁר; פִּישֵּׁר; סִיכֵּן

compromising evidence *n* עֵדוּת מַחֲשִׁידָה

comptroller *n* מְפַקֵּחַ

compulsion *n* כְּפִיָּיה, אוֹנֶס

compulsory *adj* שֶׁל חוֹבָה

compute *vt* חִשְׁבֵּן, חִישֵּׁב

computer *n* מְחַשֵּׁב

comrade *n* חָבֵר

con. *abbr* conclusion, confidence, consolidated, contra

con *n* טַעַם נֶגֶד

con *vt* לָמַד, שִׁינֵּן; הוֹנָה

concave *adj* קָעוּר, שְׁקַעֲרוּרִי

conceal *vt* הִסְתִּיר

concealment *n* הַסְתָּרָה

concede *vt* הוֹדָה בְּצִדְקַת טַעֲנָה; וִיתֵּר

conceit *n* יוּהֲרָה, הִתְרַבְרְבוּת

conceited *adj* יָהִיר, גַאַוותָן
conceivable *adj* עוֹלֶה עַל הַדַעַת
conceive *vt, vi* הָרָה רַעְיוֹן; תֵּיאֵר לְעַצְמוֹ, הֶעֱלָה עַל דַעְתּוֹ; הָרְתָה
concentrate *vt, vi* רִיכֵּז; הִתְרַכֵּז
concentrate *n* רִיכּוּז; תַּרְכִּיז
concentric *adj* קוֹנצֶנְטרִי, מְשׁוּתַּף מֶרְכָּז
concept *n* מוּשָׂג
conception *n* תְּפִיסָה; הִתְעַבְּרוּת; מוּשָׂג; הֲרִייַת רַעיוֹן
concern *vt* נָגַע ל..., הָיָה קָשׁוּר ל...; עִנייֵן; הִדאִיג
concern *n* עִניָין, עֵסֶק (מסחרי); דְאָגָה
concerned *adj* מְעוּניָין; מוּדאָג
concerning *prep* בְּנוֹגֵעַ ל...
concert *vt* תִּכנֵן יַחַד עִם
concert *n* קוֹנצֶרט; פְּעוּלָה מְשׁוּתֶּפֶת
concert master *n* מְנַצֵּחַ מִשְׁנֶה
concerto *n* קוֹנצֶ׳רטוֹ
concession *n* וִיתּוּר; זִיכָּיוֹן; הֲנָחָה
concessive *adj* נוֹטֶה לְוַותֵּר
concierge *n* שׁוֹעֵר
conciliate *vt* פִּייֵס, הִרגִיעַ
conciliatory *adj* פַּייְסָנִי
concise *adj* מְתוּמצָת, מְצוּמצָם
conclude *vt, vi* גָמַר, סִייֵם; הִסִּיק; הִסתַּייֵם
conclusion *n* סִיוּם; מַסקָנָה
conclusive *adj* מַכרִיעַ, מְשַׁכנֵעַ
concoct *vt* בִּישֵׁל; הִרכִּיב; הִמצִיא (סיפור, תירוץ וכד׳)
concomitant *adj, n* מְלַוֶוה, מִתאָרֵעַ בּוֹ בִּזְמַן; מְאוֹרָע אוֹ דָבָר צָמוּד
concord *n* הֶסכֵּם; תְּמִימוּת־דֵעִים; שָׁלוֹם; מְזִיג צְלִילִים
concordance *n* הַתאָמָה, הַרמוֹניָה; קוֹנקוֹרדַנצִיָה
concourse *n* כִּינּוּס; טַייֶלֶת (בגן ציבורי); רְחָבָה (בתחנת־רכבת)
concrete *adj* מוּחָשִׁי; מַמָשִׁי; יָצוּק
concrete block *n* בְּלוֹק בֵּטוֹן
concrete mixer *n* מְעַרבֵּל
concrete *n* בֵּטוֹן
concubine *n* פִּילֶגֶשׁ
concur *vi* הִסכִּים; הִצטָרֵף
concurrence *n* הַסכָּמָה, תְּמִימוּת־דֵעִים
concussion *n* זַעֲזוּעַ חָזָק; זַעֲזוּעַ מוֹחַ
condemn *vt* גִינָּה; דָן (למוות); פָּסַל
condemnation *n* גִינּוּי; הַרשָׁעָה
condense *vt, vi* דָחַס, צִמצֵם; הִצטַמצֵם
condensed milk *n* חָלָב מְשׁוּמָּר
condescend *vi* מָחַל עַל כְּבוֹדוֹ; הוֹאִיל
condescending *adj* מוֹחֵל עַל כְּבוֹדוֹ, מוֹאִיל
condescension *n* מְחִילָה עַל כְּבוֹדוֹ כְּלַפֵּי נְחוּתִים
condiment *n* תַּבלִין
condition *n* תְּנַאי; מַצָּב
condition *vt* הִתנָה; הֵבִיא לְמַצָּב תָּקִין; מִיזֵג (אוויר)
conditional *adj* מוּתנֶה, עַל תְּנַאי
condole *vi* נִיחֵם, הִבִּיעַ תַּנחוּמִים

condolence *n* נִיחוּם; תַּנחוּמִים

condone *vt* הֶעֱלִים עֵינוֹ, מָחַל

conduce *vt, vi* הֵבִיא לִידֵי, גָרַם

conducive *adj* מֵבִיא לִידֵי, מְסַייֵעַ

conduct *vt* נִיהֵל, הִדרִיך; נִיצֵחַ עַל (תִזמוֹרֶת); הוֹלִיך (חוֹם, חַשמַל, קוֹל וכד׳)

conduct *n* הִתנַהֲגוּת; נִיהוּל

conductor *n* מְנַצֵּחַ; מוֹלִיך; כַּרטִיסָן

conduit *n* מַעֲבִיר מַיִם

cone *n* חָרוּט; אִצטְרוֹבָּל

confectionery *n* דִברֵי מְתִיקָה; מִגדָנִיָיה

confederacy *n* בְּרִית, אִיחוּד, קוֹנפֵדֵרַציָה

confederate *vi* הִתאַחֵד, הִתחַבֵּר לִמזִימָּה

confederate *n, adj* בַּעַל בְּרִית; שׁוּתָּף לִדבַר־עֲבֵירָה

confer *vt, vi* הֶעֱנִיק; הֶחֱלִיף דֵעוֹת

conference *n* וְעִידָה; הִתייָעֲצוּת; יְשִׁיבָה

confess *vt, vi* הוֹדָה; הִתוַודָה (לִפנֵי כּוֹמֶר)

confession *n* הוֹדָאָה; וִידוּי, הִתוַודוּת (לִפנֵי כּוֹמֶר)

confessional *n* תָּא הַוִּידוּי

confession of faith הַכרָזַת ׳אֲנִי מַאֲמִין׳

confessor *n* מִתוַודֶה; כּוֹמֶר מְוַודֶה

confide *vt, vi* בָּטַח בּ...; גִילָּה (סוֹד)

confidence *n* אֵימוּן; בִּיטָחוֹן עַצמִי

confident *adj* בָּטוּחַ; בּוֹטֵחַ בְּעַצמוֹ

confidential *adj* סוֹדִי

confine *n* גְבוּל

confine *vt, vi* הִגבִּיל; כָּלָא

confinement *n* כְּלִיאָה; מַצַּב הַיוֹלֶדֶת

confirm *vt* אִישֵׁר; חִיזֵּק; הִכנִיס בִּברִית הַכְּנֵסִיָיה

confirmed *adj* מְאוּשָׁר; מוּשׁבָּע

confiscate *vt* הֶחֱרִים; עִיקֵל

confiscate *adj* מוּחֲרָם; מְעוּקָל

conflagration *n* דְלֵיקָה, שְׂרֵיפָה גְדוֹלָה

conflict *vi* הִתנַגֵשׁ; הִסתַכסֵך

conflict *n* הִתנַגְשׁוּת; סִכסוּך

conflicting *adj* סוֹתֵר

confluence *n* זְרִימַת יַחַד

conform *vt, vi* פָּעַל בְּהֶתאֵם; הִסתַגֵל ל...; נִשׁמַע ל...

conformance *n* הַתאָמָה; הִסתַגְלוּת

conformity *n* תּוֹאֲמוּת; הַתאָמָה, תֵּיאוּם

confound *vt* בִּלבֵּל; הִכשִׁיל, שָׂם לְאַל

confounded *adj* מְקוּלָל, שָׂנוּא

confrere *n* חָבֵר לְמִקצוֹעַ

confront *vt* עִימֵת

confrontation *n* עִימוּת

confuse *vt* בִּלבֵּל; הֵבִיך

confusion *n* בִּלבּוּל; מְבוּכָה

confute *vt* הִפרִיך

Cong. *abbr* Congregation, Congressional

congeal *vt, vi* הִקרִישׁ, הִקפִּיא; הִתקָרֵשׁ

congenial *adj* נָעִים; אָהוּד

congenital *adj* שֶׁמִלֵּידָה

conger eel *n* צְלוֹפָח גַמלוֹנִי

congest *vt, vi* גִידֵשׁ; הִתגַדֵשׁ

congestion *n* תְּצפּוֹפֶת, צְפִיפוּת; גוֹדֶשׁ (דָם)

congratulate *vt* בֵּירֵךְ, אִיחֵל
congratulation *n* בְּרָכָה, אִיחוּל
congregate *vt*, *vi* הִקְהִיל; הִתְאַסֵּף, הִתְקַהֵל
congregation *n* קְהַל מִתְפַּלְּלִים; קְהִילָּה דָתִית
congress *n* וְעִידָה, כִּינּוּס
congressman *n* חֲבֵר הַקּוֹנגְרֶס הָאֲמֵרִיקָנִי
conic, conical *adj* חֲרוּטִי
conjecture *n* הַשְׁעָרָה, נִיחוּשׁ
conjecture *vt*, *vi* שִׁיעֵר, חִיוָּה הַשְׁעָרָה
conjugal *adj* שֶׁל נִישּׂוּאִין
conjugate *vt*, *vi* הִיטָּה פּוֹעַל
conjugate *adj*, *n* מְצוֹרָף; זוּגִי, בִּזוּגוֹת
conjugation *n* הַטָּיַית פְּעָלִים; נְטִיּוֹת פּוֹעַל
conjunction *n* צֵירוּף, חִיבּוּר; מִלַּת חִיבּוּר
conjuration *n* הַעֲלָאָה בְּאוֹב, כִּישּׁוּף
conjure *vt*, *vi* הֶעֱלָה בְּאוֹב, כִּישֵּׁף
conjure *vt* הִפְצִיר, הִתְחַנֵּן
connect *vt*, *vi* צֵירֵף, חִיבֵּר; הִצְטָרֵף, הִתְחַבֵּר
connecting rod *n* טַלְטַל
connection, connexion *n* חִיבּוּר; יַחַס; קֶשֶׁר; קְרוֹב־מִשְׁפָּחָה
conning tower *n* צְרִיחַ הַמִּצְפֶּה
conniption (fit) *n* מִתְקָף הִיסְטֵרִי
connive *vi* הֶעְלִים עַיִן; סִייַּע לִדְבַר־עֲבֵירָה
conquer *vt*, *vi* כָּבַשׁ, נִיצַּח
conqueror *n* כּוֹבֵשׁ, מְנַצֵּחַ
conquest *n* כִּיבּוּשׁ; שֶׁטַח כָּבוּשׁ
conscience *n* מַצְפּוּן
conscientious *adj* נֶאֱמָן לְמַצְפּוּנוֹ
conscientious objector *n* סָרְבַן מִלְחָמָה (מטעמי מצפון)
conscious *adj* חָשׁ, מַכִּיר ב..., מַרְגִּישׁ; מוּחָשׁ; בְּהַכָּרָה
consciousness *n* הַכָּרָה; תּוֹדָעָה
conscript *vt* גִּייֵּס לְשֵׁירוּת חוֹבָה
conscript *adj*, *n* מְגוּיָּס בְּשֵׁירוּת חוֹבָה
conscription *n* גִּיּוּס חוֹבָה
consecrate *vt* הִקְדִּישׁ, הִכְרִיז כְּקָדוֹשׁ
consecrate *adj* מְקוּדָּשׁ, קָדוֹשׁ
consecutive *adj* רָצוּף
consensus *n* הַסְכָּמָה כְּלָלִית
consensus of opinion *n* דֵּעָה מוּסְכֶּמֶת
consent *vi* הִסְכִּים, נֵאוֹת
consent *n* הַסְכָּמָה; הֶיתֵּר
consequence *n* תּוֹצָאָה; חֲשִׁיבוּת
consequential *adj* מִשְׁתַּמֵּעַ; מַחֲשִׁיב אֶת עַצְמוֹ; עִקְבִי; בַּעַל חֲשִׁיבוּת
consequently *adv* לְפִיכָךְ, עַל כֵּן
conservation *n* שִׁימּוּר; שְׁמוּרַת טֶבַע
conservatism *n* שַׁמְרָנוּת
conservative *n*, *adj* מְשַׁמֵּר, שַׁמְרָנִי
conservatory *n* חֲמָמָה; קוֹנְסֶרְוָטוֹרְיָה
consider *vt* הִתְחַשֵּׁב בּ...
considerable *adj* נִיכָּר, רְצִינִי, לֹא מְבוּטָּל
considerate *adj* מִתְחַשֵּׁב בַּזּוּלַת
consideration *n* שִׁיקּוּל; הִתְחַשְּׁבוּת; תְּמוּרָה
considering *prep* בְּהִתְחַשֵּׁב בּ...

consign *vt* שִׁיגֵּר, שָׁלַח; הִפְקִיד בְּיַד
consignee *n* מְקַבֵּל הַמִּשְׁגּוֹר
consignment *n* שִׁיגּוּר; מִשְׁגּוֹר
consist *vi* הָיָה מוּרְכָּב, הִיוָּה
consistency, consistence *n* לְכִידוּת; מִידַּת הַצְּפִיפוּת; מוּצָקוּת; עֲקִיבוּת
consistent *adj* עִקְבִי
consistory *n* קוֹנְסִיסְטוֹרְיָה
consolation *n* תַּנְחוּמִים
console *vt* נִיחֵם
console *n* זִיז; שׁוּלְחַן עוּגָב
consommé *n* מְרַק בָּשָׂר
consonant *adj* מִתְמַזֵּג; תּוֹאֵם
consonant *n* עִיצּוּר
consort *n* בֶּן־זוּג
consort *vt, vi* הִתְחַבֵּר עִם; הִתְאִים
consortium *n* אִיחוּד חֲבָרוֹת
conspicuous *adj* בּוֹלֵט לָעַיִן
conspiracy *n* קֶשֶׁר, קְנוּנְיָה
conspire *vt, vi* קָשַׁר קֶשֶׁר
constable *n* שׁוֹטֵר
constancy *n* הַתְמָדָה; נֶאֱמָנוּת; יַצִּיבוּת
constant *adj* מַתְמִיד; רָצוּף; נֶאֱמָן
constant *n* קָבוּעַ
constellation *n* קְבוּצַת כּוֹכָבִים
constipate *vt* גָּרַם לַעֲצִירוּת
constipation *n* עֲצִירוּת
constituency *n* אֵיזוֹר בְּחִירוֹת
constituent *n, adj* מַרְכִּיב; בּוֹחֵר
constitute *vt* הִיוָּה; מִינָּה; הִסְמִיךְ
constitution *n* הַרְכָּבָה; מִינּוּי; הֶרְכֵּב; אוֹפִי; חוּקָּה
constrain *vt* אִילֵּץ; אָסַר בִּכְבָלִים
construct *n* מִבְנֶה
construct *vt* הִרְכִּיב, בָּנָה
construction *n* בְּנִיָּה; מִבְנֶה, בִּנְיָן; פֵּירוּשׁ
construct state *n* (בדקדוק עברי) סְמִיכוּת
construe *vt, vi* פֵּירֵשׁ; נִיתֵּחַ (משפט)
consul *n* קוֹנְסוּל
consular *adj* קוֹנְסוּלָרִי
consulate *n* קוֹנְסוּלִיָּה
consulship *n* קוֹנְסוּלִיּוּת
consult *vt, vi* נוֹעַץ; בִּיקֵּשׁ עֵצָה, הִתְיָיעֵץ עִם
consultant *n* יוֹעֵץ
consultation *n* הִתְיָיעֲצוּת
consume *vt, vi* כִּילָּה; אָכַל
consumer *n* צַרְכָן
consumer credit *n* הַלְוָאָה לְקְנִיַּת מִצְרָכִים
consumer goods *n pl* מִצְרָכִים יְסוֹדִיִּים
consummate *vt* הִשְׁלִים
consummate *adj* מוּשְׁלָם
consumption *n* צְרִיכָה; שַׁחֶפֶת
consumptive *adj, n* חוֹלֵה שַׁחֶפֶת
cont. *abbr* contents, continental, continued
contact *vt* קִישֵּׁר עִם; הִתְקַשֵּׁר עִם
contact *n* קֶשֶׁר, מַגָּע
contact breaker *n* נַתָּק
contact lenses *n pl* עַדְשׁוֹת מַגָּע, מִשְׁקְפֵי מַגָּע
contagion *n* הִידָּבְקוּת מַחֲלָה
contagious *adj* מִידַּבֵּק

contain *vt*, *vi* הֵכִיל, כָּלַל; הִתְאַפֵּק, הִבְלִיג
container *n* כְּלִי־קִיבּוּל, מֵיכָל
containment *n* מְדִינִיּוּת שֶׁל עִיכּוּב
contaminate *vt* זִיהֵם, טִימֵּא
contamination *n* זִיהוּם, טִימּוּא
contd. *abbr* continued
contemplate *vt* הִתְבּוֹנֵן, הִרְהֵר בַּדָּבָר; הָגָה
contemplation *n* הִרְהוּר, הִתְבּוֹנְנוּת; הָגוּת
contemporaneous *adj* שֶׁבְּאוֹתָהּ תְּקוּפָה
contemporary *adj*, *n* שֶׁל אוֹתָהּ תְּקוּפָה; בֶּן־גִּיל
contempt *n* בּוּז, זִלְזוּל
contemptible *adj* בָּזוּי, נִבְזֶה
contemptuous *adj* בָּז, מְתַעֵב
contend *vt*, *vi* הִתְחָרָה; טָעַן
contender *n* יָרִיב; טוֹעֵן
content *adj*, *n* שְׂבַע־רָצוֹן, מְרוּצֶה; שְׂבִיעוּת־רָצוֹן
content *vt* הִשְׂבִּיעַ רָצוֹן
content *n* קִיבּוֹלֶת, תּוֹכֶן
contented *adj* מְרוּצֶה
contentedness *n* שְׂבִיעוּת־רָצוֹן
contentious *adj* חַרְחֲרָנִי
contentment *n* שְׂבִיעוּת־רָצוֹן; קוֹרַת־רוּחַ
contest *vt*, *vi* נֶאֱבַק עַל; הִתְחָרָה עִם
contest *n* מַאֲבָק; הִתְחָרוּת
contestant *n* מִתְחָרֶה, מִתְמוֹדֵד
context *n* הֶקְשֵׁר
contiguous *adj* נוֹגֵעַ; סָמוּךְ
continence, continency *n* כִּיבּוּשׁ הַיֵּצֶר, צְנִיעוּת
continent *adj* כּוֹבֵשׁ אֶת יִצְרוֹ, צָנוּעַ
continent *n* יַבֶּשֶׁת
continental *adj* יַבַּשְׁתִּי
Continental *adj*, *n* אֵירוֹפִּי
continental drift *n* סְטִיָּה יַבַּשְׁתִּית
continental shelf *n* מַדָּף יַבַּשְׁתִּי
contingency *n* עִנְיָין תָּלוּי וְעוֹמֵד; אֵירוּעַ אֶפְשָׁרִי; מִקְרֶה
contingent *adj* תָּלוּי, מוּתְנֶה
continual *adj* רָצוּף
continue *vt*, *vi* הִמְשִׁיךְ, הוֹסִיף ל...; חִידֵּשׁ (יְשִׁיבָה וכד׳)
continuity *n* הֶמְשֵׁכִיּוּת; רְצִיפוּת
continuous *adj* רָצוּף; נִמְשָׁךְ
continuous showing *n* הַצָּגָה רְצוּפָה
continuous waves *n pl* גַּלִּים רְצוּפִים
contortion *n* עִיוּוּת, עִיקּוּם
contour *n* מִתְאָר
contr. *abbr* contracted, contraction
contraband *n*, *adj* סְחוֹרָה מוּבְרַחַת; מוּבְרָח
contrabass *n*, *adj* קוֹנְטְרַבַּס
contraceptive *adj*, *n* מוֹנֵעַ הֵירָיוֹן
contract *n* הֶסְכֵּם; חוֹזֶה
contract *vt*, *vi* כִּיוּוֵץ, צִמְצֵם; נִדְבַּק בּ... (מחלה); קָבַע בְּהֶסְכֵּם; הִתְכַּוֵּץ; הִצְטַמְצֵם; הִתְחַיֵּיב
contract bridge *n* בְּרִידְג׳ הִתְחַיְּיבוּת
contraction *n* הִתְכַּוְּוצוּת, הִצְטַמְצְמוּת
contractor *n* קַבְּלָן; שְׁרִיר, כָּווִיץ
contradict *vt* סָתַר; הִכְחִישׁ

contradiction *n* סְתִירָה; הַכְחָשָׁה
contradictory *adj* כָּרוּךְ בִּסְתִירָה, סוֹתֵר
contrail *n* פַּס עִיבּוּי
contralto *n* אַלְט
contraption *n* מְכוֹנָה מְשׁוּנָּה
contrary *adj* מִתְנַגֵּד, עַקְשָׁן
contrary *adj* נֶגְדִּי; בְּכִיווּן הָפוּךְ
contrary *n* הֶפֶךְ, הִיפּוּךְ
contrary *adv* בְּנִיגּוּד
contrast *vt, vi* עִימֵּת, הִנְגִּיד
contrast *n* נִיגּוּד
contravene *vt* הֵפֵר
contribute *vt, vi* תָּרַם; הִשְׁתַּתֵּף
contribution *n* תְּרִימָה; תְּרוּמָה
contributor *n* תּוֹרֵם; מִשְׁתַּתֵּף
contrite *adj* מָלֵא חֲרָטָה; שֶׁל חֲרָטָה
contrition *n* הִתְחָרְטוּת
contrivance *n* אַמְצָאָה; כִּשְׁרוֹן אַמְצָאָה
contrive *vt* הִמְצִיא, תִּחְבֵּל; עָלָה בְּיָדוֹ
control *n* פִּיקּוּחַ, שְׁלִיטָה; בַּקָּרָה
control *vt* שָׁלַט; פִּיקֵּחַ; וִיסֵּת
controlling interest *u* מְנָיוֹת שׁוֹלְטוֹת
control panel *n* לוּחַ בַּקָּרָה
control-stick *n* (בְּמָטוֹס) מְנוֹף־הַנִּיוּוּט
controversial *adj* שָׁנוּי בְּמַחֲלוֹקֶת
controversy *n* מַחֲלוֹקֶת, פּוּלְמוּס
controvert *vt* טָעַן נֶגֶד, הִכְחִישׁ
controvertible *adj* שֶׁאֶפְשָׁר לִטְעוֹן נֶגְדּוֹ
contumacious *adj* מִתְעַקֵּשׁ, מִתְמָרֵד
contumacy *n* עַקְשָׁנוּת, מַרְדָנוּת
contumely *n* יַחַס מַעֲלִיב, בִּיזּוּי, הַשְׁפָּלָה

contusion *n* חַבּוּרָה
conundrum *n* חִידָה; בְּעָיָה קָשָׁה
convalesce *vi* הֶחֱלִים, הִבְרִיא
convalescence *n* הַחְלָמָה, הַבְרָאָה
convalescent *adj, n* מַבְרִיא, מַחֲלִים
convalescent home *n* בֵּית־הַחְלָמָה
convene *vt, vi* כִּינֵּס; הִתְכַּנֵּס
convenience *n* נוֹחוּת; נוֹחִיּוּת, בֵּית־כִּסֵּא
convenient *adj* נוֹחַ
convent *n* מִנְזָר
convention *n* וְעִידָה, כִּינּוּס; אֲמָנָה, הֶסְכֵּם
conventional *adj* קוֹנְבֶנְצִיוֹנָלִי, מְקוּבָּל, נָהוּג
conventionality *n* שִׁגְרָה, מוּסְכָּמוּת
conventual *adj, n* שֶׁל מִנְזָר; נָזִיר
converge *vi* הִתְלַכֵּד, נִפְגַּשׁ
conversant *adj* מַכִּיר, יוֹדֵעַ
conversation *n* שִׂיחָה
conversational *adj* שֶׁל שִׂיחָה
converse *vi* שׂוֹחֵחַ, הֶחֱלִיף דְּבָרִים
converse *n* שִׂיחָה
converse *n, adj* נִיגּוּד; הִיפּוּךְ, מְנוּגָּד
conversion *n* הֲפִיכָה, הֲמָרָה; הֲמָרַת דָּת
convert *vt, vi* הֶחֱלִיף, הָפַךְ; גָּרַם לַהֲמָרַת דָּת; הֵמִיר דָּת
convert *n* מוּמָר, גֵּר, מְשׁוּמָּד
convertible *adj, n* הָפִיךְ, נִיתָּן לַהֲמָרָה; (מְכוֹנִית) בַּעֲלַת גַּג מִתְקַפֵּל
convex *adj* קָמוּר
convey *vt* הֶעֱבִיר; הוֹבִיל; הוֹדִיעַ, מָסַר

conveyance *n* הַעֲבָרָה; כְּלִי־תַחבּוּרָה; (במשפט) הַעֲבָרַת רְכוּשׁ; תְּעוּדַת הַעֲבָרַת רְכוּשׁ
convict *vt* הִרְשִׁיעַ
convict *n* אָסִיר שָׁפוּט
conviction *n* הַרְשָׁעָה; שִׁכנוּעַ; אֱמוּנָה
convince *vt* שִׁכנֵעַ
convincing *adj* מְשַׁכנֵעַ
convivial *adj* עַלִּיז, אוֹהֵב חַיִּים
convocation *n* זִימּוּן, כִּינּוּס; עֲצֶרֶת
convoke *vt* זִימֵּן, כִּינֵּס
convoy *vt* לִיוָּה בַּהֲגַנָּה מְזוּיֶּנֶת
convoy *n* שְׁיָירָה מְלוּוָּה
convulse *vt* זִעזַע
coo *vt, vi* הָגָה כְּיוֹנָה
coo *n* הֲגִיָּה (כיונה)
cook *vt, vi* בִּישֵּׁל; הִתבַּשֵּׁל; סֵירֵס (חשבונות)
cook *n* טַבָּח
cookbook *n* סֵפֶר בִּישּׁוּל
cooking *adj* לְבִישּׁוּל
cookstove *n* תַּנּוּר בִּישּׁוּל
cooky, cookie *n* רָקִיק, עוּגִית
cool *adj* קָרִיר, צוֹנֵן; רָגוּעַ, שָׁקוּל
cool *vt, vi* צִינֵּן; הִשׁקִיט; הִצטַנֵּן
cool *n* קְרִירוּת, צִינָּה
cooler *n* כְּלִי־קֵירוּר; בֵּית־סוֹהַר
cool-headed *adj* קַר־מֶזֶג
coolie, cooly *n* (בהודו, סין וכד׳) פּוֹעֵל פָּשׁוּט, קוּלִי
coolish *adj* קָרִיר
coolness *n* קְרִירוּת; קוֹר־רוּחַ
coon *n* דְּבִיבוֹן
coop *n* לוּל; מִכלָאָה
coop *vt* שָׂם בְּלוּל; כָּלָא (אדם)
co-op *abbr* cooperative
cooper *n* חַבתָן; מְתַקֵּן חָבִיּוֹת
cooper *vt, vi* עָשָׂה אוֹ תִּיקֵּן חָבִיּוֹת
co-operate *vi* שִׁיתֵּף פְּעוּלָּה
co-operation *n* שִׁיתּוּף־פְּעוּלָּה
co-operative *adj, n* שֶׁל שִׁיתּוּף־פְּעוּלָּה; קוֹאוֹפֶּרָטִיבִי
co-operative society *n* אֲגוּדָּה שִׁיתּוּפִית
co-operative store *n* צַרכָנִיָּה
co-ordinate *adj* שְׁוֵה חֲשִׁיבוּת
co-ordinate *n* שְׁוֵה דַרגָה, קוֹאוֹרדִינָטָה
co-ordinate *vt, vi* תֵּיאֵם, הִתאִים; אִיחָה
cootie *n* (המונית) כִּינָּה
cop *n* פְּקַעַת חוּטִים, סְלִיל; שׁוֹטֵר
cop *vt* תָּפַס
copartner *n* שׁוּתָּף, חָבֵר
cope *n* גְּלִימַת טְקָסִים
cope *vi* הִתמוֹדֵד עִם... וְהִתְגַּבֵּר
copestone *n* אֶבֶן רֹאשָׁה (שבבניין)
copier *n* מַעתִּיק
copilot *n* טַיָּס מִשׁנֶה
coping *n* נִדבָּךְ עֶליוֹן
copious *adj* מְרוּבֶּה, מְשׁוּפָּע
copper *n* נְחוֹשֶׁת; דּוּד (לבישול); צֶבַע נְחוֹשֶׁת; שׁוֹטֵר
copper *adj* נְחוּשְׁתִּי, שֶׁל נְחוֹשֶׁת
copperhead *n* נְחוּשׁ הָרֹאשׁ
coppersmith *n* צוֹרֵף־נְחוֹשֶׁת
coppery *adj* כְּעֵין הַנְּחוֹשֶׁת, נְחוּשְׁתִּי
coppice, copse *n* סְבַךְ, שִׂיחִים סְבוּכִים

copulate *vi* הִזְדַּוֵּג
copy *n* הֶעְתֵּק; טוֹפֶס; עוֹתֶק
copy *vt, vi* הֶעְתִּיק; חִיקָּה
copybook *n* מַחְבֶּרֶת
copyist *n* מַעְתִּיק
copyright *n* זְכוּת הַיּוֹצֵר
copyright *vt* הִבְטִיחַ זְכוּת הַמְחַבֵּר עַל
copywriter *n* כּוֹתֵב מוֹדָעוֹת
coquetry *n* גַּנְדְּרָנוּת; אֲהַבְהֲבָנוּת
coquette, coquet *n* מִתְחַנְחֶנֶת, גַּנְדְּרָנִית, קוֹקֶטִית
coquette, coquet *vi* הִתְגַּנְדֵּר; עָסַק בַּאֲהַבְהָבִים
coquettish *adj* תְּחַנְחָנִי, אֲהַבְהֲבָנִי, גַּנְדְּרָנִי
cor. *abbr* corner, coroner, correction, corresponding
coral *n, adj* אַלְמוֹג; אַלְמוֹגִי
coral reef *n* שׁוּנִית אַלְמוּגִּים
cord *n* חֶבֶל; (בחשמל) פְּתִיל; מֵיתָר
cord *vt* קָשַׁר בְּחֶבֶל
cordial *adj* לְבָבִי, יְדִידוּתִי
cordial *n* מַשְׁקֶה מְחַזֵּק
cordiality *n* חֲמִימוּת, לְבָבִיּוּת
corduroy *n, adj* (אריג) קוֹרדוּרוֹי
core *n* לֵב הַפְּרִי; לֵב, תָּוֶךְ
core *vt* הוֹצִיא לִיבָּה מ...
co-respondent *n* מְעוֹרָב שְׁלִישִׁי (בְּמשפט גט)
Corinth *n* קוֹרִינְת
cork *n, adj* שַׁעַם; פְּקָק
cork *vt* פָּקַק; הִשְׁחִיר (בְּשעם חרוך)
corking *adj* מְצוּיָּן!, כַּפְתּוֹר וָפֶרַח!
cork oak *n* אַלּוֹן הַשַּׁעַם
corkscrew *n, adj* מַחְלֵץ; בּוֹרְגִי
corkscrew *vi* נָע בְּצוּרָה לוּלְיָנִית
cormorant *n* קוֹרְמוֹרָן, זוֹלֵל
corn *n* תְּבוּאָה, דָּגָן; תִּירָס
corn-bread *n* לֶחֶם תִּירָס
corncake *n* עוּגַת תִּירָס
corncob *n* אֶשְׁבּוֹל תִּירָס
corncob pipe *n* מִקְטֶרֶת קְנֵה תִּירָס
corncrib *n* אֵבוּס תִּירָס
corn cure *n* תְּרוּפָה לְיַבָּלוֹת
cornea *n* קַרְנִית הָעַיִן
corner *n* קֶרֶן, פִּינָּה, זָוִית
corner *vt, vi* לָחַץ אֶל הַפִּינָּה, לָחַץ אֶל הַקִּיר; יָצַר מוֹנוֹפּוֹל
corner cupboard *n* אֲרוֹן פִּינָּה
corner room *n* חֲדַר פִּינָּה
cornerstone *n* אֶבֶן־פִּינָּה
cornet *n* קוֹרְנִית
corn exchange *n* בּוּרְסַת הַדְּגָנִים
cornfield *n* שְׂדֵה תְּבוּאָה; שְׂדֵה תִּירָס
cornflour *n* קֶמַח תִּירָס
cornflower *n* דַּרְדַּר כָּחוֹל
cornhusk *n* מוֹץ תִּירָס
cornice *n* כַּרְכּוֹב
Cornish *adj, n* שֶׁל קוֹרְנווֹל (בְּאנגליה); קוֹרְנִית
corn liquor *n* וִיסְקִי תִּירָס
corn-meal *n* קֶמַח דָּגָן; קֶמַח תִּירָס
corn on the cob *n* תִּירָס עַל קְלָחוֹ
corn plaster *n* רְטִיַּית יַבָּלוֹת
corn silk *n* שַׂעֲרוֹת תִּירָס
cornstalk *n* קֶלַח תִּירָס
cornstarch *n* קֶמַח תִּירָס
cornucopia *n* קֶרֶן הַשֶּׁפַע
Cornwall *n* קוֹרְנווֹל, קוֹרְנווֹלִי
corny *adj* דְּגָנִי; מְעוּשֶּׂה, עָלוּב, מְיוּשָּׁן

corollary *n* תּוֹלָדָה; תּוֹצָאָה
coronation *n* טֶקֶס הַכְתָּרָה
coroner *n* חוֹקֵר מִקְרֵי מָוֶות
coroner's inquest *n* חֲקִירַת מִקְרֶה מָוֶות
coronet *n* כֶּתֶר קָטָן, כִּתְרוֹן
corp. *abbr* corporation
corporal *n* רַב־טוּרַאי
corporal *adj* גּוּפָנִי
corporation *n* תַּאֲגִיד, קוֹרְפּוֹרַצְיָה
corps *n pl* חַיִל; סֶגֶל
corps de ballet *n* לַהֲקַת בַּלֶּט
corpse *n* גּוּפָה, גְּוִויָּה
corpulent *adj* שָׁמֵן, בַּעַל בָּשָׂר
corpuscle *n* גּוּפִיף
corr. *abbr* correspondence, corresponding
corral *n* גְּדֵירָה; חוֹמַת עֲגָלוֹת
corral *vt* כָּלָא בִּגְדֵירָה; יָצַר חוֹמַת עֲגָלוֹת
correct *vt* תִּיקֵּן
correct *adj* נָכוֹן; הוֹלֵם
correction *n* תִּיקּוּן
corrective *adj*, *n* נוֹטֶה לְתַקֵּן, מְתַקֵּן; חוֹמֶר מְתַקֵּן
correctness *n* דִּיּוּק; הֲלִימוּת
correlate *vt*, *vi* קִישֵּׁר עִם; תָּאַם
correlate *adj* קָשׁוּר עִם
correlation *n* מִתְאָם, קוֹרֶלַצְיָה
correlative *adj*, *n* תּוֹאֵם
correspond *vi* תָּאַם; הָיָה דוֹמֶה; הִקְבִּיל
correspondence *n* הִתְכַּתְּבוּת
correspondence school *n* בֵּית־סֵפֶר לְשִׁיעוּרִים בִּכְתָב
correspondent *adj* מַקְבִּיל
correspondent *n* מִתְכַּתֵּב; כַּתָּב
corresponding *adj* מַקְבִּיל
corridor *n* פְּרוֹזְדוֹר, מִסְדְּרוֹן
corroborate *vt* אִישֵּׁר, חִיזֵּק
corrode *vt*, *vi* נֶאֱכַל, הֶחֱלִיד; הָרַס, בִּילָּה
corrosion *n* אִיכּוּל, בְּלִייָּה, הַחֲלָדָה
corrosive *adj*, *n* נוֹטֶה לַהֲרוֹס
corrosiveness *n* נְטִיָּה לְהֵיהָרְסוּת, הַחֲלָדָה; סְחִיפָה
corrugated *adj* גַּלִּי; מְחוֹרָץ
corrupt *vt*, *vi* הִשְׁחִית, נַעֲשָׂה מוּשְׁחָת
corrupt *adj* מוּשְׁחָת; מְשׁוּבָּשׁ
corruption *n* שְׁחִיתוּת
corsage *n* צְרוֹר פְּרָחִים (לְאִשָּׁה); חֲזִיָּיה
corsair *n* שׁוֹדֵד־יָם
corset *n* מָחוֹךְ
corset cover *n* תַּחְתּוֹנִית
Corsica *n* קוֹרְסִיקָה
Corsican *n*, *adj* קוֹרְסִיקָאִי
cortege *n* פָּמַלְיָה
cortex *n* קְלִיפַּת הַגֶּזַע; קְלִיפָּה
cortisone *n* קוֹרְטִיזוֹן
corvette *n* קְרָבִית, קוֹרְבֶטָּה
cosmetic *adj* תַּמְרוּקִי, קוֹסְמֵטִי
cosmetic *n* תַּמְרוּקִים, קוֹסְמֵטִיקָה
cosmic *adj* יְקוּמִי, קוֹסְמִי
cosmonaut *n* חֲלָלַאי, אַסְטְרוֹנָאוּט
cosmopolitan *adj*, *n* הַשַּׁיָּךְ לְכָל חֶלְקֵי הָעוֹלָם
cosmos *n* עוֹלָם וּמְלוֹאוֹ, קוֹסְמוֹס
Cossack *n*, *adj* קוֹזָק
cost *n* מְחִיר

cost *vi, vt* (לגבּי מחיר) עָלָה; תִּמְחֵר
cost accounting *n* תַּמְחִיר
Costa Rican *n* קוֹסטָרִיקָנִי
cost, insurance and freight *n* סִי״ף, עֲלוּת, בִּיטוּחַ וְהוֹבָלָה
costly *adj* יָקָר
cost of living *n* יוֹקֶר הַמִּחְיָה
costume *n* תִּלְבּוֹשֶׁת
costume ball *n* נֶשֶׁף תַּחפּוֹשׂוֹת
costume jewellery *n* תַּכְשִׁיטִים מְלָאכוּתִיִּים
cosy *see* cozy
cot *n* מִיטָּה קְטַנָּה
coterie *n* חוּג; כַּת
cottage *n* בֵּיקֶט, בַּיִת כַּפְרִי, בַּיִת קָטָן
cottage cheese *n* גְּבִינַת קוֹטֶג׳
cotter pin *n* פִּין מַפְצִיל
cotton *n, adj* כּוּתְנָה
cotton field *n* שְׂדֵה כּוּתנָה
cotton-gin *n* מַנְפֵּטָה
cotton picker *n* מַלְקֵטַת כּוּתנָה
cottonseed *n* זֶרַע כּוּתנָה
cottonseed oil *n* שֶׁמֶן כּוּתנָה
cotton waste *n* נְשׂוֹרֶת כּוּתנָה
cotton wool *n* צֶמֶר־גֶּפֶן
cottony *adj* רַךְ, דְּמוּי צֶמֶר־גֶּפֶן
couch *vt, vi* הִבִּיעַ בְּמִלִּים
couch *n* סַפָּה
cougar *n* קוּגָר, נָמֵר
cough *n* שִׁיעוּל, הִשְׁתַּעֲלוּת
cough *vi, vt* הִשְׁתַּעֵל
cough drop *n* סוּכָּרִיָּיה נֶגֶד שִׁיעוּל
cough syrup *n* תְּמִיסָּה נֶגֶד שִׁיעוּל
could *see* can
council *n* מוֹעֵצָה
councilman *n* חֲבֵר מוֹעֵצָה
councilor, councillor *n* חֲבֵר מוֹעֵצָה
counsel *n* עֵצָה; הִתְיָיעֲצוּת
counsel *vt* יִיעֵץ, יָעַץ
counselor, counsellor *n* יוֹעֵץ
count *n* אָצִיל, רוֹזֵן
count *vt, vi* סָפַר, מָנָה; לָקַח בְּחֶשְׁבּוֹן; נֶחְשַׁב
countable *adj* נִיתָּן לְהִיסָּפֵר
countdown *n* סְפִירָה בְּמְהוּפָּךְ
countenance *n* פָּנִים; הַבָּעַת פָּנִים, אֲרֶשֶׁת פָּנִים
countenance *vt* עוֹדֵד
counter *n* דוּכָן, דֶלְפֵּק
counter *adj, adv* נֶגֶד; בְּדֶרֶךְ הֲפוּכָה
counter *vi, vt* הִתְנַגֵּד ל...; סָתַר; הֵשִׁיב
counteract *vt* פָּעַל נֶגֶד, סִיכֵּל
counterattack *n* הַתְקָפַת נֶגֶד
counterattack *vt, vi* בִּיצֵּעַ הַתְקָפַת נֶגֶד
counter-balance *n* מִשְׁקָל שֶׁכְּנֶגֶד
counterbalance *vt* פָּעַל נֶגֶד בְּכוֹחַ שָׁוֶה
counterclockwise *adv* בְּנִיגּוּד לְמַהֲלַךְ הַשָּׁעוֹן
counterespionage *n* רִיגּוּל נֶגְדִּי
counterfeit *vt, vi* זִייֵּף; הֶעֱמִיד פָּנִים
counterfeit *n, adj* זִיּוּף; מְזוּיָּף
counterfeiter *n* מְזַייֵּף
counterfeit money *n* כֶּסֶף מְזוּיָּף
countermand *vt* בִּיטֵּל (פְּקוּדָה)
countermand *n* פְּקוּדָה מְבַטֶּלֶת
countermarch *n* צְעִידָה חֲזָרָה
countermarch *vi* חָזַר עַל עֲקֵבָיו

counteroffensive *n* מִתְקֶפֶת־נֶגֶד
counterpane *n* כְּסוּת לְמִיטָּה
counterpart *n* הֶעְתֵּק, כְּפָל; חֵלֶק מַקְבִּיל
counterplot *n* תַּחְבּוּלַת־נֶגֶד
counterplot *vt, vi* תִּחְבֵּל נֶגֶד
counterpoint *n* קוֹנטְרַפּוּנקט, הִיפּוּך
counter-reformation *n* רֶפוֹרמַצְיָה נֶגְדִית
counterrevolution *n* מַהְפֵּכָה נֶגְדִית
countersign *vt* חָתַם חֲתִימָה מְאַשֶּׁרֶת
countersign *n* סִיסְמָה סוֹדִית
countersink *vt* הִרְחִיב חוֹר בְּמַשְׁקַע
counter-spy *n* מְרַגֵּל נֶגְדִי
counterstroke *n* מַכָּה נֶגְדִית
counterweight *n* מִשְׁקָל שֶׁכְּנֶגֶד
countess *n* אֲצִילָה, רוֹזֶנֶת
conntless *adj* לְאֵין סְפוֹר
countrified, countryfied *adj* כַּפְרִי
country *n* מְדִינָה; אֶרֶץ; מוֹלֶדֶת; אֵיזוֹר כַּפְרִי
country *adj* כַּפְרִי; שֶׁל אֶרֶץ
country club *n* מוֹעֲדוֹן מִחוּץ לָעִיר
country cousin *n* קָרוֹב בֶּן כְּפָר; תָּמִים, פָּשׁוּט
country estate *n* אֲחוּזָה כַּפְרִית
country folk *n* בְּנֵי כְּפָר, כַּפְרִיִּים
country gentleman *n* בַּעַל אֲחוּזָה
country house *n* בַּיִת כַּפְרִי
country jake *n* גַּס־רוּחַ, עַם־הָאָרֶץ
country life *n* חַיֵּי כְּפָר
countryman *n* בֶּן אֶרֶץ; בֶּן כְּפָר
country people *n pl* בְּנֵי כְּפָר, כַּפְרִיִּים
countryside *n* נוֹף; אֵיזוֹר כַּפְרִי
countrywide *adj* אַרְצִי, בְּכָל הָאָרֶץ
countrywoman *n* בַּת אֶרֶץ; בַּת כְּפָר
county *n, adj* שֶׁל מָחוֹז
county seat *n* בִּירַת מָחוֹז
coup *n* צַעַד מוּצְלָח; הֲפִיכָה
coup de grace *n* מַכַּת חֶסֶד
coup d'état *n* הֲפִיכָה, מַהְפֵּכָה פִּתְאוֹמִית
coupé *n* (מְכוֹנִית) דוּ־מוֹשָׁבִית סְגוּרָה; תָּא קָטָן (בְּרַכֶּבֶת)
couple *n* זוּג
couple *vt, vi* הִצְמִיד; זִיוּוֵג; הִזְדַוּוֵג
coupler *n* מַצְמִיד, מַצְמֵד
couplet *n* צֶמֶד שׁוּרוֹת
coupon *n* תְּלוּשׁ
courage *n* אוֹמֶץ־לֵב, גְּבוּרָה
courageous *adj* אַמִּיץ־לֵב
courier *n* רָץ, שָׁלִיחַ
course *n* מַסְלוּל, דֶּרֶךְ; מִגְרָשׁ מֵירוֹץ; מֶשֶׁךְ, מְרוּצָה; מַהֲלָךְ (מְאוֹרָעוֹת, מחלה וכו'); קוּרס לִימוּדִים; מָנָה (בארוחה); כִּיווּן; נָתִיב
course *vt, vi* זָרַם, נָע מַהֵר
court *n* חָצֵר; מִגְרָשׁ (לטניס וכד'); פָּמַלְיַת הַמֶּלֶךְ; בֵּית־מִשְׁפָּט
court *vt, vi* הֶחֱנִיף ל...; חִיזֵּר אַחֲרֵי
courteous *adj* אָדִיב, מְנוּמָּס
courtesan, courtezan *n* זוֹנָה
courtesy *n* אֲדִיבוּת, נִימוּס
courthouse *n* בִּנְיַן בֵּית־מִשְׁפָּט
courtier *n* אָצִיל בַּחֲצַר הַמֶּלֶךְ
court jester *n* לֵיצַן הֶחָצֵר
courtly *adj* מְנוּמָּס, אָדִיב

court-martial *n, vt* בֵּית־דִּין צְבָאִי; שָׁפַט בְּבֵית־דִּין צְבָאִי

court-plaster *n* רְטִיָּה

courtroom *n* אוּלַם־הַמִּשְׁפָּט

courtship *n* חִיזּוּר

courtyard *n* חָצֵר

cousin *n* דּוֹדָן, בֶּן־דּוֹד

cove *n* מִפְרָץ קָטָן

cove *vt, vi* קִישֵּׁת, קִיעֵר

covenant *n* אֲמָנָה, בְּרִית

covenant *vt, vi* כָּרַת בְּרִית; הִתְחַיֵּיב

cover *vt* כִּיסָּה; (בצבא) חִיפָּה; הֵכִיל, כָּלַל

cover *n* מִכְסֶה; כִּיסּוּי; עֲטִיפָה; מַחְסֶה

coverage *n* סִיקּוּר, כִּיסּוּי

coveralls *n pl* סַרְבָּל

cover charge *n* תַּשְׁלוּם סַכּוּ״ם

covered wagon *n* מֶרְכֶּבֶת עֲרָבָה

cover girl *n* דּוּגְמָנִית לְכִתְבֵי־עֵת

covering *n* כִּסּוּי, עֲטִיפָה

covert *adj* נִסְתָּר, סוֹדִי

covert *n* מַחְסֶה, מַחֲבוֹא; סְבַךְ יַעַר

cover-up *n* הַסְוָואָה

covet *vt, vi* חָמַד

covetous *adj* חוֹמֵד, חוֹשֵׁק

covetousness *n* תְּשׁוּקָה, חֲשִׁיקָה

covey *n* לַהֲקַת צִיפּוֹרִים; קְבוּצָה

cow *n* פָּרָה

cow *vt* הִפְחִיד

coward *adj, n* מוּג־לֵב, פַּחְדָן, פַּחְדָנִי

cowardice *n* פַּחְדָנוּת, מוֹרֶךְ־לֵב

cowardly *adv, adj* בְּפַחְדָנוּת; מוּג־לֵב, פַּחְדָנִי

cowbell *n* פַּעֲמוֹן שֶׁל פָּרָה

cowboy *n* קָאוּבּוֹי, בּוֹקֵר

cowcatcher *n* מְפַנֶּה מִכְשׁוֹלִים

cower *vi* עָמַד בְּפִיק בִּרְכַּיִים

cowherd *n* רוֹעֵה בָּקָר

cowhide *n* עוֹר בְּהֵמָה; שׁוֹט

cowhide *vt* הִצְלִיף בְּשׁוֹט

cowl *n* בַּרְדָס

cowlick *n* קְווּצַּת שֵׂיעָר

cowpox *n* אֲבַעְבּוּעוֹת הַפָּרוֹת

coxcomb *n* רַבְרְבָן, רֵיקָא

coxswain *n* הַגַּאי סִירָה

coy *adj* בַּיְישָׁנִי, צָנוּעַ

cozy, cosy *adj* נוֹחַ, נָעִים

cp. *abbr* compare

c.p. *abbr* candle power

C.P.A. *abbr* Certified Public Accountant

cpd. *abbr* compound

cr. *abbr* credit, creditor

crab *n* סַרְטָן

crab *vi, vt* הִתְאוֹנֵן

crab apple *n* תַּפּוּחַ־בַּר

crabbed *adj* נוּקְשֶׁה; חָמוּץ; רַגְזָן

crab grass *n* אֶצְבָּעָן מַאְדִים

crab-louse *n* כִּינָּה סַרְטָנִית

crack *n* קוֹל־נֶפֶץ; הַצְלָפַת־שׁוֹט; סֶדֶק; רֶגַע; (המונית) הֲלָצָה

crack *vt, vi* הִשְׁמִיעַ קוֹל־נֶפֶץ; פִּיצֵּחַ; הִצְלִיף; סִידֵּק; פָּרַץ (קופה); סִיפֵּר (הלצה); נִסְדַּק; נִשְׁבַּר

crack *adj* (המונית) מִמַּדְרֵגָה רִאשׁוֹנָה

cracked *adj* סָדוּק, מְבוּקָּע; פָּגוּם; (המונית) מְטוֹרָף

cracker *n* פַּכְסָם; זִיקּוּק־אֵשׁ

crackle-ware *n* חַרְסִינָה מְצוּפָּה סְדָקִים

crackpot *n* (המונית) תִּמהוֹנִי, מְטוֹרָף
crack-up *n* הִתנַגְּשׁוּת; הִתמוֹטְטוּת
cradle *n* עֲרִיסָה
cradle *vt, vi* הִשׁכִּיב בַּעֲרִיסָה; שִׁימֵשׁ מַחסֶה
cradelesong *n* שִׁיר עֶרֶשׂ
craft *n* מְלָאכָה, אוּמָּנוּת; עוֹרמָה, עַרמוּמִיוּת; סְפִינָה
craftiness *n* עוֹרמָה, עַרמוּמִיוּת
craftsman *n* אוּמָּן; בַּעַל־מִקצוֹעַ
craftsmanship *n* אוּמָּנוּת, מִקצוֹעִיוּת
crafty *adj* עָרוּם, נוֹכֵל
crag *n* צוּק, שֵׁן סֶלַע
cram *vt, vi* דָּחַס; הִלעִיט; לָמַד בְּחִיפָּזוֹן
cram *n* הַלעָטָה; זְלִילָה; לִימּוּד בְּחִיפָּזוֹן
cramp *n* הִתכַּוְּוצוּת שְׁרִירִים; מַלחֶצֶת
cramp *vt* הִידֵּק בְּמַלחֶצֶת; כִּיוֵּץ; הִגבִּיל
cranberry *n* אוּכמָנִית
crane *n* עָגוּר; עֲגוּרָן, מַדלֶה
crane *vt, vi* הֵרִים אוֹ הוֹרִיד בַּעֲגוּרָן; זָקַף צַוָּאר כְּעָגוּר
cranium *n* גּוּלגּוֹלֶת
crank *vi, vt* אִרכֵּב, חִיזֵּק בְּאַרכּוּבָּה
crank *n* אַרכּוּבָּה; (דיבּוּרית) נִרגָּן; תִּמהוֹנִי
crankcase *n* בֵּית־הָאַרכּוּבָּה
crankshaft *n* גַּל הָאַרכּוּבָּה
cranky *adj* נִרגָּן; מוּזָר, תִּמהוֹנִי; רוֹפֵף, לֹא יַצִּיב
cranny *n* נָקִיק
crape *n* מַלמָלָה, קְרֶפּ; סֶרֶט אֵבֶל
crapehanger *n* מַשׁבִּית שִׂמחָה
craps *n pl* מִשׂחַק קוּבִּיוֹת
crash *vt, vi* נִיפֵּץ; בָּא בְּרַעַשׁ; (מטוס וכד׳) הִתרַסֵּק; הִתנַפֵּץ
crash *n* הִתנַפְּצוּת, הִתרַסְּקוּת; הִתמוֹטְטוּת, מַפּוֹלֶת; קוֹל רַעַם
crash-dive *n* צְלִילַת חֵירוּם
crash program *n* תּוֹכנִית אִינטֶנסִיבִית
crass *adj* גַּס
crate *n* תֵּיבָה
crate *vt* אָרַז בְּתֵיבָה
crater *n* לוֹעַ, מַכתֵּשׁ
cravat *n* עֲנִיבָה
crave *vt, vi* הִשׁתּוֹקֵק אֶל; הִתחַנֵּן ל...
craven *adj, n* פַּחדָנִי; מוּג־לֵב
craving *n* תְּשׁוּקָה
craw *n* זֶפֶק
crawl *vt, vi* זָחַל; רָחַשׁ
crawl *n* זְחִילָה; שְׂחִיַּית חֲתִירָה
crayon *n, adj* עִיפָּרוֹן; שֶׁל צִיוּר בְּצִבעֵי עִיפָּרוֹן
craze *vt* שִׁיגַּע
craze *n* שִׁיגָּעוֹן; אוֹפנָה בַּת־חֲלוֹף
crazy *adj* רוֹפֵף, לֹא יַצִּיב; מְטוֹרָף; (דיבּוּרית) ׳מִשׁתַּגֵּעַ׳ אַחֲרֵי
crazy bone *n* עֶצֶם הַמַּרפֵּק
creak *n* חֲרִיקָה
creak *vi* חָרַק
creaky *adj* חוֹרֵק, חוֹרְקָנִי
cream *n* שַׁמֶּנֶת, קְצֶפֶת; מֵיטָב; מִשׁחָה
cream *vt, vi* עָשָׂה שַׁמֶּנֶת; לָקַח אֶת הַחֵלֶק הַטּוֹב בְּיוֹתֵר
creamery *n* מַחלָבָה
cream puff *n* תּוּפִין שַׁמֶּנֶת

cream separator *n* מְקָרֵר לְהַפְרָדַת שַׁמֶּנֶת, מַחְבֵּצָה
creamy *adj* מֵכִיל שַׁמֶּנֶת; דוֹמֶה לְשַׁמֶּנֶת
crease *n* קֶמֶט
crease *vt, vi* קִימֵּט; הִתְקַמֵּט
creasy *adj* קָמִיט; מְקוּמָּט
create *vt, vi* בָּרָא, יָצַר
creation *n* בְּרִיאָה, יְצִירָה
Creation *n* בְּרִיאַת הָעוֹלָם
creative *adj* יוֹצֵר
creator *n* בּוֹרֵא, יוֹצֵר
creature *n* יְצִיר; יְצוּר; חַיָּה
credence *n* אֵימוּן
credentials *n pl* מִכְתַּב הַמְלָצָה
credible *adj* אָמִין
credit *n* אֵימוּן; כָּבוֹד; אַשְׁרַאי, הֲקָפָה; זְכוּת (בחשבונות)
credit *vt* הֶאֱמִין בּ..., בָּטַח בּ...; זָקַף לִזכוּת; נָתַן כָּבוֹד; (בהנהלת־חשבונות) זִיכָּה
creditable *adj* מַעֲלֶה כָּבוֹד
credit card *n* כַּרְטִיס אַשְׁרַאי
creditor *n* נוֹשֶׁה; זַכַּאי
credo *n* אֱמוּנָה, אֲנִי מַאֲמִין
credulous *adj* נוֹחַ לְהַאֲמִין
creed *n* עִיקָּרֵי אֱמוּנָה
creek *n* פֶּלֶג, מִפְרָץ קָטָן
creep *vt, vi* זָחַל; טִיפֵּס (לגבי צמח)
creeper *n* זוֹחֵל, רוֹמֵשׂ; (צמח) מְטַפֵּס
creeping *adj* זוֹחֵל; (צמח) מְטַפֵּס
cremate *vt* שָׂרַף מֵת
cremation *n* שְׂרֵיפַת מֵת
crematory *n* בֵּית מִשְׂרְפוֹת מֵתִים, קְרֶמָטוֹרְיוּם

creme de menthe *n* לִיקֶר מִנְתָּה
Creole *n, adj* קְרֵאוֹלִי
crescent *adj* חֶרְמֵשִׁי
crescent *n* חֶרְמֵשׁ; סַהֲרוֹן
cress *n* צֶמַח חַרְדָּלִי
crest *n* כַּרְבּוֹלֶת, רַעְמָה; שֶׁלֶט גִּיבּוֹרִים, סֶמֶל; שִׂיא
crestfallen *adj* מְדוּכָּא
Cretan *n, adj* בֶּן כְּרֵתִים; כְּרֵתִי
Crete *n* כְּרֵתִים
cretonne *n* קְרֵטוֹן
crevice *n* סֶדֶק
crew *n* צֶוֶת (במטוס, באוניה)
crew cut *n* תִּסְפּוֹרֶת חֲלָקָה וּקְצָרָה
crib *n* עֲרִיסָה; הַעְתָּקָה בִּלְתִּי־חוּקִית
crib *vt, vi* הֶעְתִּיק לְלֹא רְשׁוּת
cricket *n* מִשְׂחַק הַקְּרִיקֶט; (דיבורית) מִשְׂחָק הוֹגֵן; צְרָצַר
crier *n* צוֹעֵק; כָּרוֹז
crime *n* פֶּשַׁע
criminal *n, adj* פּוֹשֵׁעַ; פְּלִילִי
criminal code *n* מַעֲרֶכֶת הַחוֹק הַפְּלִילִי
criminal law *n* חוֹק פְּלִילִי
criminal negligence *n* הַזְנָחָה פּוֹשַׁעַת
crimp *vt* קִימֵּט; קִיפֵּל
crimp *n* קִימּוּט, גִּיהוּץ קְפָלִים
crimple *vt* קִימֵּט, סִלְסֵל
crimson *n, adj* אַרְגָּמָן
crimson *vi* הִתְאַדֵּם
cringe *vi, n* הִתְרַפֵּס; הִתְרַפְּסוּת
crinkle *n* קֶמֶט
cripple *n* נָכֶה
cripple *vt* עָשָׂה לְבַעַל מוּם; שִׁיבֵּשׁ
crisis *n* (*pl* crises) מַשְׁבֵּר

crisp *adj* פָּרִיךְ; אֵיתָן וְרַעֲנָן; מוּחלָט, קוֹלֵעַ
criterion *n* (*pl* criteria) בּוֹחַן, קְנֵה מִידָּה
critic *n* מְבַקֵּר
critical *adj* בִּיקוֹרְתִּי; מַשְׁבְּרִי; חָמוּר, קְרִיטִי
criticism *n* בִּיקוֹרֶת
criticize *vt* בִּיקֵּר, מָתַח בִּיקוֹרֶת
critique *n* מַאֲמַר בִּיקוֹרֶת
croak *vt, vi* קִרְקֵר; (המונית) מֵת
croak *n* קִרְקוּר
Croat *n, adj* קְרוֹאָטִי
Croatian *n, adj* קְרוֹאָטִי
crochet *n* רְקִימַת אוּנקָל
crochet *vt* רָקַם בְּאוּנְקָל
crocheting *n* צְנִירָה
crochet needle *n* אוּנְקַל צְנִירָה
crock *n* כַּד, כְּלִי־חֶרֶס; שֶׁבֶר כְּלִי
crockery, crockeryware *n* כְּלֵי־חֶרֶס
crocodile *n* תַּנִּין
crocodile tears *n pl* דִמעוֹת־תַּנִּין
crocus *n* כַּרכּוֹם
crone *n* זְקֵנָה בָּלָה
crony *n* חָבֵר מְקוֹרָב
crook *n* מַקֵּל רוֹעִים; מַטֶּה בִּישׁוֹפִים; עִיקּוּל; כִּיפּוּף; נוֹכֵל, רַמַּאי
crook *vt, vi* כּוֹפֵף, עִיקֵּם; הִתעַקֵּם
crooked *adj* עָקוֹם, לֹא הָגוּן, נוֹכֵל
croon *vt, vi* זִימֵּר בְּקוֹל רַךְ וְנִרגָּשׁ
crooner *n* מְזַמֵּר בְּקוֹל רַךְ וְנִרְגָּשׁ
crop *n* יְבוּל, תְּנוּבָה; שׁוֹט; זֶפֶק
crop *vt, vi* חָתַךְ, קָטַם, קִיצֵּץ, קָצַר; (לגבי חיות) לִיחֵךְ
crop dusting *n* רִיסּוּס בִּמְטוֹסִים
crop up *vi* הוֹפִיעַ פִּתאוֹם, צָץ
croquet *n* קרוֹקֶט
croquette *n* כּוּפְתָּה, כַּדּוּר
crosier, crozier *n* מַטֵּה בִּישׁוֹף
cross *n* צְלָב; יִיסּוּרִים; (בּחקלאוּת) הַכלָאָה; תַּעֲרוֹבֶת
cross *vt, vi* חָצָה; הִצטַלֵּב; הִכשִׁיל
cross *adj* חוֹצֶה; מִצטַלֵּב; מְנוּגָּד; רוֹגֵז; מוּכלָא
crossbones *n pl* תִּצלוֹבֶת עֲצָמוֹת
crossbow *n* קֶשֶׁת־מִסגֶּרֶת
crossbreed *n* בֶּן־כִּלאַיִים
crossbreed *vt* הִכלִיא
cross-country *adj, adv* דֶּרֶךְ הַשָּׂדוֹת
crosscurrent *n* זֶרֶם נֶגְדִּי
cross-examination *n* חֲקִירַת שְׁתִי וָעֵרֶב
cross-examine *vt* חָקַר חֲקִירַת נֶגֶד
cross-eyed *adj* פּוֹזֵל
crossing *n* חֲצִייָה; צוֹמֶת; תִּצלוֹבֶת; מַעֲבַר חֲצָיָה; הַכלָאָה
crossing gate *n* מַחסוֹם רַכֶּבֶת
crossing point *n* נְקוּדַת חֲצִייָה
crosspatch *n* רַגְזָן
crosspiece *n* קוֹרָה חוֹצֶצֶת
cross-reference *n* הַפנָיָה
cross-road(s) *n* צוֹמֶת דְּרָכִים, פָּרָשַׁת דְּרָכִים
cross-section *n* חֲתָךְ
cross street *n* רְחוֹב חוֹצֶה
crossword puzzle *n* תַּשְׁבֵּץ
crotch *n* מִסְעָף, הִתפַּלְּגוּת; מִפְשָׂעָה
crotchety *adj* בַּעַל קַפְּרִיסוֹת, גַּחְמָן

crouch *vt, vi* הִתכּוֹפֵף, הִשׁתּוֹפֵף
crouch *n* הִתכּוֹפְפוּת, הִשׁתּוֹפְפוּת
croup *n* (בּרפוּאה) אַסכָּרָה; עָצֶה (בּבהמה)
croupier *n* קוּפַּאי (בּמשׂחקי כּסף)
crouton *n* פַּת צְנִים
crow *n* עוֹרֵב; קִרקוּר (תּרנגול)
crow *vi* קִרקֵר; הִתרַברֵב
crowbar *n* דֶקֶר, קַנטָר
crowd *n* הָמוֹן קָהָל; חֲבוּרָה
crowd *vt, vi* הִתקַהֵל; נִדחַק, דָחַף
crowded *adj* צָפוּף, דָחוּס
crown *n* כֶּתֶר; כּוֹתֶרֶת (בּשן); קרוֹנָה (מטבע)
crown *vt* הִכתִּיר; הִמלִיך; (המוֹנית) הִכָּה בְּרֹאשׁוֹ שֶׁל
crowned head *n* מֶלֶך, מַלכָּה
crown prince *n* יוֹרֵשׁ הָעֶצֶר
crown princess *n* אֵשֶׁת יוֹרֵשׁ הָעֶצֶר
crow's foot *n* כַּף עוֹרֵב
crow's nest *n* פִּינַּת תַּצפִּית
crucial *adj* מַכרִיעַ
crucible *n* כּוּר, מַצרֵף
crucifix *n* דְמוּת יֵשׁוּ הַצָּלוּב
crucifixion *n* צְלִיבָה
crucify *vt* צָלַב
crude *adj* גוֹלמִי; לֹא מְשׁוּכלָל; גַס
crudity *n* גוֹלמִיוּת; חוֹסֶר שִׁכלוּל; גַסּוּת
cruel *adj* אַכזָרִי
cruelty *n* אַכזְרִיוּת
cruet *n* בַּקבּוּק קָטָן, צְלוֹחִית (לשמן וכד׳, לשולחן)
cruise *vt, vi* שִׁייֵט; טָס (נָסַע) בִּמהִירוּת חֶסכוֹנִית
cruise *n* שִׁיּוּט; טִיסָה
cruiser *n* מְשַׁייֵט, מְסַייֵר; (בּחיל־הים) סַייֶרֶת
cruising radius *n* טְוָוח שִׁיּוּט
cruller *n* רְקִיק סוּפגָנִית
crumb *n* פֵּירוּר
crumb *vt* הוֹסִיף פֵּירוּרֵי לֶחֶם; פּוֹרֵר
crumble *vt, vi* פּוֹרֵר; הִתפּוֹרֵר
crummy *adj* מְלוּכלָך; שָׁפָל
crump *n* מַהֲלוּמָה
crump *vt, vi* הָלַם
crunch *vt, vi* כָּתַשׁ בְּשִׁנָּיו בְּרַעַשׁ; דָרַך בְּרַעַשׁ
crunch *n* כְּתִישָׁה; קוֹל כְּתִישָׁה
crusade *n* מַסַּע צְלָב
crusader *n* צַלבָּן; לוֹחֵם
crush *vt, vi* מָעַך; רִיסֵּק
crush *n* מְעִיכָה; הִתרַסְּקוּת; דוֹחַק; (המוֹנית) תְּשׁוּקָה
crush hat *n* כּוֹבַע מִתקַפֵּל
crust *n* קְרוּם; גֶלֶד
crust *vt, vi* הִקרִים; קָרַם; הִגלִיד
crustacean *adj, n* שִׁריוֹנִי
crustaceous *adj* מִמַּחֲלֶקֶת הַשִּׁריוֹנִיִּים
crusty *adj* בַּעַל קְלִיפָּה; נוּקשֶׁה
crutch *n* קַב; מִשׁעֶנֶת
crux *n* עִיקָּר
cry *n* קְרִיאָה, צְעָקָה; בְּכִי, יְלָלָה
crybaby *n* בַּכְיָין
crypt *n* כּוּך
cryptic *adj* מִסתּוֹרִי, לֹא מוּבָן
crystal *n* גָבִישׁ; בְּדוֹלַח
crystal ball *n* כַּדּוּר בְּדוֹלַח
crystalline *adj* גְבִישִׁי
crystallize *vt, vi* יָצַר גְבִישִׁים; נַעֲשָׂה גָבִישׁ; הִתגַבֵּשׁ

C. S. *abbr*. Christian Science, Civil Service
ct. *abbr* cent
cu. *abbr*. cubic
cub *n* גוּר
Cuban *n, adj* קוּבָּנִי
cubby-hole *n* כּוּך, חָלָל סָגוּר
cube *n* קוּבִּיָּה; חֶזְקָה שְׁלִישִׁית
cube *vt* הֶעֱלָה לְחֶזְקָה שְׁלִישִׁית
cubic, cubical *adj* מְעוּקָב
cub reporter *n* כַּתָּב טִירוֹן
cuckold *n* בַּעַל קַרְנַיִים
cuckold *vt* הִצְמִיחַ קַרְנַיִים
cuckoo *n* קוּקִיָּיה
cuckoo *adj* (דיבורית) מְשׁוּגָּע, אֱוִילִי
cuckoo-clock *n* שְׁעוֹן קוּקִיָּיה
cucumber *n* מְלָפְפוֹן
cud *n* גֵּרָה
cuddle *vt, vi* חִיבֵּק; הִתְחַבֵּק; הִתְרַפֵּק
cuddle *n* חִיבּוּק
cudgel *n* אַלָּה
cudgel *vt* חָבַט בְּאַלָּה
cue *n* סִימָנִית; אוֹת, רֶמֶז; מַקֵּל (ביליארד)
cuff *n* שַׁרווּלִית
cuff *vt* סָטַר, הָלַם
cuff-link *n* רֶכֶס שַׁרווּלִית
cuirass *n* שִׁריוֹן חָזֶה
cuisine *n* מִטְבָּח; שִׁיטַת בִּישׁוּל
culinary *adj* שֶׁל בִּישׁוּל, מִטְבָּחִי
cull *vt* בֵּירֵר, לִיקֵּט
culm *n* אֲבַק פֶּחָם; קָנֶה, גִּבְעוֹל
culminate *vi* הִגִּיעַ לִמְרוֹם הַפִּסְגָה; הִסְתַּיֵּים
culpable *adj* נִפְשָׁע; (במשפט) אָשֵׁם
culprit *n* נֶאֱשָׁם; עֲבַרְיָין
cult *n* פּוּלְחָן
cultivate *vt* עִיבֵּד (אדמה); תִּרְבֵּת, גִּידֵּל
cultivated *adj* תַּרְבּוּתִי, מְתוּרְבָּת; מְטוּפָּח
cultivation *n* עִיבּוּד; תִּרְבּוּת, גִּידּוּל, טִיפּוּחַ
culture *n, vt* גִּידּוּל; תַּרְבּוּת; עִיבֵּד, גִּידֵּל (כנ״ל)
cultured *adj* תַּרְבּוּתִי, מְתוּרְבָּת
culvert *n* תְּעָלָה, מוֹבִיל מַיִם
cumbersome, cumbrous *adj* מְגוּשָּׁם, מַכְבִּיד
cunning *adj* עָרוּם
cunning *n* עַרְמוּמִיּוּת, עוֹרְמָה
cup *n* סֵפֶל; גָּבִיעַ
cup *vt* הִקִּיז דָּם
cupboard *n* אֲרוֹן כֵּלִים, מִזְנוֹן
cupidity *n* תַּאֲוָוה, חַמְדָנוּת
cupola *n* כִּיפָּה
cur *n* כֶּלֶב עָזוּב; פַּחְדָן
curate *n* כּוֹמֶר, עוֹזֵר לְכוֹמֶר
curative *adj, n* מְרַפֵּא, רִיפּוּיִי; תְּרוּפָה
curator *n* מְנַהֵל מוּזֵיאוֹן
curb *vt* רִיסֵּן, רָתַם (סוס)
curb *n* רֶסֶן; רִיסּוּן; קְצֵה הַמִּדְרָכָה
curbstone *n* אֶבֶן מִדְרָכָה
curd *n* קוֹם
curd *vt, vi* הִקְרִישׁ; נִקְרַשׁ
curdle *vt, vi* הִקְרִישׁ; נִקְרַשׁ
cure *n* רִיפּוּי; תְּרוּפָה
cure *vt, vi* רִיפֵּא; עִישֵּׁן, שִׁימֵּר (דגים, בשׂר)

cure-all *n* תְּרוּפָה לַכּוֹל
curfew *n* עוֹצֶר, שְׁעַת הָעוֹצֶר
curio *n* חֵפֶץ נָדִיר
curiosity *n* סַקְרָנוּת
curious *adj* סַקְרָן; מוּזָר
curl *n* תַּלְתַּל, סִלְסוּל
curl *vt, vi* (לגבי שיער) סִלְסֵל, תִּלְתֵּל; הִסְתַּלְסֵל; הִתְעַקֵּל
curlicue *n* אוֹת מְסוּלְסֶלֶת
curling *n* תִּלְתּוּל, הִסְתַּלְסְלוּת שֵׂיעָר
curling iron *n* מְסַלְסֵל שֵׂיעָר
curl-paper *n* סְלִיל לְתַלְתַּל
curly *adj* מְתוּלְתָּל
curmudgeon *n* קַמְצָן, כִּילַי
currant *n* דוּמְדְמָנִית הַלְּבָנוֹן
currency *n* כֶּסֶף בְּמַחֲזוֹר, מַטְבֵּעַ; מַהֲלָכִים
current *n* זֶרֶם, מַהֲלָךְ
current *adj* נוֹכְחִי; שׁוֹטֵף; נָפוֹץ
current account *n* חֶשְׁבּוֹן עוֹבֵר וָשָׁב
current events *n pl* עִנְיְנֵי הַיּוֹם
curriculum *n* תּוֹכְנִית לִימּוּדִים
curry *n* קָארִי
curry *vt* הֵכִין נָזִיד מְתוּבָּל בְּקָארִי; סֵרֵק, קִרְצֵף (סוס)
currycomb *n* מַסְרֵק בַּרְזֶל
curse *n* קְלָלָה
curse *vt, vi* קִילֵּל, חֵירֵף
cursed *adj* מְקוּלָּל; אָרוּר
cursive *adj, n* שׁוֹטֵף, מְחוּבָּר
cursory *adj* נֶחְפָּז, שִׁטְחִי
curt *adj* קָצָר, מְקוּצָּר; מְקַצֵּר בְּדִיבּוּר
curtail *vt* קִיצֵּר, קִיצֵּץ
curtain *n* וִילוֹן; מָסָךְ
curtain-call *n* הוֹפָעַת הַדְּרָן
curtain raiser *n* קֹדֶם־מַחֲזֶה
curtain *vt* וִילֵּן; חָצַץ בְּמָסָךְ
curtain ring *n* טַבַּעַת וִילוֹן
curtain rod *n* מוֹט וִילוֹן
curtsy, curtsey *n* קִידַּת חֵן
curve *n* (במתמטיקה) עֲקוּמָּה; עָקוֹם; חַמּוּק
curve *vt* עִיקֵּם, עִיקֵּל; הִתְעַקֵּם, הִתְעַקֵּל
curved *adj* עָקוֹם, מְעוּקָּם
cushion *n* כַּר, כָּרִית
cushion *vt* שָׂם כָּרִים; רִיכֵּךְ, רִיפֵּד
cusp *n* חוֹד
cuspidor *n* רְקָקִית
custard *n* רַפְרֶפֶת
custodian *n* אֶפִּיטְרוֹפּוֹס, מַשְׁגִּיחַ
custody *n* הַשְׁגָּחָה, פִּיקּוּחַ; מַעֲצָר
custom *n* מִנְהָג; נוֹהַג
customary *adj* נָהוּג, מְקוּבָּל
custom-built (made) *adj* מוּכָן לְפִי הַזְמָנָה
customer *n* קוֹנֶה, לָקוֹחַ
custom-house *n* בֵּית־מֶכֶס
customs *n pl* מֶכֶס
customs clearance *n* שִׁחְרוּר מִמֶּכֶס
customs officer *n* פְּקִיד מֶכֶס, מוֹכֵס
custom-tailor *vt* הִתְאִים לְפִי מִידָּה
custom work *n* עֲבוֹדָה בְּהַזְמָנָה
cut *n* חִיתּוּךְ; מַכָּה (בסכין וכד׳); חֲתָךְ, פֶּצַע; נַתַח, חֵלֶק; גִּזְרָה (של לבוש); קִיצּוּר, הַשְׁמָטָה; הוֹרָדָה (במחיר וכד׳)
cut *vt, vi* חָתַךְ, כָּרַת; פָּרַס (לחם); סִיפֵּר (שיער); קָצַץ (ציפורניים); קִיצֵּר, צִמְצֵם (דיבור וכד׳); הִפְחִית, קִיצֵּץ בּ... (מחירים וכד׳)

cut *adj* חָתוּךְ, גָזוּר, קָצוּץ; (לגבי מחיר) מוּפחָת
cut-and-dried *adj* קָבוּעַ מֵרֹאשׁ
cutaway coat *n* מְעִיל־זָנָב
cutback *n* חֲזָרָה לְאָחוֹר
cute *adj* נֶחמָד, פִּיקֵחַ
cut glass *n* פִּיתּוּחֵי זְכוּכִית
cuticle *n* קְרוּם חִיצוֹנִי
cutlass *n* שֶׁלַח
cutler *n* סַכִּינַאי, מוֹכֵר סַכִּינִים
cutlery *n* סַכּוּ״ם (סכינים, כפות ומזלגות)
cutlet *n* קְצִיצָה
cutout *n* חֵלֶק מְנוּתָּק; מַפסֵק אוֹטוֹמָטִי
cut-rate *n*, *adj* (מְחִיר) מוּזָל
cutter *n* חוֹתֵךְ, גַזָּר; חוֹתֶכֶת (ספינה), סִירַת פִּיקוּחַ
cutthroat *n* רוֹצֵחַ
cutthroat *adj* רוֹצְחָנִי
cutting *adj* חוֹתֵךְ; פּוֹגֵעַ
cutting *n* חִיתּוּךְ, קִיצּוּץ; קֶטַע עִיתּוֹנוּת
cutting edge *n* הַצַּד הַחַד
cuttlefish *n* דְיוֹנוּן
cutwater *n* פּוֹלֵחַ מַיִם
cwt. *abbr*. hundredweight
cyanamide *n* צִיאַנָאמִיד
cyanide *n* צִיאָנִיד
cycle *n* מַחֲזוֹר; תְּקוּפָה; אוֹפַנַּיִם
cycle *vi* נָסַע בְּאוֹפַנַּיִם
cyclic, cyclical *adj* מַחֲזוֹרִי; מַעגָלִי
cyclone *n* צִיקלוֹן
cyl. *abbr* cylinder, cylindrical
cylinder *n* גָּלִיל, צִילִינדֶר; תּוֹף (באקדח)
cylinder block *n* חֲטִיבַת צִילִינדְרִים
cylinder head *n* רֹאשׁ הַצִּילִינדֶר
cylindrical *adj* גְּלִילִי, צִילִינדְרִי
cymbal *n* כַּף מְצִלתַּיִים
cynic *n* צִינִיקָן
cynical, cynic *adj* צִינִי
cynicism *n* צִינִיּוּת
cynosure *n* מֶרכַּז תְּשׂוּמֶת־הַלֵּב
cypress *n* תְּאַשּׁוּר
Cyprus *n* קַפרִיסִין
Cyrillic *adj* קִירִילִי
Cyrus *n* כּוֹרֶשׁ
cyst *n* שַׁלחוּף; כִּיס
czar, tsar *n* קֵיסָר, הַצָּר הָרוּסִי
czarina *n* אֵשֶׁת הַצָּר
Czech *adj*, *n* צֶ׳כִי; (לָשׁוֹן) צֶ׳כִית
Czecho-Slovak *adj* צֶ׳כוֹסלוֹבָקִי
Czecho-Slovakia *n* צֶ׳כוֹסלוֹבַקִיָה

D

D, d *n* דִּי (האות הרביעית באלפבית)

D. *abbr* December, Democrat, Duchess, Duke, Dutch

'd (had, would (נטרוק של פּוֹעלי־העזר

D. A. *abbr* District Attorney

dab *vt, vi* טָפַח קַלּוֹת; לָחַץ בִּספוֹג

dab *n* טְפִיחָה; לְחִיצָה קַלָּה; מוּמחֶה

dabble *vt, vi* לִחלֵחַ, הִכתִּים; הֵנִיעַ אֵיבָרִים בְּמַיִם; הִתעַסֵּק (כּחוֹבבן)

dad *n* אַבָּא

daddy *n* אַבָּא

daffodil *n* נַרקִיס עָטוּר

daffy *adj* שׁוֹטֶה; מְטוֹרָף

dagger *n, vt* פִּגיוֹן; (בּדפוּס) סִימָן

dahlia *n* דָלִיָּה

daily *n* עִיתּוֹן יוֹמִי; עוֹבֶדֶת יוֹמִית

daily *adj* יוֹם יוֹם; יוֹמִי

daily *adv* מִדֵּי יוֹם בְּיוֹמוֹ

dainty *n* מַעֲדָן

dainty *adj* עָדִין

dairy *n* מַחֲלָבָה; מֶשֶׁק חָלָב

dais *n* בִּימָה

daisy *n* חַרצִית בָּר

dally *vt, vi* הִשׁתַּעֲשֵׁעַ; בִּזבֵּז זְמַן

dam *n* סֶכֶר

dam *vt, vi* סָכַר

dam *n* אֵם (שׁל הוֹלכי על ארבּע)

damage *n* הֶיזֵק, נֵזֶק

damage *vt* הִזִּיק

damascene *vt* שִׁיבֵּץ, עִיטֵּר

damascene *adj* בְּקִישׁוּט דַּמַּשׂקָאִי (מסוּלסל)

dame *n* גְּבֶרֶת; גְּבִירָה; אִישָּׁה

damn *vt, vi* קִילֵּל; גִּינָּה; דָּן לְעוֹנֶשׁ נִצחִי

damn *n* הַבָּעַת קְלָלָה

damn *int* לַעֲזָאזֵל!

damnation *n* דִּינָה לְכַף חוֹבָה אוֹ לְגֵיהִינּוֹם

damned *n, adj, adv* מְקוּלָּל; בָּזוּי בְּיוֹתֵר

damp *n* לַחוּת, רְטִיבוּת

damp *vt, vi* לִחלֵחַ; רִיפָּה; שִׁינֵּק

dampen *vt* הִרטִיב; עִמעֵם

damper *n* גּוֹרֵם לְדִיכָּאוֹן; מַרטִיב; עַמעֶמֶת

damsel *n* עַלמָה צְעִירָה

dance *vi, vt* רָקַד; הִרקִיד

dance *n* רִיקּוּד; נֶשֶׁף רִיקּוּדִים

dance band *n* תִּזמוֹרֶת רִיקּוּדִים

dance hall *n* אוּלַם רִיקּוּדִים

dance floor *n* רִצפַּת הָרִיקּוּד

dancer *n* רוֹקֵד; רַקדָן

dancing *n* רִיקּוּד

dancing partner *n* בֶּן זוּג לְמָחוֹל

dandelion *n* שִׁינָּן

dandruff *n* קַשׂקַשֵּׂי רֹאשׁ

dandy *n* טַרזָן, יוּהֲרָן

dandy *adj* גַּנדְּרָנִי; מְצוּיָּן

Dane *adj, n* דֵּנִי; אִישׁ דֵּנמַרק

danger *n* סַכָּנָה

dangerous *adj* מְסוּכָּן; מְסַכֵּן

dangle *vt, vi* הָיָה תָּלוּי וּמִתְנַדְנֵד
Danish *adj* דֶּנִי
dank *adj* לַח לֹא נָעִים
Danube *n* דָּנוּבָּה
dapper *adj* הָדוּר
dapple *adj* מְנוּמָּר
dapple *vt* נִימֵּר; נִיקֵּד
dare *vt, vi* הֵעֵז; הִסְתַּכֵּן
dare *n* הָעַזָּה; אֶתְגָּר
daredevil *adj, n* נוֹעָז
daring *n, adj* הַרְפַּתְקָנוּת, אוֹמֶץ־לֵב, הָעַזָּה; מֵעֵז
dark *adj* חָשׁוּךְ
dark *n* חוֹשֶׁךְ, דִּמְדוּמִים
Dark Ages *n pl* חֶשְׁכַת יְמֵי־הַבֵּינַיִים
dark-complexioned *adj* שְׁחַרְחַר
darken *vt, vi* הֶחְשִׁיךְ, הִכְהָה; נַעֲשָׂה כֵּהֶה
darkly *adv* בְּצוּרָה מִסְתּוֹרִית
dark meat *n* בָּשָׂר כֵּהֶה
darkness *n* חוֹשֶׁךְ, חֲשֵׁיכָה
dark room *n* חֶדֶר אָפֵל
darling *n, adj* חָבִיב, אָהוּב, יָקָר
darn *n* תִּיקּוּן בְּבֶגֶד, אִיחוּי
darn *interj* לַעֲזָאזֵל
darn *vt* תִּיקֵּן
darnel *n* זוּן מְשַׁכֵּר
darning *n* רִישּׁוּת; תִּיקּוּן
darning needle *n* מַחַט תִּיקּוּן
dart *n* כִּידוֹן, טִיל יָד
dart *vt, vi* זִינֵּק; זָרַק כִּידוֹן
dash *vt, vi* הִשְׁלִיךְ בְּכוֹחַ; הִתְנוֹעֵעַ בְּמֶרֶץ
dash *n* מַשַּׁק מַיִם; הַתָּזַת צֶבַע; סִרְטוּט חָפוּז; קַו מַפְרִיד
dash *interj* לַעֲזָאזֵל!
dashboard *n* לוּחַ הַמַּחֲוָונִים
dashing *adj* בַּעַל מֶרֶץ; רַאַוותָנִי
dastard *n* פַּחְדָן שָׁפָל
dastardly *adj* פַּחְדָנִי־שָׁפָל
data *n pl* נְתוּנִים
data processing *n* עִיבּוּד נְתוּנִים
date *n* תּוֹמֶר (עֵץ); תָּמָר (פְּרִי); תַּאֲרִיךְ; רֵאָיוֹן
date *vt, vi* צִיֵּין תַּאֲרִיךְ; תֵּיאֲרֵךְ; צוּיַּן תַּאֲרִיךְ
date line *n* שׁוּרַת הַתַּאֲרִיךְ; קַו הַתַּאֲרִיךְ
date palm *n* דֶּקֶל
dative *adj, n* (שֶׁל) יַחֲסַת אֶל
datum *n* נָתוּן
dau. *abbr* daughter
daub *vt* צִיפָּה, מָרַח; הִכְתִּים
daub *n* חוֹמֶר צִיפּוּי; צִיפּוּי; צִיּוּר גַּס
daughter *n* בַּת
daughter-in-law *n* כַּלָּה, אֵשֶׁת הַבֵּן
daunt *vt* הֵטִיל מוֹרָא
dauntless *adj* לֹא־יוֹדֵעַ־פַּחַד; לְלֹא חַת
dauphin *n* דּוֹפֵין, נָסִיךְ
davenport *n* סַפָּה־מִיטָּה
davit *n* מַעֲלִית סִירוֹת
daw *n* עוֹרֵב
dawdle *vi* הִתְבַּטֵּל
dawn *n* שַׁחַר
dawn *vt* זָרַח; הִתְבַּהֵר
day *n* יוֹם
day-bed *n* מִיטָּה־סַפָּה
daybreak *n* שַׁחַר
day-coach *n* קְרוֹן־נוֹסְעִים

daydream *n* חֲלוֹם בְּהָקִיץ
daydream *vi* חָלַם בְּהָקִיץ, הָזָה
day laborer *n* שְׂכִיר יוֹם
daylight *n* אוֹר יוֹם
day nursery *n* מְעוֹן יוֹם
Day of Atonement *n* יוֹם־הַכִּיפּוּרִים
day off *n* יוֹם חוֹפֶשׁ
day of reckoning *n* יוֹם הַדִּין
day shift *n* מִשְׁמֶרֶת יוֹם
daytime *n* שְׁעוֹת הַיּוֹם
daze *vt* הֵמַם; בִּלְבֵּל
daze *n* הִימּוּם; דִמדוּם
dazzle *vt, vi* סִנווֵר; הִסתַּנווֵר
dazzle *n* סִנווּר
dazzling *adj* מְסַנווֵר
deacon *n* כּוֹמֶר זוּטָר
deaconess *n* כּוֹמֶרִית
dead *adj, adv* מֵת
dead *n* מֵת, חָלָל
dead beat *adj* עָיֵיף עַד מָוֶות
dead bolt *n* מַנעוּל מֵת (ללא קפיץ)
dead drunk *n* שִׁיכּוֹר כְּלוּט
deaden *vt* הִקְהָה
dead end *n* מָבוֹי סָתוּם
deadline *n* מוֹעֵד אַחֲרוֹן
deadlock *n, vt, vi* קִיפָּאוֹן (בְּמוּ״מ וכד׳); הֵבִיא אוֹ בָּא לִידֵי קִיפָּאוֹן
deadly *adj* הוֹרֵג; הָרֵה אָסוֹן; כְּמֵת; קִיצוֹנִי
deadly *adv* עַד מָוֶות; לַחֲלוּטִין
dead of night *n* אִישׁוֹן לַיְלָה
deadpan *adj* חֲסַר הַבָּעָה
dead reckoning *n* נִיווּט מֵת
dead ringer *adj* דוֹמֶה בְּיוֹתֵר
Dead Sea *n* יָם הַמֶּלַח
dead set *adj* אֵיתָן בְּהַחלָטָתוֹ
deadwood *n* עֲנָפִים מֵתִים
deaf *adj* חֵירֵשׁ
deaf-and-dumb *n, adj* (שֶׁל) חֵירֵשׁ־אִילֵּם
deafen *vt* הֶחֱרִישׁ אוֹזנַיִים
deafening *adj* מַחֲרִישׁ אוֹזנַיִים
deaf-mute *n, adj* חֵירֵשׁ־אִילֵּם
deafness *n* חֵירְשׁוּת
deal *vi, vt* עָסַק; טִיפֵּל; נָהַג; סָחַר
deal *n* עֵסֶק, עִסקָה; הֶסכֵּם; הֶסדֵר; טִיפּוּל; כַּמּוּת (גְּדוֹלָה)
deal *adj* עָשׂוּי עֵץ אוֹרֶן
dealer *n* סוֹחֵר; מְחַלֵּק קְלָפִים
dean *n* דֵּקַן־פָּקוּלטָה; דֵּקַן־הַסטוּדֶנטִים; רֹאשׁ כְּנֵסִיָּיה
deanship *n* דֵּקָנוּת
dear *n* (אדם) יָקָר; יַקִּיר
dear *adj* יָקָר
dear *adv* בְּיוֹקֶר
dear *interj* אֵלִי!
dearie *n* חָבִיב, יַקִּיר
dearth *n* מַחסוֹר
death *n* מָוֶות
deathbed *n* מִיטַּת הַמָּוֶות, עֶרֶשׂ דְּוַוי
deathblow *n* מַכַּת מָוֶות
death certificate *n* תְּעוּדַת פְּטִירָה
death house *n* תָּא הַנִּידוֹנִים לְמָוֶות
deathless *adj* אַלמוֹתִי
deathly *adj, adv* אָנוּשׁ; כְּמָוֶות
death penalty *n* עוֹנֶשׁ מָוֶות
death-rate *n* שִׁיעוּר תְּמוּתָה
daeth-rattle *n* חִרחוּר מָוֶות
death ray *n* קֶרֶן מָוֶות

death-warrant *n* פְּקוּדַּת הֲמָתָה

deathwatch *n* שׁוֹמֵר שֶׁל גּוֹסֵס אוֹ שֶׁל מֵת

debacle *n* הִתְבַּקְּעוּת קֶרַח (עַל נהר); הִתְמוֹטְטוּת

debar *vt* הוֹצִיא מִכְּלָל; שָׁלַל זְכוּיוֹת

debark *vt, vi* הוֹרִיד מֵאוֹנִיָּה; יָרַד מֵאוֹנִיָּה

debarkation *n* הוֹרָדָה מֵאוֹנִיָּה; יְרִידָה מֵאוֹנִיָּה

debase *vt* הִשְׁחִית, הִשְׁפִּיל; זִיֵּף (כסף)

debatable *adj* נִיתָּן לְוִיכּוּחַ

debate *n* וִיכּוּחַ; דִּיּוּן

debate *vt, vi* דָּן; הִתְוַכֵּחַ

debauchery *n* שְׁחִיתוּת; זִימָּה

debenture *n* אִיגֶּרֶת חוֹב

debilitate *vt* הֶחֱלִישׁ

debility *n* חוּלְשָׁה

debit *n, adj* (זְקִיפָה) לְחוֹבָה

debit *vt* חִייֵּב

debonair *adj* אָדִיב, נְעִים הֲלִיכוֹת

debris, debris *n* שְׁפוֹכֶת, עִיֵּי חֲרָבוֹת

debt *n* חוֹב; הִתְחַיְּבוּת

debtor *n* חַיָּב

debut, début *n* הוֹפָעָה רִאשׁוֹנָה

debutante, débutante *n* מַתְחִילָה, מוֹפִיעָה לָרִאשׁוֹנָה

dec. *abbr* deceased

decade *n* עָשׂוֹר

decadence, decadency *n* הִתְנַוְּנוּת

decadent *adj* מִתְנַוֵּן

decanter *n* בַּקְבּוּק, לָגִין

decapitate *vt* הִתִּיז רֹאשׁ

decay *vt, vi* הִתְנַוֵּן; נִרְקַב

decay *n* הִתְנַוְּנוּת; רִיקָּבוֹן

decease *vi, n* מֵת; מָוֶת

deceased *adj, n* נִפְטָר, מֵת

deceit *n* רַמָּאוּת

deceitful *adj* עָרוּם, מְרַמֶּה

deceive *vt* רִימָּה; אִכְזֵב

decelerate *vi* הֵאֵט

December *n* דֶּצֶמְבֶּר

decency *n* הֲגִינוּת

decent *adj* הוֹגֵן; הָגוּן

decentralize *vt* בִּיזֵּר

deception *n* רַמָּאוּת; הִתְפַּתּוּת

deceptive *adj* מַטְעֶה, עָלוּל לְהַטְעוֹת

decide *vt, vi* הֶחֱלִיט, הִכְרִיעַ

decimal *adj, n* עֶשְׂרוֹנִי

decimal point *n* נְקוּדַּת הַשֶּׁבֶר הָעֶשְׂרוֹנִי

decimate *vt* הִשְׁמִיד חֵלֶק גָּדוֹל; הִשְׁמִיד עֲשִׂירִית

decipher *vt* פִּעְנֵחַ

decision *n* הַחְלָטָה, הַכְרָעָה

decisive *adj* מַכְרִיעַ, הֶחְלֵטִי

deck *vt* צִיפָּה, קִישֵּׁט; סִיפֵּן

deck *n* סִיפּוּן; צְרוֹר קְלָפִים

deck-chair *n* כִּיסֵּא מַרְגּוֹעַ

deck-hand *n* סִיפּוּנַאי

deck-land *vi* נָחַת עַל סִיפּוּן

deck landing *n* נְחִיתַת סִיפּוּן

deckle-edge *adj* לֹא מְיוּשָּׁר בִּפְאוֹתָיו

declaim *vt* דִּקְלֵם; טָעַן כְּנֶגֶד

declaration *n* הַכְרָזָה, הַצְהָרָה

declarative *adj* הַכְרָזָתִי, הַצְהָרָתִי

declare *vt, vi* הִכְרִיז, הִצְהִיר

declension *n* נְטִיָּיה בְּמִדְרוֹן

declination *n* נְטִיָּיה מַטָּה; סְטִיָּה; נְטִיַּית שֵׁמוֹת (בדקדוק)

decline *vt, vi* סֵירֵב (באדיבות); הִיטָּה; יָרַד בְּמִדרוֹן; נֶחֱלַשׁ
decline *n* מוֹרָד, מִדרוֹן; הֵיחָלְשׁוּת, יְרִידָה
declivity *n* מִדרוֹן
decode *n* פִּעְנוּחַ (צוֹפֶן)
decode *vt* פִּעֲנֵחַ (צוֹפֶן)
décolleté *adj* עֲמוֹק מַחשׂוֹף
decompose *vt, vi* פֵּירַק; רָקַב, נִרקַב
decomposition *n* פֵּירוּק; הִתפָּרְקוּת; הֵירָקְבוּת
decompression *n* רִיפּוּי לַחַץ
decontamination *n* טִיהוּר, עִיקוּר
decor *n* תַּפאוּרָה
decorate *vt* קִישֵּׁט; עִיטֵּר
decoration *n* קִישּׁוּט; עִיטּוּר
decorator *n* מְקַשֵּׁט, דֵּקוֹרָטוֹר
decorous *adj* הוֹלֵם, הוֹגֵן (בהתנהגות, באופי וכד׳)
decorum *n* הֲגִינוּת, הֲלִימוּת
decoy *vt, vi* פִּיתָּה; נִפתָּה
decoy *n* פִּיתָּיוֹן
decoy pigeon *n* פַּתַּאי, שָׁלִיחַ שֶׁל רַמַּאי
decrease *vt, vi* הִפחִית, הוֹרִיד; יָרַד, פָּחַת
decrease *n* הַפחָתָה, צִמצוּם
decree *n* צַו, פְּקוּדָה
decree *vt* פָּקַד, צִיוָּה
decrepit *adj* תָּשׁוּשׁ
decry *vt* פָּסַל, זִלזֵל בּ...
dedicate *vt* הִקדִּישׁ
dedication *n* הַקדָּשָׁה; הִתמַסְּרוּת
deduce *vt* הִסִּיק
deduct *vt* הִפחִית; נִיכָּה
deduction *n* הַפחָתָה; נִיכּוּי; הֲקָשָׁה מִן הַכְּלָל אֶל הַפְּרָט
deed *n* מַעֲשֶׂה; מִבצָע; מִסמָך כָּתוּב
deem *vt* סָבַר, שָׁקַל
deep *adj* עָמוֹק; רְצִינִי
deep *n* עוֹמֶק; תְּהוֹם
deep *adv* עַד לָעוֹמֶק, בָּעוֹמֶק
deepen *vt, vi* הֶעֱמִיק
deep-laid *adj* סוֹדִי וּמְסוּבָּך
deep mourning *n* בִּגדֵי אֵבֶל עָמוֹק
deep-rooted *adj* מְשׁוֹרָשׁ עָמוֹק
deep-sea *adj* שֶׁבַּיָּם הֶעָמוֹק
deep-seated, deep-set *adj* מְשׁוֹרָשׁ הֵיטֵב
deer *n sing, pl* צְבִי, צְבָיִים
deerskin *n* עוֹר צְבִי
def. *abbr* defendant, deferred, definite
deface *vt* הִשׁחִית פָּנִים, מָחַק
defamation *n* הוֹצָאַת דִּיבָּה
defame *vt* הִשׁמִיץ, הוֹצִיא דִּיבָּה
default *n* הֵיעָדְרוּת, מַחסוֹר; אִי־פְּעוּלָּה; אִי־קִיּוּם חוֹבָה
default *vi* לֹא קִיֵּם חוֹבָה
defeat *vt* הֵבִיס; הֵפֵר; הִפִּיל
defeat *n* תְּבוּסָה; הֲפָרָה; הַפָּלָה
defeatism *n* תְּבוּסָנוּת
defeatist *n* תְּבוּסָן
defecate *vt, vi* הֶחֱרִיא, עָשָׂה צְרָכָיו
defect *n* מוּם, פְּגָם
defection *n* עֲרִיקָה; הִשׁתַּמְּטוּת מִמִּילּוּי חוֹבָה
defective *adj* לָקוּי, פָּגוּם; מְפַגֵּר
defend *vt, vi* הֵגֵן; סִנֵגֵר
defendant *n* נִתבָּע, נֶאֱשָׁם

defender *n* מָגֵן; סַנֵּיגוֹר
defenestration *n* זְרִיקָה מִן הַחַלּוֹן
defense *n* הֲגָנָה, הִתְגּוֹנְנוּת; (בְּמִשְׁפָּט) סַנֵּיגוֹרְיָה
defensive *adj, n* מֵגֵן; שֶׁל הִתְגּוֹנְנוּת
defer *vt, vi* עִיכֵּב, דָּחָה; קִיבֵּל דֵּעָה
deference *n* וִיתּוּר לְדַעַת הַזּוּלַת
deferential *adj* מְכַבֵּד
deferment *n* דְּחִיָּיה
defiance *n* הַמְרָיָה, הַתְרָסָה
defiant *adj* מַתְרִיס
deficiency *n* חוֹסֶר, מַחְסוֹר
deficient *adj* חָסֵר, לָקוּי
deficit *n* גֵּירָעוֹן
defile *vt, vi* הִשְׁחִית; צָעַד בְּשׁוּרַת עוֹרֶף
defile *n* מַעֲבָר צַר
define *vt* הִגְדִּיר, תֵּיאֵר; תָּחַם
definite *adj* מוּחְלָט, מוּגְדָּר; מְסוּיָּם
definite article *n* הֵ״א הַיְדִיעָה
definition *n* הַגְדָּרָה
definitive *adj* מַכְרִיעַ; מְסַכֵּם
deflate *vt* הוֹצִיא אֶת הָאֲוִויר; הוֹרִיד אֶת מַחְזוֹר הַכֶּסֶף
deflation *n* הוֹצָאַת אֲוִיר; דֶּפְלַצְיָה
deflect *vt, vi* הִטָּה; נָטָה
deflower *vt* הֵסִיר פְּרָחִים; בִּיתֵּק בְּתוּלִים
deforest *vt* בֵּירֵא יַעַר
deform *vt* עִיוּוֵת צוּרָה, כִּיעֵר
deformed *adj* מְעוּוָּת; מוּשְׁחַת מַרְאֶה
deformity *n* עִיוּוּת צוּרָה
defraud *vt* הוֹנָה
defray *vt* שִׁילֵּם
defrost *vt* הֵסִיר הַקֶּרַח, הִפְשִׁיר
deft *adj* מְיוּמָּן, זָרִיז
defunct *adj* מֵת, חָדֵל
defy *vt* הִתְרִיס, הִתְנַגֵּד בְּעַזּוּת
deg. *abbr* degree
degeneracy *n* הִתְנַוְּונוּת
degenerate *vi* הִתְנַוֵּון
degenerate *adj, n* מְנוּוָּן; מְפַגֵּר
degrade *vt* הוֹרִיד בְּמַעֲלָה; הִשְׁפִּיל
degrading *adj* מַשְׁפִּיל
degree *n* דַּרְגָּה; מַעֲלָה; תּוֹאַר
dehumidifier *n* מוֹנֵעַ אֵד
dehydrate *vt* יִיבֵּשׁ, הִצְמִיק
de-ice *vt* הִפְשִׁיר (קרח)
deify *vt* הֶאֱלִיהַּ
deign *vt, vi* מָחַל עַל כְּבוֹדוֹ; הוֹאִיל
deity *n* אֱלוֹהוּת
dejected *adj* מְדוּכָּא, מְדוּכְדָּךְ
dejection *n* דִּיכָּאוֹן, דִּכְדּוּךְ
del. *abbr* delegate, delete
delay *vt, vi* עִיכֵּב, הִשְׁהָה; הִשְׁתַּהָה
delay *n* עִיכּוּב; הִשְׁתַּהוּת
delectable *adj* נֶחְמָד, מְעַנֵּג
delegate *n* צִיר, בָּא־כּוֹחַ
delegate *vt* מִינָּה, יִיפָּה כּוֹחַ
delete *vt* מָחַק, בִּיטֵּל
deletion *n* מְחִיקָה; קֶטַע מָחוּק
deliberate *vt, vi* שָׁקַל בְּדַעְתּוֹ; נוֹעַץ
deliberate *adj* מְכוּוָּן; לְלֹא חִיפָּזוֹן
delicacy *n* עֲדִינוּת; רְגִישׁוּת; מַעֲדָן
delicatessen *n pl* מַעֲדַנִּים
delicious *adj* עָרֵב בְּיוֹתֵר
delight *n* עוֹנֶג, תַּעֲנוּג
delight *vt, vi* עִינֵּג; הִתְעַנֵּג
delightful *adj* מְהַנֶּה, מְעַנֵּג
delinquency *n* ־יינוּת; רַשְׁלָנוּת

delinquent *n, adj* עֲבַרְיָן; מִתְרַשֵּׁל

delirious *adj* מְטוֹרָף (בְּהַשְׁפָּעַת חוֹם)

delirium *n* טֵירָפוֹן

deliver *vt* מָסַר; הִצִּיל; שִׁחְרֵר; יִילֵּד; הִסְגִּיר; נָאַם

delivery *n* מְסִירָה, חֲלוּקָה; לֵידָה; סִגְנוֹן נְאוּם

delivery man *n* מְחַלֵּק

delivery room *n* חֲדַר לֵידָה

delivery truck *n* מְכוֹנִית מִשְׁלוֹחַ

dell *n* עֵמֶק, גַּיְא

delouse *vt* טִיהֵר מִכִּינִּים

delphinium *n* דָּרְבָנִית

delude *vt* הִשְׁלָה, תִּעְתַּע

deluge *n* מַבּוּל, שִׁיטָּפוֹן

deluge *vt* שָׁטַף, הֵצִיף

delusion *n* הַשְׁלָיָה, אַשְׁלָיָה; תַּעְתּוּעַ

de luxe *adj* שׁוּפְרָא דְשׁוּפְרָא

delve *vt, vi* חָקַר, חָדַר; חָפַר

demagnetize *vt* בִּיטֵּל מִגְנוּט

demagogic(al) *adj* דֶּמָגוֹגִי

demand *vt* תָּבַע, דָּרַשׁ; הִצְרִיךְ

demand *n* תְּבִיעָה; צוֹרֶךְ

demanding *adj* תּוֹבְעָנִי

demarcate *vt* סִימֵּן גְּבוּלוֹת

démarche *n* פְּעוּלָּה דִּיפְּלוֹמָטִית

demeanor *n* הִתְנַהֲגוּת

demented *adj* מְטוֹרָף

demigod *n* חֲצִי אֵל

demijohn *n* צַרְצוּר, קִיתוֹן

demilitarize *vt* פֵּירֵז

...nde *n* הָעוֹלָם הַשּׁוֹקֵעַ

... הֶעֱבִיר בַּעֲלוּת אוֹ מַלְכוּת; מָוֶת; הַעֲבָרַת מְקַרְקְעִי...

demisemiquaver *n* לַ־בִּית (1/32) צְלִיל

demitasse *n* סְפָלוֹן קָפֶה

demobilize *vt* שִׁחְרֵר (מִשֵּׁירוּת צְבָאִי); פֵּירֵק צָבָא

democracy *n* דֵּמוֹקְרַטְיָה

democrat *n* דֵּמוֹקְרָט

democratic *adj* דֵּמוֹקְרָטִי

demodulate *vt* מִיצָּה אִפְנוּן

demolish *vt* הָרַס

demolition *n* הֲרִיסָה

demon, daemon *n* רוּחַ רָעָה, שֵׁד

demoniacal *adj* שֵׁדִי, דֵּמוֹנִי

demonstrate *vt, vi* הוֹכִיחַ; הִפְגִּין

demonstration *n* הוֹכָחָה; הַדְגָּמָה; הַפְגָּנָה

demonstrative *adj* מַפְגִּין; מַסְבִּיר, מַדְגִּים

demonstrator *n* מַצִּיג, מַדְגִּים; מַפְגִּין

demoralize *vt* הִשְׁחִית; רִיפָּה רוּחַ

demote *vt* הוֹרִיד בְּדַרְגָּה

demotion *n* הוֹרָדָה בְּדַרְגָּה

demur *vi, n* הִבִּיעַ הִתְנַגְּדוּת; הַבָּעַת הִתְנַגְּדוּת

demure *adj* מִתְחַסֵּד, מִתְעַנֵּו

demurrage *n* הַשְׁהָיָה; דְּמֵי הַשְׁהָיָה

den *n* גּוֹב, מְאוּרָה; חֶדֶר קָטָן וְעָלוּב

denaturalize *vt* שִׁינָּה טֶבַע, עָשָׂה לְלֹא טִבְעִי

denial *n* הַכְחָשָׁה, כְּפִירָה, הִתְכַּחֲשׁוּת; סֵירוּב

denim *n* סַרְבָּל

denizen *n* תּוֹשָׁב; דַּיָּיר

Denmark *n* דֶּנְיָה, דֶּנְמַרְק

denomination *n* קָטֵיגוֹרְיָה; סוּג; כַּת דָּתִית

denote *vt* הוֹרָה עַל; צִיֵּין; סִימֵּל
denouement *n* הַתָּרָה, הַבְהָרָה סוֹפִית
denounce *vt* הוֹקִיעַ, הֶאֱשִׁים; הִפְסִיק בְּרִית
dense *adj* דָחוּס, מְעוּבֶּה, אָטוּם; אֱוִיל
density *n* דְחִיסוּת
dent *n* מִשְׁקָע, גוּמָּה
dent *vt* עָשָׂה גוּמָּה
dental *adj, n* שִׁנִּי, שֶׁל שֵׁן; עִיצוּר שִׁנִּי
dental floss *n* חוּט שִׁנַּיִים (לְנִיקּוּי)
dentifrice *n* שַׁפְשֵׁן, אַבְקָה לְנִקּוּי שִׁנַּיִים
dentist *n* רוֹפֵא שִׁנַּיִים
dentistry *n* רִיפּוּי שִׁנַּיִים
denture *n* מַעֲרֶכֶת שִׁנַּיִים תּוֹתָבוֹת
denunciation *n* הוֹקָעָה; הוֹדָעַת נִיתּוּק בְּרִית
deny *vt* הִכְחִישׁ; הִתְכַּחֵשׁ ל...; סֵירֵב; שָׁלַל
deodorant *n, adj* מֵפִיג רֵיחַ, מְאַלְרֵחַ
deoxidize *vt* אַל־חִמְצֵן
dep. *abbr* department, departs, deputy
depart *vt, vi* עָזַב, עָקַר; פָּנָה
department *n* מַחְלָקָה; מָחוֹז מִנְהָלִי; מִשְׂרָד מֶמְשַׁלְתִּי
departure *n* עֲזִיבָה, עֲקִירָה; פְּנִייָה
depend *vi* סָמַךְ; הָיָה תָּלוּי
dependable *adj* מְהֵימָן, נֶאֱמָן
dependence *n* הִישָּׁעֲנוּת; תְּלוּת
dependency *n* תְּלוּת; מְדִינַת חָסוּת
dependent *adj, n* תָּלוּי; מוּתְנֶה
depict *vt* תֵּיאֵר
deplete *vt* מִיעֵט, חִיסֵּר; רוֹקֵן
deplorable *adj* רָאוּי לְגִנַּאי; מְצַעֵר
deplore *vt* הִצְטַעֵר עַל
deploy *vt, vi* פֵּירֵס; הִתְפָּרֵס
deployment *n* פֵּירוּס; הִתְפָּרְסוּת
depolarize *vt* שָׁלַל קוֹטְבִיּוּת
depopulate *vt* חִיסֵּל אוּכְלוֹסִיָּה
deport *vt* הִגְלָה
deportation *n* הַגְלָיָה
deportee *n* גּוֹלֶה, מְגוֹרָשׁ
deportment *n* הִתְנַהֲגוּת
depose *vt, vi* הִדִּיחַ; הֵעִיד בִּשְׁבוּעָה
deposit *vt, vi* שָׂם, הִנִּיחַ; נָתַן דְּמֵי קְדִימָה; הִפְקִיד
deposit *n* דְּמֵי קְדִימָה; פִּיקָּדוֹן; מִשְׁקָע; מִרְבָּץ
depositor *n* מַפְקִיד
depot *n* תַּחֲנַת רַכֶּבֶת; מַחְסַן צִיּוּד
deprave *vt* הִשְׁחִית, קִלְקֵל
depraved *adj* מוּשְׁחָת
depravity *n* שְׁחִיתוּת
deprecate *vt* טָעַן נֶגֶד; שָׁלַל
deprecation *n* עִרְעוּר
depreciate *vt, vi* מִיעֵט בְּעֶרֶךְ
depreciation *n* פְּחָת, בְּלַאי; יְרִידַת עֵרֶךְ
depress *vt* דִּיכֵּא רוּחַ; הֶחֱלִישׁ
depression *n* דִּכְדּוּךְ, דִּיכָּאוֹן; שֶׁקַע; שֵׁפֶל (כַּלְכָּלִי)
deprive *vt* שָׁלַל מִן; קִיפֵּחַ
dept. *abbr* department
depth *n* עוֹמֶק, עֲמִקּוּת
deputy *n* נָצִיג, שָׁלִיחַ; מְמַלֵּא מָקוֹם
derail *vt, vi* הוֹרִיד (יָרַד מִן) הַפַּסִּים
derailment *n* הוֹרָדָה (יְרִידָה) מִפַּסִּים
derange *vt* בִּלְבֵּל, עִרְבֵּב; שִׁיגֵּעַ

derangement *n* שִׁיבּוּשׁ, הַטָּלַת מְבוּכָה; טֵירוּף
Derby *n* דֶּרְבִּי
derby *n* מִגְבַּעַת לֶבֶד
derelict *adj*, *n* עָזוּב, מוּפְקָר; סְפִינָה עֲזוּבָה
deride *vt* לָעַג, לִגְלֵג
derision *n* לִגְלוּג; נָשׂוּא לְלַעַג
derive *vt*, *vi* הִשִּׂיג; הֵפִיק; נִגְזַר מִן
derogatory *adj* מְזַלְזֵל, שֶׁיֵּשׁ בּוֹ טַעַם לִפְגָם
derrick *n* מַדְלֶה, עֲגוּרָן; מִגְדַּל קִידּוּחַ
dervish *n* דֶּרְוִישׁ
desalination *n* הַמְתָּקָה, הַתְפָּלָה
desalt, desalinate *vt* הִמְתִּיק, הִתְפִּיל
descend *vi* יָרַד; יָצָא
descendant *n* צֶאֱצָא
descendent *adj* יוֹרֵד; מִשְׁתַּלְשֵׁל
descent *n* יְרִידָה; מוֹרָד; מוֹצָא
describe *vt* תֵּיאֵר; תָּאַר, סִרְטֵט
description *n* תֵּיאוּר; סוּג, מִין
descriptive *adj* מְתָאֵר, תֵּיאוּרִי
descry *vt* גִּילָּה, הִבְחִין בּ...
desecrate *vt* חִילֵּל
desegregation *n* בִּיטּוּל הַהַפְרָדָה
desert *vt*, *vi* זָנַח; עָרַק
desert *n*, *adj* מִדְבָּר; מִדְבָּרִי
desert *n* גְּמוּל, הָרָאוּי; עֵרֶךְ
deserter *n* עָרִיק
desertion *n* עֲרִיקָה; זְנִיחָה
deserve *vt*, *vi* הָיָה רָאוּי ל...
deservedly *adv* בְּצֶדֶק, כָּרָאוּי
design *vt* תִּכְנֵן; רָשַׁם, סִרְטֵט
design *n* תַּרְשִׁים, תּוֹכְנִית; כַּוָּונָה
designate *adj* הַמְיוּעָד
designate *vt* צִיֵּין, יִיעֵד; קָרָא בְּשֵׁם; מִינָּה
designing *adj* זוֹמְמָנִי
designing *n* הֲכָנַת דְּגָמִים
desirable *adj* נִכְסָף, רָצוּי
desire *vt* הִשְׁתּוֹקֵק ל..., רָצָה בּ...
desire *n* תְּשׁוּקָה; בַּקָּשָׁה; מְבוּקָּשׁ
desirous *adj* מִשְׁתּוֹקֵק
desist *vi* חָדַל
desk *n* שׁוּלְחַן־כְּתִיבָה
desk clerk *n* פְּקִיד קַבָּלָה
desk set *n* מַעֲרֶכֶת כְּלֵי כְּתִיבָה
desolate *adj* שׁוֹמֵם; מְדוּכְדָּךְ
desolate *vt* הֵשֵׁם, הֶחֱרִיב; אִמְלֵל
desolation *n* שְׁמָמָה; יָגוֹן
despair *vi* הִתְיָיאֵשׁ
despair *n* יֵיאוּשׁ
despairing *adj* מִתְיָיאֵשׁ
desperado *n* פּוֹשֵׁעַ נָכוֹן לַכּוֹל
desperate *adj* מְיוֹאָשׁ; נוֹאָשׁ; נָכוֹן לַכּוֹל
despicable *adj* מְגוּנֶּה, בָּזוּי
despise *vt* בָּז
despite *n* הַעֲלָבָה, זִלְזוּל
despite *prep* לַמְרוֹת
despondence, despondency *n* דִּיכָּאוֹן, דִּכְדּוּךְ
despondent *adj* מְדוּכְדָּךְ
despot *n* רוֹדָן, עָרִיץ
despotic *adj* רוֹדָנִי
despotism *n* רוֹדָנוּת
dessert *n* פַּרְפֶּרֶת, קִינּוּחַ סְעוּדָה
destination *n* יַעַד; תַּכְלִית
destined *adj* מְיוּעָד
destiny *n* גּוֹרָל; יִיעוּד

destitute *adj* חֲסַר כּוֹל
destitution *n* חוֹסֶר אֶמְצָעֵי מִחְיָה
destroy *vt* הָרַס; הִשְׁמִיד
destroyer *n* מַשְׁמִיד; מַשְׁחֶתֶת
destruction *n* הֲרִיסָה; הַשְׁמָדָה
destructive *adj* הַרְסָנִי
detach *vt, vi* נִיתֵּק, הִפְרִיד
detachable *adj* נִיתָּן לְהִינָּתֵק, נִיתָּן לְהִיפָּרֵד
detached *adj* נִפְרָד, מְנוּתָּק; אוֹבְּיֶיקְטִיבִי
detachment *n* נִיתּוּק; הִינָּתְקוּת; הִסְתַּכְּלוּת מִגָּבוֹהַּ
detail *vt* תֵּיאֵר בִּפְרוֹטְרוֹט; (בצבא) הִקְצָה חוּלִיָּה
detail *n* פְּרָט; פְּרוֹטְרוֹט; פֵּירוּט
detain *vt* עִיכֵּב; עָצַר
detect *vt* גִּילָּה
detection *n* גִּילּוּי; חֲשִׂיפָה, בִּילּוּשׁ
detective *n, adj* בַּלָּשׁ; בַּלָּשִׁי
detective story *n* סִיפּוּר בַּלָּשִׁי
detector *n* חוֹשֵׂף, מְגַלֶּה
detention *n* מַעְצָר, מַאֲסָר; עִיכּוּב
deter *vt* הִרְתִּיעַ
detergent *adj, n* מְנַקֶּה; חוֹמֶר מְנַקֶּה
deteriorate *vt, vi* קִלְקֵל; הִתְקַלְקֵל
determine *vt, vi* קָבַע; הִכְרִיעַ, הֶחְלִיט; כִּיוּוֵן
determined *adj* תַּקִּיף בְּדַעְתּוֹ
deterrent *adj, n* מַרְתִּיעַ; גּוֹרֵם מַרְתִּיעַ
detest *vt* תִּיעֵב
dethrone *vt* הִדִּיחַ מִמְּלוּכָה
detonate *vt, vi* פּוֹצֵץ; הִתְפּוֹצֵץ
detour *n* עֲקִיפָה
detour *vt* עָקַף
detract *vt, vi* חִיסֵּר, הִפְחִית
detriment *n* נֵזֶק, רָעָה
detrimental *adj, n* מַזִּיק, גּוֹרֵם הֶפְסֵד
devaluation *n* פִּיחוּת מַטְבֵּעַ
devastate *vt* הָרַס, הֵשַׁם
devastation *n* הֶרֶס, שְׁמָמָה
develop *vt, vi* פִּיתֵּחַ; חָשַׂף; הִתְפַּתֵּחַ; נֶחְשַׂף
developer *n* מְפַתֵּחַ; תְּמִיסַת פִּיתּוּחַ
development *n* פִּיתּוּחַ; הִתְפַּתְּחוּת
deviate *vt, vi* הִטָּה; נָטָה
deviation *n* הַטָּיָה; נְטִיָּה
deviationism *n* סְטִיָּה רַעֲיוֹנִית
deviationist *n* סוֹטֶה
device *n* אַמְצָאָה, הֶתְקֵן, מִתְקָן; תַּחְבּוּלָה
devil *n* שָׂטָן; שֵׁד; רָשָׁע
devil *vt, vi* הִטְרִיד; הֵצִיק
devilish *adj, adv* שֵׁדִי, שְׂטָנִי; מְאוֹד, בְּיוֹתֵר
devilment *n* תַּעֲלוּל; רִשְׁעוּת
deviltry *n* שְׂטָנִיּוּת, רִשְׁעוּת
devious *adj* עֲקַלְקַל, הוֹלֵךְ סְחוֹר־סְחוֹר
devise *vt* תִּכְנֵן, הִמְצִיא; הִנְחִיל
devoid *adj* מְשׁוּלָּל, חָסֵר
devote *vt* הִקְדִּישׁ
devoted *adj* מָכוּר
devotee *n* חוֹבֵב נִלְהָב; קַנַּאי
devotion *n* מְסִירוּת; חֲסִידוּת
devour *vt* בָּלַע, אָכַל; טָרַף
devout *adj* חָסִיד, דָּתִי מָסוּר; אֲמִיתִּי, כֵּן
dew *n* טַל

dew *vt, vi* הִטְלִיל
dewdrop *n* אֱגֶל טַל
dewlap *n* פִּימַת הַצַּוָּאר
dewy *adj* מְטוּלָּל; דוֹמֶה לְטַל
dexterity *n* זְרִיזוּת, מְיוּמָּנוּת
D.F. *abbr* Defender of the Faith
diabetes *n* סוּכֶּרֶת
diabetic *adj, n* שֶׁל סוּכֶּרֶת; חוֹלֵה סוּכֶּרֶת, סוּכַּרְתָּן
diabolic(al) *adj* שְׂטָנִי, שֵׁדִי
diacritical *adj* דִיאַקְרִיטִי, נִיקוּדִי; מְאַבְחֵן
diadem *n* כֶּתֶר, עֲטֶרֶת
di(a)eresis *n* (בִּכתיב) הַבְדָלַת שְׁתֵּי תְנוּעוֹת סְמוּכוֹת
diagnose *vt* אִבְחֵן
diagnosis *n* אִבְחוּן
diagonal *adj, n* אֲלַכְסוֹנִי; אֲלַכְסוֹן
diagram *n* תַּרְשִׁים, דִיאַגְרַמָּה
diagram *vt* תִּרְשֵׁם
dial. *abbr* dialect
dial *n* חוּגָה
dial *vt* חִייֵג
dialect *n* עָגָה, דִיאָלֶקְט
dialogue *n* דוּ־שִׂיחַ, דִיאָלוֹג
dial telephone *n* טֶלֶפוֹן חִיּוּג
dial tone *n* צְלִיל חִיּוּג
diam. *abbr* diameter
diameter *n* קוֹטֶר
diametric *adj* קוֹטְרִי
diamond *n* יַהֲלוֹם; מְעוּיָּן
diamond *adj* יַהֲלוֹמִי; מְשׁוּבָּץ יַהֲלוֹמִים
diaper *n* חִיתּוּל
diaphanous *adj* שָׁקוּף
diaphragm *n* סַרְעֶפֶת

diarrh(o)ea *n* שִׁלְשׁוּל
diary *n* יוֹמָן
Diaspora *n* הַתְּפוּצָה, הַגּוֹלָה
diastole *n* הִתְפַּשְּׁטוּת הַלֵּב
diathermy *n* רִיפּוּי בְּחוֹם אוֹ בְּגַלִּים
dice *n* קוּבִּיּוֹת מִשְׂחָק
dice *vt, vi* חָתַךְ לְקוּבִּיּוֹת
dice box *n* קוּפְסַת קוּבִּיּוֹת־מִשְׂחָק
dichloride *n* דִיכְלוֹרִיד
dichotomy *n* חֲלוּקָּה לִשְׁנַיִם
dict. *abbr* dictionary
dictaphone *n* כְּתַב־קוֹל, דִיקְטָפוֹן
dictate *vt, vi* הִכְתִּיב
dictate *n* תַּכְתִּיב
dictation *n* הַכְתָּבָה; תַּכְתִּיב
dictator *n* רוֹדָן; מַכְתִּיב
dictatorship *n* רוֹדָנוּת, דִיקְטָטוּרָה
diction *n* הֲגִיָּיה
dictionary *n* מִילּוֹן
dictum *n* מֵימְרָה; הַכְרָזָה
didactic *adj* לִימּוּדִי, דִידַקְטִי
die *vi* מֵת; דָעַךְ
die *vt* טָבַע
die *n* מַטְבַּעַת
diehard *n, adj* לוֹחֵם עַד הַסּוֹף
diesel oil *n* שֶׁמֶן דִיזֶל
diestock *n* תַּבְרוֹג
diet *vt, vi* הִתְבָּרָה, שָׁמַר דִיאֶטָה
diet *n* בְּרוֹת, דִיאֶטָה
dietitian, dietician *n* מַבְרֶה, דִיאֶטִיקָן
diff. *abbr* different, difference
differ *vi* הָיָה שׁוֹנֶה; חָלַק עַל
difference *n* הֶבְדֵּל, הֶפְרֵשׁ; אִי־הַסְכָּמָה
different *adj* שׁוֹנֶה

differentiate *vt, vi* הִבְחִין, הִבְדִּיל
difficult *adj* קָשֶׁה
difficulty *n* קוֹשִׁי
diffident *adj* לֹא בּוֹטֵחַ בְּעַצְמוֹ, עָנָיו
diffuse *vt* הֵפִיץ; פִּיזֵּר
diffuse *adj* רַב־מֶלֶל; מְפוּזָּר; נָפוֹץ
dig *vt, vi* חָפַר; חָתַר; עָצַר; חִיטֵּט; הִתְחַפֵּר
dig *n* חֲפִירָה; דְחִיפָה; עֲקִיצָה
digest *vt, vi* עִיכֵּל; הִתְעַכֵּל
digest *n* לֶקֶט, תַּקְצִיר
digestible *adj* עָכִיל, מִתְעַכֵּל
digestion *n* עִיכּוּל, הִתְעַכְּלוּת
digestive *adj* מִתְעַכֵּל, מְסַייֵּעַ לְעִיכּוּל
digit *n* אֶצְבַּע; סִפְרָה
dignified *adj* אֲצִילִי, אוֹמֵר כָּבוֹד
dignify *vt* כִּיבֵּד, רוֹמֵם
dignitary *n, adj* מְכוּבָּד, נִכְבָּד
dignity *n* כָּבוֹד; עֵרֶךְ עַצְמִי
digress *vt* סָטָה, נָטָה
digression *n* סְטִייָה, נְטִייָה
dike *n* דַּיֵק; תְּעָלָה
dike *vt* בָּנָה דַּיֵק; נִיקֵּז
dilapidated *adj* רָעוּעַ, חָרֵב
dilate *vt, vi* הִרְחִיב; הִתְרַחֵב
dilatory *adj* נוֹטֶה לִדְחוֹת, רַשְׁלָנִי
dilemma *n* מִסְפָּק, דִּילֶמָּה
dilettante *n* חוֹבְבָן, חוֹבֵב שִׁטְחִי
diligence *n* שְׁקִידָה, חָרִיצוּת
diligent *adj* חָרוּץ, שַׁקְדָנִי
dill *n* שֶׁבֶת רֵיחָנִי
dillydally *vi* בִּזְבֵּז זְמַנּוֹ
dilute *vt, vi* דִּילֵּל, הִקְלִישׁ
dilute *adj* מָהוּל
dilution *n* דִּילוּל, דְּלִילוּת; הַקְלָשָׁה; מְהִילָה
dim. *abbr* diminutive
dim *adj* עָמוּם
dim *vt, vi* עִמֵּם, הֵעֵם; הוּעַם
dime *n* דַּיים (עשׂרה סנט)
dimension *n* מֵימַד
diminish *vt, vi* הִפְחִית, הִקְטִין
diminutive *adj, n* זְעֵיר־אַנְפִּין; קָטָן; צוּרַת הַקְטָנָה
dimity *n* כְּפוּל־חוּט
dimly *adv* בִּמְעוּמְעָם
dimmer *n* מְעַמְעֵם; עַמָּם
dimple *n* גּוּמַּת־חֵן
dimple *vt* סִימֵּן גּוּמָּה
dimwit *n* שׁוֹטֶה
dim-witted *adj* טִיפְּשִׁי
din *n* הֲמוּלָּה
din *vt, vi* הֵקִים רַעַשׁ
dine *vi, vt* סָעַד, אָכַל; כִּיבֵּד בַּאֲרוּחָה
diner *n* סוֹעֵד; קְרוֹן מִסְעָדָה
dingdong *n* צִלְצוּל חוֹזֵר; שִׁגְרָה
dingdong *adj, adv* שֶׁל מַהֲלוּמוֹת תְּכוּפוֹת
dingy *adj, n* כֵּהֶה, מְלוּכְלָךְ
dining-car *n* קְרוֹן מִסְעָדָה
dining-room *n* חֲדַר־אוֹכֶל
dining-room suite *n* רִיהוּט חֲדַר אוֹכֶל
dinner *n* אֲרוּחָה עִיקָּרִית; אֲרוּחָה חֲגִיגִית
dinner-jacket *n* חֲלִיפַת־עֶרֶב
dinner-pail *n* סִיר מַעֲלוֹת
dinner-set *n* מַעֲרֶכֶת כְּלֵי אוֹכֶל
dinner-time *n* שְׁעַת אֲרוּחַת הָעֶרֶב

dint *n* עוֹצְמָה, מַהֲלוּמָה, כּוֹחַ
dint *vt* סִימֵּן סִימָּנֵי מַכָּה
diocese *n* בִּישׁוֹפוּת
diode *n* דִּיוֹדָה
dioxide *n* דּוּ־תַּחמוֹצֶת
dip *vt, vi* טָבַל, הִשְׁרָה; הוֹרִיד; שָׁקַע
dip *n* טְבִילָה; צְלִילָה; חִיטּוּי; הוֹרָדָה; שֶׁקַע
diphtheria *n* קָרֶמֶת, אַסכְּרָה
diphthong *n* דּוּ־תְּנוּעָה, דִיפְתּוֹנג
diphthongize *vi, vt* שִׁינָּה אוֹ הִשְׁתַּנָּה לְדוּ־תְּנוּעָה
diploma *n* תְּעוּדַת הַסְמָכָה
diplomacy *n* דִּיפּלוֹמַטְיָה
diplomat *n* דִּיפּלוֹמָט
diplomatic *adj* דִּיפּלוֹמָטִי
diplomatic pouch *n* דּוֹאַר דִּיפּלוֹמָטִי
dipper *n* טוֹבֵל; מַטבִּיל; מַצֶּקֶת; פַּכִּית שְׁאִיבָה
dip stick *n* סַרגֵל טוֹבֵל (למדידת כמות שמן וכו׳)
dire *adj* נוֹרָא, מַבעִית
direct *adj, adv* יָשִׁיר, יָשָׁר; יְשִׁירוֹת
direct *vt, vi* כִּיוּוֵן, הִדרִיך; הוֹרָה; בִּיֵּים (מחזה)
direct current *n* זֶרֶם יָשָׁר
direct discourse *n* דִּיבּוּר יָשִׁיר
direct hit *n* פְּגִיעָה יְשִׁירָה
direction *n* כִּיווּן; נִיהוּל; הַדְרָכָה; הַנחָיָה; בִּיּוּם (מחזה וכד׳)
direct object *n* מוּשָׂא יָשִׁיר
director *n* מְנַהֵל; חֲבֵר הַנְהָלָה; בַּמַּאי
directorship *n* הַנְהָלָה, מִשׂרַת מְנַהֵל
directory *n, adj* מַדרִיך
dirge *n* שִׁיר אֵבֶל, קִינָה
dirigible *adj, n* נָהִיג; סְפִינַת אֲוִויר
dirt *n* לִכלוּך; עָפָר; שִׁיקּוּץ
dirt-cheap *adj, adv* בְּזִיל הַזּוֹל
dirt-road *n* דֶּרֶך עָפָר
dirty *adj* מְלוּכלָך, מְזוֹהָם
dirty *vt, vi* לִכלֵך; הִתלַכלֵך
dirty linen *n* כְּבִיסָה מְלוּכלֶכֶת
dirty trick *n* תַּחבּוּלָה שְׁפָלָה
disable *vt* הֵטִיל מוּם בּ..., שָׁלַל כּוֹשֶׁר
disabuse *vt* שִׁחרֵר מֵאַשׁלָיָה
disadvantage *n* חוֹסֶר יִתרוֹן; פְּגָם
disadvantageous *adj* לֹא נוֹחַ
disagree *vi* חָלַק עַל; לֹא תָּאַם
disagreeable *adj* לֹא נָעִים
disagreement *n* חִילּוּקֵי־דֵעוֹת; אִי־הַתאָמָה
disappear *vi* נֶעֱלַם
disappearance *n* הֵיעָלְמוּת
disappoint *vt* אִכזֵב
disappointment *n* הִתאַכזְבוּת; אַכזָבָה
disapproval *n* אִי־שְׂבִיעוּת־רָצוֹן
disapprove *vt, vi* לֹא שָׂבַע רָצוֹן; גִּינָּה
disarm *vt, vi* פֵּירֵק נֶשֶׁק; הִתפָּרֵק מִנִּשׁקוֹ
disarmament *n* פֵּירוּק נֶשֶׁק
disarming *adj* מֵפִיג (כעס וכד׳)
disarray *vt* פָּרַע סֵדֶר
disaster *n* אָסוֹן
disastrous *adj* הֲרֵה אָסוֹן
disavow *vt* נִיעֵר חוֹצנוֹ, הִתכַּחֵשׁ
disband *vt, vi* פֵּירֵק; הִתפָּרֵק

disbar *vt* שָׁלַל מַעֲמָד
disbelief *n* כְּפִירָה
disbelieve *vt, vi* כָּפַר בּ...
disburse *vt* הוֹצִיא כֶּסֶף
disbursement *n* הוֹצָאַת כֶּסֶף
disc. *abbr* discount, discoverer
disc *n* דִיסְקוּס; חוּלְיָה; תַּקְלִיט
discard *vt, vi* זָנַח
discard *n* זְנִיחָה; זָנוּחַ
discern *vt, vi* רָאָה; הִבְחִין
discerning *adj* מַבְחִין; מַבְדִיל
discharge *vt, vi* פָּרַק (מטען); שִׁחְרֵר; יָרָה; פִּיטֵּר; הִשְׁתַּחְרֵר; בִּיצֵּעַ; הִתְפָּרֵק
discharge *n* פְּרִיקַת מִטְעָן; שִׁחְרוּר; יְרִיָּיה; נְזִילָה; הִשְׁתַּחְרְרוּת; בִּיטּוּל
disciple *n* תַּלְמִיד, חָסִיד
disciplinarian *n* דוֹגֵל בְּמִשְׁמַעַת, מִשְׁמַעְתָּן
discipline *n* מִשְׁמַעַת; שִׁיטַת לִימּוּדִים
discipline *vt* מִשְׁמֵעַ; עָנַשׁ
disclaim *vt* הִתְכַּחֵשׁ ל...
disclose *vt* גִילָּה, פִּרְסֵם
disclosure *n* גִילּוּי, פִּרְסוּם
discolor *vt, vi* שִׁינָּה אוֹ קִלְקֵל צֶבַע
discomfiture *n* מְבוּכָה, תְּבוּסָה
discomfort *vt* הִטְרִיד
discomfort *n* אִי־נוֹחוּת, טִרְדָה
disconcert *vt* הֵבִיא בִּמְבוּכָה
disconnect *vt* נִיתֵּק
disconsolate *adj* עָגוּם, אֵין־נִיחוּמִים
discontent *vt* צִיעֵר, לֹא הִשְׂבִּיעַ רָצוֹן
discontent *n* אִי־שְׂבִיעוּת־רָצוֹן
discontented *adj* לֹא מְרוּצֶּה
discontinue *vt, vi* הִפְסִיק; פָּסַק
discord *n* חִיכּוּךְ, מְרִיבָה; דִיסוֹנַנְס
discordance *n* אִי־הַתְאָמָה
discotheque *n* דִיסְקוֹטֶק
discount *vt, vi* נִיכָּה (שטר); שָׁלַל מֵעֵרֶךְ
discount *n* נִיכָּיוֹן, הֲנָחָה
discount rate *n* שַׁעַר הַנִּיכָּיוֹן
discourage *vt* רִיפָּה יָדַיִים; הֵנִיא, הִרְתִּיעַ
discouragement *n* רִיפּוּי יָדַיִים; הַרְתָּעָה
discourse *n* שִׂיחָה; הַרְצָאָה
discourse *vt, vi* שׂוֹחַח; הִרְצָה
discourteous *adj* לֹא אָדִיב
discourtesy *n* חוֹסֶר נִימּוּס
discover *vt* גִילָּה
discovery *n* גִילּוּי; תַּגְלִית
discredit *n* גְנוּת
discredit *vt* פָּגַע בְּשֵׁם טוֹב; הָרַס אֵימוּן
discreditable *adj* מְעוֹרֵר בּוּשָׁה
discreet *adj* מְחוּשָּׁב; פּוֹעֵל בְּשֶׁקֶט
discrepancy *n* סְתִירָה
discrete *adj* מְנוּתָּק; סֵירוּגִי
discretion *n* כּוֹחַ שִׁיפּוּט; שִׁיקּוּל־דַעַת
discriminate *vt, vi* הִפְלָה; הִבְחִין
discrimination *n* הַפְלָיָה; הַבְחָנָה
discriminatory *adj* מַפְלֶה
discursive *adj* סוֹטֶה מֵעִנְיָן לְעִנְיָן
discus *n* דִיסְקוּס
discuss *vt, vi* הִתְוַכֵּחַ, דָן
discussion *n* וִיכּוּחַ, דִיּוּן
disdain *vt* בָּז
disdain *n* שְׁאָט־נֶפֶשׁ, בּוּז
disdainful *adj* בָּז

disease *n* מַחֲלָה
diseased *adj* נָגוּעַ בְּמַחֲלָה
disembark *vt, vi* הוֹרִיד אוֹ יָרַד מֵאוֹנִיָּה
disembarkation *n* הוֹרָדָה אוֹ יְרִידָה מֵאוֹנִיָּה
disembowel *vt* הוֹצִיא אֶת הַמֵּעַיִים
disenchant *vt* שִׁחְרֵר מֵאַשְׁלָיָה
disenchantment *n* הִתְפַּכְּחוּת
disengage *vt* שִׁחְרֵר, הִתִּיר
disengagement *n* שִׁחְרוּר; הִינָּתְקוּת
disentangle *vt* הִתִּיר סְבַךְ, חִילֵּץ
disentanglement *n* הַתָּרַת סְבַךְ; הֵיחָלְצוּת
disestablish *vt* בִּיטֵּל הַכָּרָה
disfavor *n* אִי־אַהֲדָה
disfavor *vt* לֹא אָהַד
disfigure *vt* הִשְׁחִית צוּרָה
disfranchise *vt* שָׁלַל זְכוּיּוֹת אֶזְרָחוּת
disgorge *vt, vi* הֵקִיא; הֶחֱזִיר גָּזֵל
disgrace *n* קָלוֹן, אִי־כָּבוֹד
disgrace *vt* הֵסִיר חִנּוֹ מִן; בִּייֵּשׁ
disgraceful *adj* מַחְפִּיר
disgruntled *adj* מְמוּרְמָר, מְאוּכְזָב
disguise *vt, vi* הִסְוָוה, הִסְתִּיר
disguise *n* תַּחְפּוֹשֶׂת
disgust *vt, vi* מְעוֹרֵר גּוֹעַל־נֶפֶשׁ
disgust *n* סְלִידָה, גּוֹעַל נֶפֶשׁ
disgusting *adj* גּוֹעֲלִי
dish *n* צַלַּחַת, קְעָרִית; תַּבְשִׁיל
dish *vt* שָׂם אוֹכֶל בְּצַלָּחוֹת
dishcloth *n* סְמַרְטוּט כֵּלִים
dishearten *vt* דִּיכָּא, רִיפָּה יָדַיִים
dishevel *vt, vi* פֵּרַע

dishonest *adj* לֹא יָשָׁר, נוֹכֵל
dishonesty *n* אִי־הֲגִינוּת, אִי־יוֹשֶׁר
dishonor *vt* שָׁלַל כָּבוֹד מִן; בִּייֵּשׁ; מֵיאֵן לְשַׁלֵּם
dishonor *n* שְׁלִילַת כָּבוֹד; קָלוֹן, בּוּשָׁה
dishonorable *adj* מֵבִישׁ, שָׁפָל
dishpan *n* גִּיגִית כֵּלִים
dish rack *n* סוֹרֵג צַלָּחוֹת
dishrag *n* סְמַרְטוּט לְכֵלִים
dishwasher *n* מֵדִיחַ כֵּלִים
dishwater *n* מֵי כֵּלִים
disillusion *vt* נִיפֵּץ אַשְׁלָיָה
disillusionment *n* הִתְפַּכְּחוּת
disinclination *n* אִי־נְטִיָּה; סֵירוּב
disincline *vt, vi* הִטָּה לֵב מִן; לֹא נָטָה
disinfect *vt* חִיטֵּא
disinfectant *adj, n* מְחַטֵּא
disingenuous *adj* לֹא כֵּן, מְעוּשֶּׂה
disinherit *vt* שָׁלַל יְרוּשָּׁה
disintegrate *vt, vi* פּוֹרֵר; הִתְפּוֹרֵר
disintegration *n* הִתְפָּרְדוּת; הִתְפּוֹרְרוּת
disinter *vt* הוֹצִיא מִקִּבְרוֹ
disinterested *adj* שֶׁאֵין לוֹ טוֹבַת־הֲנָאָה; אָדִישׁ
disinterestedness *n* אִי־טוֹבַת־הֲנָאָה; אִי־הִתְעַנְיְינוּת
disjunctive *adj* מַפְרִיד; מַבְחִין
disk *n* דִּיסְקוּס; תַּקְלִיט
disk-jockey *n* קַרְיַין תַּקְלִיטִים
dislike *vt* לֹא חִיבֵּב, סָלַד
dislike *n* אִי־חִיבָּה
dislocate *vt* הֵזִיחַ; הִנְקִיעַ; שִׁיבֵּשׁ

dislodge *vt* סִילֵּק מִמְּקוֹמוֹ
disloyal *adj* לֹא נֶאֱמָן, בּוֹגֵד
disloyalty *n* אִי־נֶאֱמָנוּת, בְּגִידָה
dismal *adj* עָגוּם, מַעֲצִיב
dismantle *vt* פֵּירֵק; הָרַס
dismay *vt* רִיפָּה יָדַיִים
dismay *n* רִפְיוֹן יָדַיִים, יֵיאוּשׁ
dismember *vt* קָטַע אֵיבָר; חִילֵּק (מדינה)
dismiss *vt, vi* הוֹרָה לְהִתְפַּזֵּר; הִתִּיר לָלֶכֶת; פִּיטֵּר
dismissal *n* פִּיזּוּר; שִׁילּוּחַ; פִּיטּוּרִים
dismount *vt, vi* הוֹרִיד; יָרַד
disobedience *n* אִי־צִיּוּת
disobedient *adj* סוֹרֵר
disobey *vt* לֹא צִייֵּת
disorder *n* אִי־סְדָרִים, עִרְבּוּבְיָה
disorder *vt* שִׁיבֵּשׁ סֵדֶר; בִּלְבֵּל
disorderly *adj* לֹא מְסוּדָּר; מְבוּלְבָּל
disorderly *adv* בְּאִי־סֵדֶר; מִתְפָּרֵעַ
disorderly house *n* בֵּית־זוֹנוֹת
disorganize *vt* שִׁיבֵּשׁ סֵדֶר
disown *vt* הִתְכַּחֵשׁ ל...
disparage *vt* הֵקֵל בְּעֵרֶךְ
disparagement *n* הֲקַלָּה בְּעֵרֶךְ
disparate *adj* שׁוֹנֶה
disparity *n* הֶבְדֵּל
dispassionate *adj* קַר־רוּחַ
dispatch, despatch *vt* שָׁלַח; הֵמִית
dispatch, despatch *n* שְׁלִיחָה; בִּיצּוּעַ יָעִיל
dispel *vt* פִּיזֵּר
dispensary *n* בֵּית־מִרְקַחַת
dispense *vt, vi* חִילֵּק; הִרְקִיחַ; וִיתֵּר
disperse *vt, vi* פִּיזֵּר; הִתְפַּזֵּר
displace *vt* עָקַר מִמְּקוֹמוֹ; תָּפַס מְקוֹמוֹ
displaced person *n* עָקוּר
display *vt* הֶרְאָה, הִצִּיג לְרַאֲוָוה
display *n* תְּצוּגָה; חִישּׂוּף
display cabinet *n* אֲרוֹן רַאֲוָוה
display window *n* חַלּוֹן רַאֲוָוה
displease *vt, vi* הִרְגִּיז; לֹא נָעַם
displeasing *adj* שֶׁאֵינוֹ מוֹצֵא חֵן
displeasure *n* אִי־שְׂבִיעוּת־רָצוֹן
disposable *adj* שֶׁאֶפְשָׁר לְזָרְקוֹ
disposal *n* סִילּוּק; סִידּוּר מִיקּוּם; רָשׁוּת
dispose *vt, vi* סִידֵּר; מִיקֵּם; נָטָה; חִילֵּק
disposition *n* מֶזֶג, מַצַּב־רוּחַ; נְטִיָּה; מַעֲרָךְ
dispossess *vt* נִישֵּׁל מִנְּכָסָיו
disproof *n* הַפְרָכָה, הֲזַמָּה
disproportion *n* חוֹסֶר יַחַס, דִּיסְפְּרוֹפּוֹרְצְיָה
disproportionate *adj* חֲסַר יַחַס
disprove *vt* הִפְרִיךְ
dispute *vt, vi* הִתְוַוכֵּחַ, עִרְעֵר
dispute *n* וִיכּוּחַ, מַחֲלוֹקֶת
disqualify *vt* פָּסַל; שָׁלַל זְכוּיוֹת
disquiet *vt* הִפְרִיעַ אֶת הַשַּׁלְוָוה
disquiet *n* אִי־שֶׁקֶט; דְּאָגָה
disregard *vt* הִתְעַלֵּם מִן
disregard *n* הִתְעַלְּמוּת
disrepair *n* מַצָּב הַטָּעוּן תִּיקּוּן
disreputable *adj* בַּעַל שֵׁם רַע
disrepute *n* שֵׁם רַע
disrespect *n* חוֹסֶר כָּבוֹד
disrespectful *adj* חָצוּף
disrobe *vt, vi* פָּשַׁט; הִתְפַּשֵּׁט

disrupt *vt, vi* שִׁיבֵּר, נִיתֵּץ
dissatisfaction *n* אִי־שְׂבִיעוּת־רָצוֹן
dissatisfied *adj* לֹא מְרוּצֶה
dissatisfy *vt* גָּרַם לְאִי־שְׂבִיעוּת־רָצוֹן
dissect *vt* נִיתַּח, בִּיתֵּר
dissemble *vt, vi* הֶעֱמִיד פָּנִים
disseminate *vt* הֵפִיץ, זָרַע
dissension *n* חִילּוּקֵי דֵעוֹת
dissent *vi* חָלַק עַל
dissent *n* אִי־הַסְכָּמָה
dissenter *n* מִסְתַּיֵּג, פּוֹרֵשׁ
disservice *n* שֵׁירוּת דוֹב
dissever *vt, vi* נִיתֵּק, חִילֵּק; נִיתַּק
dissidence *n* אִי־הַסְכָּמָה; פְּרִישָׁה
dissident *adj, n* חוֹלֵק; פּוֹרֵשׁ
dissimilar *adj* לֹא דוֹמֶה
dissimilate *vt, vi* שִׁינָּה; הִשְׁתַּנָּה
dissimulate *vt, vi* הֶעֱמִיד פָּנִים
dissipate *vt, vi* פִּיזֵּר; הִתְפַּזֵּר; הִתְפָּרֵק
dissipated *adj* מִתְהוֹלֵל; שֶׁבְּתַעֲנוּגוֹת
dissipation *n* פִּיזּוּר, הִתְפָּרְדוּת; הוֹלֵלוּת
dissociate *vt, vi* הִתְנַעֵר; נִיתֵּק; נִיתַּק
dissolute *adj* מִתְהוֹלֵל, מוּפְקָר
dissolution *n* חִיסּוּל; פֵּירוּק; הַפְרָדָה אוֹ הִיפָּרְדוּת; הֲמַסָּה
dissolve *vt, vi* הֵמֵס, מוֹסֵס; הִתִּיר (קשר); פִּיזֵּר; פֵּירֵק; הִתְפָּרֵק
dissonance *n* אִי־הַתְאָמָה; צְרִירוּת
dissuade *vt* הֵנִיא
dissyllabic *adj* דוּ־הֲבָרִי
dissyllable *n* מִלָּה דוּ־הֲבָרִית

dist. *abbr* district
distaff *n* פֶּלֶך; מִין נְקֵבָה
distaff side *n* צַד הָאֵם אוֹ הָאִישָּׁה (לגבי קרוב)
distance *n* מֶרְחָק, רוֹחַק
distant *adj* רָחוֹק, מְרוּחָק; צוֹנֵן
distaste *n* סְלִידָה, בְּחִילָה
distasteful *adj* סַר־טַעַם; לֹא נָעִים
distemper *n* מַחֲלַת כְּלָבִים
distend *vt, vi* הִתְנַפֵּחַ
distension *n* נִיפּוּחַ
distil, distill *vt, vi* זִיקֵּק; טִפְטֵף; זוּקַּק
distillation *n* זִיקּוּק
distillery *n* מִזְקָקָה
distinct *adj* מוּבְהָק; נִבְדָל
distinction *n* צִיּוּן; הַבְחָנָה, הֶבְדֵל; יִיחוּד; הִצְטַיְּנוּת
distinctive *adj* אוֹפְיָנִי, בָּרוּר
distinguish *vt, vi* הִבְחִין, הִבְדִּיל; אִפְיֵין
distinguished *adj* דָגוּל
distort *vt* עִיוּוֵת, סֵירֵס
distortion *n* סֵירוּס, עִיוּוּת
distraction *n* הַטָּיַת תְּשׂוּמֶת־הַלֵּב; בִּידּוּר; אִי־רִיכּוּז
distraught *adj* מְטוֹרָף; מְפוּזָּר
distress *vt* הִכְאִיב; צִיעֵר
distress *n* יִיסּוּרִים, מְצוּקָה
distressed area *n* אֵיזוֹר נֶחֱשָׁל
distressing *adj* מְדַכֵּא, מְצַעֵר
distribute *vt* הֵפִיץ; חִילֵּק
distribution *n* הֲפָצָה; חֲלוּקָה
distributor *n* מְחַלֵּק; מֵפִיץ
district *n* מָחוֹז, אֵיזוֹר

district *vt* מִיחֵז, חִילֵּק לְמחוזות
district attorney *n* פְּרַקְלִיט הַמָּחוֹז
distrust *n* אִי־אֵימוּן
distrust *vt* רָחַשׁ אִי־אֵימוּן ל...
distrustful *adj* חַשְׁדָן
disturb *vt* הִפְרִיעַ; פָּרַע סֵדֶר
disturbance *n* הַפְרָעָה; אִי־סֵדֶר
disuse *n* יְצִיאָה מִכְּלַל שִׁימּוּשׁ
disuse *vt* הִפְסִיק שִׁימּוּשׁ
ditch *n* חֲפִירָה; תְּעָלַת־נִיקּוּז
ditch *vt, vi* חָפַר תְּעָלָה;
(המונית) נָטַשׁ בְּעֵת צָרָה
dither *n* הִתְרַגְּשׁוּת; בִּלְבּוּל
ditto (do.) *n, adv* כַּנַּ״ל, שָׁם
ditto *vt* שִׁכְפֵּל
ditty *n* זֶמֶר
div. *abbr* dividend, division
diva *n* זַמֶּרֶת גְדוֹלָה
divan *n* סַפָּה
dive *vt, vi* צָלַל
dive *n* צְלִילָה
dive-bomb *vt, vi* הִפְצִיץ בִּצְלִילָה,
פִּצְלֵל
dive-bombing *n* פִּצְלוּל,
הַפְצָצַת־צְלִילָה
diver *n* צוֹלֵל; אֲמוֹדַאי
diverge *vt, vi* הִסְתָּעֵף; סָטָה
divers *adj* אֲחָדִים
diverse *adj* שׁוֹנֶה
diversification *n* גִּיווּן
diversified *adj* מְגוּוָּן, רַב־צוּרוֹת
diversion *n* נְטִיָּה מִמַּסְלוּל;
סְטִיָּה; בִּידּוּר
diversity *n* שׁוֹנוּת; גִּיווּן
divert *vt* הִטָּה; הֵסִיחַ; בִּידֵּר
diverting *adj* מַטֶּה; מֵסִיחַ; מְבַדֵּר
divest *vt* הִפְשִׁיט; שָׁלַל מִן
divide *vt, vi* חִילֵּק; הִפְרִיד; הִתְחַלֵּק
divide *n* פָּרָשַׁת מַיִם
dividend *n* מְחוּלָּק; דִּיווִידֶנְדָּה
dividers *n pl* מְחוּגַת מְדִידָה
divination *n* נִיבּוּי; רְאִיַּית הַנּוֹלָד
divine *vt, vi* נִיבָּא, נִיחֵשׁ
divine *adj, n* אֱלוֹהִי; כּוֹהֵן דָּת
diving *n* צְלִילָה
diving bell *n* פַּעֲמוֹן צוֹלְלִים
diving board *n* מִקְפֶּצֶת צוֹלֵל
diving suit *n* מַדֵּי צוֹלֵל
divining-rod *n* מַטֵּה־אִיתּוּר
divinity *n* אֱלוֹהוּת; תֵּיאוֹלוֹגְיָה
division *n* חֲלוּקָּה; הִתְחַלְּקוּת;
(בחשבון) חִילּוּק; (בצבא) אוּגְדָּה
divisor *n* מְחַלֵּק
divorce *n* גֵּירוּשִׁים, גֵּט
divorce *vt, vi* גֵּירֵשׁ, הִתְגָּרֵשׁ
divorcee *n* גָּרוּשׁ, גְּרוּשָׁה
divulge *vt* גִּילָּה
dizziness *n* סְחרוּר, סְחַרְחוֹרֶת
dizzy *adj* סְחַרְחַר; מְבוּלְבָּל
dizzy *vt, vi* סִחְרֵר; בִּלְבֵּל
do *vt, vi* עָשָׂה, פָּעַל; (המונית) רִימָּה
docile *adj* צַיְיתָן; לָמִיד
dock *vt, vi* הֵבִיא לָרָצִיף; זִינֵּב;
נִיכָּה (ממשׂכורת וכד׳)
dock *n* רָצִיף; תָּא הַנֶּאֱשָׁם; זָנָב
dockage *n* דְּמֵי הַחֲזָקָה
docket *n* רְשִׁימַת מִשְׁפָּטִים;
תָּווִית מִסְמָכִים
docket *vt* הִכְנִיס לִרְשִׁימַת הַמִּשְׁפָּטִים
dock hand *n* פּוֹעֵל נָמֵל

dockyard *n* מִסְפָּנָה
doctor *n* רוֹפֵא, מְנַתֵּחַ; דוֹקטוֹר
doctor *vt, vi* נָתַן טִיפּוּל רְפוּאִי; פִּיגֵּל
doctorate *n* תּוֹאַר דוֹקטוֹר; עֲבוֹדַת דוֹקטוֹר
doctrine *n* מִשְׁנָה, דוֹקטְרִינָה
document *n* מִסְמָךְ
document *vt* תִּיעֵד
documentary *adj* מִסְמָכִי, תִּיעוּדִי
documentary *n* סֶרֶט תְּעוּדָתִי
documentation *n* תִּיעוּד
dodge *vt, vi* נִרְתַּע הַצִּדָּה; הִתְחַמֵּק
dodge *n* הִתְחַמְּקוּת; טַכְסִיס
dodo *n* יוֹנָה בַּרְוָזִית
doe *n* צְבִיָּה, אַיָּלָה
doeskin *n* עוֹר אַיָּלוֹת
doff *vt, vi* פָּשַׁט; הֵסִיר
dog *n* כֶּלֶב
dog *vt* עָקַב; רָדַף
dog catcher *n* תּוֹפֵס כְּלָבִים; (המונית) מַחֲלִיף פּוֹעֵל רַכֶּבֶת
dog days *n pl* יְמֵי־מַזַּל־כֶּלֶב
doge *n* דוֹג'ה
dogged *adj* מִתְעַקֵּשׁ, עַקְשָׁן
doggerel *n, adj* חַרְזָנוּת בַּדְּחָנִית; בַּדְּחָנִי
doggy *adj* שֶׁל כְּלָבִים
doghouse *n* מְלוּנַת כֶּלֶב
dog in the manger *n* הָאוֹמֵר גַּם לִי גַּם לְךָ לֹא יִהְיֶה
dog Latin *n* לָטִינִית מְשׁוּבֶּשֶׁת
dogmatic *adj* דוֹגמָטִי
dog racing *n* מֵרוֹצֵי כְּלָבִים
dog show *n* תַּעֲרוּכַת כְּלָבִים

dog's life *n* חַיֵּי כֶּלֶב
dog-star *n* אַבְרֵק, סִירִיוּס
dog-tired *adj* עָיֵף כְּכֶלֶב
dogtooth *n* שֵׁן כֶּלֶב
dog track *n* מַסְלוּל לְמֵרוֹצֵי כְּלָבִים
dogwatch *n* מִשְׁמֶרֶת הַכֶּלֶב
dogwood *n* מוֹרָן דָּמִי
doily *n* מַפִּית
doing *adj* עוֹשֶׂה; מִתְרַחֵשׁ
doing *n* מַעֲשֶׂה
doldrums *n pl* רוֹגַע, דִּכְדּוּךְ
dole *n* צְדָקָה; סַעַד
dole *vt* חִילֵּק בְּקַמְּצָנוּת
doleful *adj* עָגוּם; מְדַכֵּא
doll *n* בּוּבָּה
doll *vt, vi* הִתְהַדֵּר בִּלְבוּשׁ
dollar *n* דוֹלָר
dollar mark *n* סִימַן דוֹלָר
dolly *n* עֶגְלַת־יָד לְמַשָּׂא; בּוּבָּה
dolphin *n* דוֹלְפִין
dolt *n* שׁוֹטֶה
doltish *adj* אֱוִילִי
domain *n* תְּחוּם הַשְׁפָּעָה
dom. *abbr* domestic, dominion
dome *n* כִּיפָּה
dome light *n* נוּרַת תִּקְרָה
domestic *adj, n* בֵּיתִי; מְבוּיָּת; פְּנִימִי
domesticate *vt* אִילֵּף, בִּיֵּית
domicile *n* מְקוֹם מְגוּרִים
domicile *vt, vi* הוֹשִׁיב; גָּר
dominance *n* שְׁלִיטָה; עֶלְיוֹנוּת
dominant *adj* שׁוֹלֵט; גּוֹבֵר
dominant *n* גָּבֵר, דוֹמִינַנְטָה (בְּמוּסִיקָה)
dominate *vt, vi* שָׁלַט; הִשְׁתַּלֵּט עַל
domination *n* שְׁלִיטָה; הִשְׁתַּלְּטוּת

domineer *vi* רָדָה; הִתְנַשֵּׂא
domineering *adj* שְׁתַלְטָנִי
Dominican *n* דּוֹמִינִיקָנִי
dominion *n* רִיבּוֹנוּת, שִׁלְטוֹן; דּוֹמִינְיוֹן (בקהילייה הבריטית)
dominium *n* זְכוּת בַּעֲלוּת
domino *n* (dominoes *pl*) דּוֹמִינוֹ
don *n* דּוֹן; מַרְצֶה בְּאוּנִיבֶרסִיטָה
don *vt* לָבַשׁ, חָבַשׁ
donate *vt* נִידֵּב
donation *n* מַתָּנָה, נְדָבָה
done *adj* מְבוּצָּע, גָּמוּר; מְסוּדָּר; עָשׂוּי
done for *adj* (דיבורית) 'גָּמוּר', לֹא יָכוֹל עוֹד לְהַמְשִׁיךְ
donjon *n* מִבְצָר
Don Juan *n* דּוֹן ז'וּאָן
donkey *n* חֲמוֹר
donnish *adj* דּוֹמֶה אוֹ אוֹפְיָינִי לְאִישׁ אוּנִיבֶרסִיטָה
donor *n* מְנַדֵּב; נַדְבָן
doodle *n* 'קִשְׁקוּשׁ', שִׁרְבּוּט
doodle *vt*, *vi* 'קִשְׁקֵשׁ', שִׁרְבֵּט
doom *n* גּוֹרָל; קֵץ, מָוֶת, חוּרְבָּן
doom *vt* חָרַץ דִּין, הִרְשִׁיעַ
doomsday *n* יוֹם־הַדִּין
door *n* דֶּלֶת, פֶּתַח
doorbell *n* פַּעֲמוֹן דֶּלֶת
door check *n* מוֹנֵעַ טְרִיקָה
doorframe *n* לַזְבֵּז הַדֶּלֶת
doorhead *n* מַשְׁקוֹף הַדֶּלֶת
doorjamb *n* מְזוּזַת הַדֶּלֶת
doorknob *n* יְדִית הַדֶּלֶת
door knocker *n* מַקּוֹשׁ דֶּלֶת
door latch *n* בְּרִיחַ
door-man *n* שׁוֹעֵר
doormat *n* שַׁפְשֶׁפֶת, מַחֲצֶלֶת דֶּלֶת
doornail *n* בְּרִיחַ
doorpost *n* מְזוּזַת הַדֶּלֶת
door scraper *n* מַגְרֵד פֶּתַח
doorsill *n* סַף הַדֶּלֶת
doorstep *n* מִפְתַּן הַדֶּלֶת
doorstop *n* מַעְצֵר־דֶּלֶת
doorway *n* פֶּתַח
dope *n* נוֹזֵל סָמִיךְ; חוֹמֶר סוֹפֵג; (המונית) מְטוּמְטָם; (המונית) סַמִּים; (המונית) יְדִיעוֹת
dope *vt* שִׁיכֵּר, טִמְטֵם בְּסַמִּים
dope fiend *n* נַרְקוֹמָן
dope sheet *n* מֵידָע סוֹדִי (על סוס־מירוץ)
dormant *adj* יָשֵׁן, רָדוּם; לֹא פָּעִיל
dormer window *n* גַּמְלוֹן, חַלּוֹן גַּמְלוֹן
dormitory *n* בֵּית־מִיטּוֹת; חֲדַר־מִיטּוֹת
dormouse *n* מַרְמִיטָה
dosage *n* מִינּוּן
dose *n* מָנָה
dose *vt*, *vi* מִינֵּן
dossier *n* תִּיק מִסְמָכִים
dot *n* נְקוּדָּה; רְבָב
dot *vt*, *vi* נִיקֵּד, סִימֵּן נְקוּדּוֹת
dotage *n* סִכְלוּת (של זקנה)
dotard *n* סָכָל זָקֵן
dote *vi* חִיבֵּב חִיבָּה יְתֵרָה
doting *adj* מְחַבֵּב חִיבָּה יְתֵרָה; טִיפְּשִׁי
dots and dashes *n pl* נְקוּדּוֹת וְקַוּוִים
dotted *adj* מְנוּקָּד
double *adj*, *adv*, *n* כָּפוּל, פִּי שְׁנַיִם; זוּגִי; כָּפִיל

double *vt, vi* הִכְפִּיל; נִכְפַּל; רָץ
double-barreled *adj* דו־קָנִי; דו־מַשְׁמָעִי
double bass *n* בַּטנוּן, כִּינּוֹר בַּס
double bassoon *n* תַּת בַּסּוֹן
double bed *n* מִיטָּה כְּפוּלָה
double-breasted *adj* כְּפוּל־פְּרִיפָה
double chin *n* פִּימָה
double-cross *n* רַמָּאוּת, בְּגִידָה
double-cross *vt* הוֹנָה
double-dealer *n* נוֹכֵל, דו־פַּרצוּפִי
double-edged *adj* שֶׁל חֶרֶב פִּיפִיּוֹת
double entry *n* רִישּׁוּם כָּפוּל
double feature *n* סֶרֶט כָּפוּל
double-header *n* רַכֶּבֶת דו־קַטָּרִית
double-jointed *adj* גְמִישׁ פְּרָקִים
double-park *n* חֲנִיָּה כְּפוּלָה
double-quick *adj* זָרִיז בְּיוֹתֵר
doublet *n* מַדִּים הֲדוּקִים; זוּג דְבָרִים דוֹמִים; דוּבְלֶטָה
double talk *n* דִּיבּוּר דו־מַשְׁמָעִי
double time *n* שָׂכָר כָּפוּל (בּעד שעות נוספות)
doubleton *n* כֶּפֶל־קְלָפִים
double track *n* מַסלוּל כָּפוּל
doubt *vt, vi* פִּקְפֵּק; חָשַׁד
doubt *n* פִּקְפּוּק, סָפֵק
doubter *n* סַפְקָן
doubtful *adj* מְפוּקְפָּק; לֹא וַדָּאִי; דו־מַשְׁמָעִי
doubtless *adv, adj* וַדַּאי; וַדָּאִי
dough *n* בָּצֵק, עִיסָּה; כֶּסֶף
doughboy *n* חַיָּל רָגִיל
doughnut *n* סוּפְגָּנִית, לְבִיבָה
doughty *adj* חָזָק, אַמִּיץ
doughy *adj* בְּצֵקִי, רַךְ
dour *adj* קוֹדֵר, זוֹעֵף
douse *vt, vi* הִטְבִּיל; כִּיבָּה; נִטְבַּל
dove *n* יוֹנָה
dovecot(e) *n* שׁוֹבָךְ
dovetail *n* זְנַבְיוֹן
dovetail *vt, vi* חִיבֵּר בִּזְנַבְיוֹנִים
dowager *n* אַלְמָנָה יוֹרֶשֶׁת מִבַּעְלָהּ
dowdy *adj* רַשְׁלָנִית בִּלְבוּשָׁהּ
dowel *n* פִּין
dowel *vt* חִיזֵּק בְּפִינִים
dower *n* נְדוּנְיָה; נִכְסֵי הָאִשָּׁה
dower *vt* הֶעֱנִיק חֵלֶק (לאלמנה)
down *adv, prep* לְמַטָּה, מַטָּה; בִּנְקוּדָּה נְמוּכָה יוֹתֵר; בִּמְזוּמָּן (מקדמה)
down *adj* יוֹרֵד; מוּפְנֶה מַטָּה; מְדוּכָּא
down *n* יְרִידָה; מַעֲטֵה נוֹצוֹת; פְּלוּמָה
down *vt, vi* הִפִּיל; הִכְנִיעַ; גָּמַע
downcast *adj* מוּפְנֶה מַטָּה; מְדוּכָּא
downcast *n* הֲפִיכָה, הֶרֶס; מַבָּט מַשְׁפִּיל
downfall *n* גֶּשֶׁם שׁוֹטֵף; מַפָּלָה
downgrade *n* מִדְרוֹן
downgrade *vt* הוֹרִיד בְּדַרְגָּה; רִידֵּג
downhearted *adj* מְדוּכָּא, עָצוּב
downhill *adj, adv* יוֹרֵד, מִדְרוֹנִי; אֶל רַגְלֵי הָהָר
downstairs *adj, adv, n* בְּקוֹמָה תַּחְתּוֹנָה; לְמַטָּה בַּמַּדְרֵגוֹת
downstream *adv* בְּכִיווּן הַזֶּרֶם
downstroke *n* לוּכְסָן
downtown *adj, adv* בְּמֶרְכַּז הָעִיר; אֶל מֶרְכַּז הָעִיר

down train *n* רַכֶּבֶת יוֹצֵאת
downtrend *n* מְגַמַּת יְרִידָה
downtrodden *adj* נָתוּן לְדִיכּוּי
downward, downwards *adj, adv* כְּלַפֵּי מַטָּה; בִּירִידָה
downy *adj* מְכוּסֶה פְּלוּמָה; מַרגִיעַ
dowry *n* נְדוּנְיָה
doz. *abbr* dozen, dozens
doze *vi* נִמנֵם
doze *n* תְּנוּמָה קְצָרָה
dozen *n* תְּרֵיסָר
dozy *adj* מְיוּשָׁן, מְנוּמנָם
D.P. *abbr* Displaced Person
Dr. *abbr* Doctor
dr. *abbr* debtor, drawer, dram
drab *n* אָפוֹר, חַדגוֹנִי; מְרוּשֶׁלֶת
drab *adj* אָפוֹר; מְשַׁעֲמֵם
drachma *n* דרַכמָה
draft *n* חִיּוּל; טְיוּטָא; מִמשָׁך; הַמחָאָה
draft *vt* סִרטֵט, טִיֵּט; חִיֵּיל
draft *adj* שֶׁל מַשָּׂא
draft age *n* גִּיל גִּיוּס
draft beer *n* בִּירָה מֵחָבִית
draft call *n* צַו גִּיוּס
draft dodger *n* מִשׁתַּמֵּט
draftee *n* מְחוּיָּל
drafting room *n* חֲדַר סִרטוּט
draftsman *n* סַרטָט; מְנַסֵּחַ מִסמָכִים
draft treaty *n* טְיוּטַת חוֹזֶה
drafty, draughty *adj* פָּתוּחַ לָרוּחַ
drag *vt, vi* סָחַב; גָּרַר; נִגרַר
drag *n* רֶשֶׁת לְמִשׁיַּת טְבוּעִים; מִגרָרָה; מִכשׁוֹל
dragnet *n* מִכמוֹרֶת, רֶשֶׁת
dragoon *n* חַיַּל-פָּרָשׁ

dragoon *vt* הִסתָּעֵר, הִכנִיעַ
drain *vt, vi* נִיקֵּז; רוֹקֵן; הִתרוֹקֵן
drain *n* נֶקֶז, בִּיב
drainage *n* נִיקּוּז; בִּיּוּב; סְחִי
drainboard *n* דַּף יִיבּוּשׁ
drain cock *n* בֶּרֶז הֲרָקָה
drain-pipe *n* בִּיב; צִינּוֹר נִיקּוּז
drain plug *n* מְגוּפַת הֲרָקָה
drake *n* בַּרווָז
dram *n* דרַכמָה
drama *n* מַחֲזֶה, דרָמָה
dramatic *adj* דרָמָתִי
dramatist *n* מַחֲזַאי
dramatize *vt, vi* הִמחִיז
dramshop *n* מִסבָּאָה
drape *n* אֲרִיגִים, וִילוֹנוֹת
drape *vt* כִּיסָּה בִּירִיעוֹת וכד׳
drapery *n* אֲרִיגִים, כְּסוּי
drastic *adj* נִמרָץ, חָזָק
draught *see* draft
draught beer *n* בִּירָה מִן הֶחָבִית
draughts *n pl* מִשׂחַק הַדַּמקָה
draw *vt, vi* מָשַׁךְ; שִׂרטֵט; שָׁלַף (חרב וכד׳); הִקִּיז (דם); שָׁאַב; נִיסַּח; יָצָא בְּתֵיקוּ
draw *n* מְשִׁיכָה; שְׁאִיבָה; שְׁלִיפָה; תֵּיקוּ; פִּיתָּיוֹן
drawback *n* מִכשׁוֹל; חִיסָּרוֹן; תַּשׁלוּם מוּחזָר
drawbridge *n* גֶּשֶׁר זָחִיחַ
drawee *n* נִמשָׁךְ
drawer *n* מוֹשֵׁךְ, גּוֹרֵר; מְסַרטֵט; מוֹשֵׁךְ שֶׁק
drawer *n* מְגֵירָה
drawing *n* סִרטוּט

drawing-board *n* לוּחַ סִרטוּט
drawing card *n* מוֹקֵד הִתעַניְינוּת, לָהִיט
drawing-room *n* חֲדַר־אוֹרְחִים
drawl *vt, vi* דִיבֵּר לְאַט
drawl *n* דִיבּוּר אִיטִי
drawn *adj* נִמשָׁך, נִסחָב; (חרב) שְׁלוּפָה; תֵּיקוּ; מָתוּחַ
drawn butter *n* חֶמאָה מְתוּבֶּלֶת
drawn work *n* רִקמָה
dray *n* קְרוֹנִית
dray *vt, vi* הוֹבִיל בִּקרוֹנִית
drayage *n* הוֹבָלָה בִּקרוֹנִית
dread *vt, vi* נִתקַף אֵימָה
dread *n* אֵימָה
dread *adj* נוֹרָא
dreadful *adj* מַחֲרִיד, אָיוֹם
dreadnought, dreadnaught *n* אוֹנִיַּת־קְרָב
dream *n* חֲלוֹם
dream *vt, vi* חָלַם, הָזָה
dreamer *n* חוֹלְמָן
dreamland *n* עוֹלַם הַדִּמיוֹן
dreamy *adj* חוֹלֵם, חוֹלֵם בְּהָקִיץ
dreary *adj* מַעֲצִיב; מְשַׁעֲמֵם
dredge *n* דַחפּוֹר, מַחפֵּר
dredge *vt, vi* גָרַף בְּמַחפֵּר, דִחפֵּר
dredger *n* דַחפּוֹר; דַחפּוֹרַאי, נַהַג דַחפּוֹר
dredging *n* חֲפִירָה בְּמַחפֵּר צָף
dregs *n pl* שְׁיָרִים
drench *vt* הִרטִיב לַחֲלוּטִין
dress *vt, vi* יִישֵּׁר (שורה); הִתיַישֵּׁר; הִלבִּישׁ; לָבַשׁ
dress *n* לְבוּשׁ, שִׂמלָה
dress-coat *n* מִקטוֹרֶן רִשׁמִי
dresser *n* אֲרוֹן מִטבָּח; לוֹבֵשׁ
dress form *n* אִימוּם
dress goods *n* הַלבָּשָׁה
dressing *n* לְבִישָׁה
dressing-down *n* נְזִיפָה
dressing-gown *n* חָלוּק
dressing-room *n* חֲדַר־תִּלבּוֹשֶׁת
dressing station *n* תַּחֲנַת־חוֹבְשִׁים
dressing-table *n* שׁוּלחַן תִּשׁפּוֹרֶת
dressmaker *n* תּוֹפֶרֶת, חַייָט לִגבָרוֹת
dressmaking *n* חַייָטוּת לִגבָרוֹת
dress rehearsal *n* חֲזָרָה בְּתִלבּוֹשֶׁת
dress shirt *n* חוּלצַת עֶרֶב
dress shop *n* חֲנוּת לְבִגדֵי נָשִׁים
dress suit *n* תִּלבּוֹשֶׁת עֶרֶב (שֶׁל גבר)
dress tie *n* עֲנִיבַת עֶרֶב
dressy *adj* מִתגַנדֵר
dribble *vt, vi* טִפטֵף; רָר; כִּדרֵר
dribble *n* טִפטוּף; טִיפָּה; כִּדרוּר
driblet, dribblet *n* מָנָה קְטַנָּה
dried *adj* מְיוּבָּשׁ, מְצוּמָק
drier *n* מְייַבֵּשׁ
drift *n* הִיסָּחֲפוּת, טְרִידָה
drift *vi, vt* נִסחַף; נֶעֱרַם; סָחַף
drift-ice *n* גוּשֵׁי־קֶרַח צָפִים
driftwood *n* קוֹרוֹת־עֵץ נִסחָפוֹת
drill *n* מַקדֵחַ; תִּרגוּל־סֵדֶר; אִימוּנִים; מַזרֵעָה
drill *vt, vi* קָדַח; תִּרגֵל; הִתאַמֵּן; זָרַע בְּמַזרֵעָה
drillmaster *n* מַדרִיךְ לְהִתעַמְּלוּת
drill press *n* מַקדֵּחָה
drink *vt, vi* שָׁתָה

drink *n* שְׁתִיָּה; מַשְׁקֶה
drinkable *adj, n* בַּר־שְׁתִיָּה; מַשְׁקֶה
drinker *n* שׁוֹתֶה; שַׁתְיָין
drinking *n, adj* שְׁתִיָּה; שַׁתְיָנִי
drinking cup *n* סֵפֶל שְׁתִיָּה
drinking-fountain *n* כִּיּוֹר לְשְׁתִיָּה
drinking-song *n* שִׁיר־יַיִן
drinking trough *n* שׁוֹקֶת
drinking-water *n* מֵי־שְׁתִיָּה
drip *vt, vi* טִפְטֵף
drip *n* טִפְטוּף
drip-dry *adj* כַּבֵּס וּלְבַשׁ
drip pan *n* מַחֲבַת לְטִיפּוֹת
dripstone *n* כַּרְכּוֹב טִפְטוּף; נָטִיף
drivable, driveable *adj* נָהִיג
drive *vt, vi* נָהַג; הוֹבִיל; שִׁילַּח; הִמְרִיץ; הֵעִיף (כדור) בְּמֶרֶץ
drive *n* נְהִיגָה; נְסִיעָה בְּרֶכֶב; מִבְצָע, מַסָּע; דַּחַף
drive-in movie theater *n* קוֹלְנוֹעַ לְמְכוֹנִיּוֹת
drive-in restaurant *n* מִסְעֶדֶת רֶכֶב
drivel *vt, vi* רָר; פִּטְפֵּט כְּיֶלֶד
drivel *n* הֲבָלִים
driver *n* נֶהָג, עֶגְלוֹן
driver's license *n* רִשְׁיוֹן נְהִיגָה
drive shaft *n* גַּל הֶינֵּעַ
drive wheel *n* גַּלְגַּל מֵנִיעַ
driveway *n* כְּבִישׁ פְּרָטִי
drive-yourself service *n* שֵׁירוּת נְהַג בְּעַצְמְךָ
driving school *n* בֵּית־סֵפֶר לִנְהִיגָה
drizzle *vt, vi* יָרַד גֶּשֶׁם דַּק; זִילֵּחַ
drizzle *n* גֶּשֶׁם דַּק
droll *n* בַּדְּחָן
droll *adj* מַצְחִיק
dromedary *n* גָּמָל
drone *vt, vi* הָמָה חַדגוֹנִית
drone *n* זְכַר־דְבוֹרַת־הַדְּבַשׁ; הוֹלֵךְ בָּטֵל; צְלִיל נָמוֹךְ מוֹנוֹטוֹנִי
drool *vt, vi* רָר; הִשְׁתַּטָּה
droop *vi* הִשְׁתּוֹפֵף; שָׁקַע
droop *n* שְׁפִיפָה
drooping *adj* שָׁפוּף, רָכוּן
drop *vt, vi* הִפִּיל לָאָרֶץ; הִנְמִיךְ (קוֹל); נָטַשׁ; נָפַל; יָרַד (מחיר)
drop *n* טִיפָּה; מִדְרוֹן; קוֹרְטוֹב; סוּכָּרִיָּה; נְפִילָה
drop-curtain *n* מָסָךְ נוֹפֵל
drop-hammer *n* קוּרְנָס
drop-leaf table *n* שׁוּלְחַן שְׁלוּחָה
droplight *n* מְנוֹרָה תְּלוּיָה
dropout *n* נוֹשֵׁר (מבית־ספר וכד׳ עקב אי־הסתגלות)
dropper *n* מְטַפְטֵף; טַפְטֶפֶת
dropsical *adj* שֶׁל מַיֶּמֶת
dropsy *n* מַיֶּמֶת, הִידְרָקוֹן
drop table *n* שׁוּלְחַן כְּנָפַיִם
dross *n* סַגְסוֹגֶת, סִיגִים
drought *n* בַּצּוֹרֶת
drove *vt, vi* הוֹבִיל עֵדֶר לַשּׁוּק
drove *n* עֵדֶר; הָמוֹן
drover *n* נוֹהֵג צֹאן לַשּׁוּק
drown *vt, vi* הִטְבִּיעַ; טָבַע
drowse *vi* נִמְנֵם
drowse *n* נִמְנוּם
drowsy *adj* מְנַמְנֵם
drub *vt, vi* הִצְלִיף, הִרְבִּיץ; הֵבִיס
drub *n* חֲבָטָה
drubbing *n* תְּבוּסָה

drudge *vt, vi* עָבַד עֲבוֹדַת פֶּרֶךְ
drudgery *n* עֲבוֹדָה מְפָרֶכֶת
drug *n* סַם; תְּרוּפָה
drug *vt, vi* רָקַח, עֵירֵב בְּסַם; הֵמַם
drug addict *adj* שְׁטוּף סַמִּים, נַרקוֹמָן
drug addiction *n* הִתמַכְּרוּת לְסַמִּים
druggist *n* רוֹקֵחַ
drug habit *n* הִתמַכְּרוּת לְסַם
drug traffic *n* מִסחָר בְּסַמִּים
druid, Druid *n* דרוּאִידִי
drum *n* תּוֹף
drum *vt, vi* תּוֹפֵף; הֶחדִיר בְּכוֹחַ
drumbeat *n* תִּיפּוּף
drum corps *n pl* לַהֲקַת מְתוֹפְפִים
drumfire *n* אֵשׁ שׁוֹטֶפֶת
drumhead *n* עוֹר הַתּוֹף
drum-major *n* מַשַּׁק מְתוֹפְפִים
drummer *n* מְתוֹפֵף; סוֹכֵן נוֹסֵעַ
drumstick *n* מַקֵּל מְתוֹפֵף
drunk *n* שִׁיכּוֹר; מִשְׁתֶּה
drunk *adj* שָׁתוּי, שִׁיכּוֹר
drunkard *n* שִׁיכּוֹר
drunken *adj* שִׁיכּוֹר
drunken driving *n* נְהִיגָה בִּשְׁעַת שִׁכרוּת
drunkenness *n* שִׁכרוּת
dry *adj* יָבֵשׁ; צָמֵא; מְשַׁעֲמֵם
dry *vt, vi* יִיבֵּשׁ, נִיגֵּב; הִתייַבֵּשׁ
dry battery *n* סוֹלְלָה יְבֵשָׁה
dry cell *n* תָּא יָבֵשׁ
dry-clean *vt* נִיקָּה נִיקּוּי יָבֵשׁ
dry cleaner *n* מְנַקֵּה נִיקּוּי יָבֵשׁ
dry-cleaning *n* נִיקּוּי יָבֵשׁ
dry cleaning establishment *n* בֵּית־מִסְחָר לְנִיקּוּי יָבֵשׁ

dry dock, dry-dock *n* מִבדּוֹק יָבֵשׁ
dryer *see* drier
dry-eyed *adj* לֹא בּוֹכֶה
dry farming *n* עִיבּוּד אֲדָמוֹת צְחִיחוֹת
dry goods *n* אֲרִיגִים, בַּדִּים
dry ice *n* קֶרַח יָבֵשׁ
dry law *n* חוֹק הַיּוֹבֶשׁ
dry measure *n* מִידַּת הַיָּבֵשׁ
dryness *n* יוֹבֶשׁ, אֲדִישׁוּת
dry-nurse *n* אוֹמֶנֶת
dry season *n* עוֹנָה יְבֵשָׁה
dry wash *n* כְּבִיסָה לֹא מְגוֹהֶצֶת
d.s. *abbr* days after sight, daylight saving
D.S.T. *abbr* Daylight Saving Time
dual *adj* זוּגִי, כָּפוּל
duality *n* שְׁנִיוּת, כְּפִילוּת
dub *vt, vi* הֶעֱנִיק שֵׁם אַחֵר; הִצמִיד סֶרֶט־קוֹל שֶׁל שָׂפָה זָרָה
dubbin, dubbing *n* שֶׁמֶן סִיכָה (לְעוֹר)
dubbing *n* הַצמָדַת תַּת כּוֹתָרוֹת; הוֹסָפַת סֶרֶט־קוֹל (כנ״ל)
dubious *adj* מְפוּקפָּק
duchess *n* דוּכָּסִית
duchy *n* דוּכָּסוּת
duck *n* בַּרווָז, בַּרווָזָה
duct *n* תְּעָלָה; צִינּוֹר
ductile *n* רָקִיעַ; גָּמִישׁ
ductless *adj* (בלוטה) חַסְרַת צִינּוֹרוֹת
ductless gland *n* בַּלּוּטַת הַתְּרִיס
dud *n* לֹא יוּצלַח
duds *n pl* מַלבּוּשִׁים

dude *n* גַּנְדְּרָן
due *adj* שֶׁפִּרְעוֹנוֹ חָל; רָאוּי; דַּיּוֹ; בִּגְלַל
due *n* חוֹב; הַמַּגִּיעַ; מַס
due *adv* בְּקַו יָשָׁר עִם
duel *n* דּוּ־קְרָב
duel *vt, vi* נִלְחַם בְּדוּ־קְרָב
duellist, duelist *n* נִלְחָם בְּדוּ־קְרָב
dues *n pl* מַס; דְּמֵי־חָבֵר
dues-paying *adj* מְשַׁלֵּם דְּמֵי־חָבֵר
duet *n* דּוּאִית, דּוּאֶט
duke *n* דּוּכָּס
dukedom *n* דּוּכָּסוּת
dull *vt, vi* הִקְהָה; עִימֵּם; קָהָה
dull *adj* קֵהֶה; קְשֵׁה תְּפִיסָה; מְשַׁעֲמֵם; עָמוּם
dullard *adj, n* מְטוּמְטָם, שׁוֹטֶה
dully *adv* בְּצוּרָה מְשַׁעֲמֶמֶת; בְּטִמְטוּם
dumb *adj, n* אִילֵּם; טִיפְּשִׁי
dumbbell *n* מִשְׁקוֹלֶת; טִיפֵּשׁ
dumb creature *n* חַיָּה, בְּהֵמָה
dumbfound, dumfound *vt* הִכָּה בְּתַדְהֵמָה
dumb show *n* פַּנְטוֹמִימָה
dumb-waiter *n* כַּן; מִזְנוֹן־מֶלְצַר
dummy *n* גּוֹלֶם; אִימּוּם; טִיפֵּשׁ
dummy *adj* מְשַׂחֵק מְדוּמֶּה, מְזוּיָּף
dump *n* שְׁפוֹכֶת; מִזְבָּלָה; מִצְבָּר
dump *vt* זָרַק, הִשְׁלִיךְ
dumping *n* הֲצָפַת הַשּׁוּק
dumpling *n* נְטִיפָה; כּוּפְתָּה
dump truck *n* רֶכֶב לְסִילּוּק (אבנים וכד׳)
dumpy *adj* גּוּץ וְשָׁמֵן
dun *adj* חוּם־אָפוֹר; כֵּהֶה
dun *n* נוֹשֶׁה; תְּבִיעַת תַּשְׁלוּם
dun *vt* הֵצִיק בִּתְבִיעַת תַּשְׁלוּם
dunce *n* שׁוֹטֶה
dune *n* חוֹלָה, דְּיוּנָה
dung *n* זֶבֶל פֶּרֶשׁ
dung *vt, vi* זִיבֵּל
dungarees *n pl* סַרְבָּל
dungeon *n* תָּא מַאֲסָר תַּת־קַרְקָעִי
dunghill *n* מַדְמֵנָה
dunk *vt, vi* טָבַל
duo- *pref* שְׁנַיִם, שְׁתַּיִם
duo *n* זוּג בַּדְּרָנִים
duodenum *n* תְּרֵיסַרְיוֹן
dupe *n* פֶּתִי
dupe *vt* הוֹנָה
duplex house *n* בַּיִת דּוּ־מִשְׁפַּחְתִּי
duplicate *adj* זֵהֶה, מַקְבִּיל; כָּפוּל
duplicate *vt, vi* עָשָׂה הֶעְתֵּק; שִׁכְפֵּל
duplicate *n* הֶעְתֵּק; כָּפִיל
duplicity *n* צְבִיעוּת, דּוּ־פַּרְצוּפִיּוּת
durable *adj* יַצִּיב; לֹא בָּלֶה
durable goods *n* סְחוֹרוֹת יַצִּיבוֹת
duration *n* קִיּוּם, מֶשֶׁךְ זְמַן
during *prep* בְּמֶשֶׁךְ, בְּשָׁעָה
dusk *n* בֵּין־הַשְּׁמָשׁוֹת
dusky *adj* שַׁחֲמוּמִי, כֵּהֶה
dust *n* אָבָק; עָפָר
dust *vt, vi* נִיקָּה מֵאָבָק; אִיבֵּק
dustbowl *n* אֵיזוֹר סוּפוֹת אָבָק
dustcloth *n* מַטְלִית
dust cloud *n* עֲנַן אָבָק
duster *n* מַטְלִית; מַכְשִׁיר אִיבּוּק
dust jacket *n* עֲטִיפַת סֵפֶר
dustpan *n* יָעֶה
dust storm *n* סוּפַת חוֹל

dusty *adj* מְאוּבָּק; מְעוּרְפָּל
Dutch *adj, n* הוֹלַנְדִי; הוֹלַנְדִית
Dutchman *n* הוֹלַנְדִי
Dutch treat *n* כִּיבּוּד כָּל אֶחָד לְעַצְמוֹ
dutiable *adj* בַּר־מֶכֶס, מָכִיס
dutiful *adj* מְמַלֵּא חוֹבָתוֹ; צַייְתָנִי
duty *n* חוֹבָה; תַּפְקִיד; מֶכֶס; מַס
duty-free *adj, adv* פָּטוּר מִמֶּכֶס
D.V. – Deo Volente אִם יִרְצֶה ה׳
dwarf *n, adj* גַּמָּד; גַּמָּדִי
dwarf *vt, vi* גִּימֵּד, מִיעֵט
dwarfish *adj* גַּמָּדִי
dwell *vi* צָר; הֶאֱרִיךְ בְּדִיּוּן (בְּנוֹשֵׂא)
dwelling *n* בַּיִת, דִּירָה
dwelling-house *n* בֵּית־מְגוּרִים
dwindle *vi* הִתְמַעֵט, הִצְטַמְצֵם
dwt. *abbr* pennyweight
dye *n* חוֹמֶר צֶבַע
dye *vt, vi* צָבַע (בֶּגֶד וכד׳)
dyeing *n* צְבִיעָה
dyer *n* צוֹבֵעַ
dyestuff *n* חוֹמֶר צֶבַע
dying *adj* מֵת, גּוֹסֵס
dynamic *adj* פָּעִיל, דִּינָמִי, נִמְרָץ
dynamite *n* דִּינָמִיט
dynamite *vt* פּוֹצֵץ בְּדִינָמִיט
dynamo *n* דִּינָמוֹ
dynast *n* מוֹלֵךְ, מוֹשֵׁל
dynasty *n* שׁוֹשֶׁלֶת מְלָכִים
dysentery *n* בּוֹרְדָם, דִּיזֶנְטֶרְיָה
dyspepsia *n* פְּרָעִיכּוּל
dz. *abbr* dozen

E

E, e אִי (הָאוֹת הַחֲמִישִׁית בָּאָלֶפְבֵּית)
ea. *abbr* each
each *adj, pron* (לְ)כָל אֶחָד
eager *adj* מִשְׁתּוֹקֵק, לָהוּט
eagerness *n* תְּשׁוּקָה, לְהִיטוּת
eagle *n* נֶשֶׁר
eagle-owl *n* אוֹחַ
ear *n* אוֹזֶן; יָדִית; שִׁיבּוֹלֶת
earache *n* כְּאֵב אוֹזֶן
eardrop *n* עָגִיל
eardrum *n* תּוֹף הָאוֹזֶן
earflap *n* תְּנוּךְ אוֹזֶן; דַּשׁ אוֹזֶן
earl *n* רוֹזֵן
earldom *n* רוֹזְנוּת
early *adj, adv* מוּקְדָם; קָדוּם
early bird *n* זָרִיז, מַשְׁכִּים קוּם
early riser *n* מַשְׁכִּים קוּם
earmark *n* תָּוִית בְּאוֹזֶן
earmark *vt* יִיחֵד, יִיעֵד
ear-muffs *n pl* לְסְפוֹת אוֹזְנַיִים
earn *vt* הִשְׂתַּכֵּר; הִרְוִויחַ; הָיָה רָאוּי
earnest *adj* רְצִינִי

earnest *n* — רְצִינוּת; עֵירָבוֹן
earnest money *n* — כֶּסֶף תַּשְׁלוּמִים
earnings *n pl* — שָׂכָר, רֶוַח
earphone *n* — אוֹזְנִית הַטֶּלֶפוֹן
earpiece *n* — אֲפַרְכֶּסֶת הַטֶּלֶפוֹן
earring *n* — נֶזֶם אוֹזֶן
earshot *n* — מְטַחֲוֵי קוֹל
earsplitting *adj* — מַחֲרִישׁ אוֹזְנַיִם
earth *n* — כַּדּוּר הָאָרֶץ; יוֹשְׁבֵי תֵּבֵל; הָאָרֶץ; קַרְקַע
earth *vt, vi* — כִּיסָּה בַּאֲדָמָה
earthen *adj* — קָרוּץ מֵעָפָר
earthenware *n* — כְּלֵי חוֹמֶר
earthly *adj* — אַרְצִי; מַעֲשִׂי
earthquake *n* — רְעִידַת־אֲדָמָה, רַעַשׁ
earthwork *n* — חֲפִירוֹת; בִּיצּוּרִים
earthworm *n* — שִׁלְשׁוּל, תּוֹלַעַת־אֲדָמָה
earthy *adj* — חוֹמְרָנִי; מְחוּסְפָּס
ear-trumpet *n* — שְׁפוֹפֶרֶת־שֵׁמַע
earwax *n* — דּוֹנַג הָאוֹזֶן, שׁוּמַעַת
ease *n* — מַרְגּוֹעַ; קַלּוּת; שַׁאֲנַנּוּת
ease *vt, vi* — הֵקֵל; הִרְגִּיעַ; רִיכֵּךְ
easel *n* — חֲצוּבָה
easement *n* — הֲקַלָּה; דָּבָר מַרְגִּיעַ
easily *adv* — בְּקַלּוּת, קַלּוֹת, עַל נְקַלָּה
easiness *n* — קַלּוּת; חוֹפְשִׁיּוּת בְּהִתְנַהֲגוּת
east *n* — מִזְרָח
east *adj, adv* — כְּלַפֵּי מִזְרָח; מִמִּזְרָח
Easter *n, adj* — הַפַּסְחָא
Easter egg *n* — בֵּיצֵי הַפַּסְחָא
easterly *adj, adv* — כְּלַפֵּי מִזְרָח; מִמִּזְרָח
Easter Monday — יוֹם ב׳ לְאַחַר הַפַּסְחָא
eastern *adj* — מִזְרָחִי; כְּלַפֵּי מִזְרָח
Eastertide *n* — תְּקוּפַת הַפַּסְחָא

eastward(s) *adv, adj* — מִזְרָחָה; מִזְרָחִי
easy *adj, adv* — קַל; נוֹחַ; חוֹפְשִׁי; בְּקַלּוּת; בְּנוֹחוּת
easy-chair *n* — כּוּרְסָה, כִּסֵּא־נוֹחַ
easygoing *adj* — אוֹהֵב נוֹחִיּוּת; נוֹחַ לַבְּרִיּוֹת
easy mark *n* — קוֹרְבָּן נוֹחַ
easy money *n* — רֶוַח קַל
easy payments *n pl* — תַּשְׁלוּמִים נוֹחִים
eat *vt, vi* — אָכַל
eatable *adj* — אָכִיל, בַּר־אֲכִילָה
eaves *n pl* — מַזְחִילָה, כַּרְכּוֹב
eavesdrop *vi* — הֶאֱזִין מִמַּחֲבוֹא
ebb *n* — שֵׁפֶל (מים)
ebb *vi* — נָסוֹג, שָׁפַל
ebb and flow *n* — גֵּיאוּת וָשֵׁפֶל
ebb-tide *n* — שֵׁפֶל הַמַּיִם
ebony *n, adj* — הוֹבְנֶה (עץ)
ebullient *adj* — נִלְהָב, תּוֹסֵס
eccentric *adj* — יוֹצֵא דוֹפֶן, מוּזָר
eccentric *n* — תִּמְהוֹנִי, מוּזָר
eccentricity *n* — תִּמְהוֹנִיּוּת
ecclesiastic *adj, n* — כְּנֵסִיָּתִי, דָּתִי; כּוֹמֶר
echelon *n* — דֶּרֶג פִּיקּוּד
echelon *vi* — נֶעֱרַךְ בְּמַדְרֵגוֹת
echo *n* — הֵד, בַּת־קוֹל
echo *vt, vi* — עָנָה בְּהֵד; הִדְהֵד
éclair *n* — אֶצְבָּעִית
eclectic *adj, n* — בּוֹחֵר; נִבְחָר; בַּרְרָנִי
eclipse *n* — לִיקּוּי
eclipse *vt* — הִסְתִּיר; הֶאֱפִיל
eclogue *n* — אֶקְלוֹג, שִׁיר רוֹעִים
economic *adj* — כַּלְכָּלִי

economical *adj* חֶסכוֹנִי
economics *n* כַּלכָּלָה
economist *n* כַּלכָּלָן; חַסכָן
economize *vt, vi* נִיהֵל בְּחִיסָּכוֹן
economy *n* חַסכָנוּת
ecstasy *n* הִתעַנְגוּת עִילָּאִית, שִׁרגוּשׁ, אֶקסטָזָה
ecstatic *adj* שִׁרגוּשִׁי, אֶקסטָטִי
Ecuador *n* אֶקוָודוֹר
Ecuadoran *adj* אֶקוָודוֹרִי
ecumenic(al) *adj* שֶׁל הַכְּנֵסִייָה הָעוֹלָמִית כּוּלָּהּ
eczema *n* גָּרָב, אֶקזֵמָה
ed. *abbr* edited, edition, editor
eddy *n* שִׁיבּוֹלֶת, עִרבּוּל
eddy *vi* הִתעַרבֵּל
edelweiss *n* הַלְּבוֹנָה הָאֲצִילָה
edge *n* קָצֶה, סוֹף; חוֹד
edge *vt, vi* חִידֵּד; תָּחַם; הִתקַדֵּם בְּהַדרָגָה
edgeways, edgewise *adv* כְּשֶׁהַחוֹד לְפָנִים
edging *n* חִידּוּד; שָׂפָה
edgy *adj* מְחוּדָּד; מְעוּצבָּן
edible *adj, n* אָכִיל
edict *n* פְּקוּדָּה
edification *n* הַבהָרָה
edifice *n* בִּניַין פְּאֵר
edify *vt* הִבהִיר
edifying *adj* מְאַלֵּף
edit *vt* עָרַך
edit. *abbr* edited, edition, editor
edition *n* הוֹצָאָה; מַהֲדוּרָה
editor *n* עוֹרֵך; מַכשִׁיר לִדפוּס
editorial *adj, n* שֶׁל הָעוֹרֵך; מַאֲמָר רָאשִׁי
editorial staff *n* צֶוֶת הַמַּעֲרֶכֶת
editor-in-chief *n* עוֹרֵך רָאשִׁי
educate *vt* חִינֵּך; אִימֵּן
education *n* חִינּוּך
educational *adj* חִינּוּכִי
educational institution *n* מוֹסַד חִינּוּך
educator *n* מְחַנֵּך
eel *n* צְלוֹפָח
eerie *adj* מַפחִיד, מוּזָר
efface *vt* מָחָה, מָחַק; הִצנִיעַ
effect *n* תּוֹצָא, הַשׁפָּעָה, רוֹשֶׁם; (בְּרִיבּוּי) חֲפָצִים
effect *vt* הוֹצִיא לַפּוֹעַל, גָּרַם
effective *adj, n* יָעִיל, אֶפֶקטִיבִי; מַרשִׁים
effectual *adj* מַתאִים לְתַכלִיתוֹ
effectuate *vt* בִּיצֵּעַ
effeminacy *n* נָשִׁיּוּת
effeminate *adj* נָשִׁיִי
effervesce *vi* תָּסַס
effervescence *n* תְּסִיסָה; הִתקַצְּפוּת
effervescent *adj* תָּסִיס; תּוֹסֵס
effete *adj* חָלוּשׁ, תָּשׁוּשׁ
efficacious *adj* יָעִיל, תַּכלִיתִי
efficacy *n* יְעִילוּת
efficiency *n* יְעִילוּת
efficient *adj* יָעִיל, מוּמחֶה
effigy *n* דְּמוּת, תַּבלִיט
effort *n* מַאֲמָץ
effrontery *n* חוּצפָּה
effusion *n* תִּשׁפּוֹכֶת
effusive *adj* מִשׁתַּפֵּך
e.g. – exempli gratia כְּגוֹן, לְמָשָׁל
egg *n* בֵּיצָה

egg *vt* הֵסִית, הֵאִיץ בּ...
egg-beater *n* מַקְצֵף
egg cup *n* גְּבִיעַ בֵּיצָה
eggnog *n* חֶלְמוֹנָה
eggplant *n* חָצִיל
eggshell *n* קְלִיפַּת בֵּיצָה
egoism *n* אָנוֹכִיּוּת
egoist *n* אָנוֹכִיִי
egotism *n* אָנוֹכִיּוּת, רַבְרְבָנוּת
egotist *adj* מִתְיַיהֵר, רַבְרְבָן
egregious *adj* מַחְפִּיר
egress *n* יְצִיאָה
Egypt *n* מִצְרַיִים
Egyptian *n, adj* מִצְרִי; מִצְרִית
eider *n* הַבַּרְוָז הַשָּׁחוֹר־לָבָן
eiderdown *n* פְּלוּמַת הַבַּרְוָז
eight *n, adj* שְׁמוֹנֶה, שְׁמוֹנָה; שְׁמִינִיָּה
eight-day clock *n* שְׁעוֹן שְׁמוֹנָה יָמִים
eighteen *n* שְׁמוֹנָה־עָשָׂר, שְׁמוֹנֶה־עֶשְׂרֵה
eighteenth *adj* הַשְּׁמוֹנָה־עָשָׂר, הַשְּׁמוֹנֶה־עֶשְׂרֵה
eighth *adj, n* הַשְּׁמִינִי; שְׁמִינִית
eight hundred *adj* שְׁמוֹנֶה מֵאוֹת
eightieth *adj* הַשְּׁמוֹנִים
eighty *n, adj* שְׁמוֹנִים; שֶׁל שְׁמוֹנִים
either *pron, adj* אֶחָד מִן הַשְּׁנַיִים
either *adv* אוֹ, אַף, גַּם
either *conj* אוֹ
ejaculate *vt, vi* פָּרַץ בִּקְרִיאָה; הִתִּיז פִּתְאוֹם; הִפְלִיט זֶרַע
eject *vt* גֵּירֵשׁ, פִּיטֵּר; הִפְלִיט, הוֹצִיא
ejection *n* גֵּירוּשׁ, פִּיטּוּרִים; פְּלִיטָה
ejection seat *n* כִּיסֵּא חֵירוּם (בְּמָטוֹס)
elaborate *n* הִשְׁלִים, שִׁכְלֵל; שִׁפְרֵט
elaborate *adj* מְשׁוּפְרָט, מְשׁוּכְלָל
elapse *vi* עָבַר
elastic *adj* גָּמִישׁ, מָתִיחַ
elastic *n* סֶרֶט מָתִיחַ
elasticity *n* גְּמִישׁוּת
elated *adj* שָׂמֵחַ, מְרוֹמָם
elation *n* הִתְרוֹמְמוּת רוּחַ
elbow *n* מַרְפֵּק; כִּיפּוּף
elbow *vt, vi* דָּחַף
elbow grease *n* עֲבוֹדָה קָשָׁה
elbow patch *n* טְלַאי מַרְפֵּק
elbow rest *n* מִסְעַד זְרוֹעַ
elbowroom *n* מָקוֹם מְרוּוָּח
elder *adj* בָּכִיר, קָשִׁישׁ מִן
elder *n* מְבוּגָּר, וָתִיק; סַמְבּוּק
elderberry *n* פְּרִי סַמְבּוּק
elderly *adj* קָשִׁישׁ
elder statesman *n* מְדִינַאי בַּעַל נִיסָּיוֹן רַב
eldest *adj* הַבָּכִיר בְּיוֹתֵר
elec. *abbr* electrical, electricity
elect *vt* בָּחַר
elect *adj* נִבְחָר
election *n* בְּחִירָה, בְּחִירוֹת
electioneer *vi* עָסַק בְּתַעֲמוּלַת בְּחִירוֹת
elective *adj* עַל סְמַךְ בְּחִירוֹת
elective *n* מִקְצוֹעַ בְּחִירָה
electorate *n* גּוּף הַבּוֹחֲרִים
electric, electrical *adj* חַשְׁמַלִּי; מְחֻשְׁמָל
electric fan *n* מְאַוְרֵר חַשְׁמַלִּי
electrician *n* חַשְׁמַלַּאי
electricity *n* חַשְׁמַל; תּוֹרַת הַחַשְׁמַל
electric percolator *n* מַסְנֵן חַשְׁמַלִּי
electric shaver *n* מְגַלֵּחַ חַשְׁמַלִּי

electric tape *n* סֶרֶט בִּידּוּד
electrify *vt* חִשְׁמֵל
electrocute *vt* הֵמִית בְּחַשְׁמַל
electrode *n* אֶלֶקְטרוֹדָה
electrolysis *n* הַפְרָדָה חַשְׁמַלִּית
electrolyte *n* אֶלֶקְטרוֹלִיט
electromagnet *n* אֶלֶקְטרוֹמַגְנֵט
electromagnetic *adj* אֶלֶקְטרוֹמַגְנֵטִי
electromotive *adj* מְיַיצֵּר חַשְׁמַל
electron *n* אֶלֶקְטרוֹן
electronic *adj* אֶלֶקְטרוֹנִי
electroplate *vt* צִיפָּה בְּמַתֶּכֶת עַל־יְדֵי אֶלֶקְטרוֹלִיזָה
electroplate *n* צִיפּוּי (כנ״ל)
electrostatic *adj* אֶלֶקְטרוֹסְטָטִי
electrotype *n* גְלוּפָה חַשְׁמַלִּית
electrotype *vt* הֵכִין גְלוּפָה חַשְׁמַלִּית
eleemosynary *adj, n* שֶׁל צְדָקָה אוֹ נְדָבָה
elegance, elegancy *n* הִידּוּר; הָדָר
elegant *adj* מְהוּדָּר, נָאֶה; בַּעַל טַעַם
elegiac *n* שִׁיר אֶלֶגִי, שִׁיר קִינָה
elegiac *adj* אֶלֶגִי; עָצוּב
elegy *n* שִׁיר קִינָה
element *n* יְסוֹד; עִיקָּר רִאשׁוֹנִי
elementary *adj* בְּסִיסִי, רִאשׁוֹנִי
elementary school *n* בֵּית־סֵפֶר רִאשׁוֹנִי
elephant *n* פִּיל
elevate *vt* הֵרִים; הֶעֱלָה בְּדַרְגָּה
elevated *adj* מוּעֲלֶה; מְרוֹמָם
elevated *n* רַכֶּבֶת עִלִּית
elevation *n* רָמָה; הַגְבָּהָה
elevator *n* מַעֲלִית
elevatory *adj* מֵרִים
eleven *n* אַחַת־עֶשְׂרֵה, אַחַד־עָשָׂר
eleventh *adj* הָאַחַת־עֶשְׂרֵה, הָאַחַד־עָשָׂר
elf *n* שֵׁד גַּמָּד
elicit *vt* גִילָּה, הוֹצִיא
elide *vt* הִבְלִיעַ; הִתְעַלֵּם מִן
eligible *adj, n* רָאוּי לְהִיבָּחֵר
eliminate *vt* הֵסִיר, בִּיטֵּל, צִמְצֵם
elision *n* הַבְלָעָה
èlite, elite *n* עִילִּית
elk *n* דִּישׁוֹן
ellipse *n* אֶלִיפְּסָה
ellipsis *n* הַשְׁמָטָה (של מלה או מלים)
elope *vi* בָּרַח עִם אֲהוּבָתוֹ
elopement *n* בְּרִיחָה (כנ״ל)
eloquence *n* אוּמָּנוּת הַדִּיבּוּר
eloquent *adj* אוּמַּן הַדִּיבּוּר
else *adv* אַחֵר; וְלֹא
elsewhere *adv* בְּמָקוֹם אַחֵר
elucidate *vt* הִבְהִיר
elude *vt* הִתְחַמֵּק
elusive *adj* חֲמַקְמָקִי
emaciate *vt, vi* הִרְזָה
emancipate *vt* שִׁחְרֵר
embalm *vt* חָנַט
embankment *n* סוֹלְלָה
embargo *n* הֶסְגֵר; חֵרֶם מִסְחָרִי
embargo *vt* הִטִּיל חֵרֶם
embark *vt, vi* הֶעֱלָה עַל אוֹנִיָּה; הִתְחִיל
embarkation *n* עֲלִיָּה עַל אוֹנִיָּה
embarrass *vt* הֵבִיךְ; סִיבֵּךְ
embarrassing *adj* מֵבִיךְ
embarrassment *n* מְבוּכָה, קְשָׁיִים
embassy *n* שַׁגְרִירוּת

embed *vt* שִׁיבֵּץ
embellish *vt* יִיפָּה
embellishment *n* קִישּׁוּט
ember *n* אוּד
embezzle *vt* מָעַל
embezzlement *n* מְעִילָה
embitter *vt* מֵירֵר, מִרְמֵר
emblazon *vt* חָרַת, חָקַק
emblem *n* סֶמֶל
emblematic, emblematical *adj* סִמלִי
embodiment *n* הִתגַשְּׁמוּת; הַמְחָשָׁה; גִילּוּם
embody *vt*, *vi* גִילֵּם; הִמחִישׁ; הִכלִיל
embolden *vt* חִיזֵּק לֵב
embolism *n* מִילּוּי
emboss *vt* הִבלִיט
embrace *vt*, *vi* חִיבֵּק; אִימֵּץ (רעיון)
embrace *n* חִיבּוּק
embrasure *n* אֶשְׁנַב יְרִי
embroider *vt*, *vi* רָקַם; קִישֵּׁט
embroidery *n* רְקִימָה; רִקמָה
embroil *vt* סִכסֵךְ; בִּלְבֵּל
embroilment *n* סִכסוּךְ; בִּלבּוּל
embryo *n* עוּבָּר; דָבָר בְּאִבּוֹ
embryo *adj* בְּאִבּוֹ
embryology *n* תּוֹרַת הִתפַּתְּחוּת הָעוּבָּר
emend *vt* תִּיקֵּן
emendation *n* תִּיקּוּן
emerald *adj* יָרוֹק מַבהִיק
emerge *vi* צָף וְעָלָה; נִתגַלָּה
emergence *n* הִתגַלּוּת
emergency *n*, *adj* מַצַּב חֵירוּם
emergency landing *n* נְחִיתַת חֵירוּם
emergency landing field *n* שְׂדֵה נְחִיתַת חֵירוּם
emersion *n* הִתגַלּוּת
emery *n* שָׁמִיר
emetic *adj*, *n* גּוֹרֵם לַהֲקָאָה
emigrant *adj*, *n* מְהַגֵּר
emigrate *vi* הִיגֵּר
émigré *n* מְהַגֵּר
eminence *n* רוּם מַעֲלָה
eminent *adj* רַם מַעֲלָה
emissary *n* שָׁלִיחַ
emission *n* הוֹצָאָה; הַנפָּקָה; פְּלִיטָה
emit *vt* הוֹצִיא; פָּלַט
emotion *n* רִיגּוּשׁ
emotional *adj* רַגשָׁנִי
emperor *n* קֵיסָר
emphasis *n* הַדגָשָׁה
emphasize *vt* הִדגִישׁ
emphatic *adj* תַּקִּיף; בּוֹלֵט
emphysema *n* נַפַּחַת, נַפַּחַת הָרֵיאוֹת
empire *n* קֵיסָרוּת
Empire City *n* הָעִיר נִיוּ־יוֹרק
Empire State *n* מְדִינַת נִיוּ־יוֹרק
empiric(al) *adj* נִיסיוֹנִי
empiricist *n* אֶמפִּירִיקָן
emplacement *n* מוּצַּב תּוֹתָחִים
employ *vt* הֶעֱבִיד, הֶעֱסִיק
employ *n* שֵׁירוּת
employee *n* עוֹבֵד, מוּעֲסָק
employer *n* מַעֲבִיד, מַעֲסִיק
employment *n* הַעֲסָקָה; תַּעֲסוּקָה
empower *vt* יִיפָּה כּוֹחַ
empress *n* קֵיסָרִית
emptiness *n* רֵיקָנוּת
empty *adj* רֵיק
empty *vt*, *vi* הֵרִיק; הִתרוֹקֵן
empty-handed *adj* בְּיָדַיִים רֵיקוֹת

empty-headed *adj* רֵיקָא, שׁוֹטֶה
empyema *n* הִתְמַגְּלוּת
empyrean *n* שְׁמֵי הַשָּׁמַיִם
emulate *vt* חִיקָּה בִּדְבֵקוּת
emulator *n* מְחַקֶּה
emulous *adj* מִתחָרֶה
emulsify *vt* תִּחְלֵב
emulsion *n* תַּחֲלִיב
enable *vt* אִפְשֵׁר
enact *vt* הִפְעִיל חוֹק, חָקַק
enactment *n* הַפְעָלַת חוֹק; חוֹק
enamel *n* אֵימָל; כְּלִי אֵימָל
enamel *vt* צִיפָּה בְּאֵימָל, אִימֵּל
enamelware *n* כְּלֵי אֵימָל
enamor *vt* הִלְהִיט בְּאַהֲבָה
encamp *vt, vi* הוֹשִׁיב בְּמַחֲנֶה
encampment *n* מַאֲהָל
enchant *vt* כִּישֵּׁף; הִקְסִים
enchanting *adj* מַקְסִים; כִּישׁוּפִי
enchantment *n* קֶסֶם; כִּישׁוּף
enchantress *n* קוֹסֶמֶת
enchase *vt* שִׁיבֵּץ אַבְנֵי־חֵן
encircle *vt* כִּיתֵּר, הִקִּיף
enclitic *adj, n* נָסוֹג אָחוֹר
enclose, inclose *vt* סָגַר עַל; גָּדַר
enclosure, inclosure *n* הֲקָמַת גָּדֵר; מִגְרָשׁ גָדוּר
encomium *n* שֶׁבַח, הַלֵּל
encompass *vt* כִּיתֵּר; כָּלַל
encore *interj, n* הַדְרָן
encore *vt* קָרָא הַדְרָן
encounter *vt, vi* נִתְקַל בְּ...
encounter *n* הִיתָּקְלוּת, מִפגשׁ
encourage *vt* עוֹדֵד
encouragement *n* עִידוּד

encroach *vt* הִסִּיג גְבוּל
encumber *vt* הִכְבִּיד, הֶעֱמִיס עוֹל
encumbrance *n* מַשָּׂא, טִרְחָה, שִׁעְבּוּד
ency. *abbr* encyclopedia
encyclic(al) *adj* כְּלָלִי, לַכּוֹל
encyclic(al) *n* מִכְתַּב הָאַפִּיפְיוֹר
encyclopedia *n* אֶנְצִיקְלוֹפֶּדְיָה
encyclopedic *adj* אִינְצֶקְלוֹפֵּדִי
end *n* קָצֶה; סוֹף; סִיּוּם; מַטָּרָה
end *vt, vi* גָּמַר; הִסְתַּיֵּים
endanger *vt* סִיכֵּן
endear *vt* חִיבֵּב עַל
endeavor *vi* הִתְאַמֵּץ
endeavor *n* מַאֲמָץ
endemic *adj, n* מְיוּחָד לְעַם אוֹ לִסְבִיבָה
ending *n* סִיּוּם, סוֹף
endive *n* עוֹלֶשׁ
endless *adj* אֵין־סוֹפִי
endmost *adj* שֶׁבַּקָּצֶה הָרָחוֹק
endorse, indorse *vt* אִישֵּׁר; חָתַם (חתימת אישור אוֹ קבלה)
endorsee *n* מוּסָב
endorsement *n* אִישּׁוּר; חֲתִימָה
endorser *n* מְאַשֵּׁר; מְקַיֵּים
endow *vt* הֶעֱנִיק
endowment *n* הַעֲנָקָה, מַתָּנָה
endurance *n* סֵבֶל; סְבוֹלֶת
endure *vt, vi* סָבַל; נָשָׂא; נִמְשַׁךְ
enduring *adj* מַתְמִיד; עָמִיד
enema *n* חוֹקֶן
enemy *n* אוֹיֵב
enemy *adj* עוֹיֵן
enemy alien *n* נְתִין מְדִינָה אוֹיֶבֶת

energetic *adj* נִמְרָץ

energy *n* מֶרֶץ

enervate *vt* הוֹצִיא עָצָב; הֶחֱלִישׁ

enfeeble *vt* הֶחֱלִישׁ

enfold, infold *vt* עָטַף; חִיבֵּק

enforce *vt* אָכַף

enforcement *n* אֲכִיפָה, כְּפִייָה

enfranchise *vt* אִזְרֵחַ, נָתַן זְכוּת הַצְבָּעָה

eng. *abbr* engineer, engraving

engage *vt, vi* הֶעֱסִיק; עָסַק; צוֹדֵד; שָׂכַר

engaged *adj* עָסוּק; קָשׁוּר בְּהִתְחַיְּבוּת; מְאוֹרָס

engagement *n* הַעֲסָקָה; אֵירוּסִין; הִתְחַיְּבוּת

engagement ring *n* טַבַּעַת אֵירוּסִין

engaging *adj* מוֹשֵׁךְ

engender *vt* גָּרַם

engine *n* מָנוֹעַ, קַטָּר

engine-driver *n* נַהַג קַטָּר

engineer *n* מְהַנְדֵּס

engineer *vt* הִנְדֵּס, תִּכְנֵן

engineering *n* מְהַנְדְּסוּת, תִּכְנוּן

engine house *n* בֵּית מְכוֹנָה

engine man *n* נַהַג מְכוֹנָה

engine-room *n* חֲדַר־הַמָּנוֹעַ

engine-room telegraph *n* טֵלֶגְרָף לַמְּכוֹנָה

England *n* אַנְגְלִיָּה

English *adj* אַנְגְלִי; אַנְגְלִית

English daisy *n* חִינָּנִית; חַרְצִית

Englishman *n* אַנְגְלִי

English-speaking *adj* דּוֹבֵר אַנְגְלִית

Englishwoman *n* אִשָּׁה אַנְגְלִיָּה

engraft, ingraft *vt* הִרְכִּיב, נָטַע

engrave *vt* חָרַת, גִּילֵּף

engraving *n* חֲרִיתָה

engross *vt* בָּלַע, הֶעֱסִיק רֹאשׁוֹ וְרוּבּוֹ

engrossing *adj* מַעֲסִיק רֹאשׁוֹ וְרוּבּוֹ

engulf, ingulf *vt* בָּלַע

enhance *vt* הֶאְדִּיר, הִגְבִּיר

enhancement *n* הַאֲדָרָה

enharmonic(al) *adj* אֶנְהַרְמוֹנִי

enigma *n* חִידָה, תַּעֲלוּמָה

enigmatic(al) *adj* חִידָתִי, סָתוּם

enjamb(e)ment *n* (בְּשִׁירָה) רְצִיפוּת הָרַעְיוֹן

enjoin *vt* הוֹרָה, חִייֵּב

enjoy *vt, vi* נֶהֱנָה; נִשְׂכַּר

enjoyable *adj* מְהַנֶּה

enjoyment *n* הֲנָאָה

enkindle *vt* לִיבָּה

enlarge *vt, vi* הִגְדִּיל, הִרְחִיב

enlargement *n* הַגְדָּלָה; דָּבָר מוּגְדָּל

enlighten *vt* הֵאִיר, הִבְהִיר

enlightenment *n* הַבְהָרָה; הַשְׂכָּלָה

enlist *vt, vi* גִּייֵּס; הִתְגַּייֵּס

enliven *vt* הֶחֱיָה, הִמְרִיץ

enmesh, inmesh *vt* לָכַד כִּבְרֶשֶׁת

enmity *n* שִׂנְאָה

ennoble *vt* רוֹמֵם, כִּיבֵּד

ennui *n* עֲיֵיפוּת נַפְשִׁית

enormous *adj* עֲנָקִי

enough *adj, n, adv, interj* מַסְפִּיק; לְמַדַּי; דַּי!

enounce *vt* הִכְרִיז

en passant *adv* דֶּרֶךְ אַגַּב

enrage *vt* הִרְגִּיז

enrapture *vt* שִׁלְהֵב בְּשִׂמְחָה

enrich *vt* הֶעֱשִׁיר

enroll, enrol *vt, vi* הִכְנִיס לִרְשִׁימָה; נִרְשַׁם

en route *n* בַּדֶּרֶךְ

ensconce *vt* שָׂם בְּמָקוֹם בָּטוּחַ

ensemble *n* מִכְלוֹל; צֶוֶת

ensign *n* דֶּגֶל; תָּג

enslave *vt* שִׁעְבֵּד

enslavement *n* שִׁעְבּוּד

ensnare, insnare *vt* לָכַד בְּרֶשֶׁת

ensue *vi* בָּא מִיָּד אַחֲרֵי

ensuing *adj* הַבָּא אַחֲרֵי

ensure *vt, vi* הִבְטִיחַ

entail *vt* גָּרַר, הֵבִיא לִידֵי

entail *n* הוֹרָשַׁת קַרְקַע

entanglement *n* סִיבּוּךְ

enter *vi, vt* נִכְנַס; הִשְׁתַּתֵּף; רָשַׁם (בְּספר חשבּוֹנוֹת וכו׳)

enterprise *n* מִפְעָל, מִבְצָע; יוֹזְמָה

enterprising *adj* מֵעֵז, נוֹעָז

entertain *vt, vi* שִׁיעֲשַׁע; אֵירֵחַ

entertainer *n* בַּדְּרָן

entertaining *adj* מְשַׁעֲשֵׁעַ

entertainment *n* בִּידּוּר

enthral(l), inthral(l) *vt* צוֹדֵד

enthuse *vt, vi* הִלְהִיב; נִלְהַב

enthusiasm *n* הִתְלַהֲבוּת

enthusiast *n* תְּלַהֲבָן

entice *vt* פִּיתָּה

enticement *n* פִּיתּוּי; הִתְפַּתּוּת

entire *adj* כּוֹלֵל, שָׁלֵם

entirely *adv* לְגַמְרֵי; בִּשְׁלֵמוּת

entirety *n* שְׁלֵמוּת

entitle, intitle *vt* קָבַע שֵׁם; זִיכָּה

entity *n* יֵשׁוּת

entomb, intomb *vt* קָבַר

entombment *n* קְבִירָה

entourage *n* פָּמַלְיָה

entrails *n pl* קְרָבַיִים; מֵעַיִים

entrain *vt, vi* הִטְעִין בָּרַכֶּבֶת; נָסַע בָּרַכֶּבֶת

entrance *n* כְּנִיסָה, פֶּתַח

entrance *vt* הִקְסִים

entrance examination *n* בְּחִינַת כְּנִיסָה

entrancing *adj* מַקְסִים

entrant *n* נִכְנָס; מִתְחָרֶה

entrap *vt* לָכַד בְּרֶשֶׁת

entreat *vt* הִפְצִיר

entreaty *n* בַּקָּשָׁה, תְּחִינָּה

entrée *n* זְכוּת כְּנִיסָה; מָנָה עִיקָּרִית

entrench, intrench *vt, vi* חָפַר; הִתְחַפֵּר, הִתְבַּצֵּר

entrust *vt* הִפְקִיד בְּיָד

entry *n* כְּנִיסָה; פְּרִיט בִּרְשִׁימָה

entwine, intwine *vt, vi* שָׁזַר; הִשְׁתַּזֵּר

enumerate *vt* מָנָה, סָפַר

enunciate *vt* בִּיטֵּא; הִכְרִיז

envelop *vt* עָטַף; שִׁימֵּשׁ מַעֲטֶה

envelope *n* מַעֲטָפָה; עֲטִיפָה

envenom *vt* הִרְעִיל; מֵירֵר

enviable *adj* מְעוֹרֵר קִנְאָה

envious *adj* מָלֵא קִנְאָה

environ *vt* כִּיתֵּר, הִקִּיף

environment *n* סְבִיבָה

envisage *vt* חָזָה

envoi, envoy *n* בַּיִת אַחֲרוֹן (בּשירה)

envoy *n* שָׁלִיחַ, נָצִיג

envy *n* קִנְאָה

envy *vt* קִינֵּא

enzyme *n* מַתְסִיס, אֶנְזִים
epaulet, epaulette *n* כּוֹתֶפֶת
epenthesis *n* (בבלשנות) שִׁרְבּוּב הֶגֶה
epergne *n* אֲגַרְטֵל
ephemeral *adj* חוֹלֵף, קִיקִיוֹנִי
epic *n* שִׁיר אֶפִּי
epic, epical *adj* אֶפִּי, שֶׁל גְּבוּרָה
epicure *n* אֶפִּיקוּר, בַּרְרָן
epicurean, Epicurean *adj* חוֹבֵב תַּעֲנוּגוֹת
epidemic *n* אֶפִּידֶמְיָה, מַגֵּפָה
epidemically *adj* בְּצוּרָה מַגֵּפָתִית
epidemiology *n* תּוֹרַת הַמַּחֲלוֹת הַמַּגֵּפָתִיּוֹת
epidermis *n* עִילִית הָעוֹר
epigram *n* מִכְתָּם
epilepsy *n* אֶפִּילֶפְּסְיָה, כִּיפָּיוֹן
epileptic *n, adj* אֶפִּילֶפְּטִי; נִכְפֶּה
epiphany *n* הִתְגַּלּוּת (אלקית וכד׳)
Episcopalian *adj, n* אֶפִּיסְקוֹפָּלִי
episode *n* מְאוֹרָע, אֶפִּיזוֹדָה
epistemology *n* אֶפִּיסְטֶמוֹלוֹגְיָה
epistle *n* אִיגֶּרֶת
epitaph *n* חֲקִיקָה (על מצבה)
epithalamium *n* שִׁיר חֲתוּנָּה
epithet *n* תּוֹאַר, שֵׁם לְוַואי
epitome *n* תַּמְצִית, עִיקָּר
epitomize *vt* תִּמְצֵת
epoch *n* תְּקוּפָה
epochal *adj* תְּקוּפָתִי
epoch-making *adj* פּוֹתֵחַ תְּקוּפָה
equable *adj* אָחִיד; שָׁלֵו
equal *adj, n* שָׁוֶה; אָחִיד
equal *vt* שָׁוָה, הָיָה שָׁוֶה
equality *n* שִׁוְיוֹן
equalize *vt* הִשְׁוָה
equally *adv* בְּמִידָּה שָׁוָה
equanimity *n* יִישּׁוּב־דַּעַת
equate *vt* הִבִּיעַ שִׁוְיוֹן, נִיסֵּחַ בְּמִשְׁוָואָה
equation *n* הַשְׁוָואָה; מִשְׁוָואָה
equator *n* קַו הַמַּשְׁוֶה
equerry *n* קְצִין סוּסִים
equestrian *adj* פָּרָשִׁי
equestrian *n* פָּרָשׁ
equilateral *adj, n* שְׁוֵה צְלָעוֹת
equilibrium *n* שִׁיוּוּי־מִשְׁקָל
equinoctial *adj, n* שִׁוְיוֹמִי, שֶׁל שִׁוְיוֹן הַיּוֹם וְהַלַּיְלָה
equinox *n* שִׁוְיוֹם, הִשְׁתַּוּוּת הַיּוֹם וְהַלַּיְלָה
equip *vt* צִיֵּד
equipment *n* צִיּוּד
equipoise *n* שִׁיוּוּי־מִשְׁקָל
equitable *adj* צוֹדֵק, הוֹגֵן
equity *n* נֶאֱמָנוּת לְצֶדֶק
equivalent *adj* שָׁקוּל כְּנֶגֶד, שָׁוֶה
equivocal *adj* דּוּ־מַשְׁמָעִי
equivocate *vi* הִבִּיעַ בְּצוּרָה דּוּ־מַשְׁמָעִית
equivocation *n* דּוּ־מַשְׁמָעִיּוּת
era *n* תְּקוּפָה
eradicate *vt* עָקַר, שֵׁירֵשׁ
eradicative *adj* עוֹקֵר, מַשְׁמִיד
erase *vt* מָחָה, מָחַק
eraser *n* מוֹחֵק
erasion *n* מְחִיָּה, מְחִיקָה
erasure *n* מְחִיָּה, מְחִיקָה
ere *conj, prep* לִפְנֵי, קוֹדֶם

erect *vt, vi* הֵקִים, בָּנָה
erect *adj, adv* זָקוּף; בִּזְקִיפוּת
erection *n* הִזְדַּקְּפוּת, זְקִפָּה; בְּנִיָּה
ermine *n* סַמּוּר
erode *vt, vi* אִיכֵּל; נִסְחַף; סָחַף
erosion *n* הִסְתַּחֲפוּת
err *vi* טָעָה; שָׁגָה
errand *n* שְׁלִיחוּת
errand-boy *n* נַעַר־שָׁלִיחַ
erratic *adj* בִּלְתִּי־יַצִּיב; סוֹטֶה
erratum *n* טָעוּת־דְּפוּס
erroneous *adj* מוּטְעֶה
error *n* שְׁגִיאָה, טָעוּת
erudite *adj* מְלוּמָּד, בָּקִי
erudition *n* לַמְדָנוּת, בְּקִיאוּת
erupt *vi* פָּרַץ בְּכוֹחַ, הִתְפָּרֵץ
eruption *n* הִתְפָּרְצוּת
escalate *vi* הֶחֱמִיר, הִסְלִים
escalation *n* הַחְמָרָה, הַסְלָמָה
escalator *n* מַדְרֵגוֹת נָעוֹת
escallop, scallop *n* צִדְפָּה
escapade *n* הַרְפַּתְקָה נוֹעֶזֶת
escape *n* בְּרִיחָה; הִימָּלְטוּת, הֵיחָלְצוּת
escape *vt, vi* בָּרַח; נֶחֱלַץ
escapee *n* בּוֹרֵחַ; נִמְלָט
escape literature *n* סִפְרוּת הָעֲרִיקָה
escapement *n* מַחְגֵר
escarpment *n* כֵּף, מַתְלוּל
eschew *vt* נִמְנַע
escort *n* מִשְׁמָר, מְלַוֶּוה
escort *vt* לִיוּוָה
escutcheon *n* מָגֵן (נוֹשֵׂא סמל המשפחה)
Eskimo *n* אֶסְקִימוֹסִי
esophagus, oesophagus *n* וֶשֶׁט

esp. *abbr* especially
espalier *n* עָרִיס
especial *adj* מְיוּחָד, יוֹצֵא מִן הַכְּלָל
espionage *n* רִיגּוּל
esplanade *n* טַיֶּילֶת
espousal *n* אִימּוּץ (רעיון); נִישּׂוּאִין
espouse *vt* אִימֵּץ (רעיון); דָּגַל בּ...; הִתְחַתֵּן
esquire (Esq.) *n* אָדוֹן, מַר
ess *n* אֶס (האות)
essay *n* מַסָּה; נִיסָּיוֹן
essay *vt* נִיסָּה
essayist *n* מַסַּאי
essence *n* עִיקָּר; תַּמְצִית
essential *adj* חִיּוּנִי; עִיקָּרִי
essential *n* יְסוֹד, נְקוּדָּה עִיקָּרִית
essentially *adv* בִּיסוֹדוֹ
est. *abbr* established, estate, estimated
establish *vt* יִיסֵּד, כּוֹנֵן; הוֹכִיחַ
establishment *n* יִיסּוּד; מוֹסָד; מִמְסָד; מְקוֹם עֵסֶק
estate *n* מַעֲמָד; נְכָסִים; אֲחוּזָּה
esteem *vt* הֶעֱרִיךְ, הֶחֱשִׁיב
esteem *n* הַעֲרָכָה, הַחְשָׁבָה
esthetic *adj* אֶסְתֵּטִי
estimable *adj* רָאוּי לְהַעֲרָכָה
estimate *vt* אָמַד, הֶעֱרִיךְ
estimate *n* אוֹמְדָן, הַעֲרָכָה
estimation *n* הַעֲרָכָה, דֵּעָה
estrangement *n* הִתְרַחֲקוּת, פֵּירוּד
estuary *n* שֶׁפֶךְ נָהָר
etc. *abbr* et cetera
et cetera, etcetera *phr, n* וְכוּלֵי, וְכוּ׳
etch *vt, vi* חָרַט, גִּילֵּף

etcher *n* חָרָט, גַּלָּף, גַּלְפָן
etching *n* חֲרִיטָה, גִילוּף
eternal *adj* נִצְחִי
eternity *n* נֵצַח, אַלְמָוֶת
ether *n* אֶתֶר
ethereal, etherial *adj* שְׁמֵימִי; מְעוּדָּן
ethic, ethical *adj* מוּסָרִי
ethically *adv* מִבְּחִינָה מוּסָרִית
Ethiopian *adj, n* אֶתִיוֹפִּי, אֶתִיוֹפִּית
Ethiopic *adj* אֶתִיוֹפִּי
ethnic, ethnical *adj* אֶתְנִי
ethnography *n* אֶתנוֹגרַפְיָה
ethnology *n* אֶתנוֹלוֹגְיָה
ethyl *n* אֶתִיל
ethylene *n* אֶתִילִין
etiquette *n* גִּינּוּנֵי חֶבְרָה, אֶתִּיקֶטָה
et seq. – et sequentie וְהַבָּאִים לְהַלָּן
étude *n* תַּרְגִּיל, אֶטיוּד
etymology *n* אֶטִימוֹלוֹגְיָה, גִּיזָּרוֹן
etymon *n* אֶטִימוֹן, מָקוֹר
eucalyptus *n* אֵיקָלִיפְּטוּס
Eucharist *n* סְעוּדַת יֵשׁוּ
euchre *n* אֵיקֶר (משחק קלפים)
eugenic *adj* מַשְׁבִּיחַ גֶּזַע
eulogistic *adj* מָלֵא תִּשְׁבָּחוֹת
eulogize *vt* הִילֵּל, שִׁיבֵּחַ
eulogy *n* שֶׁבַח, הַלֵּל
eunuch *n* סָרִיס
euphemism *n* לָשׁוֹן נְקִיָּה
euphemistic *adj* שֶׁל לָשׁוֹן נְקִיָּה
euphonic *adj* נְעִים צְלִיל
euphony *n* נוֹעַם הַקּוֹל
euphoria *n* הַרְגָּשָׁה טוֹבָה
euphuism *n* מְלִיצָה
euphuistic *adj* מְלִיצִי
Europe *n* אֵירוֹפָּה
European *adj, n* אֵירוֹפִּי
euthanasia *n* מִיתַת נְשִׁיקָה
evacuate *vt, vi* רוֹקֵן; פִּינָּה
evacuation *n* פִּינּוּי; הֲרָקָה
evade *vt* הִתְחַמֵּק, הִשְׁתַּמֵּט
evaluate *vt* הֶעֱרִיךְ, קָבַע הַעֲרָכָה
evangel *n* מַטִּיף לְנַצְרוּת
evangelical *adj, n* אֵבַנְגֶלִי
evangelist *n* מַטִּיף לְדִבְרֵי הַשְּׁלִיחִים
evaporate *vt, vi* אִידָּה; הִתְנַדֵּף; נָגוֹז
evasion *n* הִתְחַמְּקוּת, הִשְׁתַּמְּטוּת
evasive *adj* שְׁתַמְּטָנִי, מִתְחַמֵּק
Eve *n* חַוָּה
eve *n* עֶרֶב (של חג וכד׳)
even *adj* שָׁוֶה; מִישׁוֹרִי; סָדִיר; מְאוּזָּן; אָחִיד
even *vt* הִשְׁוָה, יִישֵּׁר
even *adv* בְּמִידָּה שָׁוָה; אֲפִילוּ
evening *n* עֶרֶב
evening clothes *n* תִּלְבּוֹשֶׁת עֶרֶב
evening gown *n* שִׂמְלַת עֶרֶב
evening primrose *n* נֵר הַלַּיְלָה
evening star *n* כּוֹכַב הָעֶרֶב; וֶנוּס
evening wrap *n* מְעִיל עֶרֶב (לאישה)
evensong *n* תְּפִילַּת עֶרֶב
event *n* מְאוֹרָע; מִקְרֶה
eventful *adj* רַב־מְאוֹרָעוֹת
eventual *adj* הַבָּא בַּעֲקֵבוֹ
eventuality *n* תּוֹצָאָה אֶפְשָׁרִית
eventually *adv* בְּסוֹפוֹ שֶׁל דָּבָר
eventuate *vi* עוֹקֵב
ever *adv* תָּמִיד; אֵי־פַּעַם
everglade *n* גֵּאִי בִּיצוֹת

evergreen *n, adj* יְרוֹק־עַד
everlasting *adj, n* נִצְחִי; נֵצַח
evermore *adv* תָּמִיד, לָנֶצַח
every *adj* כָּל־, כָּל־אֶחָד; בְּכָל
everybody *pron* כָּל־אֶחָד
everyday *adj* יוֹם־יוֹמִי; רָגִיל
every man Jack כָּל אָדָם, כָּל אֶחָד, כָּל מַלָּח
everyone *n* כָּל אֶחָד
every other *adv* לְסֵירוּגִין
everything *n* הַכּוֹל
everywhere *adv* בְּכָל מָקוֹם
evict *vt* גֵּרֵשׁ (דייר)
eviction *n* גֵּירוּשׁ (כנ״ל)
evidence *n* עֵדוּת
evidence *vt* הִבְהִיר; חִיזֵּק בְּעֵדוּת
evident *adj* בָּרוּר
evil *adj* רָע
evil *n* רָע, רִשְׁעוּת; פֶּגַע
evildoer *n* עוֹשֶׂה רָע
evildoing *n* רֶשַׁע, חֵטְא
evil-eyed *adj* רַע־עַיִן
evil genius *n* בַּעַל הַשְׁפָּעָה רָעָה
evil-minded *adj* מְרוּשָּׁע, חוֹרֵשׁ רָע
Evil One *n* הַשָּׂטָן
evince *vt* הִבְהִיר, הוֹכִיחַ
evoke *vt* הֶעֱלָה, עוֹרֵר
evolution *n* הִתְפַּתְּחוּת
evolve *vt, vi* פִּיתֵּחַ בְּהַדְרָגָה; הִתְפַּתֵּחַ
ewe *n* כִּבְשָׂה
ewer *n* קַנְקַן, כַּד
ex *n* אֶקס (האות); לְשֶׁעָבַר
exact *adj* מְדוּיָּק
exact *vt* תָּבַע; נָשָׁה
exacting *adj* מַחְמִיר בְּדְרִישׁוֹתָיו
exaction *n* נְשִׁיָּה
exactly *adv* בְּדִיּוּק
exactness *n* דִּיּוּק; קַפְּדָנוּת
exaggerate *vt, vi* הִגְזִים, הִכְרִיז
exalt *vt* הֶעֱלָה, רוֹמֵם
exam *n* בְּחִינָה
examination *n* בְּחִינָה, בְּדִיקָה
examine *vt* בָּחַן, בָּדַק
example *n* דּוּגְמָה
exasperate *vt* הִכְעִיס (עד להשחית)
excavate *vt* כָּרָה בּוֹר; חָשַׂף עַתִּיקוֹת
exceed *vt, vi* עָלָה עַל, עָבַר עַל
exceedingly *adv* מְאֹד, בְּמִידָּה יוֹצֵאת מִן הַכְּלָל
excel *vt, vi* הִצְטַיֵּין
excellence *n* הִצְטַיְּינוּת
Excellency *n* הוֹד מַעֲלָה
excelsior *n* נְסוֹרֶת; אֶל עָל
except *vt, vi* הוֹצִיא מִכְּלָל; הִתְנַגֵּד ל...
except *prep, conj* חוּץ מ...; אֶלָּא
exception *n* הוֹצָאָה מִן הַכְּלָל; יוֹצֵא מִן הַכְּלָל; הִתְנַגְּדוּת
exceptional *adj* יוֹצֵא מִן הַכְּלָל
excerpt *vt* הוֹצִיא קֶטַע
excerpt *n* קֶטַע, מוּבָאָה
excess *n* עוֹדֶף; גּוֹדֶשׁ; בִּזְבּוּז
excessively *adv* בְּהַפְרָזָה
excess weight *n* מִשְׁקָל עוֹדֵף
exchange *n* הַחֲלָפָה, חִילּוּפִים; תְּמוּרָה; בּוּרְסָה
exchange *vt, vi* הֶחֱלִיף
exchequer *n* אוֹצָר
excisable *adj* שֶׁאֶפְשָׁר לְהַטִּיל עָלָיו בְּלוֹ

excise *n* בְּלוֹ
excise *vt* מָחַק; קִיטֵּעַ
excise tax *n* בְּלוֹ
excitable *adj* נוֹחַ לְהִתְרַגֵּשׁ
excite *vt* שִׁלְהֵב; עוֹרֵר
excitement *n* שִׁלְהוּב; הִתְרַגְּשׁוּת
exciting *adj* מַלְהִיב; מְרַגֵּשׁ
exclaim *vt, vi* קָרָא, צָעַק
exclamation *n* קְרִיאָה; מִלַּת קְרִיאָה
exclude *vt* גֵּירֵשׁ; הוֹצִיא; מָנַע כְּנִיסָה
exclusion *n* מְנִיעַת כְּנִיסָה; גֵּירוּשׁ
exclusive *adj* בִּלְעָדִי, יִיחוּדִי
excommunicate *adj, n* מְנוּדֶּה
excommunicate *vt* נִידָּה
excommunication *n* נִידּוּי
excoriate *vt* הִפְשִׁיט עוֹר; גִּינָּה
excrement *n* צוֹאָה
excruciating *adj* מַכְאִיב, מְיַיסֵּר
exculpate *vt* נִיקָּה מֵאַשְׁמָה
excursion *n* טִיוּל
excursionist *n* מִשְׁתַּתֵּף בְּטִיוּל
excusable *adj* בַּר־סְלִיחָה
excuse *vt* סָלַח; הִצְדִּיק
excuse *n* תֵּירוּץ
execute *vt, vi* בִּיצֵּעַ
execution *n* בִּיצּוּעַ, הוֹצָאָה לַפּוֹעַל; הוֹצָאָה לַהוֹרֵג
executioner *n* תַּלְיָין
executive *adj* שֶׁל הוֹצָאָה לַפּוֹעַל; מְנַהֵל
executive *n* מְנַהֵל, הַנְהָלָה
Executive Mansion *n* בֵּית הַנָּשִׂיא (בארה״ב)
executor *n* מְבַצֵּעַ; אֶפִּיטְרוֹפּוֹס
executrix *n* אֶפִּיטְרוֹפְּסִית

exemplary *adj* מוֹפְתִי, מְשַׁמֵּשׁ דוּגְמָה
exemplify *vt* הִדְגִּים; שִׁימֵּשׁ דוּגְמָה
exempt *vt* פָּטַר מִן, שִׁחְרֵר מִן
exempt *adj* פָּטוּר מ...
exemption *n* פְּטוֹר, שִׁחְרוּר
exercise *n* תַּרְגִּיל; אִימּוּן, תִּרְגּוּל; הַפְעָלָה
exercise *vt, vi* אִימֵּן, תִּרְגֵּל; הִפְעִיל; הִתְעַמֵּל
exert *vt* הִפְעִיל
exertion *n* מַאֲמָץ; הַפְעָלָה
exhalation *n* נְשִׁיפָה, נְדִיפָה
exhale *vt, vi* נָשַׁף, הִדִּיף
exhaust *vt, vi* רוֹקֵן; מִיצָּה; כִּילָּה
exhaust *n* פְּלִיטָה; מַפְלֵט
exhaustion *n* רִיקּוּן; מִיצּוּי; כְּלוֹת הַכּוֹחוֹת
exhaustive *adj* מְמַצֶּה, יְסוֹדִי
exhaust manifold *n* סַעֶפֶת פְּלִיטָה
exhaust pipe *n* מַפְלֵט
exhaust valve *n* שַׁסְתּוֹם פְּלִיטָה
exhibit *vt* הֶרְאָה, חָשַׂף; הִצִּיג
exhibit *n* מוּצָג
exhibition *n* הַצָּגָה
exhibitor *n* מַצִּיג (בתערוכה)
exhilarating *adj* מְשַׂמֵּחַ, מַרְנִין
exhort *vt* הִמְלִיץ, פָּנָה בְּבַקָּשָׁה
exhume *vt* הוֹצִיא מִקֶּבֶר
exigency *n* דְּחִיפוּת, צוֹרֶךְ דָּחוּף
exigent *adj* דָּחוּף
exile *n* גָּלוּת, גּוֹלֶה; הַגְלָיָה
exile *vt* הִגְלָה
exist *vi* הִתְקַיֵּים; נִמְצָא
existence *n* קִיּוּם; הִימָּצְאוּת; הֲוָיָה
existing *adj* קַיָּים

exit *n* יְצִיאָה

exit *vi* יוֹצֵא

exodus *n* יְצִיאָה הֲמוֹנִית

Exodus *n* יְצִיאַת מִצְרַיִם; סֵפֶר שְׁמוֹת

exonerate *vt* נִיקָּה מֵאַשְׁמָה, זִיכָּה

exorbitant *adj* מוּפְרָז, מוּפְקָע

exorcise *vt* גֵּירֵשׁ (רוח, דיבוק)

exotic *adj, n* לֹא מְקוֹמִי, נָזוֹר; אֶקְזוֹטִי; סַסְגּוֹנִי

exp. *abbr* expenses, expired, export, express

expand *vt, vi* הִגְדִּיל, הִרְחִיב; הִתְפַּשֵּׁט

expanse *n* מֶרְחָב

expansion *n* הִתְפַּשְּׁטוּת, הִתְרַחֲבוּת; פִּיתּוּחַ

expansive *adj* נִיתָּן לְהַרְחָבָה; נִרְחָב; (לגבי אדם) גְּלוּי־לֵב

expatiate *vi* הִרְחִיב אֶת הַדִּיבּוּר

expatriate *vt* גֵּירֵשׁ מִמּוֹלַדְתּוֹ, הִגְלָה

expatriate *n* מְגוֹרָשׁ; גּוֹלֶה

expect *vt* צִיפָּה; חִיכָּה; סָבַר

expectancy *n* צִיפִּיָּה; תּוֹחֶלֶת

expectation *n* סִיכּוּי; צִיפִּיָּה

expectorate *vt* יָרַק; כִּייֵחַ

expediency *n* כְּדָאִיּוּת, תּוֹעַלְתִּיּוּת

expedient *adj* מְסַייֵּעַ לְהַשָּׂגַת מַטָּרָה

expedient *n* אֶמְצָעִי, אֶמְצָעִי עֵזֶר

expedite *vt* הֵחִישׁ, זֵירֵז

expedition *n* מַסָּע; מִשְׁלַחַת

expeditious *adj* מְבוּצָּע כַּהֲלָכָה

expel *vt* גֵּירֵשׁ, הוֹצִיא

expend *vt* הוֹצִיא (כסף, זמן וכד׳)

expendable *adj* שֶׁאֶפְשָׁר לְהוֹצִיאוֹ; שֶׁאֶפְשָׁר לְהַקְרִיבוֹ

expenditure *n* הוֹצָאָה, הוֹצָאוֹת

expense *n* הוֹצָאָה, תַּשְׁלוּם

expensive *adj* יָקָר

experience *n* נִיסָּיוֹן; חֲוָויָה

experience *vt* הִתְנַסָּה; חָוָה

experienced *adj* מְנוּסֶּה; נֶחֱוֶה

experiment *n* נִיסּוּי

experiment *vi* עָשָׂה נִיסָּיוֹן

expert *n, adj* מוּמְחֶה; מוּמְחִי

expiate *vt* כִּיפֵּר

expiation *n* כַּפָּרָה

expire *vt, vi* פָּג, פָּקַע; דָּעַךְ; מֵת

explain *vt* בֵּיאֵר, הִסְבִּיר, פֵּירֵשׁ

explanation *n* הֶסְבֵּר

explanatory *adj* מַסְבִּיר

explicit *adj* בָּרוּר

explode *vt, vi* פּוֹצֵץ; הִתְפּוֹצֵץ

exploit *vt* נִיצֵּל

exploit *n* מַעֲשֶׂה רַב

exploitation *n* נִיצּוּל

exploration *n* סִיּוּר; חֲקִירָה

explore *vt, vi* סִייֵּר שֶׁטַח; חָקַר

explorer *n* חוֹקֵר; נוֹסֵעַ

explosion *n* פִּיצּוּץ; הִתְפּוֹצְצוּת

explosive *adj* עָלוּל לְהִתְפּוֹצֵץ

explosive *n* חוֹמֶר נֶפֶץ; הֶגֶה פּוֹצֵץ

exponent *n* מַסְבִּיר; מְסַמֵּל

export *vt* יִיצֵּא

export *n, adj* יִיצּוּא; יְצוּא; שֶׁל יְצוּא

exportation *n* יִיצּוּא

expose *vt* חָשַׂף; הוֹקִיעַ

exposé *n* הַרְצָאַת דְּבָרִים; הוֹקָעָה

exposition *n* תְּצוּגָה; הַבְהָרָה

expostulate *vi* טָעַן נֶגֶד

exposure *n* חֲשִׂיפָה; הַצָּגָה בְּפוּמְבֵּי; הוֹקָעָה

expound *vt* הִבְהִיר

express *vt* בִּיטֵּא, הִבִּיעַ

express *adj* בָּרוּר, בָּהִיר; מְיוּחָד; מָהִיר

express *adv* בְּרֶכֶב יָשִׁיר אוֹ מָהִיר; בִּמְיוּחָד

express *n* אוֹטוֹבּוּס מָהִיר אוֹ רַכֶּבֶת מְהִירָה

express company *n* חֶבְרָה לְהוֹבָלָה מְהִירָה

expression *n* הַבָּעָה; בִּיטּוּי; מַבָּע

expressive *adj* מַבִּיעַ; מָלֵא הַבָּעָה

expressly *adv* בִּמְיוּחָד, בְּפֵירוּשׁ

expressman *n* שָׁלִיחַ דָּחוּף

express terms *n pl* תְּנָאִים מְפוֹרָשִׁים

express train *n* רַכֶּבֶת מְהִירָה

expressway *n* כְּבִישׁ יָשִׁיר

expropriate *vt* הִפְקִיעַ רְכוּשׁ

expulsion *n* גֵּירוּשׁ

expunge *vt* מָחָה

expurgate *vt* קִיצֵּץ, טִיהֵר (ספר)

exquisite *adj* בַּעַל חֵן עִילָּאִי; מְעוּלֶּה; חָרִיף

exquisite *n* גַּנְדְּרָן, יוֹמָרָן

ex-serviceman *n* חַיָּיל מְשׁוּחְרָר

extant *adj* קַיָּים

extemporaneous *adj* מְאוּלְתָּר

extempore *adj, adv* מְאוּלְתָּר; בְּאִלְתּוּר

extemporize *vt, vi* אִלְתֵּר

extend *vt, vi* פָּשַׁט; הוֹשִׁיט; הִרְחִיב; הֶאֱרִיךְ; הִתְפַּשֵּׁט; הִשְׂתָּרֵעַ

extended *adj* שָׁלוּחַ; מוּשָּׁט; מוֹאֳרָךְ; מָתוּחַ

extension *n* הַרְחָבָה, הַאֲרָכָה; שְׁלוּחָה

extension ladder *n* סוּלָּם שָׁחִיל

extension table *n* שׁוּלְחָן שָׁחִיל

extensive *adj* רָחָב, גָּדוֹל מְמַדִּים; מַקִּיף

extent *n* מִידַּת הִתְפַּשְּׁטוּת; גּוֹדֶל מְסוּיָּם

extenuate *vt* רִיכֵּךְ; הֵקֵל

exterior *adj, n* חִיצוֹנִי; צַד חִיצוֹנִי

exterminate *vt* הִשְׁמִיד

external *adj* חִיצוֹנִי

externals *n pl* מַרְאֶה חִיצוֹנִי

extinct *adj* כָּבוּי (הר געש); מוּכְחָד

extinguish *vt* כִּיבָּה; כִּילָּה

extinguisher *n* מַטְפֶּה

extirpate *vt* עָקַר, הִשְׁמִיד

extol *vt* שִׁיבֵּחַ

extort *vt, vi* הִשִּׂיג בִּסְחִיטָה אוֹ בְּעִינּוּיִים

extortion *n* סְחִיטָה בְּעִינּוּיִים; הַפְקָעַת שְׁעָרִים

extra *adj* נוֹסָף, מְיוּחָד

extra *adv* יוֹתֵר מִן הָרָגִיל

extra *n* תּוֹסֶפֶת מְיוּחֶדֶת

extract *vt* עָקַר; הוֹצִיא

extract *n* דָּבָר מוּצָא; קֶטַע; מוּבָאָה; תַּמְצִית

extraction *n* הוֹצָאָה, עֲקִירָה; מוֹצָא

extracurricular *adj* שֶׁמִּחוּץ לַתּוֹכְנִית

extradition *n* הַסְגָּרָה

extra fare *n* תּוֹסֶפֶת דְּמֵי נְסִיעָה

extra-flat *adj* שָׁטוּחַ בְּיוֹתֵר

extramural *adj* מִחוּץ לְכוֹתְלֵי הָאוּנִיבֶרְסִיטָה

extraneous *adj* חִיצוֹנִי, זָר

extraordinary *adj* יוֹצֵא מִן הַכְּלָל
extrapolate *vt* אָמַד מִלְּבַר
extravagance *n* בִּזְבּוּז, הַפְרָזָה
extravagant *adj* בַּזְבְּזָנִי; יוֹצֵא דוֹפֶן; מוּפְרָז; מַפְרִיז
extreme *adj* קִיצוֹנִי
extreme *n* קִיצוֹנִיּוּת, מִידָּה קִיצוֹנִית
extremely *adv* מְאוֹד מְאוֹד
extreme unction *n* מְשִׁיחַת שְׁכִיב מְרַע
extremity *n* עוֹנִי קִיצוֹנִי; קְצֵה אֵיבָר; קָצֶה
extricate *vt* שִׁחְרֵר, חִילֵּץ
extrinsic *adj* חִיצוֹנִי, לֹא חִיּוּנִי
extrovert *n* מְחוּצָּן
extrude *vt, vi* גֵּירֵשׁ, הִשְׁלִיךְ; בָּלַט
exuberant *adj* מְשׁוּפָּע; שׁוֹפֵעַ רוֹמְמוּת רוּחַ
exude *vt, vi* נָדַף (ריח וכד׳)
exult *vi* שָׂמַח, צָהַל
exultant *adj* שָׂמֵחַ, עוֹלֵץ
eye *n* עַיִן; רְאִיָּה; מַבָּט; קוֹף שֶׁל מַחַט
eye *vt* תָּקַע מַבָּט בּ...
eyeball *n* גַּלְגַּל הָעַיִן
eye bolt *n* בּוֹרֶג בַּעַל אוֹזֶן
eyebrow *n* גַּבָּה
eye cup *n* קַעֲרִית לִשְׁטִיפַת עַיִן
eyeful *n* ׳חֲתִיכָה׳
eyeglass *n* זְכוּכִית הָעַיִן; מִשְׁקָף
eyelash *n* רִיס הָעַיִן
eyelet *n* סֶדֶק, חָרִיר; לוּלָאָה
eyelid *n* עַפְעַף
eye of the morning *n* שֶׁמֶשׁ
eye-opener *n* פּוֹקֵחַ עֵינַיִים
eyepiece *n* זְכוּכִית הָעַיִן
eye-shade *n* מִצְחִית, סַךְ עַיִן
eye shadow *n* אִיפּוּר עַיִן
eyeshot *n* מֶרְחַק רְאִיָּה
eyesight *n* רְאִיָּה
eye socket *n* אֲרוּבַּת הָעַיִן
eyesore *n* דָּבָר מְכוֹעָר
eyestrain *n* עֲיֵיפוּת עֵינַיִים
eye-test chart *n* טַבְלַת בְּדִיקַת עֵינַיִים
eyetooth *n* שֵׁן הָעַיִן
eyewash *n* תַּרְחִיץ לְעֵינַיִים; אֲחִיזַת עֵינַיִים
eyewitness *n* עֵד רְאִיָּה
eyrie, eyry *n* קַן נֶשֶׁר, קַן עוֹרֵב

F

F, f *n* (האות השישית באלפבית) אֶף
F *abbr* Fahrenheit; February; Fluorine; French; Friday
fable *n* מָשָׁל; אַגָּדָה; בְּדָיָה
fabric *n* אָרִיג; מַאֲרָג; מִבְנֶה
fabricate *vt* פִּבְרֵק, בָּדָה
fabrication *n* פִּבְרוּק, בְּדוּתָה; זִיוּף
fabulous *adj* דִמְיוֹנִי; אַגָּדִי
facade *n* חֲזִית הַבַּיִת; חֲזִית
face *n* פָּנִים; מַרְאֶה; חוּצְפָּה; יוּקְרָה
face *vt, vi* הִבִּיט לְעֵבֶר; עָמַד מוּל
face card *n* קְלַף תְּמוּנָה
face-lifting *n* הַחֲלָקַת פָּנִים
face powder *n* פּוּדְרָה, אַבְקַת אִיפּוּר
facet *n* צַד, פֵּאָה; אַסְפֶּקְט, פָּן, הֶיבֵּט
face value *n* עֵרֶךְ נוֹמִינָלִי
facial *adj, n* שֶׁל פָּנִים; טִיפּוּל פָּנִים
facilitate *vt* הֵקֵל, סִייֵּעַ
facility *n* אֶפְשָׁרוּת; מְיוּמָּנוּת
facing *n* כִּיסוּי, צִיפּוּי
facsimile *n* הַעְתָּקָה; דְמוּת הַכְּתָב
fact *n* עוּבְדָה
faction *n* סִיעָה
factional *adj* סִיעָתִי, פַּלְגָנִי
factionalism *n* סִיעָתִיּוּת
factor *n* גּוֹרֵם, קוֹבֵעַ; מְתַוֵּךְ
factor *vt, vi* פֵּירֵק לְגוֹרְמִים
factory *n* בֵּית־חֲרוֹשֶׁת
factual *adj* עוּבְדָתִי
faculty *n* כּוֹשֶׁר; (באוניברסיטה) מַחְלָקָה, פָּקוּלְטָה
fad *n* אוֹפְנָה חוֹלֶפֶת
fade *vi, vt* דָעַךְ; דָהָה; נָמוֹג
fade-out *n* הֵיעָלְמוּת הַדְרָגָתִית
fag *vt, vi* עָמַל קָשֶׁה; הִתְעַיֵּיף
fag *n* עֲבוֹדָה מְפָרֶכֶת
fail *vi, vt* נִכְשַׁל; הָיָה לָקוּי; אִכְזֵב
fail *n* כִּישָׁלוֹן, פִּיגּוּר
failure *n* כִּישָׁלוֹן; כּוֹשֵׁל; פְּשִׁיטַת־רֶגֶל
faint *adj* עָמוּם, חַלָּשׁ; עָיֵיף; מִתְעַלֵּף
faint *n* עִילָּפוֹן
faint *vi* הִתְעַלֵּף
fainthearted *adj* מוּג־לֵב
fair *adj* הוֹגֵן; צוֹדֵק; טוֹב לְמַדַּי; בָּהִיר
fair *adv* בַּהֲגִינוּת
fair *n* יְרִיד
fairground *n* מִגְרְשֵׁי יְרִיד
fairly *adv* בַּהֲגִינוּת
fair-minded *adj* הוֹגֵן בְּשִׁיפּוּטוֹ
fairness *n* הֲגִינוּת; בְּהִירוּת
fair-weather *adj* לְמֶזֶג־אֲוויר נָאֶה בִּלְבַד
fairy *n* פֵּיָה
fairy story (tale) *n* מַעֲשִׂיָּה; בְּדָיָה
fairyland *n* עוֹלַם הַפֵּיוֹת
faith *n* אֱמוּנָה, דָת; אֵימוּן
faithful *adj* מָסוּר, נֶאֱמָן
faithless *adj* חֲסַר אֱמוּנָה; בּוֹגֵד
fake *vt, vi* זִייֵּף, הוֹנָה
fake *n* מְזַיֵּיף, נוֹכֵל

faker *n, adj* זִיּוּף, הוֹנָאָה
falcon *n* נֵץ, בַּז
falconer *n* בַּזְיָיר
falconry *n* בַּזְיָירוּת
fall *vi* נָפַל; פָּחַת; חָל; נִפְתָּה
fall *n* נְפִילָה, יְרִידָה; מַפּוֹלֶת; סְתָיו; שַׁלֶּכֶת; מַפַּל־מַיִם
fallacious *adj* מַטְעֶה; מוּטְעֶה
fallacy *n* סְבָרָה מוּטְעֵית
fall asleep *vi* נִרְדַּם
fall guy *n* שָׂעִיר לַעֲזָאזֵל
fallible *adj* עָלוּל לִטְעוֹת
falling star *n* כּוֹכָב נוֹפֵל, מֵטֵאוֹר
fall in love *vi* הִתְאַהֵב
fall-out *n* נְפוֹלֶת
fall-out shelter *n* מִקְלָט נֶגֶד נְשׂוֹרֶת, מִקְלָט אֲטוֹמִי
fallow *vt* כָּרַב, חָרַשׁ וְהוֹבִיר
fallow *n* כְּרָב־נָע
fallow *adj* חָרוּשׁ וּמוּבָר; צְהַבְהַב
fall under *vi* נִכְלַל בּ...
false *adj, adv* מוּטְעֶה; כּוֹזֵב; מְזוּיָּף
false face *n* מַסְוֶה
false-hearted *adj* בּוֹגְדָנִי
falsehood *n* שֶׁקֶר, רַמָּאוּת
false return *n* הַצְהָרָה כּוֹזֶבֶת
falsetto *n* פַּלְסֶט, סַלְפִּית
falsify *vt, vi* זִיֵּף, סִילֵּף
falsity *n* שֶׁקֶר, זִיּוּף
falter *vi* הִיסֵּס; דִּיבֵּר בְּהַסְּסָנוּת
fame *n* פִּרְסוּם, שֵׁם טוֹב
famed *adj* מְפוּרְסָם
familiar *adj* יָדוּעַ, רוֹוֵחַ, מוּכָּר
familiarity *n* הֶיכֵּרוּת; בְּקִיאוּת; אִי־רִשְׁמִיּוּת
familiarize *vt* וִידֵּעַ, הִכִּיר; פִּרְסֵם
family *n* מִשְׁפָּחָה
family physician *n* רוֹפֵא מִשְׁפָּחָה
famish *vt, vi* הִרְעִיב; רָעֵב
famished *adj* גּוֹוֵעַ מֵרָעָב
famous *adj* מְפוּרְסָם
fan *n* מְנִיפָה; מְאַוְורֵר; חוֹבֵב
fan *vt, vi* נוֹפֵף בִּמְנִיפָה; הֵשִׁיב רוּחַ
fanatic(al) *adj* קַנָּאִי, פָנָטִי
fanatic *n* קַנָּאי
fanaticism *n* קַנָּאוּת, פָנָטִיּוּת
fancied *adj* דִּמְיוֹנִי; אָהוּד
fancier *n* מְחַבֵּב; שׁוֹגֶה בְּדִמְיוֹנוֹת
fanciful *adj* דִּמְיוֹנִי, מוּזָר
fancy *n* דִּמְיוֹן; אַשְׁלָיָה; קַפְּרִיזָה, גַּחֲמָה
fancy *adj* קִישׁוּטִי; דִּמְיוֹנִי
fancy *vt, vi* תֵּיאֵר לְעַצְמוֹ; חִיבֵּב
fancy-ball *n* נֶשֶׁף מַסֵּכוֹת
fancy dive *n* צְלִילָה רַאַוְותָנִית; מוֹעֲדוֹן לַיְלָה עוֹגְבָנִי
fancy-dress *n* תַּחְפּוֹשֶׂת
fancy foods *n pl* מַאַכְלֵי עֲדָנִים
fancy-free *adj* חוֹפְשִׁי מֵהַשְׁפָּעָה
fancy jewelry *n* תַּכְשִׁיטִים מְדוּמִּים
fancy skating *n* הַחֲלָקַת רַאֲוָוה
fancywork *n* רִקְמָה
fanfare *n* תְּרוּעַת חֲצוֹצְרוֹת
fang *n* שֵׁן אֶרֶס
fanlight *n* אֶשְׁנָב תְּרִיסִי
fantasy *n* דִּמְיוֹן, הֲזָיָה
fantasy *vt, vi* דִּימָּה, הָזָה
far *adj, adv* רָחוֹק; בְּמִידָה רַבָּה
faraway *adj* רָחוֹק; חוֹלְמָנִי
farcical *adj* מַצְחִיק; מְגוּחָךְ

fare *vi* נֶהֱנָה; הָיָה בְּמַצָּב; נָסַע; אֵירַע
fare *n* דְּמֵי־נְסִיעָה; נוֹסֵעַ
Far East *n* הַמִּזְרָח הָרָחוֹק
farewell *adj, n, interj* שֶׁל פְּרִידָה; בִּרְכַּת פְּרִידָה; צֵאתְךָ לְשָׁלוֹם
far-fetched *adj* קָשׁוּר קֶשֶׁר רוֹפֵף
far-flung *adj* מִתְפַּשֵּׁט, מִשְׂתָּרֵעַ
farm *n* מֶשֶׁק, חַוָּה
farm *vt, vi* חָכַר, הֶחְכִּיר; מָכַס
farmer *n* אִיכָּר, חַוַּאי
farmhouse *n* בֵּית־מֶשֶׁק
farming *n, adj* אִיכָּרוּת, חַקְלָאוּת
farmyard *n* חֲצַר מֶשֶׁק
far-off *adj* מְרוּחָק
far-reaching *adj* מַרְחִיק־לֶכֶת
farsighted *adj* רוֹאֶה לְמֶרְחוֹק
farther *adj, adv* יוֹתֵר רָחוֹק, הָלְאָה
farthest *adj* הָרָחוֹק בְּיוֹתֵר
farthest *adv* לַמֶּרְחָק הַגָּדוֹל בְּיוֹתֵר
farthing *n* רֶבַע פֶּנִי; פְּרוּטָה
Far West *n* הַמַּעֲרָב הָרָחוֹק
fascinate *vt, vi* הִקְסִים; הִכְנִיעַ
fascinating *adv* בְּצוּרָה מַקְסִימָה
fashion *n* אוֹפְנָה; אוֹפֶן, דֶּרֶךְ; נוֹהַג מְקוּבָּל
fashion *vt* עִיצֵּב, קָבַע צוּרָה; הִתְאִים
fashion designing *n* תִּכְנוּן אוֹפְנָה
fashion-plate *n* דוּגְמַת אוֹפְנָה
fashion show *n* תְּצוּגַת אוֹפְנָה
fast *adj* מָהִיר; יַצִּיב; הוֹלְלָנִי; הָדוּק
fast *adv* בִּמְהוּדָּק; חָזָק; מַהֵר
fast *vi* צָם
fast *n* צוֹם
fast day *n* יוֹם צוֹם, תַּעֲנִית
fasten *vt, vi* חִיזֵּק, הִידֵּק; כִּפְתֵּר
fastener *n* רוֹכְסָן; הֶבֶק; (לחלון וכד׳) רַתּוּק
fastidious *adj* אִסְטְנִיסִי, בַּרְרָנִי
fat *adj* שָׁמֵן
fat *n* שׁוּמָּן; שׁוֹמֶן
fatal *adj* גּוֹרָלִי, רְצִינִי; גּוֹרֵם מָוֶת
fatalism *n* פָּטָלִיּוּת, פָּטָלִיזם
fatalist *n* פָּטָלִיסט
fatality *n* מִקְרֵה מָוֶת
fate *n* גּוֹרָל; מָוֶת
fated *adj* אָנוּס עַל־פִּי הַגּוֹרָל
fateful *adj* הֲרֵה גּוֹרָל
fathead *n* טִיפֵּשׁ
father *n* אָב
father *vt* הוֹלִיד; הִמְצִיא; שִׁימֵּשׁ כְּאָב
fatherhood *n* אַבְהוּת
father-in-law *n* חוֹתֵן
fatherland *n* מוֹלֶדֶת
fatherless *adj* יָתוֹם מֵאָבִיו
fatherly *adv, adj* כְּאָב; אַבָהִי
Father's Day *n* יוֹם הָאָב
fathom *n* פָּתוֹם (יחידת אורך)
fathom *vt, vi* חָדַר לְעוֹמֶק; הֵבִין
fathomless *adj* עָמוֹק עַד אֵין חֵקֶר
fatigue *vt, vi* עִייֵּף; הִתְעַייֵּף
fatigue *n* עֲיֵיפוּת
fatten *vt, vi* הִשְׁמִין; פִּיטֵּם
fatty *adj, n* שָׁמֵן, מֵכִיל שׁוּמָּן
fatuous *adj* רֵיקָא, אִידְיוֹטִי
fault *n* פְּגָם; שְׁגִיאָה; עָוֶל
faultfinder *n* מְבַקֵּשׁ פְּגָמִים
faultfinding *adj* שֶׁל בִּיקּוּשׁ פְּגָמִים
faultless *adj* לְלֹא מוּם
faulty *adj* פָּגוּם; מְקוּלְקָל

faun *n* אָדָם־תַּיִשׁ
fauna *n* עוֹלַם הַחַי
favor *n* טוֹבָה, חֶסֶד; מַשּׂוֹא־פָּנִים
favor *vt* נָטָה חֶסֶד ל...
favorable, *adj* מְסַיֵּעַ; נוֹחַ; נוֹטֶה לְהַסְכִּים
favorable answer *n* תְּשׁוּבָה חִיּוּבִית
favorite *n, adj* מוֹעֲדָף עַל אֲחֵרִים
favoritism *n* מַשּׂוֹא־פָּנִים
fawn *n* עוֹפֶר הָאַיָּלִים
fawn *adj* חוּם־צָהוֹב בָּהִיר
fawn *vi* הִתְרַפֵּס
faze *vt* הִפְרִיעַ, הִדְאִיג
fear *n* פַּחַד, חֲשָׁשׁ
fear *vt, vi* פָּחַד, חָשַׁשׁ
fearful *adj* נוֹרָא, אָיוֹם; חוֹשֵׁשׁ
fearless *adj* אַמִּיץ־לֵב, לְלֹא חַת
feasible *adj* בַּר־בִּיצּוּעַ
feast *n* חַג; סְעוּדָה; עוֹנֶג
feast *vt, vi* נֶהֱנָה מִסְּעוּדָה; הִתְעַנֵּג
Feast of Weeks *n* חַג הַשָּׁבוּעוֹת
feat *n* מַעֲשֵׂה גְּבוּרָה
feather *n* נוֹצָה
feather *vt, vi* קִישֵּׁט בְּנוֹצוֹת
featherbed *vt vi* פִּינֵּק; כָּפָה מַעֲבִיד
featherbedding *n* כְּפִיַּית מַעֲבִיד
featherbrain *n* קַל־דַּעַת
featheredged *adj* מְחוּדָּד
feathery *adj* עֲטוּי נוֹצוֹת; דְּמוּי נוֹצָה
feature *n* חֵלֶק הַפָּנִים; (בריבוי) תּוֹפָעָה בּוֹלֶטֶת
feature writer *n* כּוֹתֵב רְשִׁימוֹת מֶרְכָּזִיּוֹת
February *n* פֶבְּרוּאָר
feces *n pl* צוֹאָה
feckless *adj* קַל־דַּעַת
federal *adj, n* שֶׁל בְּרִית מְדִינוֹת; פֵדֶרָלִי
federate *adj* בְּרִית מְדִינוֹת
federate *vt, vi* אִיחֵד עַל בָּסִיס פֵדֶרָלִי; הִתְאַחֵד (כנ״ל)
federation *n* הִתְאַחֲדוּת מְדִינוֹת
fedora *n* פֵדוֹרָה (סוג מגבעת)
fed up *adj* שֶׁנִּמְאַס לוֹ
fee *vt* שִׁילֵּם; שָׂכַר
fee *n* תַּשְׁלוּם; שָׂכָר
feeble *adj* חַלָּשׁ
feeble-minded *adj* רְפֵה שֵׂכֶל
feed *vt, vi* הֶאֱכִיל, הֵזִין; שִׁימֵּשׁ מָזוֹן; נִיזּוֹן; סִיפֵּק
feed *n* מָזוֹן; אֲבִיסָה
feedback *n* מָשׁוֹב; הִיזּוּן חוֹזֵר
feed-bag *n* שַׂק הַמִּספּוֹא
feed pump *n* מַשְׁאֵבַת הֶיגֵּשׁ
feed trough *n* אֵבוּס
feed wire *n* תַּיִל זָן
feel *vt, vi* הִרְגִּישׁ, חָשׁ
feel *n* הַרְגָּשָׁה, תְּחוּשָׁה; חוּשׁ הַמִּישּׁוּשׁ
feeler *n* מַרְגִּישׁ; הֶעָרַת גִּישּׁוּשׁ; מַשְׁשָׁן
feeling *adj* רָגִישׁ
feeling *n* הַרְגָּשָׁה, רֶגֶשׁ
feign *vt, vi* הִמְצִיא בְּדִמְיוֹן; הֶעֱמִיד פָּנִים
feint *n* הַטְעָיָה, תַּכְסִיס הַטְעָיָה
feint *vi* הִטְעָה; הֶעֱמִיד פָּנִים
feldspar *n* פְּצֶלֶת־הַשָּׂדֶה
felicitate *vt* בֵּירֵךְ, אִיחֵל
felicitous *adj* הוֹלֵם, קוֹלֵעַ
fell *pt of* fall נָפַל
fell *vt* הִפִּיל; כָּרַת

fell *adj* מֵטִיל אֵימָה, אַכְזָרִי
fell *n* עוֹר חַיָּה
fellah *n* פַּלָּח, פַּלָּח
felloe *n* חִישׁוּק הָאוֹפַן
fellow *n* אָדָם; בָּחוּר; בַּרְנָשׁ
fellow being *n* יְצוּר אֱנוֹשׁ
fellow-citizen *n* אֶזְרַח אוֹתָהּ אֶרֶץ
fellow-countryman *n* בֶּן אוֹתָהּ אֶרֶץ
fellow man *n* אָדָם, הַזּוּלַת
fellow member *n* חֲבֵר אֲגוּדָּה
fellowship *n* חֲבֵרוּת; אַחֲוָה;
חֲבֵרוּת בַּאֲגוּדָּה
fellow-traveler *n* אוֹהֵד
felon *n* פּוֹשֵׁעַ, מְבַצֵּעַ פֶּשַׁע; מוּרְסָה
felony *n* פֶּשַׁע
felt *pt*, *pp of* feel הִרְגִּישׁ, חָשׁ
felt *n* לֶבֶד
female *n* נְקֵבָה
female *adj* נְקֵבִי
feminine *adj* נָשִׁי, נְקֵבִי
feminine gender *n* מִין נְקֵבָה
feminism *n* פֶמִינִיזם; נָשִׁיּוּת
fen *n* גֵּיא מַיִם, בִּיצָה
fence *vt*, *vi* גָּדַר; סִיֵּף
fence *n* גָּדֵר; סִיּוּף
fencing *n* סִיּוּף;
הִתְחַכְּמוּת בְּוִיכּוּחַ; גִידוּר
fencing academy *n* מָכוֹן לְסִיּוּף
fend *vt* הִתְגּוֹנֵן
fender *n* הוֹדֵף; פָּגוֹשׁ
fennel *n* שׁוּמָר פָּשׁוּט
ferment *n* תָּסִיס; תְּסִיסָה
ferment *vt*, *vi* הִתְסִיס; תָּסַס
fern *n* שָׁרָךְ
ferocious *adj* פְּרָאִי, אַכְזָרִי

ferocity *n* פְּרָאוּת, אַכְזְרִיּוּת
ferret *n* סַמּוּר
ferret *vt* גֵּירֵשׁ בְּעֶזְרַת סַמּוּר; חָשַׂף
Ferris wheel *n* אוֹפַן נַדְנֵדוֹת
ferry *n* מַעְבּוֹרֶת
ferry *vt*, *vi* הֵשִׁיט בְּמַעְבָּרָה
ferryboat *n* מַעְבּוֹרֶת
fertile *adj* פּוֹרֶה; מַזְרִיעַ
fertilize *vt* הִפְרָה; דִישֵּׁן
fervent *adj* נִלְהָב, לוֹהֵט
fervently *adv* בְּלַהַט
fervid *adj* מְשׁוּלְהָב
fervor *n* לַהַט
fester *vt*, *vi* מִיגֵּל; גָּרַם לְכִיב
fester *n* כִּיב
festival *n* חַג; חֲגִיגָה; פֶסְטִיבָל, תְּחִיגָּה
festive *adj* חֲגִיגִי
festivity *n* טֶקֶס חֲגִיגִי; עַלִּיזוּת;
חֲגִיגִיּוּת
festoon *n* זֵר פְּרָחִים
festoon *vt* קִישֵּׁט בְּזֵרִים
fetch *vt*, *vi* הָלַךְ וְהֵבִיא;
הִשִּׂיג (מחיר); צוֹדֵד
fetching *adj* מַקְסִים
fete *vt* עָרַךְ מְסִיבָּה לִכְבוֹד
fete *n* חַג, חֲגִיגָה
fetid, foetid *adj* מַבְאִישׁ
fetish *n* עֶצֶם נַעֲרָץ, פֵטִישׁ
fetlock *n* מְקוֹם הַכְּפִיתָה
fetter *n* אֲזֵק
fetter *vt* כָּבַל בַּאֲזִיקִים; הִגְדִּיל
fettle *vt* הֵכִין; הִתְקִין
fetus *n* עוּבָּר
feud *vi* נָטַר אֵיבָה
feud *n* סִכְסוּךְ נִצְחִי

feudal *adj* פֵּיאוֹדָלִי
feudalism *n* פֵּיאוֹדָלִיּוּת
fever *n* חוֹם, קַדַּחַת; קַדַּחְתָּנוּת
feverish *adj* קַדַּחְתָּנִי
few *adj, pron, n* אֲחָדִים, מְעַטִּים
fiancé *n* אָרוּס
fiancée *n* אֲרוּסָה
fiasco *n* כִּשָּׁלוֹן מַחְפִּיר
fib *n* שֶׁקֶר יַלְדוּתִי
fib *vi, vt* שִׁיקֵּר (כנ״ל)
fibber *n* שַׁקְרָן
fibrous *adj* סִיבִי; לִיפִי
fickle *adj* לֹא יַצִּיב, הֲפַכְפַּךְ
fiction *n* סִיפּוֹרֶת; בְּדַאי
fictional *adj* שֶׁל סִיפּוֹרֶת, דִמְיוֹנִי
fictionalize *vt* בָּדָה, כָּתַב בְּדַאי
fictitious *adj* מְזוּיָּף, בָּדוּי; סִיפּוּרִי
fiddle *n* כִּינּוֹר; לַזְבֵּז שׁוּלְחָן
fiddle *vt* נִיגֵּן בְּכִינּוֹר; עָשָׂה תְּנוּעוֹת לְלֹא מַטָּרָה; (המונית) רִימָּה
fiddler *n* מְנַגֵּן בְּכִינּוֹר; עוֹסֵק בִּשְׁטוּיוֹת
fiddling, fiddly *adj* פָּעוּט
fidelity *n* נֶאֱמָנוּת
fidget *vt, vi* עִצְבֵּן; נָע בְּעַצְבָּנוּת
fidgety *adj* עַצְבָּנִי
fiduciary *n, adj* אֶפִּיטְרוֹפּוֹס; שֶׁל נֶאֱמָנוּת
fie *interj* פוּי (הבעת גועל)
fief *n* אֲחוּזָּה פֵּיאוֹדָלִית
field *n* שָׂדֶה; מִגְרָשׁ (ספורט); תְּחוּם (פעולה וכד׳)
field *vt* עָצַר (כדור) וְהִשְׁלִיךְ
fielder *n* (במשחק) מְשַׂחֵק בַּשָּׂדֶה
fieldglasses *n pl* מִשְׁקֶפֶת שָׂדֶה
field hockey *n* הוֹקִי שָׂדֶה
field-marshal *n* פִילְד מַרְשָׁל
field-piece *n* תּוֹתַח שָׂדֶה
fiend *n* שָׂטָן, שֵׁד; מִתְמַכֵּר (לסמים, לתחביב וכד׳)
fiendish *adj* שְׂטָנִי
fierce *adj* פִּרְאִי; סוֹעֵר; חָזָק
fierceness *n* פִּרְאוּת
fiery *adj* שֶׁל אֵשׁ, בּוֹעֵר; לוֹהֵט
fife *n* חָלִיל
fife *vt* חִילֵּל
fifteen *adj, n* חֲמִישָּׁה־עָשָׂר, חֲמֵשׁ־עֶשְׂרֵה
fifteenth *adj, n* הַחֲמִישָּׁה־עָשָׂר; הַחֵלֶק הַחֲמִישָּׁה־עָשָׂר
fifth *adj, n* חֲמִישִׁי, חֲמִישִׁית
fifth column *n* גַּיִס חֲמִישִׁי
fifth-columnist *n* אִישׁ הַגַּיִס הַחֲמִישִׁי
fiftieth *adj, n* הַחֲמִישִּׁים; חֵלֶק הַחֲמִישִּׁים
fifty *adj, n* חֲמִישִּׁים
fifty-fifty *adv, adj* חֵלֶק כְּחֵלֶק
fig *n* תְּאֵנָה; דָבָר שֶׁל מַה־בְּכָךְ
fig. *abbr* figurative; figuratively; figure, figures
fight *n* קְרָב; לְחִימָה; מַאֲבָק
fight *vt, vi* נִלְחַם בּ...; נֶאֱבַק
fighter *n* לוֹחֵם; מְטוֹס־קְרָב
fig-leaf *n* עֲלֵה תְּאֵנָה
figment *n* פְּרִי דִמְיוֹן
figurative *adj* צִיּוּרִי, מֵטָפוֹרִי
figure *n* סִפְרָה; מִסְפָּר; צוּרָה; גִזְרָה
figure *vt, vi* חִשֵּׁב; הִבִּיעַ בְּמִסְפָּרִים; קִישֵּׁט
figure-head *n* ׳בּוּבָּה׳, בַּעַל מַעֲמָד לְלֹא סַמְכוּת

figure of speech *n* בִּיטּוּי צִיּוּרִי
figure-skating *n* הַחֲלָקָה בְּצוּרוֹת
figurine *n* פִּסְלוֹן; פִּסְלִית
filament *n* חוּט דַּקִּיק
filch *vt* גָּנַב (דבר פעוט)
file *n* שׁוֹפִין, פְּצִירָה; תִּיק; כַּרְטֶסֶת
file *vt, vi* תִּיֵּק; צָעַד בְּטוּר; פָּצַר, שָׁף
file case *n* תִּיקְיוֹן
filet *n* רֶשֶׁת
filial *adj* שֶׁל בֵּן (אוֹ בת)
filiation *n* הֱיוֹת בֵּן; אַבְהוּת
filibuster *n* פִּילִיבּוּסְטֶר
filibuster *vi* נָהַג כְּפִילִיבּוּסְטֶר
filigree, fillagree *n* רִקְמַת פְּאֵר
filing *n* תִּיּוּק; גְּרוֹדֶת
filing-cabinet *n* תִּיקִיּוֹן
filing card *n* כַּרְטִיס, כַּרְטִיסִיָּה
Filipino *n* פִּילִיפִּינִי
fill *vt, vi* מִילֵּא; סָתַם (שֵׁן); הִתְמַלֵּא
fill *n* כַּמּוּת מַסְפֶּקֶת
filler *n* מְמַלֵּא; מִילּוּי
fillet *n* סֶרֶט; פִילֶה
fillet *vt* קָשַׁר בְּסֶרֶט
filling *adj* מְמַלֵּא, מַשְׂבִּיעַ
filling *n* מִילּוּי; סְתִימָה
filling-station *n* תַּחֲנַת־דֶּלֶק
fillip *n* סְנוֹקֶרֶת; תַּמְרִיץ
filly *n* סְיָיחָה
film *n* קְרוּם, סֶרֶט
film *vt, vi* קָרַם; נִקְרַם; הִסְרִיט
film-star *n* כּוֹכַב קוֹלְנוֹעַ
film strip *n* סִרְטוֹן
filmy *adj* קְרוּמִי, מְצוֹעָף
filter *n* מַסְנֵן
filter *vt, vi* סִינֵּן; הִסְתַּנֵּן
filtering *n* סִינּוּן
filter paper *n* נְיַיר סִינּוּן
filter tip *n* פִּיַּת תַּסְנִין
filth *n* לִכְלוּךְ, זוּהֲמָה; טוּמְאָה
filthy *adj* מְטוּנָּף, מְתוֹעָב
filthy lucre *n* כֶּסֶף
filtrate *n* תַּסְנִין
filtrate *vt* סִינֵּן
fin. *abbr* finance
fin *n* סְנַפִּיר
final *adj, n* סוֹפִי, אַחֲרוֹן
finale *n* סִיּוּם; פִינָלֶה
finalist *n* מְסַיֵּים
finally *adv* לְבַסּוֹף; בְּצוּרָה סוֹפִית
finance *n* מִימּוּן; כְּסָפִים
finance *vt, vi* מִימֵּן;
בִּיצַּע פְּעוּלוֹת כַּסְפִּיּוֹת
financial *adj* כַּסְפִּי
financier *n* מָמוֹנַאי; בַּעַל הוֹן
financing *n* מִימּוּן
finch *n* פְּרוּשׁ מָצוּי
find *vt* מָצָא, גִּילָּה
find *n* מְצִיאָה; תַּגְלִית
finder *n* מוֹצֵא; מְאַתֵּר
finding *n* מְצִיאָה; תַּגְלִית; מִמְצָא
fine *n* קְנָס
fine *vt* קָנַס
fine *adj, adv* מְשׁוּבָּח, מוּבְחָר; חַד;
עָדִין; נָאֶה
fine arts *n pl* אוֹמָנוּיוֹת דַּקּוֹת
fine gold *n* זָהָב טָהוֹר
fineness *n* הִידּוּר; דַּקּוּת; עֲדִינוּת
finery *n* קִישּׁוּט; כּוּר מַצְרֵף
finespun *adj* דַּק, עָדִין
finesse *n* עֲדִינוּת הַבִּיצּוּעַ; דַּקּוּת

fine print *n* אוֹתִיּוֹת קְטַנּוֹת

fine-toothed comb *n* מַסְרֵק דַק

finger *n* אֶצְבַּע

finger *vt, vi* נָגַע בְּאֶצְבְּעוֹתָיו; ׳סָחַב׳

fingerboard *n* שְׁחִיף הָאֶצְבָּעוֹת; מִקְלֶדֶת

finger-bowl *n* נַטְלָה, אֲנַטָל

finger dexterity *n* חָרִיצוּת אֶצְבָּעוֹת

fingering *n* מִשְׁמוּשׁ; ׳סְחִיבָה׳; אִצְבּוּעַ

fingernail *n* צִיפּוֹרֶן

fingernail polish *n* מִשְׁחַת צִיפּוֹרְנַיִים

fingerprint *n, vt* טְבִיעַת אֶצְבָּעוֹת; הֶחְתִּים טְבִיעַת אֶצְבָּעוֹת

finger tip *n* קְצֵה־הָאֶצְבַּע

finial *n* עִיטּוּר־שִׂיא

finical *adj* מְפוּנָּק, אִיסְטְנִיס; מְפוֹרָט

finish *vt, vi* גָּמַר, סִיֵּים; הִסְתַּיֵּים

finish *n* גִּימּוּר; אַשְׁפָּרָה

finishing nail *n* מַסְמֵר חוֹתֵם

finishing school *n* בֵּית־סֵפֶר מַשְׁלִים

finishing touch *n* גִּימּוּר

finite *adj* מוּגְדָר, מְפוֹרָשׁ; מוּגְבָּל; סוֹפִי

finite verb *n* פּוֹעַל מְפוֹרָשׁ

Finland *n* פִּינְלַנְד

Finlander *n* פִּינְלַנְדִי, פִּינִי

Finn *n* פִּינִי

Finnish *adj, n* פִּינִי; הַלָּשׁוֹן הַפִּינִית

fir *n* אַשׁוּחַ

fire *n* אֵשׁ; דְלֵקָה; יְרִיָּה

fire *vt, vi* הִצִּית; שִׁלְהֵב; יָרָה; פִּיטֵר; הִשְׁתַּלְהֵב

fire-alarm *n* אַזְעָקַת שְׂרֵיפָה

firearms *n pl* כְּלֵי־יְרִיָּה; נֶשֶׁק קַל

fireball *n* רִימּוֹן־הַצָּתָה; זִיקוּק

firebird *n* צִיפּוֹר כְּתוּמָה

fireboat *n* סִירַת כִּיבּוּי

firebox *n* תָּא־הָאֵשׁ

firebrand *n* לַפִּיד הַצָּתָה; מֵסִית

firebreak *n* חוֹסֵם אֵשׁ

firebrick *n* לְבֵנָה שְׂרוּפָה

fire-brigade *n* מְכַבֵּי־אֵשׁ

firebug *n* מַבְעִיר

fire company *n* פְּלוּגַּת כַּבָּאִים

firecracker *n* פִּצְצַת הַפְחָדָה

firedamp *n* גַּאז הַמִּכְרוֹת

fire department *n* מַחְלֶקֶת כַּבָּאוּת

firedog *n* כַּן עֲצֵי הַסָּקָה

fire drill *n* תִּרְגּוּל כַּבָּאוּת

fire engine *n* מְכוֹנִית כִּיבּוּי

fire escape *n* מוֹצָא חֵירוּם (מבית)

fire-extinguisher *n* מַטְפֶּה

firefly *n* גַּחֲלִילִית

fireguard *n* סְבָכַת אֵשׁ

fire hose *n* זַרְנוּק

firehouse *n* תַּחֲנַת כַּבָּאִים

fire hydrant *n* זַרְנוּק כִּיבּוּי

fire insurance *n* בִּיטּוּחַ אֵשׁ

fire irons *n pl* מַכְשִׁירֵי אָח

fireless cooker *n* סִיר בִּישּׁוּל שׁוֹמֵר חוֹם

fireman *n* כַּבַּאי

fireplace *n* אָח

fireplug *n* זַרְנוּק כִּיבּוּי

firepower *n* עוֹצְמַת אֵשׁ

fireproof *adj* חֲסִין אֵשׁ

fireproof *vt* חִיסֵּן מִפְּנֵי אֵשׁ

fire sale *n* מְכִירָה עֵקֶב שְׂרֵיפָה

fire screen *n* חַיִץ בִּפְנֵי אֵשׁ
fire ship *n* סְפִינַת אֵשׁ
fire shovel *n* אֵת כִּיבּוּי
fireside *n* קִרְבַת הָאָח
firetrap *n* מַלְכּוֹדֶת אֵשׁ
fire-wall *n* חֲצִיץ אֵשׁ
firewarden *n* כַּבַּאי
firewater *n* מַשְׁקֶה חָרִיף
firewood *n* עֲצֵי הַסָּקָה
fireworks *n pl* זִיקוּקֵי אֵשׁ
firing *n* יְרִי, יְרִיָּה; דֶּלֶק
firing order *n* סֵדֶר הַצָּתָה (בְּמָנוֹעַ)
firm *adj, adv* מוּצָק, חָזָק; יַצִּיב
firm *n* שׁוּתָּפוּת מִסְחָרִית
firmament *n* רָקִיעַ
firm name *n* שֵׁם פִירְמָה
firmness *n* תַּקִּיפוּת; מוּצָקוּת; יַצִּיבוּת
first *adj, adv, n* רִאשׁוֹן; תְּחִילָּה; בָּרִאשׁוֹנָה; רֵאשִׁית; הָרִאשׁוֹן
first-aid *n* עֶזְרָה רִאשׁוֹנָה
first-aid kit *n* תַּרְמִיל עֶזְרָה רִאשׁוֹנָה
first-aid station *n* תַּחֲנַת עֶזְרָה רִאשׁוֹנָה
first-born *adj, n* בְּכוֹר
first-class *adj, adv* מִמַּדְרֵגָה רִאשׁוֹנָה
first cousin *n* דּוֹדָן רִאשׁוֹן
first draft *n* טְיוּטָה רִאשׁוֹנָה
first finger *n* הָאֶצְבַּע הַמַּרְאָה, אֶצְבַּע
first floor *n* קוֹמָה רִאשׁוֹנָה
first fruits *n pl* בִּיכּוּרִים; תּוֹצָאוֹת רִאשׁוֹנוֹת
first lieutenant *n* סֶגֶן
firstly *adv* רֵאשִׁית
first name *n* שֵׁם פְּרָטִי
first-night *n* … רִאשׁוֹן
first-nighter *n* …בַקֵּר בְּהַצָּגוֹת־בְּכוֹרָה
first officer *n* קָצִין רִאשׁוֹן (בָּצִי)
first quarter *n* רֶבַע רִאשׁוֹן (של הירח)
first-rate *adj, adv* מִמַּדְרֵגָה רִאשׁוֹנָה
first-run house *n* אוּלָם הַצָּגוֹת בְּכוֹרָה
fiscal *adj, n* שֶׁל אוֹצַר הַמְּדִינָה, פִיסְקָלִי; תּוֹבֵעַ כְּלָלִי
fiscal year *n* שְׁנַת הַכְּסָפִים
fish *n* דָּג, דָּגָה
fish *vt, vi* דָּג
fishbone *n* עֶצֶם דָּג, אִדְרָה
fish bowl *n* אַקְוַורְיוֹן
fisher *n* דַּיָּיג
fisherman *n* דַּיָּיג; סִירַת דַּיִג
fishery *n* דַּיִג; מְקוֹם דַּיִג
fishglue *n* דֶּבֶק עַצְמוֹת דָּגִים
fishhawk *n* שָׁלָךְ, עֵיט דָּגִים
fishhook *n* חַכָּה
fishing *n* דַּיִג; מִדְגֶּה
fishing reel *n* סְלִיל חַכָּה
fishing tackle *n* צִיּוּד דַּיִג
fishing torch *n* פַּנַּס דַּיִג
fish line *n* חוּט הַחַכָּה
fish market *n* שׁוּק הַדָּגִים
fishplate *n* מַטְלֵת מִישָׁק
fishpond *n* בְּרֵיכַת דָּגִים
fish spear *n* צִלְצָל
fish story *n* סִיפּוּר בַּדִּים
fishtail *n* נִעְנוּעַ זָנָב (בְּמָטוֹס)
fishwife *n* מוֹכֶרֶת דָּגִים; מְנַבֶּלֶת פִּיהָ
fishworm *n* תּוֹלַעַת פִּיתָּיוֹן

fishy *adj* דָגִי; חָשׁוּד, מְפוּקְפָּק
fission *n* הִסתַּדְּקוּת
fissionable *adj* נִיתָּן לְסִידּוּק
fissure *n* סֶדֶק, בְּקִיעַ
fist *n* אֶגרוֹף
fist *vt* הִכָּה בְּאֶגרוֹף
fist fight *n* הִתכַּתְּשׁוּת
fisticuffs *n pl* אִגרוּף
fit *adj* מַתאִים, הוֹלֵם; רָאוּי
fit *vt, vi* הִתאִים, הָלַם; הִתקִין
fit *n* הַתאָמָה; הַתקָפַת מַחֲלָה; (דיבּוּרית) הִתפָּרְצוּת
fitful *adj* לִמקוּטָּעִים; לְלֹא תְּדִירוּת
fitness *n* הַתאָמָה; כּוֹשֶׁר גוּפָנִי
fitter *n* מַתאִים בְּגָדִים; מַסגֵר
fitting *adj, n* הוֹלֵם; הַתאָמָה
five *adj, n* שֶׁל חָמֵשׁ; חָמֵשׁ, חֲמִשָּׁה; חֲמִישִׁיָּה
five-finger exercise *n* תַּרגִיל לַמַּתחִיל
five-hundred *n* חֲמֵשׁ מֵאוֹת
five-year plan *n* תּוֹכנִית חוֹמֶשׁ
fix *vt, vi* סִידֵּר; כִּיוֵּן; תִּיקֵּן; קָבַע; נִקבַּע
fix *n* מֵיצַר, מְבוּכָה; אִיתּוּר
fixed *adj* מְחוּזָּק; קָבוּעַ; מְכוּוָּן; מְסוּדָּר
fixing *n* קְבִיעָה; יִיצוּב; תִּקּוּן
fixture *n* קְבִיעָה; יִיצוּב; חֵפֶץ קָבוּעַ
fizz, fiz *n* אוּושָׁה
fizz *vi* אִיוּוֵשׁ
fizzle *vi* הִשׁמִיעַ אִוּשַׁת תְּסִיסָה
fizzle *n* אִוּשָׁה; כִּישָּׁלוֹן
fizzy *adj* מְאַוּוֵשׁ, תּוֹסֵס
fl. *abbr* flourished, fluid
flabbergast *vt* הִדהִים
flabby *adj* מְדוּלדָּל; חַלָּשׁ, רַכרוּכִי
flag *n* דֶגֶל; כּוֹתֶרֶת
flag *vt, vi* שָׂם דֶגֶל; אוֹתֵת; נֶחֱלַשׁ
flag captain *n* מְפַקֵּד אוֹנִייַּת דֶגֶל
flageolet *n* חֲלִילוֹן
flagman *n* דַגלָן
flag of truce *n* דֶגֶל שָׁלוֹם
flagpole *n* מוֹט דֶגֶל
flagrant *adj* שַׁעֲרוּרִייָּתִי
flagship *n* אוֹנִייַּת־דֶגֶל
flagstaff *n* מוֹט הַדֶּגֶל
flag-stone *n* אֶבֶן רִיצּוּף
flag stop *n* תַּחֲנַת בַּקָּשָׁה
flail *n* מַחבֵּט
flail *vi* הִצלִיף
flair *n* כִּשרוֹן; הַבחָנָה
flak *n* אֵשׁ נֶגֶד מְטוֹסִים
flake *n* פָּתִית; פֵּירוּר
flake *vt, vi* פּוֹרֵר; הִתפּוֹרֵר
flaky *adj* שֶׁל פְּתִים, פְּתוֹתִי
flamboyant *adj* זוֹהֵר; רַאַוותָנִי
flame *n* שַׁלהֶבֶת, אֵשׁ
flame *vt, vi* שִׁלהֵב; הִשׁתַּלהֵב
flame-thrower *n* לַהֲבִיוֹר
flaming *adj* בּוֹעֵר; לוֹהֵט
flamingo *n* שְׁקִיטָן
flammable *adj* דָלִיק
Flanders *n* פלַנדרִייָה
flange *n* אוֹגֶן
flange *vt* שָׂם אוֹגֶן
flank *n* כֶּסֶל; אֲגַף
flank *vt, vi* אִיגֵּף, תָּפַס עֶמדָה בְּאֲגַף
flannel *n* פלָנֶל
flap *n* דַשׁ; מַטלִית; תַּבהֵלָה
flap *vt, vi* הִצלִיף; הִפִּיל; פִּרפֵּר; הִתפַּרפֵּר

flare *vt, vi* הִבְזִיק; הִתְלַהֵט
flare *n* הֶבְהֵק, הַבְזָקָה; לַפִּיד
flare star *n* כּוֹכָב מִשְׁתַּלְהֵב
flare-up *n* הִתְלַקְּחוּת
flash *n* הַבְזָקָה, נִצְנוּץ; מַבְזֵק
flash *vt, vi* הִבְזִיק, נִצְנֵץ
flash *adj* שַׁחֲצָנִי, רַאַוְותָנִי
flash-back *n* הַבְזָקָה לֶעָבָר
flash-bulb *n* נוּרַת הַבְזָקָה
flash flood *n* שִׁיטָפוֹן, מַבּוּל
flashing *n* רִישׁוּף, סוֹכְכִית
flashlight *n* פַּנַּס־כִּיס
flashlight battery *n* סוֹלְלַת מַבְזֵק
flashlight bulb *n* נוּרַת מַבְזֵק
flashlight photography *n* צִילּוּם מַבְזֵק
flash sign *n* שֶׁלֶט אוֹר
flashy *adj* זוֹהֵר; מִתְהַדֵּר
flask *n* קַנְקַן, בַּקְבּוּק בִּישׁוּל
flat *adj* שָׁטוּחַ, מִישׁוֹרִי; מְפוֹרָשׁ
flat *adv* בְּמַצָּב שָׁטוּחַ; אוֹפְקִית; בְּפֵירוּשׁ
flat *n* דִּירָה
flatboat *n* סִירָה שְׁטוּחָה, חֲמָקָה
flatcar *n* קְרוֹן־רַכֶּבֶת שָׁטוּחַ
flatfooted *adj* שְׁטוּחַ רַגְלַיִים
flathead *n* שְׁטוּחַ רֹאשׁ
flatiron *n* מַגְהֵץ
flatten *vt, vi* שָׁטַח, יִישֵּׁר; שׁוּטַּח
flatter *vt, vi* הֶחֱנִיף; הֶחְמִיא
flatterer *n* חַנְפָן
flattering *adj* מַחֲנִיף
flattery *n* חֲנוּפָּה
flat-top *n* נוֹשֵׂאת מְטוֹסִים
flatulence, flatulency *n* נְפִיחָוּת

flatware *n* כֵּלִים שְׁטוּחִים; כְּלֵי כֶּסֶף
flaunt *vi, vt* הִתְהַדֵּר; נוֹפֵף
flautist *n* מְחַלֵּל
flavor *n* טַעַם מְיוּחָד
flavor *vt* נָתַן טַעַם; תִּיבֵּל
flaw *n* חִיסָּרוֹן; סֶדֶק
flawless *adj* לְלֹא רְבָב
flax *n* פִּשְׁתָּה
flaxen *adj* עָשׂוּי פִּשְׁתָּה; דְּמוּי פִּשְׁתָּה
flaxseed *n* זַרְעֵי פִּשְׁתָּה
flay *vt* פָּשַׁט עוֹר; בִּיקֵּר בַּחֲרִיפוּת
flea *n* פַּרְעוֹשׁ
fleabite *n* עֲקִיצַת פַּרְעוֹשׁ; פֶּצַע פָּעוּט
fleck *n* בַּהֶרֶת
fleck *vt* סִימֵּן בִּכְתָמִים
fledgling, fledgeling *n* גּוֹזָל הַמַּתְחִיל לְעוֹפֵף; מַתְחִיל
flee *vt, vi* בָּרַח
fleece *n* צֶמֶר חַי, צֶמֶר גִּיזָּה
fleece *vt* גָּזַז; עָשַׁק
fleecy *adj* צַמְרִירִי
fleet *adj* מָהִיר
fleet *n* צִי
fleeting *adj* חוֹלֵף; בֶּן חֲלוֹף
Fleming *n* פְלַנְדְרִי; דּוֹבֵר פְלֵמִית
Flemish *adj, n* פְלַנְדְרִי; פְלֵמִית
flesh *n* בָּשָׂר
flesh and blood *n* בָּשָׂר וָדָם; עַצְמוֹ וּבְשָׂרוֹ
flesh-colored *adj* כְּעֵין הַבָּשָׂר
fleshiness *n* בִּשְׂרִיּוּת
fleshless *adj* דַּל בָּשָׂר
fleshpots *n pl* סִיר הַבָּשָׂר
flesh wound *n* פֶּצַע שִׁטְחִי
fleshy *adj* שָׁמֵן, בִּשְׂרִי

flex *vt, vi* כּוֹפֵף; הִתְכּוֹפֵף
flex *n* תַּיִל כָּפִיל
flexible *adj* כָּפִיף; גָּמִישׁ; מִתְפַּשֵּׁר
flexible cord *n* פְּתִיל כָּפִיף
flick *n* סְטִירָה קַלָּה; תְּפִיס
flick *vt* סָטַר קַלּוֹת; הֵסִיר בִּנְגִיעָה
flicker *vi* הִבְהֵב; נִצְנֵץ
flicker *n* הִבְהוּב; נִיצוֹץ; נִצְנוּץ
flier, flyer *n* טַיָּס, אֲוִירַאי; עָף, טָס
flight *n* תְּעוּפָה; טִיסָה; בְּרִיחָה
flight-deck *n* סִיפּוּן נוֹשֵׂאת מְטוֹסִים
flighty *adj* צִפּרוֹנִי, קַפְּרִיסִי; הֲפַכְפַּךְ
flimflam *n* שְׁטוּיוֹת; הוֹנָאָה
flimflam *vt* רִימָּה, הוֹנָה
flimsy *n* נְיָר דַק; הֶעְתֵּק
flimsy *adj* שָׁבִיר; חַלָּשׁ
flinch *vi, vt* נִרְתַּע
flinch *n* הֵירָתְעוּת
fling *vt, vi* זָרַק, הֵטִיל
fling *n* זְרִיקָה, הַשְׁלָכָה
flint *n* צוֹר
flint *adj* קָשֶׁה
flintlock *n* בְּרִיחַ צוֹר
flinty *adj* מֵכִיל צוֹר; קְשֵׁה לֵב
flip *n* הַקָּשַׁת אֶצְבַּע
flip *vt* טִלְטֵל בְּהַקָּשַׁת אֶצְבַּע
flippancy *n* לֵיצָנוּת
flippant *adj* מְזַלְזֵל, מְהַתֵּל
flirt *vt, vi* חִיזֵּר; אֲהַבְהֵב, 'פְלִירְטֵט', עָגַב
flirt *n* עוֹגֵב; עוֹגֶבֶת
flit *vt, vi* הִיגֵּר, עָקַר מִמְּקוֹמוֹ; עָף
flit *n* שִׁינּוּי דִירָה; עֲקִירָה
flitch *n* יֶרֶךְ חֲזִיר מְשׁוּמָּר
float *vt, vi* הֵצִיף; צָף; רִיחֵף; נוֹסַד
float *n* מָצוֹף צָף; רַפְסוֹדָה
floating *adj* צָף; עַצְמָאִי
floating *n* צִיפָה
floating capital *n* הוֹן בְּמַחֲזוֹר
flock *n* עֵדֶר; הָמוֹן
flock *vi* הִתְקַהֵל; נָהַר
floe *n* שְׂדֵה קֶרַח צָף
flog *vt* הִצְלִיף; הִלְקָה
flood *vt* הֵצִיף
floodgate *n* סֶכֶר
floodlight *vt* הֵצִיף בְּאוֹר
floodlight *n* הֲצָפַת אוֹר
flood tide *n* גֵּיאוּת
floor *n* רִצְפָּה; קוֹמָה; אַסְקוּפָּה; קַרְקַע
floor *vt* הֵטִיל אַרְצָה; רִיצֵּף
floor lamp *n* מְנוֹרַת רִצְפָּה
floor mop *n* סְמַרְטוּט רִצְפָּה
floor plan *n* תּוֹכְנִית רִצְפָּה
floor show *n* הוֹפָעַת בִּידּוּר (בְּאוּלָם)
floor timber *n* קוֹרוֹת רִצְפָּה (בִּספִינָה)
floorwalker *n* מַדְרִיךְ־מְפַקֵּחַ
floor wax *n* שַׁעֲוַות רִצְפָּה
flop *vi* נָפַל אַרְצָה; נִכְשַׁל
flop *n* כִּישָּׁלוֹן
flora *n* צִמְחִיָּה, עוֹלַם הַצּוֹמֵחַ
floral *adj* שֶׁל פְּרָחִים
Florentine *adj, n* פְלוֹרֶנְטִינִי
florescence *n* פְּרִיחָה
florid *adj* אֲדַמְדַּם; מְקוּשָּׁט בְּהַפְרָזָה
florist *n* מְגַדֵּל פְּרָחִים; סוֹחֵר פְּרָחִים
floss *n* חוֹמֶר מְשִׁיִי; סִיב מְשִׁיִי
floss silk *n* חוּט מֶשִׁי

flossy *adj* דְמוּי סִיב
flotsam *n* שֶׁבֶר אוֹנִיָּה טְרוּפָה
flotsam and jetsam שְׂרִידֵי סְפִינָה טְרוּפָה; שִׁירַיִים
flounce *n* שָׂפָה, חֵפֶת
flounce *vt, vi* עִיטֵר בְּשָׂפָה, עִיטֵר בְּחֵפֶת
flounder *n* דַג הַסַּנְדָל
flounder *vi* פִּרְפֵּר, הִתְלַבֵּט
flour *n* קֶמַח, סוֹלֶת
flourish *vt, vi* נוֹפֵף; פָּרַח; שִׂגְשֵׂג
flourish *n* נִפְנוּף; קִישׁוּטֵי סִגְנוֹן
flourishing *adj* פּוֹרֵחַ, מְשַׂגְשֵׂג
flourmill *n* תַּחֲנַת־קֶמַח
floury *adj* קִמְחִי; מְקוּמָּח
flout *vt, vi* הִתְייַחֵס בְּבִיטּוּל
flow *vi* זָרַם; שָׁפַע
flow *n* זֶרֶם; זוֹב; שְׁפִיעָה
flower *n* פֶּרַח; מִבְחָר
flower *vt, vi* פָּרַח; הִפְרִיחַ
flowerbed *n* עֲרוּגַת פְּרָחִים
flower garden *n* גִּינַּת פְּרָחִים
flowergirl *n* מוֹכֶרֶת פְּרָחִים
flowerpiece *n* תְּמוּנַת־פְּרָחִים
flowerpot *n* עֲצִיץ פְּרָחִים
flower shop *n* חֲנוּת פְּרָחִים
flowershow *n* תַּעֲרוּכַת פְּרָחִים
flower stand *n* דוּכַן פְּרָחִים
flowery *adj* מְכוּסֶּה בִּפְרָחִים; (לגבי לשון) נִמְלֶצֶת
flu *n* שַׁפַּעַת
fluctuate *vi* הִתְנַדְנֵד, עָלָה וְיָרַד
flue *n* מַעֲשֵׁנָה
fluency *n* שֶׁטֶף, שְׁגִירוּת
fluent *adj* שׁוֹטֵף; שָׁגוּר
fluently *adv* בִּרְהִיטוּת, בְּשֶׁטֶף
fluff *n* מוֹךְ, פְּלוּמָה
fluff *vt* מִילֵּא כָּרִים
fluffy *adj* מוֹכִי, פְּלוּמָתִי
fluid *n, adj* נוֹזֵל; נוֹזְלִי; מִשְׁתַּנֶּה
fluidity *n* נְזִילוּת, זוֹרְמִיּוּת
fluke *n* כַּף הָעוֹגֶן; מִקְרֶה
fluke *vi* הִצְלִיחַ בְּמַזָּל
flume *n* תְּעָלַת מַיִם; נָהָר
flume *vt* הֶעֱבִיר בְּנָהָר
flunk *vi* נִכְשַׁל (בבחינה)
flunky *n* מְשָׁרֵת, מִתְרַפֵּס
fluor *n* פלוּאוֹרִיט
fluorescence *n* פלוּאוֹרָנוּת, הַנְהָרָה
fluorescent *adj* פלוּאוֹרָנִי, מַנְהִיר
fluoride, fluorid *n* פלוּאוֹרִיד
fluorine *n* פלוּאוֹר
fluorite *n* פלוּאוֹרִיט
fluoroscope *n* מִשְׁקֶפֶת פלוּאוֹרָנִית
fluor-spar *n* פלוּאוֹרִיט
flurry *vt* בִּלְבֵּל; עִצְבֵּן
flurry *n* הִתְפָּרְצוּת; שָׁאוֹן
flush *vt, vi* הִסְמִיק; גָּרַם לְהַסְמָקָה; שָׁטַף
flush *n* הַסְמָקָה; מַשְׁטֵף
flush *adj* שָׁוֶה, שָׁטוּחַ; מִישׁוֹרִי
flushing *n* שְׁטִיפָה; אַדְמִימוּת
flush tank *n* מְכַל הַמַּשְׁטֵף
flush toilet *n* מַשְׁטֵף
fluster *vt* בִּלְבֵּל; עִצְבֵּן
fluster *n* מְבוּכָה; עַצְבָּנוּת
flute *n* חָלִיל; חָרִיץ
flute *vt* חִילֵּל; עָשָׂה חֲרִיצִים
flutist *n* מְחַלֵּל
flutter *vi, vt* רִפְרֵף; נָבוֹךְ

flutter *n* מְבוּכָה; נִפנוּף כְּנָפַיִים; רַעַד
flux *n* זְרִימָה; גֵיאוּת
flux *vt* שָׁטַף; רִיתֵּךְ
fly *vt, vi* הֵעִיף; הֵטִיס; עָף, טָס
fly *n* זְבוּב; דָשׁ (בּמכנסיים)
fly *adj* פִּיקֵחַ, עַרמוּמִי; עֵרָנִי
fly ball *n* כַּדוּר מְעוֹפֵף (בּבייסבּול)
flyblow *n* בֵּיצַת זְבוּב
flyblow *vt* הֵטִיל בֵּיצָה
fly-by-night *n* מִתחַמֵּק־לַיְלָה
fly-catcher *n* חֲטָפִית (ציפּור)
fly chaser *n* צַייַד זְבוּבִים
flyer, flier *n* עָף, טָס; טַייָס
fly-fish *vi* דָג בְּפִיתָּיוֹן
flying *n, adj* תְּעוּפָה, טַיִס; עָף
flying boat *n* מְטוֹס־יָם
flying buttress *n* מִתמָךְ קַשׁתִּי
flying colors *n pl* הִצטַייְנוּת
flying field *n* שְׂדֵה־תְּעוּפָה
flying saucer *n* צַלַּחַת מְעוֹפֶפֶת
flying sickness *n* מַחֲלַת אֲווִיר
flying time *n* זְמַן הַטִּיסָה
fly in the ointment אַלְיָה וְקוֹץ בָּהּ
flyleaf *n* נְייָר חָלָק
fly net *n* רֶשֶׁת זְבוּבִים
flypaper *n* נְייָר דָבִיק
flyspeck *n* רְבַב זְבוּב
fly swatter *n* מַחבֵּט זְבוּבִים
fly trap *n* מַלכּוֹדֶת זְבוּבִים
flywheel *n* גַּלגַּל תְּנוּפָה
fm. *abbr* fathom
FM – Frequency Modulation
foal *n* סְייָח; עַיִר
foal *vt, vi* הִמלִיטָה

foam *n* קֶצֶף
foam *vt, vi* הֶעֱלָה קֶצֶף
foam extinguisher *n* מַשׁאֵבַת קֶצֶף
foam rubber *n* גוּמאֲווִיר
foamy *adj* מְכוּסֶּה קֶצֶף
F.O.B. *abbr* free on board
fob *n* כִּיס־שָׁעוֹן
fob *vt* שָׂם בְּכִיס; רִימָּה
focal *adj* מוֹקְדִי
focus *n* מוֹקֵד
focus *vt* מִיקֵּד
fodder *n* מִספּוֹא
foe *n* אוֹיֵב
fog *n* עֲרָפֶל; מְבוּכָה
fog *vt, vi* עָטָה עֲרָפֶל; ערפֵּל; הִתעַרפֵּל
fog bell *n* פַּעֲמוֹן עֲרָפֶל
fogbound *adj* מְרוּתָּק בִּגלַל עֲרָפֶל
foggy *adj* עַרפִּילִי; מְטוּשׁטָשׁ
foghorn *n* צוֹפַר עֲרָפֶל
foible *n* חוּלשָׁה, נְקוּדָה חַלָּשָׁה
foil *vt* הֵפֵר; רִיקֵּעַ
foil *n* רִיקּוּעַ מַתֶּכֶת
foist *vt* הֵטִיל שֶׁלֹּא בְּצֶדֶק
fol. *abbr* folio, following
fold *vt, vi* קִיפֵּל, קִימֵּט; הִתקַפֵּל
fold *n* קֶפֶל; קִיפּוּל; שֶׁקַע
folder *n* עוֹטְפָן; מְקַפֵּל; מַקפֵּלָה
folderol *n* מִלמוּל רֵיק
folding *adj* מִתקַפֵּל
folding camera *n* מַצלֵמָה מִתקַפֶּלֶת
folding chair *n* כִּסֵּא מִתקַפֵּל
folding cot *n* מִיטָּה מִתקַפֶּלֶת
folding door *n* דֶלֶת מִתקַפֶּלֶת
folding rule *n* סַרגֵל מִתקַפֵּל

foliage *n* עלוה; קישוט עלים
folio *n* פוליו, תבנית פוליו
folio *adj* בעל תבנית פוליו
folio *vt* מספר דפי ספר
folk *n* עם; שבט; הבריות
folk etymology *n* גיזרון עממי
folklore *n* ידע־עם, פולקלור
folk-music *n* מוסיקה עממית
folk-song *n* שיר־עם
folksy *adj* עממי
folkways *n pl* מסורת עממית
follicle *n* שקיק; זקיק
follow *vt, vi* בא אחרי; עקב אחרי, הלך אחרי
follower *n* חסיד; עוקב; מחזר
following *adj* הבא; שלהלן
following *n* הבאים; קהל מעריצים
follow-up *adj, n* ממריץ; מעקב
folly *n* טיפשות; רעיון־רוח; שעשוע
foment *vt* טיפח; הסית
fond *adj* מחבב
fondle *vt, vi* ליטף, גיפף
fondness *n* התחבבות; חיבוב
font *n* אגן מי טבילה; תיבה (בדפוס)
food *n* אוכל, מזון
food store *n* חנות־מכולת
foodstuff *n* מצרך מזון
fool *n* טיפש; בדחן
fool *vt, vi* שיטה ב...; חמד לצון
foolery *n* טיפשות
foolhardy *adj* פחז, נמהר
fooling *n* השתטות, 'מתיחה'
foolish *adj* שטותי; מצחיק
foolproof *adj* שאינו כרוך בסיכון
foolscap, fool's cap *n* גודל מלא (פוליו); כובע ליצן
fool's errand *n* שליחות סרק
foot *n* רגל; כף רגל; תחתית; מרגלות (הר)
foot *vt, vi* רקד; הניע רגלו לקצב; סילק (חשבון)
footage *n* מידה (של אורך)
football *n* כדורגל
footboard *n* הדום; כבש
footbridge *n* גשר להולכי־רגל
footfall *n* צעד; קול צעדה
foothill *n* מרגלות הר
foothold *n* מתמך רגל
footing *n* דריסת־רגל, אחיזה; בסיס
footlights *n pl* אורות הבימה
footloose *adj* חופשי ממסגרת
footman *n* שומר סף
footmark *n* עקבה
footnote *n* הערה
footpath *n* שביל
footprint *n* עקבה
footrace *n* תחרות ריצה
footrest *n* הדום; משען רגל
footrule *n* סרגל
footsoldier *n* רגלי, חייל רגלי
footsore *adj* מיובל רגליים
footstep *n* צעד, פסיעה
footstone *n* אבן למרגלות קבר
footstool *n* הדום
footwarmer *n* מחמם רגליים
footwear *n* תנעולת
footwork *n* כדרור
footworn *adj* עייף ברגליו

foozle *vt* הֶחֱטִיא
fop *n* טַרְזָן, גַּנְדְּרָן
for *prep, conj* לְ...‏, כְּדֵי לְ...‏; לְטוֹבַת; תְּמוּרַת; בְּמֶשֶׁךְ; בְּ...‏
forage *n* מִספּוֹא
forage *vt, vi* בִּיקֵּשׁ אַסְפָּקָה; לָקַח צֵידָה
foray *n* הִתְנַפְּלוּת, פְּשִׁיטָה
foray *vt* הִתְנַפֵּל עַל, בָּזַז
forbear *vt, vi* הִבְלִיג
forbear *n* אָב קָדוּם
forbearance *n* הַבְלָגָה
forbid *vt* אָסַר
forbidding *adj* דּוֹחֶה, מַפְחִיד
force *n* כּוֹחַ; כְּפִייָה
force *vt* הִכְרִיחַ; הִבְקִיעַ
forced *adj* כָּפוּי; מְאוּלָץ
forced air *n* אֲוִויר לָחוּץ
forceful *adj* רַב־עוֹצְמָה; יָעִיל
forceps *n* צְבָת, מֶלְקָחַיִים
force-pump *n* מַשְׁאֵבַת־לַחַץ
forcible *adj* רַב־עוֹצְמָה; נִמְרָץ; מְשַׁכְנֵעַ
ford *n* מַעְבָּרָה
ford *vt* עָבַר בְּמַעְבָּרָה
fore *n* חֲזִית, חֵלֶק קִדְמִי
fore *adj, adv* רִאשׁוֹן, לְפָנִים; קִדְמִי
fore *interj* (בְּגוֹלְף) לְפָנִים!, זְהִירוּת
fore-and-aft *adj, adv* בִּשְׁנֵי עֶבְרֵי הַסְּפִינָה
forearm *n* אַמַּת־הַיָּד
forearm *vt* זִייֵּן מֵרֹאשׁ
forebear *n see* forbear
forebode *vt, vi* חָשׁ מֵרֹאשׁ, חָשַׁשׁ מֵרֹאשׁ
foreboding *n* חֲשָׁשׁ מֵרֹאשׁ
forecast *n* תַּחֲזִית; חִיזּוּי
forecast *vt* חִיזָּה, נִיבָּא
forecastle, fo'c's'le *n* סִיפּוּן קִדְמִי
foreclose *vt, vi* חִילֵּט, עִיקֵּל; מָנַע
foredoomed *adj* נֶחֱרָץ מֵרֹאשׁ
foreedge *n* קְצֵה סֵפֶר
forefather *n* קַדְמוֹן, אֲבִי־אָבוֹת
forefinger *n* הָאֶצְבַּע הַמּוֹרָה
forefront *n* קִדְמַת־חֲזִית
forego *vt, vi* וִיתֵּר עַל; הִקְדִּים
foregoing *adj* דִּלְעֵיל, הַנַּ״ל
foregone *adj* הֶכְרֵחִי; קוֹדֵם
foreground *n* קְדַם־רֶקַע
forehanded *adj* כַּפִּי (בְּטֶנִיס); חֶסְכוֹנִי
forehead *n* מֵצַח
foreign *adj* זָר, נוֹכְרִי
foreign affairs *n pl* עִנְיְינֵי חוּץ
foreign born *adj, n* יְלִיד חוּץ לָאָרֶץ
foreigner *n* זָר
foreign exchange *n* מַטְבֵּעַ חוּץ
foreign minister *n* שַׂר חוּץ
foreign service *n* שֵׁירוּת חוּץ
foreign trade *n* סְחַר חוּץ
foreleg *n* רֶגֶל קִדְמִית
forelock *n* תַּלְתַּל קִדְמִי
foreman *n* מְנַהֵל עֲבוֹדָה; רֹאשׁ הַמּוּשְׁבָּעִים
foremast *n* תּוֹרֶן קִדְמִי
foremost *adj* רֹאשׁ וְרִאשׁוֹן
forenoon *n* לִפְנֵי הַצָּהֳרַיִים
forepart *n* חֵלֶק קִדְמִי
forepaw *n* רֶגֶל קִדְמִית
forequarter *n* חֵלֶק קִדְמִי

forerunner *n*	מְבַשֵּׂר
foresail *n*	מִפְרָשׂ קִדְמִי
foresee *vt*	חָזָה מֵרֹאשׁ
foreseeable *adj*	צָפוּי מֵרֹאשׁ
foreshorten *vt*	צִמְצֵם
foreshortening *n*	צִמְצוּם
foresight *n*	רְאִיַּת הַנּוֹלָד
foresighted *adj*	רוֹאֶה אֶת הַנּוֹלָד
foreskin *n*	עוֹרְלָה
forest *n*	יַעַר
forest *vt*	יִיעֵר
forestall *vt*	הִקְדִּים; מָנַע
forestaysail *n*	מִפְרָשׂ קִדְמִי
forest ranger *n*	שׁוֹמֵר יַעַר
forestry *n*	יַעֲרָנוּת; יִיעוּר
foretaste *n*	טְעִימָה קוֹדֶמֶת
foretell *vt*	נִיבָּא
forethought *n*	מַחֲשָׁבָה תְּחִילָּה
forever *adv*	לְעוֹלָם; תָּמִיד
forewarn *vt*	הִזְהִיר
foreword *n*	הַקְדָּמָה
foreyard *n*	סָמוֹךְ הַתּוֹרֶן הַקִּדְמִי
forfeit *n*	עוֹנֶשׁ, קְנָס; אִיבּוּד
forfeit *vt*	הִפְסִיד, אִיבֵּד
forfeit *adj*	מוּפְסָד
forfeiture *n*	אִיבּוּד; קְנָס
forgather *vi*	הִתְאַסֵּף, הִתְכַּנֵּס
forge *n*	כּוּר, מַפָּחָה
forge *vt, vi*	זִיֵּף; חִישֵּׁל; יָצַר
forgery *n*	זִיּוּף
forget *vt*	שָׁכַח
forgetful *adj*	שַׁכְחָן; רַשְׁלָן
forgetfulness *n*	שִׁכְחָה, רַשְׁלָנוּת
forget-me-not *n*	זְכְרִינִי
forgivable *adj*	בַּר־סְלִיחָה
forgive *vt*	סָלַח
forgiveness *n*	סְלִיחָה; סַלְחָנוּת
forgiving *adj*	סַלְחָנִי
fork *n*	מַזְלֵג; קִילְשׁוֹן; הִסְתָּעֲפוּת
fork *vt, vi*	הֶעֱלָה בְּמַזְלֵג; הִסְתָּעֵף
forked *adj*	מְמוּזְלָג
forked lightning *n*	בָּרָק מְמוּזְלָג
forklift truck *n*	מַשָּׂאִית מַזְלְגָן
forlorn *adj*	זָנוּחַ; מְיוֹאָשׁ
form *n*	צוּרָה; תַּבְנִית; טוֹפֶס
form *vt, vi*	עִיצֵּב; לָבַשׁ צוּרָה
formal *adj*	רִשְׁמִי, פוֹרְמָלִי
formal attire *n*	לְבוּשׁ רִשְׁמִי
formal call *n*	בִּיקּוּר נִימּוּסִין
formality *n*	רִשְׁמִיּוּת, פוֹרְמָלִיּוּת; דַּקְדְּקָנוּת
formal party *n*	מְסִיבָּה רִשְׁמִית
formal speech *n*	נְאוּם רִשְׁמִי
format *n*	תַּבְנִית (שֶׁל ספר)
formation *n*	עִיצּוּב; יְצִירָה; הִתְהַוּוּת; מִבְנֶה; חֲטִיבָה
former *adj*	קוֹדֵם; לְשֶׁעָבַר
formerly *adv*	קוֹדֶם, לְפָנִים
form fitting *adj*	מְהוּדָּק לַגּוּף
formidable *adj*	נוֹרָא, מַחֲרִיד
formless *adj*	חֲסַר צוּרָה; הִיוּלִי
formula *n*	נוּסְחָה
formulate *vt*	נִיסֵּחַ
forsake *vt*	זָנַח; וִיתֵּר עַל
fort *n*	מִבְצָר
forte *n*	כּוֹחַ, נְקוּדָּה חֲזָקָה
forte *adj, adv*	חָזָק, רָם; פוֹרְטֶה (בְּמוּסִיקָה)
forth *adv, prep*	לְפָנִים; הָלְאָה
forthcoming *adj*	הַבָּא

forthright *adj, adv* יָשָׁר; הֶחְלֵטִי
forthwith *adv* מִיָּד
fortieth *adj, n* הָאַרְבָּעִים
fortification *n* בִּיצּוּר; מִבְצָר
fortify *vt, vi* בִּיצֵּר, חִיזֵּק
fortitude *n* עוֹז־רוּחַ
fortnight *n* שְׁבוּעַיִים
fortress *n* מִבְצָר
fortuitous *adj* מִקְרִי, אַרְעִי
fortunate *adj* בַּר־מַזָּל
fortune *n* מַזָּל; הוֹן
fortune-hunter *n* צַיַּיד עוֹשֶׁר
fortune-teller *n* מַגִּיד עֲתִידוֹת
forty *adj, n* אַרְבָּעִים
forward *vt* הֶעֱבִיר הָלְאָה
forward *adj* מִתְפַּתֵּחַ, מִתְקַדֵּם
forward(s) *adv* לְפָנִים, קָדִימָה
forward *n* חָלוּץ (בכדורגל וכד׳)
fossil *n* מְאוּבָּן
fossil *adj* מְאוּבָּן
foster *vt* סִייֵּעַ, קִידֵּם; אִימֵּץ
foster brother *n* אָח מְאוּמָּץ
foster father *n* אוֹמֵן
foster home *n* מִשְׁפָּחָה אוֹמֶנֶת
foul *adj* מְגוּנֶּה; מָאוּס; מְזוֹהָם
foul *n* מַכָּה פְּסוּלָה
foul *vt, vi* לִכְלֵךְ; הֵפֵר; הִסְתַּבֵּךְ
foulmouthed *adj* מְנַבֵּל פֶּה
foul-spoken *adj* שֶׁל נִיבּוּל־פֶּה
found *vt* בִּיסֵּס, יָסַד
foundation *n* יְסוֹד; קֶרֶן
foundry *n* סַדְנַת יְצִיקָה
foundryman *n* עוֹבֵד מַתֶּכֶת
fount *n* מַעְייָן
fountain *n* מַעְייָן; מִזְרָקָה
fountainhead *n* מָקוֹר רִאשׁוֹן
fountain-pen *n* עֵט נוֹבֵעַ
four *n, adj* אַרְבָּעָה, אַרְבַּע
four-cycle *adj* שֶׁל אַרְבָּעָה מַהֲלָכִים, שֶׁל אַרְבַּע פְּעִימוֹת
four-cylinder *adj* שֶׁל אַרְבָּעָה צִילִינְדֶּרִים
four-flush *vt* רִימָּה
fourflusher *n* רַמַּאי
four-footed *adj* הוֹלֵךְ עַל אַרְבַּע
four hundred *n* אַרְבַּע מֵאוֹת
four-in-hand *n* סוֹדֵר אַרְבָּעָה
four-lane *adj* שֶׁל אַרְבָּעָה מַסְלוּלִים
four-leaf *adj* בֶּן אַרְבָּעָה עָלִים
four-leaf clover *n* תִּלְתָּן־אַרְבַּעַת־הֶעָלִים
four-legged *adj* בַּעַל אַרְבַּע רַגְלַיִים
four-letter word *n* מִלַּת־אַרְבַּע־אוֹתִיּוֹת (מלת המישגל)
four-motor plane *n* מְטוֹס אַרְבָּעָה מְנוֹעִים
four-o'clock *n* שָׁעָה אַרְבַּע
fourposter *n* מִיטַּת אַרְבָּעָה עַמּוּדִים
fourscore *n* שְׁמוֹנִים
foursome *n* תַּחֲרוּת אַרְבָּעָה (שני זוגות)
fourteen *adj, n* אַרְבָּעָה־עָשָׂר, אַרְבַּע־עֶשְׂרֵה
fourteenth *adj, n* הָאַרְבָּעָה־עָשָׂר; הַחֵלֶק הָאַרְבָּעָה־עָשָׂר
fourth *adj* רְבִיעִי(ת); רֶבַע
fourth estate *n* הַמַּעֲצָמָה הָרְבִיעִית (העיתונות)
four-way *adj* שֶׁל אַרְבָּעָה כִּיווּנִים
fowl *n* עוֹף, בְּשַׂר עוֹף

fowl *vi* צָד עוֹף
fox *n* שׁוּעָל
fox *vt* הֶעֱרִים עַל
foxglove *n* אֶצְבְּעוֹנִית אַרְגְּמָנִית
foxhole *n* שׁוּחָה
foxhound *n* כֶּלֶב־צַיִד
fox-hunt *n* צֵיד שׁוּעָלִים
fox-terrier *n* שַׁפְלָן
foxtrot *n* פוֹקסטרוֹט
foxy *adj* עַרְמוּמִי
foyer *n* טְרַקְלִין
Fr. *abbr* Father, French, Friday
fr. *abbr* fragment, franc, from
Fra *n* אֶחָא
fracas *n* מְהוּמָה
fraction *n* שֶׁבֶר; חֵלֶק קָטָן
fractional *adj* חֶלְקִי, שֶׁל שֶׁבֶר
fractious *adj* מִתְמָרֵד
fracture *n* שֶׁבֶר; סֶדֶק
fracture *vt, vi* שָׁבַר; סָבַל מִשֶּׁבֶר
fragile *adj* שָׁבִיר
fragment *n* חֵלֶק; רְסִיס
fragrance *n* בְּשִׂימָה, נִיחוֹחַ
fragrant *adj* בָּשׂוּם; נָעִים
frail *adj* חָלוּשׁ, רָפֶה; שָׁבִיר
frail *n* סַל נְצָרִים
frame *n* מִסְגֶּרֶת; מִבְנֶה; שֶׁלֶד
frame *vt* הִרְכִּיב, מִסְגֵּר; עִיצֵּב; נִיסַּח; (דיבורית) בִּיֵּים אַשְׁמָה
frame of mind *n* מַצַּב־רוּחַ
frame-up *n* בִּיּוּם אַשְׁמָה
framework *n* מִבְנֶה; שֶׁלֶד; מִסְגֶּרֶת
franc *n* פְרַנְק
France *n* צָרְפַת
franchise *n* זְכוּת הַצְבָּעָה; זִיכָּיוֹן
Franciscan *adj, n* פְרַנְצִיסְקָנִי
Frank *n* פְרַנְקִי; מַעֲרַב־אֵירוֹפִּי
frank *adj* גְלוּי־לֵב, אֲמִיתִּי
frank *n* חוֹתֶמֶת פְּטוֹר מִבּוּלִים
frank *vt* הֶחְתִּים בְּחוֹתֶמֶת
frankfurter *n* נַקְנִיקִית
frankincense *n* לְבוֹנָה
Frankish *adj, n* פְרַנְקִי; הַלָּשׁוֹן הַפְרַנְקִית
frankness *n* גִילּוּי־לֵב
frantic *adj* מִשְׁתּוֹלֵל
frappé *n, adj* מִקְפָּא; מִתְאַבֵּן; קָפוּא
frat *vi* הִתְחַבֵּר
fraternal *adj* אַחֲוָונִי; שֶׁל מִסְדָּר
fraternity *n* אֲגוּדַּת סְטוּדֶנְטִים; אֲגוּדַּת אַחֲוָוה
fraternize *vi* הִתְיַיֵּדֵד
fraud *n* הוֹנָאָה, מִרְמָה; זִיּוּף
fraudulent *adj* רַמַּאי; מְזוּיָּף
fraudulent conversion *n* מְעִילָה
fraught *adj* טָעוּן, עָמוּס; מְלוּוֶּה
Fraulein *n* הָעַלְמָה
fraxinella *n* מֵילָה
fray *n* הֲמוּלָּה, קְטָטָה
fray *vt, vi* רִיפֵּט; בָּלָה; הִתְרַפֵּט
freak *adj, n* יוֹצֵא דוֹפֶן; קַפְּרִיסָה
freak *vt* נִיקֵּד, נִימֵּר
freakish *adj* קַפְּרִיסִי
freckle *n* נֶמֶשׁ
freckle *vt, vi* כִּיסָּה אוֹ הִתְכַּסָּה בִּנְמָשִׁים
freckled *adj* מְנוּמָּשׁ
frecklefaced *adj* מְנוּמָּשׁ
freckly *adj* מְנוּמָּשׁ
free *adj* מְשׁוּחְרָר, חוֹפְשִׁי; עַצְמָאִי; פָּנוּי; לְלֹא תַּשְׁלוּם

free *adv* חוֹפְשִׁית; חִינָּם
free *vt* שִׁחְרֵר; גָּאַל
freebooter *n* שׁוֹדֵד־יָם
free-born *adj* בֶּן־חוֹרִין; כָּרָאוּי לְבֶן־חוֹרִין
freedom *n* חוֹפֶשׁ, חֵירוּת; עַצְמָאוּת
freedom of speech *n* חוֹפֶשׁ הַדִּיבּוּר
freedom of the press *n* חוֹפֶשׁ הָעִיתּוֹנוּת
freedom of the seas *n* חוֹפֶשׁ הַשַּׁיִט
freedom of worship *n* חוֹפֶשׁ הַפּוּלְחָן
free enterprise *n* יוֹזְמָה חוֹפְשִׁית
free fight *n* הִתְכַּתְּשׁוּת כְּלָלִית
free-for-all *n*, *adj* תַּחֲרוּת לַכּוֹל
freehand *adj* נַעֲשֶׂה בַּיָּד
free hand *n* יָד חוֹפְשִׁית
freehold *n* זְכוּת חֲכִירָה
freelance *n* עִיתּוֹנַאי חוֹפְשִׁי; חַיָּיל שָׂכִיר
freelance *vi* עָבַד כְּעִיתּוֹנַאי חוֹפְשִׁי
free lunch *n* כְּרִיכִים חִינָּם
freeman *n* בֶּן־חוֹרִין; אֶזְרָח
Freemason *n* בּוֹנֶה חוֹפְשִׁי
Freemasonry *n* תְּנוּעַת הַבּוֹנִים הַחוֹפְשִׁים
free of charge *adj* חִינָּם
free-on-board (f.o.b.) חוֹפְשִׁי עַל הָאוֹנִיָּה, פו״ב
free port *n* נָמֵל חוֹפְשִׁי
free ride *n* הַסָּעָה; טְרֶמְפּ
free service *n* שֵׁירוּת חִינָּם
free-spoken *adj* שֶׁבְּגִילּוּי־לֵב
freestone *n* אֶבֶן־חוֹל
freethinker *n* חוֹפְשִׁי בְּדֵעוֹתָיו
free thought *n* מַחֲשָׁבָה חוֹפְשִׁית
free trade *n* סַחַר חוֹפְשִׁי
free trader *n* דּוֹגֵל בְּסַחַר חוֹפְשִׁי
freeway *n* כְּבִישׁ אַגְרָה
free-will *adj* שֶׁבְּרָצוֹן חוֹפְשִׁי
freewill *n* בְּחִירָה חוֹפְשִׁית
freeze *vt*, *vi* הִקְפִּיא; הִגְלִיד; קָפָא
freeze *n* הִיקָּפְאוּת, קִיפָּאוֹן
freezer *n* מַקְפִּיא; תָּא־הַקְפָּאָה, מִקְפָּאָה
freight *n* מִטְעָן, מַשָּׂא; הוֹבָלָה
freight *vt* הִטְעִין, טָעַן סְחוֹרָה
freight car *n* קְרוֹן־מִטְעָן
freighter *n* חוֹכֵר אוֹנִיַּת־מַשָּׂא
freight platform *n* רְצִיף מִטְעָן
freight station *n* תַּחֲנַת רַכֶּבֶת מִטְעָן
freight train *n* רַכֶּבֶת מַשָּׂא
freight yard *n* מַחסַן מִטְעָן (לרכבת)
fremitus *n* רַעַד
French *adj*, *n* צָרְפָתִי; צָרְפָתִית
French chalk *n* אַבְקַת גִּיר
French-doors *n pl* דֶּלֶת דּוּ־אֲגַפִּית
French-dressing *n* רוֹטֶב צָרְפָתִי
French fried potatoes *n pl* גִּזְרֵי תַּפּוּדִים מְטוּגָּנִים, טוּגָּנִים, צ׳יפּס
French horn *n* קֶרֶן צָרְפָתִית
French leave *n* פְּרִידָה צָרְפָתִית, פְּרִידָה אַנגְלִית
Frenchman *n* צָרְפָתִי
French telephone *n* טֶלֶפוֹן צָרְפָתִי
French toast *n* לֶחֶם מְטוּגָּן
French window *n* חַלּוֹן־דֶּלֶת
Frenchwoman *n* צָרְפָתִיָּה
frenzied *adj* מִשְׁתּוֹלֵל
frenzy *n* הִשְׁתּוֹלְלוּת

frequency, frequence *n* תְּדִירוּת, שְׁכִיחוּת
frequency list *n* רְשִׁימַת תְּדִירוּת
frequency modulation *n* אִפְנוּן תֶּדֶר
frequent *adj* תָּכוּף, תָּדִיר
frequent *vt* בִּיקֵּר תְּכוּפוֹת
frequently *adv* לְעִתִּים תְּכוּפוֹת
fresco *vt* צִיֵּיר פְּרֶסְקוֹ
fresco *n* פְּרֶסְקוֹ
fresh *adj, n* חָדָשׁ; רַעֲנָן; טָרִי; חוּצְפָּנִי
freshen *vt, vi* הֶחֱיָה, רִעֲנֵן; חִידֵּשׁ; הִתְרַעֲנֵן; הִתְחַדֵּשׁ
freshet *n* שֶׁטֶף נָהָר
freshman *n* טִירוֹן (בָּאוּנִיבֶרְסִיטָה)
freshness *n* רַעֲנַנּוּת
fresh water *n* מַיִם חַיִּים
fret *vt, vi* כִּרְסֵם, אִיכֵּל; הִדְאִיג; דָּאַג; נֶאֱכַל
fret *n* רוֹגֶז, כַּעַס; הִיאָכְלוּת
fretful *adj* רַגְזָן
fretwork *n* מְלֶאכֶת קִישּׁוּט
friar *n* נָזִיר
Friary *n* מִנְזָר
fricassee *n* פַּרְקֶסֶת
friction *n* שִׁפְשׁוּף; חִיכּוּךְ
friction tape *n* סֶרֶט בִּידּוּד
Friday *n* יוֹם הַשִּׁישִּׁי
fried *adj* מְטוּגָּן
fried egg *n* בֵּיצִיָּה, בֵּיצַת 'עַיִן'
friend *n* יְדִיד, חָבֵר
friendly *adj, adv* חֲבֵרִי, יְדִידוּתִי; בְּצוּרָה יְדִידוּתִית
friendship *n* יְדִידוּת
frieze *n* אַפְרִיז, צָפִית
frigate *n* פְּרִיגָטָה
fright *n* פַּחַד, חֲרָדָה
frighten *vt* הִפְחִיד
frightful *adj* מַפְחִיד; אָיוֹם
frightfulness *n* אֵימָה
frigid *adj* קָפוּא; צוֹנֵן (בְּמַגָּע מִינִי)
frigidity *n* קוֹר; יַחַס צוֹנֵן (בְּמַגָּע מִינִי)
frill *n* פִּיף, צִיצָה; קְוֻוצַּת שֵׂעָר
frill *vt, vi* קִישֵּׁט; חִיבֵּר צִיצָה
fringe *n* צִיצִית; פֵּאָה, שָׂפָה
fringe *vt* קִישֵּׁט, עִיטֵּר
fringe benefits *n pl* הֲטָבוֹת שׁוּלַיִים
frippery *n* לְבוּשׁ הֲמוֹנִי צַעֲקָנִי
frisk *vt, vi* דִּילֵּג, פִּיזֵּז; (הַמּוֹנִית) חִיפֵּשׂ נֶשֶׁק (בְּגוּף מִישֶׁהוּ)
frisk *n* דִּילּוּג, רִיקּוּד
frisky *adj* עַלִּיז, מִשְׁתַּעֲשֵׁעַ
fritter *vt* בִּזְבֵּז
fritter *n* מַאֲפֶה זִילוּף
frivolous *adj* טִיפְּשִׁי, קַל־רֹאשׁ
friz(z) *vt, vi* סִלְסֵל שֵׂעָר
friz(z) *n* תַּלְתַּל
frizzle *vt, vi* הִשְׁמִיעַ אִוְושַׁת טִיגּוּן; פּוֹרֵר בְּטִיגּוּן
frizzle *n* תַּלְתַּל
frizzly, frizzy *adj* מְתוּלְתָּל
fro *adv* מִן, חֲזָרָה
frock *n* שִׂמְלָה; גְּלִימָה
frock-coat *n* פְּרָק
Froebelism *n* שִׁיטַת פְרֶבֶּל
frog *n* צְפַרְדֵּעַ; דּוּ־חַי
frogman *n* צוֹלֵל, אִישׁ־צְפַרְדֵּעַ
frolic *n* הִשְׁתּוֹבְבוּת
frolic *vi* פִּיזֵּז, הִשְׁתּוֹבֵב
frolicsome *adj* עַלִּיז, מְפַזֵּז
from *prep* מִן, מֵאֵת

front *n* פָּנִים; חֲזִית; חָזוּת
front *adj* קִדְמִי; חֲזִיתִי
front *vt, vi* פָּנָה אֶל; עָמַד מוּל; הֵעֵז פָּנִים
frontage *n* רוֹחַב חֲזִיתִי
front drive *n* הֶינֵעַ קִדְמִי
frontier *n* גְּבוּל, סְפָר
frontier *adj* גְּבוּלִי
frontiersman *n* תּוֹשַׁב הַסְּפָר
frontispiece *n* צִיּוּר הַשַּׁעַר
front line *n* קַו־הַחֲזִית
front matter *n* חוֹמֶר מַקְדִּים (בספר)
front-page *adj* (ידיעה) בַּעֲלַת חֲשִׁיבוּת
front porch *n* מִרְפֶּסֶת חֲזִיתִית
front room *n* חֶדֶר חֲזִיתִי
front row *n* שׁוּרָה רִאשׁוֹנָה
front seat *n* מוֹשָׁב קִדְמִי
front steps *n pl* מַדְרֵגוֹת חֲזִית
front view *n* מַרְאֶה חֲזִיתִי
frost *vt* כִּיסָּה בְּכְפוֹר
frost *n* כְּפוֹר
frostbitten *adj* מוּכֵּה קוֹר
frosting *n* זִיגּוּג; עִימּוּם
frosty *n* מְכוּסֶּה כְּפוֹר; כְּפוֹרִי
froth *n* קֶצֶף
froth *vt, vi* הִקְצִיף, הִרְגִּיז
frothy *adj* מַעֲלֶה קֶצֶף; לֹא מַמָּשִׁי
froward *adj* מַמְרֶה, סָרְבָן
frown *n* מַבָּט זוֹעֵם
frown *vt, vi* זָעַם, הִקְדִּיר פָּנִים
frowzy *adj* מְלוּכְלָךְ, מְרוּשָּׁל
frozen foods *n pl* מָזוֹן מוּקְפָּא
F.R.S. *abbr* Fellow of the Royal Society

frt. *abbr* freight
frugal *adj* חַסְכָנִי; דַּל
fruit *n* פְּרִי; תּוֹצָאָה
fruitcake *n* עוּגַת פֵּירוֹת
fruitcup *n* סָלַט פֵּירוֹת
fruit-fly *n* זְבוּב הַפֵּירוֹת
fruitful *adj* נוֹשֵׂא פֵּירוֹת; פּוֹרֶה
fruition *n* הַגְשָׁמָה; תּוֹצָאוֹת
fruit jar *n* צִנְצֶנֶת פֵּירוֹת
fruit juice *n* מִיץ פְּרִי
fruitless *adj* לָרִיק; עָקָר
fruit of the vine *n* פְּרִי הַגֶּפֶן
fruit salad *n* סָלַט פֵּירוֹת
fruit stand *n* דוּכַן פֵּירוֹת
fruit store *n* חֲנוּת פֵּירוֹת
frumpish *adj* מְרוּשֶּׁלֶת
frustrate *vt* תִּסְכֵּל; סִיכֵּל
fry *vt, vi* טִיגֵּן; הִיטַּגֵּן
fry *n* תַּבְשִׁיל מְטוּגָּן
frying pan *n* מַחֲבַת
ft. *abbr* foot, feet
fudge *n* סוּכָּרִיָּה (בֵּיתִית); הֲבָלִים
fudge *vt* עָשָׂה בְּדֶרֶךְ מְזוּיֶּפֶת
fuel *n* דֶּלֶק; חוֹמֶר מְלַבֶּה
fuel *vt* סִיפֵּק דֶּלֶק; תִּדְלֵק
fuel oil *n* נֵפְט
fuel tank *n* מְכַל דֶּלֶק
fugitive *adj* בּוֹרֵחַ, נִמְלָט; חוֹלֵף, בֶּן־יוֹמוֹ
fugitive *n* בּוֹרֵחַ
fugue *n* פוּגָה
fulcrum *n* נְקוּדַּת מִשְׁעָן
fulfil *vt* הִגְשִׁים; בִּיצֵּעַ
fulfilment *n* הַגְשָׁמָה, בִּיצּוּעַ
full *adj* מָלֵא, גָּדוּשׁ

full *n* שְׁלֵמוּת; מִילּוּי
full *vt, vi* נִיקָּה וְעִיבָּה (אריג)
full *adv* מְאוֹד
fullblooded *adj* טְהוֹר גֶּזַע
full-blown *adj* בִּמְלוֹא הִתְפַּתְּחוּתוֹ
full-bodied *adj* בִּמְלוֹא הַחֲרִיפוּת
full-dress *adj* בִּלְבוּשׁ רִשְׁמִי
full-dress coat *n* פְרַק
fullfaced *adj* עֲגוֹל פָּנִים; מִסְתַּכֵּל הַיָּשָׁר
full-fledged *adj* בָּשֵׁל
full-grown *adj* מְפוּתָּח; מְבוּגָּר
full house *n* אוּלָם מָלֵא
full-length *adj* שָׁלֵם
full-length mirror *n* רְאִי קוֹמַת אִישׁ
full-length movie *n* סֶרֶט בְּאוֹרֶךְ מָלֵא
full load *n* מִטְעָן מָלֵא
full moon *n* יָרֵחַ מָלֵא
full name *n* שֵׁם מָלֵא
fullness *n* שֶׁפַע, גוֹדֶשׁ; שְׁלֵמוּת
full page *adj* שֶׁל עַמּוּד שָׁלֵם
full powers *n pl* סַמְכוּת מְלֵאָה
full sail *adv* בִּמְלוֹא הַתְּפְרוֹשֶׂת
full-scale *adj* בִּמְלוֹא הַהֶיקֵּף, שָׁלֵם
full-sized *adj* בְּגוֹדֶל טִבְעִי
full speed *adv* בִּמְהִירוּת מְרַבִּית
full stop *n* נְקוּדָּה
full swing *n* תְּנוּפָה מְלֵאָה
full tilt *n* מְהִירוּת מְרַבִּית
full-time *n* סוֹף הַמִּשְׂחָק
full-view *n* מַרְאֶה בִּשְׁלֵמוּת
full volume *n* מְלוֹא הַקּוֹל
fully *adv* בִּשְׁלֵמוּת, בִּמְלוֹאוֹ
fulsome *adj* שֶׁיֵּשׁ בּוֹ טַעַם לִפְגָם

fumble *vt, vi* גִּישֵּׁשׁ בִּכְבֵדוּת, ׳פִּסְפֵס׳ (בְּמשחק כדור וכד׳)
fume *n* עָשָׁן; אֵד
fume *vt, vi* הֶעֱלָה עָשָׁן אוֹ אֵד
fumigate *vt* גִּיפֵּר
fumigation *n* גִּיפּוּר
fun *n* שַׁעֲשׁוּעַ; בִּידּוּחַ; הֲנָאָה
function *n* תַּפְקִיד
function *vi* תִּפְקֵד; בִּיצֵּעַ עֲבוֹדָה
functional *n* תִּפְקוּדִי; שִׁימּוּשִׁי
functionary *n* פָּקִיד, נוֹשֵׂא מִשְׂרָה
fund *n* קֶרֶן; הוֹן; אוֹצָר
fund *vt* הִקְצִיב לְתַשְׁלוּם חוֹב
fundamental *n* יְסוֹד, עִיקָּר
fundamental *adj* יְסוֹדִי
funeral *n* הַלְוָיָה
funeral *adj* שֶׁל הַלְוָיָה; אָבֵל
funeral director *n* מְנַהֵל טֶקֶס הַהַלְוָיָה
funeral home *n* בֵּית הַלְוָיוֹת
funeral oration *n* הֶסְפֵּד
funereal *adj* שֶׁל הַלְוָיָה, קוֹדֵר
fungous *adj* פִּטְרִיָּתִי
fungus *n* פִּטְרִיָּה; גִּידּוּל פִּטְרִיָּתִי
funicular *adj, n* שֶׁל חֶבֶל, שֶׁל כֶּבֶל
funk *vi* פָּחַד; נִפְחַד
funk *n* מוֹרֶךְ־לֵב, פַּחַד; פַּחְדָן
funnel *n* מַשְׁפֵּךְ אֲפַרְכֶּסֶת
funnel *vt* רִיכֵּז
funnies *n pl* צִיּוּרֵי בְּדִיחָה
funny *adj* מַצְחִיק, מְגוּחָךְ
funny bone *n* עֶצֶם הַמַּרְפֵּק
funny paper *n* עִיתּוֹן בְּדִיחוֹת
fur. *abbr* furlong, furnished
fur *n* פַּרְוָה

fur *adj* שֶׁל פַּרְוָה
furbelow *vt, n* קִישֵּׁט בְּקִפְלוּלִים; קִפְלוּל
furbish *vt* רִעֲנֵן, חִידֵּשׁ; מֵירֵט
furious *adj* זוֹעֵם, קוֹצֵף; סוֹעֵר
furl *vt, vi* קִיפֵּל; הִתְקַפֵּל
fur-lined *adj* מְבוּטָּן פַּרְוָה
furlong *n* פֶּרְלוֹנג (מידת אורך)
furlough *n* חוּפְשָׁה
furlough *vt* נָתַן חוּפְשָׁה
furnace *n* כִּבְשָׁן
furnish *vt* צִייֵּד; סִיפֵּק ל...; רִיהֵט
furnishing *n* הַסְפָּקָה; רִיהוּט
furniture *n* רָהִיטִים
furniture dealer *n* סוֹחֵר רָהִיטִים
furniture store *n* חֲנוּת רָהִיטִים
furrier *n* פַּרְוָן
furriery *n* פַּרְווֹת
furrow *n* תֶּלֶם; קֶמֶט
furrow *vt* חָרַשׁ; קִימֵּט
further *adj, adv* יוֹתֵר רָחוֹק; נוֹסָף עַל כָּךְ
further *vt* קִידֵּם, עוֹדֵד
furtherance *n* עִידוּד, קִידּוּם
furthermore *adv* יָתֵר עַל כֵּן
furthest *adj, adv* הָרָחוֹק בְּיוֹתֵר, לַמֶּרְחָק הַגָּדוֹל בְּיוֹתֵר
furtive *adj* חוֹמְקָנִי

fury *n* זַעַם; הִשְׁתּוֹלְלוּת כַּעַס
furze *n* רוֹתֶם אֵירוֹפִּי
fuse *n* נָתִיךְ; מַרְעוֹם; פַּצָּץ
fuse *vt, vi* הִתִּיךְ; מִיזֵּג; נִיתַּךְ; מִתְמַזֵּג
fuse box *n* תֵּיבַת חַשְׁמַל
fuselage *n* גּוּף הַמָּטוֹס
fusible *adj* נִיתָּן לְהַתָּכָה
fusillade *vt* הִתְקִיף בִּמְטַר יְרִיּוֹת
fusillade *n* הַמְטָרַת יְרִיּוֹת
fusion *n* הַתָּכָה, הִיתּוּךְ; מְזִיגָה
fusion bomb *n* פִּצְצַת מֵימָן
fusion point *n* נְקוּדַת הַהַתָּכָה; נְקוּדַת הַהֲמַסָּה
fuss *vt, vi* עָשָׂה עֵסֶק רַב; הִטְרִיד
fuss *n* הִתְרוֹצְצוּת, 'עֵסֶק רַב'
fussy *adj* מַקְפִּיד בִּקְטַנּוֹת
fustian *n* פִּשְׁתָּן גַּס, שַׁעַטְנֵז
fusty *adj* מְעוּפָּשׁ, מַסְרִיחַ
futile *adj* עָקָר, חֲסַר תּוֹעֶלֶת
futility *n* עֲקָרוּת, חוֹסֶר עֵרֶךְ
future *adj* עֲתִידִי, הַבָּא
future *n* עָתִיד
futurist *n* פוּטוּרִיסְט
fuze *see* fuse
fuzz *n* נְעוֹרֶת, צֶמֶר רַךְ; פְּלוּמָה
fuzzily *adv* בִּמְעוּרְפָּל
fuzzy *adj* מְסוּלְסָל, נוֹצִי; מְעוּרְפָּל

G

G, g ג׳י (האות השביעית באלפבית)
g. *abbr* genitive, gender, gram
gab *n* פִּטפּוּט
gab *vi* פִּטפֵּט
gabardine *n* אֲרִיג גַּבַּרדִּין
gabble *vt, vi* פִּטפֵּט; גִעגֵעַ
gabble *n* פִּטפּוּט; גִעגוּעַ
gable *n* גַּמלוֹן
gable *vt* בָּנָה גַמלוֹן
gable-end *n* פְּנֵי הַגַּמלוֹן
gad *vi* שׁוֹטֵט
gad *n* שׁוֹטְטוּת
gad *interj* רִיבּוֹנוֹ שֶׁל עוֹלָם!
gadabout *n* מְשׁוֹטֵט, הוֹלֵךְ רָכִיל
gadfly *n* זְבוּב הַבְּהֵמוֹת
gadget *n* מַכשִׁיר הֶתקֵן
Gael *n* גָּאלִי, קֶלטִי
Gaelic *adj, n* גָּאלִית
gaff *n* חַכָּה; צִלצָל
gaff *vt* דָּקַר בְּצִלצָל
gag *n* מַחסוֹם פֶּה; (על הבמה) בְּדִיחָה
gag *vt, vi* סָתַם פֶּה; (בניתוח) פָּתַח פֶּה
gage, gauge *n* חוֹגֶן, מַדִּיד, מַד; מִידָּה
gage *vt* הֶעֱרִיךְ, שִׁיעֵר
gaiety *n* עֲלִיצוּת, שִׂמחָה
gaily *adv* בַּעֲלִיצוּת
gain *n* רֶווַח, הֶישֵּׂג
gain *vt, vi* הִרוִויחַ; זָכָה; הִשִּׂיג
gainful *adj* מֵבִיא רֶוַח, רְווּחִי
gainsay *vt* דִּיבֵּר נֶגֶד, סָתַר
gait *n* דֶּרֶךְ הִילּוּךְ
gaiter *n* מַגָּף, מוֹק
gal. *abbr* gallon
gal *n* (דיבורית) נַעֲרָה
gala *n, adj* גָּלָה, חֲגִיגַת תִּפאֶרֶת
galaxy *n* גָּלַקסָה
gale *n* סוּפָה
gale of laughter *n* גַּל צְחוֹק
Galician *n, adj* גָּלִיצָאִי
gall *n* מָרָה; מְרִירוּת; חוּצפָּה
gall *vt, vi* הִטרִיד; חִיכֵּךְ
gallant *adj, n* אַבִּירִי; אַמִּיץ
gallantry *n* אַבִּירוּת; חִיזּוּר; אוֹמֶץ־לֵב
gall-bladder *n* כִּיס־הַמָּרָה
gall duct *n* צִינּוֹר הַמָּרָה
galleon *n* סְפִינַת־מִלחָמָה
gallery *n* מַעֲבָר מְקוֹרֶה; מִסדְרוֹן; יָצִיעַ
galley *n* מִטבַּח אוֹנִייָּה
galley-proof *n* יְרִיעַת הַגָּהָה
galley-slave *n* מְשׁוֹטַאי; עֶבֶד
Gallic *adj* גָּאלִי, צָרְפָתִי
galling *adj* מְמָרֵר; מַרגִיז
gallivant *vi* שׁוֹטֵט
gallnut *n* עָפָץ
gallon *n* גַּלּוֹן
galloon *n* רְצוּעָה (להידוק)
gallop *n* דְּהִירָה
gallop *vt, vi* דָּהַר; הִדהִיר

gallows *n pl* גַרדוֹם
gallows-bird *n* אָדָם רָאוּי לִתלִייָה
gallstone *n* אַבנִית בַּמָרָה
galore *adv* לְמַכבִּיר
galosh *n* עַרדָל
galvanize *vt* גִלוֵון; זִעזֵעַ
galvanized iron *n* בַּרזֶל מְגוּלוָון
gambit *n* גַמבִּיט (בשחמט); פְּעוּלָה רִאשׁוֹנָה
gamble *vt, vi* הִימֵר; שִׂיחֵק בְּמִשׂחֲקֵי מַזָל
gamble *n* הִימוּר; סִיכּוּן, סִפסוּר
gambler *n* מְהַמֵר; סַפסָר
gambling *n* הִימוּר; סִיכּוּן; סִפסוּר
gambling den *n* מְאוּרַת הִימוּר
gambling house *n* בֵּית הִימוּרִים
gambling table *n* שׁוּלחַן הִימוּרִים
gambol *vt* נִיתֵּר, דִילֵג
gambol *n* דִילוּג, נִיתּוּר
gambrel *n* קַרסוֹל־סוּס, אוּנקָל
gambrel roof *n* גַג דְמוּי פַּרסָה
game *n* מִשׂחָק; תַּחֲרוּת; צַיִד
game *vi* שִׂיחֵק מִשׂחֲקֵי־מַזָל
game *adj* אַמִיץ; מוּכָן לִקרָב
game-bag *n* יַלקוּט צַיָידִים
game-bird *n* עוֹף צַיִד
gamecock *n* תַּרנְגוֹל־קְרָב
gamekeeper *n* מְפַקֵחַ צַיִד
game of chance *n* מִשׂחַק מַזָל
game warden *n* מְפַקֵחַ צַיִד
gamut *n* סוּלַם הַקוֹלוֹת; מִכלוֹל
gamy *adj* בַּעַל טַעַם חָרִיף
gander *n* אַוָוז
gang *n* חֲבוּרָה
gang *vt, vi* הִתקִיף בַּחֲבוּרָה
gangling *adj* מוֹאֳרָך וְרוֹפֵף
ganglion *n* גַנגלִיוֹן, חַרצוֹב
gangplank *n* כֶּבֶשׁ אוֹנִיָיה
gangrene *n* מַק
gangrene *vt, vi* גָרַם לְמַק; נַעֲשָׂה מַק
gangster *n* אִישׁ כְּנוּפיָה, גַנגסטֶר
gangway *n* מַעֲבָר; מִסדְרוֹן
gantry, gauntry *n* פִּיגוּם
gantry crane *n* כַּן פִּיגוּמִים נָע
gap *n* פַּעַר, פִּרצָה
gape *vi* פָּעַר פִּיו; נִבקַע
gape *n* פְּעִירַת פֶּה; מַבָּט בְּפֶה פָּעוּר
gapes *n pl* פַּהֶקֶת
G.A.R. *abbr* Grand Army of the Republic
garage *n* מוּסָך
garage *vt* הִכנִיס לְמוּסָך, מִיסֵך
garb *n* לְבוּשׁ, תִּלבּוֹשֶׁת
garb *vt* הִלבִּישׁ
garbage *n* זֶבֶל, אַשׁפָּה
garbage can *n* פַּח אַשׁפָּה
garbage disposal *n* סִילוּק אַשׁפָּה
garble *vt* סֵירֵס, סִילֵף
garden *n* גִינָה, גַן
garden *vt* גִינֵן, עִיבֵּד גַן
gardener *n* גַנָן
gardenia *n* גַרדֶניָה
gardening *n* גִינוּן, עֲבוֹדַת הַגַנָן
garden-party *n* מְסִיבַּת־גַן
gargle *n* מְגַרגֵר, שׁוֹטֵף
gargle *vt* גִרגֵר
gargoyle *n* זַרבּוּבִית
garish *adj* צַעֲקָנִי, מַברִיק
garland *n* זֵר, כֶּתֶר; קִישׁוּט
garland *vt* עִיטֵר בְּזֵר

garlic *n* שׁוּם
garment *n* מַלְבּוּשׁ
garner *n* מַחסָן; אוֹסֶם
garner *vt* צָבַר
garnet *n* אֶבֶן טוֹבָה
garnish *vt* עִיטֵר
garnish *n* קִישּׁוּט; עִיטוּר סִפרוּתִי; (בְּבִישּׁוּל) תּוֹסֶפֶת קִישּׁוּט
garret *n* עֲלִיַּית־גַג
garrison *n* חֵיל מַצָּב
garrotte *vt* הֵמִית בְּחֶנֶק
garrotte *n* חֶנֶק
garrulous *adj* מְפַטפֵּט
garter *n* בִּירִית
garth *n* חָצֵר, גִינָּה
gas *n* גַאז
gas *vt, vi* סִיפֵּק גַאז; הִרעִיל בְּגַאז
gasbag *n* מְכַל גַאז; פַּטפְּטָן
gas-burner *n* מַבעֵר גַאז
gas-engine *n* מְנוֹעַ גַאז
gaseous *adj* גַאזִי
gasfitter *n* מַתקִין גַאז
gas generator *n* מְחוֹלֵל גַאז
gash *n* חֲתָך, פֶּצַע
gash *vt* חָתַך, פָּצַע
gas-heat *n* קָמִין גַאז
gasholder *n* מְכַל גַאז
gasify *vt* יָצַר גַאז
gas-jet *n* סִילוֹן גַאז
gasket *n* אֶטֶם
gaslight *n* אוֹר גַאז
gas-main *n* צִינּוֹר גַאז עִיקָּרִי
gas-meter *n* מוֹנֵה גַאז
gasoline, gasolene *n* גַאזוֹלִין, בֶּנזִין
gasoline pump *n* מַשׁאֵבַת בֶּנזִין
gasp *vt, vi* הִתאַמֵּץ לִנשׁוֹם; דִיבֵּר בְּכוֹבֶד נְשִׁימָה
gasp *n* נְשִׁימָה בִּכבֵדוּת
gas producer *n* כּוּר גַאז
gas-range *n* כִּירַיִים שֶׁל גַאז
gas-station *n* תַּחֲנַת דֶלֶק
gas-stove *n* כִּירַיִים שֶׁל גַאז
gas-tank *n* מְכַל בֶּנזִין
gastric *adj* קֵיבָתִי
gastronomy *n* גַסטרוֹנוֹמיָה
gasworks *n pl* מִפעַל גַאז
gate *n* שַׁעַר, פֶּתַח
gatekeeper *n* שׁוֹמֵר סַף
gatepost *n* עַמּוּד הַשַּׁעַר
gateway *n* פֶּתַח שַׁעַר, כְּנִיסָה
gather *vt, vi* אָסַף, כִּינֵּס; נֶאֱסַף, נִקבַּץ; הִסִּיק; הֵבִין
gathering *n* אִיסּוּף, אֲגִירָה; כֶּנֶס
gaudy *adj* מַבריק, רַאַווֹתָנִי
gauge, gage *n* חוּגָן, מַד; אַמַּת־מִידָּה
gauge, gage *vt* הֶעֱרִיך, שִׁיעֵר; קָבַע מִידּוֹת
gauge glass *n* זְכוּכִית מַדִּיד
gauger, gager *n* מוֹדֵד, מַעֲרִיך
Gaul *n* גַאלִי, גַאלִיָה
Gaulish *adj, n* גַאלִי
gaunt *adj* כָּחוּשׁ; זוֹעֵף
gauntlet *n* כְּפָפַת שִׁריוֹן
gauze *n* גַאזָה, מַלמָלָה
gavel *n* פַּטִּישׁ (שֶׁל יו"ר)
gavotte *n* גָבוֹט
gawk *n* לֹא־יוּצלַח
gawk *vi* נָהַג כְּשׁוֹטֶה
gawky *adj, n* לֹא־יוּצלַח, מְגוּשָּׁם
gay *adj* עַלִּיז

gaze *vi* הִבִּיט, הִסְתַּכֵּל

gaze *n* מַבָּט, הִסְתַּכְּלוּת

gazelle *n* צְבִי

gazette *n, vt* עִיתּוֹן רִשְׁמִי; פִּרְסֵם בְּעִיתּוֹן רִשְׁמִי

gazetteer *n* לֶקְסִיקוֹן גֵיאוֹגְרָפִי

gear *n* תִּשְׁלוֹבֶת גַלְגַלֵּי שִׁינַּיִים; הִילוּךְ; רִתְמָה

gear *vt, vi* הִצְמִיד לְהִילוּךְ; הִשְׁתַּלֵּב

gearbox, gearcase *n* תֵּיבַת הִילוּכִים

gearshift *n* הַחֲלָפַת הַהִילוּךְ

gearshift lever *n* יְדִית הִילוּכִים

gee, gee-gee *n* ג׳י (מלת זירוז לסוסים)

gee *interj* ג׳י (מלה להבעת השתוממות)

Gehenna *n* גֵּיא בֶּן־הִינּוֹם

gel *n* קָרִישׁ, מִקְפָּא

gel *vi* הִקְרִישׁ

gelatine *n* מִקְפָּא

geld *vt* עִיקֵּר, סֵירֵס

gem *n* אֶבֶן טוֹבָה

gem *vt* קִישֵּׁט

Gemini *n pl* מַזַּל תְּאוֹמִים

gen. *abbr* gender, general, genitive, genus

gender *n* (בדקדוק) מִין

genealogy *n* תּוֹלָדוֹת, סֵדֶר יִיחוּסִין

general *adj* כְּלָלִי; כּוֹלֵל

general *n* גֶּנֶרָל, אַלּוּף

general delivery *n* מְסִירַת דִּבְרֵי דוֹאַר כְּלָלִית

generalissimo *n* גֶּנֶרָלִיסִּימוֹ, מְפַקֵּד עֶלְיוֹן

generality *n* הַכְלָלָה; כְּלָל

generalize *vt* הִכְלִיל, כָּלַל

generally *adv* בְּדֶרֶךְ כְּלָל

general practitioner *n* רוֹפֵא כְּלָלִי

generalship *n* כּוֹשֶׁר מַצְבִּיאוּת

general staff *n* מַטֶּה כְּלָלִי

generate *vt* הוֹלִיד, יָצַר

generating station *n* תַּחֲנַת כּוֹחַ

generation *n* דּוֹר; רְבִיָּה; יְצִירָה

generator *n* מְחוֹלֵל, גֶּנֶרָטוֹר

generic *adj* שֶׁל מִין; שֶׁל גֶּזַע

generous *adj* נָדִיב

genesis *n* מָקוֹר; בְּרִיאָה

Genesis *n* סֵפֶר בְּרֵאשִׁית

genetics *n pl* חֵקֶר הַתּוֹרָשָׁה

Geneva *n* ג׳נֶבָה

Genevan *n* ג׳נֶבָאִי

genial *adj* יְדִידוּתִי, מַסְבִּיר פָּנִים

genie *n* ג׳ינִי, רוּחַ

genital *adj* שֶׁל אֵיבְרֵי הַמִּין

genitals *n pl* אֵיבְרֵי הַמִּין

genitive *n, adj* יַחַס הַקִּנְיָן; יַחַס הַסְּמִיכוּת; סוֹפִית הַסְּמִיכוּת

genius *n* גָּאוֹן; גְּאוֹנִיּוּת

Genoa *n* גֵנוֹאָה

genocidal *adj* שֶׁל רֶצַח־עַם

genocide *n* רֶצַח־עַם

Genoese *n* גֵנוֹאִי

genre *n* רוּחַ, תְּכוּנָה; סוּג; סִגְנוֹן

gent *abbr.* gentleman, gentlemen

genteel *adj* מֵהַחֶבְרָה הַגְּבוֹהָה; מְנוּמָּס

gentian *n* עַרְבָּזִי

gentile *n, adj* לֹא־יְהוּדִי, גּוֹי

gentility *n* נִימוּס; אֲדִיבוּת; יִיחוּס

gentle *adj* אָצִיל; עָדִין; מָתוּן

gentlefolk *n* בְּנֵי־תַּרְבּוּת, בְּנֵי־טוֹבִים
gentleman *n* גֶ׳נטלְמֶן, בֶּן־תַּרְבּוּת
gentleman-in-waiting *n* אִישׁ חָצֵר
gentlemanly *adj, adv* בְּנִימוּס, בַּאֲדִיבוּת
gentleman of leisure *n* שֶׁשְּׁעָתוֹ פְּנוּיָה, מִשְׁתָּעֵה
gentleman of the road *n* שׁוֹדֵד דְּרָכִים
gentle sex *n* הַמִּין הֶעָדִין
gentry *n* רָמֵי־מַעֲלָה
genuine *n* אֲמִיתִּי; כֵּן; אָמִין
genus *n* סוּג, מִין
geog. *abbr* geography
geographer *n* גֵּיאוֹגְרָף
geographic, geographical *adj* גֵּיאוֹגְרָפִי
geography *n* גֵּיאוֹגְרַפְיָה
geol. *abbr* geology
geologic(al) *adj* גֵּיאוֹלוֹגִי
geologist *n* גֵּיאוֹלוֹג
geology *n* גֵּיאוֹלוֹגְיָה
geom. *abbr* geometry
geometric, geometrical *adj* הַנְדָּסִי, גֵּיאוֹמֶטְרִי
geometrical progression *n* טוּר הַנְדָּסִי
geometrician *n* מוּמְחֶה בְּהַנְדָּסָה
geometry *n* הַנְדָּסָה
geophysics *n pl* גֵּיאוֹפִיסִיקָה
geopolitics *n pl* גֵּיאוֹפּוֹלִיטִיקָה
geranium *n* מְקוֹר־הָאֲנָפָה, גֵּרַנְיוֹן
geriatrical *adj* שֶׁל חֵקֶר מַחֲלוֹת הַזִּקְנָה
geriatrician *n* חוֹקֵר מַחֲלוֹת הַזִּקְנָה
geriatrics *n pl* חֵקֶר מַחֲלוֹת הַזִּקְנָה
germ *n* חַיְדַק; זֶרַע
germ *vi* נָבַט
German *adj, n* גֶּרְמָנִי; גֶּרְמָנִית
germane *adj* קָרוֹב; נוֹגֵעַ, הוֹלֵם
Germanic *adj* טֶבְטוֹנִי; גֶּרְמָנִי
Germanize *vt* גִּרְמֵן
German measles *n pl* אַדֶּמֶת
German silver *n* כֶּסֶף גֶּרְמָנִי
Germany *n* גֶּרְמַנְיָה
germ carrier *n* נוֹשֵׂא חַיְדַקִּים
germ cell *n* תָּא זֶרַע
germicidal *adj* קוֹטֵל חַיְדַקִּים
germicide *n* קוֹטֵל חַיְדַקִּים
germinate *vt, vi* נָבַט, הֵנֵץ
germ plasm *n* פְּלַסְמַת זֶרַע
germ theory *n* תֵּיאוֹרְיַת הַחַיְדַקִּים
germ warfare *n* מִלְחֶמֶת חַיְדַקִּים
gerontology *n* מַדַּע הַזִּקְנָה, גֵּרוֹנְטוֹלוֹגְיָה
gerund *n* (בדקדוק) שֵׁם פְּעוּלָה
gerundive *adj, n* (דְּמוּי) שֵׁם פְּעוּלָה
gestation *n* תְּקוּפַת עִיבּוּר
gestatory *adj* עִיבּוּרִי
gesticulate *vi* הֶחֱוָה
gesticulation *n* הַחֲוָיָה
gesture *n* תְּנוּעַת הַבָּעָה; מֶחווה
gesture *vi* עָשָׂה תְּנוּעוֹת
get *vt, vi* הִשִּׂיג; לָקַח; קָנָה; נַעֲשָׂה
getaway *n* בְּרִיחָה
get-together *n* הִתְכַּנְּסוּת
get-up *n* צוּרָה חִיצוֹנִית; הוֹפָעָה
gewgaw *n* צַעֲצוּעַ זוֹל
geyser *n* גַּייזֶר, מִזְרָקָה חַמָּה
ghastly *adj* נוֹרָא, מַבְעִית

gherkin *n* מְלָפְפוֹן קָטָן
ghetto *n* גֶטוֹ
ghost *n* רוּחַ (שֶׁל מֵת)
ghost *vt* כָּתַב בִּשְׁבִיל אַחֵר
ghostly *adj* שֶׁל רוּחַ הַמֵּת
ghost writer *n* סוֹפֵר לְהַשְׂכִּיר
ghoul *n* רוּחַ רָעָה, שֵׁד
ghoulish *adj* שֵׁדִי, מְתוֹעָב
G.H.Q. *abbr* General Headquarters
GI, G.I. *n, adj* חַיָּל (בִּצְבָא ארה״ב)
giant *n* עֲנָק
giant *adj* עֲנָקִי
giantess *n* עֲנָקִית
gibberish *n* פִּטְפּוּט, מִלְמוּל
gibbet *n* גַּרְדּוֹם
gibe, jibe *vt, vi, n* לִגְלֵג; לִגְלוּג
giblets *n pl* קְרָבַיִים שֶׁל עוֹף
giddiness *n* קַלּוּת־דַּעַת; סִחְרוּר
giddy *adj* קַל־דַּעַת
giddy *vt, vi* סִחְרֵר; הִסְתַּחְרֵר
Gideon *n* גִּדְעוֹן
gift *n* מַתָּנָה; כִּשְׁרוֹן
gifted *adj* מְחוֹנָן
gift horse *n* מַתָּנָה שֶׁאֵין בּוֹדְקִים
gift of gab *n* כִּשְׁרוֹן דִּיבּוּר
gift shop *n* חֲנוּת מַתָּנוֹת
gift wrap *n* עֲטִיפָה לְמַתָּנוֹת
gig *n* כִּרְכָּרָה; דּוּגִית
gigantic *adj* עֲנָקִי
giggle *vi* גִּיחֵךְ
giggle *n* גִּיחוּךְ
gigolo *n* ג׳יגוֹלוֹ
gild *vt* הִזְהִיב, צִיפָּה זָהָב
gilding *n* הַזְהָבָה
gill *n* זִים, אָגִיד; גִּיל (מידת נוזל)
gill *vt* צָד, דָּג
gillyflower *n* יַזְהוּב
gilt *n, adj* צִיפּוּי זָהָב; מְצוּפֶּה זָהָב
gilt-edged *adj* מוּזְהַב קְצָווֹת
gilt head *n* זְהוֹב הָרֹאשׁ
gimcrack *n, adj* הִתְהַדְּרוּת רֵיקָה; מַבְהִיק וְרֵיק
gimlet *n, vt* מַקְדֵּחַ קָטָן; קָדַח חוֹר
gimmick *n* הַמְצָאָה מְחוּכֶּמֶת
gin *n* גִ׳ין (יי״ש); מַלְכּוֹדֶת; מַנְפֵּטָה
gin *vt* הִפְרִיד כּוּתְנָה בְּמַנְפֵּטָה
gin fizz *n* גִ׳ין בְּסוֹדָה
ginger *n* זַנְגְבִיל
ginger *vt* תִּיבֵּל בְּזַנְגְבִיל; עוֹרֵר
ginger-ale *n* מַשְׁקֵה זַנְגְבִיל
gingerbread *n* עוּגַת זַנְגְבִיל
gingerly *adj, adv* זָהִיר; בִּזְהִירוּת
gingersnap *n* רְקִיק זַנְגְבִיל
gingham *n* אָרִיג מְפוּספָּס
giraffe *n* גִ׳ירָפָה, גָּמָל נְמֵרִי
girandole *n* סִילוֹן מַיִם מִסְתּוֹבֵב
gird *vt, vi* חָגַר; הִקִּיף; הִתְכּוֹנֵן; לָעַג
girder *n* סָרִיג; קוֹרָה
girdle *n* חֲגוֹרָה, אַבְנֵט
girdle *vt* סָגַר עַל
girl *n* יַלְדָּה, נַעֲרָה
girl friend *n* בַּחוּרָה יְדִידָה
girlhood *n* נַעֲרוּת (שֶׁל נערה); בְּחוּרוּת
girlish *adj* נַעֲרָתִי
girl scout *n* צוֹפָה
girth *n* הֶיקֵּף; חֲגוֹרָה
gist *n* תַּמְצִית, עִיקָּר
give *vt, vi* נָתַן; סִיפֵּק; הֶעֱנִיק; נִכְנַע
give *n* כְּנִיעָה לְלַחַץ; גְּמִישׁוּת

give-and-take *n* שִׁיטַת תֵּן וְקַח
giveaway *n, adj* הַלְשָׁנָה; פְּרָס חִינָּם
given *adj* מוּעֲנָק; נָתוּן, מְסוּיָּם
given name *n* שֵׁם פְּרָטִי
giver *n* נַדְבָן; מַעֲנִיק
gizzard *n* מוּרְאָה, זֶפֶק
glacial *adj* קַרְחוֹנִי; קָפוּא
glacier *n* קַרְחוֹן
glad *adj* שָׂמֵחַ, עַלִּיז; מְשַׂמֵּחַ
gladden *vt, vi* שִׂימֵּחַ
glade *n* קָרַחַת־יַעַר
glad hand *n* קַבָּלַת פָּנִים חַמָּה
gladiola *n* סֵיפָן, גְּלַדְיוֹלָה
gladly *adv* בְּשִׂמְחָה
gladness *n* שִׂמְחָה, חֶדְוָוה
glad rags *n pl* בִּגְדֵי שְׂרָד
glamorous *adj* קוֹסֵם, מַקְסִים
glamour *n* קֶסֶם; זוֹהַר
glamour girl *n* נַעֲרַת־זוֹהַר
glance *vt, vi* הֵעִיף מַבָּט; נָגַע קַלּוֹת
glance *n* מַבָּט חָטוּף; הִבְהוּב
gland *n* בַּלּוּטָה, בַּלּוּט
glanders *n pl* לוּזָה, חֲזִירַת הַסּוּס
glare *n* אוֹר מְסַנְוֵור; מַבָּט נוֹקֵב
glare *vt, vi* הִבְהִיק; בָּלַט; הִבִּיט בְּכַעַס
glaring *adj* מַבְהִיק; בּוֹלֵט
glass *n* זְכוּכִית; כּוֹס; (בְּרִיבּוּי) מִשְׁקָפַיִים
glass *adj* עָשׂוּי זְכוּכִית; מְזוּגָּג
glass *vt* זִיגֵּג
glass-blower *n* מְנַפֵּחַ זְכוּכִית
glass case *n* אֲרוֹן זְכוּכִית
glass door *n* דֶּלֶת זְכוּכִית
glassful *n* מְלוֹא הַכּוֹס
glass-house *n* חֲמָמָה
glassine *n* נְיַיר שָׁקוּף
glassware *n* כְּלֵי־זְכוּכִית
glass wool *n* צֶמֶר זְכוּכִית
glassworker *n* פּוֹעֵל זְכוּכִית
glassworks *n* בֵּית־חֲרוֹשֶׁת לִזְכוּכִית
glassy *adj* זְכוּכִיתִי; זְגוּגִי
glaze *vt, vi* זִיגֵּג
glaze *n* זִיגּוּג, צִיפּוּי שָׁקוּף
glazier *n* זַגָּג
gleam *n* נִצְנוּץ, קֶרֶן אוֹר; אוֹר קָלוּשׁ
gleam *vi* הֵאִיר, נִצְנֵץ
glean *vt, vi* לִיקֵּט; נִלְקַט
glee *n* גִּיל; שִׁיר מַקְהֵלָה
glib *adj* חָלָק; נִמְהָר וְשִׁטְחִי (בְּדִיבּוּר)
glide *n* הַחֲלָקָה; דְּאִיָּה
glide *vi* הֶחֱלִיק, גָּלַשׁ; חָלַף
glider *n* דָּאוֹן
glimmer *vi* נִצְנֵץ
glimmer, glimmering *n* נִצְנוּץ, הִבְהוּב
glimpse *vt* הֵעִיף עַיִן
glimpse *n* מְעוּף עַיִן, מַבָּט חָטוּף
glint *vi* הִבְהִיק, נִצְנֵץ
glint *n* הַבְזָקָה
glisten *vi* הִבְהִיק, נִצְנֵץ
glisten *n* הַבְהָקָה
glitter, glister *vi* הִבְהִיק, הִזְהִיר
glitter *n* בָּרָק, זוֹהַר
gloaming *n* בֵּין־הַשְּׁמָשׁוֹת
gloat *vi* שָׂמַח לְאֵיד
globe *n* כַּדּוּר־הָאָרֶץ; גְּלוֹבּוּס
globetrotter *n* שָׁט בָּעוֹלָם
globetrotting *n* שׁוֹטְטוּת בָּעוֹלָם
globule *n* כַּדּוּרִית טִיפָּה
glockenspiel *n* פַּעֲמוֹנִיָּה

gloom *vt, vi* הֶחְשִׁיךְ, הִקְדִּיר
gloom *n* אֲפֵלוּלִית; קַדְרוּת
gloomy *adj* אָפֵל; עָצוּב
glorify *vt* פֵּיאֵר, קִילֵּס
glorious *adj* מְפוֹאָר, נַעֲלֶה; נֶהְדָּר
glory *n* הוֹד; תְּהִילָּה
glory *vi* הִתְהַלֵּל
gloss *n* בָּרָק; צִחְצוּחַ; בֵּיאוּר, הֶעָרָה (בִּכְתַב־יָד)
gloss *vt, vi* שִׁיוָּה בָּרָק; פֵּירֵשׁ
glossary *n* רְשִׁימַת מִלִּים, מִילּוֹן
glossy *adj* מַבְרִיק, מְמוֹרָט
glottal *adj* שֶׁל בֵּית־הַקּוֹל
glove *n* כְּסָיָה, כְּפָפָה
glove *vt* לָבַשׁ כְּפָפָה
glove compartment *n* תָּא כְּסָיוֹת
glove stretcher *n* מְמַתֵּחַ כְּסָיוֹת
glow *n* לַהַט חוֹם, אוֹדֶם
glow *vi* לָהַט; הִתְאַדֵּם
glower *vi* הִסְתַּכֵּל בְּזַעַם
glowing *adj* לוֹהֵט; מַזְהִיר
glow-worm *n* גַּחֲלִילִית
glucose *n* גְלוּקוֹזָה
glue *n* דֶּבֶק נוֹזְלִי
glue *vt* דִּיבֵּק, הִדְבִּיק
glue-pot *n* כְּלִי לְדֶבֶק
gluey *adj* דִּבְקִי, דָּבִיק
glug *vi* בִּעְבֵּעַ
glumaceous *adj* בַּעַל גְלוּמָה
glume *n* גְלוּמָה
glut *n* גּוֹדֶשׁ, עוֹדֶף
glut *vt, vi* הִשְׂבִּיעַ; מִילֵּא עַד אֶפֶס מָקוֹם
glutton *n* זוֹלְלָן; רַעַבְתָן
gluttonous *adj* זוֹלְלָנִי
gluttony *n* זְלִילָה
glycerine *n* גְלִיצֵרִין
G.M. *abbr* General Manager, Grand Master
G-man *n* סוֹכֵן הַבּוֹלֶשֶׁת
G.M.T. *abbr.* Greenwich Mean Time
gnarled *adj* מְסוּקָּס, מְחוּסְפָּס
gnash *vt, vi* חָרַק שִׁינַּיִם; נָשַׁךְ
gnat *n* יַתּוּשׁ, זְבוּבוֹן
gnaw *vt, vi* כִּרְסֵם; כָּסַס
gnome *n* שֵׁדוֹן, גַּמָּד
go *vt, vi* הָלַךְ; נָסַע; עָזַב; עָבַר
go *n* הֲלִיכָה; מֶרֶץ; נִיסָּיוֹן
goad *n* דָּרְבָן; גֵּירוּי
goad *vt, vi* הִכָּה בְּמַלְמָד; גֵּירָה
go-ahead *adj* מִתְקַדֵּם
goal *n* מַטָּרָה; (בְּכַדּוּרֶגֶל) שַׁעַר
goalkeeper *n* שׁוֹעֵר
goal-line *n* קַו־הַשַּׁעַר
goal-post *n* קוֹרָה
goat *n* תַּיִשׁ, עֵז
goatee *n* זְקַן תַּיִשׁ
goatherd *n* רוֹעֵה עִזִּים
goatskin *n* עוֹר תַּיִשׁ
goatsucker *n* תַּחְמָס אֵירוֹפִּי
gob *n* רוֹק
gob *vi* יָרַק
gobble *vt, vi* בָּלַע בְּחִיפָּזוֹן; חָטַף
gobbledegook *n* לָשׁוֹן מְעוּרְפֶּלֶת
go-between *n* מְתַוֵּךְ
goblet *n* גָּבִיעַ
goblin *n* שֵׁדוֹן
goby *n* קְבַרְנוּן
go-by *n* הִתְעַלְּמוּת

go-cart *n* אוֹפַנִּית יְלָדִים
god *n* אֵל, אֱלִיל
God *n* אֱלֹקִים
godchild *n* יֶלֶד סַנְדְּקָאוּת
goddaughter *n* בַּת סַנְדְּקָאוּת
goddess *n* אֵלָה
godfather *n* סַנְדָּק
godfather *vt* שִׁימֵּשׁ כְּסַנְדָּק
God-fearing *adj* יְרֵא אֱלֹקִים
God-forsaken *adj* שְׁכוּחַ אֵל
Godhead *n* אֱלוֹהוּת
godless *adj* כּוֹפֵר
godly *adj* אֱלוֹהִי; יְרֵא אֱלֹקִים
godmother *n* סַנְדָּקִית
God's acre *n* בֵּית קְבָרוֹת
godsend *n* מַתַּת אֱלֹהַּ
godson *n* בֶּן סַנְדְּקָאוּת
Godspeed *n* אִיחוּלֵי 'נְסִיעָה טוֹבָה', 'בְּהַצְלָחָה'
go-getter *n* יוֹזְמָן־תּוֹקְפָן
goggle *vi* גִּלְגֵּל בְּעֵינָיו
goggle-eyed *adj* תָּמֵהַּ
goggles *n pl* מִשְׁקְפֵי מָגֵן
going *n, adj* הֲלִיכָה; יְצִיאָה; מַצְלִיחַ
going concern *n* מִפְעָל מְשַׂגְשֵׂג
goings on *n pl* תַּעֲלוּלִים, מַעֲלָלִים
goiter, goitre *n* זַפֶּקֶת
gold *n, adj* זָהָב; מוּזְהָב
goldbeater *n* זְהָבִי
goldbeater's skin *n* עוֹר זְהָבִים
gold-brick *n* נֶתֶךְ זָהָב; חֵפֶץ מְזוּיָּף
goldcrest *n* מַלְכִּילוֹן
gold-digger *n* מְחַפֵּשׂ זָהָב
golden *adj* שֶׁל זָהָב; זָהוֹב
Golden Age *n* תּוֹר הַזָּהָב
golden calf *n* עֵגֶל הַזָּהָב
Golden Fleece *n* גִּיזַּת הַזָּהָב
golden mean *n* שְׁבִיל הַזָּהָב
golden plover *n* חוֹפָמִי זָהוֹב
golden rod *n* שֵׁבֶט הַזָּהָב
golden rule *n* כְּלַל הַזָּהָב
goldfield *n* מִכְרֵה זָהָב
goldfinch *n* חוֹחִית
goldfish *n* דַּג זָהָב, זְהַבְנוּן
goldilocks, goldylocks *n* זְהוּבַּת שֵׂיעָר; נוּרִית
gold-leaf *n* עֲלֵה זָהָב
gold-mine *n* מִכְרֵה זָהָב
gold plate *n* כְּלֵי זָהָב
gold-plate *vt* רִיקַּע בְּזָהָב
goldsmith *n* צוֹרֵף זָהָב
gold standard *n* בְּסִיס הַזָּהָב
golf *n* גּוֹלְף
golf *vi* שִׂיחֵק בְּגוֹלְף
golf-club *n* אַלַּת גּוֹלְף; מוֹעֲדוֹן גּוֹלְף
golfer *n* גּוֹלְפַאי
golf-links *n pl* מִגְרַשׁ גּוֹלְף
Golgotha *n* גּוּלְגּוֹלְתָּא, שְׁאוֹל
gondola *n* גּוֹנְדוֹלָה
gondolier *n* גּוֹנְדוֹלַאי
gone *adj* אָבוּד, בָּטֵל; נִכְשָׁל
gong *n* גּוֹנְג, מְצִילָּה
gonorrhea, gonorrhoea *n* זִיבָה, גּוֹנוֹרֵיאָה
goo *n* חוֹמֶר דָּבִיק
good *adj* טוֹב
good *n* תּוֹעֶלֶת, יִתְרוֹן; הִצְטַיְּינוּת; דָּבָר רָצוּי
good afternoon *interj* שְׁעַת מִנְחָה טוֹבָה

goodby, goodbye *interj, n* הֱיֵה שָׁלוֹם!
good day *interj* שָׁלוֹם, בָּרוּךְ יוֹמְךָ
good evening *interj* עֶרֶב טוֹב
good fellow *n* בָּחוּר טוֹב
good fellowship *n* חֲבֵרוּת טוֹבָה
good-for-nothing *adj* לֹא־יוּצלַח
good graces *n pl* מְצִיאַת חֵן, חֶסֶד
good-hearted *adj* טוֹב־לֵב
good-humored *adj* טוֹב־מֶזֶג
good-looking *adj* יְפֵה־תּוֹאַר
good looks *n pl* יְפִי מַרְאֶה
goodly *adj* טוֹב, יָפֶה; רַב
good morning *interj* בּוֹקֶר טוֹב
good-natured *n* טוֹב־מֶזֶג
Good Neighbor Policy *n* מְדִינִיּוּת הַשָּׁכֵן הַטּוֹב
goodness *n* טוּב; טוֹב; נְדִיבוּת
good night *interj* לַיְלָה טוֹב
goods *n pl* סְחוֹרָה, סְחוֹרוֹת, מִטְעָן
good sense *n* שֵׂכֶל
good-sized *adj* נִיכָּר בְּגוֹדלוֹ
good speed *n* בְּהַצְלָחָה!
good-tempered *adj* בַּעַל מֶזֶג טוֹב
good time *n* הֲנָאָה, רְאִיַּת חַיִּים
good turn *n* טוֹבָה, חֶסֶד
goodwill *n* רָצוֹן טוֹב, יְדִידוּת; מוֹנִיטִין
goody *n* מַמְתָּק
gooey *adj* דָּבִיק
goof *n* טִיפֵּשׁ
goof *vi* הֶחֱטִיא, ׳פִּסְפֵּס׳
goofy *adj* טִפֵּשִׁי, אִידִיוֹטִי
goon *n* טִיפֵּשׁ, אִידִיוֹט; אִימְתָן
goose *n* אַוָּז, אַוָּזָה; טִיפֵּשׁ
gooseberry *n* דּוּמְדְמָנִית
goose egg *n* בֵּיצַת אַוָּז
goose flesh *n* סִמְרוּר בָּעוֹר
gooseneck *n* צַוַּאר אַוָּז
goose pimples *n pl* סִמְרוּר בָּעוֹר
goosestep *n* צְעִידַת אַוָּז
G.O.P. *abbr* Grand Old Party
gopher *n* סְנָאִית הָעֲרָבָה
gopher *n* עֵץ גּוֹפֶר
Gordian knot *n* קֶשֶׁר גּוֹרדִי
gore *n* דָּם (שפוך וקרוש)
gore *vt* נָגַח
gorge *n* עָרוּץ; גַּיְא; גָּרוֹן
gorge *vt, vi* מִילֵּא כְּרֵסוֹ
gorgeous *adj* נֶהְדָּר
gorilla *n* גּוֹרִילָה
gorse *n* אוּלֶקְס אֵירוֹפִּי
gory *adj* מְכוּסֶּה בְּדָם
gosh! *interj* אֱלֹקִים אַדִּירִים!
goshawk *n* נֵץ גָּדוֹל
gospel *n* בְּשׂוֹרַת הַנַּצְרוּת
gospel truth *n* אֱמֶת לַאֲמִיתָּהּ
gossamer *n, adj* קוּרֵי עַכָּבִישׁ; דַּק
gossip *n* רְכִילוּת, פִּטְפּוּט
gossip *vi* דִּיבֵּר רְכִילוּת
gossip columnist *n* בַּעַל טוּר רְכִילוּת
gossipy *adj* שֶׁל רְכִילוּת
Goth *n* גּוֹתִי; גַּס
Gothic *adj, n* גּוֹתִי; סִגְנוֹן גּוֹתִי; (שפה) גּוֹתִית
gouge *n* מַפְסֶלֶת; חָרִיץ; מִרְמָה
gouge *vt, vi* פִּיסֵּל; רִימָּה
goulash *n* גּוּלָשׁ
gourd *n* דְּלַעַת; נֹאד
gourmand *n* אַכְלָן
gourmet *n* מוּמְחֶה בְּמַאֲכָלִים

gout *n* צִינִית
gouty *adj, n* חוֹלֵה צִינִית
gov. *abbr* governor, government
govern *vt, vi* מָשַׁל; נִיהֵל
governess *n* אוֹמֶנֶת
government *n* מֶמְשָׁלָה
governmental *adj* מֶמְשַׁלְתִּי
government in exile *n* מֶמְשָׁלָה גוֹלָה
governor *n* מוֹשֵׁל; נָגִיד
governorship *n* כְּהוּנַּת מוֹשֵׁל
govt. *abbr* government
gown *n* שִׂמְלָה; גְּלִימָה (שֶׁל שׁוֹפְטִים)
gown *vt* הִלְבִּישׁ (שִׂמלה אוֹ גלימה)
gr. *abbr* gram, grain, gross
grab *vt* חָטַף; תָּפַס
grab *n* חֲטִיפָה; תְּפִיסָה
grace *n* חֵן; חֶסֶד; בִּרְכַּת־הַמָּזוֹן
grace *vt* הוֹסִיף חֵן; הוֹסִיף כָּבוֹד
graceful *adj* חִינָּנִי
grace-note *n* (מוּסיקה) תַּו־עִיטּוּר
gracious *adj* גּוֹמֵל חֶסֶד, אָדִיב
grackle *n* זַרְזִיר
grad. *abbr* graduate
gradation *n* שִׁינּוּי בְּהַדְרָגָה; הַדְרָגָה
grade *n* מַעֲלָה, מַדְרֵגָה; אֵיכוּת; כִּיתָּה (שֶׁל בי״ס)
grade crossing *n* צוֹמֶת חַד מִפְלָסִי
grade-school *n* בֵּית־סֵפֶר יְסוֹדִי
grade *vt, vi* סִיוּוֵג; קָבַע צִיּוּנִים
gradient *adj* הַדְרָגָתִי; מְשׁוּפָּע
gradient *n* שִׁיפּוּעַ
gradual *adj* הַדְרָגָתִי, מוּדְרָג
gradually *adv* בְּהַדְרָגָה
graduate *n, adj* בּוֹגֵר אוּנִיבֶרְסִיטָה; שֶׁל בּוֹגֵר
graduate *vt, vi* סִיֵּים אוּנִיבֶרְסִיטָה; (בְּמכוֹנוֹת) שִׁינֵּת
graduate school *n* אוּנִיבֶרְסִיטָה לְתוֹאַר שֵׁנִי
graduate student *n* סְטוּדֶנְט לְתוֹאַר שֵׁנִי
graduate work *n* עֲבוֹדָה לְתוֹאַר שֵׁנִי
graduation *n* סִיּוּם; טֶקֶס סִיּוּם; סִימָנֵי דֵּירוּג
graft *n* (בּרפוּאה וכד׳) הַרְכָּבָה, רֶכֶב; שׁוֹחַד
graft *vt, vi* הִרְכִּיב; הוּרְכַּב
graham bread *n* לֶחֶם גְּרַהַם, לֶחֶם חִיטָּה שְׁלֵמָה
graham flour *n* קֶמַח חִיטָּה שְׁלֵמָה
grain *n* גַּרְעִין; תְּבוּאָה; קוֹרְטוֹב; מִבְנֵה הַסִּיבִים
grain *vt* פּוֹרֵר לְגַרְעִינִים; צָבַע כְּמִרְקַם הָעֵץ
grain elevator *n* מַחסַן תְּבוּאָה, אָסָם
grain field *n* שְׂדֵה בָּר
graining *n* צְבִיעָה כְּמִרְקַם הָעֵץ
gram *n* גְּרַם; תִּלְתָּן; שְׁעוּעִית
grammar *n* דִּקְדּוּק
grammarian *n* מְדַקְדֵּק
grammar school *n* (בּבריטניה) בֵּית־סֵפֶר תִּיכוֹן עִיּוּנִי; (בּארה״ב) בֵּית־סֵפֶר יְסוֹדִי (כּיתות גבוהות)
grammatical *adj* דִּקְדּוּקִי
gramophone *n* מָקוֹל, פָּטֵיפוֹן
granary *n* אָסָם; גּוֹרֶן
grand *adj* נֶהְדָר; מְכוּבָּד; חָשׁוּב בְּיוֹתֵר
grand-aunt *n* דּוֹדָה־סַבְתָּא

grandchild *n*	נֶכֶד, נֶכְדָּה
granddaughter *n*	נֶכְדָּה
grand-duchess *n*	הַדּוּכָּסִית הַגְּדוֹלָה
grand duchy *n*	דוּכָּסוּת
grand-duke *n*	הַדּוּכָּס הַגָּדוֹל
grandee *n*	אָצִיל סְפָרַדִּי
grandeur *n*	גְדוּלָּה; אֲצִילוּת
grandfather *n*	סָב, סַבָּא
grandfatherly *adj*	כְּסַבָּא
grandiose *adj*	נֶהְדָּר
grandiosely *adv*	בְּמְהוּדָּר
grand jury *n*	חֶבֶר מוּשְׁבָּעִים
grand lodge *n*	לִשְׁכָּה גְדוֹלָה
grandma *n*	סַבְתָּא
grandmother *n*	סָבָא
grandnephew *n*	אַחְיָן־נֶכֶד
grandniece *n*	אַחְיָנִית־נֶכְדָּה
grand opera *n*	אוֹפֶּרָה גְדוֹלָה
grandpa *n*	סַבָּא
grandparent *n*	הוֹרֶה־סָב
grand piano *n*	פְּסַנְתֵּר כָּנָף
grand slam *n*	נְעִילָה נֶהְדֶּרֶת
grandson *n*	נֶכֶד
grand-stand *n*	בִּימַת הַצּוֹפִים
grand strategy *n*	אַסְטְרָטֶגְיָה גְדוֹלָה
grand-total *n*	סַךְ־הַכּוֹל הַכְּלָלִי
grand-uncle *n*	דוֹד־הָאָב
grand vizier *n*	וָזִיר רָאשִׁי
grange *n*	חַוָּה
granite *n*	שַׁחַם; קַשְׁיוּת
granolithic *adj*	מוּצָק
grant *vt*	נָתַן, הֶעֱנִיק; הִסְכִּים
grant *n*	מַעֲנָק; מַתָּנָה
grantee *n*	נֶהֱנֶה מִמַּעֲנָק
grant-in-aid *n*	סִיּוּעַ מַעֲנָק
grantor *n*	מַנְחִיל
granular *adj*	גַּרְגִּירִי, גַּרְעִינִי
granulate *vt, vi*	פּוֹרֵר; הִתְפּוֹרֵר
granule *n*	גַּרְגִּיר
grape *n*	עֵנָב; אָדוֹם־כֵּהֶה
grape arbor *n*	סוּכַּת גֶּפֶן
grapefruit *n*	אֶשְׁכּוֹלִית
grape hyacinth *n*	יַקִינְטוֹן בַּר
grape juice *n*	מִיץ עֲנָבִים
grapeshot *n*	צְרוֹר פְּגָזִים
grape-vine *n*	גֶּפֶן; שְׁמוּעַת לְחָשִׁים
graph *n*	עָקוֹם, גְּרָף; דִּיאַגְרַמָּה
graphic *adj*	צִיּוּרִי; גְּרָפִי, עֲקוּמִי
graph paper *n*	נְיַר מִילִימֶטְרִי
grapnel *n*	מַתְפֵּס
grapple *vt, vi*	אָחַז, תָּפַס; נֶאֱבַק
grapple *n*	אַנְקוֹל; אֲחִיזָה
grasp *vt, vi*	אָחַז, תָּפַס; הֵבִין
grasp *n*	אֲחִיזָה; הֲבָנָה
grasping *adj*	חַמְדָן, קַמְצָן
grass *n*	עֵשֶׂב
grass court *n*	מִגְרַשׁ דֶּשֶׁא
grasshopper *n*	חָגָב
grass pea *n*	אֲפוּנַת מִסְפּוֹא
grass roots *adj*	שָׁרְשִׁי, מִתּוֹךְ הָעָם
grass seed *n*	זֶרַע הַדֶּשֶׁא
grass widow *n*	'אַלְמָנַת קַשׁ'
grassy *adj*	מַדְשִׁיא
grate *n*	סְבָכָה; אָח
grate *vt, vi*	רִיסֵּק; שִׁפְשֵׁף; צָרַם
grateful *adj*	אֲסִיר־תּוֹדָה
grater *n*	פּוּמְפִּיָּה; מָשׁוֹף
gratify *vt*	הִשְׂבִּיעַ רָצוֹן; הִינָּה
gratifying *adj*	מַשְׂבִּיעַ רָצוֹן; מְהַנֶּה
grating *n*	סוֹרָג, סְבָכָה

gratis *adv* חִינָּם
gratitude *n* הַכָּרַת־טוֹבָה
gratuitous *adj* נִיתָּן חִינָּם; לְלֹא סִיבָּה
gratuity *n* מַתָּת
grave *adj* רְצִינִי; חָמוּר
grave *n* קֶבֶר
gravedigger *n* קַבְּרָן
gravel *n* חָצָץ; אַבְנִית
graven image *n* פֶּסֶל, אֱלִיל
gravestone *n* מַצֵּבָה
graveyard *n* בֵּית־עָלְמִין
gravitate *vi* נִמְשַׁךְ; נָע מִכּוֹחַ־הַמְּשִׁיכָה
gravitation *n* כּוֹחַ־הַכּוֹבֶד, כְּבִידָה
gravity *n* כּוֹחַ־הַמְּשִׁיכָה; רְצִינוּת
gravure *n* פִּיתּוּחַ, גִּילוּף; הֶדְפֵּס פִּיתּוּחַ
gravy *n* רוֹטֶב בָּשָׂר
gravy dish *n* קַעֲרַת רוֹטֶב
gray, grey *adj, n* אָפוֹר; עָגוּם
graybeard *n* זָקֵן
gray-eyed *adj* אֲפוֹר־עֵינַיִים
gray-haired *adj* כְּסוּף שֵׂעָר
gray-headed *adj* כְּסוּף־רֹאשׁ
grayhound *n* כֶּלֶב־צַיִד
grayish *adj* אֲפַרְפַּר
graylag *n* אַוָּז אָפוֹר
grayling *n* אִלְתִּית
gray matter *n* (דיבורית) שֵׂכֶל
grayness *n* הַצֶּבַע הָאָפוֹר
graze *vt, vi* רָעָה; הוֹצִיא לַמִּרְעֶה; הִתְחַכֵּךְ
grease *n* שׁוּמָּן; שׁוּמַּן־סִיכָה
grease *vt* מָשַׁח, סָךְ
grease-cup *n* גּוּבַּת־סִיכָה
grease-gun *n* מַזְרֵק לְמִשְׁחַת־סִיכָה
grease lift *n* מָנוֹף סִיכָה
grease-paint *n* מִשְׁחַת־צֶבַע (לאיפור בתיאטרון)
grease pit *n* גּוֹב סִיכָה
grease spot *n* נְקוּדַת סִיכָה
greasy *adj* מְשׁוּמָּן, מְלוּכְלָךְ
great *adj* גָּדוֹל; רַב; נַעֲלֶה
great aunt *n* דוֹדַת הָאָב (אוֹ הָאֵם)
Great Britain *n* בְּרִיטַנְיָה הַגְּדוֹלָה
greatcoat *n* מְעִיל עֶלְיוֹן
Greater London *n* לוֹנְדוֹן רַבָּתִי
Greater New York *n* נְיוּ יוֹרְק רַבָּתִי
great grandchild *n* שִׁילֵּשׁ
great granddaughter *n* שִׁילֵּשָׁה
great grandfather *n* אָב שִׁילֵּשׁ
great grandmother *n* אֵם שִׁילֵּשָׁה
great grandparent *n* הוֹרֶה שִׁילֵּשׁ
great grandson *n* שִׁילֵּשׁ
greatly *adv* מְאוֹד, הַרְבֵּה
great nephew *n* בֶּן הָאַחְיָין
great niece *n* בַּת הָאַחְיָין
great uncle *n* דּוֹד־סָב
Grecian *adj, n* יְוָנִי
Greece *n* יָוָן
greed *n* חֶמְדָּה; גַּרְגְּרָנוּת
greedy *adj* תַּאַוְותָן; זוֹלֵל
Greek *adj, n* יְוָנִי; הַשָּׂפָה הַיְּוָנִית
green *adj* יָרוֹק; לֹא בָּשֵׁל; טִירוֹן
green *n* צֶבַע יָרוֹק; מִדְשָׁאָה
green *vt, vi* הוֹרִיק; כּוּסָּה דֶשֶׁא
greenback *n* יְרוֹק גַּב (שטר כסף)
green-blind *adj* עִיוֵּור לְצֶבַע יָרוֹק
green corn *n* תִּירָס מָתוֹק
green earth *n* גְלַאקוֹנִיט
greenery *n* יֶרֶק; חֲמָמָה

green-eyed *adj* קַנָּאִי
greengage *n* שְׁזִיף יְרַקְרַק
green grasshopper *n* חָגָב יָרוֹק
greengrocer *n* יַרְקָן
greengrocery *n* חֲנוּת יְרָקוֹת
greenhorn *n* יָרוֹק, טִירוֹן
greenhouse *n* חֲמָמַת זְכוּכִית; מִשְׁתָּלָה
greenish *adj* יְרַקְרַק
Greenland *n* גְרֶנְלַנְד
greenness *n* יַרְקוּת
green room *n* חֲדַר מְנוּחָה (לשחקנים בתיאטרון)
greens *n pl* יְרָקוֹת
greensward *n* דֶּשֶׁא
green thumb *n* יוֹדֵעַ גִינּוּן
green vegetables *n pl* יְרָקוֹת
greenwood *n* חוֹרֶשׁ יָרוֹק
greet *vt, vi* בֵּירֵךְ, דָּרַשׁ שְׁלוֹם
greeting *n* בְּרָכָה
greeting card *n* כַּרְטִיס בְּרָכָה
gregarious *adj* עֶדְרִי; חַבְרוּתִי
Gregorian *adj* גְרֵגוֹרְיָאנִי
Gregorian calendar *n* לוּחַ גְרֵגוֹרְיָאנִי
grenade *n* רִימּוֹן
grenadier *n* חַיָּיל גְבַהּ קוֹמָה
grenadine *n* גְרֵנָדִין
grey *adj see* gray
gribble *n* סַרְטַן הָעֵץ
grid *n* סוֹרֵג, רֶשֶׁת; מַצְלֶה
griddle *n* מַחְתָּה
griddlecake *n* חֲרָרָה, מַרְקוֹעַ
gridiron *n* אַסְכָּלָה, מַצְלֶה
grid leak *n* דֶּלֶף סָרִיג
grief *n* יָגוֹן, צַעַר
grievance *n* תְּלוּנָה, הִתְמַרְמְרוּת
grieve *vi, vt* הִתְאַבֵּל; צִיעֵר, הִכְאִיב
grievous *adj* גּוֹרֵם צָרוֹת; מֵעִיק
griffin, griffon *n* גְרִיפִין
grill *vt, vi* צָלָה; עִינָּה
grill *n* סָרִיג; מַצְלֶה; צָלִי
grille *n* סְבָכַת שַׁעַר
grill-room *n* מִסְעֶדֶת־צָלִי
grim *adj* זוֹעֵם, זוֹעֵף; מַחֲרִיד
grimace *n* הַעֲוָויָה
grimace *vi* עִיוְּוה פָּנָיו
grime *n* לִכְלוּךְ
grime *vt* לִכְלֵךְ
grimy *adj* מְלוּכְלָךְ
grin *n* חִיּוּךְ
grin *vt, vi* חִיֵּיךְ
grind *vt, vi* טָחַן, שָׁחַק; הִשְׁחִיז; הִתְמִיד (בלימוד)
grind *n* טְחִינָה; הַתְמָדָה; עֲבוֹדָה קָשָׁה
grinder *n* טוֹחֵן; מַשְׁחֵזָה; שֵׁן טוֹחֶנֶת
grindstone *n* אֶבֶן מַשְׁחֶזֶת
gringo *n* (בין דרום־אמריקנים) זָר
grip *n* מִתְפָּס; תְּפִיסָה; יָדִית
grip *vi, vt* תָּפַס, אָחַז; צוֹדֵד
gripe *n* תְּלוּנָה
gripe *vt, vi* הִתְלוֹנֵן
grippe *n* שַׁפַּעַת
gripping *adj* מְצוֹדֵד, מְרַתֵּק
grisly *adj* מַבְעִית
grist *n* בַּר, דָּגָן
gristle *n* חַסְחוּס
gristly *adj* חַסְחוּסִי
gristmill *n* טַחֲנַת קֶמַח
grit *n* גַּרְגְּרֵי אָבָק; גַּרְגְּרִים קָשִׁים
grit *vt* טָחַן; חָרַק (שיניים)
gritty *adj* חוֹלִי, אֲבָקִי

grizzly *adj* אַפְרוּרִי; אֲפוֹר שֵׂעָר
grizzly bear *n* דּוֹב גְרִיזְלִי
groan *n* אֲנָחָה; אֲנָקָה
groan *vi* נֶאֱנַח; נֶאֱנַק; גָּנַח
grocer *n* חֶנְוָנִי מַכּוֹלֶת
grocery *n* חֲנוּת מַכּוֹלֶת; מִצְרְכֵי מַכּוֹלֶת
grocery store *n* חֲנוּת מַכּוֹלֶת
grog *n* מֶזֶג, תַּמְזִיג
groggy *adj* כּוֹשֵׁל; שָׁתוּי
groin *n* מִפְשָׂעָה
groom *n* חָתָן; סַיָּס
groom *vt* טִיפֵּל, נִיקָּה, הִידֵּר
groomsman *n* שׁוֹשְׁבִין נִבְחָר
groove *n* חָרִיץ
groove *vt* עָשָׂה חָרִיץ
grope *vt, vi* מִישֵּׁשׁ
gropingly *adv* בְּגִישּׁוּשׁ
grosbeak *n* פְּרוּשׁ גְּדוֹל מַקּוֹר
gross *n* תְּרֵיסַר תְּרֵיסָרִים
gross *adj* גָּדוֹל; מְגוּשָּׁם; בְּרוּטוֹ
grossly *adv* בְּצוּרָה גַּסָּה
gross national product *n* הַמּוּצָר הַלְּאוּמִּי הַכּוֹלֵל
gross profit *n* רֶוַח גּוֹלְמִי
gross weight *n* מִשְׁקָל בְּרוּטוֹ
grotesque *n, adj* דְּמוּת מוּזָרָה; מְשׁוּנֶּה; גְּרוֹטֶסְקִי
grotto *n* מְעָרָה
grouch *vi* הָיָה מְמוּרְמָר
grouch *n* רוֹטְנָן; הִתְמַרְמְרוּת
grouchy *adj* נוֹחַ לִכְעוֹס
ground *n* אֲדָמָה, קַרְקַע; תַּחְתִּית; סִיבָּה; אַרְקָה (בְּחַשְׁמַל)
ground *adj* קַרְקָעִי; מְקוּרְקָע
ground *vt* בִּיסֵּס; הֶאֱרִיק (בְּחַשְׁמַל); קִרְקַע (טַיָּס, מָטוֹס)
ground connection *n* תַּיִל מַאֲרִיק
ground crew *n* צֶוֶת קַרְקַע
grounder *n* כַּדּוּר מִתְגַּלְגֵּל
ground-floor *n* קוֹמַת קַרְקַע
ground-glass *n* זְכוּכִית דֵּהָה
ground-hog *n* מַרְמִיטָה אֲמֵרִיקָנִית
ground lead *n* תַּיִל מַאֲרִיק
groundless *n* חֲסַר יְסוֹד
groundplan *n* תּוֹכְנִית בִּנְיָן
ground-swell *n* סְעָרַת רַעַשׁ (בַּיָּם)
ground troops *n pl* חֵיל יַבָּשָׁה
ground wire *n* תַּיִל מַאֲרִיק
groundwork *n* יְסוֹד, מַסָּד
group *n* קְבוּצָה, לַהַק
group *vt, vi* קִיבֵּץ, אִיגֵּד; הִתְקַבֵּץ; סִיוּוֵג
grouse *n* תַּרְנְגוֹל־בָּר; רַטְנָן
grouse *vi* רָטַן; הִתְלוֹנֵן
grout *n* חוֹמֶר דִּיּוּס, מֶלֶט דִּיּוּס
grout *vt, vi* דִּיֵּס; נָבַר
grovel *vi* זָחַל, הִתְרַפֵּס
grow *vt, vi* גִּידֵּל; הִצְמִיחַ; גָּדַל; צָמַח
growing child *n* יֶלֶד גָּדֵל
growl *vt, vi* נָהַם, רָטַן; הִתְלוֹנֵן
grown-up *adj, n* מְבוּגָּר
growth *n* גִּידּוּל, צְמִיחָה
growth stock *n* עֲלִיַּית מְנָיוֹת מַתְמֶדֶת
grub *n* דֶּרֶן, זַחַל; מָזוֹן
grub *vt, vi* חָפַר; שֵׁירֵשׁ; עָמַל
grubby *adj* שׁוֹרֵץ זְחָלִים; מְלוּכְלָךְ
grudge *vt* קִינֵּא בְּ...; נָתַן שֶׁלֹּא בְּרָצוֹן
grudge *n* טִינָה, אֵיבָה
grudgingly *adv* בְּלִי חֶמְדָּה; בְּעַיִן צָרָה

gruel *n* דַּיְסָה
gruel *vt* נִיצֵּל; הִתְעַמֵּר בּ...
gruesome *adj* מַבְעִית
gruff *adj* זוֹעֵף; גַּס; נִיחָר
grumble *vi* הִתְאוֹנֵן, הִתְלוֹנֵן; רָטַן
grumble *n* נְהִימָה, רִיטּוּן
grumpy *adj* כּוֹעֵס, זוֹעֵף
grunt *n* נְחִירָה, נַחֲרָה
grunt *vt, vi* נָחַר; נָאַק
G-string *n* מֵיתַר־סוֹל; כִּיסּוּי מוֹתנַיִים
gt. *abbr* great
Guadeloupe *n* גוּוַדֶלוּפּ
guan *n* פֵּנֵלוֹפָּה
guarantee *n* עֲרוּבָּה; מַשְׁכּוֹן
guarantee *vt* עָרַב ל...; הִבְטִיחַ
guarantor *n* עָרֵב
guaranty *n* אַחֲרָיוּת; עֲרֵבוּת; מַשְׁכּוֹן
guard *vt, vi* שָׁמַר; הִשְׁגִּיחַ עַל
guard *n* מִשְׁמָר; שׁוֹמֵר
guardhouse *n* בֵּית־מִשְׁמָר
guardian *n, adj* שׁוֹמֵר; אֶפִּיטְרוֹפּוֹס
guardianship *n* אֶפִּיטְרוֹפְּסוּת, פִּיקּוּחַ
guard-rail *n* מַעֲקֶה
guardroom *n* חֲדַר הַמִּשְׁמָר
guardsman *n* זָקִיף, שׁוֹמֵר
Guatemalan *adj, n* גוּאָטֶמָלִי
guerrilla, guerilla *n* לוֹחֵם־גֵּרִילָה; מִלְחָמָה זְעִירָה
guerrilla warfare *n* לוֹחֲמַת גֵּרִילָה
guess *vt, vi* שִׁיעֵר, נִיחֵשׁ
guess *n* הַשְׁעָרָה; נִיחוּשׁ
guesswork *n* הַשְׁעָרָה; נִיחוּשׁ
guest *n* אוֹרֵחַ
guest book *n* סֵפֶר הָאוֹרְחִים
guffaw *n* תְּרוּעַת צְחוֹק
guffaw *vi* צָחַק צְחוֹק גַּס
Guiana *n* גוּיָאנָה
guidance *n* הַדְרָכָה; הַנְהָגָה; הַנְחָיָה
guide *n* מַדְרִיךְ; מַנְחֶה; סֵפֶר הַדְרָכָה
guide *vt* הִנְחָה, הִדְרִיךְ
guideboard *n* לוּחַ הַנְחָיוֹת
guidebook *n* מַדְרִיךְ
guided missile *n* טִיל מוּנְחֶה
guide dog *n* כֶּלֶב לְוַואי
guideline *n* קַו מַנְחֶה
guidepost *n* תַּמְרוּר
guidon *n* דִּגְלוֹן זִיהוּי
guild *n* אֲגוּדָּה מִקְצוֹעִית
guildhall *n* בִּנְיַן הָעִירִיָּה
guile *n* עוֹרְמָה, תַּחְבּוּלָה
guileful *adj* מָלֵא עוֹרְמָה
guileless *adj* תָּמִים, יָשָׁר
guillotine *n, vt* גִּילְיוֹטִינָה, עָרַף
guilt *n* אַשְׁמָה
guiltless *adj* חַף מִפֶּשַׁע
guilty *adj* אָשֵׁם, חַיָּיב
guinea *n* גִּינִי (מטבע)
guinea-fowl, guinea-hen *n* פְּנִינִיָּה
guinea-pig *n* חֲזִיר־יָם
guise *n* צוּרָה, מַרְאֶה
guitar *n* גִּיטָרָה
guitarist *n* גִּיטָרָן
gulch *n* גַּיְא, עָרוּץ
gulf *n* מִפְרָץ, לְשׁוֹן־יָם; פַּעַר
gulf *vt* בָּלַע כִּתְהוֹם
Gulf of Mexico *n* מִפְרַץ מֶקְסִיקוֹ
Gulf Stream *n* זֶרֶם הַגּוֹלְף
gull *n* שַׁחַף
gull *vt* רִימָּה; פִּיתָּה

gullet *n* וֵשֶׁט
gullible *adj* נִפְתֶּה לְהַאֲמִין
gully *n* עָרוּץ; תְּעָלָה
gulp *vt, vi* בָּלַע מַהֵר
gulp *n* בְּלִיעָה
gum *n* גּוּמִי; חֲנִיכַיִים
gum *vt* הִדְבִּיק
gumboil *n* מוּרְסַת חֲנִיכַיִים
gumboot *n* נַעַל גּוּמִי
gumdrop *n* סוּכָּרִיַּית גּוּמִי
gummy *adj* דָּבִיק; גּוּמִיִי
gumption *n* תּוּשִׁיָּה, יוֹזְמָה
gumshoe *n* נַעַל גּוּמִי
gumshoe *vt* הִתְגַּנֵּב
gun *n* רוֹבֶה; אֶקְדָּח; תּוֹתָח
gun *vi* יָרָה; רָדַף (עַל־מְנַת לַהֲרוֹג)
gunboat *n* סְפִינַת־תּוֹתָחִים
gun-carriage *n* גְּרֶרֶת־תּוֹתָח
gun-cotton *n* כּוּתְנַת־נֶפֶץ
gunfire *n* יְרִיָּה, יְרִיּוֹת
gunman *n* אוֹחֵז בְּנֶשֶׁק
gun-metal *n* מַתֶּכֶת־תּוֹתָחִים
gunnel *see* gunwale
gunner *n* תּוֹתְחָן; קְצִין צִיּוּד
gunnery *n* תּוֹתְחָנוּת
gunny sack *n* שַׂק יוּטָה
gunpowder *n* אֲבַק־שְׂרֵיפָה
gunrunner *n* מַבְרִיחַ נֶשֶׁק
gunrunning *n* הַבְרָחַת נֶשֶׁק
gunshot *n* מְטַחֲוֵי רוֹבֶה
gunshot wound *n* פֶּצַע קָלִיעַ
gunsmith *n* נַשָּׁק
gun-stock *n* מִתְמַךְ־קְנֵה־רוֹבֶה
gunwale *n* (בִּימָאוּת) לַזְבֶּזֶת
guppy *n* גּוּפִּי

gurgle *vi* בִּעְבַּע, בִּקְבֵּק
gurgle *n* בִּעְבּוּעַ, בִּקְבּוּק
gush *n* שֶׁטֶף, זֶרֶם
gush *vi* הִשְׁתַּפֵּךְ; דִּיבֵּר בְּשֶׁטֶף
gusher *n* בְּאֵר נֵפְט
gushing *adj* פּוֹרֵץ
gushy *adj* מִשְׁתַּפֵּךְ; מִתְרַגֵּשׁ
gusset *n* מְשׁוּלָּשׁ
gust *n* פֶּרֶץ רוּחַ, מַשָּׁב
gusto *n* הֲנָאָה, תַּעֲנוּג
gusty *adj* סוֹעֵר, פּוֹרְצָנִי
gut *n* מֵעַיִים, קְרָבַיִים; עוֹר הַמֵּעַיִים
gut *vt* הֵסִיר מֵעַיִים; שָׁדַד; הָרַס
guts *n p* מֵעַיִים; אוֹמֶץ־לֵב, ׳דָּם׳
gutta-percha *n* גּוּטָא־פֶּרְשָׁה
gutter *n* מַזְחִילָה (בְּגַג), מַרְזֵב
gutter *vt, vi* נָמֵס טִיפּוֹת־טִיפּוֹת; תִּיעֵל
guttersnipe *n* נַעַר רְחוֹב
guttural *adj* שֶׁל הַגָּרוֹן; צָרוּד
guttural *n* הֶגֶה גְּרוֹנִי
guy *n* בָּחוּר, בַּרְנָשׁ
guy *vt, vi* הִיתֵּל בּ...
guy wire *n* תֵּיל חִיזּוּק
guzzle *vt, vi* זָלַל, סָבָא
guzzle *n* סְבִיאָה, זְלִילָה
guzzler *n* סוֹבֵא, זוֹלֵל
gym *n* אוּלַם הִתְעַמְּלוּת
gymnasium *n* גִּימְנַסְיָה; אוּלַם הִתְעַמְּלוּת
gymnast *n* מוֹרֶה לְהִתְעַמְּלוּת
gymnastic *adj* הִתְעַמְּלוּתִי
gynecologist *n* רוֹפֵא לְמַחֲלוֹת נָשִׁים
gynecology *n* מַדַּע מַחֲלוֹת נָשִׁים
gyp *n* שַׁמָּשׁ; רַמָּאוּת
gyp *vt* רִימָּה, הוֹנָה

gypsum *n* גֶּבֶס
gypsy, gipsy *n* צוֹעֲנִי; לְשׁוֹן הַצּוֹעֲנִים
gypsyish *adj* דְּמוּי צוֹעֲנִי
gypsy moth *n* עָשׁ הַצּוֹעֲנִי
gyrate *vi, adj* סָבַב, מִתְפַּתֵּל
gyroscope *n* גִ'ירוֹסְקוֹפּ

H

H, h אֵיטְשׁ (הָאוֹת הַשְּׁמִינִית בָּאָלֶפְבֵּית)
h. *abbr* harbor, high, hour, husband
haberdasher *n* מוֹכֵר בִּגְדֵי גְבָרִים; סִדְקִי
haberdashery *n* חֲנוּת סִדְקִית; סִדְקִית
habit *n* מִנְהָג, הֶרְגֵּל
habitat *n* מָעוֹן טִבְעִי; מִשְׁכָּן
habitation *n* מִשְׁכָּן; הִשְׁתַּכְּנוּת
habit forming *adj* הוֹפֵךְ לְהֶרְגֵּל; (לְגַבֵּי סַם) גוֹרֵם שְׁטִיפוּת
habitual *adj* נָהוּג; קָבוּעַ
habitué *n* מְבַקֵּר קָבוּעַ
hack *vt, vi* בִּיקַּע; הִכָּה בְּיָרֵךְ; שִׁיבֵּב
hack *n* חָרִיץ, בְּקִיעַ; מַהֲלוּמָה
hack man *n* עֶגְלוֹן; נַהַג מוֹנִית
hackney *n* סוּס רְכִיבָה
hackney *adj* שָׂכוּר, עוֹמֵד לִשְׂכִירָה
hackneyed *adj* נָדוֹשׁ
hacksaw, hack saw *n* מַסּוֹר לְמַתֶּכֶת
haddock *n* חֲמוֹר־יָם
haft *n* יָדִית
haft *vt* עָשָׂה יָדִית
hag *n* זְקֵנָה בָּלָה
haggard *adj, n* כָּחוּשׁ, שָׁחוּף
haggle *n* הִתְמַקְּחוּת
haggle *vi* הִתְמַקֵּחַ
Hague, The *n* הָאָג
hail *n* בָּרָד; קְרִיאַת שָׁלוֹם
hail *vt* קָרָא ל...; בֵּירֵךְ לְשָׁלוֹם
hail *interj* הֵידָד!
Hail Mary *n* תְּפִילַּת אָבֶה מָרִיָה
hailstone *n* אֶבֶן־בָּרָד
hailstorm *n* סוּפַת בָּרָד
hair *n* שַׂעֲרָה; שֵׂיעָר
hairbreadth *n, adj* חוּט הַשַּׂעֲרָה
hairbrush *n* מִשְׁעֶרֶת
haircloth *n* אֲרִיג שֵׂיעָר
hair curler *n* מְתַלְתֵּל
haircut *n* תִּסְפּוֹרֶת
hair-do *n* תִּסְרוֹקֶת
hairdresser *n* סַפָּר
hair dryer *n* מְיַיבֵּשׁ שֵׂיעָר
hair dye *n* צֶבַע שֵׂיעָר
hairless *adj* חֲסַר שֵׂיעָר
hairnet *n* רֶשֶׁת שֵׂיעָר
hairpin *n* מַכְבֵּנָה, סִיכַּת־רֹאשׁ
hair-raising *adj* מְסַמֵּר שֵׂיעָר

hair restorer **175** **Halloween, Hallowe'en**

hair restorer *n* מְחַדֵּשׁ שֵׂעָר
hair ribbon *n* סֶרֶט שֵׂעָר
hair set *n* סֶרֶט שֵׂעָר
hair-shirt *n* כְּתֹנֶת שֵׂעָר
hairsplitting *adj, n* קַפְּדָנִי, נוֹקְדָנִי; פִּלְפּוּל
hairspring *n* קְפִיץ נִימִי
hair style *n* תִּסְרוֹקֶת
hair tonic *n* מְחַזֵּק שֵׂעָר
hairy *adj* שָׂעִיר; שֶׁל שֵׂעָר
hake *n* זְאֵב־יָם
halberd *n* רוֹמַח
halberdier *n* נוֹשֵׂא רוֹמַח
halcyon days *n pl* יְמֵי שֶׁקֶט, יְמֵי שָׁלוֹם
hale *adj* בָּרִיא, גְּבַרְתָּנִי
hale *vt* מָשַׁךְ, גָּרַר
half *n, adj, adv* חֲצִי, מַחֲצִית
half-and-half *adj, adv* חֵלֶק כְּחֵלֶק
halfback *n* רָץ (בכדורגל)
half-baked *adj* לֹא בָּשֵׁל, אָפוּי לְמֶחֱצָה
half-binding *n* כְּרִיכַת חֲצִי־עוֹר
half-blood *n* אָח חוֹרֵג; חוֹרְגוּת
half-boot *n* נַעַל חֲצָאִית
half-bound *adj* כָּרוּךְ חֲצִי־עוֹר
half-breed *adj* בֶּן־תַּעֲרוֹבֶת
half-brother *n* אָח חוֹרֵג
half-cocked *adj* בִּפְזִיזוּת
half fare *n* חֲצִי דְּמֵי נְסִיעָה
half-full *adj* מָלֵא בְּחֶצְיוֹ
half-hearted *adj* בְּלֹא חֶמְדָּה
half-holiday *n* חֲצִי יוֹם חוֹפֶשׁ
half-hose *n* גַּרְבַּיִם קְצָרִים
half-hour *adj, adv* הַנִּמְשָׁךְ חֲצִי שָׁעָה; בְּכָל חֲצִי שָׁעָה
half leather *n* כְּרִיכַת חֲצִי־עוֹר
half-length *adj* בַּחֲצִי הָאוֹרֶךְ
half-mast *n, adj* (בַּ)חֲצִי הַתֹּרֶן
half-moon *n* חֲצִי יָרֵחַ
half-mourning *n* הֲקַלַּת הָאֵבֶל
half-note *n* חֲצִי תָּו
half-pay *n* חֲצִי הַשָּׂכָר
halfpenny *n* חֲצִי פֶּנִי
half pint *n* חֲצִי פַּיְינְט; (דיבורית) נַנָּס
half-seas-over *adj* שָׁתוּי לְמֶחֱצָה, בְּגִילוּפִין
half shell *n* קַסְוָה (חֲצִי קוֹנְכִית)
half sister *n* אָחוֹת חוֹרֶגֶת
half sole *n* חֲצִי סוּלְיָה
half-sole *vt* תִּיקֵּן חֲצִי סוּלְיָה
half staff *n* חֲצִי הַתֹּרֶן
half-timbered *adj* בָּנוּי חֲצִי עֵץ
half title *n* שֵׁם מְקוּצָּר (של ספר, לפני השער)
half-tone *n* גְּלוּפַת־רֶשֶׁת
half-track *n, adj* חֲצִי זַחֲלָן
half-truth *n* חֲצִי הָאֱמֶת
half-way *adj, adv* חֲצִי הַדֶּרֶךְ, אֶמְצַע
half-witted *adj* מְטוּמְטָם
halibut *n* דַּג־הַפּוּטִית
halide *n* הָאלִיד
halitosis *n* בּוֹאֶשֶׁת הַנְּשִׁימָה
hall *n* אוּלָם; פְּרוֹזְדוֹר
hallelujah, halleluiah *interj, n* הַלְלוּיָהּ!; מִזְמוֹר
hall-mark *n* סִימַן טִיב
hallo(a) *interj* הַלּוֹ!
hallow *vt* קִידֵּשׁ, עָשָׂה קָדוֹשׁ
hallowed *adj* מְקוּדָּשׁ
Halloween, Hallowe'en *n* 'לֵיל כָּל הַקְּדוֹשִׁים'

hallucination *n* תְּעַתּוּעַ חוּשִׁים

hallway *n* מִסְדְּרוֹן

halo *n* הִילָה

halogen *n* יוֹצֵר מֶלַח

halt *adj, n* צוֹלֵעַ; פָּגוּם; חֲנִיָּה; עֲצִירָה

halt *interj* עֲמוֹד!, עֲצוֹר!

halt *vt, vi* עָצַר; נֶעֱצַר; פָּסַק מ...

halter *n* אַפְסָר; חֶבֶל תְּלִיָּה

halting *adj* צוֹלֵעַ; מְהַסֵּס

halve *vt* חָצָה (לִשְׁנַיִים)

halves *pl of* half חֲצָאִים

halyard, halliard *n* חֶבֶל מִפְרָשׂ

ham *n* יָרֵךְ; בְּשַׂר הָעַרְקָב

Hamburger *n* אוּמְצַת הַמְבּוּרג; לַחְמָנִית הַמְבּוּרג

hamlet *n* כְּפָר קָטָן

hammer *n* פַּטִּישׁ

hammer *vt, vi* הָלַם בְּכוֹחַ; חִישֵּׁל; עָמַל

hammock *n* עַרְסָל

hamper *n* סַל־נְצָרִים

hamper *vt* עִיכֵּב; הִפְרִיעַ

hamster *n* אוֹגֵר

hamstring *n, vt* גִּיד הַבֶּרֶךְ; חָתַךְ אֶת גִּיד הַבֶּרֶךְ

hand *n* יָד; צַד; מָחוֹג; פּוֹעֵל; עֶזְרָה

hand *vt* מָסַר

handbag *n* תִּיק

hand baggage *n* זְוָד יָד

handball *n* כַּדּוּר יָד

handbill *n* עֲלוֹן פִּרְסוּם

handbook *n* סֵפֶר־עֵזֶר

handbreadth *n* מִידַּת רוֹחַב יָד

handcar *n* רֶכֶב יָד

handcart *n* מְרִיצָה

hand control *n* בֶּלֶם יָד

handcuff *vt* אָסַר בַּאֲזִיקִים

handcuffs *n pl* אֲזִיקִים

handful *n* מְלוֹא הַיָּד; קוֹמֶץ

hand-glass *n* מַרְאַת יָד

hand-grenade *n* רִימּוֹן יָד

handicap *vt* שָׂם מִכְשׁוֹל ל...

handicap *n* מִקְדָּם; מִכְשׁוֹל

handicraft *n* אוּמָּנוּת; עֲבוֹדַת יָדַיִים

handiwork *n* מְלֶאכֶת יָד

handkerchief *n* מִמְחָטָה

handle *n* יָדִית

handle *vt* טִיפֵּל, הִשְׁתַּמֵּשׁ בַּיָּד; נָגַע

handle-bar *n* הֶגֶה (בְּאוֹפַנַּיִים)

handler *n* עוֹסֵק, מְטַפֵּל

handmade *adj* עֲבוֹדַת־יָד

handmaid *n* שִׁפְחָה

hand-me-down *n* בֶּגֶד מְשׁוּמָּשׁ

hand-organ *n* תֵּיבַת נְגִינָה

handout *n* נְדָבָה

hand-picked *adj* נִבְחָר

handrail *n* מַעֲקֶה

handsaw *n* מַסּוֹר יָד

handset *n* שְׁפוֹפֶרֶת טֶלֶפוֹן

handshake *n* לְחִיצַת יָד

handsome *adj* יָפֶה, נָאֶה

handspring *n* הִיפּוּךְ

hand-to-hand *adj* בִּקְרַב מַגָּע

hand-to-mouth *adj* מֵהַיָּד אֶל הַפֶּה

handwork *n* עֲבוֹדַת יָדַיִים

handwriting *n* כְּתָב, כְּתִיבָה

handy *adj, adv* נוֹחַ; זָמִין; שִׁימּוּשִׁי

handy-man *n* אוּמָּן לְכָל מְלָאכָה

hang *n* תְּלִיָּה, אוֹפֶן הַתְּלִיָּה

hang *vt, vi* תָּלָה; הָיָה תָּלוּי

hangar *n* סְכָכַת מָטוֹס
hangbird *n* תְּלוּי קֵן, זַהֲבָן בַּלְטִימוֹרִי
hanger *n* קוֹלָב; תְּלִי
hanger-on *n* גָּרוּר, תָּלוּי, נִלְוֶוה
hanging *n* תְּלִיָּה; הַשְׁהָיָה
hanging *adj* רָאוּי לְהִיתָּלוֹת; תָּלוּי
hangman *n* תַּלְיָן
hangnail *n* צִלְצוּל צִיפּוֹרֶן
hangout *n* (דיבורית) מְקוֹם מְגוּרִים; מְאוּרָה
hangover *n* שְׁאֵרִית, יְרוּשָּׁה; דִכדוּך שֶׁלְּאַחַר שְׁתִיָּה
hank *n* סְלִיל, פְּקַעַת
hanker *vi* הִשְׁתּוֹקֵק ל...
hanky *n* מִמְחָטָה
hanky-panky, hankey-pankey *n* עוֹרמָה, תְּכָכִים
Hannibal *n* חַנִּיבַּעַל
haphazard *adj, adv* אַקְרַאִי; אַקְרָאִית
hapless *adj* רַע־מַזָּל
happen *vi* אֵירַע, קָרָה
happening *n* מִקְרֶה, מְאוֹרָע
happily *adv* בְּשִׂמְחָה, בְּאוֹשֶׁר
happiness *n* אוֹשֶׁר, שִׂמְחָה
happy *adj* מְאוּשָּׁר, שָׂמֵחַ
happy-go-lucky *adj* חַי חַיֵּי שָׁעָה
happy medium *n* שְׁבִיל הַזָּהָב
Happy New Year *interj* שָׁנָה טוֹבָה!
harangue *n* נְאוּם נִלְהָב, נְאוּם רַעַשָׁנִי
harangue *vt, vi* נָאַם (כנ״ל)
harass *vt* הִטְרִיד; הֵצִיק
harbinger *n* כָּרוֹז, מְבַשֵּׂר
harbinger *vt* בִּישֵּׂר, שִׁימֵּשׁ כָּרוֹז
harbor *n* חוֹף, מַחסֶה, נָמָל
harbor *vt* נָתַן מַחסֶה

hard *adj, adv* קָשֶׁה; נוּקְשֶׁה
hard-bitten *adj* נוּקְשֶׁה; עַקְשָׁן
hard-boiled *adj* (ביצה) קָשָׁה
hard cash *n* מְזוּמָּנִים
hard cider *n* מִיץ תַּפּוּחִים חָרִיף
hard coal *n* פֶּחָם קָשֶׁה, אַנְתְרַצִּיט
hard-earned *adj* שֶׁהוּשַּׂג בְּעָמָל
harden *vt, vi* הִקְשָׁה; חִיסֵּם; חִיסֵּן; הִתְקַשָּׁה; קָשַׁח
hardening *n* הַקְשָׁחָה
hard-fought *adj* שֶׁהוּשַּׂג בְּמִלְחָמָה קָשָׁה
hardheaded *adj* חֲזַק אוֹפִי, מַעֲשִׂי
hard-hearted *adj* קְשֵׁה־לֵב
hardihood *n* עַזּוּת
hardiness *n* נוּקְשׁוּת, כּוֹחַ עֲמִידָה
hard-luck story *n* סִיפּוּר מַזָּל רָע
hardly *adv* כִּמְעַט שֶׁלֹּא; בְּקוֹשִׁי
hardness *n* קַשְׁיוּת, נוּקְשׁוּת
hardpan *n* נָזָז; קַרְקַע מוּצָק
hard-pressed *adj* לָחוּץ
hard rubber *n* גּוּמִי מוּקְשֶׁה
hard sauce *n* רוֹטֶב נוּקְשֶׁה (לפשטידות)
hard-shell clam *n* צֶדֶף קָשֶׁה; עַקְשָׁן, נוּקְשֶׁה
hard-shell crab *n* סַרְטָן קָשֶׁה (שלא השיל עדיין את קליפתו)
hardship *n* מְצוּקָה, סֵבֶל
hardtack *n* מַרְקוֹעַ קָשֶׁה
hard to please *adj* קָשֶׁה לְרַצּוֹת
hard-up *adj* נִזְקָק לְכֶסֶף
hardware *n* כְּלֵי־מַתֶּכֶת
hardwareman *n* סוֹחֵר כְּלֵי מַתֶּכֶת
hardware store *n* חֲנוּת כְּלֵי מַתֶּכֶת

hard-won *adj* שֶׁהוּשַׂג בְּעָמָל
hardwood *n* עֵץ קָשֶׁה
hardy *adj* אֵיתָן, חָסִין; עָמִיד
hare *n* אַרְנֶבֶת, אַרְנָב
harebrained *adj* פּוֹחֵז
harelip *n* שָׂפָה שְׁסוּעָה
harem *n* הַרְמוֹן
hark *vi* הֶאֱזִין, הִקְשִׁיב
harken *vi* הֶאֱזִין
harlequin *n* בַּדְּחָן, מוּקִיוֹן
harlot *n* יַצְאָנִית, זוֹנָה
harm *n* נֶזֶק, חַבָּלָה; רָעָה
harm *vt* הִזִּיק; הֵרַע ל...
harmful *adj* מַזִּיק; רַע
harmless *adj* לֹא מַזִּיק
harmonic *n, adj* צְלִיל הַרְמוֹנִי
harmonica *n* מַפּוּחִית־פֶּה
harmonious *adj* נָעִים, עָרֵב, הַרְמוֹנִי
harmonize *vt, vi* הִתְאִים, הִרְמֵן; תָּאַם
harmony *n* הַתְאָמָה, הַרְמוֹנְיָה
harness *n, vt* רִתְמָה, עוֹל; רָתַם
harness maker *n* רַצְעָן
harp *n* נֵבֶל
harpist *n* נִבְלַאי
harpoon *n, vt* צִלְצָל; הֵטִיל צִלְצָל
harpsichord *n* הַרְפְּסִיכּוֹרְד, צֶ׳מְבָּלוֹ
harpy *n* טוֹרֵף, לוֹכֵד
harrow *n* מַשְׂדֵּדָה
harrow *vt* שִׂדֵּד; הֵצִיק
harrowing *adj* מַחֲרִיד, מְזַעְזֵעַ
harry *vt, vi* הֵצִיק, עִינָּה
harsh *adj* אַכְזָרִי; גַּס; מְחוּסְפָּס
harshness *n* גַּסּוּת; נוּקְשׁוּת; חוּמְרָה
hart *n* אַיָּל, עוֹפֶר

harum-scarum *adj, n, adv* פָּרוּעַ, פּוֹחֵז; בִּפְרָאוּת
harvest *n* קָצִיר, בָּצִיר, קָטִיף
harvest *vt* קָצַר, בָּצַר, קָטַף
harvester *n* קוֹצֵר, בּוֹצֵר, קוֹטֵף
harvest home *n* חַג הָאָסִיף
harvest moon *n* יֶרַח הָאָסִיף
has-been *n* מִי אוֹ מַה שֶּׁהָיָה
hash *vt* רִיסֵּק, קִיצֵּץ
hash *n* צְלִי רֶסֶק; בְּלִיל
hashish, hasheesh *n* חֲשִׁישׁ
hasp *n* וָוִית
hasp *vt* הִידֵּק בְּוָוִית
hassle *n* רִיב
hassock *n* כָּרִית, מִרְפָּד
hastate *adj* (עלה) דְּמוּי רוֹמַח
haste *n, vi* חִיפָּזוֹן, מְהִירוּת; מִיהֵר, נֶחְפַּז
hasten *vt, vi* הֵחִישׁ, זֵירֵז; מִיהֵר
hasty *adj* מָהִיר, מְזוֹרָז, נֶחְפָּז
hat *n* כּוֹבַע
hatband *n* סֶרֶט כּוֹבַע
hatblock *n* אִימּוּם לְכוֹבַע
hatbox *n* קוּפְסָה לְכוֹבַע
hatch *vt, vi* הִדְגִּיר; דָּגַר; יָצָא מִקְּלִיפָּתוֹ; זָמַם
hatch *n* דְּגִירָה; בְּקִיעָה מִקְּלִיפָּה
hat-check girl *n* עוֹבֶדֶת מֶלְתָּחָה
hatchet *n* בֶּן־כֵּילַף; כֵּילָף
hatchway *n* כַּוָּוה
hate *n* שִׂנְאָה
hate *vt* שָׂנֵא
hateful *adj* שָׂנוּי, שָׂנוּא
hatpin *n* מַכְבֵּנַת כּוֹבַע
hatrack *n* קוֹלָב לְכוֹבָעִים
hatred *n* שִׂנְאָה

hatter *n* כּוֹבָעָן
haughtiness *n* גַּאֲוָה, גּוֹדֶל־לֵבָב
haughty *adj* יָהִיר, רַבְרְבָן
haul *vt, vi* מָשַׁך, גָּרַר, הוֹבִיל
haul *n* מְשִׁיכָה, סְחִיבָה; שָׁלָל
haunch *n* מוֹתֶן, מוֹתְנַיִים
haunt *n* מְקוֹם בִּיקוּרִים תְּכוּפִים; רוּחַ
haunt *vt* הוֹפִיעַ כְּרוּחַ; הֵצִיק; בִּיקֵּר תְּכוּפוֹת
haunted house *n* בֵּית רוּחוֹת
haute couture *n* אוֹפְנָה
Havana *n* סִיגָרַת הָאַבָּאנָה
have *vt, vi* הָיָה לְ... (פּוֹעַל שַׁייָכוּת); הָיָה בְּ..., הֵכִיל; הִשִּׂיג; הָיָה עָלָיו
have *n* בַּעַל רְכוּשׁ
havelock *n* כּוֹבַע הַבְלוֹק
haven *n* מַעֲגָן, נָמָל; מִקְלָט
have-not *n* עָנִי
haversack *n* תַּרְמִיל צַד
havoc *n* הֶרֶס, שַׁמָּה
haw *n* עוּזְרָד; הוֹאוּ (הַבָּעַת פִּקְפּוּק)
haw *vt, vi* מִלְמֵל 'הוֹאוּ' כִּמְהַסֵּס
haw-haw *n, interj* צְחוֹק רָם
hawk *n* נֵץ; טוֹרֵף; כְּעִכּוּעַ; לוּחַ טַיָּיחִים
hawk *vt, vi* דָּרַס כְּנֵץ
hawker *n* רוֹכֵל; בַּזְיָיר
hawk's-bill *n* מַקּוֹר נֵץ
hawse *n* בֵּית־הָעוֹגֶן
hawsehole *n* חוֹר־הַחֶבֶל
hawser *n* עֲבוֹת הָאוֹנִיָּה
hawthorn *n* עוּזְרָד
hay *n* שַׁחַת; מִסְפּוֹא
hay-fever *n* קַדַּחַת הַשַּׁחַת
hayfield *n* שְׂדֵה שַׁחַת
hayfork *n* קִלְשׁוֹן
hayloft *n* מַתְבֵּן
haymaker *n* מִסְפּוֹאָן
haymow *n* מַתְבֵּן
hayrack *n* קְרוֹן שַׁחַת
hayrick *n* עֲרֵימַת שַׁחַת
hayseed *n* זֶרַע עֵשֶׂב
haystack *n* עֲרֵימַת־שַׁחַת
haywire *n, adj* תַּיִל שַׁחַת; תָּקוּל
hazard *n* הִסְתַּכְּנוּת, סִיכּוּן; מַזָּל
hazard *vt* סִיכֵּן; הִסְתַּכֵּן
hazardous *adj* מְסוּכָּן; תָּלוּי בְּמַזָּל
hazardously *adv* בְּסַכָּנָה, בְּסִיכּוּן
haze *n* אוֹבֶך
haze *vt, vi* הֶעֱמִיס עֲבוֹדָה; שִׁיטָּה בְּ...
hazel *n* אִלְסָר
hazel *adj* חוּם־אֲדַמְדַּם
hazelnut *n* אֱגוֹז־הָאִלְסָר
hazy *adj* אָבִיך; מְעוּרְפָּל
H-bomb *n* פְּצָצַת מֵימָן
H.C. *abbr* House of Commons
hd. *abbr* head
hdqrs. *abbr* headquarters
H.E. *abbr* His Eminence, His Excellency
he *n* הוּא
head *n* רֹאשׁ, קוֹדְקוֹד
head *adj* רָאשִׁי
head *vt, vi* עָמַד בְּרֹאשׁ
headache *n* כְּאֵב רֹאשׁ
headband *n* סֶרֶט, שָׁבִיס
headboard *n* לוּחַ מְרַאֲשׁוֹת
headcheese *n* צְלִי רֹאשׁ
headdress *n* כִּיסּוּי, קִישּׁוּט רֹאשׁ
header *n* מַתְקִין רָאשִׁים; מְכוֹנַת רָאשִׁים

headfirst *adv* כְּשֶׁרֹאשׁוֹ לְפָנִים
headgear *n* כּוֹבַע, כִּיסּוּי רֹאשׁ
head-hunter *n* צַיַּד רָאשִׁים
heading *n* נוֹשֵׂא כּוֹתֶרֶת
headland *n* כֵּף
headless *adj* טִיפֵּשׁ; לְלֹא מַנְהִיג
headlight *n* פַּנָּס קִדְמִי
headline *n* כּוֹתֶרֶת
headliner *n* עוֹרֵךְ לַיְלָה
headlong *adv* קָדִימָה, בָּרֹאשׁ; בְּחִיפָּזוֹן
headman *n* מַנְהִיג
headmaster *n* מוֹרֶה רָאשִׁי, מְנַהֵל
headmost *adj* הַקִּדְמִי בְּיוֹתֵר
head office *n* מִשְׂרָד רָאשִׁי
head of hair *n* רַעֲמַת שֵׂעָר
head-on *adj* חֲזִיתִי
headphone *n* אוֹזְנִית
headpiece *n* קַסְדָה; מוֹחַ
headquarters *n pl* מִפְקָדָה
headrest *n* מִסְעַד רֹאשׁ
headset *n* מַעֲרֶכֶת רֹאשׁ
headship *n* רָאשׁוּת
headstone *n* אֶבֶן רֹאשָׁה
headstream *n* נָהָר רָאשִׁי
headstrong *adj* קְשֵׁה עוֹרֶף
headwaiter *n* מֶלְצַר רָאשִׁי
headwaters *n pl* מְקוֹרוֹת הַנָּהָר
headway *n* הִתְקַדְּמוּת
headwind *n* רוּחַ נֶגְדִית
headwork *n* עֲבוֹדַת מוֹחַ
heady *adj* פָּזִיז; מְשַׁכֵּר
heal *vt, vi* רִיפֵּא; הִשְׁכִּיךְ; נִרְפָּא
healer *n* מְרַפֵּא
health *n* בְּרִיאוּת, שְׁלֵמוּת

healthful *adj* מַבְרִיא; בָּרִיא
healthy *adj* בָּרִיא; מַבְרִיא
heap *n* עֲרֵימָה; הָמוֹן
heap *vt, vi* עָרַם; נֶעֱרַם; הֶעֱנִיק בְּיָד רְחָבָה
hear *vt, vi* שָׁמַע
hearer *n* שׁוֹמֵעַ, מַאֲזִין
hearing *n* שְׁמִיעָה, שֵׁמַע
hearing-aid *n* מַכְשִׁיר שְׁמִיעָה
hearsay *n* שְׁמוּעָה; רְכִילוּת
hearse *n* עֶגְלַת הַמֵּת
heart *n* לֵב
heartache *n* כְּאֵב לֵב
heart attack *n* הֶתְקֵף לֵב
heartbeat *n* הוֹלֶם לֵב
heartbreak *n* שִׁבְרוֹן לֵב
heartbreaker *n* שׁוֹבֵר לְבָבוֹת
heartbroken *adj* שְׁבוּר־לֵב
heartburn *n* צָרֶבֶת; קִנְאָה
heart disease *n* מַחֲלַת לֵב
hearten *vt* חִיזֵּק, עוֹדֵד
heartfailure *n* חֶדְלוֹן הַלֵּב
heartfelt *adj* לְבָבִי; כֵּן
hearth *n* אָח; כּוּר
hearthstone *n* אֶבֶן הָאָח; בַּיִת
heartily *adv* בְּכֵנוּת, בִּלְבָבִיּוּת
heartless *adj* חֲסַר לֵב, אַכְזָרִי
heart-rending *adj* קוֹרֵעַ לֵב
heartseed *n* לִיבָּן
heartsick *adj* מְדוּכְדָּךְ
heartstrings *n pl* רְגָשׁוֹת עֲמוּקִים
heart-to-heart *adj* גָּלוּי, כֵּן
heart trouble *n* מַחֲלַת לֵב
heart-whole *adj* בְּכָל לִבּוֹ; לֹא מְאוֹהָב

heartwood *n* לִיבַּת עֵץ
hearty *adj* לְבָבִי, חָבִיב
heat *n* חוֹם; הִתְלַהֲבוּת; כַּעַס
heat *vt, vi* חִימֵּם; שִׁלְהֵב; הִתְחַמֵּם; הִשְׁתַּלְהֵב
heated *adj* מְחוּמָּם; מְשׁוּלְהָב
heater *n* מַכְשִׁיר חִימּוּם
heater man *n* מַסִּיק
heath *n* שְׂדֵה בּוּר, בָּתָה
heathen *n, adj* עוֹבֵד אֱלִילִים; כּוֹפֵר; אֱלִילִי
heathendom *n* אֱלִילִיּוּת
heather *n* אַבְרָש
heating *n* חִימּוּם; הִתְחַמְּמוּת
heat lightning *n* זַהֲרוּרֵי עֶרֶב
heat shield *n* מָגֵן רקוּעַ
heatstroke *n* מַכַּת־שֶׁמֶשׁ
heat-wave *n* גַּל חוֹם
heave *vt, vi* הֵרִים, הֵנִיף; גָּעַשׁ
heave *n* הֲרָמָה, הֲנָפָה; נְסִיקָה
heaven *n* שָׁמַיִם; רָקִיעַ
heavenly *adj* שְׁמֵימִי
heavenly body *n* גֶּרֶם שְׁמֵימִי
heavy *adj, adv* כָּבֵד; קָשֶׁה
heavyduty *adj* נָתוּן לְמֶכֶס גָּבוֹהַּ
heavyset *adj* רְחַב כְּתֵפַיִים
heavyweight *n, adj* (שֶׁל) מִשְׁקָל כָּבֵד
Hebrew *adj, n* עִבְרִי; עִבְרִית
hecatomb *n* זֶבַח צִיבּוּרִי; טֶבַח
heckle *n* מַסְרֵק פִּשְׁתָּן
heckle *vt, vi* קָרָא קְרִיאַת בֵּינַיִים
hectic *adj* קַדַּחְתָּנִי
hedge *n* גָּדֵר, גֶּדֶר חַיָּה
hedge *vt, vi* גָּדַר; הִתְגּוֹנֵן נֶגֶד הֶפְסֵדִים; הִתְחַמֵּק
hedgehog *n* קִיפּוֹד
hedgehop *vi* הִנְמִיךְ טוּס
hedgehopping *n* טִיסָה נְמוּכָה
hedgerow *n* שְׂדֵירַת גָּדֵר
heed *n* תְּשׂוּמַת־לֵב; זְהִירוּת
heed *vt, vi* נָתַן דַּעְתּוֹ ל...
heedless *adj* לֹא אַחֲרָאִי, לֹא זָהִיר
heehaw *n, vt* נְעִירַת חֲמוֹר, נָעַר
heel *n* עָקֵב; (המונית) נָבָל
heel *vt, vi* עָקַב; עָשָׂה עֲקֵבִים
heeler *n* עוֹקֵב; חָסִיד שׁוֹטֶה
hefty *adj* כָּבֵד; בַּעַל מִשְׁקָל
hegemony *n* מַנְהִיגוּת
hegira, hejira *n* הַגִ׳ירָה, ׳הֲגִירָה׳
heifer *n* עֶגְלָה צְעִירָה
height *n* גּוֹבַהּ, רוּם
heighten *vt, vi* הִגְבִּיהַּ; הִגְדִּיל; גָּבַהּ; גָּדַל
heinous *adj* בָּזוּי, מְתוֹעָב
heir *n* יוֹרֵשׁ
heir apparent *n* יוֹרֵשׁ מוּחְלָט
heirdom *n* יְרוּשָׁה
heiress *n* יוֹרֶשֶׁת
heirloom *n* נֶכֶס מוּנְחָל
helicopter *n* מַסּוֹק, הֶלִיקוֹפְּטֶר
heliotrope *n* פּוֹנֶה לַשֶּׁמֶשׁ (בבוטניקה)
heliotrope *adj* אָדוֹם, אַרְגְּמָנִי
heliport *n* נְמַל מַסּוֹקִים
helium *n* הֶלְיוּם
helix *n* צוּרָה חֶלְזוֹנִית, חִילָזוֹן
hell *n* גֵּיהִנּוֹם; עֲזָאזֵל
hell-bent *adj* נָחוּשׁ הַחְלָטָה
hellcat *n* חֲתוּלָה שְׂטָנִית; מְכַשֵּׁפָה
hellebore *n* יַחְנוּן; וֶרֶטְרוֹן
Hellene *n* יְוָנִי (קדום או של ימינו)

Hellenic *adj, n* יְוָנִי; הֶלֵּנִי; יְוָנִית
hellfire, hell-fire *n* אֵשׁ הַשְּׁאוֹל
hellish *adj* נוֹרָא; מְרוּשָׁע
hello, hullo *interj* הַלּוֹ!
hello girl *n* טֶלֶפוֹנָאִית
helm *n, vt* הֶגֶה (בכלי־שיט); נָהַג; נִיהֵל
helmet *n* קַסְדָּה
helmsman *n* הָאוֹחֵז בַּהֶגֶה, הַגַּאי
help *vt, vi* עָזַר, סִיֵּעַ; הוֹעִיל
help *n* עֶזְרָה, סִיּוּעַ; עוֹזֵר
help! *interj* הַצִּילוּ!
helper *n* עוֹזֵר
helpful *adj* מוֹעִיל, עוֹזֵר
helping *n* מָנָה (של אוכל)
helpless *adj* חֲסַר יֶשַׁע
helpmeet *n* עֵזֶר כְּנֶגֶד; בֶּן־זוּג; בַּת־זוּג
helter-skelter *adj, adv* בְּחִיפָּזוֹן, בְּאַנְדְּרָלָמוּסְיָה, בִּפְרָאוּת
helter-skelter *n* חִיפָּזוֹן, אַנְדְּרָלָמוּסְיָה
hem *n* שָׂפָה, אִמְרָה
hem *vt* תָּפַר אִמְרָה אוֹ שָׂפָה; סָגַר עַל
hem *vi* הִמְהֵם
hemisphere *n* חֲצִי־כַּדּוּר
hemistich *n* חֲצִי־שׁוּרָה
hemline *n* קַו הַשָּׂפָה (של חצאית, מעיל וכד׳)
hemlock *n* רוֹשׁ
hemoglobin *n* הֶמוֹגְלוֹבִּין
hemophilia *n* דַּמֶּמֶת, הֶמוֹפִילְיָה
hemorrhage *n* דִּימּוּם
hemorrhoid *n* טְחוֹרִים
hemostat *n* עוֹצֵר דָּם
hemp *n* קַנַּבּוֹס
hemstitch *n* תֶּפֶר שָׂפָה
hemstitch *vt* תָּפַר אִמְרָה
hen *n* תַּרְנְגוֹלֶת
hence *adv* מִכָּאן שֶׁ..., לְפִיכָךְ; מֵעַתָּה וָאֵילָךְ
henceforth *adv* מֵעַתָּה וָאֵילָךְ
henchman *n* נֶאֱמָן, חָסִיד
hencoop *n* לוּל
henhouse *n* לוּל
henna *n, adj* (שֶׁל) כּוֹפֶר; חֶנָּה
henna *vt* צָבַע בְּכוֹפֶר
henpeck *vt* רָדְתָה (בבעלה)
henpecked *adj* שֶׁאִשְׁתּוֹ מוֹשֶׁלֶת עָלָיו
hep *adj* (המונית) בַּעַל אִינְפוֹרְמַצְיָה טוֹבָה
her *pron* אוֹתָהּ; שֶׁלָּהּ; לָהּ
herald *n* מְבַשֵּׂר; שָׁלִיחַ
herald *vt* בִּישֵּׂר, הִכְרִיז
heraldic *adj* שֶׁל שִׁלְטֵי גִּיבּוֹרִים
heraldry *n* מַדַּע שִׁלְטֵי הַגִּיבּוֹרִים; מִשְׂרַת הַכָּרוֹז
herb *n* עֵשֶׂב, יֶרֶק
herbaceous *adj* עִשְׂבִּי; דְּמוּי עָלֶה
herbage *n* עֵשֶׂב; מִרְעֶה
herbal *adj* עִשְׂבִּי
herbal *n* מֶחְקָר עַל עֲשָׂבִים
herbalist *n* עוֹסֵק בְּצִמְחֵי מַרְפֵּא
herbarium *n* עִשְׂבִּיָּה
herb doctor *n* מְרַפֵּא בַּעֲשָׂבִים
Herculean *adj* הֶרְקוּלְיָאנִי, גְּבַרְתָּנִי, חָזָק; קָשֶׁה
herd *n* עֵדֶר
herd *vt, vi* קִיבֵּץ; הִתְקַבֵּץ; הָיָה לְעֵדֶר
herdsman *n* רוֹעֶה
here *adv, n* כָּאן; הֵנָּה
hereabout(s) *adv* בִּסְבִיבָה זוֹ

hereafter *adv, n* בֶּעָתִיד; הֶעָתִיד, הָעוֹלָם הַבָּא
hereby *adv* בָּזֶה, עַל־יְדֵי זֶה
hereditary *adj* תּוֹרַשְׁתִּי
heredity *n* יְרוּשָׁה, תּוֹרָשָׁה
herein *adv* כָּאן; הֵנָּה; לְאוֹר זֶה
hereof *adv* שֶׁל זֶה, בְּקֶשֶׁר לְכָךְ
hereon *adv* לְפִיכָךְ
heresy *n* אֶפִּיקוֹרְסוּת
heretic *n* אֶפִּיקוֹרוֹס
heretical *adj* אֶפִּיקוֹרְסִי
heretofore *adv* לִפְנֵי־כֵן
hereupon *adv* לְפִיכָךְ
herewith *adv* בָּזֶה
heritage *n* יְרוּשָׁה; מוֹרֶשֶׁת
hermetic(al) *adj* הֶרְמֵטִי, מְהוּדָּק
hermit *n* מִתְבּוֹדֵד, פָּרוּשׁ
hermitage *n* מְקוֹם מוֹשָׁבוֹ שֶׁל פָּרוּשׁ
hernia *n* שֶׁבֶר, פֶּקַע
hero *n* גִּיבּוֹר
heroic *adj* נוֹעָז, הֵירוֹאִי
heroin *n* הֵרוֹאִין
heroine *n* גִּיבּוֹרָה
heroism *n* גְּבוּרָה, תְּעוּזָּה
heron *n* אֲנָפָה
herring *n* מָלִיחַ, דָּג מָלוּחַ
herringbone *n, adj* אִדְרָה; דְּמוּי אִדְרָה
hers *pron* שֶׁלָּהּ
herself *pron* הִיא עַצְמָהּ; בְּעַצְמָהּ; לְבַדָּהּ
hesitancy *n* הִיסּוּס, פִּקְפּוּק
hesitant *adj* מְהַסֵּס, מְפַקְפֵּק
hesitate *vi* הִיסֵּס
hesitation *n* הִיסּוּס

heterodox *adj, n* סוֹטֶה בֶּאֱמוּנָתוֹ
heterodyne *adj* אִיבּוּכִי, הֶטֶרוֹדִינִי
heterogeneity *n* רַב־סוּגִיּוּת, הֶטֶרוֹגֵנִיּוּת
heterogeneous *adj* רַב־סוּגִי, הֶטֶרוֹגֵנִי
heterogenesis *n* הֶטֶרוֹגֵנֶסִיס
hew *vt, vi* חָטַב, כָּרַת; גָּדַע
hex *n* מְכַשֵּׁפָה; כִּישׁוּף
hex *vt* כִּישֵּׁף
hexameter *n* מִשְׁקָל מְשׁוּשֶּׁה, הֶקְסָמֶטֶר
hey *interj* הֵי!
heyday *n* תְּקוּפַת הַשִּׂיא
hf. *abbr* half
H.H. *abbr* His Highness, Her Highness; His Holiness
hiatus *n* פִּרְצָה; פֶּתַח
hibernate *vi* חָרַף
hibiscus *n* הִיבִּיסְקוּס
hiccup, hiccough *n, vi* שִׁיהוּק; שִׁיהֵק
hick *n, adj* בּוּר, כַּפְרִי
hickory *n* קַרְיָה
hickory nut *n* קַרְיָה, פֶּקָן
hidden *adj* חָבוּי, נִסְתָּר
hide *n* עוֹר חַיָּה, שֶׁלַח; (המונית) עוֹר אָדָם
hide *vt, vi* הֶחְבִּיא; נֶחְבָּא
hide-and-seek *n* מִשְׂחַק הַמַּחֲבוֹאִים
hidebound *adj* צַר־אוֹפֶק, נוּקְשֶׁה
hideous *adj* מִפְלַצְתִּי
hideout *n* מִקְלָט; מַחֲבוֹא
hiding *n* הַסְתָּרָה; מַחֲבוֹא
hiding-place *n* מַחֲבוֹא
hie *vt, vi* זֵירֵז; מִיהֵר; הִזְדָּרֵז
hierarchy *n* הִירַרְכְיָה; מִבְנֶה מוּדְרָג

hieroglyphic *adj, n* הִירוֹגְלִיפִי
hi-fi *adj* גְבוֹהַּ אֲמִינוּת (לגבי צליל)
hi-fi fan *n* חוֹבֵב מוּסִיקָה גְבוֹהַת אֲמִינוּת
higgledy-piggledy *adv, adj, n* בְּבִלְבּוּל; מְבוּלְבָּל; בִּלְבּוֹלֶת
high *adj* גָבוֹהַּ, גָדוֹל; נַעֲלֶה; עַז
high *n* הִילּוּךְ גָבוֹהַּ
high *adv* גָבוֹהַּ, לְמַעְלָה, בְּגוֹבַהּ
high altar *n* מִזְבֵּחַ עִיקָּרִי (בכנסייה)
highball *n* מֶזֶג, תַּמְזִיג
high blood pressure *n* לַחַץ דָם גָבוֹהַּ
highborn *adj* אָצִיל מִלֵּידָה
highboy *n* שִׁידָּה
highbrow *n, adj* מַשְׂכִּיל; מַשְׂכִּילִי
highchair *n* כִּיסֵּא גָבוֹהַּ (לתינוק)
high command *n* פִּיקּוּד עֶלְיוֹן, מִפְקָדָה עֶלְיוֹנָה
higher education *n* חִינּוּךְ גָבוֹהַּ
higher-up *n* בָּכִיר יוֹתֵר
highfalutin(g) *adj* מִתְרַבְרֵב, מְנוּפָּח
high-frequency *n* תֶּדֶר גָבוֹהַּ
high gear *n* הִילּוּךְ גָבוֹהַּ
high grade *adj* בַּעַל אֵיכוּת גְבוֹהָה
high-handed *adj* קָשֶׁה, שְׁרִירוּתִי
high-hat *n, vt* צִילִינְדֶר; הִתְיַיחֵס בְּזִלְזוּל
high-hatted *adj* מִתְיַיהֵר
high-heeled shoe *n* נַעַל גְבוֹהַת עָקֵב
high horse *n* יַחַס יָהִיר
highjack – *see* hijack
highland *n, adj* רָמָה
high life *n* חַיֵּי הַחוּג הַנּוֹצֵץ
highlight *n* תּוֹפָעָה עִיקָּרִית; כּוֹתֶרֶת
highlight *vt* הִדְגִּישׁ, הִבְלִיט
highly *adv* בְּמִידָּה רַבָּה
High Mass *n* מִיסָּה חֲגִיגִית
highminded *adj* אֲצִיל־רוּחַ
highness *n* רָמָה; גוֹבַהּ; הוֹד מַעֲלָה
high noon *n* צָהֳרֵי יוֹם
high-pitched *adj* גָבוֹהַּ
high-powered *adj* רַב־עוֹצְמָה
high pressure *n* לַחַץ גָבוֹהַּ
high-priced *adj* יָקָר
high priest *n* כּוֹהֵן גָדוֹל
high rise *n* בַּיִת גָבוֹהַּ
high road *n* דֶּרֶךְ הַמֶּלֶךְ
high school *n* בֵּית־סֵפֶר תִּיכוֹן
high sea *n* יָם גוֹעֵשׁ
high society *n* הַחֶבְרָה הַגְּבוֹהָה
high speed *n* מְהִירוּת גְדוֹלָה
high-spirited *adj* מְרוֹמָם, גֵּאֶה
high spirits *n pl* מַצַּב רוּחַ מְרוֹמָם
high-strung *adj* עַצְבָּנִי
high-test *adj* (דלק) בָּדוּק
high tide *n* גֵאוּת הַיָּם
high time *n* הַזְּמַן הַבָּשֵׁל; (המונית) בִּילּוּי מְשַׁעֲשֵׁעַ
high treason *n* בְּגִידָה בְּמַלְכוּת
highwater *n* גֵאוּת
highway *n* כְּבִישׁ רָאשִׁי
highwayman *n* לִסְטִים
hijack *vt* חָטַף (מטוס); גָנַב מִגַּנָּב
hike *vi, vt* צָעַד, הָלַךְ בָּרֶגֶל; הֶעֱלָה
hike *n* צְעִידָה, הֲלִיכָה
hiker *n* מְטַיֵּיל
hilarious *adj* עַלִּיז, צוֹהֵל
hill *n* גִבְעָה; תֵּל; עֲרֵימָה
hill *vt* תִּילֵּל, עָרַם

hillock *n* גִּבעָה קְטַנָּה
hillside *n* צֶלַע הַגִּבעָה
hilltop *n* רֹאשׁ הַגִּבעָה
hilly *adj* רַב־גְּבָעוֹת
hilt *n* נִיצָּב; קַת
him *pron* לוֹ; אוֹתוֹ
himself *pron* עַצמוֹ; אֶת עַצמוֹ, לְעַצמוֹ
hind *n* צְבִיָּה
hind *adj* אֲחוֹרִי
hinder *vt, vi* הֵנִיא, עִיכֵּב, מָנַע
hindmost *adj* אַחֲרוֹן
hindquarter *n* חֵלֶק אֲחוֹרִי (שֶׁל בַּעַל־חַיִּים)
hindrance *n* מְנִיעָה, עִיכּוּב
hindsight *n* מַחֲשָׁבָה לְאַחַר מַעֲשֶׂה
Hindu *n, adj* הוֹדִי; הִינְדִי
hinge *n* צִיר; פֶּרֶק
hinge *vt, vi* קָבַע צִיר; הָיָה תָּלוּי בּ...
hinny *n* רַמָּךְ
hint *vt* רָמַז
hint *n* רֶמֶז
hinterland *n* פְּנִים־הָאָרֶץ, עוֹרֶף
hip *n* יָרֵךְ
hip *interj* הֵידָד!
hip-bone *n* עֶצֶם הַיָּרֵךְ
hipped *adj* מְשׁוּגָּע לְדָבָר אֶחָד
hippety-hop *adv* בִּקְפִיצוֹת
hippo *n* סוּס־הַיְאוֹר, הִיפּוֹפּוֹטָמוּס
hippodrome *n* אִיצְטַדְיוֹן לִמְרוֹצֵי סוּסִים
hippopotamus *n* סוּס־הַיְאוֹר, הִיפּוֹפּוֹטָמוּס
hip roof *n* גַּג מְשׁוּפָּע
hire *vt* שָׂכַר, חָכַר; הִשְׂכִּיר
hire *n* דְּמֵי שְׂכִירוּת; שְׂכִירָה; הַשְׂכָּרָה
hired girl *n* מְשָׁרֶתֶת
hired man *n* מְשָׁרֵת
hireling *n, adj* שָׂכִיר; שָׂכוּר
his *pron, adj* שֶׁלּוֹ
Hispanic *adj* סְפָרַדִּי
Hispaniola *n* הִיסְפַּנְיוֹלָה
hispanist *n* הִיסְפַּנִיסְט
hiss *n* שְׁרִיקַת בּוּז
hiss *vt, vi* שָׁרַק
hist *abbr* historian, history
histology *n* תּוֹרַת מִבְנֵה הָרְקָמוֹת
historian *n* הִיסְטוֹרְיוֹן
historic *adj* הִיסְטוֹרִי
historical *adj* הִיסְטוֹרִי
history *n* הִיסְטוֹרְיָה, תּוֹלָדוֹת; סִיפּוּר
histrionic(al) *adj* שֶׁל שַׂחְקָנִים, מְעוּשֶׂה
hit *vt, vi* פָּגַע, הִכָּה
hit *n* פִּיגּוּעַ, מַהֲלוּמָה; קְלִיעָה; לָהִיט
hit-and-run *adj* שֶׁל פְּגַע וּבְרַח
hitch *vt, vi* קָשַׁר, עָנַד; הֵרִים
hitch *n* מִכְשׁוֹל, מַעְצוֹר; צְלִיעָה
hitchhike *vi* טִיֵּיל בְּ׳הַסָּעוֹת׳ (טרמפּ)
hitchhiker *n* ׳טְרֶמְפִּיסְט׳
hitchhiking *n* טִיּוּל בְּהַסָּעוֹת (׳טרמפּים׳)
hitching post *n* עַמּוּד לִקְשִׁירַת סוּס
hither *adv, adj* הֵנָּה; בְּצַד זֶה
hitherto *adv* עַד כֹּה
hit-or-miss *adj* חֲסַר תִּכְנוּן; מִקְרִי
hit parade *n* מִצְעַד פִּזְמוֹנִים
hit record *n* תַּקְלִיט־לָהִיט
hit-run *adj* שֶׁל פְּגַע וּבְרַח
hive *n* כַּוֶּרֶת

hive *vt, vi* הִכְנִיס לְכַוֶּרֶת

hives *n pl* דַּלֶּקֶת הָעוֹר, חָרֶלֶת

H.M. *abbr* His (Her) Majesty

H.M.S. *abbr* His (Her) Majesty's Service; His (Her) Majesty's Ship

hoard *n* אוֹצָר, מִצְבָּר

hoard *vt, vi* אָגַר, צָבַר

hoarding *n* אֲגִירָה, הַטְמָנָה

hoarfrost *n* לוֹבֶן כְּפוֹר

hoarse *adj* צָרוּד

hoarseness *n* צְרִידוּת

hoary *adj* כְּסוּף שֵׂיעָר; סָב

hoax *n* תַּעֲלוּל

hoax *vt* שִׁיטָּה בּ..., סִידֵּר

hob *n* דַּרְגָּשׁ לְיַד הָאָח; יָתֵד

hobble *vt, vi* דִּידָּה; צָלַע; קָשַׁר (רגלי סוס)

hobble *n* צְלִיעָה; כְּבִילָה; אֲסוּרֶגֶל (לסוס)

hobby *n* תַּחְבִּיב

hobbyhorse *n* סוּס־עֵץ

hobgoblin *n* שֵׁד, מַזִּיק

hobnail *n* מַסְמֶרֶת כַּדַּת רֹאשׁ

hobo *n* נַוָּד

Hobson's choice *n* בְּרֵירָה (בין קבלת ההצעה ובין לא כלום)

hock *n* מַשְׁכּוֹן

hock *vt* (המונית) נָתַן בַּעֲבוֹט

hock *n* קֶפֶץ, קַרְסוֹל; יֵין הוֹק

hockey *n* הוֹקִי

hockshop *n* בֵּית־עֲבוֹט

hocus-pocus *n* תַּעֲלוּל, לַהֲטוּט

hocus-pocus *vt, vi* הֶעֱרִים, לִיהֲטֵט

hod *n* לוּחַ־בַּנָּאִים; דְּלִי לְפֶחָמִים

hod carrier *n* פּוֹעֵל בִּנְיָן

hodgepodge *n* נְזִיד מְעוֹרָב; בִּלְבּוּלֶת

hoe *n* מַעְדֵּר

hoe *vt, vi* עָדַר, נִיכֵּשׁ

hog *n* חֲזִיר

hog *vt, vi* הִתְנַהֵג כַּחֲזִיר

hogback *n* גַּב חֲזִיר

hoggish *adj* חֲזִירִי; מְזוֹהָם

hog Latin *n* לָטִינִית מְשׁוּבֶּשֶׁת

hogshead *n* חָבִית קִיבּוּל

hogwash *n* פְּסוֹלֶת, זֶבֶל

hoist *vt* הֵנִיף, הֵרִים

hoist *n* הֲנָפָה, הֲרָמָה; מָנוֹף

hoity-toity *adj, interj* רַבְרְבָנִי, יָהִיר; הֲבָלִים

hokum *n* שְׁטוּיוֹת

hold *vt, vi* הֶחֱזִיק, תָּפַס בּ...; שָׁמַר; הֵכִיל

hold *n* הַחְזָקָה, אֲחִיזָה; שְׁלִיטָה; (באונייה) סַכָּנָה

holder *n* יָדִית; בְּעָלִים

holding *n* אֲחִיזָה; אֲחוּזָּה; נְכָסִים

holding company *n* חֶבְרַת־גַּג

holdup *n* שׁוֹד בַּדְּרָכִים

holdup man *n* שׁוֹדֵד דְּרָכִים

hole *n* חוֹר, נֶקֶב; בּוֹר

hole *vt* חָכַר, נָקַב; קָדַח

holiday *n* חַג; פַּגְרָה

holiday *adj* חֲגִיגִי, שָׂמֵחַ

holiday attire *n* בִּגְדֵי חַג

holiness *n* קְדוּשָּׁה; קוֹדֶשׁ

Holland *n* הוֹלַנְד

Hollander *n, adj* הוֹלַנְדִּי

hollow *adj* נָבוּב, רֵיק; שָׁקוּעַ

hollow *n* חָלָל, שְׁקַעֲרוּרִית

hollow *vt, vi* רוֹקֵן, נַעֲשָׂה חָלוּל
holly *n* צִינִית
hollyhock *n* חוֹטמִית תַּרְבּוּתִית
holm-oak *n* אַלּוֹן הַצִּינִית
holocaust *n* שׁוֹאָה, הַשְׁמָדָה
holster *n* נַרְתִּיק עוֹר
holy *adj, n* מְקוּדָּשׁ, קָדוֹשׁ; צַדִּיק, חָסִיד
Holy Ghost *n* רוּחַ הַקּוֹדֶשׁ
Holy One *n* הַקָּדוֹשׁ בָּרוּךְ הוּא
Holy Land *n* אֶרֶץ־הַקּוֹדֶשׁ
Holy See *n* הַכֵּס הַקָּדוֹשׁ
Holy Sepulcher *n* הַקֶּבֶר הַקָּדוֹשׁ
Holy Writ *n* כִּתְבֵי־הַקּוֹדֶשׁ
homage *n* כָּבוֹד, הַבָּעַת כָּבוֹד
home *n* בַּיִת, דִּירָה
home *vi* חָזַר הַבַּיְתָה
home *adv* הַבַּיְתָה, לַבַּיִת; לַיַּעַד
home-bred *adj* חֲנִיךְ בַּיִת, יָלִיד
home-brew *n* שֵׁיכַר בַּיִת
home-coming *n* שִׁיבָה הַבַּיְתָה
home country *n* מוֹלֶדֶת
home delivery *n* מִשְׁלוֹחַ הַבַּיְתָה
home front *n* חֲזִית פְּנִימִית
homeland *n* אֶרֶץ־מוֹלֶדֶת
homeless *adj* חֲסַר בַּיִת
home life *n* חַיֵּי בַּיִת
home-loving *adj* אוֹהֵב חַיֵּי מִשְׁפָּחָה
homely *adj* בֵּיתִי, לֹא יוֹמְרָנִי, לֹא יָפֶה
homemade *adj* תּוֹצֶרֶת בַּיִת
homemaker *n* עֲקֶרֶת־בַּיִת
home office *n* מִשְׂרָד רָאשִׁי; מִשְׂרַד הַפְּנִים (בבריטניה)
homeopath *n* מְרַפֵּא בְּהוֹמֵיאוֹפַּתְיָה
homeopathy *n* הוֹמֵיאוֹפַּתְיָה

home plate *n* (בבייסבול) קֶטַע הַגְּמָר
home port *n* נְמַל הַבַּיִת
home rule *n* שִׁלְטוֹן בַּיִת
home run *n* (בבייסבול) רִיצָה לַגְּמָר
homesick *adj* מִתְגַּעְגֵּעַ הַבַּיְתָה
homesickness *n* גַּעְגּוּעִים הַבַּיְתָה
homespun *n, adj* אָרִיג טָווּי בַּבַּיִת; בֵּיתִי, פָּשׁוּט
homestead *n* בַּיִת וְנַחֲלָה
home stretch *n* קֶטַע גְּמָר (במירוץ)
home town *n* עִיר מוֹלֶדֶת
homeward(s) *adv* הַבַּיְתָה
homework *n* שִׁיעוּרֵי בַּיִת
homey *adj* בֵּיתִי, מִשְׁפַּחְתִּי, פָּשׁוּט
homicidal *adj* שֶׁל רֶצַח אָדָם
homicide *n* רֶצַח אָדָם; רוֹצֵחַ
homily *n* דְּרָשָׁה, הַטָּפָה
homing *adj* חוֹזֵר הַבַּיְתָה
homing pigeon *n* יוֹנַת דּוֹאַר
hominy *n* קֶלַח תִּירָס
homogeneity *n* הוֹמוֹגֵנִיּוּת
homogeneous *adj* הוֹמוֹגֵנִי, שְׁוֵה חֲלָקִים
homogenize *vt* הֶאֱחִיד, עָשָׂה לְהוֹמוֹגֵנִי
homonym *n* הוֹמוֹנִים
homonymous *adj* הוֹמוֹנִימִי; שְׁוֵה־שֵׁם
homosexual *adj, n* הוֹמוֹסֶקְסוּאָלִי
homosexuality *n* הוֹמוֹסֶקְסוּאָלִיּוּת, מִשְׁכַּב זָכוּר
hon. *abbr* honorary כְּבוֹד־, מְכוּבָּד
Hon. *abbr* Honorable
Honduran *n, adj* הוֹנְדוּרִי
hone *n* אֶבֶן מַשְׁחֶזֶת

hone *vt* הִשְׁחִיז
honest *adj* יָשָׁר, הָגוּן
honesty *n* יֹשֶׁר, הֲגִינוּת
honey *n* דְּבַשׁ
honeybee *n* דְּבוֹרַת הַדְּבַשׁ
honeycomb *n, adj* חַלַּת־דְּבַשׁ, יַעֲרַת־דְּבַשׁ
honeycomb *vt* חָדַר בַּכֹּל
honeydew melon *n* מֵלוֹן טַל הַדְּבַשׁ
honey-eater *n* יוֹנֵק־הַדְּבַשׁ, צוּפִית
honeyed *adj* מְמוּתָּק
honey locust *n* גְּלֶדִיצְיָה שְׁלוֹשׁ הַקּוֹצִים
honeymoon *n* יֶרַח־דְּבַשׁ
honeymoon *vi* בִּילָּה יֶרַח־דְּבַשׁ
honeysuckle *n* יַעְרָה
honk *n* צְוִיחַת אַוַּז־הַבָּר; צְפִירַת מְכוֹנִית
honk *vt* צָוַח; צָפַר
honky-tonk *n* בֵּית־שַׁעֲשׁוּעִים זוֹל
honor *n* כָּבוֹד, פְּאֵר
honorary *adj* שֶׁל כָּבוֹד
honorific *adj* מַבִּיעַ כָּבוֹד
honor system *n* מִשְׁמַעַת כָּבוֹד
hood *n* בַּרְדָּס; חִיפַּת הַמָּנוֹעַ
hood *vt* בִּרְדֵּס; כִּיסָּה
hoodlum *n* בִּרְיוֹן, פּוֹחֵחַ
hoodoo *n* מְכַשֵּׁף; מַזָּל רַע
hoodoo *vt* הֵמִיט רָעָה
hoodwink *vt* רִימָּה; סִנְוֵר
hooey *n, interj* שְׁטוּיוֹת; בּוּז!
hoof *n* פַּרְסָה
hoof *vi* הָלַךְ; רָקַד
hoof beat *n* שַׁעֲטַת פְּרָסוֹת
hook *n* וָו, אוּנְקָל; חַכָּה

hook *vt, vi* הֶעֱלָה בְּחַכָּתוֹ; עִיקֵּם
hookah *n* נַרְגִּילָה
hook and eye *n* וָו וּלוּלָאָה
hook and ladder *n* אוּנְקָל וְסוּלָּם
hooknosed *adj* כְּפוּף חוֹטֶם
hook-up *n* תַּרְשִׁים־מַכְשִׁיר־רַדְיוֹ; מִתְלֶה
hookworm *n* כֶּרֶץ
hooky *adj* רַב־וָוִים; מְאוּנְקָל
hooligan *n* חוּלִיגָן, אִימְתָן
hooliganism *n* חוּלִיגָנִיּוּת, בִּרְיוֹנוּת
hoop *n* טַבַּעַת, חִישׁוּק
hoop *vt* הִידֵּק בְּחִישׁוּק
hoot *n* קְרִיאַת גְּנַאי; יְלָלָה
hoot *vt* קָרָא קְרִיאַת גְּנַאי; יִילֵּל
hooter *n* צוֹפָר
hoot owl *n* יַנְשׁוּף
hop *n* נִיתּוּר, קְפִיצָה; רִיקּוּד
hop *vt, vi* קָפַץ, נִיתֵּר
hop *n* כִּישׁוּתִית
hope *n* תִּקְוָה
hope *vt, vi* קִיוָּה
hope chest *n* מְגֵירַת הַכַּלָּה
hopeful *adj, n* מְקַוֶּה; נוֹתֵן תִּקְוָה
hopeless *adj* חֲסַר תִּקְוָה
hopper *n* מְדַלֵּג, מְקַפֵּץ; חָרוּט הָפוּךְ
hopper car *n* קְרוֹן־מַשָּׂא רָכִין
hopscotch *n* 'אֶרֶץ' (משחק)
horde *n* עֵרֶב־רַב
horehound, hoarhound *n* מָרוּבִּיוֹן מָצוּי
horizon *n* אוֹפֶק
horizontal *adj, n* אוֹפְקִי; שָׁכוּב
hormone *n* הוֹרְמוֹן
horn *n* קֶרֶן; שׁוֹפָר

horn *vt* נָגַח; נָתַן קַרְנַיִים
hornet *n* צִרְעָה
hornet's nest *n* קַן צְרָעוֹת
hornpipe *n* חֲלִיל־הַקֶּרֶן
hornrimmed glasses *n pl* מִשְׁקָפַיִים מְחוּשָּׁקִים בְּקֶרֶן
horny *adj* קַרְנִי, נוּקְשֶׁה
horoscope *n* הוֹרוֹסְקוֹפּ
horrible *adj* נוֹרָא, מַחֲרִיד
horrid *adj* מַחֲרִיד; מְעוֹרֵר בְּחִילָה
horrify *vt* הִפְחִיד
horror *n* פַּחַד, פַּלָּצוּת; כִּיעוּר
horror-struck *adj* מוּכֵּה אֵימָה
hors d'oeuvre *n* מְתַאֲבֵן
horse *n* סוּס; (בשחמט) פָּרָשׁ
horse *vt, vi* רָתַם סוּס; נָשָׂא עַל גַּבּוֹ
horseback *n, adv* (עַל) גַּב הַסּוּס
horse blanket *n* שְׂמִיכָה לְסוּס
horse block *n* מִדְרָג לְסוּס
horse breaker *n* מְאַלֵּף סוּסִים
horse car *n* קְרוֹן סוּסִים
horse-chestnut *n* עַרְמוֹנִית הַסּוּסִים
horse collar *n* קוֹלָר סוּסִים
horse-dealer *n* סוֹחֵר סוּסִים
horse-doctor *n* רוֹפֵא בְּהֵמוֹת
horsefly *n* זְבוּב־סוּס
horsehair *n* שַׂעֲרַת סוּס
horsehide *n* עוֹר סוּס
horselaugh *n* צְחוֹק פָּרוּעַ
horseman *n* רוֹכֵב; פָּרָשׁ
horsemanship *n* אוּמָּנוּת הָרְכִיבָה
horse meat *n* בְּשַׂר סוּסִים
horse opera *n* מַעַרְבוֹן
horse pistol *n* אֶקְדַּח פָּרָשִׁים
horseplay *n* מִשְׂחָק פָּרוּעַ
horse-power *n* כּוֹחַ סוּס
horserace *n* מֵירוֹץ סוּסִים
horseradish *n* חֲזֶרֶת
horse-sense *n* שֵׂכֶל יָשָׁר
horseshoe *n* פַּרְסַת סוּס
horseshoe magnet *n* פַּרְסַת מַגְנֵט
horseshoe nail *n* מַסְמֵר פַּרְסָה
horse show *n* תְּצוּגַת סוּסִים
horsetail *n* שְׁבַטְבָּט
horse thief *n* גַּנַּב סוּסִים
horse trade *n* חִילּוּפֵי סוּסִים; מַשָּׂא וּמַתָּן עַרְמוּמִי
horse trading *n* נְשִׂיאָה וּנְתִינָה עַרְמוּמִית
horsewhip *n* שׁוֹט, מַגְלֵב
horsewhip *vt* הִצְלִיף בְּמַגְלֵב
horsewoman *n* רוֹכֶבֶת; סַיֶּיסֶת
horsy *adj* סוּסִי; שָׁטוּף בִּספּוֹרט הַסּוּסִים; גַּמְלוֹנִי
horticultural *adj* גַּנָּנִי
horticulture *n* גַּנָּנוּת
horticulturist *n* גַּנָּן
hose *n* גֶּרֶב; זַרְנוּק
hose *vt* רָחַץ בְּזַרְנוּק, הִשְׁקָה בְּזַרְנוּק
hosier *n* מְייַצֵּר גַּרְבַּיִים; סוֹחֵר בְּגַרְבַּיִים
hosiery *n* גַּרְבַּיִים, תִּגְרוֹבֶת
hospice *n* אַכְסַנְיָה
hospitable *adj* מְאָרֵחַ טוֹב
hospital *n* בֵּית־חוֹלִים
hospitality *n* אֵירוּחַ
hospitalize *vt* אִשְׁפֵּז
host *n* מְאָרֵחַ
hostage *n* בֶּן־תַּעֲרוּבוֹת
hostel *n* אַכְסַנְיָה; מְעוֹן סְטוּדֶנְטִים

hostelry *n* פּוּנְדָּק, אַכְסַנְיָה
hostess *n* מְאָרַחַת; אַכְסְנָאִית
hostile *adj* אוֹיֵב, עוֹיֵן
hostility *n* אֵיבָה, עוֹיְנוּת
hostler *n* שׁוֹמֵר סוּסִים, אוּרְוָן
hot *adj, adv* חַם, לוֹהֵט; עַז; חָרִיף; בְּחוֹם
hot air *n* לַהַג, רַבְרְבָנוּת
hot and cold running water מַיִם חַמִּים וְקָרִים
hot baths *n pl* מֶרְחֲצָאוֹת חַמִּים
hotbed *n* יְצוּעַ חַם; חֲמָמָה
hotblooded *adj* חָמוּם, חֲמוּם־מֶזֶג
hot cake *n* עוּגָה חַמָּה; מִצְרָךְ נֶחְטָף
hot dog *n* נַקְנִיקִית חַמָּה
hotel *n* מָלוֹן
hotelkeeper *n* מְלוֹנַאי
hothead *n* חֲמוּם־מוֹחַ
hotheaded *adj* חֲמוּם־מוֹחַ
hothouse *n* חֲמָמָה
hot-plate *n* צַלַּחַת בִּישׁוּל
hot springs *n pl* מַעְיָנוֹת חַמִּים
hot-tempered *adj* חַם־מֶזֶג, חָמוּם
hot water *n* מַיִם חַמִּים; מְצוּקָה
hot water boiler *n* דּוּד מַיִם חַמִּים
hot water bottle *n* בַּקְבּוּק חַם
hot water heater *n* דּוּד חִימּוּם
hot water heating *n* חִימּוּם מַיִם
hot water tank *n* דּוּד מַיִם חַמִּים
hound *n* כֶּלֶב צַיִד; מְנוּוָּל
hound *vt* רָדַף
hour *n* שָׁעָה
hourglass *n* שְׁעוֹן־חוֹל
hour-hand *n* מְחוֹג הַשָּׁעוֹת
hourly *adj, adv* שָׁעָה־שָׁעָה, מִדֵּי שָׁעָה

house *n* בַּיִת, דִּירָה
house *vt, vi* שִׁיכֵּן, אִכְסֵן; הִשְׁתַּכֵּן
house arrest *n* מַעְצַר בַּיִת
houseboat *n* סִירָה־בַּיִת
housebreaker *n* פּוֹרֵץ
housebreaking *n* פְּרִיצָה
housebroken *adj* מְבוּיָּת
house cleaning *n* בֶּדֶק בַּיִת
house coat *n* מְעִיל בַּיִת
housefly *n* זְבוּב הַבַּיִת
houseful *n* מְלוֹא הַבַּיִת
house furnishings *n pl* חֶפְצֵי בַּיִת
household *n, adj* דַּיָּרֵי בַּיִת; מִשְׁפָּחָה; מֶשֶׁק; בֵּיתִי
householder *n* בַּעַל־בַּיִת
house hunt *n* חִיפּוּשׂ בַּיִת
housekeeper *n* מְנַהֶלֶת מֶשֶׁק־הַבַּיִת
housekeeping *n* הַנְהָלַת מֶשֶׁק־בַּיִת
house meter *n* מוֹנֵה בַּיִת
housemother *n* מְחַנֶּכֶת, אֵם בַּיִת
house of cards *n* בִּנְיַן קְלָפִים
house painter *n* צַבָּע
house physician *n* רוֹפֵא בַּיִת
housetop *n* גַּג הַבַּיִת
housewarming *n* חֲנוּכַּת בַּיִת
housewife *n* עֲקֶרֶת בַּיִת
housework *n* עֲבוֹדַת בַּיִת
housing *n* שִׁיכּוּן
housing shortage *n* מַחְסוֹר דִּיוּר
hovel *n* בִּקְתָּה
hover *vi* רִיחֵף
how *adv* אֵיךְ
howdah *n* אַפִּרְיוֹן עַל גַּבֵּי פִּיל
however *adv* בְּכָל אוֹפֶן
howitzer *n* תּוֹתָח (קצר קנה)

howl *vt, vi* יִילֵּל; יִיבֵּב
howl *n* יְלָלָה; צְרִיחָה
howler *n* מְיַילֵּל; הַקּוֹף הַצּוֹחֵק
hoyden, hoiden *n* נַעֲרָה גַּסָּה
H.P., h.p. *abbr* horse power; high pressure; hire purchase
hr. *abbr* hour
H.R.H. *abbr* His (Her) Royal Highness
ht. *abbr* height
hub *n* טַבּוּר (שֶׁל גלגל); מֶרְכָּז
hubbub *n* הֲמוּלָּה, מְהוּמָה
hubcap *n* מְגוּפַת טַבּוּר הַגַּלְגַּל
huckster *n* רוֹכֵל סִדְקִית; מוֹכֵר יְרָקוֹת
huddle *vt, vi* הִתְקַהֵל; נֶחְפַּז לַעֲשׂוֹת
huddle *n* קָהָל צָפוּף
hue *n* צֶבַע, גָּוֶן
huff *n* רוֹגֶז, הִתְפָּרְצוּת זַעַם
hug *vt, vi* חִיבֵּק, גִּיפֵּף; דָּבַק בּ...
hug *n* חִיבּוּק, גִּיפּוּף
huge *adj* עֲנָקִי, גָּדוֹל
huh! *interj* הָהּ! (להבעת תימהון, אוֹ אמונה אוֹ בוז)
hulk *n* גְּוִיַּת אוֹנִיָּה
hulking *adj* מְגוּשָּׁם
hull *n* קְלִיפָּה; מִכְסֶה; גוּף אוֹנִיָּה
hull *vt, vi* הֵסִיר מִכְסֶה; קִילֵּף
hullabaloo *n* מְהוּמָה
hum *n* זִמְזוּם, הֶמְיָה
hum *vt, vi* זִמְזֵם; הִמְהֵם
hum *interj* הוּם ... הֶמ ...
human *adj, n* אֱנוֹשִׁי, אָדָם
human being (creature) *n* בֶּן־תְּמוּתָה
humane *adj* אֱנוֹשִׁי, רַחֲמָנִי
humanist *n, adj* הוּמָנִיסְט; הוּמָנִיסְטִי
humanitarian *n, adj* הוּמָנִיטָרִי, אוֹהֵב אָדָם
humanity *n* הָאֱנוֹשׁוּת; אֱנוֹשִׁיּוּת; (בריבוי) מַדָּעֵי־הָרוּחַ
humankind *n* הַמִּין הָאֱנוֹשִׁי
humble *adj* עָנָיו, צָנוּעַ; עָלוּב
humble *vt* הִכְנִיעַ, הִשְׁפִּיל
humbug *n, vt* הוֹנָאָה, זִיוּף; נוֹכֵל; הוֹנָה
humdrum *adj* מְשַׁעֲמֵם; שִׁיעֲמוּם
humerus *n* עֶצֶם הַזְּרוֹעַ
humid *adj* לַח
humidifier *n* מְלַחְלֵחַ
humidify *vt* לִחְלֵחַ, הִרְטִיב
humidity *n* לַחוּת
humiliate *vt* הִשְׁפִּיל
humiliating *adj* מַשְׁפִּיל
humility *n* עֲנָוָה; כְּנִיעָה
humming *adj* מְזַמְזֵם; תּוֹסֵס
humming-bird *n* הַצִּיפּוֹר הַמְזַמְזֶמֶת
humor *n* מַצַּב־רוּחַ; בְּדִיחוּת; הִיתּוּל, הוּמוֹר
humor *vt* הִתְמַסֵּר ל...; הִסְתַּגֵּל ל...
humorist *n* כּוֹתֵב דִּבְרֵי בְּדִיחוּת, בַּדְחָן
humoristic *adj* בַּדְחָנִי, הוּמוֹרִיסְטִי
humorous *adj* מְבַדֵּחַ, הִיתּוּלִי
hump *n* חֲטוֹטֶרֶת; תֵּל
humpback *n* גִּיבֵּן
humus *n* רַקְבּוּבִית
hunch *n* חֲטוֹטֶרֶת; דַּבֶּשֶׁת; חֲשָׁד
hunch *vt, vi* הִתְגַּבֵּן; הֵגִיחַ
hunchback *n* גִּיבֵּן
hundred *n* מֵאָה, מֵאִיָּה

hundredth *adj, n* מֵאִי; מֵאִית
hundredweight *n* מִשְׁקַל־מֵאָה
Hundred Years' War *n* מִלְחֶמֶת מְאַת הַשָּׁנִים
Hungarian *adj, n* הוּנגָרִי; הוּנגָרִית
Hungary *n* הוּנגַריָה
hunger *n* רָעָב; תְּשׁוּקָה
hunger *vt, vi* רָעַב; הִשְׁתּוֹקֵק, הִתאַוָּה
hunger-march *n* מִצעַד רָעָב
hunger-strike *n* שְׁבִיתַת רָעָב
hungry *adj* רָעֵב; תָּאֵב
hunk *n* נֵתַח
hunt *vt, vi* צָד; בִּיקֵשׁ; חִיפֵּשׂ
hunt *n* צַיִד; חִיפּוּשׂ
hunter *n* צַיָּד; רוֹדֵף
hunting *n* צַיִד
hunting dog *n* כֶּלֶב־צַיִד
hunting-ground(s) *n* מְקוֹם צַיִד
hunting jacket *n* מְעִיל צַיִד
hunting lodge *n* מְלוּנַת צַיִד
hunting season *n* עוֹנַת צַיִד
huntress *n* צַיֶּדֶת
huntsman *n* צַיָּד
hurdle *n* מִכשׁוֹל גָּדֵר, מְשׂוּכָה
hurdle *vt* קָפַץ וְעָבַר; הִתגַּבֵּר עַל
hurdler *n* מְדַלֵּג עַל מִכשׁוֹלִים
hurdle race *n* מֵירוֹץ מְשׂוּכוֹת
hurdy-gurdy *n* תֵּיבַת נְגִינָה
hurl *vt, vi* הִשׁלִיךְ; זָרַק
hurl *n* הַשׁלָכָה, הֲטָלָה
hurrah, hurray *interj, n, vi* הֵידָד!; קָרָא הֵידָד
hurricane *n* סוּפַת צִיקלוֹן
hurried *adj* מְמַהֵר; פָּזִיז
hurry *vt, vi* זֵירֵז; מִיהֵר
hurry *n* חִיפָּזוֹן, מְהִירוּת
hurt *vt, vi* פָּגַע, פָּצַע; כָּאַב
hurt *n* פְּגִיעָה; פְּצִיעָה
hurtle *vt, vi* הֵטִיל, זָרַק; מִיהֵר בְּבֶהָלָה
husband *n* בַּעַל
husband *vt* נָהַג בְּחַסכָנוּת, חָסַךְ
husbandman *n* חַקלַאי
husbandry *n* חַקלָאוּת; נִיהוּל מְחוּשָׁב; חִיסָּכוֹן
hush *interj* הַס!
hush *adj, n* שָׁקֵט; שֶׁקֶט
hush *vt, vi* הִשׁתִּיק; שָׁתַק
hushaby *interj* נוּמָה, נוּמָה
hush-hush *adj* סוֹדִי
hush money *n* דְּמֵי 'לֹא יֶחֱרַץ'
husk *n* קְלִיפָּה
husk *vt* קִילֵּף
husky *adj* רַב קְלִיפּוֹת; גְּבַרתָּנִי; צָרוּד
husky *n* גְּבַרתָּן
hussy, huzzy *n* נַעֲרָה גַּסָּה
hustle *vt, vi* דָּחַף, דָּחַק; נִדחַף
hustle *n* הֲמוּלָּה; מֶרֶץ
hustler *n* פָּעִיל, עוֹבֵד בְּמֶרֶץ
hut *n* סוּכָּה, צְרִיף
hyacinth *n* יַקִינתּוֹן (פרח, אבן־חן)
hybrid *n* בֶּן־כִּלאַיִים, הִיבּרִיד
hybridization *n* הַכלָאָה
hydra *n* הִידרָה; נְחַשׁ הַמַּיִם
hydrant *n* זַרנוּק, מַעֲבִיר מַיִם
hydrate *n* הִידרָט
hydrate *vt* מִייֵּם, הִרכִּיב עִם מַיִם
hydraulic *adj* הִידרוֹלִי
hydraulic ram *n* אַיִל הִידרוֹלִי

hydraulics *n pl* הִידרוֹלִיקָה
hydriodic *adj* הִידרִיוֹדִי, שֶׁל חוּמצַת מֵימָן
hydrobromic *adj* שֶׁל מֵימָן בּרוֹמִי
hydrocarbon *n* פַּחמֵימָן
hydrochloric *n* מֵימָן כּלוֹרִי
hydroelectric *adj* הִידרוֹאֶלֶקטרִי
hydrofluoric *adj* הִידרוֹפלוּאוֹרִי
hydrofoil *n* סְנַפִּירִית
hydrogen *n* מֵימָן
hydrogen peroxide *n* מֵי חַמצָן
hydrogen sulfide *n* מֵימָן גוֹפרָתִי
hydrometer *n* הִידרוֹמֶטֶר, מַד־מַיִם
hydrophobia *n* כַּלֶּבֶת; בַּעַת־מַיִם
hydroplane *n* מְטוֹס־יָם
hydroxide *n* מֵימָה, הִידרוֹקסִיד
hyena, hyaena *n* צָבוֹעַ
hygiene *n* גֵהוּת, הִיגִיֵינָה
hygienic *adj* גֵהוּתִי, הִיגִיֵינִי
hymn *n* שִׁיר הַלֵּל (בּכנסייה), מִזמוֹר
hymnal *n, adj* סֵפֶר שִׁירֵי כְּנֵסִיָּה
hyp. *abbr* hypotenuse, hypothesis
hyperacidity *n* יֶתֶר־חוּמצִיוּת
hyperbola *n* הִיפֶּרבּוֹלָה
hyperbole *n* גוּזמָה
hyperbolic *adj* הִיפֶּרבּוֹלִי; מוּגזָם
hypersensitive *adj* רָגִישׁ בְּיוֹתֵר
hypertension *n* לַחַץ יֶתֶר, לַחַץ דָם גָבוֹהַּ
hyphen *n* מַקָּף
hyphenate *vt* מִיקֵּף, חִיבֵּר בְּמַקָּף
hypnosis *n* הִפנוּט, הִיפּנוֹזָה
hypnotic *adj, n* מְהַפנֵט; מְהוּפנָט
hypnotism *n* הִפנוּט
hypnotist *n* מְהַפנֵט
hypnotize *vt* הִפנֵט
hypochondria *n* דִיכָּאוֹן (שמקורו במחלות מדוּמוֹת)
hypocrisy *n* צְבִיעוּת
hypocrite *n* צָבוּעַ
hypocritical *adj* צָבוּעַ
hypodermic *adj* תַּת־עוֹרִי
hyposulfite *n* הִיפּוֹסוּלפִיט
hypotenuse *n* יֶתֶר (בּמשוּלשׁ ישר־זוית)
hypothesis *n* הַשׁעָרָה, הַנָּחָה, הִיפּוֹתֵיזָה
hypothetic(al) *adj* הַשׁעָרָתִי, הִיפּוֹתֵיטִי
hyssop *n* אֵיזוֹב
hysteria *n* הִיסטֶריָה
hysteric(al) *adj* הִיסטֵרִי
hysterics *n pl* הֶתקֵף הִיסטֶריָה

I

I, i אַי (הָאוֹת הַתְּשִׁיעִית בָּאָלֶפְבֵּית
I. *abbr* Island
I. יוֹדִין
I *pron* אֲנִי
iambic *adj, n* יַאמְבִּי, יוֹרֵד; שִׁיר בְּמִקְצָב יוֹרֵד
ib. *abbr* ibidem שָׁם, כַּנַּ״ל
Iberian *adj, n* אִיבֶּרִי
ibex *n* יָעֵל
ibis *n* אִיבִּיס
ice *n* קֶרַח
ice *vt* צִיפָּה בְּקֶרַח; הִקְפִּיא
ice age *n* עִידַּן הַקֶּרַח
ice-bag *n* כָּרִית קֶרַח
iceberg *n* קַרחוֹן
ice-boat *n* סִירַת־קֶרַח
icebound *adj* תָּקוּעַ בַּקֶּרַח
icebox *n* אֲרוֹן־קֶרַח
icebreaker *n* בּוֹקַעַת קֶרַח
icecap *n* קוֹבַע קֶרַח; קַרחוֹן
ice cream *n* גְּלִידָה
ice-cream cone *n* גְּבִיעַ גְּלִידָה
ice-cream freezer *n* מַקְפֵּאַת גְּלִידָה
ice-cream parlor *n* חֲנוּת גְּלִידָה
ice-cream soda *n* גְּלִידָה עִם סוֹדָה
ice cube *n* קוּבִּיַּית קֶרַח
ice-hockey *n* הוֹקִי־קֶרַח
Iceland *n* אִיסלַנְד
Icelander *adj, n* אִיסלַנְדִי
Icelandic *adj, n* אִיסלַנְדִי; אִיסלַנְדִית
iceman *n* מוֹכֵר קֶרַח
ice-pack *n* שְׂדֵה קֶרַח צָף
ice pail *n* דְּלִי קֶרַח (לְצִינּוּן מַשְׁקָאוֹת)
ice-pick *n* מַכּוֹשׁ לְקֶרַח
ice tray *n* תַּבְנִית קֶרַח
ice water *n* מֵי קֶרַח
ichthyology *n* חֵקֶר הַדָּגִים
icicle *n* נְטִיף קֶרַח
icing *n* צִיפּוּי בְּסוּכָּר; הִיקָּפְאוּת
iconoclasm *n* שְׁבִירַת אֱלִילִים
iconoclast *n* שׁוֹבֵר אֱלִילִים
iconoscope *n* אִיקוֹנוֹסקוֹפּ
icy *adj* מְצוּפֶּה קֶרַח; דְמוּי קֶרַח; קַר
id. *abbr* idem שָׁם, כַּנַּ״ל
id *n* אִיד
I'd *abbr* I would, I should, I had
idea *n* רַעְיוֹן, מַחֲשָׁבָה; מוּשָּׂג
ideal *n* מַשָּׂא־נֶפֶשׁ, שְׁאִיפָה; מוֹפֵת
ideal *adj* דִּמְיוֹנִי; מוֹפְתִי, אִידֵיאָלִי
idealist *n* טְהוֹר שְׁאִיפָה, אִידֵיאָלִיסְט
idealize *vt, vi* עָשָׂה אִידֵיאָלִי, הִצִּיג בְּצוּרָה אִידֵיאָלִית
identical *adj* זֵהֶה, דוֹמֶה בְּהֶחְלֵט
identification *n* זִיהוּי, זֶהוּת; אִישּׁוּר
identification tag *n* תַּו זִיהוּי
identify *vt* זִיהָה, קָבַע זֶהוּת
identikit *n* קְלַסְתְּרוֹן
identity *n* זֶהוּת
ideology *n* הַשְׁקָפַת עוֹלָם
ides *n pl* מוֹעֲדִים, אֵידִים
idiocy *n* אִידְיוֹטִיּוּת

idiolect *n* נִיב פְּרָטִי, אִידְיוֹלֶקְט
idiom *n* נִיב, אִידְיוֹם
idiomatic *adj* נִיבִי, אִידְיוֹמָטִי
idiosyncrasy *n* קַו אוֹפְיָנִי מְיוּחָד
idiot *n* שׁוֹטֶה גָמוּר; אִידְיוֹט
idiotic *adj* אֱוִילִי; אִידְיוֹטִי
idle *adj* בָּטֵל; מִתְעַצֵּל
idle *vt, vi* בִּיטֵּל זְמַנּוֹ; הִתְעַצֵּל
idleness *n* בַּטָּלָה, בִּיטּוּל זְמַן
idler *n* עַצְלָן, בַּטְלָן
idol *n* אֱלִיל; גִיבּוֹר נַעֲרָץ
idolatry *n* עֲבוֹדַת אֱלִילִים; הַעֲרָצָה עִיוֶּרֶת
idolize *vt* הֶאֱלִיהַּ
idyll *n* שִׁירַת שַׁלְוָה, אִידִילְיָה
idyllic *adj* שָׁלֵו; אִידִילִי
if *conj* אִם, אִילּוּ
if *n* תְּנַאי, הַשְׁעָרָה
ignis fatuus *n* אוֹר תַּעְתּוּעִים
ignite *vt, vi* הִצִּית; שִׁלְהֵב; הִשְׁתַּלְהֵב
ignition *n* הַצָּתָה
ignition switch *n* מֶתֶג הַצָּתָה
ignoble *adj* שָׁפָל; נְחוּת דַרְגָה
ignominious *adj* מַשְׁפִּיל; שָׁפָל
ignoramus *n* בּוּר
ignorance *n* בּוּרוּת, אִי־יְדִיעָה
ignorant *adj* אֵינוֹ יוֹדֵעַ
ignore *vt* הִתְעַלֵּם מִן
ilk *pron, n* אוֹתוֹ, כָּמוֹהוּ; מִשְׁפָּחָה, סוּג
ill. *abbr* illustrated, illustration
ill *adj, adv* חוֹלֶה; רַע; בְּאוֹפֶן מְרוּשָׁע
ill-advised *adj* לֹא נָבוֹן
ill-bred *adj* לֹא מְנוּמָּס
ill-considered *adj* לֹא שָׁקוּל, מוּטְעֶה
ill-disposed *adj* לֹא יְדִידוּתִי

illegal *adj* לֹא חוּקִי
illegible *adj* לֹא קָרִיא
illegitimate *adj, n* לֹא חוּקִי
ill fame *n* שִׁמְצָה, שֵׁם רָע
ill-fated *adj* רַע מַזָּל
ill-gotten *adj* שֶׁנִּרְכַּשׁ בְּעַוְלָה
ill health *n* חוֹלִי
ill-humored *adj* רַע מֶזֶג
illicit *adj* לֹא חוּקִי
illiteracy *n* בַּעֲרוּת, בּוּרוּת, אַנְאַלְפַבֵּיתִיוּת
illiterate *adj, n* בַּעַר, אַנְאַלְפַבֵּיתִי
ill-mannered *adj* לֹא מְנוּמָּס
illness *n* מַחֲלָה
illogical *adj* לֹא הֶגְיוֹנִי
ill-spent *adj* מְבוּזְבָּז, שֶׁהוּצָא לָרִיק
ill-starred *adj* לְלֹא מַזָּל
ill-tempered *adj* זוֹעֵם, רַע מֶזֶג
ill-timed *adj* לֹא בִּזְמַנּוֹ
ill-treat *vt* נָהַג בְּאַכְזְרִיּוּת
illuminate *vt* הֵאִיר; הִבְהִיר; קִישֵּׁט
illuminating gas *n* גַּאז לְהָאָרָה
illumination *n* תְּאוּרָה, אוֹר; הַבְהָרָה
illusion *n* אַשְׁלָיָה, אִילוּזְיָה
illusive *adj* מַשְׁלֶה
illusory *adj* מַטְעֶה
illustrate *vt* בֵּיאֵר; הִדְגִּים; אִייֵּר, עִיטֵּר
illustration *n* הַדְגָּמָה, הַבְהָרָה; אִיּוּר
illustrious *adj* מִצְטַיֵּן, מְפוּרְסָם
ill-will *n* אֵיבָה
image *n* דְּמוּת; תַּבְנִית; תַּדְמִית
imagery *n* צִיּוּרֵי דִמְיוֹן; דִמְיוֹנִיּוּת
imaginary *adj* דִמְיוֹנִי, מְדוּמֶּה
imagination *n* דִמְיוֹן; כּוֹחַ הַדִּמְיוֹן

imagine *vt, vi* דִּימָּה, דִּמְיֵין
imbecile *adj, n* מְטוּמְטָם; אִימְבֶּצִילִי
imbecility *n* טִמְטוּם, אִימְבֶּצִילִיּוּת
imbibe *vt, vi* שָׁתָה; סָפַג; שָׁאַף
imbue *vt* מִילֵּא (רגשות); הִלְהִיב; הִשְׁרָה, הִרְטִיב
imitate *vt* חִיקָּה
imitation *n* חִיקּוּי
immaculate *adj* לְלֹא רְבָב
immaterial *adj* בִּלְתִּי־חוּמְרִי; לֹא חָשׁוּב
immaterialism *n* אִימָּטֶרְיָלִיזְם
immature *adj* שֶׁלִּפְנֵי זְמַנּוֹ; לֹא מְבוּגָּר
immeasurable *adj* לֹא מָדִיד
immediacy *n* דְּחִיפוּת, תְּכִיפוּת
immediate *adv* מִיָּדִי, דָּחוּף
immediately *adv* מִיָּד, תֵּיכֶף
immemorial *adj* קָדוּם
immense *adj* עָצוּם, עֲנָקִי
immerge *vi* טָבַל, שָׁקַע
immerse *vt* טָבַל; הִשְׁקִיעַ; שָׁקַע
immersion *n* טְבִילָה, הַטְבָּלָה, שְׁרִיָּה; שְׁקִיעָה
immigrant *n, adj* מְהַגֵּר, עוֹלֶה (לישראל)
immigrate *vi* הִיגֵּר, עָלָה (לישראל)
immigration *n* הֲגִירָה, עֲלִיָּה (לישראל)
imminent *adj* קָרוֹב לְהִתְרַחֵשׁ, מְמַשְׁמֵשׁ וּבָא
immobile *adj* לֹא זָע, נַיָּח
immobilize *vi* הִדְמִים; נִיֵּיחַ
immoderate *adj* לֹא מָתוּן; מַפְרִיז
immodest *adj* לֹא צָנוּעַ, לֹא הָגוּן
immoral *adj* בִּלְתִּי־מוּסָרִי
immortal *adj, n* בֶּן־אַלְמָוֶת; נִצְחִי
immortalize *vt* הֶעֱנִיק חַיֵּי נֶצַח
immune *adj, n* מְחוּסָּן, חָסִין
immunize *vt* חִיסֵּן
imp *n* שֵׁדוֹן
impact *n* הִתְנַגְּשׁוּת גּוּפִים; פְּגִיעָה
impair *vt* קִלְקֵל, פָּגַם
impanel *vt* צֵירֵף לַצֶּוֶות
impart *vt* הֶעֱנִיק, הִקְנָה
impartial *adj* לֹא נוֹשֵׂא פָּנִים, חֲסַר פְּנִיּוֹת
impassable *adj* לֹא עָבִיר
impasse *n* מָבוֹי סָתוּם
impassibility *n* קֵהוּת לִכְאֵב; אֲדִישׁוּת
impassible *adj* לֹא רָגִישׁ לִכְאֵב; לֹא נָזִיק
impassibly *adv* בַּאֲדִישׁוּת
impassion *vt* שִׁלְהֵב יֵצֶר
impassioned *adj* מְשׁוּלְהָב; תַּאַוְתָנִי
impassive *adj* חֲסַר רֶגֶשׁ, קֵהֶה
impatience *n* אִי־סַבְלָנוּת
impatient *adj* לֹא סַבְלָן, קְצַר רוּחַ
impeach *vt* הֶאֱשִׁים בְּהִתְנַהֲגוּת לֹא הוֹגֶנֶת
impeachment *n* הַאֲשָׁמָה פּוּמְבִּית
impeccable *adj* טָהוֹר, לֹא פָּגוּם
impecunious *adj* חֲסַר כֶּסֶף
impedance *n* עַכָּבָה
impede *vt* עִיכֵּב; מָנַע
impediment *n* מוּם; מַעְצוֹר
impel *vt* הִמְרִיץ, דָּחַף
impending *adj* עוֹמֵד לְהִתְרַחֵשׁ
impenetrable *adj* לֹא חָדִיר
impenitent *adj, n* לֹא חוֹזֵר בִּתְשׁוּבָה
imperative *n* צִיוּוּי

imperative *adj* הֶכְרֵחִי; מְצַוֶּה
imperceptible *adj* לֹא מוּחָשׁ, סָמוּי
imperfect *adj, n* לֹא מוּשְׁלָם; עָבָר לֹא נִשְׁלָם; (בעברית) עָתִיד
imperfection *n* אִי־שְׁלֵמוּת, לִקּוּת
imperial *adj* קֵיסָרִי; נֶהְדָּר
imperial *n* זְקַן הַשָּׂפָה הַתַּחְתּוֹנָה
imperialist *n* דּוֹגֵל בְּאִימְפֶּרְיָלִיזם
imperil *vt* הֶעֱמִיד בְּסַכָּנָה
imperious *adj* מוֹשֵׁל, מְצַוֶּה; דָּחוּף
imperishable *adj* שֶׁאֵינוֹ נִיתָּן לְהִישָּׁמֵד
impersonal *adj* לְלֹא פְּנִיָּה אִישִׁית; סְתָמִי
impersonate *vt* גִּילֵּם; הִתְחַזָּה ל...
impertinence *n* חוּצְפָּה, עַזּוּת־פָּנִים
impertinent *adj* עַז־פָּנִים, חָצוּף
impetuous *adj* קְצַר־רוּחַ, נִמְהָר
impetus *n* דַּחַף, מֵנִיעַ
impiety *n* חִילּוּל קוֹדֶשׁ
impinge *vi* הִתְנַגֵּשׁ; הִסִּיג גְּבוּל
impious *adj* מְחַלֵּל קוֹדֶשׁ; כּוֹפֵר
impish *adj* שׁוֹבָבִי
implant *vt* הֶחְדִּיר, הִנְחִיל; נָטַע
implement *vt* הִגְשִׁים, בִּיצֵּעַ
implement *n* מַכְשִׁיר; אֶמְצָעִי
implicate *vt* גֵּרֵר, סִיבֵּךְ
implication *n* מַשְׁמָעוּת, הַשְׁלָכָה
implicit *adj* לְלֹא סְיָג; מוּבְהָק; מִשְׁתַּמֵּעַ, מְרוּמָּז
implied *adj* מִתְחַיֵּב מ...; מְרוּמָּז
implore *vt* הִפְצִיר, הִתְחַנֵּן
imply *vt* רָמַז; חִיֵּיב
impolite *adj* לֹא מְנוּמָּס
import *vt, vi* יִיבֵּא; רָמַז; הִבִּיעַ; נָגַע ל...

import *n* יְבוּא; מוּבָן, כַּוָּונָה
importance *n* חֲשִׁיבוּת
important *adj* חָשׁוּב, נִכְבָּד
importation *n* יִיבּוּא; יְבוּא
importer *n* יְבוּאָן
importunate *adj* דָּחוּף, נָחוּץ; מַפְצִיר, מֵצִיק
importune *vt* הֵצִיק, הִפְצִיר
impose *vt, vi* כָּפָה, הֵטִיל
imposing *adj* רַב־רוֹשֶׁם
imposition *n* הַטָּלַת חוֹבָה; דְּרִישָׁה נִפְרֶזֶת
impossible *adj* אִי־אֶפְשָׁרִי
impostor *n* רַמַּאי בְּדוּי־שֵׁם
imposture *n* נְכָלִים, הוֹנָאָה
impotence, impotency *n* אֵין־אוֹנוּת, אִימְפּוֹטֶנְצְיָה
impotent *adj* חֲסַר כּוֹחַ־גַּבְרָא
impound *vt* סָגַר בְּמִכְלָאָה; סָכַר
impoverish *vt* רוֹשֵׁשׁ, מִסְכֵּן
impracticable *adj* לֹא מַעֲשִׂי; לֹא שִׁימּוּשִׁי
impractical *adj* לֹא מַעֲשִׂי
impregnable *adj* מְבוּצָּר, עָמִיד
impregnate *vt* סִיפֵּג, רִיוָּה; הִפְרָה
impresario *n* אֲמַרְגָן
impress *vt* הִרְשִׁים; טָבַע, חָתַם
impression *n* רוֹשֶׁם; הַשְׁפָּעָה; מוּשָּׂג
impressionable *adj* נוֹחַ לְהִתְרַשֵּׁם, רָגִישׁ
impressive *adj* מַרְשִׁים
imprint *vt* הִדְפִּיס; הֶחְתִּים; שִׁינֵּן
imprint *n* סִימָן, עָקֵב, תָּו
imprison *vt* אָסַר, כָּלָא
imprisonment *n* מַאֲסָר

improbable *adj* שֶׁלֹּא יִיתָּכֵן; לֹא סָבִיר
impromptu *adv* בְּאִלְתּוּר, כִּלְאַחַר יָד
impromptu *adj, n* מְאוּלְתָּר
improper *adj* לֹא מַתְאִים; לֹא נָכוֹן, לֹא הוֹגֵן
improve *vt, vi* שִׁיפֵּר, הִשְׁבִּיחַ; הִשְׁתַּפֵּר
improvement *n* שִׁיפּוּר, הַשְׁבָּחָה
improvident *adj* אֵינוֹ רוֹאֶה מֵרֹאשׁ; מְבַזְבֵּז
improvise *vt, vi* אִלְתֵּר
imprudent *adj* לֹא זָהִיר, פָּזִיז
impudence *n* חוּצְפָּה
impudent *adj* חָצוּף, חוּצְפָּן
impugn *vt* הִטִּיל חֲשָׁד בּ...
impulse *n* דַּחַף; מִתְקָף
impulsive *n* שֶׁבְּדַחַף; פָּזִיז, אִימְפּוּלְסִיבִי
impunity *n* חוֹסֶר עוֹנֶשׁ
impure *adj* לֹא טָהוֹר; טָמֵא
impurity, impureness *n* אִי־טוֹהֳרָה
impute *vt* יִיחֵס (אשמה), טָפַל
in *prep, adv, n, adj* בּ..., בְּתוֹךְ; פְּנִימָה; בַּבַּיִת
inability *n* אִי־יְכוֹלֶת
inaccessible *adj* לֹא נָגִישׁ
inaccuracy *n* אִי־דִיוּק
inaccurate *adj* לֹא מְדוּיָּק
inaction *n* מֶחְדָּל; בַּטָּלָה
inactive *adj* לֹא פָּעִיל; נִרְפֶּה
inactivity *n* מֶחְדָּל, אִי־פְּעוּלָּה
inadequate *adj* לֹא כָּשִׁיר; לֹא מַסְפִּיק
inadvertent *adj* שֶׁלֹּא בְּכַוָּונָה; רַשְׁלָנִי
inadvisable *adj* לֹא רָצוּי, לֹא כְּדָאִי
inane *adj, n* רֵיק, שְׁטוּתִי; רֵיקוּת
inanimate *adj* לֹא חַי, דּוֹמֵם
inappreciable *adj* לֹא נִיכָּר
inappropriate *adj* לֹא מַתְאִים, לֹא כַּשּׁוּרָה
inarticulate *adj* עִילֵּג; מְגוּמְגָם; מְגַמְגֵם
inartistic *adj* לֹא אוֹמָנוּתִי
inasmuch (as) *conj* הוֹאִיל וְ...
inattentive *adj* לֹא מַקְשִׁיב; זוֹנֵחַ
inaugural *adj, n* שֶׁל פְּתִיחָה; נְאוּם פְּתִיחָה
inaugurate *vt* פָּתַח רִשְׁמִית; הִכְנִיס לְתַפְקִיד בְּטֶקֶס
inauguration *n* פְּתִיחָה רִשְׁמִית
inborn *adj* שֶׁמִּלֵּידָה
inbreeding *n* הַרְבָּעָה שֶׁל בַּעֲלֵי־חַיִּים מֵאוֹתוֹ סוּג
inc. *abbr* inclosure, included, including, incorporated, increase
Inca *n* אִינְקָה
incandescent *adj* זוֹהֵר, לוֹהֵט
incapable *adj* חֲסַר יְכוֹלֶת; לֹא מְסוּגָּל
incapacitate *vt* הֶחֱלִישׁ; שָׁלַל כּוֹשֶׁר
incapacity *n* אִי־יְכוֹלֶת; אִי־כְּשִׁירוּת
incarcerate *vt* אָסַר, כָּלָא
incarnate *vt, adj* גִּישֵּׁם; גִּילֵּם
incarnation *n* הַעֲלָאַת בָּשָׂר, הִתְגַּשְּׁמוּת
incendiarism *n* הַצָּתָה זְדוֹנִית
incendiary *adj, n* מַצִּית; מְגָרֶה
incense *vt* הִקְטִיר; הִרְגִּיז
incense *n* קְטוֹרֶת
incense burner *n* מַקְטֶרֶת, מַקְטֵר
incentive *adj, n* מְעוֹרֵר, מְגָרֶה; תַּמְרִיץ

inception *n* הַתְחָלָה, רֵאשִׁית
incertitude *n* אִי־בִּיטָּחוֹן
incessant *adj* לֹא פּוֹסֵק
incest *n* גִילוּי־עֲרָיוֹת
incestuous *adj* שֶׁבְּגִילוּי־עֲרָיוֹת
inch *n* אִינְץ׳; קוֹרֶט
inch *vt, vi* הֵנִיעַ לְאִטּוֹ; נָע לְאִטּוֹ
incidence *n* תְּחוּלָה
incident *adj* עָשׂוּי לָחוּל; קָשׁוּר ל...
incident *n* מִקְרֶה, תַּקְרִית
incidental *adj* מִקְרִי, צְדָדִי
incidental *n* מִקְרֶה, אֵירוּעַ
incidentally *adv* בְּמִקְרֶה, אַגַּב
incipient *adj* מַתְחִיל, מְבַצְבֵּץ
incision *n* חָתָךְ; חִיתּוּךְ
incisive *adj* חַד, חוֹדֵר
incite *vt* הֵסִית, שִׁיסָּה
incl. *abbr* inclosure, inclusive
inclemency *n* אִי־רַחֲמָנוּת
inclement *adj* לֹא רַחֲמָנִי
inclination *n* נְטִיָּה, פְּנִיָּה; מוֹרָד
incline *n, vt, vi* שִׁיפּוּעַ; הִטָּה; נָטָה
inclose *vt* סָגַר עַל, גָּדַר, צֵירֵף (בְּמִכְתָּב)
inclosure *n* מִגְרָשׁ גָּדוּר; גָּדֵר; רָצוּף
include *vt* הֵכִיל, כָּלַל
including *adv* כּוֹלֵל, לְרַבּוֹת
inclusive *adj* כּוֹלֵל, וְעַד בִּכְלָל
incognito *adj, adv, n* בְּעִילוּם־שֵׁם; עֲלוּם־שֵׁם
incoherent *adj* מְבוּלְבָּל; לֹא אָחִיד
incombustible *adj* לֹא דָלִיק
income *n* הַכְנָסָה
income-tax *n* מַס הַכְנָסָה
income-tax return *n* דוּ״חַ מַס הַכְנָסָה
incoming *adj, n* נִכְנָס
incomparable *adj* שֶׁאֵין דּוֹמֶה לוֹ
incompatible *adj, n* מְנוּגָּד, לֹא מַתְאִים
incompetent *adj* לֹא מוּכְשָׁר, לֹא מְסוּגָּל
incomplete *adj* לֹא שָׁלֵם; פָּגוּם
incomprehensible *adj, n* לֹא מוּבָן
inconceivable *adj* שֶׁאֵין לְהַעֲלוֹת עַל הַדַּעַת
inconclusive *adj* לֹא מַסְקָנִי, לְלֹא תּוֹצָאוֹת
incongruous *adj* לֹא תּוֹאֵם
inconsequential *adj* לְלֹא תּוֹצָאוֹת; לֹא עָקִיב; לֹא רָצִיף
inconsiderate *adj* לֹא מִתְחַשֵּׁב
inconsistency *n* אִי־הַתְאָמָה; אִי־עֲקִיבוּת
inconsistent *adj* לֹא מַתְאִים; לֹא עָקִיב
inconsolable *adj* שֶׁאֵינוֹ מִתְנַחֵם
inconspicuous *adj* לֹא נִיכָּר; לֹא בּוֹלֵט
inconstant *adj* לֹא יַצִּיב, הֲפַכְפַּךְ
incontinent *adj* לֹא מַבְלִיג, לֹא מִתְאַפֵּק
inconvenience *n, vt* אִי־נוֹחוּת; גָּרַם אִי־נוֹחוּת
inconvenient *adj* לֹא נוֹחַ
incorporate *vt, vi* אִיחֵד; הִכְלִיל; יִיסֵּד חֶבְרַת מְנָיוֹת
incorporation *n* הַכְלָלָה; אִיחוּד; הֲקָמַת חֶבְרַת מְנָיוֹת
incorrect *adj* לֹא נָכוֹן, מוּטְעֶה
increase *vt, vi* הִגְדִּיל; הִרְבָּה; גָּדַל
increase *n* הוֹסָפָה, תּוֹסֶפֶת; הַגְדָּלָה

increasingly *adv* בְּמִידָּה גְדֵלָה וְהוֹלֶכֶת

incredible *adj* שֶׁלֹּא יֵיאָמֵן

incredulous *adj* סַפְקָנִי

increment *n* הַגְדָּלָה, תּוֹסֶפֶת

incriminate *vt* הִפְלִיל

incrimination *n* הַפְלָלָה

incrust *vt* כִּיסָּה בְּקְרוּם קָשֶׁה

incubate *vi*, *vt* דָּגְרָה; הִדְגִּיר

incubator *n* מַדְגֵּרָה, אִינְקוּבָּטוֹר

inculcate *vt* הִשְׁרִישׁ, הִנְחִיל

incumbency *n* הַחְזָקַת מִשְׂרָה

incumbent *adj*, *n* מוּטָל עַל; נוֹשֵׂא מִשְׂרָה

incunabula *n pl* שְׁלַבִּים רִאשׁוֹנִיִּים; אִינְקוּנַבּוּלוֹת

incur *vt* נִפְגַּע בְּ..., נִכְנַס לְ...

incurable *adj*, *n* חֲשׂוּךְ מַרְפֵּא

incursion *n* פְּלִישָׁה, פְּשִׁיטָה

ind. *abbr* independent, industrial

indebted *adj* חַיָּב; מַחֲזִיק טוֹבָה

indecency *n* אִי־הֲגִינוּת; אִי־צְנִיעוּת

indecent *adj* לֹא הָגוּן, גַּס

indecisive *adj* הַסְסָנִי

indeclinable *adj*, *n* לֹא נִיטֶּה

indeed *adv*, *interj* בֶּאֱמֶת, לְמַעֲשֶׂה

indefatigable *adj* לֹא מִתְעַיֵּיף

indefensible *adj* שֶׁאִי־אֶפְשָׁר לְהַצְדִּיקוֹ

indefinable *adj* לֹא נִיתָּן לְהַגְדָּרָה

indefinite *adj* לֹא מְדוּיָּק, סָתוּם; סְתָמִי

indelible *adj* לֹא מָחִיק

indelicate *adj* לֹא עָדִין; לֹא טַקְטִי

indemnification *n* תַּשְׁלוּם פִּיצּוּיִים; פְּטוֹר

indemnify *vt* פִּיצָּה, שִׁיפָּה

indemnity *n* תַּשְׁלוּם נֶזֶק, פִּיצּוּי

indent *vt* שִׁינֵּן; הִפְנִים (שורה)

indent *n* שִׁינּוּן; פְּרִיצָה; הַזְמָנָה

indentation *n* שִׁינּוּן; הַפְנָמָה

indenture *n* הֶסְכֵּם בִּכְתָב (בעיקר בהעסקת שוליה)

indenture *vt* קָשַׁר בְּהֶסְכֵּם בִּכְתָב

independence *n* אִי־תְּלוּת, עַצְמָאוּת

independency *n* אִי־תְּלוּת, עַצְמָאוּת

independent *adj*, *n* לֹא תָּלוּי, עַצְמָאִי

indescribable *adj* שֶׁאֵין לְתָאֲרוֹ

indestructible *adj* שֶׁאֵין לְהָרְסוֹ

indeterminate *adj* לֹא בָּרוּר; לֹא קָבוּעַ

index *n* מַפְתֵּחַ, מַדָּד (*pl* indexes *or* indices)

index *vt* עָרַךְ מַפְתֵּחַ, מִפְתֵּחַ

index card *n* כַּרְטִיס שֶׁל כַּרְטֶסֶת

index finger *n* הָאֶצְבַּע הַמַּרְאָה

index tab *n* תָּוִית אִינְדֶקְס

India *n* הוֹדוּ

India ink *n* דְּיוֹת, 'טוּשׁ'

Indian *adj* הוֹדִי; אִינְדִיאָנִי

Indian club *n* אַלַּת הִתְעַמְּלוּת

Indian corn *n* תִּירָס

Indian file *n* טוּר עוֹרְפִּי

Indian Ocean *n* הָאוֹקְיָינוֹס הַהוֹדִי

India-rubber *n* גּוּמִי

indicate *vt* הֶרְאָה, הִצְבִּיעַ; סִימֵּן

indication *n* סִימָן, סֶמֶל; הַצְבָּעָה

indicative *adj* מְצַיֵּין

indicative mood *n* דֶּרֶךְ הַחִיוּוּי

indicator *n* מַרְאֶה, מְכַוֵּון; מָחוֹג

indict *vt* הֶאֱשִׁים

indictment *n* הַאֲשָׁמָה; כְּתַב אִישׁוּם
indifferent *adj* אָדִישׁ; רַשְׁיל
indigenous *adj* יָלִיד, יְלִידִי
indigent *adj* עָנִי
indigestible *adj* לֹא עַכִּיל
indigestion *n* אִי־עִיכּוּל, אִי־עַכִּילוּת
indignant *adj* מְמוּרמָר, זוֹעֵם
indignation *n* הִתמַרמְרוּת
indignity *n* פְּגִיעָה בְּכָבוֹד
indigo *n* צֶבַע כָּחוֹל, אִינדִיגוֹ
indirect *adj* לֹא יָשָׁר, לֹא יָשִׁיר
indiscernible *adj* לֹא נִיכָּר, סָמוּי
indiscreet *adj* לֹא זָהִיר; פַּטפְּטָנִי
indispensable *adj* שֶׁאֵין לְווַתֵּר עָלָיו
indispose *vt* פָּגַע בַּמַּצָּב הַתָּקִין שֶׁל
indisposed *adj* לֹא בְּקַו הַבְּרִיאוּת
indissoluble *adj* לֹא מָסִיס
indistinct *adj* לֹא בָּרוּר, מְעוּרפָּל
indite *vt* חִיבֵּר (נאום וכד׳)
individual *adj* יְחִידָנִי
individual *n* יָחִיד
individuality *n* ייִחוּד; אוֹפִי מְיוּחָד
Indo-China *n* הוֹדוּ־סִין
Indo-Chinese *adj*, *n* הוֹדוּ־סִינִי
indoctrinate *vt* דִקטְרֵן, לִימֵּד
Indo-European *adj* הוֹדוּ־אֵירוֹפִּי
indolent *adj* עַצלָנִי
Indonesia *n* אִינדוֹנֶזיָה
Indonesian *adj*, *n* אִינדוֹנֵזִי
indoor *adj* פְּנִימִי, בֵּיתִי
indoors *adv* בַּבַּיִת
indorse *vt* אִישֵׁר; הֵסֵב
indorsee *n* מוּסָב
indorsement *n* הֲסָבָה
indorser *n* מֵסֵב

induce *vt* הִשׁפִּיעַ עַל; פִּיתָּה
inducement *n* פִּיתּוּי
induct (into) *vt* גִּייֵּס, חִייֵּל
induction *n* הַשׁרָאָה; אִינדוּקציָה
indulge *vi*, *vt* הִתמַכֵּר; פִּינֵּק
indulgence *n* הִתמַכְּרוּת; פִּיוּס; סוֹבְלָנוּת
indulgent *adj* נוֹחַ, סוֹבְלָנִי
industrial *adj* תַּעֲשִׂיָּתִי
industrialist *n* תַּעֲשִׂיָּן
industrialize *vt* תִּיעֵשׁ
industrious *adj* חָרוּץ
industry *n* תַּעֲשִׂיָּה; חָרִיצוּת
inebriation *n* שִׁכרוּת
inedible *adj* לֹא אָכִיל
ineffable *adj* שֶׁלֹּא יְבוּטָּא; לֹא יְתוֹאַר
ineffective *adj* לֹא מוֹעִיל
ineffectual *adj* לֹא יָעִיל
inefficacious *adj* לֹא מוֹעִיל
inefficacy *n* אִי־יְעִילוּת
inefficient *adj* לֹא יָעִיל
ineligible *adj*, *n* לֹא רָאוּי לִבחִירָה; פָּסוּל
inequality *n* אִי־שִׁוויוֹן
inequity *n* אִי־צֶדֶק, אִי־יוֹשֶׁר
ineradicable *adj* לֹא נִיתָּן לִמחִיָּה
inertia *n* אִי־פְּעוּלָּה, הֶתמֵד
inescapable *adj* שֶׁאֵין לְהִימָּנַע מִמֶּנּוּ
inevitable *adj* בִּלתִּי־נִמנָע
inexact *adj* לֹא מְדוּיָּק
inexcusable *adj* שֶׁלֹּא ייִסָּלֵחַ
inexhaustible *adj* לֹא אַכזָב
inexorable *adj* לֹא מְרַחֵם; שֶׁאֵין לְשַׁנּוֹתוֹ
inexpedient *adj* לֹא כְּדָאִי

inexpensive *adj* זוֹל
inexperience *n* חוֹסֶר נִיסָּיוֹן
inexplicable *adj* שֶׁאֵין לְבָאֲרוֹ
inexpressible *adj* שֶׁאֵין לְבַטְּאוֹ
Inf. *abbr* Infantry
infallible *adj, n* שֶׁאֵינוֹ שׁוֹגֶה
infamous *adj* נוֹדָע לִגְנַאי
infamy *n* אִי־כָּבוֹד
infancy *n* יַלְדוּת, יַנְקוּת
infant *n* עוֹלָל
infantile *adj* יַלְדוּתִי
infantry *n* חֵיל־רַגְלִים
infantryman *n* חַיָּל רַגְלִי
infatuated *adj* מוּקְסָם, מְאוֹהָב אַהֲבָה עִיוֶּרֶת
infect *vt, vi* אִילֵּחַ, הִדְבִּיק בְּמַחֲלָה; הִשְׁפִּיעַ
infection *n* אִילּוּחַ, זִיהוּם
infectious *adj* מִידַּבֵּק
infer *vt, vi* הִסִּיק; הִקִּישׁ
inferior *adj, n* נָחוּת, נוֹפֵל בְּעֶרְכּוֹ; נְחוּת דַּרְגָּה
inferiority *n* נְחִיתוּת
inferiority complex *n* תַּסְבִּיךְ נְחִיתוּת
infernal *adj* שְׁאוֹלִי; אַכְזָרִי
infest *vt* שָׁרַץ בּ...
infidel *adj, n* כּוֹפֵר
infidelity *n* אִי־נֶאֱמָנוּת; בְּגִידָה
infield *n* (בְּבֵייסבּוֹל) שֶׁטַח הַמִּשְׂחָק
infiltrate *vt, vi* סִינֵּן; הִסְתַּנֵּן
infinite *adj, n* אֵין־סוֹפִי; אֵין־סוֹף
infinitive *adj, n* שֶׁל מָקוֹר; מָקוֹר
infinity *n* אֵין־סוֹף; נֶצַח
infirm *adj* חָלוּשׁ; חוֹלֶה
infirmary *n* בֵּית־חוֹלִים, מִרְפָּאָה
infirmity *n* חוּלְשָׁה; מֵחוֹשׁ; הִיסּוּס
infix *vt* קָבַע, תָּקַע
infix *n* תּוֹכִית, אִינְפִיקְס
inflame *vt, vi* הִדְלִיק; הֵסִית; הִשְׁתַּלְהֵב
inflammable *adj* דָּלִיק
inflammation *n* דַּלֶּקֶת; הִתְלַקְּחוּת
inflate *vt, vi* נִיפֵּחַ; הִתְנַפֵּחַ
inflation *n* נִיפּוּחַ; אִינְפְלַצְיָה
inflect *vt, vi* כָּפַף; הִטָּה
inflection *n* הַטָּיָה; כְּפִיפָה
inflexible *adj* לֹא גָמִישׁ, נוּקְשֶׁה
inflict *vt* גָּרַם (אבידות וכד׳); הִטִּיל (עוֹנשׁ וכד׳)
influence *n* הַשְׁפָּעָה, ׳פְּרוֹטֶקְצִיָה׳
influence *vt* הִשְׁפִּיעַ עַל
influent *adj, n* זוֹרֵם אֶל; יוּבַל
influential *adj* בַּעַל הַשְׁפָּעָה
influenza *n* שַׁפַּעַת
inform *vt* הוֹדִיעַ, מָסַר; הִלְשִׁין
informal *adj* לֹא רִשְׁמִי
information *n* מֵידָע, אִינְפוֹרְמַצְיָה
informational *adj* שֶׁל אִינְפוֹרְמַצְיָה
informed sources *n pl* מְקוֹרוֹת יוֹדְעֵי דָבָר
infraction *n* שְׁבִירָה; הֲפָרָה (של הסכם, של חוק וכד׳)
infra-red *adj* אִינְפְרָה־אָדוֹם
infrequent *adj* לֹא תָּדִיר, נָדִיר
infringe *vt* עָבַר, הֵפֵר
infringement *n* עֲבֵירָה, הֲפָרָה
infuriate *vt* הִקְצִיף
infuse *vt, vi* מִילֵּא, יָצַק אֶל, עֵירָה
infusion *n* מִילּוּי, יְצִיקָה
ingenious *adj* מְחוּכָּם

ingenuity *n* שְׁנִינוּת, כּוֹחַ הַמְּצָאָה
ingenuous *adj* כֵּן, יָשָׁר; תָּמִים
ingenuousness *n* כֵּנוּת, יוֹשֶׁר; תְּמִימוּת
ingest *vt* הִכְנִיס מָזוֹן לַקֵּיבָה
ingoing *adj, n* נִכְנָס
ingot *n* מְטִיל יָצוּק
ingraft *vt* הִרְכִּיב; נָטַע
ingrate *adj, n* כְּפוּי־טוֹבָה
ingratiate *vt* קָנָה אַהֲבַת הַזּוּלַת
ingratiating *adj* מִתְחַנֵּף
ingratitude *n* כְּפִיַּית טוֹבָה
ingredient *n* מַרְכִּיב
ingrowing nail *n* צִיפּוֹרֶן חוֹדֶרֶת לַבָּשָׂר
inhabit *vt* דָּר בּ...، חַי בּ...
inhabitant *n* תּוֹשָׁב, דַּיָּיר
inhale *vt* שָׁאַף
inherent *adj* טִבְעִי, עַצְמִי
inherit *vt* יָרַשׁ
inheritance *n* יְרוּשָּׁה
inheritor *n* יוֹרֵשׁ
inhibit *vt* עִיכֵּב, מָנַע
inhibition *n* עַכָּבָה
inhospitable *adj* לֹא מַסְבִּיר פָּנִים
inhuman *adj* לֹא אֱנוֹשִׁי, אַכְזָרִי
inhumane *adj* לֹא אֱנוֹשִׁי
inhumanity *n* חוֹסֶר רֶגֶשׁ אֱנוֹשִׁי
inimical *adj* מְנוּגָּד, מַזִּיק
iniquity *n* עָוֶול
initial *adj* רִאשׁוֹנִי, רָאשִׁי
initial *vt* חָתַם בְּרָאשֵׁי־תֵּיבוֹת
initial *n* רֹאשׁ תֵּיבָה
initiate *vt* הִתְחִיל בּ...; יָזַם
initiation *n* הִתְקַבְּלוּת רִשְׁמִית
initiative *n* יוֹזְמָה

inject *vt* הִזְרִיק; הִכְנִיס
injection *n* זְרִיקָה; הַכְנָסָה
injudicious *adj* לֹא נָבוֹן
injunction *n* צַו; צַו מוֹנֵעַ
injure *vt* פָּצַע, הִזִּיק; פָּגַע
injurious *adj* מַזִּיק
injury *n* פֶּצַע; הֶיזֵּק, נֶזֶק
injustice *n* אִי־צֶדֶק
ink *n, vt* דְּיוֹ; סִימֵּן בִּדְיוֹ; כִּיסָּה בִּדְיוֹ
inkling *n* רֶמֶז
inkstand *n* דְּיוֹתָה
inkwell *n* קֶסֶת
inlaid *adj* מְשׁוּבָּץ, חָרוּט
inland *n, adj, adv* (שֶׁל) פְּנִים הָאָרֶץ
in-law *n* קָרוֹב מִשְׁפָּחָה מִכּוֹחַ נִישּׂוּאִין
inlay *vt, n* שִׁיבֵּץ; שִׁיבּוּץ
inlet *n* מִפְרָץ קָטָן
inmate *n* דַּיָּיר
inn *n* פּוּנְדָּק, אַכְסַנְיָה
innate *adj* מוּטְבָּע, טָבוּעַ; פְּנִימִי
inner *adj* פְּנִימִי, תּוֹכִי
inner-spring mattress *n* מִזְרָן קְפִיצִים
inner tube *n* אַבּוּב 'פְּנִימִי'
inning *n sing, pl* מַחֲזוֹר
innkeeper *n* פּוּנְדְּקִי
innocence *n* חַפּוּת מִפֶּשַׁע, תּוֹם
innocent *adj, n* חַף מִפֶּשַׁע, תָּמִים
innovate *vi* חִידֵּשׁ, הִמְצִיא
innovation *n* חִידּוּשׁ, הַמְצָאָה
innuendo *n* רֶמֶז גְּנַאי
innumerable *adj* רַב מִסְפּוֹר
inoculate *vt, vi* הִרְכִּיב נַסְיוֹב
inoculation *n* הַרְכָּבַת נַסְיוֹב
inoffensive *adj* לֹא מַזִּיק
inopportune *adj* לֹא בְּעִתּוֹ

inordinate *adj* מוּפְרָז, לֹא מְרוּסָּן
inorganic *adj* אִי־אוֹרְגָנִי
input *n* כּוֹחַ; קֶלֶט (בְּמכוֹנה)
inquest *n* תַּחְקִיר, חֲקִירַת סִיבַּת מָוֶת
inquire, enquire *vt, vi* שָׁאַל, חָקַר
inquirer *n* חוֹקֵר
inquiry, enquiry *n* חֲקִירָה וּדְרִישָׁה
inquisition *n* חֲקִירָה
inquisitive *adj* סַקְרָנִי
inroad *n* הַסָּגַת גְּבוּל
ins. *abbr* insulated, insurance
insane *adj* לֹא שָׁפוּי
insanely *adv* בְּשִׁיגָּעוֹן
insanity *n* אִי־שְׁפִיוּת
insatiable *adj* שֶׁאֵינוֹ יוֹדֵעַ שׂוֹבְעָה
inscribe *vt* רָשַׁם; חָקַק
inscription *n* כְּתוֹבֶת; חֲקִיקָה
inscrutable *adj* שֶׁאֵין לַהֲבִינוֹ
insect *n* חָרָק
insecticide *n* קוֹטֵל חֲרָקִים
insecure *adj* חֲסַר בִּיטָּחוֹן עַצְמִי, רָעוּעַ
inseparable *adj* שֶׁלֹּא יִינָּתֵק
insert *vt, n* הִכְנִיס; הַבְלָעָה; מוֹדָעָה
insertion *n* קְבִיעָה; הַכְנָסָה; תּוֹסֶפֶת
inset *n* הַבְלָעָה; מִילּוּאָה
inset *vt* שָׂם בּ...
inshore *adv, adj* סָמוּךְ לַחוֹף
inside *adj, n* פְּנִימִי; פְּנִים
inside *adv* פְּנִימָה
inside *prep* בְּתוֹךְ, בּ...
inside information *n* יְדִיעָה פְּנִימִית
insider *n* יוֹדֵעַ דָּבָר
insidious *adj* מִתְגַּנֵּב, מַפִּיל בְּרֶשֶׁת
insight *n* תּוֹבָנָה

insignia *n pl* סִימָנֵי דַּרְגָּה, עִיטּוּרִים
insignificant *adj* שֶׁל מַה־בְּכָךְ
insincere *adj* לֹא כֵּן, לֹא יָשָׁר
insinuate *vt, vi* רָמַז בְּעוֹרְמָה; הִגְנִיב
insipid *adj* תָּפֵל, חֲסַר טַעַם
insist *vi* עָמַד עַל, דָּרַשׁ בְּתוֹקֶף
insofar *adv* בְּמִידָּה שֶׁ...
insolence *n* חוּצְפָּה
insolent *adj* חָצוּף
insoluble *adj* לֹא מָסִיס; לֹא פָּתִיר
insolvency *n* פְּשִׁיטַת־רֶגֶל
insomnia *n* חוֹסֶר שֵׁינָה
insomuch *adv* בְּמִידָּה; כָּךְ שֶׁ...
inspect *vt* פִּיקֵּחַ; בָּדַק, בָּחַן
inspection *n* פִּיקּוּחַ; בְּדִיקָה
inspiration *n* הַשְׁרָאָה; הִתְלַהֲבוּת
inspire *vt, vi* עוֹרֵר רוּחַ; הִשְׁרָה
inspiring *adj* מַלְהִיב
inst. *abbr* instant
Inst. *abbr* Institute, Institution
instability *n* אִי־יַצִּיבוּת
install *vt* הִתְקִין, קָבַע; הִכְנִיס לְמִשְׂרָה
installment *n* תַּשְׁלוּם חֶלְקִי; הֶמְשֵׁךְ
installment buying *n* רְכִישָׁה בְּתַשְׁלוּמִים
installment plan *n* תָּכְנִית רְכִישָׁה בְּתַשְׁלוּמִים
instance *n* דּוּגְמָה; סַמְכוּת; אִינְסְטַנְצְיָה
instance *vt* הִדְגִּים
instant *adj* מִיָּדִי
instant *n* רֶגַע
instantaneous *adj* מִיָּדִי
instantly *adv* מִיָּד
instead *adv* בִּמְקוֹם
instep *n* גַּב הָרֶגֶל

instigate *vt* הֵסִית, גֵּירָה

instill *vt* הֶחְדִּיר, שִׁינֵּן; טִפְטֵף

instinct *n* חוּשׁ טִבְעִי, אִינְסְטִינְקְט

instinctive *adj* יִצְרִי, אִינְסְטִינְקְטִיבִי

institute *vt* יָסַד, הֵקִים

institute *n* מָכוֹן

institution *n* מוֹסָד

instruct *vt* הִדְרִיךְ, לִימֵּד

instruction *n* לִימּוּד; הוֹרָאָה

instructive *adj* מְאַלֵּף

instructor *n* מַדְרִיךְ

instrument *n* מַכְשִׁיר; אֶמְצָעִי

instrumentalist *n* נַגָּן

instrumentality *n* אֶמְצָעוּת; עֶזְרָה

insubordinate *n* לֹא כָּנִיעַ, פּוֹרֵק עוֹל

insufferable *adj* לֹא נִסְבָּל

insufficient *adj* לֹא מַסְפִּיק

insular *adj* אִיִּי; שׁוֹכֵן בְּאִי; צַר אוֹפֶק

insulate *vt* בִּידֵּד; בּוֹדֵד

insulation *n* בִּידּוּד

insulator *n* מַבְדֵּד

insulin *n* אִינְסוּלִין

insult *vt* הֶעֱלִיב, פָּגַע ב...

insult *n* עֶלְבּוֹן, פְּגִיעָה

insurance *n* בִּיטּוּחַ

insure *vt* בִּיטַּח; הִבְטִיחַ

insurer *n* מְבַטֵּחַ

insurgent *n* מִתְקוֹמֵם

insurmountable *adj* שֶׁאֵין לְהִתְגַּבֵּר עָלָיו

insurrection *n* הִתְקוֹמְמוּת, מְרִידָה

insusceptible *adj* לֹא מִתְרַשֵּׁם

int. *abbr* interest, interior, internal, international

intact *adj* שָׁלֵם, לֹא נִיזָּק

intake *n* כְּנִיסָה; הַכְנָסָה

intake manifold *n* סַעֶפֶת הַשְּׁאִיבָה

intake valve *n* שַׁסְתּוֹם כְּנִיסָה

intangible *adj* לֹא מָשִׁישׁ; לֹא מוּחָשׁ

integer *n* מִסְפָּר שָׁלֵם

integral *adj* לֹא נִפְרָד; שָׁלֵם, אִינְטֶגְרָלִי

integration *n* הִתְכַּלְּלוּת, מִיזּוּג

integrity *n* שְׁלֵמוּת

intellect *n* שֵׂכֶל, בִּינָה

intellectual *adj, n* (שֶׁל) אִישׁ־רוּחַ

intellectuality *n* כּוֹשֶׁר בִּינָה

intelligence *n* בִּינָה, הֲבָנָה; מוֹדִיעִין

intelligence bureau *n* אֲגַף מוֹדִיעִין

intelligence quotient (I.Q.) *n* מְנַת הַמִּשְׂכָּל

intelligent *adj* נָבוֹן, אִינְטֶלִיגֶנְטִי

intelligentsia *n* אַנְשֵׁי־רוּחַ

intelligible *adj* מוּבָן, נִתְפָּס

intemperance *n* אִי־מְתִינוּת

intemperate *adj* לֹא מָתוּן, מַפְרִיז

intend *vt* נָטָה, הִתְכַּוֵּון

intendance *n* הַשְׁגָּחָה, הַחְזָקָה

intendant *n* מַשְׁגִּיחַ

intended *adj, n* מְכוּוָּן, מְיוּעָד

intense *adj* חָזָק; עַז; מְאוּמָּץ

intensity *n* עוֹצְמָה; חוֹזֶק

intensive *adj* חָזָק, נִמְרָץ

intent *adj* מְאוּמָּץ; מְכוּוָּן

intent *n* כַּוָּונָה, מַטָּרָה

intention *n* כַּוָּונָה, מַטָּרָה

intentional *adj* שֶׁבְּמֵזִיד

inter *vt* קָבַר, טָמַן

interact *vi* פָּעֲלוּ הֲדָדִית

interaction *n* פְּעוּלָּה הֲדָדִית

inter-American *adj* בֵּין־אֲמֵרִיקָנִי
interbreed *vt* הִכְלִיא
intercalate *vt* הִבְלִיעַ, שָׂם בֵּין
intercede *vi* הִשְׁתַּדֵּל בְּעַד
intercept *vt* תָּפַס בַּדֶּרֶךְ, יָרַט
interceptor *n* עוֹצֵר, מְעַכֵּב; מָטוֹס מְיָרֵט
interchange *vt, vi* הֶחֱלִיף; הִתְחַלֵּף
interchange *n* חֲלִיפִין
intercollegiate *adj* בֵּין־אוּנִיבֶרְסִיטָאִי
intercom *n* תִּקְשׁוֹרֶת פְּנִימִית
intercourse *n* מַגָּע; מַגָּע וּמַשָּׂא
intercross *vt* חָצוּ זֶה אֶת זֶה; הִצְלִיב
interdict *vt* אָסַר, מָנַע
interdict *n* אִיסּוּר
interest *vt* עִנְיֵין
interest *n* עִנְיָין; תּוֹעֶלֶת; רִיבִּית
interested *adj* מִתְעַנְיֵין, מְעוּנְיָן; נֶהֱנֶה
interesting *adj* מְעַנְיֵין
interfere *vi* הִתְעָרֵב
interference *n* הִתְעָרְבוּת; הַפְרָעָה
interim *n, adj* תְּקוּפַת בֵּינַיִם; זְמַנִּי
interior *adj, n* פְּנִימִי; פְּנִים
interject *vt, vi* זָרַק בְּאֶמְצַע
interjection *n* זְרִיקָה אֶל תּוֹךְ; קְרִיאָה
interlard *vt* תִּיבֵּל
interline *vt* הוֹסִיף בֵּין הַשִּׁיטִין
interlining *n* בִּטְנָה פְּנִימִית
interlink *vt* רִיתֵּק
interlock *vt, vi* שִׁילֵּב; תָּאַם
interlock *n* שׁוֹלֵב
interlope *vi* נִדְחַק, הִתְעָרֵב
interloper *n* דּוֹחֵק אֶת עַצְמוֹ
interlude *n* נְגִינַת־בֵּינַיִם; מְאוֹרַע־בֵּינַיִם
intermarriage *n* נִישּׂוּאֵי תַּעֲרוֹבֶת
intermediary *adj, n* בֵּינַיִימִי; אֶמְצָעִי; מְתַוֵּךְ
interment *n* קְבוּרָה
intermezzo *n* אִינְטֶרְמֶצוֹ
intermingle *vt, vi* עֵירֵב; הִתְעָרֵב
intermittent *adj* סֵירוּגִי
intermix *vt, vi* בָּלַל; הִתְבּוֹלֵל
intern *vt, vi* כָּלָא בְּהֶסְגֵּר
intern(e) *n* רוֹפֵא פְּנִימוֹנִי
internal *adj* פְּנִימִי, תּוֹכִי
internal revenue *n* מִסֵּי הַמְּדִינָה
international *adj* בֵּין־לְאוּמִּי
international date line *n* קַו הַתַּאֲרִיךְ
internationalize *vt* בִּנְאֵם
internecine *adj* הַרְסָנִי אֲהַדָדִי
internee *n* כָּלוּא
internist *n* רוֹפֵא פְּנִימִי
internment *n* כְּלִיאָה
internship *n* תְּקוּפַת הִתְמַחוּת
interpellate *vt* הִגִּישׁ שְׁאִילְתָּה
interplay *n* פְּעוּלָּה הֲדָדִית
interpolate *vt* שִׁינָּה טֶקְסְט; שִׁרְבֵּב
interpose *vt, vi* שָׂם, עָמַד בֵּין
interpret *vt, vi* פֵּירֵשׁ, הִסְבִּיר; הֵבִין
interpreter *n* מְתוּרְגְּמָן; מְפָרֵשׁ
interrogate *vt, vi* חָקַר וְדָרַשׁ
interrogation *n* תַּחְקִיר
interrogation point (mark, note) *n* סִימַן שְׁאֵלָה
interrogative *adj* חוֹקֵר וְדוֹרֵשׁ
interrupt *vt, vi* הִפְסִיק; הִפְרִיעַ; שִׁיסֵּעַ
interscholastic *adj* שֶׁבְּמִסְפַּר בָּתֵּי־סֵפֶר תִּיכוֹנִיִּים
intersection *n* חֲצִיָּה; חִיתּוּךְ

intersperse *vt* זָרָה; שִׁיבֵּץ
interstice *n* מְרוּוַח־בֵּינַיִים
intertwine *vt, vi* שָׁזַר; הִשְׁתַּזֵּר
interval *n* הַפְסָקָה, הֲפוּגָה
intervene *vi* הִפְרִיעַ, הִתְעָרֵב
intervening *adj* בֵּינַיִים; מַפְרִיד
intervention *n* הִתְעָרְבוּת; חֲצִיצָה
interview *n* רֵיאָיוֹן
interview *vt, vi* רִאייֵן
interweave *vt* סָרַג, אָרַג
intestate *adj, n* לְלֹא צַוָּאָה
intestine *n* מֵעַיִים
intimacy *n* מַגָּע הָדוּק; סוֹדִיוּת; אִינְטִימִיוּת
intimate *adj, n* קָרוֹב, הָדוּק, אִינְטִימִי; יְדִיד קָרוֹב
intimate *vt* רָמַז; הוֹדִיעַ
intimation *n* רֶמֶז; הוֹדָעָה
intimidate *vt* הִפְחִיד; אִילֵּץ
into *prep* אֶל, אֶל תּוֹךְ
intolerant *adj, n* לֹא סוֹבְלָנִי
intombment *n* קְבוּרָה
intonation *n* הַנְגָּנָה, אִינְטוֹנַצְיָה
intone *vt* הִטְעִים, הִנְגִּין
intoxicant *n* מְשַׁכֵּר
intoxicate *vt* שִׁיכֵּר
intoxication *n* שִׁכְרוּת
intractable *adj* לֹא מְמוּשְׁמָע, סוֹרֵר
intransigent *n, adj* לֹא נוֹטֶה לְפְשָׁרָה, נוּקְשֶׁה
intransitive *n, adj* פּוֹעַל עוֹמֵד; עוֹמֵד (פּוֹעַל)
intrench *vi* הִתְחַפֵּר; הִסִּיג גְּבוּל
intrepid *adj* לְלֹא חַת
intrepidity *n* אִי־מוֹרָא, אוֹמֶץ

intricate *adj* מְסוּבָּךְ
intrigue *vi* סִכְסֵךְ; סִקְרֵן; זָמַם
intrigue *n* תַּחְבּוּלָה; מְזִימָּה; תְּכָכִים
intrinsic(al) *adj* עַצְמִי; פְּנִימִי
intrinsically *adv* בִּיסוֹדוֹ
introduce *vt* הִצִּיג; הֵבִיא, הִכְנִיס
introduction *n* מָבוֹא; הַכְנָסָה; הַצָּגָה
introductory, introductive *adj* מַצִּיג, מַקְדִים
introit *n* הַקְדָּמַת מִזְמוֹר
introspect *vt* הִסְתַּכֵּל לִפְנִימִיּוּתוֹ
introvert *n* מוּפְנָם
intrude *vi, vt* פָּרַץ, נִדְחַק, הִדְחִיק
intruder *n* נִדְחָק, לֹא קָרוּא
intrusive *adj* מַפְרִיעַ
intrust *vt* הִפְקִיד; הִטִּיל עַל
intuition *n* טְבִיעַת־עַיִן, אִינְטוּאִיצְיָה
inundate *vt* שָׁטַף, הֵצִיף
inundation *n* שְׁטִיפָה, הֲצָפָה
inure *vt, vi* הִרְגִּיל בּ...; נִכְנַס לְתוֹקֶף
inv. *abbr* inventor, invoice
invade *vt* פָּלַשׁ
invader *n* פּוֹלֵשׁ
invalid *adj* חֲסַר תּוֹקֶף
invalid *n, adj* חוֹלֶה, נָכֶה
invalidate *vt* פָּסַל, שָׁלַל תּוֹקֶף
invalidity *n* חוֹסֶר תּוֹקֶף
invaluable *adj* רַב־עֵרֶךְ
invariable *adj* לֹא מִשְׁתַּנֶּה
invasion *n* פְּלִישָׁה
invective *n* גִּידּוּף
inveigh *vi* הִתְקִיף בַּחֲרִיפוּת
inveigle *vt* פִּיתָּה
invent *vt* הִמְצִיא; חִידֵּשׁ
invention *n* הַמְצָאָה

inventive *adj*	בַּעַל כּוֹחַ הַמְצָאָה
inventiveness *n*	כִּשְׁרוֹן הַמְצָאָה
inventor *n*	מַמְצִיא
inventory *n, vt*	רְשִׁימַת פְּרִיטִים
inverse *adj, n*	הָפוּךְ, הוֹפְכִי; הֵפֶךְ
inversion *n*	הֲפִיכָה; סֵירוּס
invert *vt*	הָפַךְ
invert *adj, n*	הָפוּךְ
invertebrate *adj, n*	חֲסַר חוּלְיוֹת
invest *vt, vi*	הִשְׁקִיעַ; הֶעֱנִיק
investigate *vt*	חָקַר
investigation *n*	חֲקִירָה
investment *n*	הַשְׁקָעָה; מָצוֹר
investor *n*	מַשְׁקִיעַ הוֹן
inveterate *adj*	רָגִיל, מַתְמִיד
invidious *adj*	פּוֹגֵעַ, עוֹקְצָנִי
invigorate *vt*	הִגְבִּיר, הִמְרִיץ
invigoration *n*	חִיזּוּק, הַמְרָצָה
invincible *adj*	לֹא מְנוּצָּח
invisible *adj*	לֹא נִרְאֶה
invitation *n*	הַזְמָנָה
invite *vt*	הִזְמִין, קָרָא
inviting *adj*	מַזְמִין; מְפַתֶּה
invoice *n*	תְּעוּדַת מִשְׁלוֹחַ
invoice *vt*	הֵכִין חֶשְׁבּוֹן
invoke *vt*	קָרָא בִּתְפִילָּה; פָּנָה
involuntary *adj*	שֶׁלֹּא מֵרָצוֹן
involution *n*	לִיפּוּף, כִּיסּוּי; הִצְטַמְּקוּת
involve *vt*	גָּרַר, סִיבֵּךְ; הֶעֱסִיק
invulnerable *adj*	לֹא פָּגִיעַ
inward *adj, n, adv*	פְּנִימִי; פְּנִימָה
iodide *n*	יוֹדִיד
iodine *n*	יוֹד
ion *n*	יוֹן
ionize *vt, vi*	יוֹנֵן; הִתְיוֹנֵן
IOU, I.O.U. *n*	שְׁטַר־חוֹב
Iran *n*	אִירָן, פָּרַס
Iranian *adj, n*	אִירָנִי, פַּרְסִי; פַּרְסִית (השפה)
Iraq *n*	עִירָאק
Iraqi *adj, n*	עִירָאקִי
irate *adj*	כּוֹעֵס
ire *n*	כַּעַס
Ireland *n*	אִירְלַנְד
iris *n*	קַשְׁתִּית (העין); אִירוּס (פרח)
Irish *adj, n*	אִירִי, אִירִית
Irishman *n*	אִירִי
Irishwoman *n*	אִירִית
irk *vt, vi*	הִרְגִּיז
irksome *adj*	מַרְגִּיז, מַטְרִיד
iron *n*	בַּרְזֶל; מַגְהֵץ
iron *adj*	בַּרְזִילִי; שֶׁל בַּרְזֶל
iron *vt*	גִּיהֵץ
ironbound *adj*	עוֹטֶה בַּרְזֶל, מְשׁוּרְיָין
ironclad *n*	סְפִינַת שִׁרְיוֹן
ironclad *adj*	מְצוּפֶּה בַּרְזֶל
iron curtain *n*	מָסַךְ הַבַּרְזֶל
iron digestion *n*	קֵיבַת בַּרְזֶל
iron horse *n*	(דיבורית) רַכֶּבֶת
ironic, ironical *adj*	מְלַגְלֵג, אִירוֹנִי
ironing *n*	גִּיהוּץ
ironing board *n*	לוּחַ גִּיהוּץ
ironware *n*	כְּלֵי בַּרְזֶל וּמַתֶּכֶת
iron will *n*	רְצוֹן בַּרְזֶל
ironwork *n*	עֲבוֹדַת בַּרְזֶל
ironworker *n*	עוֹבֵד בַּרְזֶל
irony *n*	אִירוֹנְיָה, לִגְלוּג
irradiate *vt, vi*	הֵאִיר; חָשַׂף לְהַקְרָנָה
irrational *adj, n*	לֹא הֶגְיוֹנִי

irrecoverable *adj* שֶׁאֵין לְקַבְּלוֹ חֲזָרָה
irredeemable *adj* שֶׁאֵין לְהַחֲזִירוֹ
irrefutable *adj* שֶׁאֵין לְהַפְרִיכוֹ
irregular *adj*, *n* לֹא סָדִיר, חָרִיג
irrelevance, irrelevancy *n* אִי־שַׁיָּכוּת לָעִנְיָן
irrelevant *adj* לֹא שַׁיָּךְ לָעִנְיָן
irreligious *adj* לֹא דָתִי
irremediable *adj* שֶׁלְּלֹא תַּקָּנָה
irremovable *adj* לֹא נִיתָּן לְהַזָּזָה
irreparable *adj* לֹא נִיתָּן לְתִיקּוּן
irreplaceable *adj* שֶׁאֵין לוֹ תְּמוּרָה, שֶׁאֵין לוֹ תַּחֲלִיף
irrepressible *adj* לֹא מִתְרַסֵּן
irreproachable *adj* לְלֹא דוֹפִי
irresistible *adj* שֶׁאֵין לַעֲמוֹד בְּפָנָיו
irrespective *adj* לְלֹא הִתְחַשְּׁבוּת
irresponsible *adj* לֹא אַחֲרָאִי
irretrievable *adj* שֶׁאֵין לַהֲשִׁיבוֹ
irreverent *adj* חֲסַר רֶגֶשׁ כָּבוֹד
irrevocable *adj* שֶׁאֵין לְשַׁנּוֹתוֹ
irrigate *vt* הִשְׁקָה
irrigation *n* הַשְׁקָיָה
irritant *adj*, *n* מַרְגִּיז; סַם גֵּירוּי
irritate *vt* הִרְגִּיז, הִכְעִיס
irruption *n* פְּלִישָׁה; הִתְפָּרְצוּת
is. *abbr* island
isinglass *n* דֶּבֶק דָּגִים
isl. *abbr* island
Islam *n* אִיסְלָם
island *n*, *adj* אִי; אִיִּי, שֶׁל אִי
islander *n* יוֹשֵׁב אִי
isle *n* אִי קָטָן
isolate *vt* בּוֹדֵד; הִבְדִּיל
isolation *n* בִּידּוּד; הַבְדָּלָה; הֶסְגֵּר
isolationist *n* בַּדְלָן
isosceles *adj* שְׁוֵה־שׁוֹקַיִים
isotope *n* אִיזוֹטוֹפּ
Israel *n* יִשְׂרָאֵל, עַם יִשְׂרָאֵל; מְדִינַת יִשְׂרָאֵל
Israeli *adj*, *n* יִשְׂרְאֵלִי
Israelite *n* יְהוּדִי, יִשְׂרְאֵלִי
issuance *n* הַנְפָּקָה
issue *n* הוֹצָאָה, נִיפּוּק; בְּעָיָה; גִּילָּיוֹן; בֵּן
issue *vt*, *vi* הִנְפִּיק; הוֹצִיא; יָצָא
isthmus *n* מֵיצַר יַבָּשָׁה
it *pron* הוּא; לוֹ; אוֹתוֹ
ital. *abbr* italics
Ital. *abbr* Italian, Italy
Italian *adj*, *n* אִיטַלְקִי; אִיטַלְקִית (הַשָּׂפָה)
italic *n*, *adj* (שֶׁל) אוֹת כְּתָב
Italic *adj*, *n* אִיטַלְקִי
italicize *vt* הִדְפִּיס בְּאוֹתִיּוֹת קוּרְסִיב
Italy *n* אִיטַלְיָה
itch *n* גֵּירוּי; עִקְצוּץ
itch *vi* חָשׁ גֵּירוּי; חָשַׁק
itchy *adj* מְגָרֶה, מְגָרֵד
item *n* פְּרִיט; יְדִיעָה (בְּעִיתּוֹן)
itemize *vt* רָשַׁם פְּרָטִים
itinerant *adj*, *n* עוֹרֵךְ סִיבּוּב; נוֹדֵד
itinerary *n* מַסְלוּל סִיּוּר
its *pron*, *adj* שֶׁלּוֹ, שֶׁלָּהּ
it's – it is; it has
itself *pron* (שֶׁל) עַצְמוֹ
ivied *adj* מְכוּסֶּה קִיסוֹס
ivory *n* שֶׁנְהָב
ivy *n* קִיסוֹס

J

J, j גִ׳י (האות העשירית באלפבית)

J. *abbr* Judge, Justice

jab *vt* תָּקַע, נָעַץ

jabber *n, vi* פִּטפּוּט; פִּטפֵּט

jabot *n* צַוּוָארוֹן מַלמָלָה

jack *n* בָּחוּר (כלשהו); מַלָּח; מַגבֵּהַ

jack *vt, vi* הֵרִים, הִגבִּיהַּ

jackal *n* תַּן

jackanapes *n* יָהִיר

jackass *n* שׁוֹטֶה

jackdaw *n* עוֹרֵב אֵירוֹפִּי

jacket *n* זִיג, מִקטוֹרֶן; עֲטִיפָה (של ספר)

jackhammer *n* נַקֶּר

jack-in-the-box *n* מְזַנֵּק; זִיקוּק אֵשׁ

jackknife אוֹלָר גָּדוֹל

jack-of-all-trades *n* ׳מוּמחֶה׳ לַכּוֹל

jack-o'-lantern *n* אוֹר מַתעֶה

jackpot *n* קוּפָּה (במשחק קלפים)

jack-rabbit *n* אַרנָב גָּדוֹל

jackscrew *n* מַגבֵּהַ בּוֹרגִי

jackstone *n* אֶבֶן מִשׂחָק

jack-tar *n* (דיבורית) מַלָּח

jade *n* יַרקָן; סוּס תָּשׁוּשׁ; פְּרוּצָה

jade *vt* עִייֵּף

jaded *adj* עָייֵף

jag *n* שֵׁן, שֶׁן־סֶלַע

jag *vt* שִׁינֵּן

jagged *adj* חַדּוּדִי, מְשׁוּנָּן

jaguar *n* יָגוּאָר

jail *n* מַאֲסָר, כֶּלֶא

jail *vt* אָסַר, כָּלָא

jailbird *n* אָסִיר, פּוֹשֵׁעַ מוּעָד

jail delivery *n* בְּרִיחָה מִכֶּלֶא

jailor *n* סוֹהֵר

jalopy *n* מְכוֹנִית מְיוּשֶּׁנֶת

jam *n* רִיבָּה; הִידָּחֲקוּת; צָרָה; פְּקָק (תנועה)

jam *vt, vi* דָּחַק; נִדחָק; מִילֵּא (אולם וכד׳)

Jamaican *n, adj* גָ׳מַאיקָאִי

jamb *n* מְזוּזָה; מוֹק, שִׁריוֹן רֶגֶל

jamboree *n* גַ׳מבּוֹרִי, כִּינּוּס צוֹפִים

jamming *n* בִּילוּל; הַצרָמָה

jam nut *n* אוֹם חוֹסֶמֶת

jam-packed *adj* מָלֵא עַד אֶפֶס מָקוֹם

jam-session *n* מְסִיבַּת מוּסִיקָאִים

jangle *vi* צָרַם; הִתקוֹטֵט

jangle *n* צְרִימָה; קְטָטָה

janitor *n* חַצרָן, שׁוֹעֵר

janitress *n* חַצרָנִית, שׁוֹעֶרֶת

January *n* יָנוּאָר

Japan *n* יַפָּן

japan *n* לַכָּה יַפָּנִית

japan *vt* לִיכָּה (כנ״ל)

Japanese *n, adj* יַפָּנִי; יַפָּנִית (השׂפה)

Japanese beetle *n* חִיפּוּשִׁית יַפָּנִית

Japanese lantern *n* פַּנָּס יַפָּנִי

jar *n* צִנצֶנֶת; חֲרִיקָה, תַּצרוּם

jar *vi* חָרַק, צָרַם אוֹזֶן; הִתנַגֵּשׁ

jardinière *n* עָצִיץ

jargon *n* לְשׁוֹן עִילְּגִים, זַ׳רגוֹן; לָשׁוֹן מִקצוֹעִית

jasmine *n* יַסְמִין
jasper *n* יוֹשְׁפֵה
jaundice *n* צַהֶבֶת; רְאִיָּה מְעוּוֶתֶת
jaundiced *adj* חוֹלֵה צַהֶבֶת; אֲכוּל קִנְאָה
jaunt *n* טִיּוּל, מַסָּע
jaunt *vt* טִייֵל
jaunty *adj* עַלִּיז, קַלִּיל
Javanese *adj, n* יָאוָאנִי; לְשׁוֹן יָאוָוה
javelin *n* רוֹמַח
jaw *n* לֶסֶת; פֶּה
jaw *vi, vt* דִּיבֵּר, פִּטְפֵּט
jaw-bone *n* עֶצֶם הַלֶּסֶת
jaw-breaker *n* מִלָּה 'מְשַׁבֶּרֶת שִׁנַּיִים'
jay *n* עוֹרְבָנִי
jay-walk *vi* חָצָה כְּבִישׁ שֶׁלֹּא כַּהֲלָכָה
jaywalker *n* חוֹצֵה כְּבִישׁ (כנ"ל)
jazz *n* גֵ'אז
jazz *vt* נִיגֵּן גֵ'אז
J.C. *abbr* Jesus Christ, Julius Caesar
jct. *abbr* junction
jealous *adj* קַנָּאִי
jealousy *n* קִנְאָה
Jeanne d'Arc *n* זַ'אן דַ'ארק
jeans *n pl* מִכְנְסֵי־עֲבוֹדָה, גִ'ינס
jeep *n* ג'יפּ
jeer *vt, vi* לִגְלֵג
jeer *n* לִגלוּג
Jehovah *n* ה', שֵׁם הֲוָיָה
jell *vt* נִקְרַשׁ, נִקְפָּא; (דיבּוּרית) תָּפַס, הֵבִין
jell *n* קָרִישׁ, מִקְפָּא
jelly *n* קָרִישׁ, מִקְפָּא
jelly *vt, vi* הִקְרִישׁ; קָרַשׁ
jellyfish *n* מֵדוּזָה
jeopardize *vt* סִיכֵּן
jeopardy *n* סִיכּוּן
jeremiad *n* קִינָה
Jericho *n* יְרִיחוֹ
jerk *vt* מָשַׁךְ פִּתְאוֹם
jerk *n* תְּנוּעַת פִּתְאוֹם; (המונית) שׁוֹטֶה, בּוּר
jerked beef *n* רְצוּעוֹת בְּשַׂר בָּקָר מְיוּבָּשׁוֹת
jerkin *n* מוֹתְנִייָה, זִיג
jerkwater *adj* סוֹטֶה; טָפֵל
jerky *adj* עַצְבָּנִי
Jerome *n* הִירוֹנִימוּס
jersey *n* אֲפוּדַת צֶמֶר
Jerusalem *n* יְרוּשָׁלַיִם
jest *n* הֲלָצָה, בְּדִיחָה
jest *vi* הִתלוֹצֵץ
jester *n* לֵיצָן, בַּדְּחָן
Jesuit *n* יֵשׁוּעִי
Jesuitic, Jesuitical *adj* יֵזוּאִיטִי
Jesus Christ *n* יֵשׁוּ הַנּוֹצְרִי
jet *n* קִילּוּחַ, סִילוֹן
jet *vt, vi* קִילֵּחַ; קָלַח
jet age *n* עִידַּן הַסִּילוֹן
jet black *adj* שָׁחוֹר כְּזֶפֶת
jet bomber *n* מַפְצִיץ סִילוֹנִי
jet coal *n* פַּחַם חֵימָר
jet engine *n* מְנוֹעַ סִילוֹן
jet-fighter *n* מְטוֹס קְרָב סִילוֹנִי
jet-liner *n* מְטוֹס מִסחָרִי סִילוֹנִי
jet-plane *n* מָטוֹס סִילוֹנִי
jet propulsion *n* הֲנָעָה סִילוֹנִית
jetsam *n* פְּלֵיטַת יָם
jet stream *n* סוּפַּת סִילוֹן

jettison *n* הַשְׁלָכָה מֵאוֹנִיָּה
jettison gear *n* מַשְׁלֵךְ (בְּמָטוֹס)
jetty *n* מֵזַח; רְצִיף נָמָל
Jew *n* יְהוּדִי
jewel *n* אֶבֶן טוֹבָה
jewel *vt* שִׁיבֵּץ, קִישֵּׁט
jewel-case (box) *n* תֵּיבַת תַּכְשִׁיטִים
jeweler, jeweller *n* צוֹרֵף
jewelry, jewellery *n* תַּכְשִׁיטִים
jewelry shop *n* חֲנוּת תַּכְשִׁיטִים
Jewess *n* יְהוּדִיָּה
jewfish *n* דַּקָּר
Jewish *adj* יְהוּדִי
Jewry *n* יַהֲדוּת
Jew's harp *n* נֵבֶל לֶסֶת
Jezebel *n* אִיזֶבֶל, מִרְשַׁעַת
jib *n* מִפְרָשׂ חָלוּץ
jib *vi* סֵירֵב לְהִתְקַדֵּם
jib-boom *n* זְרוֹעַ הַמִּפְרָשׂ
jibe, gibe *vt* לָעַג; (דיבורית) הִסְכִּים עִם
jiffy *n* הֶרֶף עַיִן
jig *n* ג'יג (ריקוד)
jig *vi, vt* רָקַד ג'יג, כִּרְכֵּר
jigger *n* רוֹקֵד, מְכַרְכֵּר; מִפְרָשׂ קָטָן
jiggle *vt, vi* הִתְנוֹעֵעַ, הִיטַּלְטֵל
jiggle *n* נִעְנוּעַ
jig-saw *n* מַסּוֹר־נִימָה
jihad *n* מִלְחֶמֶת־מִצְוָה, ג'יהָאד
jilt *vt, vi* נָטְשָׁה אָהוּב, נָטַשׁ אֲהוּבָה
jingle *n* צִלְצוּל; מְצִילָּה
jingle *vi* צִלְצֵל, קִשְׁקֵשׁ
jingo *n* לְאוּמָנִי רַבְרְבָן
jingoism *n* לְאוּמָנוּת רַבְרְבָנִית, ג'ינגואיזם

jitters *n pl* עַצְבָּנוּת
jittery *adj* מְעוּצְבָּן
Joan of Arc *n* ז'אן ד'ארק
job *n* מִשְׂרָה, עֲבוֹדָה; מְשִׂימָה; תַּפְקִיד
job analysis *n* נִיתּוּחַ בִּיצוּעִים
jobber *n* מְבַצֵּעַ עֲבוֹדוֹת
jobholder *n* מַחֲזִיק בְּמִשְׂרָה
jobless *adj* מוּבְטָל
job lot *n* תַּעֲרוֹבֶת כּוֹלֶלֶת
job-printer *n* מַדְפִּיס הַזְמָנוֹת קְטַנּוֹת
job printing *n* הַזְמָנוֹת דְפוּס קְטַנּוֹת
job-work *n* הַזְמָנוֹת קְטַנּוֹת שֶׁל דְּפוּס
jockey *n* רוֹכֵב בְּמֵרוֹצֵי סוּסִים
jockey *vt* תִּמְרֵן, תִּכְסֵס
jockstrap *n* מִכְנָסִית
jocose *adj* בַּדְּחָנִי
jocular *adj* מְבַדֵּחַ, עַלִּיז
jog *vt, vi* דָּחַף, הֵסִיט
jog *n* דְּחִיפָה קַלָּה
jog trot *n* צְעִידָה אִטִּית
John Bull *n* הָעָם הָאַנְגְלִי
John Hancock *n* (דיבורית) חֲתִימַת־יָד אִישִׁית
johnnycake *n* עוּגַת תִּירָס
Johnny-come-lately *n* מִקָּרוֹב בָּא
Johnny-jump-up *n* אַמְנוֹן וְתָמָר
Johnny-on-the-spot *adj, n* הַמּוּכָן תָּמִיד
John the Baptist *n* יוֹחָנָן הַמַּטְבִּיל
join *vt, vi* צֵירֵף, אִיחֵד; הִצְטָרֵף
join *n* מְקוֹם חִיבּוּר; תֶּפֶר
joiner *n* נַגָּר; (דיבורית) מִצְטָרֵף מוּעָד
joint *n* חִיבּוּר, מַחְבָּר
joint *adj* מְאוּגָּד, מְשׁוּתָּף
joint account *n* חֶשְׁבּוֹן מְשׁוּתָּף

Joint Chiefs of Staff *n pl* רָאשֵׁי מַטֶּה מְשׁוּתָּפִים
jointly *adv* בְּמְשׁוּתָּף
joint owner *n* שׁוּתָּף בְּבַעֲלוּת
joint session *n* יְשִׁיבָה מְשׁוּתֶּפֶת
joint-stock company *n* חֶבְרַת מְנָיוֹת
joist *n, vt* קוֹרָה; קֵירָה
joke *n* בְּדִיחָה
joke *vt, vi* הִתְלוֹצֵץ
joke book *n* סֵפֶר בְּדִיחוֹת
joker *n* לֵיצָן
jolly *adj, adv* עַלִּיז; מְשַׂמֵּחַ; (המונית) מְאוֹד
jolly *vt, vi* קִנְטֵר; הִתְלוֹצֵץ
jolt *vt, vi* הָדַף; הִתְנַדְנֵד
jolt *n* הֲדִיפָה, טִלְטוּל
Jonah *n* יוֹנָה; מְבַשֵּׂר רָע
jongleur *n* זַמָּר נוֹדֵד
jonquil *n* יוֹנְקִיל
Jordan *n* יַרְדֵּן
Jordan almond *n* שָׁקֵד מְסוּכָּר
josh *vt* הִתְלוֹצֵץ עַל חֶשְׁבּוֹן
jostle *n* הִידָּחֲקוּת, הִיתָּקְלוּת
jostle *vt, vi* דָּחַף; נִדְחַף
jot *n* יו״ד, נְקוּדָה
jot (down) *vt* רָשַׁם בְּקִיצּוּר
jounce *vt, vi* טִלְטֵל; נִיטַּלְטֵל
jounce *n* הִיטַּלְטְלוּת
journal *n* עִיתּוֹן; יוֹמָן
journalese *n* סִגְנוֹן הָעִיתּוֹנוּת
journalism *n* עִיתּוֹנָאוּת
journalist *n* עִיתּוֹנַאי
journey *n* מַסָּע
journey *vi* נָסַע
journeyman *n* אוּמָּן שָׂכִיר
joust *n* קְרַב פָּרָשִׁים
joust *vi* נֶאֱבַק
jovial *adj* עַלִּיז
joviality *n* עֲלִיצוּת
jowl *n* לֶסֶת
joy *n* שִׂמְחָה
joyful *adj* עַלִּיז, שָׂמֵחַ
joyless *adj* עָגוּם
joyous *adj* שָׂמֵחַ
joy-ride *n* נְסִיעַת תַּעֲנוּג
jubilant *adj* צוֹהֵל
jubilation *n* צָהֳלָה
jubilee *n* יוֹבֵל; חֲגִיגָה
Judaism *n* יַהֲדוּת
judge *n* שׁוֹפֵט; פּוֹסֵק
judge *vi, vt* שָׁפַט; פָּסַק
judge-advocate *n* פְּרַקְלִיט
judgeship *n* שְׁפִיטָה, שׁוֹפְטוּת
judgment, judgement *n* פְּסַק־דִּין, שְׁפִיטָה; בִּינָה
judgment-day *n* יוֹם־הַדִּין
judgment seat *n* כֵּס הַמִּשְׁפָּט
judicature *n* מִנְהָל מִשְׁפָּטִי; שׁוֹפְטוּת
judicial *adj* מִשְׁפָּטִי, לְפִי הַדִּין; בַּקָּרָנִי
judiciary *n, adj* מַעֲרֶכֶת בָּתֵּי־מִשְׁפָּט
judicious *adj* נָבוֹן, מְיוּשָּׁב
jug *n* כַּד; (המונית) בֵּית־סוֹהַר
juggle *vt, vi* לִיהֲטֵט
juggle *n* אֲחִיזַת־עֵינַיִם, לִיהֲטוּט
juggler *n* לַהֲטוּטָן
jugular *adj, n* צַוָּארִי; וְרִיד הַצַּוָּאר
juice *n* מִיץ, עָסִיס
juicy *adj* עֲסִיסִי

jukebox *n* מָקוֹל אוֹטוֹמָטִי
julep *n* מַשְׁקֶה מָתוֹק
julienne *n* מְרַק יְרָקוֹת
July *n* יוּלִי
jumble *n* עִרְבּוּבְיָה, בְּלִיל
jumble *vt, vi* עִרְבֵּב; הִתְעַרְבֵּב
jumbo *n* עֲנָק
jump *n* קְפִיצָה
jump *vt, vi* הִקְפִּיץ; פָּסַח; קָפַץ
jumper *n* קַפְצָן, קוֹפֵץ; אֲפוּדָּה
jumping jack *n* קַפְצָן
jumping-off place *n* מָקוֹם נִידָּח
jump seat *n* כִּיסֵּא קְפִיצִי, כִּיסֵּא מִתְקַפֵּל
jump spark *n* נִצְנוּץ חַשְׁמַל
jumpy *adj* עַצְבָּנִי
junc. *abbr* junction
junction *n* חִיבּוּר, אִיחוּד; צוֹמֶת
juncture *n* חִיבּוּר, מַחְבָּר; מוֹעֵד
June *n* יוּנִי
jungle *n* ג'וּנגל
junior *adj, n* זוּטָר, צָעִיר
juniper *n* עַרְעָר
juniper berry *n* פְּרִי הָעַרְעָר
junk *n* מִפְרָשִׂית סִינִית; גְּרוּטָאוֹת
junk *vt* הִשְׁלִיךְ כְּנִיצוֹלֶת
junk dealer *n* סוֹחֵר גְּרוּטָאוֹת
junket *n* חֲבִיצַת חָלָב; טִוּוּג
junket *vi* הִשְׁתַּתֵּף בְּטִיּוּל בַּזְבְּזָנִי
junkman *n* סוֹחֵר גְּרוּטָאוֹת
junk room *n* חֲדַר גְּרוּטָאוֹת
junkshop *n* מַחְסַן יַמָּאִים
junkyard *n* מִגְרַשׁ גְּרוּטָאוֹת
juridical *adj* מִשְׁפָּטִי
jurisdiction *n* סַמְכוּת חוּקִית
jurisprudence *n* תּוֹרַת הַמִּשְׁפָּטִים
jurist *n* מִשְׁפְּטָן
juror *n* מוּשְׁבָּע, שׁוֹפֵט מוּשְׁבָּע
jury *n* חֶבֶר מוּשְׁבָּעִים
jurybox *n* תָּא חֶבֶר מוּשְׁבָּעִים
juryman *n* מוּשְׁבָּע
Jus. P. *abbr* Justice of the Peace
just *adj, adv* צוֹדֵק, הוֹגֵן; בְּדִיּוּק
just now *adv* בְּרֶגַע זֶה
justice *n* צֶדֶק, יוֹשֶׁר; שׁוֹפֵט
justifiable *adj* שֶׁאֶפְשָׁר לְהַצְדִּיקוֹ
justify *vt* הִצְדִּיק, צִידֵּק
justly *adv* בְּצֶדֶק; בְּדִיּוּק
jut *vi* בָּלַט
jute *n* יוּטָה
Jutland *n* יוּטְלַנְד
juvenile *adj, n* שֶׁל יְלָדִים; יַלְדוּתִי; שֶׁל נוֹעַר
juvenile delinquency *n* עֲבַרְיָינוּת נוֹעַר
juvenile lead *n* תַּפְקִיד שֶׁל צָעִיר (בתיאטרון)
juvenilia *n pl* יֶלֶד; צָעִיר; נוֹעַר
juxtapose *vt* הִנִּיחַ זֶה בְּצַד זֶה

K

K, k קֵי (האות האחת־עשׂרה באלפבית)

K. *abbr* King, Knight

k. *abbr* karat, kilogram

Kabbala, Kabala *n* קַבָּלָה

kale *n* כְּרוּב; חֲמִיצַת כְּרוּב

kaleidoscope *n* קָלֵיידוֹסקוֹפּ

kangaroo *n* קֶנגוּרוּ

kapok *n* הַבֵּיצָה הַמְחוּמֶּשֶׁת, קַפּוֹק

karyosome *n* גּוּפִיף שֶׁבַּגַּרְעִין

kasher, kosher *adj, vt* כָּשֵׁר; הִכְשִׁיר

katydid *n* קָטִידִיד

kedge *n, vi, vt* עוֹגֶן נְגִידָה; נִגְרְדָה (אונייה)

keel *vt, vi* הָפַךְ סְפִינָה; הָפַךְ

keel *n* שִׁדְרִית; אוֹנִיָּה

keen *adj* חָרִיף, חַד; נִלְהָב

keen *n* קִינָה

keen *vt, vi* קוֹנֵן

keep (kept) *vt, vi* שָׁמַר, הֶחֱזִיק; פִּרְנֵס; הִמְשִׁיךְ

keep *n* פַּרְנָסָה; מִבְצָר

keeper *n* שׁוֹמֵר

keeping *n* שְׁמִירָה; פִּרנוּס; הַתְאָמָה

keepsake *n* מַזכֶּרֶת

keg *n* חָבִיוֹנָה

ken *n* הַשָּׂגָה, יְדִיעָה

kennel *n* מְלוּנָה

kepi *n* כּוֹבַע־מִצְחָה

kept woman *n* פִּילֶגֶשׁ

kerchief *n* רְדִיד; מִמְחָטָה

kerchoo *inter* עַטשִׁי!, הַפְּצִ׳י! (קול עיטוּשׁ)

kernel *n* גַּרְעִין; זֶרַע

kerosene *n* נֵפְט

kerplunk *adv* בְּקוֹל שָׁאוֹן עָמוּם

ketchup *n* תַּבלִין עַגבָנִיּוֹת

kettle *n* קוּמקוּם; דוּד

kettledrum *n* תּוֹף הַדּוּד

key *n* מַפְתֵּחַ; פִּתרוֹן; קָלִיד; מַקָּשׁ

key *vt* חִיבֵּר, הִידֵּק; כִּוונֵן

keyboard *n* מִקְלֶדֶת

key fruit *n* כַּנפִית

keyhole *n* חוֹר הַמַּפְתֵּחַ

keynote *n* צְלִיל מוֹבִיל

keynote speech *n* נְאוּם מְכַוֵּן

key-ring *n* טַבַּעַת לְמַפְתְּחוֹת

keystone *n* אֶבֶן רֹאשָׁה, עִיקָּרוֹן

key word *n* מִלַּת מַפְתֵּחַ

kg. *abbr* kilogram

khaki *n* חָקִי, כָּהוֹב

khedive *n* כֵּדִיב

kibitz *vi* יָעַץ בְּלִי שֶׁנִּשְׁאַל

kibitzer *n* ׳קִיבִּיצֵר׳, יוֹעֵץ (כַּנַ״ל)

kiblah *n* הַפְּנִיָּה לְמֶכָּה, קִיבְּלָה

kibosh *n* שְׁטוּיוֹת

kick *vt* בָּעַט

kick *n* בְּעִיטָה; (ברוּבּה) רֶתַע; (דיבּוּרית) סִיפּוּק

kickback *n* תְּשׁוּבָה כַּהֲלָכָה; נִיכּוּי

kickoff *n* הַתחָלָה

kid *n, adj* גְּדִי; יֶלֶד

kid *vt* שִׁיטָּה בּ...; קִנטֵר

kidder *n* מְשַׁטֶּה
kid-glove *adj* רַךְ, עָדִין
kidnap *vt* חָטַף
kidnap(p)er *n* חוֹטֵף
kidney *n* כִּלְיָה
kidney-bean *n* שְׁעוּעִית
kidney stone *n* אֶבֶן כִּלְיָה
kill *vt, vi* הָרַג, הֵמִית
kill *n* הֲרִיגָה, טְבִיחָה; טֶרֶף
killer *n* הוֹרֵג, רוֹצֵחַ
killer whale *n* לִוְיָתָן מְרַצֵּחַ
killing *adj* מוֹשֵׁךְ אֶת הָעַיִן; מְעַיֵּף; מַצְחִיק בְּיוֹתֵר
killing *n* הֲרִיגָה; צַיִד
kill-joy *n* מֵפֵר שִׂמְחָה
kiln *n* כִּבְשָׁן, מִשְׂרָפָה
kilo *n* קִילוֹ
kilocycle *n* קִילוֹסַייקל
kilogram(me) *n* קִילוֹגְרַם
kilometer *n* קִילוֹמֶטֶר
kilometric *adj* קִילוֹמֶטְרִי
kilowatt *n* קִילוֹוָט
kilowatt-hour *n* קִילוֹוָט־שָׁעָה
kilt *n* שִׂמְלַת־גֶּבֶר (סקוטית)
kilter *n* מַצָּב תָּקִין
kimono *n* קִימוֹנוֹ
kin *n* קָרוֹב; מִשְׁפָּחָה
kind *adj* טוֹב־לֵב, מֵטִיב
kind *n* סוּג
kindergarten *n* גַּן־יְלָדִים
kindergartner *n* לוֹמֵד בְּגַן
kindhearted *adj* טוֹב־לֵב
kindle *vt, vi* שִׁלְהֵב; עוֹרֵר; נִדְלַק
kindling *n* חוֹמֶר הַצָּתָה
kindling wood *n* עֵץ הַצָּתָה
kindly *adj* נְעִים מֶזֶג
kindly *adv* בַּאֲדִיבוּת
kindness *n* חֶסֶד, טוּב־לֵב
kindred *n, adj* מִשְׁפָּחָה, קְרוֹבִים; קָרוֹב, מְקוֹרָב
kinescope *n* שְׁפוֹפֶרֶת טֵלֵוִיזְיָה
kinetic *adj* פָּעִיל, נָע
kinetic energy *n* אֶנֶרְגִיָּה שֶׁבִּתְנוּעָה
king *n* מֶלֶךְ
kingbolt *n* לוֹלָב עִיקָּרִי
kingdom *n* מַלְכוּת, מְלוּכָה; מַמְלָכָה
kingfisher *n* שַׁלְדָּג גַּמָּדִי
kingly *adj, adv* כְּמֶלֶךְ, מַלְכוּתִי
kingpin *n* רֹאשׁ הַמְדַבְּרִים; הָעִיקָּר
king post *n* עַמּוּד הַתָּוֶךְ (בגג)
king's (queen's) English *n* אַנְגְּלִית צָחָה
king's evil *n* חַזֶּרֶת, חֲזִירִית
kingship *n* מַלְכוּת
king-size *adj* גָּדוֹל
king's ransom *n* הוֹן עָתָק
kink *n* עֶקֶל; תִּלְתּוּל; גַּחַם, גַּחֲמָנוּת
kink *vt, vi* תִּלְתֵּל; עִיקֵּל; תּוּלְתַּל
kinky *adj* מְפוּתָּל; גַּחֲמוֹנִי
kinsfolk *n pl* קְרוֹבֵי־דָם
kinship *n* קִרְבַת־מִשְׁפָּחָה
kinsman *n* קְרוֹב־דָם
kinswoman *n* קְרוֹבַת־דָם
kipper *n* דָּג מְעוּשָּׁן
kipper *vt* עִישֵּׁן דָּג
kiss *n* נְשִׁיקָה
kiss *vt, vi* נִישֵּׁק; הִתְנַשֵּׁק
kit *n* צִיּוּד; תַּרְמִיל, זְוָד
kitchen *n* מִטְבָּח

kitchenette *n* מִטְבָּחוֹן
kitchen garden *n* גִּינַּת יְרָקוֹת וּפֵירוֹת
kitchen maid *n* עוֹבֶדֶת מִטְבָּח
kitchen police *n pl* (בצבא) תּוֹרָנֵי מִטְבָּח
kitchen range *n* תַּנּוּר מִטְבָּח
kitchen sink *n* כִּיּוֹר מִטְבָּח
kitchenware *n* כְּלֵי־מִטְבָּח
kite *n* דַּיָּה, בַּז; עֲפִיפוֹן
kith and kin *n pl* מַכָּרִים וּקְרוֹבִים
kitten *n* חֲתַלְתּוּל
kittenish *adj* חֲתוּלִי; תְּחַנְחָנִי
kitty *n* חֲתַלְתּוּל
kleptomaniac *n* גַּנְּבָן, קְלֶפְּטוֹמָן
knack *n* כִּשְׁרוֹן, מְיוּמָּנוּת
knapsack *n* תַּרְמִיל־גַּב
knave *n* נָבָל, נוֹכֵל
knavery *n* נְכָלִים
knead *vt* לָשׁ
knee *n* בֶּרֶךְ
knee-breeches *n* אַבְרְקֵי־בִּרְכַּיִים
kneecap *n* פִּיקַּת־הַבֶּרֶךְ
knee-deep *adj* עָמוֹק עַד הַבִּרְכַּיִים
knee-high *adj* גָּבוֹהַּ עַד הַבִּרְכַּיִים
kneehole *n* מִרְוָוח לְבִרְכַּיִים
knee jerk *n* זְנִיקַת בֶּרֶךְ
kneel *vi* כָּרַע, הִשְׁתַּחֲוָוה
kneepad *n* רְפִידַת בֶּרֶךְ, מָגֵן בֶּרֶךְ
knell *n* צִלְצוּל פַּעֲמוֹנִים (כסימן אבל); סִימָן רַע
knell *vt, vi* צִלְצֵל בְּפַעֲמוֹנִים (כנ״ל); בִּישֵּׂר רַע
knickers *n pl* אַבְרָקַיִים
knicknack, nicknack *n* תַּכְשִׁיט, אֲבִזָר קִישּׁוּט
knife *n* סַכִּין
knife *vt* דָּקַר בְּסַכִּין
knife sharpener *n* מַשְׁחִיז סַכִּינִים
knife switch *n* מֶתֶג לְהָבִים
knight *n* אַבִּיר; פָּרָשׁ
knight *vt* הֶעֱנִיק תּוֹאַר אָצִיל
knight-errant *n* אַבִּיר נוֹדֵד; הַרְפַּתְקָן
knight-errantry *n* הַרְפַּתְקָנוּת
knighthood *n* אַבִּירוּת, מַעֲמַד הָאַבִּירִים
knightly *adj* אַבִּירִי
Knight of the Rueful Countenance *n* אַבִּיר הַפָּנִים הָעֲצוּבוֹת, דּוֹן קִישׁוֹט
knit *vt, vi* סָרַג; כִּיוֵּוץ בְּקִימּוּט; הִתְכַּוֵּוץ
knit goods *n pl* סְרִיגִים
knitting *n* סְרִיגָה
knitting-machine *n* מַסְרֵגָה, מְכוֹנַת־סְרִיגָה
knitting-needle *n* מַסְרֶגֶת, מַחַט־סְרִיגָה
knitwear *n* סְרִיגִים, לְבוּשׁ סָרוּג
knob *n* בְּלִיטָה, חַבּוּרָה, גּוּלָּה; כַּף
knock *vt, vi* הִכָּה, הָלַם, הִקִּישׁ
knock *n* דְּפִיקָה, מַכָּה
knocker *n* מַקּוֹשׁ דֶּלֶת; (דיבורית) מוֹתֵחַ בִּיקּוֹרֶת
knock-kneed *adj* עִיקֵּל
knockout *n* מִיגּוּר, ׳נוֹק־אָאוּט׳
knockout drops *n pl* מַשְׁקֶה מְהַמֵּם
knoll *n* גִּבְעָה, תֵּל
knot *n* קֶשֶׁר; סִיבּוּךְ; קֶשֶׁר יַמִּי
knot *vt, vi* חִיבֵּר בְּקֶשֶׁר
knothole *n* חוֹר עַיִן (בעץ)
knotty *adj* מָלֵא קְשָׁרִים; מְסוּבָּךְ

know *vt, vi* יָדַע; הִכִּיר
know *n* יְדִיעָה
knowable *adj* הֶעָשׂוּי לְהִיוָּדַע
knowhow *n* יֶדַע, יְדִיעַת הָאֵיךְ
knowingly *adv* בִּידִיעָה
know-it-all *n* יוֹדֵעַ הַכּוֹל, רַבְרְבָן
knowledge *n* יְדִיעָה, יֶדַע
knowledgeable *adj* בַּעַל יְדִיעוֹת
know-nothing *n* בּוּר
knuckle *n* פֶּרֶק אֶצְבַּע
knurl *n* שֶׁנֶת, בְּלִיטָה
knurled *adj* מְחוֹרָץ
Koran *n* קוּרְאָן
Korea *n* קוֹרֵיאָה
Korean *n, adj* קוֹרֵיאִית, קוֹרֵיאִי
kosher *adj, n* כָּשֵׁר; אֲמִיתִּי
kosher *vt* הִכְשִׁיר
Kt. *abbr* Knight
kudos *n* תִּפְאֶרֶת, פִּרְסוּם
kw. *abbr* kilowatt
K.W.H. *abbr* kilowatt-hour

L

L, l אֶל (האות השתים־עשרה באלפבית)
l. *abbr* liter, line, league, length
L. *abbr* Latin, Low
label *n* תָּוִית, תָּו
label *vt* הִדְבִּיק תָּוִית; סִיוֵּג
labial *adj, n* שְׂפִי, שְׂפָתִי; הֶגֶה שְׂפָתִי
labor *n* עֲבוֹדָה, עָמָל; חֶבְלֵי־לֵידָה
labor *vt, vi* עָמַל; הִתְאַמֵּץ
labor and management *n pl* עוֹבְדִים וּמַעֲסִיקִים
laboratory *n* מַעְבָּדָה
labored *adj* מְעוּבָּד; לֹא טִבְעִי
laborer *n* פּוֹעֵל, עוֹבֵד
laborious *adj* עוֹבֵד קָשֶׁה; מְיַיגֵּעַ
labor-management *n* (יחסי) עוֹבְדִים וּמַעֲסִיקִים
labor union *n* אִיגּוּד עוֹבְדִים
Labourite *n* חֲבֵר מִפְלֶגֶת הָעֲבוֹדָה
Labrador *n* לַבְּרָדוֹר
labyrinth *n* מָבוֹךְ, לַבִּירִינְת
lace *n* שְׂרוֹךְ; תַּחֲרִים
lace *vt, vi* קָשַׁר בִּשְׂרוֹךְ; קִישֵּׁט בְּתַחֲרִים
lace trimming *n* עִיטּוּרֵי תַּחֲרִים
lace work *n* תַּחֲרִים
lachrymose *adj* מַדְמִיעַ
lacing *n* רִקְמָה; שְׂרוֹךְ
lack *n* חוֹסֶר
lack *vt, vi* חָסַר, הָיָה חָסֵר
lackadaisical *adj* אֲדִישׁ
lacking *prep, adj* בְּלִי; חָסֵר
lackluster *n, adj* חוֹסֶר זוֹהַר, עֲמִימוּת; חֲסַר זוֹהַר, עָמוּם

laconic, laconical *adj* לָקוֹנִי, קָצָר, מְמַעֵט בְּמִלִּים

lacquer *n, vt* לַכָּה; לִיכָּה

lacuna *n* שֶׁקַע; קֶטַע חָסֵר

lacy *adj* שֶׁל תַּחֲרִים

lad *n* צָעִיר, בָּחוּר

ladder *n* סוּלָּם, כֶּבֶשׁ

ladder *vi* נִקְרַע כְּ״רַכֶּבֶת״

ladder-truck *n* מַשָּׂאִית כַּבָּאִים

laden *adj* טָעוּן, עָמוּס

ladies' room *n* בֵּית־כִּסֵּא לְנָשִׁים

ladle *n* מַצֶּקֶת

ladle *vt* יָצַק בְּמַצֶּקֶת

lady *n* גְּבֶרֶת

ladybird *n* פָּרַת מֹשֶׁה רַבֵּנוּ

ladyfinger *n* אֶצְבָּעִית

lady-in-waiting *n* נַעֲרַת הַמַּלְכָּה

ladykiller *n* ״קוֹטֵל נָשִׁים״

ladylike *adj* כִּגְבֶרֶת, כְּלֵיְדִי

ladylove *n* אֲהוּבָה

ladyship *n* הוֹד מַעֲלַת הַגְּבֶרֶת, מַעֲמָדָהּ שֶׁל לֵיְדִי

lady's-maid *n* מְשָׁרֶתֶת שֶׁל גְּבֶרֶת

lady's man *n* גֶּבֶר כָּרוּךְ אַחַר נָשִׁים

lag *vi, n* פִּיגֵּר; פִּיגּוּר

lager beer *n* בִּירָה יְשָׁנָה

laggard *n, adj* מִתְמַהְמֵהַּ, פַּגְרָן

lagoon *n* מִפְרָץ מַיִם רְדוּדִים

laid paper *n* נְיָיר מְסוֹרְגָל

lair *n* מִרְבָּץ

laity *n* הֶדְיוֹטוּת; הֶדְיוֹטוֹת

lake *n* אֲגַם

lamb *n* טָלֶה, שֶׂה, כֶּבֶשׂ

lambaste *vt* הִכָּה נִמְרָצוֹת

lamb chop *n* צֶלַע כֶּבֶשׂ

lambkin *n* טָלֶה רַךְ

lambskin *n* עוֹר כְּבָשִׂים

lame *adj* חִיגֵּר, נְכֵה רַגְלַיִם

lame *vt, vi* שִׁיתֵּק, הֵטִיל מוּם

lamé *n* לָמֶה

lament *vt, vi* בָּכָה עַל, קוֹנֵן

lament *n* זְעָקָה, נְהִי

lamentable *adj* מְצַעֵר; מַעֲצִיב

lamentation *n* בְּכִי תַּמְרוּרִים, מִסְפֵּד

laminate *vt* הִפְרִיד לִשְׁכָבוֹת דַּקּוֹת

lamp *n* מְנוֹרָה, עֲשָׁשִׁית

lampblack *n, vt* פִּיחַ; פִּיֵּחַ

lamplight *n* אוֹר מְנוֹרָה

lamplighter *n* מַדְלִיק מְנוֹרוֹת־רְחוֹב

lampoon *n, vt* (חִיבֵּר) סָטִירָה חֲרִיפָה

lamppost *n* עַמּוּד פַּנַּס־רְחוֹב

lampshade *n* סוֹכֵךְ

lance *n* רוֹמַח

lance *vt* דָּקַר בְּאִזְמֵל; דָּקַר בְּרוֹמַח

lancet *n* אִזְמֵל

land *n* יַבָּשָׁה, אֶרֶץ, אֲדָמָה

land *vt, vi* עָלָה לַיַּבָּשָׁה; נָחַת; הִגִּיעַ, נִקְלַע

land breeze *n* רוּחַ קַלָּה (מהיבשה)

landed *adj* בַּעַל־אֲחוּזוֹת

landfall *n* רְאִיַּת יַבָּשָׁה

land grant *n* הַקְצָאַת קַרְקַע

landholder *n* אָרִיס, חוֹכֵר

landing *n* עֲלִיָּה לַיַּבָּשָׁה, נְחִיתָה

landing craft *n* כְּלִי־נְחִיתָה, נַחֶתֶת

landlady *n* בַּעֲלַת־בַּיִת

landless *adj* חֲסַר קַרְקַע, חֲסַר מוֹלֶדֶת

landlocked *adj* מְנוּתָּק מִן הַיָּם

landlord *n* בַּעַל־בַּיִת, בַּעַל אַכְסַנְיָה

landlubber *n* ״אוֹהֵב הַיַּבָּשָׁה״; בּוּר בְּהִלְכוֹת יָם
landmark *n* צִיּוּן דֶּרֶךְ
land office *n* מִשְׂרַד קַרְקָעוֹת, טַבּוּ
landowner *n* בַּעַל קַרְקָעוֹת
landscape *n* נוֹף, תְּמוּנַת נוֹף
landscapist *n* צַיַּר נוֹף
landslide *n* מַפּוֹלֶת הָרִים
landward *adv, adj* נִשְׁקָף אֶל פְּנֵי הַיַּבָּשָׁה
lane *n* רְחוֹב צַר, שְׁבִיל צַר
langsyne, lang syne *adv* לִפְנֵי זְמַן רַב
language *n* לָשׁוֹן, שָׂפָה
languid *adj* חֲסַר מֶרֶץ, נִרְפֶּה
languish *vi* נֶחֱלַשׁ; נָבַל; נָמַק בְּגַעְגּוּעִים
languor *n* חוּלְשָׁה גוּפָנִית, עֲיֵפוּת
languorous *adj* חֲסַר עֵרָנוּת, חֲסַר חִיּוּנִיּוּת
lank *adj* כָּחוּשׁ וְגָבוֹהַּ
lanky *adj* גָּבוֹהַּ וְרָזֶה
lantern *n* פָּנָס, תָּא הָאוֹר
lanyard *n* חֶבֶל קָצָר
lap *n* חֵיק
lap *vt, vi* קִיפֵּל, עָטַף; לִיקֵק; חָפַף
lapboard *n* קֶרֶשׁ
lap-dog *n* כְּלַבְלָב
lapel *n* דַּשׁ הַבֶּגֶד
lapful *n* מְלוֹא
Laplander *adj* לַפְּלַנְדִּי
Lapp *adj, n* לַפִּי; לַפִּית
lapse *n* שְׁגִיאָה קַלָּה; סְטִיָּה; עֲבִירָה (שֶׁל זמן)
lapse *vi* שָׁגָה, כָּשַׁל
lapwing *n* קִיוּוִית
larceny *n* גְּנֵיבָה
larch *n* אַרְזִית
lard *n* שׁוּמַּן חֲזִיר
lard *vt* שִׁימֵּן בְּשׁוּמַּן חֲזִיר
larder *n* מְזָוֶה
large *adj* גָּדוֹל
large intestine *n* הַמְּעִי הַגַּס
largely *adv* בְּמִידָּה רַבָּה
largeness *n* גּוֹדֶל; רוֹחַב־לֵב
large-scale *adj* גָּדוֹל קְנֵה־מִידָּה
lariat *n* פְּלָצוּר
lark *n* עֶפְרוֹנִי
lark *vi* עָלַץ, הִשְׁתַּעֲשֵׁעַ
larkspur *n* דָּרְבָנִית, דֶלְפִינְיוּם
larva *n* זַחַל
laryng(e)al *adj* גְּרוֹנִי
laryngitis *n* דַּלֶּקֶת הַגָּרוֹן
laryngoscope *n* רְאִי־גָרוֹן
larynx *n* גָּרוֹן
lascivious *adj* תַּאַוְתָנִי
lasciviousness *n* תַּאַוְתָנוּת
lash *n* מַלְקוֹת; שׁוֹט; עַפְעַף
lash *vt* הִלְקָה, הִצְלִיף; חִיזֵּק, רִיתֵּק; הִידֵּק בְּחֶבֶל
lashing *n* הַלְקָאָה; הַתְקָפַת דְּבָרִים
lass *n* נַעֲרָה, בַּחוּרָה
lasso *n* פְּלָצוּר
last *adj, adv* אַחֲרוֹן; לָאַחֲרוֹנָה
last *vi* נִמְשַׁךְ, אָרַךְ; נִשְׁאַר קַיָּם
last *n* אִימּוּם
lasting *adj* נִמְשָׁךְ; עָמִיד
lastly *adv* לְבַסּוֹף, לָאַחֲרוֹנָה
last name *n* שֵׁם מִשְׁפָּחָה
last night *n* אֶמֶשׁ
last straw *n* קַשׁ אַחֲרוֹן
Last Supper *n* הַסְּעוּדָה הָאַחֲרוֹנָה

last will and testament *n* צַוָּאָה אַחֲרוֹנָה

last word *n* מִלָּה אַחֲרוֹנָה

lat. *abbr* latitude

Lat. *abbr* Latin

latch *n* תֶּפֶס הַמַּנְעוּל, בְּרִיחַ

latch *vt, vi* סָגַר בִּבְרִיחַ

latchkey *n* מַפְתֵּחַ

latchstring *n* חֶבֶל בְּרִיחַ

late *adj, adv* מְאוּחָר; קוֹדֵם; מְאַחֵר; נִפְטָר; בִּמְאוּחָר

latecomer *n* מְאַחֵר לָבוֹא

lateen sail *n* מִפְרָשׂ לָטִינִי

lateen yard *n* סְקַרְיָה לְמִפְרָשׂ לָטִינִי

lately *adv* לָאַחֲרוֹנָה

latent *adj* כָּמוּס, נִסְתָּר

lateral *adj* צִדִּי, כְּלַפֵּי הַצַּד

lath *n* בַּד, בַּדִּיד

lathe *n* מַחֲרֵטָה

lathe *vi* פָּעַל בְּמַחֲרֵטָה

lather *n* קֶצֶף

lather *vt, vi* הֶעֱלָה קֶצֶף; הִקְצִיף

Latin *adj, n* לָטִינִי, רוֹמִי; לָטִינִית

Latin American *n, adj* (שֶׁל) אֲמֵרִיקָה הַלָּטִינִית

latitude *n* קַו־רוֹחַב; רוֹחַב

latrine *n* בֵּית־כִּסֵּא, מַחֲרָאָה

latter *adj* מְאוּחָר יוֹתֵר, שֵׁנִי, אַחֲרוֹן

lattice *n, vt* סְבָכָה, רֶשֶׁת; רִישֵּׁת

latticework *n* מַעֲשֵׂה סְבָכָה

Latvia *n* לַטְבִיָּה

laudable *adj* רָאוּי לְשֶׁבַח

laudanum *n* מִשְׁרַת אוֹפְיוּם

laudatory *adj* מְשַׁבֵּחַ

laugh *vi, vt, n* צָחַק; צְחוֹק

laughable *adj* מְבַדֵּחַ, מַצְחִיק

laughing-gas *n* גַּאז מַצְחִיק

laughingstock *n* מַטָּרָה לְלַעַג

laughter *n* צְחוֹק

launch *vt, vi* שִׁילַּח; הִשִּׁיק; הִתְחִיל

launch *n* סִירָה גְדוֹלָה

launching *n* הַשָּׁקָה; שִׁילּוּחַ (טיל)

launder *vt, vi* כִּיבֵּס וְגִיהֵץ

launderer *n* כּוֹבֵס

laundress *n* כּוֹבֶסֶת

laundry *n* מִכְבָּסָה; כְּבִיסָה

laundryman *n* כּוֹבֵס, בַּעַל מִכְבָּסָה

laundrywoman *n* כּוֹבֶסֶת

laureate *adj* עֲטוּר עֲלֵי דַפְנָה

laurel *n, vt* הָעָר הָאָצִיל; דַפְנָה; תְּהִילָּה; עָנַד דַפְנָה

lava *n* לָבָה

lavatory *n* חֲדַר־רַחְצָה

lavender *n* אַרְגָּמָן־כְּחַלְחַל

lavender water *n* מֵי בּוֹשֶׂם

lavish *adj* פַּזְרָנִי

lavish *vt* פִּיזֵּר

law *n* חוֹק, מִשְׁפָּט; כְּלָל

law-abiding *adj* שׁוֹמֵר חוֹק

law-breaker *n* עֲבַרְיָין

law court *n* בֵּית־מִשְׁפָּט

lawful *adj* חוּקִי

lawless *adj* מוּפְקָר, פּוֹרֵעַ חוֹק

lawmaker *n* מְחוֹקֵק

lawn *n* מִדְשָׁאָה

lawn mower *n* מַכְסַחַת דֶּשֶׁא

law office *n* מִשְׂרַד עוֹרֵךְ־דִּין

law student *n* סְטוּדֶנְט לְמִשְׁפָּטִים

lawsuit *n* תְּבִיעָה מִשְׁפָּטִית

lawyer *n* מִשְׁפְּטָן, עוֹרֵךְ־דִּין

lax *adj, n* רוֹפֵף; מְרוּשָׁל; סַלמוֹן צְפוֹנִי
laxative *adj, n* מְשַׁלְשֵׁל
lay *adj* חִילוֹנִי; לֹא מִקצוֹעִי
lay *vt, vi* (laid) הִנִּיחַ, שָׂם; הִשׁכִּיב
layer *n* שִׁכבָה, נִדבָּך
layer cake *n* עוּגַת רְבָדִים
layette *n* צוֹרכֵי תִּינוֹק
lay figure *n* גוֹלֶם אִישׁ
layman *n* חִילוֹנִי; הֶדיוֹט; לֹא מִקצוֹעִי
layoff *n* פִּיטוּרִים זְמַנִּיִּים
lay of the land *n* מַרְאֵה הַשֶּׁטַח
layout *n* שִׁיטוּחַ; מַעֲרָך
lay-over *n* דְּחִיָּיה
lay sister *n* אָחוֹת חִילוֹנִית
laziness *n* עַצלוּת
lazy *adj* עָצֵל
lazybones *n* עָצֵל
lb. *abbr* pound
l.c. *abbr* lower case
lea *n* שָׂדֶה
lead *vt, vi* נָהַג, הוֹבִיל; הָלַך בְּרֹאשׁ
lead *n* קְדִימָה; הֶקדֵם; הַנהָגָה
lead *n* עוֹפֶרֶת, גְרָפִיט
leaden *adj* יְצוּק עוֹפֶרֶת, כָּבֵד
leader *n* מַנהִיג, רֹאשׁ; מַאֲמָר רָאשִׁי
leader-dog *n* כֶּלֶב רָאשִׁי
leadership *n* מַנהִיגוּת
leading *adj* עִיקָּרִי, רָאשִׁי
leading article *n* מַאֲמָר רָאשִׁי
leading man (lady) *n* שַׂחֲקָן (ית) רָאשִׁי (ת)
leading question *n* שְׁאֵלָה מַנחָה
leading-strings *n pl* מוֹשְׁכוֹת תִּינוֹק
lead-in-wire *n* תַּיִל כְּנִיסָה
lead pencil *n* עִיפָּרוֹן

leaf *n* עָלֶה; דַף
leaf *vi, vt* עִלעֵל; לִבלֵב
leafless *n* חֲסַר עָלִים
leaflet *n* עֲלעָל; עָלוֹן, כְּרוּז
leafy *adj* דְמוּי עָלֶה
league *n* לִיגָה, חֶבֶר
League of Nations *n* חֶבֶר הַלְאוּמִים
leak *n* דֶלֶף, דְלִיפָה
leak *vi, vt* דָלַף, נָזַל; הִתגַלָּה
leakage *n* דְלִיפָה
leaky *adj* דָלִיף, דוֹלֵף
lean *vi, vt* נִשׁעַן; הִטָּה
lean *adj* כָּחוּשׁ; רָזֶה
leaning *n* נְטִיָּה, מְגַמָּה
lean-to *n* סְכָכָה
leap *vt, vi* דִילֵג, קָפַץ; זִינֵק
leap *n* דִילוּג, קְפִיצָה
leapfrog *n* מִשׂחָק, קְפִיצַת מִשׂחָק
leap year *n* שָׁנָה מְעוּבֶּרֶת
learn *vt, vi* לָמַד; נוֹכַח
learn by heart *vt* לָמַד עַל־פֶּה
learned *adj* מְלוּמָּד
learned journal *n* כְּתַב־עֵת מַדָּעִי
learned society *n* חֶברָה מַדָּעִית
learner *n* לוֹמֵד, מִתלַמֵּד
learning *n* לְמִידָה, לִימּוּד; יְדִיעָה
lease *n, vt* חֲכִירָה, הֶחכִּיר; חָכַר
leasehold *n* חֲכִירָה
leaseholder *n* חוֹכֵר
leash *n* רְצוּעָה, אַפסָר
leash *vt* אָסַר בִּרצוּעָה
least *adj, n, adv* הַפָּחוּת בְּיוֹתֵר; פָּחוֹת מִכּוֹל
leather *n* עוֹר (מעובד)
leatherneck *n* חַיָּיל בְּחֵיל הַנְּחָתִים

leathery *adj* דְמוּי עוֹר
leave *n* רְשׁוּת; חוּפְשָׁה; פְּרֵידָה
leave *vt* הִשְׁאִיר, עָזַב; נִפְרַד
leaven *vt* הֶחְמִיץ, תָּסַס; הִשְׁפִּיעַ
leaven *n* שְׂאוֹר; תְּסִיסָה; הַשְׁפָּעָה
leavening *n* הַחְמָצָה
leave of absence *n* חוּפְשָׁה
leavetaking *n* פְּרִידָה
leavings *n pl* שִׁירַיִים
Lebanese *adj, n* לְבָנוֹנִי
Lebanon *n* לְבָנוֹן
lecher *n* שְׁטוּף תַּאֲווֹת בְּשָׂרִים
lechery *n* זִימָּה
lectern *n* קָתֶדְרָה
lecture *n* הַרְצָאָה; הַטָּפָה
lecture *vi* הִרְצָה; הִטִּיף מוּסָר
lecturer *n* מַרְצֶה; מַטִּיף
ledge *n* לַזְבֵּז; זִיז; אָזֶן
ledger *n* סֵפֶר חֶשְׁבּוֹנוֹת
lee *n* חֲסִי, סֵתֶר רוּחַ
leech *n* עֲלוּקָה; טַפִּיל
leek *n* שׁוּם הַכְּרֵשׁ
leer *n* מַבָּט מְלוּכסָן, מַבָּט נַכלוּלִי
leer *vi* הִבִּיט בִּמלוּכסָן, הִבִּיט מַבָּט נַכלוּלִי
leery *adj* חוֹשְׁדָנִי, נִזְהָר
leeward *adj, n, adv* עִם הָרוּחַ; חָסוּי
Leeward Islands *n pl* אִיֵי הַחֲסִי
leeway *n* סְחִיפָה, מִטרַד רוּחַ
left *adj, adv* עָזוּב; שְׂמָאלִי; שְׂמֹאלָה
left *n* (צַד) שְׂמֹאל
left-hand drive *n* הֶגֶה שְׂמָאלִי
left-handed *adj, adv* שְׂמָאלִי
leftish *adj* שְׂמֹאלָנִי
leftist *n* שְׂמָאלִי
leftover *n* שִׁירַיִים
leftwing *n* אֲגַף שְׂמָאלִי
left-winger *n* אִישׁ הַשְּׂמֹאל
leg *n* רֶגֶל; יָרֵךְ; קֶטַע
legacy *n* יְרוּשָׁה
legal *adj* חוּקִי; מִשְׁפָּטִי
legality *n* חוּקִיּוּת
legalize *vt* אִישֵּׁר חוּקִית
legal tender *n* מַטְבֵּעַ חוּקִי, הֵילָךְ חוּקִי
legatee *n* יוֹרֵשׁ
legation *n* שְׁלִיחַת צִיר; מִשׁלַחַת צִירוּת
legend *n* אַגָּדָה
legendary *adj, n* אַגָּדִי; קוֹבֶץ אַגָּדוֹת
legerdemain *n* לַהֲטוּטִים
leggings *n* מוּקַיִם, חוֹתָלוֹת
leggy *adj* אֶרֶךְ רַגלַיִים
Leghorn *n* לֶגהוֹרן (גזע תרנגולות)
legible *adj* קָרִיא
legion *n* לְגִיוֹן; חַיִל, יְחִידָה
legislate *vi, vt* חָקַק
legislation *n* חֲקִיקָה, תְּחִיקָה
legislative *adj* מְחוֹקֵק
legislator *n* מְחוֹקֵק
legislature *n* בֵּית־מְחוֹקְקִים
legitimacy *n* כַּשְׁרוּת, חוּקִיּוּת
legitimate *adj* חוּקִי, כָּשֵׁר, מוּתָּר
legitimate *vt* אִישֵּׁר כְּחוּקִי
legitimatize *vt* אִישֵּׁר כְּחוּקִי
leg work *n* (דיבּוּרית) עֲבוֹדַת רַגלַיִים
leisure *n* פְּנַאי
leisure class *n* מַעֲמַד הַנֶּהֱנָתָנִים
leisurely *adj, adv* מְבוּצָּע בִּמתִינוּת; בִּמְתִינוּת

lemon *n* לִימוֹן; מִיץ הַלִּימוֹן
lemonade *n* לִימוֹנָדָה
lemon squeezer *n* מַסחֵט לִימוֹנִים
lemon verbena *n* עֵץ הַלִּימוֹן
lend *vt, vi* הִשאִיל; הִלוְוָה (כסף)
length *n* אוֹרֶך, מֶשֶך זְמַן
lengthen *vt, vi* הֶאֱרִיך; אָרַך
lengthwise *adv* לָאוֹרֶך
lengthy *adj* אָרוֹך
leniency *n* רַכּוּת, יָד רַכָּה
lenient *adj* רַך, רַחֲמָנִי, נוֹחַ
lens *n* עֲדָשָה
Lent *n* לֶנט
Lenten *adj* לֶנטִי
lentil *n* עֲדָשָה
leopard *n* נָמֵר
leotard *n* גַרבּוֹנִים
leper *n* מְצוֹרָע
leprosy *n* צָרַעַת
leprous *adj* מְצוֹרָע
Lesbian *adj* לֶסבּוֹאִי
lesbian *adj* סוֹלְלָנִית, לֶסבִּית
Lesbianism *n* סוֹלְלָנוּת, לֶסבִּיוּת
lese majesty *n* עֲבֵירָה נֶגֶד הַשִלטוֹן
lesion *n* פְּגִיעָה, לִיקוּי
less *adj, prep, n, adv* פָּחוֹת; קָטָן יוֹתֵר; מְעַט
lessee *n* חוֹכֵר, שוֹכֵר
lessen *vt, vi* הִפחִית; הִתמַעֵט
lesser *adj* פָּחוּת
lesson *n* שִיעוּר
lessor *n* מַשׂכִּיר
lest *conj* פֶּן, שֶמָא
let *n* מַעצוֹר
let *vt, vi* הִרשָה, אִפשֵר; הִשׂכִּיר

letdown *n* אַכזָבָה; הַשפָּלָה
lethal *adj* מֵמִית
lethargic, lethargical *adj* יָשֵן, מְיוּשָן; אִטִי
lethargy *n* רִפיוֹן אֵיבָרִים
Lett *n* לֶטִי, לַטבִי; לַטבִית
letter *n* אוֹת, אוֹת־דְפוּס
letter-box *n* תֵּיבַת־מִכתָבִים
letter carrier *n* דַוָור
letter drop *n* תֵּיבַת־מִכתָבִים
letterhead *n* כּוֹתֶרֶת נְיַיר מִכתָבִים
lettering *n* כְּתִיבַת אוֹתִיוֹת
letter of credit *n* מִכתַב אַשרַאי
letter opener *n* פּוֹתחַן מִכתָבִים
letter-paper *n* נְיַיר מִכתָבִים
letter-perfect *adj* בָּקִי בְּתַפקִידוֹ
letterpress *n* הַטֶקסט הַמוּדפָּס
letter scales *n pl* מֹאזנֵי דוֹאַר
Lettish *adj, n* לַטבִי; לַטבִית
lettuce *n* חַסָה
letup *n* הַפסָקָה
leukemia, leucemia *n* לֵאוּקֶמיָה
Levant *n* הַמִזרָח; מִזרַח הַיָם הַתִּיכוֹן
Levantine *n, adj* לֵבַנטִינִי, מִזרָחִי
levee *n* סֶכֶר דָיֵיק; קַבָּלַת־פָּנִים (ע״י מלך)
level *n, adj* מִשטָח; גוֹבַהּ, רוּם
level *vt* יִישֵר, שִיוָוה; אִיזֵן
level-headed *adj* מְיוּשָב בְּדַעתּוֹ
levelling rod *n* מוֹט אִיזוּן
lever *n* מָנוֹף, מוֹט
lever *vt, vi* הִשתַמֵש בְּמָנוֹף
leverage *n* הֲנָפָה; מַעֲרֶכֶת מְנוֹפִים
leviathan *n* לִוויָתָן; סְפִינַת עֲנָק; עֲנָקִי

levitation *n* רִיחוּף

levity *n* קַלּוּת־דַעַת

levy *vt, vi* הִטִּיל מַס, גָבָה מַס

levy *n* מִיסּוּי; מַס

lewd *adj* שֶׁל זִימָּה, זִימָּנִי, תַּאַוותָנִי

lewdness *n* זִימָּה

lexicographer *n* מְחַבֵּר מִילּוֹן, לֶקְסִיקוֹגְרָף

lexicographic(al) *adj* מִילּוֹנִי

lexicon *n* מִילּוֹן, לֶקְסִיקוֹן

liability *n* אַחֲרָיוּת, עֵירָבוֹן

liability insurance *n* בִּיטּוּחַ חָבוּת

liable *adj* עָלוּל, מְסוּגָּל; חַיָּיב

liaison *n* קִישּׁוּר, קֶשֶׁר; יַחֲסֵי אַהֲבָה לֹא חוּקִיִּים

liar *n* שַׁקְרָן

libel *n* הוֹצָאַת לַעַז בִּכְתָב

libel *vt* הוֹצִיא לַעַז בִּכְתָב

libelous *adj* מְהַוֶּוה הוֹצָאַת דִיבָּה בִּכְתָב

liberal *adj, n* סוֹבְלָנִי לִיבֶּרָלִי; רְחַב־אוֹפֶק

liberality *n* נְדִיבוּת

liberal minded *adj* לִיבֶּרָלִי בְּגִישָׁתוֹ

liberate *vt* שִׁחְרֵר

liberation *n* שִׁחְרוּר

liberator *n* מְשַׁחְרֵר

libertine *n, adj* מוּפְקָר

liberty *n* חוֹפֶשׁ, חֵירוּת

libidinous *adj* תַּאַוותָנִי

libido *n* תַּאֲוַות־מִין; אֲבִיּוֹנָה

librarian *n* סַפְרָן

library *n* סִפְרִיָּה

library school *n* בֵּית סֵפֶר לְסַפְרָנוּת

library science *n* סַפְרָנוּת

libretto *n* לִבְּרִית

licence, license *n* רִשְׁיוֹן, הַרְשָׁאָה; תְּעוּדַת־סְמִיכוּת; פְּרִיצוּת

licence plate *n* לוּחִית מְסְדָּר

licentious *adj* מוּפְקָר; לֹא מוּסָרִי

lichen *n* חֲזָזִית (צמח); יַלֶּפֶת

lick *vt, vi* לָקַק; לִיחֵךְ; לִחְלֵחַ

lick *n* לִיקּוּק, לִקְלוּק

licorice, liquorice *n* הַשּׁוּשׁ הַקֵּרֵחַ

lid *n* מִכְסֶה, כִּיסּוּי; עַפְעַף

lie *vi* שָׁכַב; שִׁיקֵּר

lie *n* אוֹפֶן תְּנוּחָה; מִרְבָּץ; שֶׁקֶר, כָּזָב

lie detector *n* מְכוֹנַת־אֱמֶת

lien *n* עִיכָּבוֹן, שִׁעְבּוּד

lieu *n* מָקוֹם

lieutenant *n* לֶפְטֶנַנְט, סֶגֶן

lieutenant-colonel *n* סְגַן־אַלּוּף

lieutenant-commander *n* לֶפְטֶנֶנְט־קוֹמַנְדֶּר

lieutenant-governor *n* סְגַן מוֹשֵׁל

lieutenant junior grade *n* סֶגֶן מִשְׁנֶה

life *n* חַיִּים, נֶפֶשׁ, חִיּוּנִיּוּת

life annuity *n* קִצְבַּת עוֹלָם

lifebelt *n* חֲגוֹרַת־הַצָּלָה

life boat *n* סִירַת הַצָּלָה

life-buoy *n* מְצוֹף־הַצָּלָה

life float *n* גַּלְגַּל הַצָּלָה

life guard *n* מִשְׁמַר חַיָּלִים; מַצִּיל

life imprisonment *n* מַאֲסַר עוֹלָם

life insurance *n* בִּיטּוּחַ חַיִּים

life jacket *n* חֲגוֹרַת־הַצָּלָה

lifeless *adj* חֲסַר חַיִּים; מֵת

lifelike *adj* דּוֹמֶה לַמְּצִיאוּת

lifeline *n* חֶבֶל הַצָּלָה

lifelong *adj* הַנִּמְשָׁךְ כָּל הַחַיִּים

life of leisure *n* חַיֵּי בַּטָּלָה
life-preserver *n* חֲגוֹרַת־הַצָּלָה
lifer *n* נִידוֹן לְמַאֲסַר־עוֹלָם
lifesaver *n* מַצִּיל
life sentence *n* מַאֲסַר־עוֹלָם
life-size *n, adj* (דְּמוּת) בְּגוֹדֶל טִבְעִי
lifetime *n* תְּקוּפַת הַחַיִּים
lifework *n* עֲבוֹדַת חַיִּים
lift *vt, vi* הֵרִים; רוֹמֵם; נָשָׂא; הִתְפַּזֵּר (ערפל וכד׳)
lift *n* הֲרָמָה, הֲנָפָה; הַסָּעָה; מַעֲלִית
ligament *n* רְצוּעָה; מֵיתָר
ligature *n* שֶׁנֶץ; קְשִׁירָה; קֶשֶׁר
light *n* אוֹר
light *adj* בָּהִיר; מוּאָר; קַל
light *vt, vi* (lit) הִדְלִיק, הֵאִיר
light *adv* קַל, בְּקַלּוּת
light bulb *n* נוּרָה
light complexion *n* עוֹר בָּהִיר
lighten *vt, vi* הֵקֵל; הִפְחִית מִשְׁקָל; הִרְגִּישׁ הֲקַלָּה; הֵאִיר
lighter *n* דוֹבְרָה; מַצִּית
light-fingered *adj* זָרִיז
light-footed *adj* קַל־רֶגֶל
lightheaded *adj* קַל־רֹאשׁ
light-hearted *adj* חֲסַר דְּאָגָה
lighthouse *n* מִגְדַּלּוֹר
lighting *n* הַעֲלָאַת אוֹר
lighting fixtures *n pl* אַבְזְרֵי תְּאוּרָה
lightly *adj* בְּקַלּוּת מִשְׁקָל; בְּנַחַת
lightness *n* אוֹר, לוֹבֶן
lightning *n* בָּרָק
lightning rod *n* כַּלִּיא־רַעַם, כַּלִּיא בָּרָק
lightship *n* סְפִינַת מִגְדַּלּוֹר
light-weight *adj* קַל מִשְׁקָל; קַל־עֵרֶךְ
light-year *n* שְׁנַת־אוֹר
lignite *n* פֶּחָם חוּם
lignum vitae *n* עֵץ הַחַיִּים
likable *adj* חָבִיב, נָעִים
like *adj, adv, prep, conj* דוֹמֶה ל..., כְּמוֹ; שָׁוֶה
like *n* דָּבָר דוֹמֶה; נְטִיָּה, חִיבָּה
like *vt, vi* חִיבֵּב, רָצָה
likelihood *n* נִרְאוּת, אֶפְשָׁרוּת
likely *adj, adv* מִתְקַבֵּל עַל הַדַּעַת
like-minded *adj* תְּמִים־דֵּעִים
liken *vt* הִשְׁוָה
likeness *n* דְּמוּת, תְּמוּנַת אָדָם; זֶהוּת
likewise *adv, conj* וְכֵן, בְּאוֹתוֹ אוֹפֶן
liking *n* נְטִיָּה, חִיבָּה
lilac *n, adj* לִילָךְ
Lilliputian *n, adj* לִילִפּוּטִי, גַּמָּד; גַּמָּדִי
lilt *n* שִׁיר קָצוּב; תְּנוּעָה קְצוּבָה
lily *n* לִילְיוּם; חֲבַצֶּלֶת
lily of the valley *n* פַּעֲמוֹנֵי מַאי
lily pad *n* עֲלֵה שׁוֹשַׁנַּת־מַיִם
Lima bean *n* שְׁעוּעִית שַׁהֲרוֹנִית
limb *n* גַּף, אֵיבָר
limber *adj* גָּמִישׁ
limber *vi* הִגְמִישׁ
limbo *n* גֵּיהִינּוֹם; שִׁכְחָה
lime *vt* סִייֵּד; צָד עוֹפוֹת
limekiln *n* כִּבְשַׁן סִיד
limelight *n* אֲלוּמַּת־אוֹר; מֶרְכַּז הִתְעַנְיְינוּת
limit *n* גְּבוּל; קָצֶה
limit *vt* הִגְבִּיל, תָּחַם; צִמְצֵם
limited *adj* מוּגְבָּל; בְּעֵירָבוֹן מוּגְבָּל

limitless *adj* לְלֹא גְבוּל
limp *vi, n* צָלַע; צְלִיעָה
limp *adj* נֶעְדַר קַשְׁיוּת, רַך
limpid *adj* צָלוּל, בָּרוּר
linage *n* מִסְפַּר הַשּׁוּרוֹת (בְּחוֹמֶר מוּדְפָּס)
linchpin *n* קַטְרָב
linden, linden tree *n* טִילְיָה
line *n* קַו, שׁוּרָה; שִׂרְטוּט; מֶסֶר
line *vi, vt* סִידֵּר (בְּשׁוּרָה); הָלַךְ לְאוֹרֶךְ הַקַּו; כִּיסָּה בְּקִמְטִים; בִּיטֵּן
lineage *n* שַׁלְשֶׁלֶת יוּחֲסִין
lineament *n* קַו קְלַסְתֵּר
linear *adj* קַוִּי
lineman *n* קַוָּון
linen *n* פִּשְׁתָּן; לְבָנִים
linen closet *n* אֲרוֹן לְבָנִים
line of battle *n* קַו הַחֲזִית
liner *n* אוֹנִיַּית נוֹסְעִים
lineup *n* שׁוּרָה, מִסְדָּר; מַעֲרָךְ
linger *vi* הִשְׁתַּהָה; הֶאֱרִיךְ בְּ...
lingerie *n* לְבָנִים
lingering *adj* מִשְׁתַּהֶה
lingual *adj, n* לְשׁוֹנִי; הֶגֶה לְשׁוֹנִי
linguist *n* בַּלְשָׁן
linguistic *adj* לְשׁוֹנִי; בַּלְשָׁנִי
liniment *n* מְסִיכָה, מִשְׁחָה
lining *n* אֲרִיג בִּטְנָה; בִּטְנָה
link *n* חוּלְיָה; קֶשֶׁר; חִיבּוּר
link *vt, vi* קִישֵּׁר, חִיבֵּר, הִתְחַבֵּר
linnet *n* חוֹחִית תַּפּוּחִית
linoleum *n* שַׁעֲמָנִית, לִינוֹל
linotype *n* מַסְדֶּרֶת לַיְינוֹטַייפּ
linotype *vt, vi* סִידֵּר בְּלַיְינוֹטַייפּ
linotype operator *n* סַדַּר לַיְינוֹטַייפּ
linseed *n* זֶרַע פִּשְׁתָּה
linseed oil *n* שֶׁמֶן פִּשְׁתִּים
lint *n* מִרְפָּד
lintel *n* מַשְׁקוֹף
lion *n* אַרְיֵה
lioness *n* לְבִיאָה
lionhearted *adj* אַמִּיץ־לֵב
lionize *vt* כִּיבֵּד אֲרָיוֹת שֶׁבַּחֲבוּרָה
lion's den *n* גּוֹב אַרְיֵה
lion's share *n* חֵלֶק הָאֲרִי
lip *n* שָׂפָה, שְׂפָתַיִים; דִּיבּוּר
lip-read *vi* קָרָא בִּשְׂפָתַיִים
lip-service *n* מַס שְׂפָתַיִים
lipstick *n* שְׂפָתוֹן
liq. *abbr* liquid, liquor
liquefy *vt, vi* הָפַךְ לְנוֹזֵל
liqueur *n* לִיקֶר
liquid *adj* נוֹזֵל, נוֹזְלִי; בָּהִיר
liquid *n* נוֹזֵל
liquidate *vt, vi* שִׁילֵּם, חִיסֵּל; רָצַח; פֵּירֵק
liquidity *n* נְזִילוּת
liquor *n* מַשְׁקֶה מְזוּקָּק
Lisbon *n* לִיסַבּוֹן
lisle *n* חוּטֵי לַיְיל
lisp *vi* שִׂפְתֵּת
lisp *n* שִׂפְתּוּת
lissom(e) *adj* גָּמִישׁ
list *n* רְשִׁימָה; נְטִיָּיה לַצַּד (שֶׁל אוֹנִיָּיה)
list *vt, vi* עָרַךְ רְשִׁימָה; נָטְתָה לַצַּד
listen *vi* הִקְשִׁיב, הֶאֱזִין
listener *n* מַאֲזִין
listening-post *n* מוּצַּב הַאֲזָנָה
listless *adj* אָדִישׁ

lit. *abbr* liter, literal, literature
litany *n* תְּחִינּוֹת
liter, litre *n* לִיטֶר
literacy *n* יְדִיעַת קְרוֹא וּכְתוֹב
literal *adj, n* כִּכְתָבוֹ, מִילּוּלִי
literal translation *n* תַּרְגּוּם מִילּוּלִי
literary *adj* סִפְרוּתִי; בָּקִיא בְּסִפְרוּת
literate *adj* יוֹדֵעַ קְרוֹא וּכְתוֹב
literature *n* סִפְרוּת
lithe *adj* גָּמִישׁ
lithia *n* תַּחְמוֹצֶת לִיתְיוּם
lithium *n* לִיתְיוּם
lithograph *n, vi* לִיתוֹגְרָף; הִדְפִּיס בְּלִיתוֹגְרָף
lithography *n* לִיתוֹגְרַפְיָה
litigant *n, adj* מְעוֹרָב בִּתְבִיעָה מִשְׁפָּטִית
litigate *vt, vi* הִגִּישׁ תְּבִיעָה
litigation *n* הִתְדַּיְּנוּת
litmus *n* לַקְמוּס
litter *n* אַפִּרְיוֹן; אַשְׁפָּה; וְלָדוֹת שֶׁל הַמְּלָטָה אַחַת
litter *vt* הֵכִין מַצָּע תֶּבֶן; פִּיזֵּר אַשְׁפָּה
litterateur *n* אִישׁ־סֵפֶר
litter bug *n* לַכְלְכָן
little *n* כַּמּוּת קְטַנָּה
little *adj* פָּעוּט, קָטָן; מְעַט, קְצָת
little *adv* בְּמִידָּה מוּעֶטֶת
Little Bear *n* הַדּוֹב הַקָּטָן
Little Dipper *n* הָעֲגָלָה הַקְּטַנָּה
little finger *n* זֶרֶת
little-neck *n* (צֶדֶף) קְצַר צַוָּאר
little owl *n* יַנְשׁוּף קָטָן
Little Red Riding Hood *n* כִּיפָּה אֲדוּמָּה
little slam *n* (בְּבְּרִידְג׳) מַכָּה קְטַנָּה
liturgic(al) *adj* פּוּלְחָנִי, לִיטוּרְגִי
liturgy *n* פּוּלְחָן
livable *adj* מַתְאִים לִחְיוֹת בּוֹ
live *vt, vi* חַי; חָיָה, גָּר
live *adj* חַי; מַמָּשִׁי; מָלֵא חַיִּים
livelihood *n* מִחְיָה
liveliness *n* פְּעִילוּת, רַעֲנַנּוּת
livelong *adj* אָרוֹךְ; שָׁלֵם
lively *adj* מָלֵא חַיִּים, פָּעִיל
liven *vt, vi* עוֹרֵר; הִתְעוֹרֵר
liver *n* כָּבֵד
livery *n* מַדֵּי מְשָׁרְתִים
livery *adj* בְּצֶבַע כָּבֵד
liveryman *n* סַיָּס
livery-stable *n* אוּרְוָה
livestock *n* הַמֶּשֶׁק הַחַי
livid *adj* כְּחַלְחַל; כָּחוֹל־אָפוֹר
living *n, adj* חַיִּים, פַּרְנָסָה; חַי, קַיָּם
living quarters *n pl* מְגוּרִים
living-room *n* טְרַקְלִין
lizard *n* לְטָאָה, חַרְדּוֹן
load *n* מִטְעָן, עוֹמֶס; הֶסְפֵּק; סֵבֶל
load *vt, vi* הִטְעִין (גם נשק); טָעַן; הֶעֱמִיס; נִטְעַן
loaded *adj* טָעוּן, עָמוּס; (דיבורית) שָׁתוּי
loaf *n* (*pl* loaves) כִּיכָּר (לֶחֶם)
loaf *vi, vt* הִתְבַּטֵּל, בִּיטֵּל זְמַן
loafer *n* בַּטְלָן; נַעַל קַלָּה
loam *n* טִיט, חוֹמֶר
loamy *adj* חֲמָרְתִי
loan *n* הַלְוָאָה; מִלְוֶה
loan *vt* הִלְוָה (כסף); הִשְׁאִיל
loan-shark *n* נוֹשֵׁךְ נֶשֶׁךְ

loath, loth *adj* חֲסַר רָצוֹן, מְמָאֵן
loathe *vt* שָׂנֵא, תִּיעֵב
loathing *n* תִּיעוּב
loathsome *adj* נִתְעָב
lob *vi, vt* תִּילֵל (בטניס)
lobby *n* מִסְדְרוֹן; קְבוּצַת שְׁתַדְלָנִים
lobby *vt, vi* הִשְׁתַּדֵּל בְּעַד
lobbying *n* שְׁתַדְלָנוּת
lobbyist *n* שְׁתַדְלָן
lobster *n* סַרְטַן־יָם
lobster-pot *n* מַלְכּוֹדֶת סַרְטָנִים
local *adj* מְקוֹמִי; חֶלְקִי
local *n* תּוֹשַׁב אֵיזוֹר; עוֹבֵד מְקוֹמִי; סְנִיף מְקוֹמִי (של איגוד מקצועי)
locale *n* מָקוֹם, סְבִיבָה
locality *n* מָקוֹם, סְבִיבָה
localize *vt* עָשָׂה לִמְקוֹמִי; הִגְבִּיל לְמָקוֹם
locate *vt, vi* מִיקֵם; אִיתֵּר; הִתְיַישֵּׁב
location *n* מָקוֹם; מְקוֹם־מְגוּרִים; סְבִיבָה
loc. cit. *abbr* loco citato (Latin) בַּמָּקוֹם הַמְצוּטָט
lock *n* מַנְעוּל; בְּרִיחַ (גם בּרובה); סֶכֶר; קְווּצַת שֵׂיעָר
lock *vt, vi* נָעַל, חָסַם, עָצַר; נֶעֱצַר; חִיבֵּר; שִׁילֵּב; הִתְחַבֵּר; הִשְׁתַּלֵּב
locker *n* נוֹעֵל; אֲרוֹנִית
locket *n* מַשְׁכִּייָה
lockjaw *n* צַפֶּדֶת הַלְּסָתוֹת
lock-out *n* הַשְׁבָּתָה
locksmith *n* מְתַקֵּן מַנְעוּלִים
lock step *n* צַעֲדַת עָקֵב בְּצַד אֲגוּדָל
lockstitch *n* תֶּפֶר־קֶשֶׁר
lock tender *n* שׁוֹמֵר סֶכֶר
lockup *n* סְגִירָה; כֶּלֶא
lock washer *n* דִּיסְקִית בְּטִיחוּת
locus *n* (*pl* loci) מָקוֹם, סְבִיבָה
locust *n* אַרְבֶּה
lode, load *n* עוֹרֶק (של מרבצים)
lodestar, loadstar *n* כּוֹכָב מֵאִיר דֶּרֶךְ
lodge *vi, vt* לָן, הִתְאַכְסֵן; הֵלִין, אֵירַחַ; הִפְקִיד (מסמך וכד׳); תָּקַע, נִתְקַע
lodge *n* אַכְסַנְיָה; צְרִיף
lodger *n* דַּייָר; מִתְאַכְסֵן
lodging *n* מְקוֹם־מְגוּרִים
loft *n* עֲלִיַּית־גַּג
lofty *adj* מְרוֹמָם; נִשְׂגָּב; מִתְגָּאֶה
log *n* קוֹרַת עֵץ
log *vi* כָּרַת עֵצִים; רָשַׁם בְּיוֹמַן אוֹנִיָּה
logarithm *n* לוֹגָרִיתְם
logbook *n* יוֹמַן אוֹנִיָּה
log-cabin *n* צְרִיף עֵץ
log driving *n* הוֹבָלַת קוֹרוֹת עֵץ בַּנָּהָר
logger *n* חוֹטֵב עֵצִים
loggerhead *n* בּוּל עֵץ, טִיפֵּשׁ
loggia *n* גְזוּזְטְרָה
logic *n* הִיגָּיוֹן, תּוֹרַת הַהִיגָּיוֹן
logical *adj* הֶגְיוֹנִי
logician *n* מוּמְחֶה בְּתוֹרַת הַהִיגָּיוֹן
logistic *adj* לוֹגִיסְטִי
logistics *n pl* לוֹגִיסְטִיקָה
log jam *n* פְּקָק בִּתְנוּעַת קוֹרוֹת עֵץ
logroll *vi, vt* עָשָׂה קְנוּנְיָה לְעֶזְרָה הֲדָדִית
loin *n* מוֹתֶן, חֶלֶץ
loincloth *n* לְבוּשׁ חֲלָצַיִים
loiter *vt, vi* הִשְׁתַּהָה, שׁוֹטֵט
loiterer *n* הוֹלֵךְ בָּטֵל

loll *vi* יָשַׁב בַּהֲסִיבָּה
lollipop, lollypop *n* סוּכָּרִיַּת מַקֵּל
London *n* לוֹנְדוֹן
lone *adj* בּוֹדֵד; לֹא מְיוּשָּׁב
loneliness *n* בְּדִידוּת
lonely *adj* בּוֹדֵד, גַּלְמוּדִי
lonesome *adj* גַּלְמוּד
long. *abbr* longitude
long *adj, adv* אָרוֹךְ, מְמוּשָּׁךְ; מִזְּמַן
long *vi* הִתְגַּעְגֵּעַ
long-boat *n* הַסִּירָה הַגְּדוֹלָה
long distance call *n* שִׂיחַת־חוּץ
long-drawn-out *adj* מְמוּשָּׁךְ
longevity *n* אֲרִיכוּת־יָמִים
longhair *n* אִינְטֶלֶקְטוּאָל, מַשְׂכִּיל
longhand *n* כְּתִיבָה רְגִילָה
longing *n* גַּעְגּוּעִים
longing *adj* מִתְגַּעְגֵּעַ
longitude *n* קַו־אוֹרֶךְ
long-lived *adj* מַאֲרִיךְ יָמִים
long-playing record *n* תַּקְלִיט אֲרִיךְ־נֶגֶן
long primer *n* פְּרַיימֶר אָרוֹךְ
long-range *adj* לְטוּוָח אָרוֹךְ
longshore *adj* שֶׁלְּאוֹרֶךְ הַחוֹף
longshoreman *n* סַוָּר
long-standing *adj* מִשֶּׁכְּבָר
long-suffering *adj, n* סַבְלָן; סַבְלָנוּת
long-term *adj* לִזְמַן אָרוֹךְ
long-winded *adj* אַרְכָן, מַרְבֶּה לְדַבֵּר
long-windedly *adv* בַּאֲרִיכוּת יֶתֶר
look *vi, vt* הִסְתַּכֵּל, הִבִּיט; נִרְאָה
look *n* מַבָּט; מַרְאֶה
looker-on *n* צוֹפֶה
looking-glass *n* מַרְאָה, רְאִי
lookout *n* זָקִיף; צְפִיָּה; מַרְאֶה; מִצְפֶּה
loom *n* נוֹל, מַאֲרֵגָה, מְכוֹנַת־אֲרִיגָה
loom *vi* הוֹפִיעַ בִּמְעוּרְפָּל; אָרַג בְּנוֹל
loony *adj, n* סַהֲרוּרִי, מְשׁוּגָּע
loop *n, vt* לוּלָאָה; עָשָׂה לוּלָאָה
loophole *n* אֶשְׁנָב; סֶדֶק; מָנוֹס
loose *adj* רָפֶה; תָּלוּשׁ; לֹא קָשׁוּר, חוֹפְשִׁי; מוּפְקָר; לֹא מְדוּיָּק; לֹא אָרוּז; לֹא צָפוּף
loose *vt* נִיתֵּק, הִתִּיר
loose end *n* חוֹסֶר עִיסּוּק
loose-leaf notebook *n* דַּפְדֶּפֶת נִתְלָשִׁים
loosen *vt, vi* הִתִּיר, שִׁחְרֵר; נִיתַּר; רוֹפֵף
looseness *n* רִפְיוֹן, הִתְרוֹפְפוּת
loosestrife *n* לִיסִימַכְיָה מְצוּיָה; שָׁנִית גְּדוֹלָה
loose-tongued *adj* אֶרֶךְ־לָשׁוֹן
loot *n* שָׁלָל
loot *vt, vi* שָׁלַל
lop *vt* גָּזַם, זָמַר; כָּרַת
lopsided *adj* נוֹטֶה לְצַד אֶחָד
loquacious *adj* מַרְבֶּה דִּיבּוּר
lord *n* אָדוֹן; אָצִיל; ה׳
lord *vi* נָהַג כְּלוֹרְד, הִתְנַשֵּׂא
lordly *adj* גֵּא; נֶהְדָּר; לוֹרְדִי
lordship *n* אֲצִילוּת
Lord's supper *n* סְעוּדַּת הָאָדוֹן
lore *n* יֶדַע
lorry *n* מַשָּׂאִית
lose *vt, vi* אִיבֵּד; אָבַד לוֹ; הִפְסִיד; שָׁכַל
loser *n* מַפְסִיד; מְאַבֵּד
loss *n* אֲבֵידָה

loss of face *n* אוֹבְדַן יוּקְרָה
lost *adj* אָבוּד; אוֹבֵד; נִפְסָד
lost sheep *n* (דִיבּוּרִית) כִּבְשָׂה תּוֹעָה
lot *n* חֵלֶק; כַּמּוּת; גּוֹרָל
lotion *n* תְּמִיסָה; תַּרְחִיץ
lottery *n* הַגְרָלָה
lotus *n* לוֹטוּס
loud *adj* צַעֲקָנִי, קוֹלָנִי
loud *adv* בְּקוֹל רָם
loudmouthed *adj* צַעֲקָן
loudspeaker *n* רַמְקוֹל
lounge *vi* הֵסֵב; הִתְהַלֵּךְ בַּעֲצַלְתַּיִים
lounge *n* חֲדַר־אוֹרְחִים
lounge-lizard *n* שְׂכִיר לְרִיקּוּד
louse *n* (*pl* lice) כִּינָּה, טַפִּיל
lousy *adj* מְכוּנָּם; נִתְעָב
lout *n* בּוּר; אָדָם מְסוּרְבָּל
lovable *adj* חָבִיב
love *n* אַהֲבָה; אָהוּב
love *vt, vi* אָהַב, הָיָה מְאוֹהָב
love-affair *n* פָּרָשַׁת אֲהָבִים
lovebird *n* אֲגַפּוֹרְנִיס
love-child *n* יֶלֶד לֹא חוּקִי
loveless *adj* חֲסַר אַהֲבָה
lovely *adj* נֶחְמָד, נֶהְדָר
lovematch *n* נִישּׂוּאִין שֶׁבְּאַהֲבָה
lover *n* אוֹהֵב, מְחַזֵּר
love-seat *n* מוֹשָׁב לִשְׁנַיִים
lovesick *adj* חוֹלֵה אַהֲבָה
love-song *n* שִׁיר אַהֲבָה
loving-kindness *n* אַהֲבָה מִתּוֹךְ חֶסֶד
low *adj, adv* נָמוּךְ; יָרוּד; חַלָּשׁ
low *n* דָּבָר נָמוּךְ; שֶׁקַע; גְּעִיַּת פָּרָה
low *vi* גָּעָה
lowborn *adj* לֹא בַּעַל יִיחוּס
low-brow *n, adj* בַּעַל עֲרָכֵי תַּרְבּוּת נְמוּכִים
Low Countries *n pl* אַרְצוֹת־הַשְּׁפֵלָה
low-down *adj* נָמוּךְ, שָׁפֵל
low-down *n* עוּבְדוֹת אֲמִיתִּיּוֹת
lower *vt* הִנְמִיךְ; הִפְחִית; הוֹרִיד
lower *adj* נָמוּךְ יוֹתֵר
lower, lour *vi* זָעַף, קָדַר
lower berth *n* מִיטַּת מַדָּף תַּחְתִּית
Lower California *n* קָלִיפוֹרְנִיָה הַתַּחְתּוֹנָה
lower middle class *n* הַמַּעֲמָד הַבֵּינוֹנִי הַנָּמוּךְ
low frequency *n* תֶּדֶר נָמוּךְ
low gear *n* הִילּוּךְ נָמוּךְ
lowland *n* שְׁפֵלָה
lowly *adj* פָּשׁוּט; נָמוּךְ; עָנָיו
Low Mass *n* טֶקֶס כְּנֵסִיָּיתִי נָמוּךְ
low-minded *adj* שִׁפְלוּתִי, גַּס
low-neck *adj* בַּעַל מַחְשׂוֹף
low-pitched *adj* נְמוּךְ צְלִיל
low-pressure *adj* בַּעַל לַחַץ נָמוּךְ
low-priced *adj* זוֹל
low shoe *n* נַעַל בַּעֲלַת עָקֵב נָמוּךְ
low-speed *adj* נְמוּךְ מְהִירוּת
low spirits *n pl* דִּיכָּאוֹן, דִּכְדּוּךְ
low tide *n* שֵׁפֶל (בַּיָּם)
low visibility *n* רְאִיּוּת נְמוּכָה
low water *n* שֵׁפֶל (בַּיָּם); מַיִם רְדוּדִים
loyal *adj, n* נֶאֱמָן
loyalist *n* נֶאֱמָן (לַמִּשְׁטָר)
loyalty *n* נֶאֱמָנוּת
lozenge *n* כְּמוּסָה
L.P. *abbr.* long playing (record)
Ltd. *abbr* Limited

lubricious *adj* מוּפְקָר
lubricity *n* חֲלַקְלַקּוּת, שַׁמְנוּנִיּוּת
lucerne, lucern *n* אַסְפֶּסֶת מְצוּיָה
lucid *adj* מֵאִיר; בָּהִיר; בָּרוּר
Lucifer *n* לוּצִיפֶר
luckily *adv* לְמַרְבֵּה הַמַּזָּל
luckless *adj* חֲסַר מַזָּל
lucky *adj* שֶׁל מַזָּל
lucky hit *n* מַכַּת מַזָּל
lucrative *adj* מְשַׁתֵּלֵּם
ludicrous *adj* מְגוּחָךְ
lug *vt, vi* מָשַׁךְ, סָחַב
lug *n* יָדִית; אָבִיק; חָף
luggage *n* מִטְעָן; מִזְווָדוֹת
lugubrious *adj* נוּגֶה
lukewarm *adj* פּוֹשֵׁר
lull *vt, vi* יִישֵּׁן; נִרְגַּע
lull *n* הֲפוּגָה
lullaby *n* שִׁיר עֶרֶשׂ
lumbago *n* מָתְּנֶת
lumber *n* גְּרוּטָאוֹת; עֵצִים
lumber *vt, vi* הִתְנַהֵל בִּכְבֵדוּת
lumberjack *n* כּוֹרֵת עֵצִים
lumber-yard *n* מִגְרָשׁ לְמַחְסַן עֵצִים
luminary *n* גֶּרֶם שָׁמַיִם; מָאוֹר
luminescent *adj* נְהוֹרָנִי
luminous *adj* מֵאִיר; מוּאָר
lummox *n* גּוֹלֶם, שׁוֹטֶה
lump *n, adj* גּוּשׁ; חַבּוּרָה
lump *vt, vi* צָבַר; כָּלַל; הִצְטַבֵּר
lumpy *adj* מָלֵא גּוּשִׁים
lunacy *n* סַהֲרוּרִיּוּת
lunar *adj* יַרְחִי
lunar landing *n* נְחִיתָה עַל הַיָּרֵחַ
lunatic *adj, n* לֹא שָׁפוּי
lunatic asylum *n* בֵּית־חוֹלֵי־רוּחַ
lunatic fringe *n* מִיעוּט פָּנָאטִי
lunch *n* אֲרוּחַת־צָהֳרַיִים
lunch *vi* סָעַד בַּצָּהֳרַיִים
lunch basket *n* תִּיק אוֹכֶל
lunch cloth *n* מַפִּית אוֹכֶל
lunchroom *n* מִסְעָדָה לַאֲרוּחוֹת קַלּוֹת
lung *n* רֵיאָה
lunge *n, vi* תְּחִיבָה; גִיחָה; תָּחַב; הָדַף
lurch *n* רְתִיעָה הַצִּדָּה; מְבוּכָה
lurch *vi* הוּסַט לְצַד
lure *n, vt* מִתְקָן פִּיתּוּי; פִּיתָּה
lurid *adj* נוֹרָא בִּצְבָעָיו; אָיוֹם
lurk *vi* אָרַב; הִסְתַּתֵּר
luscious *adj* טָעִים, עָרֵב; מְגָרֶה
lush *adj* עֲסִיסִי; שׁוֹפֵעַ
Lusitanian *n, adj* לוּזִיטָנִי, פּוֹרטוּגָלִי
lust *n, vi* תַּאֲוָה; עָגַב, הִתְאַוָּה
luster, lustre *n* זוֹהַר
lusterware *n* כְּלִי־חֶרֶס מַבְהִיק
lustful *adj* תַּאַוְותָנִי
lustrous *adj* מַבְרִיק, מַזְהִיר
lusty *adj* חָסוֹן; נִמְרָץ
lute *n* קַתְרוֹס; מֶרֶק, טִיחַ
Lutheran *adj, n* לוּתֶרָנִי
luxuriance *n* שֶׁפַע, עוֹשֶׁר
luxuriant *adj* שׁוֹפֵעַ, מְשׁוּפָּע
luxurious *adj* שֶׁל מוֹתָרוֹת
luxury *n* מוֹתָרוֹת
lye, lie *n* תְּמִיסַּת חִיטּוּי
lying *adj* מְשַׁקֵּר; שׁוֹכֵב
lying-in *n, adj* שְׁכִיבַת יוֹלֶדֶת
lymph *n* לִימְפָה
lymphatic *adj* נִרְפֶּה, אִטִּי

lynch *vt* עָשָׂה מִשְׁפַּט לִינְץ׳
lynching *n* עֲשִׂיַּת לִינְץ׳
lynx *n* חֲתוּל פֶּרֶא
lynx-eyed *adj* חַד־רְאוּת

lyre *n* כִּינּוֹר דָּוִד
lyric *n* לִירִיקָה; שִׁיר לִירִי
lyrical *adj* לִירִי
lyricist *n* מְשׁוֹרֵר לִירִי

M

M, m *n* אֶם (האות השלוש־עשרה באלפבית)
ma'am *n* גְבֶרֶת
macadam *adj* עָשׂוּי שִׁכְבוֹת חָצָץ (לפי שיטת מקאדם)
macadamize *vt* רִיבֵּד בְּחָצָץ (כנ״ל)
macaroni *n* אִטְרִיּוֹת
macaroon *n* מַקָּרוֹן
macaw *n* מָקָאוֹ
mace *n* שַׁרְבִיט; מוּסְקָטִית רֵיחָנִית
machination *n* תַּחְבּוּלָה, מְזִימָּה
machine *vt* יִיצֵּר בִּמְכוֹנָה
machine *n* מְכוֹנָה
machine-gun *n* מְכוֹנַת־יְרִיָּיה
machine-made *adj* מְיוּצָּר בִּמְכוֹנָה
machinery *n* מַעֲרֶכֶת־מְכוֹנוֹת
machine screw *n* בּוֹרֶג לְמַתֶּכֶת
machine shop *n* מַסְגֵּרִיָּיה לְתִיקּוּן מְכוֹנוֹת
machine tool *n* מְכוֹנַת כֵּלִים
machinist *n* מְכוֹנַאי
mackerel *n* קוֹלְיָס
mac(k)intosh *n* מְעִיל־גֶּשֶׁם
mad *adj* מְטוֹרָף; מְשׁוּגָּע; רוֹגֵז

madam(e) *n* גְּבֶרֶת; גְּבִרְתִּי
madcap *n* עַרָנִי, פָּזִיז
madden *vt* שִׁיגֵּעַ; הִרְגִּיז
made-to-order *adj* עָשׂוּי לְפִי מִידָּה, עָשׂוּי לְפִי הַזְמָנָה
madhouse *n* בֵּית־חוֹלֵי־רוּחַ
madman *n* מְטוֹרָף, מְשׁוּגָּע
madness *n* טֵירוּף, שִׁיגָּעוֹן
Madonna *n* מָדוֹנָּה
maelstrom *n* מְעַרְבּוֹלֶת
magazine *n* כְּתַב־עֵת; מַחְסַן־תַּחְמוֹשֶׁת
maggot *n* רִימָּה, זַחַל זְבוּב
Magi (*pl of* magus) הָאַמְגּוּשִׁים
magic *n* קֶסֶם, כִּישּׁוּף
magic *adj* שֶׁל קֶסֶם
magician *n* קוֹסֵם
magistrate *n* שׁוֹפֵט שָׁלוֹם
magnanimous *adj* גְּדוֹל־נֶפֶשׁ
magnesium *n* מַגְנִיּוֹן, מַגְנֶזְיוּם
magnet *n* מַגְנֵט
magnetic *adj* מַגְנֵטִי, מוֹשֵׁךְ
magnetism *n* מַגְנֵטִיּוּת; כּוֹחַ מְשִׁיכָה
magnetize *vt* מִגְנֵט
magneto *n* מַגְנֵטוֹ

magnificent *adj* רַב־הוֹד, מְפֹאָר
magnify *vt* הִגְדִּיל; הִגְזִים, פֵּאֵר
magnifying glass *n* זְכוּכִית מַגְדֶּלֶת
magnitude *n* גּוֹדֶל; גּוֹדֶל רַב
magpie *n* עוֹרֵב הַנְּחָלִים
Magyar *adj, n* מַדְיָארִי; הוּנְגָּרִית
mahlstick *n* מַקֵּל צַיָּרִים
mahogany *n* תּוֹלַעֲנָה
Mahomet *see* **Mohammed**
maid *n* עַלְמָה, לֹא נְשׂוּאָה; מְשָׁרֶתֶת
maiden *adj* לֹא נְשׂוּאָה
maiden *n* נַעֲרָה, בַּחוּרָה
maidenhair *n* שַׂעֲרוֹת שׁוּלַמִּית
maidenhead *n* בְּתוּלִיּוּת, בְּתוּלִים
maidenhood *n* בְּתוּלִיּוּת
maiden lady *n* רַוָּקָה
maid-in-waiting *n* שׁוֹשְׁבִינָה
maidservant *n* מְשָׁרֶתֶת
mail *n* דּוֹאַר, דִּבְרֵי דּוֹאַר
mail *vt* שָׁלַח בַּדּוֹאַר
mailbag *adj* שַׂק דּוֹאַר
mailboat *n* אוֹנִיַּת־דּוֹאַר
mailbox *n* תֵּבַת־מִכְתָּבִים
mail car *n* מְכוֹנִית־דּוֹאַר
mail carrier *n* דַּוָּר
mailing list *n* רְשִׁימַת נִמְעָנִים
mailing permit *n* רִשְׁיוֹן לְהַחְתָּמַת 'שׁוּלַּם'
mailman *n* דַּוָּר
mail-order house *n* חֶבְרַת אַסְפָּקָה בַּדּוֹאַר
maim *vt* גָּרַם נָכוּת
main *adj* עִיקָּרִי, רָאשִׁי
main *n* עִיקָּר; גְּבוּרָה
main deck *n* סִיפּוּן רָאשִׁי
mainland *n* יַבֶּשֶׁת
main line *n* קַו רָאשִׁי
mainly *adv* בְּעִיקָּר
mainmast *n* תֹּרֶן רָאשִׁי
mainsail *n* מִפְרָשׂ רָאשִׁי
mainspring *n* קְפִיץ עִיקָּרִי
mainstay *n* סָמוֹךְ מֶרְכָּזִי; מְפַרְנֵס
maintain *vt* תָּמַךְ; קִיֵּם; טָעַן
maintenance *n* אַחֲזָקָה; הַמְשָׁכָה
maitre d'hotel *n* מְנַהֵל הַמָּלוֹן
maize *n* תִּירָס
majestic *adj* מַלְכוּתִי, נֶהְדָּר
majesty *n* רוֹמְמוּת; הָדָר
major *adj* עִיקָּרִי; בָּכִיר; מָז'וֹרִי; רוּבָּנִי
major *n* רַב־סֶרֶן; מִקְצוֹעַ רָאשִׁי
major *vi* בָּחַר כְּמִקְצוֹעַ רָאשִׁי
Majorca *n* מָיוֹרְקָה
major general *n* אַלּוּף, מֵיג'וֹר גֶ'נֶרָל
majority *n, adj* (שֶׁל) רוֹב; בַּגְרוּת
make *n* תּוֹצֶרֶת, מוּצָר
make *vt, vi* (made) עָשָׂה, יָצַר; הִיוָּה
make-believe *n, adj* (שֶׁל) הַעֲמָדַת־פָּנִים
maker *n* עוֹשֶׂה, יוֹצֵר; הַבּוֹרֵא
make-up *n* אִיפּוּר
make-up man *n* מְאַפֵּר
malachite *n* מַלָּכִיט
maladjustment *n* אִי־הַתְאָמָה
malady *n* מַחֲלָה
malaise *n* הַרְגָּשַׁת חוֹלִי
malaria *n* קַדַּחַת
Malay *n, adj* מָלָאִי; מָלָאִית
malcontent *adj, n* לֹא מְרוּצֶה; מַר־נֶפֶשׁ

male *adj*, *n* (שֶׁל) זָכָר; (שֶׁל) גֶּבֶר
malediction *n* קְלָלָה
malefactor *n* גּוֹמֵל רָע
male nurse *n* אָח (רחמן)
malevolent *adj* מְרוּשָׁע
malice *n* רֶשַׁע, רִשְׁעוּת
malicious *adj* נוֹטֵר אֵיבָה, זְדוֹנִי
malign *vt* הִלְעִיז עַל
malign *adj* מַזִּיק, מַשְׁחִית
malignant *adj* רָע; מַמְאִיר
malignity *n* רוֹעַ
malinger *vi* הִתְחַלָּה
mall *n* שְׂדֵירָה
mallet *n* מַקֶּבֶת; פַּטִּישׁ עֵץ
malnutrition *n* תְּזוּנָה לְקוּיָה, תַּתְזוּנָה
malodorous *adj* מַסְרִיחַ
malt *n* לֶתֶת; בִּירָה
maltreat *vt* נָהַג בְּאַכְזְרִיּוּת כְּלַפֵּי
mamma, mama *n* אִמָּא
mammal *n* יוֹנֵק
mammalian *adj* שַׁיָּךְ לַיּוֹנְקִים
mammoth *n*, *adj* מַמּוּתָה
man *n* (*pl* men) אָדָם, אִישׁ; גֶּבֶר
man *vt* סִיפֵּק אֲנָשִׁים, אִיֵּשׁ
manacle *n*, *vt* כְּבָלִים; כָּבַל
manage *vt*, *vi* נִיהֵל; עָלָה בְּיָדוֹ
manageable *adj* שֶׁאֶפְשָׁר לְנַהֲלוֹ; שֶׁאֶפְשָׁר לְהִשְׁתַּלֵּט עָלָיו
management *n* הַנְהָלָה; נִיהוּל
manager *n* מְנַהֵל; אֲמַרְגָּן (לגבי שחקן)
managerial *adj* הַנְהָלָתִי, מִנְהָלָתִי
mandate *n* מַנְדָט; מְמוּנּוּת; צַו
mandolin(e) *n* מַנְדּוֹלִינָה
mane *n* רַעְמָה

manful *adj* גַּבְרִי, אַמִּיץ
manganese *n* מַנְגָּן
mange *n* שְׁחִין בְּהֵמוֹת
manger *n* אֵיבוּס
mangle *vt* רִיסֵּק; עִיגֵּל
mangle *n* מַעְגִּילָה
mangy *adj* נְגוּעַ שְׁחִין
manhandle *vt* טִיפֵּל בְּצוּרָה גַּסָּה
manhole *n* כַּוָּוה, גּוֹב
manhood *n* גַּברוּת; בַּגְרוּת; אוֹמֶץ
manhunt *n* צֵיד אָדָם
mania *n* שֶׁגַע, שִׁגָּעוֹן, מַנְיָה
maniac *n*, *adj* שִׁגֵּעַ, מוּכֵּה שִׁגָּעוֹן
manicure *n* תִּצְפּוֹרֶת, תִּשְׁפּוֹרֶת־צִפּוֹרְנַיִים, מָנִיקוּרָה
manicure *vt* תִּצְפֵּר, טִיפֵּל בַּצִּפּוֹרְנַיִים, עָשָׂה מָנִיקוּרָה
manicurist *n* מָנִיקוּרִיסט
manifest *adj*, *n* בָּרוּר; מִצְהָר
manifest *vt*, *vi* הֶרְאָה בָּרוּר; נִרְאָה
manifesto *n* גִּילּוּי־דַּעַת, מִנְשָׁר
manifold *adj*, *n* (דבר) רַב־פָּנִים; עוֹתֶק
manifold *vt* שִׁכְפֵּל
manikin *n* גַּמָּד; דוּגְמָן
manipulate *vt*, *vi* פָּעַל בְּיָדָיו; טִיפֵּל בִּתְבוּנָה; הִפְעִיל בְּעוֹרְמָה
manipulation *n* טִיפּוּל, פְּעוּלָּה; הַשְׁפָּעָה לֹא הוֹגֶנֶת
mankind *n* הָאֱנוֹשׁוּת
manliness *n* גַּבְרִיּוּת
manly *adj* גַּבְרִי
manned spaceship *n* חֲלָלִית מְאוּיֶּשֶׁת
mannequin *n* אִימּוּם; דוּגְמָן, דוּגְמָנִית
manner *n* אוֹפֶן, דֶּרֶךְ; נוֹהַג; נִימּוּס; סוּג

mannish *adj* גַּבְרִי; גַּבְרִית
man of letters *n* אִישׁ סִפְרוּת
man of means *n* בַּעַל אֶמְצָעִים
man of the world *n* אִישׁ הָעוֹלָם הַגָּדוֹל
man-of-war *n* אוֹנִיַּת־מִלְחָמָה
manor *n* אֲחוּזָּה
manorhouse *n* בֵּית בַּעַל אֲחוּזָּה
manpower *n* כּוֹחַ אָדָם
mansard *n* גַּג דּוּ־שִׁיפּוּעִי
manservant *n* מְשָׁרֵת
mansion *n* אַרְמוֹן, בַּיִת גָּדוֹל
manslaughter *n* הֲרִיגַת אָדָם
mantel, mantelpiece *n* אֶדֶן הָאָח
mantle *n* מְעִיל, כְּסוּת
mantle *vt, vi* כִּיסָּה; הִסְמִיק
manual *adj* שֶׁל יָד
manual *n* מַדְרִיךְ, סֵפֶר שִׁימּוּשִׁי
manual training *n* אִימּוּן בִּמְלֶאכֶת־יָד
manufacture *vt, vi* יִיצֵּר; הִמְצִיא
manufacture *n* חֲרוֹשֶׁת, יִיצּוּר
manufacturer *n* חֲרוֹשְׁתָּן, יַצְרָן
manuscript *n* כְּתַב־יָד
many *adj* רַבִּים, הַרְבֵּה
manysided *adj* רַב־צְדָדִי
map *n, vt* מַפָּה; מִיפָּה
maple *n* אֶדֶר
maquette *n* דֶּגֶם רִאשׁוֹנִי
mar *vt* הִזִּיק, הִשְׁחִית
maraud *vi, vt* פָּשַׁט, שָׁדַד
marauder *n* פּוֹשֵׁט, שׁוֹדֵד
marble *n, adj* שַׁיִשׁ; שֵׁישִׁי; צוֹנֵן
marble *vt* שִׁיֵּישׁ
marbles *n pl* גּוּלּוֹת
March *n* מַארס
march *n* צְעִידָה, מִצְעָד, צְעָדָה; נְגִינַת־לֶכֶת; גְּבוּל
march *vt, vi* צָעַד, צָעַד בְּקֶצֶב; הִצְעִיד; גָּבַל
marchioness *n* מַרְקִיזָה
mare *n* סוּסָה
margarine *n* מַרְגָּרִינָה
margin *n* שׁוּלַיִים; קָצֶה
marginal *adj* שׁוּלִי, גְּבוּלִי
margin release *n* מַתֵּר הַשּׁוּלַיִים
marigold *n* עוֹגֶל, טַגֶּטֶס
marihuana, marijuana *n* קַנַּבּוֹס הוֹדִי, מָרִיכוּאָנָה
marine *adj* יַמִּי, צִיִּי
marine *n* צִי הַמְּדִינָה; נֶחָת
mariner *n* מַלָּח, יוֹרֵד יָם
marionette *n* בּוּבַּת תֵּיאַטְרוֹן, מַרְיוֹנֶטָה
marital *adj* שֶׁל נִישּׂוּאִים
marital status *n* מַעֲמָד אֶזְרָחִי
maritime *adj* יַמִּי; צִיִּי; חוֹפִי
marjoram *n* אֲזוֹבִית; אֵיזוֹב
mark *n* סִימָן; עִקְבָה; צִיּוּן; מַארק (מטבע)
mark *vt, vi* צִיֵּין, סִימֵּן; הִתְוָוה
mark-down *n* הֲנָחָה (במחיר)
market *n* שׁוּק
market *vt, vi* שִׁיוֵּק
marketable *adj* שָׁוִיק
marketing *n* שִׁיוּוּק
market-place *n* שׁוּק, רַחֲבַת־שׁוּק
marking gauge *n* מְסַמֵּן קַו
marksman *n* קַלָּע
marksmanship *n* קַלָּעוּת

mark-up *n* הַעֲלָאַת מְחִיר
marl *n, vt* חוּוָרָה; דִישֵּׁן בְּחוּוָרָה
marmalade *n* מִרְקַחַת, מַרְמֶלָדָה
maroon *n, adj* זִיקוּק אֵשׁ
maroon *vt* נָטַשׁ בְּחוֹף אוֹ בְּאִי שׁוֹמֵם
marquee *n* אוֹהֶל גָדוֹל
marquis *n* מַרְקִיז
marquise *n* מַרְקִיזָה
marriage *n* נִישׂוּאִים
marriageable *adj* שֶׁהִגִּיעַ לְפִרְקוֹ
marriage portion *n* נְדוּנְיָה
married *adj* נָשׂוּי, נְשׂוּאָה
marrow *n* לְשַׁד, מוֹחַ עֲצָמוֹת; קִישׁוּא
marry *vi, vt* נָשָׂא אִישָּׁה, נִישְּׂאָה; הִשִּׂיא
Mars *n* מַרְס; מַאְדִים
Marseille *n* מַרְסֵיי
marsh *n* בִּיצָה
marshal *n* מַרְשָׁל
marshal *vt* סִידֵּר, אִרְגֵּן; הִכְוִין
marsh-mallow *n* חוֹטְמִית רְפוּאִית, סוּכָּרִייַת חוֹטְמִית
marshy *adj* בִּיצָתִי
martial *adj* מִלְחַמְתִּי; צְבָאִי
martially *adv* כְּלוֹחֵם, בְּמִלְחַמְתִּיּוּת
martin *n* סְנוּנִית
martinet *n* תּוֹבֵעַ מִשְׁמַעַת נוּקְשָׁה
martyr *n* מְקוּדַּשׁ שֵׁם
martyr *vt* עָשָׂה לְקָדוֹשׁ
marvel *n, vi* פֶּלֶא; הִתְפַּעֵל
marvelous *adj* נִפְלָא, נֶהְדָר
Marxist *n* מַרְקְסִיסְט
masc. *abbr* masculine
mascara *n* פּוּךְ עֵינַיִים
mascot *n* קָמֵיעַ
masculine *adj* גַבְרִי; מִמִּין זָכָר
mash *n* כְּתוֹשֶׁת; בְּלִילָה
mash *vt* כָּתַשׁ; רִיסֵּק
masher *n* מַרְסֵק
mask *n* מַסֵּכָה
mask *vt, vi* כִּיסָּה בְּמַסֵּכָה, הִתְחַפֵּשׂ
mason *n* בַּנַּאי; בּוֹנֶה חוֹפְשִׁי
masonry *n* בְּנִי אֶבֶן, בְּנִיָּיה
Masora *n* מָסוֹרָה
Masoretic *adj* שֶׁל הַמָּסוֹרָה, עַל־פִּי הַמָּסוֹרֶת
masquerade *n, vt* תַּחְפּוֹשֶׂת; הַעֲמָדַת־פָּנִים; הִתְחַפֵּשׂ; הֶעֱמִיד פָּנִים
masquerade ball *n* נֶשֶׁף־מַסֵּכוֹת
mass *n* מִיסָה (קָתוֹלִית)
mass *vt, vi* צָבַר, קִיבֵּץ; נֶעֱרַם; הִקְהִיל; נִקְהַל
massacre *n, vt* טֶבַח; טָבַח
massage *n, vt* מִשָּׁשׁ, עִיסּוּי; עִיסָּה
masseur *n* עַסְיָין
masseuse *n* עַסְיָינִית
massive *adj* מָלֵא, מַסִּיבִי; כָּבֵד
mast *n* תּוֹרֶן; פְּרִי עֲצֵי יַעַר
master *vt, vi* הִשְׁתַּלֵּט עַל, מָשַׁל; הִתְמַחָה בּ...
master *n* אָדוֹן; מוּסְמָךְ; מוֹרֶה; אוּמָּן
master builder *n* קַבְּלַן בִּנְיָן, מְהַנְדֵּס
masterful *adj* אַדְנוּתִי; נִמְרָץ
master-key *n* כּוֹל פּוֹתֵחַ
masterly *adj, adv* אוּמָּנוּתִי; כָּרָאוּי לְמוּמְחֶה
master mechanic *n* רַב־מְכוֹנַאי
mastermind *n* מְתַכְנֵן רָאשִׁי
Master of Arts (Science) *n* מוּסְמָךְ לְמַדָּעֵי־הָרוּחַ (הַטֶּבַע)

masterpiece *n*	יְצִירָה מְעוּלָּה
master-stroke *n*	צַעַד גְּאוֹנִי
mastery *n*	מוּמְחִיּוּת; שְׁלִיטָה
masthead *n*	רֹאשׁ הַתּוֹרֶן
masticate *vt*	לָעַס
mastiff *n*	מַסְטִיף
masturbate *vi*	אוֹנֵן
mat *n*	מַדְרָסָה, מַחְצֶלֶת
mat *vt*	רִיפֵּד, קָלַע
mat(t) *adj, n*	עָמוּם, דֵּהֶה
mat(t) *vt*	הִכְהָה, הִדְהָה
match *n*	אָדָם שָׁקוּל כְּנֶגֶד; גַּפְרוּר; תַּחֲרוּת; שִׁידּוּךְ
match *vt, vi*	הֶעֱמִיד כְּמִתְחָרֶה; הִתְאִים; תֵּיאֵם; זִיוֵּוג
matchless *adj*	אֵין כָּמוֹהוּ
matchmaker *n*	שַׁדְכָן
mate *n*	(בשחמט) מַט; חָבֵר, עֲמִית; בֶּן־זוּג
mate *vt, vi*	חִיתֵּן, שִׁידֵּךְ; הִתְחַבֵּר; הִתְחַתֵּן; (בשחמט) נָתַן מַט
material *adj*	חוֹמְרִי, מַטֶרְיָלִי
material *n*	חוֹמֶר; אָרִיג
materialism *n*	חוֹמְרָנוּת
materialize *vt, vi*	הִתְגַּשֵּׁם; קִיבֵּל צוּרָה מוּחָשִׁית
maternal *adj*	אִמָּהִי; מִצַּד הָאֵם
maternity *n*	אִמָּהוּת
matey *n*	(דיבורית) חָבֵר
mathematical *adj*	מָתֵימָטִי
mathematician *n*	מָתֵימָטִיקַאי
mathematics *n*	מָתֵימָטִיקָה
matinee, matinée *n*	הַצָּגַת בּוֹקֶר, הַצָּגָה יוֹמִית
mating season *n*	עוֹנַת הַהִזְדַּוְּוגוּת
matins *n*	תְּפִילַת שַׁחֲרִית (בכנסייה האנגליקנית)
matriarch *n*	מַטְרִיאַרְכִית
matricide *n*	הוֹרֵג אִמּוֹ; רֶצַח אֵם
matriculate *vt, vi*	רָשַׁם (וכן נרשם) לְבֵית־סֵפֶר גָּבוֹהַּ
matrimony *n*	נִישׂוּאִים
matron *n*	אִשָּׁה נְשׂוּאָה; אֵם בַּיִת; מַטְרוֹנָה
matronly *adj*	כְּמַטְרוֹנָה
matter *n*	חוֹמֶר; דָּבָר דָּפוּס; עִנְיָן
matter *vi*	הָיָה חָשׁוּב
matter-of-fact *adj*	כַּהֲוָויָתוֹ, עוּבְדָּתִי
mattock *n*	טוּרְיָה, מַעְדֵּר
mattress *n*	מִזְרָן, מַצָּע
mature *adj*	בָּשֵׁל, מְבוּגָּר
mature *vt, vi*	בָּשֵׁל, בָּגַר
maturity *n*	בַּגְרוּת, בְּשֵׁלוּת
maudlin *adj*	בַּכְיָינִי
maul, mall *vt*	חִיבֵּל; נָהַג בְּגַסּוּת
maulstick *n*	מַקֵּל צַיָּירִים
Maundy Thursday *n*	יוֹם הַחֲמִישִׁי הַקָּדוֹשׁ (בנצרות)
mausoleum *n*	מָאוּזוֹלֵאוּם
maw *n*	פֶּה, זֶפֶק; קֵיבָה
mawkish *adj*	גּוֹעֲלִי; רַגְשָׁנִי
max. *abbr* maximum	
maxim *n*	מֵימְרָה, מָשָׁל
maximum *n, adj*	הַמְּרוּבֶּה, מֵירָב; מֵירְבִּי
may (might) *vi*	מוּתָּר, אֶפְשָׁר, הַלְוַואי; אוּלַי
May Day *n*	אֶחָד בְּמַאי
maybe *adv*	אוּלַי, יִיתָּכֵן
mayhem *n*	חַבָּלָה זְדוֹנִית בַּגּוּף

mayonnaise *n* מָיוֹנִית
mayor *n* רֹאשׁ עִיר
mayoress *n* (אִישָׁה) רֹאשׁ עִיר
maze *n* מָבוֹךְ; מְבוּכָה
M.C. *abbr* Master of Ceremonies, Member of Congress, Military Cross
me *pron* אוֹתִי; לִי
meadow *n* אָחוּ
meadowland *n* אַדְמַת־מִרְעֶה
meager, meagre *adj* רָזֶה; דַל; זָעוּם
meal *n* אֲרוּחָה
mealtime *n* זְמַן אֲרוּחָה
mean *n* דֶרֶךְ, אוֹפֶן; (בְּרַבִּים) אֶמְצָעִים; מְמוּצָע
mean *adj* תִּיכוֹן, בֵּינוֹנִי; שָׁפָל; קַמְצָן
mean *vt, vi* הִתְכַּוֵּן; יָעַד
meander *vi* הִתְפַּתֵּל
meaning *n, adj* מוּבָן, מַשְׁמָע, מַשְׁמָעוּת; בַּעַל מַשְׁמָעוּת
meaningful *adj* מַשְׁמָעוּתִי
meaningless *adj* חֲסַר מַשְׁמָעוּת
meanness *n* שִׁפְלוּת; קַטְנוּנִיּוּת; קַמְצָנוּת
meantime *n, adv* בֵּינְתַיִים
meanwhile *n, adv* בֵּינְתַיִים
measles *n* חַצֶּבֶת
measly *adj* נְגוּעַ חַצֶּבֶת
measurable *adj* מָדִיד
measure *n* גּוֹדֶל; מִידָּה; מְדִידָה; אַמַּת־מִידָּה
measure *vt, vi* מָדַד; הִתְמוֹדֵד; גּוֹדְלוֹ הָיָה
measurement *n* מִידָּה; מְדִידָה
meat *n* בָּשָׂר
meat ball *n* קְצִיצָה
meat market *n* אִטְלִיז
meaty *adj* בְּשָׂרִי; רַב בָּשָׂר
mechanic *n* מְכוֹנַאי
mechanical *adj* מֵכָנִי; שֶׁל מְכוֹנוֹת; מְלָאכוּתִי
mechanics *n pl* מְכוֹנָאוּת; מֵכָנִיקָה
mechanism *n* מִבְנֶה מְכוֹנָה; מַנְגָּנוֹן
mechanize *vt* מִיכֵּן, אִטְמֵט
med. *abbr* medicine, medieval
medal *n* מֵדַלְיוֹן; עִיטּוּר
medallion *n* תִּלְיוֹן, מֵדַלְיוֹן
meddle *vi* הִתְעָרֵב; בָּחַשׁ
meddler *n* מִתְעָרֵב; בּוֹחֵשׁ
meddlesome *adj* מִתְעָרֵב; בּוֹחֵשׁ
median *adj, n* אֶמְצָעִי, תִּיכוֹן; קַו חוֹצֶה
mediate *vi, vt* תִּיוֵּךְ
mediation *n* תִּיוּוּךְ
mediator *n* מְתַוֵּךְ
medical *adj* רְפוּאִי; מְרַפֵּא
medical student *n* סְטוּדֶנְט לִרְפוּאָה
medicine *n* רְפוּאָה; תְּרוּפָה
medicine cabinet *n* אֲרוֹן תְּרוּפוֹת
medicine kit *n* מַעֲרֶכֶת צִיּוּד רְפוּאִי
medicine man *n* רוֹפֵא אֱלִיל, קוֹסֵם
medieval *adj* בֵּינַיְימִי
medievalist *n* מוּמְחֶה בִּימֵי־הַבֵּינַיִים
mediocre *adj* בֵּינוֹנִי
mediocrity *n* בֵּינוֹנִיּוּת
meditate *vi, vt* הִרְהֵר, שָׁקַל
Mediterranean *adj, n* יָם־תִּיכוֹנִי, (שֶׁל) הַיָּם הַתִּיכוֹן
Mediterranean Sea *n* הַיָּם הַתִּיכוֹן
medium *n, adj* אֶמְצָעוּת; אֶמְצָעִי; (בִּסְפִּירִיטוּאָלִיזְם) מְתַוֵּךְ, מֶדְיוּם (*pl* mediums, media)

medlar *n* שֶׁסֶק גֶרְמָנִי
medley *n, adj* תַּעֲרוֹבֶת,
עִרְבּוּבְיָה; מְעוֹרָב
meek *adj* שְׁפַל־רוּחַ, עָנָיו
meekness *n* שִׁפְלוּת־רוּחַ, עֲנָוָה
meerschaum *n* מֶרְשָׁאוּם
meet *vt, vi* (*pt* met) פָּגַשׁ;
קִיבֵּל פְּנֵי; סִיפֵּק; נִפְגַּשׁ
meet *adj* מַתְאִים
meeting *n* פְּגִישָׁה; אֲסֵיפָה
meeting of minds *n* הִזְדַּהוּת
רוּחָנִית; תְּמִימוּת־דֵּעִים
meeting-place *n* מְקוֹם הִתְוַעֲדוּת
megacycle *n* מֵגָאסַייקְל
megaphone *n* רַמְקוֹל, מֶגָפוֹן
melancholia *n* מָרָה שְׁחוֹרָה, דִּיכָּאוֹן
melancholy *n, adj* מָרָה שְׁחוֹרָה,
דִּיכָּאוֹן; מְדוּכְדָּךְ; מַעֲצִיב; מְדַכְדֵּךְ
melee, mêlée *n* הִתְכַּתְּשׁוּת
mellow *adj* רַךְ, מָתוֹק; בָּשֵׁל; מָתוּן
mellow *vt, vi* רִיכֵּךְ; הִתְרַכֵּךְ
melodious *adj* מֵלוֹדִי, מִתְרוֹנֵן
melodramatic *adj* מֵלוֹדְרָמָתִי
melody *n* נְעִימָה
melon *n* מֵלוֹן
melt *vi, vt* נָמַס, נִיתַּךְ; הֵמֵס, הִתִּיךְ
melting-pot *n* כּוּר הִיתּוּךְ
member *n* חָבֵר (באגודה וכד׳)
membership *n* חֲבֵרוּת
membrane *n* קְרוּמִית
memento *n* מַזְכֶּרֶת
memo *see* memorandum
memoirs *n pl* זִכְרוֹנוֹת
memorandum *n* תַּזְכִּיר; תִּזְכּוֹרֶת
memorial *adj, n* שֶׁל זִיכָּרוֹן;
אַזְכָּרָה, מַצֶּבֶת־זִיכָּרוֹן
memorial arch *n* קֶשֶׁת זִיכָּרוֹן
Memorial Day *n* יוֹם הַזִּיכָּרוֹן
memorialize *vt* אִזְכֵּר; הִזְכִּיר
memorize *vt* לָמַד עַל פֶּה
memory *n* זִיכָּרוֹן
menace *n, vt* אִיוּם; סַכָּנָה; אִיֵּים; סִיכֵּן
ménage, menage *n* הַנְהָלַת מֶשֶׁק־בַּיִת
menagerie *n* בֵּיבָר
mend *vt, vi* תִּיקֵּן; שִׁיפֵּץ; הֶחֱלִים
mend *n* תִּיקּוּן
mendacious *adj* שַׁקְרָן, כּוֹזֵב, לֹא נָכוֹן
mendicant *n* פּוֹשֵׁט יָד
menfolk *n pl* גְּבָרִים
menial *adj* נִכְנָע, מִתְרַפֵּס; בָּזוּי
menial *n* מְשָׁרֵת בַּיִת
menses *n pl* וֶסֶת
men's room *n* בֵּית־כִּיסֵּא לִגְבָרִים
menstruate *vi* בָּאָה וִסְתָּהּ
mental *adj* נַפְשִׁי, רוּחָנִי, שִׂכְלִי
mental illness *n* מַחֲלַת־רוּחַ
mental reservation *n* הִסְתַּיְּיגוּת
לֹא מְבוּטֵּאת
mental test *n* בְּחִינַת מִשְׂכָּל
mention *n, vt* אִזְכּוּר; הִזְכִּיר
menu *n* תַּפְרִיט
mercantile *adj* מִסְחָרִי
mercenary *n, adj* חַיָּיל שָׂכִיר
(במדינה לא שלו); שֶׁבְּעַד בֶּצַע
כֶּסֶף
merchandise *n* סְחוֹרוֹת, טוּבִים
merchant *n, adj* סוֹחֵר; מִסְחָרִי
merchant vessel *n* אוֹנִיַּת סוֹחֵר
merciful *adj* רַחֲמָנִי
merciless *adj* חֲסַר רַחֲמִים

mercury *n* כַּסְפִּית
mercy *n* רַחֲמִים; חֲנִינָה
mere *adj* סְתָם, רַק
meretricious *adj* מוּפְקָר, זְנוּתִי; זוֹל, מְזוּיָף
merge *vt, vi* הִבְלִיעַ; מִיזֵג; נִבְלַע; הִתְמַזֵּג
merger *n* הִתְמַזְּגוּת
meridian *adj, n* שֶׁל צָהֳרַיִים; קַו־אוֹרֶךְ
meringue *n* מִקְצֶפֶת
merino *n, adj* מֵרִינוֹ (סוג צאן)
merit *n* הִצְטַיְּנוּת, עֵרֶךְ
merit *vt* הָיָה רָאוּי ל...
merlin *n* בַּז גַּמָּדִי
merlon *n* שֵׁן חוֹמָה
mermaid *n* בְּתוּלַת־יָם
merriment *n* שִׂמְחָה, עֲלִיצוּת
merry *adj* שָׂמֵחַ, עַלִּיז
merry-go-round *n* סְחַרְחֶרֶת
merrymaker *n* עַלִּיז שֶׁבַּחֲבוּרָה
mesh *n* רֶשֶׁת, עַיִן, עֵינִית
mesh *vt, vi* לָכַד בְּרֶשֶׁת; הִסְתַּבֵּךְ
mess *n* אִי־סֵדֶר, בִּלְבּוּל, לִכְלוּךְ; אֲרוּחָה (בצוותא)
mess *vi, vt* בִּלְבֵּל, עִרְבֵּב; לִכְלֵךְ
message *n* הוֹדָעָה, מֶסֶר, שְׁלִיחוּת
messenger *n* שָׁלִיחַ
Messiah, Messias *n* מָשִׁיחַ
mess kit *n* זְוַד אוֹכֶל
mess of pottage *n* נְזִיד עֲדָשִׁים
Messrs. *abbr* messieurs אֲדוֹנִים
messy *adj* מְבוּלְבָּל, פָּרוּעַ
metal *n, adj* מַתֶּכֶת; עָשׂוּי מַתֶּכֶת
metallic *adj* מַתַּכְתִּי
metallurgy *n* מֵטַלּוּרְגְיָה, מַדַּע מַתָּכוֹת
metal polish *n* מִשְׁחַת נִיקּוּי מַתֶּכֶת
metalwork *n* מְלֶאכֶת מַתֶּכֶת
metamorphosis *n* שִׁינּוּי צוּרָה, גִלְגּוּל, מֵטָמוֹרְפוֹזִיס
metaphor *n* הַשְׁאָלָה, מֵטָפוֹרָה
metaphoric(al) *adj* מוּשְׁאָל
mete *vt* הִקְצִיב, חִילֵּק בְּמִידָּה
meteor *n* שַׁלְהָב, מֵטֵאוֹר
meteorology *n* חַזָּאוּת, מֵטֵאוֹרוֹלוֹגְיָה
meter, metre *n* (בְּמוּסִיקָה) מִקְצָב; (בְּשִׁירָה) מִשְׁקָל; מֶטֶר
meter *n* מַד, מוֹנֶה, מוֹדֵד
metering *n* מְדִידָה, מְנִייָה
methane *n* מֵתָן
method *n* שִׁיטָה, דֶּרֶךְ, מֵתוֹדָה
methodic(al) *adj* מֵתוֹדִי, שִׁיטָתִי
Methodist *n* מֵתוֹדִיסט
Methuselah *n* מְתוּשֶׁלַח
meticulous *adj* קַפְּדָנִי
metric(al) *adj* מֶטְרִי
metronome *n* מַד־קֶצֶב
metropolis *n* עִיר־אֵם, מֶטְרוֹפּוֹלִין
metropolitan *adj* מֶטְרוֹפּוֹלִינִי, שֶׁל כְּרַךְ
mettle *n* אוֹפִי; לַהַט; אוֹמֶץ־לֵב
mettlesome *adj* מָלֵא אוֹמֶץ
mew *n, vi* יִלְלַת חָתוּל; יִילֵּל
mews *n pl* אוּרָווֹת סְבִיב חָצֵר פְּתוּחָה
Mexico *n* מֶקְסִיקוֹ
mezzanine *n* קוֹמַת בֵּינַיִים
mfr. *abbr* manufacturer
mica *n* נָצִיץ
microbe *n* חַיְדַק
microbiology *n* מִיקְרוֹבִּיוֹלוֹגְיָה

microfilm *n* סֶרֶט זִיעוּר
microgroove *n* חֲרִיץ מִיקְרוֹ
microphone *n* מִיקְרוֹפוֹן
microscope *n* מִיקְרוֹסְקוֹפּ
microscopic *adj* מִיקְרוֹסְקוֹפִּי
microwave *n* גַל זָעִיר
mid *adj* אֶמְצָעִי
midday *n* צָהֳרַיִים
middle *adj* אֶמְצָעִי; תִּיכוֹנִי
middle *n* אֶמְצַע, תָּוֶךְ
middle age *n* גִיל הָעֲמִידָה
Middle Ages *n pl* יְמֵי הַבֵּינַיִים
middle-class *n, adj* (שֶל) הַמַּעֲמָד הַבֵּינוֹנִי
middleman *n* מְתַוֵּךְ
middling *adj, adv* בֵּינוֹנִי; בְּמִידָה בֵּינוֹנִית
middy *n* (בצי) פֶּרַח קְצוּנָּה
midget *n* גַּמָּד
midland *adj, n* (שֶל) פְּנִים־הָאָרֶץ
midnight *n, adj* (שֶבַּ)חֲצוֹת הַלַּיְלָה
midriff *n* סַרְעֶפֶת, טַרְפֵּש
midshipman *n* (בצי ארה״ב) פֶּרַח קְצוּנָּה; (בבריטניה) קָצִין זוּטָר
midst *n* קֶרֶב, תּוֹךְ; שָלָב אֶמְצָעִי
midstream *n* לֵב הַנָּהָר
midsummer *n* עִיצוּמוֹ שֶל קַיִץ
midway *adj, adv, n* (שֶ)בְּאֶמְצַע הַדֶּרֶךְ; אֶמְצַע הַדֶּרֶךְ
midweek *n, adj* (שֶבְּ)אֶמְצַע הַשָּבוּעַ
midwife *n* מְיַילֶּדֶת
midwinter *n, adj* עִיצוּמוֹ שֶל חוֹרֶף
mien *n* הַבָּעָה
miff *n* רוֹגֶז, 'בְּרוֹגֶז'
miff *vt, vi* הֶעֱלִיב; נֶעֱלַב

might *pt of* may
might *n* כּוֹחַ, עוֹצְמָה
mighty *n, adj, adv* רַב־עוֹצְמָה, חָזָק
migrate *vi* הִיגֵּר, נָדַד
migratory *adj* מְהַגֵּר, נוֹדֵד
mil. *abbr* military, militia
milch *adj* נוֹתֶנֶת חָלָב
mild *adj* מָתוּן; נָעִים; קַל
mildew *n* טַחַב, יֵרָקוֹן
mile *n* מַייל
mileage *n* מִסְפַּר הַמַּיילִים
milepost *n* אֶבֶן מַייל
milestone *n* צִיּוּן דֶּרֶךְ
milieu *n* הֲוַי, סְבִיבָה
militancy *n* מִלְחַמְתִּיּוּת
militant *adj* מִלְחַמְתִּי, לוֹחֲמָנִי
militarism *n* מִלְחַמְתִּיּוּת, צְבָאִיּוּת
militarist *n* דוֹגֵל בִּצְבָאִיּוּת
militarize *vt* צִיבֵּא, נָתַן צִבְיוֹן צְבָאִי
military *adj, n* צְבָאִי; צָבָא
militate *vi* פָּעַל; הִשְפִּיעַ
militia *n* מִשְמַר עָם, מִילִיצְיָה
milk *n* חָלָב
milk *vt, vi* חָלַב; סָחַט; יָנַק; נָתְנָה חָלָב
milk can *n* כַּד חָלָב
milking *n* חֲלִיבָה
milkmaid *n* חוֹלֶבֶת
milkman *n* חַלְבָּן
milk-shake *n* חָלָב מְשוּכְשָךְ
milksop *n* גֶּבֶר נָשִי, נַשְיָן
milkweed *n* מִשְפַּחַת הָאַסְקְלֶפִּיִּים
milky *adj* חֲלָבִי
Milky Way *n* שְבִיל הֶחָלָב
mill *n* טַחֲנָה; רֵיחַיִים; מַטְחֵנָה
mill *vt, vi* טָחַן

mill edge *n* שָׂפָה חֲתוּכָה
millenium *n* תְּקוּפַת אֶלֶף שָׁנָה
miller *n* טוֹחֵן; בַּעַל טַחֲנָה
millet *n* זִיפָן אִיטַלְקִי
milligram *n* מִילִיגְרַם
millimeter, millimetre *n* מִילִימֶטֶר
milliner *n* כּוֹבָעָן (לנשים)
millinery *n* כּוֹבָעִים וַאֲבִזְרֵיהֶם
milling *n* טְחִינָה; כִּרסוּם
million *n* מִילְיוֹן
million(n)aire *n* מִילְיוֹנֶר
millionth *adj, n* הַמִּילְיוֹנִי
mill-pond *n* בְּרֵיכַת טַחֲנָה
mill-race *n* תְּעָלַת הַטַּחֲנָה
millstone *n* אֶבֶן רֵיחַיִים
mill wheel *n* גַּלְגַּל טַחֲנָה
mime *n* בַּדְּחָן; מוּקְיוֹן
mime *vt, vi* חִיקָּה; שִׂיחֵק בְּלִי מִלִּים
mimeograph *n, vt* שַׁכְפֵּלָה; שִׁכְפֵּל
mimic *n, vt* חִיקּוּי; חִיקָּה
mimicry *n* חַקְייָנוּת
min. *abbr* minimum, minute
minaret *n* חוּד מִגְדָּל (במסגד)
mince *vt, vi* טָחַן (בָּשָׂר); טָפַף;
הִתְבַּטֵּא בַּעֲדִינוּת מְעוּשָּׂה
mincemeat *n* בָּשָׂר טָחוּן
mince-pie *n* פַּשְׁטִיד בָּשָׂר
mincing *adj* מְגוּנְדָּר
mind *n* מוֹחַ; דֵּעָה; מַחֲשָׁבָה; תּוֹדָעָה
mind *vt, vi* נָתַן דַּעְתּוֹ, שָׂם לֵב; הִשְׁגִּיחַ
mindful *adj* זָהִיר, נוֹתֵן דַּעְתּוֹ
mind-reader *n* קוֹרֵא מַחֲשָׁבוֹת
mine *pron* שֶׁלִּי
mine *n* מִכְרֶה; מוֹקֵשׁ
mine *vi, vt* כָּרָה; מִיקֵּשׁ
minefield *n* שְׂדֵה מוֹקְשִׁים
miner *n* כּוֹרֶה; חַבְּלָן
mineral *adj, n* מִינֶרָלִי, מַחְצָבִי;
מַחְצָב, מִינֶרָל
mineralogy *n* תּוֹרַת הַמַּחְצָבִים
mine-sweeper *n* שׁוֹלַת מוֹקְשִׁים
mingle *vt, vi* עֵירֵב; הִתְעַרְבֵּב;
הָיָה מְעוֹרָב
miniature *n, adj* זְעֵיר־אַנְפִּין,
מִינְיָטוּרָה; מִינְיָטוּרִי
minimal *adj* מִזְעָרִי, מִינִימָלִי
minimize *vt* הִמְעִיט עֵרֶךְ; צִמְצֵם
minimum *adj* מִינִימָלִי, מִזְעָרִי
mining *n* כְּרִייָה
minion *n* מְשָׁרֵת
minister *n* שָׂר; כּוֹהֵן דָּת;
צִיר (דיפלומט)
minister *vt* שֵׁירֵת, טִיפֵּל בּ...
ministerial *adj* שֶׁל שַׂר;
לְצַד הַמֶּמְשָׁלָה
ministry *n* מִשְׂרָד (ממשלתי); כְּהוּנָּה
mink *n* חוֹרְפָן; פַּרְוַת חוֹרְפָן
minnow *n* גַּסְטְרוֹסְטֵאוּס
minor *adj, n* קָטָן; קָטִין; זוּטָר; מִשְׁנִי
Minorca *n* מִינוֹרְקָה
minority *n* מִיעוּט; קַטִינוּת
minstrel *n* מִינְסְטְרֶל, שַׂחֲקָן־בַּדְּחָן
mint *n* נַעֲנָה, מִנְתָּה; מִטְבָּעָה
mint *vt* טָבַע כֶּסֶף; טָבַע מִלִּים
minuet *n* מִינוּאֶט (ריקוד)
minus *prep, adj* פָּחוֹת, מִינוּס;
שֶׁל חִיסּוּר; שְׁלִילִי
minute *n* דַּקָּה
minute *adj* קְטַנְטַן; מְדוּקְדָּק
minutes *n pl* פְּרוֹטוֹקוֹל

minutiae *n pl* פְּרָטִים פְּעוּטִים

minx *n* נַעֲרָה חֲצוּפָה, נַעֲרָה עַגְבָנִית

miracle *n* נֵס, פֶּלֶא

miraculous *adj* מַפְלִיא; נִסִּי

mirage *n* מַחֲזֵה תַּעְתּוּעִים, מִירַאז'

mire *n* אַדְמַת בִּיצָה, יָוֵן

mirror *n, vt* מַרְאָה, רְאִי; שִׁיקֵּף

mirth *n* עַלִּיזוּת, עֲלִיצוּת

miry *adj* מְרוּפָּשׁ

misadventure *n* מַזָּל בִּישׁ

misanthropy *n* שִׂנְאַת־בְּרִיּוֹת

misapprehension *n* אִי־הֲבָנָה

misappropriation *n* שִׁימּוּשׁ לֹא נָכוֹן; מְעִילָה

misbehave *vt, vi* הִתְנַהֵג רָע

misbehavior *n* הִתְנַהֲגוּת רָעָה

miscalculation *n* חֶשְׁבּוֹן מוּטְעֶה

miscarriage *n* עִיוּוּת; הַפָּלָה (שֶׁל עוּבָּר)

miscarry *vi* נִכְשַׁל; הִפִּילָה

miscellaneous *adj* מְעוֹרָב; שׁוֹנִים

miscellany *n* קוֹבֶץ מְעוֹרָב

mischief *n* פְּגִיעָה, נֶזֶק; תַּעֲלוּל, קוּנְדֵּסוּת

mischief-maker *n* תַּכְכָן

mischievous *adj* מַזִּיק; מְקַנְטֵר; שׁוֹבָב

misconception *n* מוּשָּׂג מוּטְעֶה

misconduct *n* הִתְנַהֲגוּת פְּסוּלָה

misconstrue *vt* פֵּירֵשׁ לֹא נָכוֹן

miscount *n* טָעוּת בִּסְפִירָה

miscue *n* הַחֲטָאָה

misdeed *n* חֵטְא

misdemeanor *n* מַעֲשֶׂה רַע, עָווֹן

misdirect *vt* הַנְחָה לֹא נָכוֹן

misdoing *n* מַעֲשֶׂה רַע

miser *n* כִּילַי, קַמְצָן

miserable *adj* עֲלוּב חַיִּים, מִסְכֵּן

miserly *adj* קַמְצָן, כִּילַי

misery *n* מְצוּקָה, מַחְסוֹר, דִּכְדּוּךְ

misfeasance *n* עֲבֵירָה

misfire *n* אִי־יְרִיָּיה

misfire *vi* הֶחֱטִיא

misfit *n* אִי־הַתְאָמָה; (דבר או אדם) לֹא מַתְאִים

misfortune *n* מַזָּל בִּישׁ

misgiving *n* חֲשָׁשׁ, סָפֵק

misgovern *vt* מָשַׁל בְּאוֹפֶן רַע

misguided *adj* תּוֹעֶה, מוּלָךְ שׁוֹלָל

mishap *n* תַּקְרִית לֹא נְעִימָה, תַּקָּלָה

misinform *vt* מָסַר יְדִיעוֹת מוּטְעוֹת

misinterpret *vt* פֵּירֵשׁ שֶׁלֹּא כַּהֲלָכָה

misjudge *vt* טָעָה בְּשִׁיפּוּטוֹ

mislay *vt* הִנִּיחַ לֹא בִּמְקוֹמוֹ

mislead *vt* הִטְעָה

misleading *adj* מַטְעֶה

mismanagement *n* נִיהוּל כּוֹשֵׁל

misnomer *n* כִּינּוּי בְּשֵׁם מוּטְעֶה

misplace *vt* הִנִּיחַ בְּמָקוֹם לֹא נָכוֹן

misprint *n* טָעוּת דְּפוּס

mispronounce *vt* טָעָה בַּהֲגִיָּיה

mispronunciation *n* טָעוּת בַּמִּבְטָא

misquote *vt* צִיטֵּט לֹא נָכוֹן

misrepresent *vt* תֵּיאֵר תֵּיאוּר מְסוּלָּף

Miss *n* עַלְמָה

miss *vt, vi* הֶחֱטִיא; הֶחְמִיץ

miss *n* הַחֲטָאָה; כִּישָּׁלוֹן

missal *n* סֵפֶר תְּפִילּוֹת

misshapen *adj* מְעוּוַּת צוּרָה

missile *n* טִיל; דָּבָר נִזְרָק

missing *adj* חָסֵר; נֶעְדָּר
mission *n* שְׁלִיחוּת; מִשְׁלַחַת; מִיסְיוֹן
missionary *n, adj* מִיסְיוֹנֶר, שְׁלִיחַ דָּתִי; שָׁלִיחַ
missive *n* אִיגֶּרֶת
misspell *vi, vt* שָׁגָה בִּכְתִיב
misspent *adj* בּוּזְבַּז לָרִיק
misstatement *n* הוֹדָעָה כּוֹזֶבֶת
missy *n* (דיבּוּרית) גְּבֶרֶת צְעִירָה
mist *n* אֵד, עֲרָפֶל
mistake *vt, n* טָעָה; טָעוּת, שְׁגִיאָה
mistaken *adj* מוּטְעֶה
mistakenly *adv* בְּטָעוּת
Mister *n* אָדוֹן, מַר
mistletoe *n* הַדַּבְקוֹן הַלָּבָן
mistreat *vt* נָהַג לֹא כַּשּׁוּרָה
mistreatment *n* הִתְעַלְּלוּת
mistress *n* בַּעֲלַת־בַּיִת; פִּילֶגֶשׁ; מוֹרָה
mistrial *n* עִיוּוּת־דִּין
mistrust *n* אִי־אֵמוּן
mistrust *vt, vi* חָשַׁד בּ...
mistrustful *adj* חַשְׁדָנִי
misty *adj* מְעוּרְפָּל; סָתוּם
misunderstand *vt* הֵבִין לֹא נָכוֹן
misunderstanding *n* אִי־הֲבָנָה
misuse *vt* הִשְׁתַּמֵּשׁ שֶׁלֹּא כַּהוֹגֶן
misuse *n* שִׁימּוּשׁ לֹא נָכוֹן
mite *n* פְּרוּטָה; קְטַנְטַן
miter *n* מִצְנֶפֶת (שֶׁל בִּישׁוֹף וכד׳); מַחְבָּר זָוִיתִי
miter box *n* מִתְקַן הַמְדָּרָה
mitigate *vt, vi* הֵקֵל, שִׁיכֵּךְ; הוּקַל
mitt *n* כְּפָפַת בֵּיסְבּוֹל; כְּסָיָה
mitten *n* כְּסָיָה (לֹא מאוּצבּעת)
mix *vt, vi* עֵירֵב, עִרְבֵּב; בָּלַל; הִתְעַרְבֵּב; הִתְרוֹעֵעַ
mix *n* תַּעֲרוֹבֶת, עִרְבּוּב; עִרְבּוּבְיָה
mixed *adj* מְעוּרְבָּב; מְבוּלְבָּל
mixed company *n* חֶבְרָה מְעוֹרֶבֶת
mixed drink *n* מַשְׁקֶה מְעוֹרָב
mixed feelings *n pl* רְגָשׁוֹת מְעוֹרָבִים
mixer *n* מְעַרְבֵּל, מִיקְסֶר; אִישׁ רֵעִים
mixture *n* תַּעֲרוֹבֶת, מְזִיגָה
mix-up *n* בִּלְבּוּל, תִּסְבּוֹכֶת
mizzen *n* מִפְרָשׂ אֲחוֹרִי; מִפְרָשׂ שְׁלִישִׁי
M.O. *abbr* Money Order
moan *vi* נֶאֱנַח, נֶאֱנַק
moan *n* אֲנָחָה, אֲנָקָה
moat *n* תְּעָלַת־מָגֵן
mob *n* הָמוֹן, אֲסַפְסוּף
mob *vt, vi* (לגבּי המון) הִתְקַהֵל; הִתְנַפֵּל; הִתְפָּרֵעַ
mobile *adj* מִתְנַיֵּיעַ, נַיָּיד
mobility *n* הִתְנַיְּיעוּת; הִשְׁתַּנּוּת
mobilization *n* גִּיּוּס
mobilize *vt, vi* גִּיֵּיס; הִתְגַּיֵּיס
mobster *n* (המונית) פָּרוּעַ, אַלִּים
moccasin *n* מוֹקַסִּין
mock *vt* לִגְלֵג עַל, שִׂיטָּה בּ...; חִיקָּה
mock *n* לִגְלוּג, לַעַג; חִיקּוּי
mock *adj* מְדוּמֶּה; מְזוּיָּף; מְבוּיָּם
mockery *n* לִגְלוּג, חוּכָּא וטִלוּלָא
mockingbird *n* חַקְיָן
mock privet *n* לִיגוּסטרוּם מְדוּמֶּה
mock-turtle soup *n* מְרַק צָב מְדוּמֶּה
mock-up *n* דֶּגֶם מְכוֹנָה, דֶּגֶם מִתְקָן
mode *n* אוֹפֶן, אוֹרַח; אוֹפְנָה
model *n* תַּבְנִית, דֶּגֶם; דּוּגְמָן, דּוּגְמָנִית
model *adj* תַּבְנִיתִי, מְשַׁמֵּשׁ דּוּגְמָה, מוֹפְתִי

model *vt, vi* עִיצֵּב לְפִי דֶגֶם; צָר צוּרָה; שִׁימֵּשׁ כְּדוּגמָן (אוֹ דוּגמָנִית)
model airplane *n* דֶגֶם מָטוֹס
model airplane builder *n* בּוֹנֵה דְגָמֵי מְטוֹסִים
model sailing *n* הֲשָׁטַת דְגָמֵי סְפִינוֹת
moderate *vt, vi* מִיתֵּן, רִיכֵּךְ; הִמעִיט; הִנחָה (דיוּן)
moderate *adj, n* מָתוּן; מוּעָט (לגבּי יכוֹלת וכד׳)
moderation *n* מְתִינוּת; הִתאַפְּקוּת
moderator *n* מְמַתֵּן, מְשַׁכֵּךְ; יוֹשֵׁב רֹאשׁ (בּדיוּן אוֹ בּאסיפה)
modern *adj* חָדִישׁ, חָדָשׁ, מוֹדֶרנִי
modernize *vt* חִידֵּשׁ, מִדרֵן
modest *adj* צָנוּעַ, עָנָיו; מְצוּמצָם
modesty *n* צְנִיעוּת; צִמצוּם; הֲגִינוּת
modicum *n* מִידָּה מְצוּמצֶמֶת; שֶׁמֶץ
modifier *n* מְשַׁנֶּה, מְתָאֵם; (בּדקדוּק) מַגבִּיל
modify *vt* שִׁינָּה, הִתאִים; סִיגֵּל; (בּדקדוּק) הִגבִּיל
modish *adj* אוֹפנָתִי
modulate *vt, vi* תֵּיאֵם; (בּמוּסיקה) סִילֵּם; גִיוּוֵן (קוֹל)
modulation *n* תֵּיאוּם; סִילוּם; גִיוּוּן
mohair *n* מוֹהֵיר, מְעַזִּית אַנגוֹרָה
Mohammed *n* מוּחַמָּד
Mohammedan *adj, n* מוּחַמָּדִי, מוּסלְמִי
Mohammedanism *n* אִיסלַם
moist *adj* לַח, רָטוֹב
moisten *vt, vi* הִרטִיב, לִחלֵחַ; הִתלַחלֵחַ
moisture *n* לַחוּת; לֵחוּת, לֵחַ
molar *n, adj* (שֵׁן) טוֹחֶנֶת
molasses *n* דִבשָׁה
mold *n* אִימוּם; מַטבַּעַת; כִּיוּר, דְפוּס; כַּרכּוֹב, עוֹבֶשׁ
molder *n* מְעַצֵּב; דַפָּס
molder *vi* הִתפּוֹרֵר; עָבַשׁ
molding *n* דְפוּס; כַּרכּוֹב
moldy *n* עָבֵשׁ, נִרקָב
mole *n* בַּהֶרֶת, כֶּתֶם; חוֹלֶד, חֲפַרפֶּרֶת; שׁוֹבֵר־גַלִּים
molecule *n* מוֹלֶקוּלָה
molehill *n* תֵּל חוּלדוֹת
moleskin *n* פַּרווַת חוֹלֶד
molest *vt* הֵצִיק, הִטרִיד
moll *n* פִּילַגשׁוֹ שֶׁל גַנָּב
mollify *vt* פִּייֵּס, רִיכֵּךְ
mollusk *n* רַכִּיכָה
mollycoddle *n* נַשִׁיָּן (מפוּנק)
mollycoddle *vt* פִּינֵּק
molt *vi* הִשִּׁיר
molten *adj* נָמֵס; מְעוּצָּב
moment *n* רֶגַע; חֲשִׁיבוּת
momentary *n* רִגעִי
momentous *adj* רַב־חֲשִׁיבוּת
momentum *n* תְּנוּפָה
monarch *n* מוֹנַרך, מֶלֶךְ
monarchist *adj* מוֹנַרכִיסטִי
monarchy *n* מוֹנַרכִיָה, מְלוּכָנוּת
monastery *n* מִנזָר
monastic *adj* מִנזָרִי
monasticism *n* מִנזָרִיוּת
Monday *n* יוֹם שֵׁנִי (לשבוּע)
monetary *adj* שֶׁל מַטבֵּעַ הַמְּדִינָה; כַּספִּי

money *n* כֶּסֶף, מָמוֹן
moneybag *n* תִּיק כֶּסֶף; עָשִׁיר
moneychanger *n* שׁוּלְחָנִי, חַלְפָן
moneyed *adj* עָשִׁיר, בַּעַל הוֹן
moneylender *n* מַלְוֶה בְּרִיבִּית
moneymaker *n* צוֹבֵר הוֹן, דָבָר מַכְנִיס
money-order *n* הַמְחָאַת־כֶּסֶף (בַּדּוֹאַר)
Mongol מוֹנְגוֹלִי; מוֹנְגוֹלִית
mongoose *n* נְמִיָּה הוֹדִית
mongrel *adj, n* בֶּן־כִּלְאַיִים
monitor *n* תּוֹרָן, מַשְׁגִּיחַ; מַאֲזִין (בְּרַדְיוֹ)
monitor *vt, vi* פִּיקֵּחַ, הִשְׁגִּיחַ; הֶאֱזִין (לְשִׁידּוּר)
monk *n* נָזִיר
monkey *n* קוֹף; שׁוֹבָב
monkey business *n* עֲסָקִים לֹא הוֹגְנִים
monkey-wrench *n* מַפְתֵּחַ אַנְגְּלִי
monkshood *n* אֲקוֹנִיטוֹן רְפוּאִי
monocle *n* מוֹנוֹקְל, מִשְׁקָף
monogamy *n* מוֹנוֹגַמְיָה
monogram *n* מִשְׁלֶבֶת, מוֹנוֹגְרַם
monograph *n* מוֹנוֹגְרַפְיָה
monolithic *adj* מֵאֶבֶן אַחַת; מוֹנוֹלִיתִי
monologue *n* מוֹנוֹלוֹג, חַד שִׂיחַ
monomania *n* שִׁיגָּעוֹן לְדָבָר אֶחָד
monopolize *vt* הִשִּׂיג מוֹנוֹפּוֹל; הִשְׁתַּלֵּט עַל
monopoly *n* מוֹנוֹפּוֹל; הִשְׁתַּלְּטוּת גְּמוּרָה
monorail *n* רַכֶּבֶת חַד־פַּסִּית
monosyllable *n* מִלָּה חַד־הֲבָרִית
monotheist *n* מוֹנוֹתֵיאִיסְט
monotonous *adj* חַד־צְלִילִי; חַדְגּוֹנִי
monotony *n* חַדְגּוֹנִיּוּת
monotype *n* מַסְדֶּרֶת מוֹנוֹטַייפּ, מַסְדֶּרֶת אוֹתִיּוֹת (בִּדְפוּס)
monotype operator *n* סַדָּר מוֹנוֹטַייפּ
monoxide *n* תַּחְמוֹצֶת חַד־חַמְצָנִית
monsignor *n* מוֹנְסִינְיוֹר
monsoon *n* מוֹנְסוּן
monster *n* מִפְלֶצֶת
monstrosity *n* מִפְלַצְתִּיּוּת; יְצוּר מִפְלַצְתִּי, מִפְלֶצֶת
monstrous *adj* מִפְלַצְתִּי; אָיוֹם
month *n* חוֹדֶשׁ
monthly *adj, adv, n* חוֹדְשִׁי; אַחַת לַחוֹדֶשׁ; יַרְחוֹן
monument *n* מַצֵּבָה, אַנְדַּרְטָה
moo *vt, n* גָּעָה כְּפָרָה; גְּעִיָּה
mood *n* מַצַּב־רוּחַ
moody *adj* נָתוּן לְמַצְּבֵי־רוּחַ
moon *n* יָרֵחַ, לְבָנָה
moonbeam *n* קֶרֶן יָרֵחַ
moonlight *n* אוֹר הַלְּבָנָה
moonlighting *n* עֲבוֹדָה בִּשְׁתֵּי מִשְׂרוֹת
moonshine *n* אוֹר הַלְּבָנָה
moonshot *n* הַזְנָקָה לַיָּרֵחַ
moor *n* אַדְמַת בּוּר
moor *vt, vi* רָתַק (סְפִינָה), קָשַׁר
Moorish *adj* מוּרִי
moorland *n* אַדְמַת־בּוּר
moose *n* צְבִי אֲמֵרִיקָנִי
moot *adj* נִיתָּן לְוִיכּוּחַ, מְפוּקְפָּק
moot *vt* הֶעֱלָה לְדִיּוּן
mop *n, vi* סְמַרְטוּט, מַטְלִית; נִיגֵּב
mope *vi* שָׁקַע בְּעַצְבוּת
moral *adj* מוּסָרִי, שֶׁל מוּסַר הַשֵּׂכֶל
moral *n* מוּסָר, מִידּוֹת; לֶקַח, עִיקָּרוֹן מוּסָרִי

morale *n* מִשְׁמַעַת מוּסָרִית, מוֹרָל
morality *n* מוּסָרִיּוּת; מַדַּע הַמּוּסָר
morass *n* בִּיצָּה
moratorium *n* מוֹרָטוֹרְיוּם, אַרְכָּה רִשְׁמִית
morbid *adj* מַחֲלָתִי, שֶׁל מַחֲלָה
mordant *adj* צוֹרֵב
more *n, adj, adv* נוֹסָף, תּוֹסֶפֶת; יוֹתֵר; עוֹד; רַב יוֹתֵר
moreover *adv* יְתֵרָה מִזּוֹ, יָתֵר עַל כֵּן
morgue *n* חֲדַר־מֵתִים; (בעיתון) גַּנְזַךְ
moribund *adj* גּוֹסֵס
morning *n, adj* בּוֹקֶר; בּוֹקְרִי
morning coat *n* מִקְטוֹרֶן בּוֹקֶר
morning-glory *n* לְפוּפִית (צמח)
morning sickness *n* מַחֲלַת בּוֹקֶר
morning star *n* נוֹגַהּ; אַיֶּלֶת הַשַּׁחַר
Moroccan *adj, n* מָרוֹקָנִי
morocco *n* עוֹר מָרוֹקָנִי
moron *n* מוֹרוֹן, קְהוּי שֵׂכֶל; מְטוּמְטָם
morose *adj* חָמוּץ, עָגוּם
morphine *n* מוֹרְפִין, מוֹרְפְיוּם
morphology *n* מוֹרְפוֹלוֹגְיָה
morrow *n* מָחֳרָת
morsel *n* נְגִיסָה, נֶגֶס; חֲתִיכָה
mortal *adj, n* שֶׁל מָוֶת; בֶּן־מָוֶת; שֶׁל הָעוֹלָם; בָּשָׂר וָדָם
mortality *n* תְּמוּתָה
mortar *n* מַכְתֵּשׁ; מְדוֹכָה; מַרְגֵּמָה; טִיחַ, מֶלֶט
mortarboard *n* כַּן מֶלֶט; מִגְבַּעַת אֲקָדֵמִית
mortgage *n* מַשְׁכַּנְתָּה; שִׁעְבּוּד
mortgage *vt* מִשְׁכֵּן
mortician *n* קַבְּלָן לִקְבוּרָה
mortify *vt, vi* הִשְׁפִּיל, דִּיכֵּא; הִסְתַּגֵּף; נִרְקַב
mortise *n* שֶׁקַע; חִישּׁוּר
mortise lock *n* מַנְעוּל חָבוּי
mortuary *n, adj* בֵּית־מֵתִים; שֶׁל מָוֶת
Mosaic *adj* שֶׁל תּוֹרַת מֹשֶׁה
mosaic *n, adj* פְּסֵיפָס; פְּסֵיפָסִי
Moscow *n* מוֹסְקְבָה
Moses *n* מֹשֶׁה רַבֵּנוּ
Moslem *adj, n* מוּסְלְמִי
mosque *n* מִסְגָּד
mosquito *n* יַתּוּשׁ
mosquito net *n* כִּילָּה
moss *n* אֵיזוֹב; קַרְקַע סְפוֹגִית
mossback *n* מַחֲזִיק בְּנוֹשָׁנוֹת
mossy *adj* מְכוּסֶּה אֵיזוֹב
most *adj, adv, n* הַיּוֹתֵר, הֲכִי; בְּעִיקָּר; הָרוֹב
mostly *adv* עַל־פִּי רוֹב; בְּעִיקָּר
moth עָשׁ
mothball *n* כַּדּוּר נֶגֶד עָשׁ
moth-eaten *adj* אֲכוּל עָשׁ; מְיוּשָּׁן
mother *n* אֵם; אִמָּא
mother *vt* יָלְדָה; טִיפֵּל כְּאֵם
mother country *n* אֶרֶץ הָאֵם
Mother Goose *n* אִמָּא אַוְוזָה
motherhood *n* אִימָּהוּת
mother-in-law *n* חָמוֹת (אם הבעל); חוֹתֶנֶת (אם האשה)
motherland *n* מוֹלֶדֶת
motherless *adj* יָתוֹם מֵאִמּוֹ
motherly *adj* אִמָּהִי
mother-of-pearl *n* אֵם הַפְּנִינָה
mother superior *n* אֵם מִנְזָר

mother wit *n* שֵׂכֶל יָשָׁר
mothy *adj* עָשִׁי; אֲכוּל עָשׁ
motif *n* מוֹטִיב, תֵּנַע
motion *n* תְּנוּעָה, נִיעָה; מַהֲלָךְ;
הַצָּעָה (לבית־נבחרים וכד׳)
motion *vt, vi* הִנְחָה, כִּיוֵּן
motionless *adj* חֲסַר תְּנוּעָה
motivate *vt* הֵנִיעַ, גָּרַם
motive *n, adj* מֵנִיעַ, מְנִיעִי
motley *adj, n* מְעוֹרָב, סַסְגּוֹנִי;
תַּעֲרוֹבֶת מְבוּלְבֶּלֶת
motor *n* מָנוֹעַ; רֶכֶב מְמוּנָּע
motor *adj* שֶׁל תְּנוּעָה; מוֹטוֹרִי
motorboat *n* סִירַת־מָנוֹעַ
motorbus *n* אוֹטוֹבּוּס
motorcade *n* שְׁיָירַת מְכוֹנִיּוֹת
motorcar *n* מְכוֹנִית
motorcycle *n* אוֹפַנּוֹעַ
motorist *n* נַהָג
motorize *vt* מִינֵּעַ
motor launch *n* סִירַת־מָנוֹעַ
motorman *n* נַהַג חַשְׁמַלִּית
motor scooter *n* קַטְנוֹעַ
motor ship *n* סְפִינַת־מָנוֹעַ
motor vehicle *n* רֶכֶב מְמוּנָּע
mottle *vt, n* נִימֵּר
motto *n* סִיסְמָה, מוֹטוֹ
mould *see* mold
moulder *see* molder
moulding *see* molding
mouldy *see* moldy
mound *n* תֵּל, גִבְעָה; עֲרֵימָה
mount *n* כַּן; הַר; מֶרְכָּב (כגון סוס)
mount *vi, vt* עָלָה;
הִצִּיב (משמר); קָבַע (תמונה)

mountain *n* הַר
mountain climbing *n* טִיפּוּס הָרִים
mountaineer *n* מְטַפֵּס בֶּהָרִים
mountainous *adj* הֲרָרִי
mountebank *n, vi* רוֹפֵא נוֹכֵל; נוֹכֵל
mounting *n* כַּנָּה; מִקְבָּע; רְכִיבָה
mourn *vi, vt* הִתְאַבֵּל
mourner *n* אָבֵל
mournful *adj* עָצוּב, עָגוּם
mourning *n, adj* אֵבֶל;
הִתְאַבְּלוּת; שֶׁל אֲבֵילוּת
mouse *n* (*pl* mice) עַכְבָּר
mouser *n* טוֹרֵף עַכְבָּרִים
mousetrap *n* מַלְכּוֹדֶת עַכְבָּרִים
moustache, mustache *n* שָׂפָם
mouth *n* פֶּה; פֶּתַח; שֶׁפֶךְ (נהר)
mouthful *n* לְגִימָה אַחַת; מְלוֹא לוּגְמָה
mouth-organ *n* מַפּוּחִית־פֶּה
mouthpiece *n* פּוּמִית; דּוֹבֵר
mouthwash *n* תְּמִיסָּה לִשְׁטִיפַת פֶּה
movable *adj* נַיָּיד, בַּר־נִיעָה
move *vt, vi* הֵנִיעַ, הֵזִיז;
עָבַר מִדִּירָה לְדִירָה; נָע;
נָגַע עַד לֵב; הִצִּיעַ (באסיפה וכד׳)
move *n* הֲנָעָה; תְּנוּעָה; צַעַד;
תּוֹר (במשחק)
movement *n* תְּנוּעָה; תְּנוּדָה;
פֶּרֶק (במוסיקה); פְּעוּלַּת מֵעַיִים
movie *n* קוֹלְנוֹעַ
moviegoer *n* מְבַקֵּר בְּקוֹלְנוֹעַ
moviehouse *n* בֵּית־קוֹלְנוֹעַ
moving *adj* מִתְנוֹעֵעַ, נָע; נוֹגֵעַ עַד לֵב
moving picture *n* סֶרֶט קוֹלְנוֹעַ
moving spirit *n* רוּחַ חַיָּה
mow *vt, vi* קָצַר, כָּסַח

mower *n* מַכְסֵחָה
mowing machine *n* מַכְסֵחָה
M.P. *abbr* Member of Parliament, Military Police
Mr. *abbr* Mister
Mrs. *abbr* Mistress
MS., ms. *abbr* manuscript
Mt. *abbr* Mount
much *n, adj, adv* הַרְבֵּה; רַב; מְאוֹד
mucilage *n* רִיר חַלָּמוּת
muck *n* זֶבֶל מֶשֶׁק; לִכְלוּךְ; גוֹעַל-נֶפֶשׁ
muckrake *vi* גִּילָּה שְׁחִיתוּת
muckrake *n* שְׁחִיתוּת; מַגְרֵפָה לְזֶבֶל
mucous *adj* רִירִי
mucous membrane *n* קְרוּמִית רִירִית
mucus *n* רִיר, לֵחַ
mud *n* בּוֹץ, רֶפֶשׁ
muddle *vt* גָּרַם עִרְבּוּבְיָה; בִּלְבֵּל
muddle *n* עִרְבּוּבְיָה; בִּלְבּוּל
muddlehead *n* מְבוּלְבָּל
muddy *adj* בּוֹצִי; דָלוּחַ
mudguard *n* (בִּמְכוֹנִית) כָּנָף
mudslinger *n* מַתִּיז רֶפֶשׁ, מַשְׁמִיץ
muezzin *n* מוּאַזִּין
muff *n* יְדוֹנִית; הַחֲטָאָה (בְּמִשְׂחָק)
muff *vt* נִכְשַׁל; 'פִּסְפֵס'
muffle *vi, vt* עָטַף, עָטָה; הִתְעַטֵּף
muffler *n* סוּדַר צַוָּאר; עַמָּם (בִּמְכוֹנִית)
mufti *n* לְבוּשׁ אֶזְרָחִי
mug *n* סֵפֶל גָּדוֹל (הַמוֹנִית); פַּרְצוּף (הַמוֹנִית); טִיפֵּשׁ
mug *vt, vi* צִילֵּם; הִתְקִיף (לְגַבֵּי שׁוֹדֵד)
muggy *adj* לַח וְחַם

mulatto *n* מוּלָט
mulberry *n* תּוּת
mulct *vt, vi* עָנַשׁ; קָנַס
mule *n* פִּרְדָּה, פֶּרֶד
muleteer *n* נַהַג פְּרָדוֹת
mulish *adj* פִּרְדִּי, עַקְשָׁנִי
mull *vt, vi* הִרְהֵר (בְּדָבָר); הֵכִין תַּמְזִיג (יַיִן)
mullion *n* מוּלְיוֹן, זָקָף תִּיכוֹן
multigraph *n, vt* שַׁכְפֵּלָה; שִׁכְפֵּל
multilateral *adj* רַב־צְדָדִי
multiple *adj* כָּפוּל, מְכוּפָּל; רַב־פָּנִים
multiple *n* כְּפוּלָה; מִכְפָּל
multiplicity *n* רִיבּוּי, רוֹב
multiply *vt, vi* הִכְפִּיל; הִתְרַבָּה
multitude *n* הַרְבֵּה; הָמוֹן
mum *adj* אִילְּמִי (דִיבּוּרִית)
mum *n* אִמָּא
mumble *vt, vi* מִלְמֵל
mumble *n* מִלְמוּל, לַחַשׁ
mummery *n* הַצָּגָה רֵיקָה
mummy *n* מוּמְיָה, גוּף חָנוּט; אִמָּא
mumps *n pl* חַזֶּרֶת
munch *vt, vi* לָעַס
mundane *adj* שֶׁל הָעוֹלָם, אַרְצִי
municipal *adj* עִירוֹנִי
municipality *n* עִירִיָּה
munificent *adj* נָדִיב, רְחַב־לֵב
munition dump *n* מִצְבּוֹר תַּחְמוֹשֶׁת
munitions *n pl* תַּחְמוֹשֶׁת
mural *adj* כּוֹתְלִי; שֶׁבֵּין כְּתָלִים
mural *n* צִיּוּר קִיר
murder *n, vt* רֶצַח; רָצַח
murderer *n* רוֹצֵחַ
murderess *n* רוֹצַחַת

murderous *adj* רוֹצְחָנִי

murky *adj* קוֹדֵר; אָפֵל

murmur *n* הֲמִיָּה, הֶמְיָה

murmur *vi, vt* הָמָה, מִלְמֵל

muscle *n* שְׁרִיר

muscular *adj* שְׁרִירִי

muse *vi* הִרְהֵר

museum *n* בֵּית־נְכוֹת, מוּזֵיאוֹן

mush *n* כְּתוֹשֶׁת רַכָּה; דַּיְיסָה

mushroom *n, adj* פִּטְרִיָּה; פִּטְרִיָּתִי

mushy *adj* דְּמוּי דַּיְיסָה; רַגְשָׁנִי

music *n* מוּסִיקָה

musical *n* מַחֲזֶמֶר, קוֹמֶדְיָה מוּסִיקָלִית

musical *adj* מוּסִיקָלִי

music-box *n* תֵּיבַת נְגִינָה

music-hall *n* אוּלַם בִּידוּר מוּסִיקָלִי

musician *n* מוּסִיקַאי

musicologist *n* מוּסִיקוֹלוֹג

music-stand *n* כַּן תָּוִוים

musk *n* מוּשְׁק (אייל המושק)

musk-deer *n* אַיַּל הַמּוּשְׁק

musket *n* מוּסְקֶט

musketeer *n* רוֹבַאי, מוּסְקֶטֶר

muskmelon *n* מֵלוֹן

muskrat *n* אוֹנְדַּטְרָה

muslin *n* מַלְמָלָה

muss *n* אִי־סֵדֶר

muss *vt* הָפַךְ סְדָרִים

Mussulman *n* מוּסְלְמִי; (במחנות הריכוז) מוּזֶלְמָן

mussy *adj* לֹא מְסוּדָּר

must *n* הֶכְרֵחַ, חוֹבָה; עוֹבֶשׁ

must *vi aux* הָיָה צָרִיךְ

mustard *n* חַרְדָּל

muster *n* מִפְקַד צָבָא; הִתְקַבְּצוּת

muster *vt, vi* אָסַף לְבִיקּוֹרֶת; רִיכֵּז; נִתְקַבְּצוּ

musty *adj* עָבֵשׁ, מְעוּפָּשׁ

mutation *n* הִשְׁתַּנּוּת, מוּטַצְיָה

mute *adj* שׁוֹתֵק; אִילֵּם

mute *n* אִילֵּם; עַמְעֶמֶת

mute *vt* הִשְׁקִיט

mutilate *vt* קָטַע אֵיבָר; עִיוֵּת

mutineer *n* מִתְמָרֵד

mutinous *adj* מַרְדָנִי

mutiny *n* מֶרֶד, קֶשֶׁר

mutiny *vi* מָרַד, הִתְמָרֵד

mutt *n* כֶּלֶב; פֶּתִי

mutter *vi, vt* מִלְמֵל; רָטַן

mutter *n* מִלְמוּל; רִיטוּן

mutton *n* בְּשַׂר כֶּבֶשׂ

mutton-chop *n* צֶלַע כֶּבֶשׂ

mutual *adj* הֲדָדִי; שֶׁל גּוֹמְלִין

muzzle *n* זְמָם, מַחְסוֹם; לוֹעַ (של כלי־נשק)

muzzle *vt* חָסַם, שָׂם מַחְסוֹם

my *pron* שֶׁלִּי

myriad *n, adj* אֵין־סְפוֹר; רִיבּוֹא

myrrh *n* הַמּוֹר הַטּוֹב

myrtle *n* הַהֲדַס הַמָּצוּי

myself *pron* אֲנִי עַצְמִי; אוֹתִי; לְבַדִּי

mysterious *adj* טָמִיר, מִסְתּוֹרִי

mystery *n* תַּעֲלוּמָה, מִסְתּוֹרִין

mystic(al) *adj* מִסְטִי, עָלוּם

mystic *n* דָּבֵק בְּמִסְתּוֹרִין

mysticism *n* תּוֹרַת הַנִּסְתָּר, מִיסְטִיצִיזְם

mystification *n* מַתַּן צִבְיוֹן סוֹדִי; הַטְעָיָה

mystify *vt* הִטְעָה; הֵבִיךְ

myth *n* מִיתוֹס
mythic *adj* מִיתוֹסִי, בָּדוּי
mythological *adj* מִיתוֹלוֹגִי, אַגָּדִי
mythology *n* מִיתוֹלוֹגְיָה

N

N, n אֶן (האות הארבע־עשׂרה באלפבית)
n. *abbr* neuter, nominative, noon, north, noun, number
N.A. *abbr* National Academy, National Army, North America
nab *vt* תָּפַס, אָסַר
nag *n* סוּס קָטָן, סְיָיח
nag *vt, vi* הֵצִיק (בנזיפות וכד׳), ׳נִדנֵד׳, טִרחֵן
naiad *n* נִימפַת־מַיִם
nail *n* צִיפּוֹרֶן; מַסמֵר
nail *vt* מִסמֵר; תָּפַס
nail-file *n* מָשׁוֹף לְצִפּוֹרנַיִים
nail polish *n* לַכָּה לְצִיפּוֹרנַיִים
nailset *n* קוֹבֵעַ מַסמֵר
naive *adj* תָּמִים, נָאִיבִי
naked *adj* עָרוֹם, חָשׂוּף
name *n* שֵׁם, כִּינּוּי
name *vt* כִּינָּה, קָרָא בְּשֵׁם
name day *n* יוֹם הַקָּדוֹשׁ
nameless *adj* בֶּן בְּלִי שֵׁם; לְלֹא שֵׁם
namely *adv* כְּלוֹמַר
namesake *n* בַּעַל אוֹתוֹ שֵׁם
nanny-goat *n* תַּיִשָׁה, עֵז
nap *n* תְּנוּמָה, שֵׁינָה קַלָּה
napalm *n* נַפָּאלם
nape *n* מַפרֶקֶת
naphtha *n* נֵפט
napkin *n* מַפִּית שׁוּלחָן
napkin ring *n* טַבַּעַת מַפִּית
Naples *n* נַפּוֹלִי; סַם
Napoleonic *adj* נַאפּוֹלֵיאוֹנִי
narcosis *n* אִלחוּשׁ, נַרקוֹזָה
narcotic *adj, n* נַרקוֹטִי
narrate *vt* סִיפֵּר
narration *n* סִיפּוּר, הַגָּדָה
narrative *adj, n* סִיפּוּרִי; סִיפּוּר
narrator *n* מְסַפֵּר
narrow *n* מַעֲבָר צַר
narrow *adj* צַר, דָחוּק
narrow *vt, vi* הֵצֵר, צִמצֵם; הִצטַמצֵם
narrow-gauge *n, adj* (מסילת־ברזל) צָרָה
narrow-minded *adj* צַר־אוֹפֶק
nasal *adj* אַפִּי, חוֹטמִי
nasturtium *n* כּוֹבַע הַנָּזִיר
nasty *adj* מְטוּנָּף
natal *adj* שֶׁל לֵידָה
nation *n* אוּמָּה, לְאוֹם
national *adj* לְאוּמִי

national *n* אֶזְרָח
nationalism *n* לְאוּמִיּוּת
nationalist *n* לְאוּמִי
nationality *n* לְאוּמִיּוּת, הִשְׁתַּיְּכוּת לְאוּמִית
nationalize *vt* הִלְאִים
native *adj* טִבְעִי, טָבוּעַ מִלֵּידָה; יָלִיד
native *n* יָלִיד; תּוֹשָׁב מְקוֹמִי
native land *n* מוֹלֶדֶת
nativity *n* לֵידָה
N.A.T.O. *n* נָאטוֹ (ארגון הברית הצפון-אטלנטית)
natty *adj* מְסוּדָּר וְנָקִי
natural *adj* טִבְעִי
natural *n* מְפַגֵּר מִלֵּידָה; מוּצְלָח
naturalism *n* טִבְעִיּוּת, נָטוּרָלִיזְם
naturalist *n* חוֹקֵר טֶבַע; נָטוּרָלִיסְט
naturalization *n* הִתְאַזְרְחוּת; אִזְרוּחַ
naturalization papers *n pl* תְּעוּדַת הִתְאַזְרְחוּת
naturalize *vt*, *vi* אִזְרֵחַ; הִתְאַזְרֵחַ
naturally *adv* בְּדֶרֶךְ הַטֶּבַע; כַּמּוּבָן
nature *n* טֶבַע; אוֹפִי
naught *n* אֶפֶס
naughty *adj* שׁוֹבָב; רַע, גַּס
nausea *n* בְּחִילָה
nauseate *vt*, *vi* הִגְעִיל; סָלַד מ...
nauseating *adj* מַגְעִיל, מַסְלִיד
nauseous *adj* מַגְעִיל, מַסְלִיד
nautical *adj* יַמִּי
naval *adj* שֶׁל הַצִּי, שֶׁל חֵיל-הַיָּם
naval station *n* תַּחֲנַת שֵׁירוּת חֵיל הַיָּם
nave *n* טַבּוּר הַגַּלְגַּל; תּוֹךְ הָאוּלָם (של כנסייה)
navel *n* טַבּוּר

navel orange *n* תַּפּוּז טַבּוּרִי
navigability *n* אֶפְשָׁרוּת הָעֲבִירָה
navigable *adj* עָבִיר (ים, למשל)
navigate *vi*, *vt* נָהַג בְּאוֹנִיָּה; נִיוֵּט
navigation *n* נִיוּוּט; שַׁיִט
navigator *n* נַוָּט; עוֹבֵר יַמִּים
navvy *n* פּוֹעֵל שָׁחוֹר
navy *n* חֵיל-הַיָּם
navy blue *adj* כָּחוֹל כֵּהֶה
navy yard *n* מִסְפֶּנֶת חֵיל-הַיָּם
Nazarene *n* תּוֹשַׁב נָצְרַת; נוֹצְרִי
Nazi *n* נָאצִי
N.B. *abbr* Nota Bene נ.ב., עִיקָר שָׁכַחְתִּי
N-bomb *n* פְּצָצַת חַנְקָן
Neapolitan *adj* נַפּוֹלִיטָנִי
neap tide *n* הַגֵּאוּת הַנְּמוּכָה בְּיוֹתֵר בְּזֶרֶם הַיָּם
near *adj*, *adv*, *prep* קָרוֹב, סָמוּךְ, לְיַד
nearby *adj* סָמוּךְ
Near East *n* הַמִּזְרָח הַקָּרוֹב
nearly *adv* כִּמְעַט, בְּקֵירוּב
nearsighted *adj* קְצַר-רְאוּת
nearsightedness *n* קוֹצֶר-רְאוּת
neat *adj* מְסוּדָּר וְנָקִי; עָשׂוּי יָפֶה; (משקה) לֹא מָהוּל
nebula *n* עַרְפִּילִית; עֲמוּמָה (בעין)
nebular *adj* עַרְפִּילִי
nebulous *adj* מְעוּרְפָּל
necessary *adj*, *n* דָּרוּשׁ, הֶכְרֵחִי; מִצְרָךְ חִיּוּנִי
necessitate *vt* הִצְרִיךְ
necessitous *adj* נִצְרָךְ
necessity *n* צוֹרֶךְ, הֶכְרֵחַ
neck *n* צַוָּאר; גָּרוֹן

neck *vi* הִתְעַלְּסוּ
neckband *n* צַוָּאר (שֶׁל בֶּגֶד)
necklace *n* עֲנָק, מַחֲרוֹזֶת
necktie *n* עֲנִיבָה
necrology *n* נֶקְרוֹלוֹג;רְשִׁימַת מֵתִים
necromancy *n* אוֹב
née *adj* נוֹלְדָה, לְבֵית...
need *n* צוֹרֶךְ; מְצוּקָה
need *vt, vi* הִצְטָרֵךְ, הָיָה זָקוּק ל...
needful *adj* דָּרוּשׁ
needle *n* מַחַט
needle *vt* תָּפַר בְּמַחַט;
(המונית) עָקַץ, הִקְנִיט
needle-point *n* חוֹד מַחַט
needless *adj* שֶׁלֹּא לְצוֹרֶךְ
needlework *n* תְּפִירָה, רִקְמָה
needs *adv* בְּהֶכְרֵחַ
needy *adj* נִצְרָךְ
ne'er-do-well *n, adj* לֹא־יוּצְלַח
negation *n* שְׁלִילָה, בִּיטוּל; הֶעְדֵּר
negative *adj* שְׁלִילִי; נֵגָטִיבִי
negative *n* שְׁלִילָה; גּוֹדֶל שְׁלִילִי, נֵגָטִיב
negative *vt* דָּחָה, שָׁלַל
neglect *n* הַזְנָחָה; רַשְׁלָנוּת; מֶחְדָּל
neglect *vt* הִזְנִיחַ, הִתְרַשֵּׁל לְגַבֵּי;
חָדַל לָתֵת דַּעְתּוֹ
neglectful *adj* רַשְׁלָנִי, מַזְנִיחַ
negligée *n* חָלוּק שֶׁל אִישָּׁה, נֶגְלִיזֶ'ה
negligence *n* רַשְׁלָנוּת
negligent *adj* רַשְׁלָנִי, מְרוּשָּׁל
negligible *adj* שֶׁאֶפְשָׁר לְהִתְעַלֵּם מִמֶּנּוּ
negotiable *n* עָבִיר; סָחִיר
negotiate *vi, vt* נָשָׂא וְנָתַן;
עָבַר (על מכשול וכד׳)
negotiation *n* מַשָּׂא־וּמַתָּן

Negro, negro *n, adj* כּוּשִׁי, שְׁחוּם עוֹר
neigh *vi, n* צָהַל; צָהֳלָה
neighbor *n* שָׁכֵן
neighborhood *n* שְׁכֵנוּת; סְבִיבָה
neighboring *adj* שָׁכֵן, סָמוּךְ
neighborly *adj* מִתְיַיחֵס כָּרָאוּי
לְשָׁכֵן, יְדִידוּתִי
neither *adj, pron* אַף אֶחָד
(משניים); גַּם לֹא
Nemesis *n* נֶמֵזִיס; הַיָּד הַנּוֹקֶמֶת
neologism *n* מִלָּה חֲדָשָׁה; תַּחְדִּישׁ
neomycin *n* נֵיאוֹמִיצִין
neon *n* נֵיאוֹן
neophyte *n* טִירוֹן
Nepal *n* נֶאפָּל, נֶפָּל
nephew *n* אַחְיָין
Neptune *n* נֶפְטוּן
neptunium *n* נֶפְטוּנְיוּם
Nereid *n* נֵרֵאִידָה
Nero *n* נֵירוֹן
nerve *n* עָצָב; קוֹר־רוּחַ; תְּעוּזָה;
חוּצְפָּה; (בריבוי) עַצְבָּנוּת
nerve-racking *adj* מוֹרֵט עֲצַבִּים
nervous *adj* עַצְבָּנִי; עֲצַבִּי
nervousness *n* עַצְבָּנוּת, חֲרָדָה
nervy *adj* עַצְבָּנִי; מְעַצְבֵּן
nest *n, vi* קֵן; קִינֵּן
nest-egg *n* בֵּיצַת־קֵן;
כֶּסֶף שָׁמוּר (לשעת חירום)
nestle *vi, vt* שָׁכַב בְּנוֹחִיוּת; הִתְרַפֵּק
net *n* רֶשֶׁת; מִכְמוֹרֶת
net *vt, vi* עָשָׂה רֶשֶׁת; לָכַד בְּרֶשֶׁת
net *adj, vt* נֶטוֹ, נָקִי; הִרְוִיחַ (רווח נקי)
Netherlander *adj* הוֹלַנְדִּי
Netherlands *n* הוֹלַנְד

netting *n* רִשׁוּת
nettle *n, vt* סִרְפָּד; עָקַץ
network *n* מַעֲשֵׂה־רֶשֶׁת; הִסְתָּעֲפוּת
neuralgia *n* נֶבְרַלְגִּיָה
neurology *n* נֶבְרוֹלוֹגְיָה
neurosis *n* נֶבְרוֹזָה
neurotic *adj, n* נֶבְרוֹטִי
neut. *abbr* neuter
neuter *adj, n* סְתָמִי; מְחוּסַּר מִין
neutral *adj, n* נֵיטְרָלִי
neutralism *n* מְדִינִיּוּת נֵיטְרָלִית
neutrality *n* נֵיטְרָלִיּוּת
neutralize *vt* נִטְרֵל
neutron *n* נוֹיטְרוֹן
never *adv* לְעוֹלָם לֹא
nevermore *adv* לֹא עוֹד
nevertheless *n* אַף־עַל־פִּי־כֵן
new *adj, adv* חָדָשׁ
new arrival *n* מִקָּרוֹב בָּא
newborn *adj* שֶׁזֶּה עַתָּה נוֹלַד
newcomer *n* מִקָּרוֹב בָּא
new-fangled *adj* חָדִישׁ
Newfoundland *n* נְיוּפָאוּנְדְלַנְד
newly *adv* זֶה לֹא כְּבָר; מֵחָדָשׁ
newlywed *adj, n* נָשׂוּי זֶה לֹא כְּבָר
new moon *n* מוֹלַד הַיָּרֵחַ
news *n* חֲדָשׁוֹת
news agency *n* סוֹכְנוּת יְדִיעוֹת
news beat *n* גִּזְרַת יְדִיעוֹת
newscast *n* מִשְׁדַּר חֲדָשׁוֹת
newscaster *n* קַרְיַן חֲדָשׁוֹת
news conference *n* מְסִבַּת עִיתּוֹנָאִים
news coverage *n* סִיקּוּר חֲדָשׁוֹת
newsman *n* מוֹכֵר עִיתּוֹנִים
newspaper *n* עִיתּוֹן
newspaperman *n* עִיתּוֹנַאי
newsprint *n* נְיַר עִיתּוֹנִים
newsreel *n* יוֹמַן חֲדָשׁוֹת
newsstand *n* דּוּכַן עִיתּוֹנִים
newsworthy *adj* רָאוּי לְפִרְסוּם
newsy *adj, n* שׁוֹפֵעַ חֲדָשׁוֹת
New Testament *n* הַבְּרִית הַחֲדָשָׁה
new-world *adj* שֶׁל הָעוֹלָם הֶחָדָשׁ
New Year's card כַּרְטִיס בְּרָכָה לַשָּׁנָה הַחֲדָשָׁה
New Year's Day *n* רֹאשׁ הַשָּׁנָה
New Year's Eve *n* עֶרֶב רֹאשׁ הַשָּׁנָה
New York *n* נְיוּ יוֹרְק
New Yorker *n* נְיוּ יוֹרְקִי
New Zealand *n* נְיוּ זִילַנְד
next *adj, adv* הַקָּרוֹב; הַבָּא; שֶׁלְּאַחַר
next best *n* אַחֲרֵי הַטּוֹב בְּיוֹתֵר
next-door *adj* שָׁכֵן, סָמוּךְ
next of kin *n* הַקָּרוֹב בְּיוֹתֵר בַּמִּשְׁפָּחָה
niacin *n* חוּמְצַת נִיקוֹטִין
Niagara Falls *n pl* מַפְּלֵי נִיאָגָרָה
nibble *vt, vi* כִּרְסֵם; נִגֵּס
nibble *n* כִּרְסוּם, נֶגֶס
Nicaraguan *adj, n* נִיקָרָגוּאִי
nice *adj* נָאֶה; נֶחְמָד; עָדִין; טָעִים; דַּק
nice looking *adj* נָאֶה לְמַרְאֶה
nicely *adv* הֵיטֵב, כָּרָאוּי
nicety *n* קַפְּדָנוּת; דִּיּוּק; עֲדִינוּת
niche *n* גּוּמְחָה
nick *n, vt* חֲתָךְ קָטָן, חָרִיץ; עָשָׂה חָרִיץ
nickel *n* נִיקֶל
nickel-plate *vt, n* צִיפָּה בְּנִיקֶל; צִיפּוּי בְּנִיקֶל
nick-nack *n* תַּכְשִׁיט קָטָן

nickname *n* כִּינּוּי חִיבָּה; שֵׁם לְוַאי
nicotine *n* נִיקוֹטִין
niece *n* אַחְיָינִית
nifty *adj* יָפֶה, הָדוּר
niggard *adj, n* קַמְּצָן, כִּילַי
night *n* לַיְלָה
nightcap *n* כִּיפַּת לַיְלָה; כּוֹסִית אַחֲרוֹנָה
night-club *n* מוֹעֲדוֹן לַיְלָה
nightfall *n* עֲרוֹב יוֹם
nightgown *n* כְּתוֹנֶת לַיְלָה
nightingale *n* זָמִיר
night letter *n* מִבְרָק לַיְלָה
nightlong *adj* שֶׁנִּמְשָׁךְ כָּל הַלַּיְלָה
nightly *adj* לֵילִי
nightmare *n* חֲלוֹם בַּלָּהוֹת
nightmarish *adj* סִיוּטִי
night-owl *n* צִיפּוֹר לַיְלָה
nightshirt *n* כְּתוֹנֶת לַיְלָה
night-time *n* חֶשְׁכַת לַיְלָה
nightwalker *n* מְשׁוֹטֵט בַּלַּיְלָה
night-watchman *n* שׁוֹמֵר לַיְלָה
nihilism *n* נִיהִילִיזם, אַפְסָנוּת
nihilist *n* נִיהִילִיסט, אַפְסָן
Nile *n* נִילוּס, הַיְאוֹר
nimble *adj* זָרִיז, מָהִיר
nimbus *n* הִילָּה
nincompoop *n* אֶפֶס, חֲסַר אוֹפִי
nine *adj, n* תִּשְׁעָה, תֵּשַׁע
nine hundred *n* תְּשַׁע מֵאוֹת
nineteen *adj, n* תִּשְׁעָה־עָשָׂר; תְּשַׁע־עֶשְׂרֵה
nineteenth *adj, n* הַתִּשְׁעָה־עָשָׂר, הַתְּשַׁע־עֶשְׂרֵה
ninetieth *adj* הַתִּשְׁעִים
ninety *adj, n* תִּשְׁעִים
ninth *adj, n* הַתְּשִׁיעִי; תְּשִׁיעִית
nip *n* צְבִיטָה, נְשִׁיכָה; קוֹר; לְגִימָה
nip *vt* צָבַט, נָשַׁךְ
nipple *n* דַּד, פִּטְמָה
Nippon *n* נִיפּוֹן, יַפָּן
nippy *adj, n* זָרִיז; קַר; חָרִיף
nit *n* בֵּיצַת כִּינָּה
nitrate *n* חַנְקָה
nitric acid *n* חוּמְצָה חַנְקָנִית
nitrogen *n* חַנְקָן
nitroglycerin(e) *n* נִיטרוֹגְלִיצֵרִין
nitwit *n* סָכָל
no *adj, adv* לֹא; לְלֹא
Noah *n* נֹחַ
nobby *adj* (המונית) טַרְזָן
nobility *n* אֲצִילוּת
noble *adj* אָצִיל, יְפֵה־נֶפֶשׁ
nobleman *n* אָצִיל
nobody *n* אַף לֹא אֶחָד
nocturnal *adj* לֵילִי
nod *n* נִעְנוּעַ רֹאשׁ
nod *vt, vi* הֵנִיעַ רֹאשׁוֹ; שָׁמַט רֹאשׁוֹ (מתוך נמנום)
node *n* בְּלִיטָה, גּוּלָּה; קֶשֶׁר
nohow *adv* (דיבורית) בְּשׁוּם דֶּרֶךְ
noise *n* רַעַשׁ, שָׁאוֹן
noise *vt, vi* פִּרְסֵם, הֵפִיץ
noiseless *adj* שָׁקֵט
noisy *adj* רוֹעֵשׁ, רַעֲשָׁנִי
nomad *n, adj* נַוָּד
nomadic *adj* נַוָּדִי
no man's land *n* שֶׁטַח הֶפְקֵר
nominal *adj* שֵׁמִי; (ערך וכד׳) נָקוּב
nominate *vt* הִצִּיעַ (כמועמד)

nomination *n* הַצָּעַת מוֹעֲמָד
nominative *adj, n* נוֹשֵׂא, נוֹשְׂאִי
nominee *n* מוֹעֲמָד
non-belligerent *adj* לֹא לוֹחֵם
nonchalance *n* שִׁוְיוֹן־נֶפֶשׁ
nonchalant *adj* קַר־רוּחַ, אָדִישׁ
noncombatant *adj, n* לֹא לוֹחֵם
noncommissioned officer *n* מַשָּׁ״ק
noncommittal *adj* בִּלְתִּי־מְחַיֵּב
nonconformist *n* לֹא מִסְתַּגֵּל; לֹא תּוֹאֲמָן
nondescript *adj* שֶׁאֵינוֹ נִיתָּן לְתֵיאוּר
none *pron, adj, adv* אַף לֹא אֶחָד; כְּלָל לֹא
nonentity *n* (לגבי אדם) אֶפֶס; אִי־קִיּוּם
nonfiction *n* לֹא סִיפּוֹרֶת
nonfulfillment *n* אִי־בִּיצּוּעַ, אִי־מִילּוּי
nonintervention *n* אִי־הִתְעָרְבוּת
nonmetallic *adj* אַלְמַתַּכְתִּי
nonplus *vt* הֵבִיךְ
nonprofit *adj* שֶׁלֹּא עַל־מְנָת לְהָפִיק רֶווַח
nonresident *n, adj* לֹא תּוֹשָׁב
nonresidential *adj* שֶׁלֹּא לִמְגוּרִים
nonscientific *adj* לֹא מַדָּעִי
nonsectarian *adj* אַל כִּיתָּתִי
nonsense *n* הֲבָלִים
nonsensical *adj* טִיפְּשִׁי
non-skid *adj* מְחוּסָּן נֶגֶד הַחֲלָקָה
nonstop *adj, adv* יָשִׁיר; לְלֹא הֶפְסֵק
noodle *n* אִטְרִיָּה; פֶּתִי
nook *n* פִּינָּה
noon *n* צָהֳרַיִים
no-one *n* אַף לֹא אֶחָד
noontime, noontide *n* שְׁעַת צָהֳרַיִים
noose *n* לוּלָאָה; קֶשֶׁר
nor *conj* לֹא, וְאַף לֹא
Nordic *n, adj* נוֹרְדִי
norm *n* נוֹרְמָה, תֶּקֶן
normal *adj* תָּקִין, תִּקְנִי, נוֹרְמָלִי
Normandy *n* נוֹרְמַנְדִיָּה
Norse *adj, n* נוֹרְבֵגִי; נוֹרְבֵגִית
Norseman *n* נוֹרְבֵגִי
north *n, adj, adv* צָפוֹן; צְפוֹנִי; צָפוֹנָה
North America *n* אֲמֵרִיקָה הַצְּפוֹנִית
North American *adj, n* צְפוֹן־אֲמֵרִיקָנִי
northeaster *n* רוּחַ צְפוֹנִית־מִזְרָחִית
northern *adj* צְפוֹנִי
North Korea *n* צְפוֹן קוֹרֵיאָה
north wind *n* רוּחַ צְפוֹנִית
Norway *n* נוֹרְבֶגְיָה
Norwegian *adj, n* נוֹרְבֵגִי; נוֹרְבֵגִית
nos. *abbr* numbers
nose *n* אַף, חוֹטֶם
nose *vt, vi* רִחְרֵחַ; חִיטֵּט
nosebag *n* שַׂק מִספּוֹא
nosebleed *n* דֶּמֶם אַף
nosedive *n* צְלִילָה (של מטוס)
nosegay *n* זֵר
nose-ring *n* נֶזֶם
nostalgia *n* גַּעְגּוּעִים לֶעָבָר; נוֹסְטַלְגִיָּה
nostalgic *adj* מַעֲלֶה גַּעְגּוּעִים; נוֹסְטַלְגִי
nostril *n* נְחִיר
nosy *adj, n* גְּדוֹל אַף; סַקְרָנִי
not *adv* אַיִן, אֵין; לֹא
notable *adj, n* רָאוּי לְצִיּוּן; אִישִׁיּוּת דְּגוּלָה
notarize *vt, vi* קִיֵּים, אִישֵּׁר

notary *n* נוטריון
notch *n* חרק, חריץ
notch *vt* חירק, חרץ
note *n* פתק, פתקה; רשימה; (במוסיקה) תו
note *vt* רשם; שם לב
notebook *n* פנקס
noted *adj* מפורסם
notepaper *n* נייר מכתבים
noteworthy *adj* ראוי לציון
nothing *n* אפס, לא־כלום
notice *n* הודעה; מודעה; התראה; תשומת־לב
notice *vt* שם לב, הבחין
noticeable *adj* בולט, ניכר
notify *vt* הודיע
notion *n* מושג, רעיון; נטייה
notoriety *n* פרסום לשמצה
notorious *adj* ידוע לשמצה
no-trump *adj, n* לא (אדם) מזהיר
notwithstanding *prep, adv, conj* למרות; ש..., למרות
nougat *n* נוגט
nought *n* אפס
noun *n* שם־עצם
nourish *vt, vi* זן; הזין
nourishing *adj* מזין
nourishment *n* הזנה
nova *n* כוכב חדש
Nova Scotia *n* נובה סקוטיה
novel *n* רומן
novelist *n* סופר, מחבר רומנים
novelty *n* חידוש; זרות
November *n* נובמבר
novice *n* טירון
novocaine *n* נובוקאין
now *adv, conj, n* עתה, עכשיו, כעת; עתה ש...; הרי
nowadays *adv* בימינו
noway, noways *adv* כלל לא
nowhere *adv* בשום מקום לא
noxious *adj* מזיק
nozzle *n* נחיר, זרבובית
nth. *adj* של n, בחזקת n
nuance *n* גוונון
nub *n* גבשושית; עיקר
nuclear *adj* גרעיני
nucleus *n* (*pl* nuclei) גרעין
nude *adj, n* ערום; עירום
nudge *n, vt* דחיפה קלה; דחף קלות
nugget *n* גוש זהב גולמי
nuisance *n* מטרד; טרדן
null *adj* בטל
nullify *vt* איפס; ביטל
nullity *n* אפסות; חוסר קיום
numb *adj* חסר תחושה
numb *vt* גרם לאובדן תחושה
number *n* מספר; ספרה; כמות
number *vt, vi* ספר; מספר
numberless *adv* לאין־ספור
numeral *adj, n* מספרי; ספרה
numerical *adj* מספרי
numerous *adj* רב, רבים
numskull *n* טיפש
nun *n* נזירה
nuptial *adj* של נישואים
nurse *n* אחות רחמנייה
nurse *vt* היניקה; טיפל (בחולה)
nursery *n* חדר ילדים; משתלה
nurseryman *n* בעל משתלה

nursery school *n* גַּן־יְלָדִים
nursing *n* מִקְצוֹעַ הָאָחוֹת; טִיפּוּל
nursing bottle *n* בַּקְבּוּק לְתִינוֹק
nursing home *n* בֵּית־חוֹלִים פְּרָטִי
nurture *vt* הֵזִין, טִיפֵּחַ
nut *n* אֱגוֹז; אוֹם; אָדָם מוּזָר
nutcracker *n* מַפְצֵחַ
nutmeg *n* אֱגוֹז מוּסְקָט
nutriment *n* מָזוֹן מֵזִין
nutrition *n* תְּזוּנָה; הֲזָנָה
nutritious *adj* מֵזִין
nutshell *n* קְלִיפַּת אֱגוֹז; תַּמְצִית
nutty *adj* מָלֵא אֱגוֹזִים; אֱגוֹזִי; (דיבּוּרית) מְטוֹרָף
nuzzle *vt, vi* חִיכֵּךְ אֶת הָאַף
nylon *n* נַיילוֹן
nymph *n* נִימְפָה, צְעִירָה יָפָה

O

O, o אוֹ (האוֹת החמש־עשׂרה באלפבית)
O *interj* הוֹ!, הוֹי!, אוֹי!
oaf *n* גּוֹלֶם, שׁוֹטֶה
oak *n* אַלּוֹן; עֵץ אַלּוֹן
oaken *adj* מֵאַלּוֹן
oakum *n* נְעוֹרֶת חֲבָלִים
oar *n* מָשׁוֹט; חוֹתֵר
oarsman *n* מְשׁוֹטַאי
oasis *n* (*pl* oases) נְאַת מִדְבָּר
oat *n* שִׁיבּוֹלֶת־שׁוּעָל
oath *n* שְׁבוּעָה, נֶדֶר
oatmeal *n* קֶמַח שִׁבּוֹלֶת־שׁוּעָל
ob. *abbr* obiit (Latin) נִפְטַר
obbligato *adj, n* הֶכְרֵחִי (קטע)
obduracy *n* עַקְשָׁנוּת
obdurate *adj* עַקְשָׁן
obedience *n* צִיּוּת, צַיְיתָנוּת
obedient *adj* מְצַיֵּית, צַיְיתָן
obeisance *n* קִידָּה
obelisk *n* אוֹבֶּלִיסְק
obese *adj* שָׁמֵן בְּיוֹתֵר
obesity *n* שׁוֹמֶן הַגּוּף
obey *vt* צִיֵּית
obituary *n* הֶסְפֵּד
object *vt, vi* הִתְנַגֵּד, עִרְעֵר עַל
object *n* חֵפֶץ; נוֹשֵׂא; תַּכְלִית; (בדקדוק) מוּשָׂא
objection *n* הִתְנַגְּדוּת; עִרְעוּר
objectionable *adj* מְעוֹרֵר הִתְנַגְּדוּת
objective *adj* אוֹבְּיֶקְטִיבִי; לֹא מְשׁוּחָד
objective *n* מַטָּרָה; יַעַד
obligate *vt* חִיֵּיב, הִכְרִיחַ
obligation *n* הִתְחַיְּיבוּת, חוֹבָה
oblige *vt* הִכְרִיחַ, חִיֵּיב
obliging *adj* מֵטִיב, גּוֹמֵל טוֹבָה
oblique *adj* מְשׁוּפָּע, מְלוּכְסָן
obliterate *vt* מָחָה; הִכְחִיד

oblivious *adj* מִתְעַלֵּם, אֵינוֹ חָשׁ
oblong *adj, n* מוֹאֳרָךְ, מַלְבֵּנִי; מַלְבֵּן
obnoxious *adj* נִתְעָב
oboe *n* אַבּוּב
oboist *n* מְנַגֵּן בְּאַבּוּב
obs. *abbr* obsolete
obscene *adj* מְגוּנֶּה, שֶׁל זִימָּה
obscenity *n* נִיבּוּל־לָשׁוֹן
obscure *adj* אָפֵל; מְעוּרְפָּל; סָתוּם
obscure *vt* הִסְתִּיר; הֶאֱפִיל
obscurity *n* אֲפֵילָה; אִי־בְּהִירוּת
obsequies *n pl* טֶקֶס קְבוּרָה
obsequious *adj* מִתְרַפֵּס
observance *n* קִיּוּם (מצוות או חוקים)
observant *adj, n* פְּקוּחַ עַיִן; שׁוֹמֵר מִצְווֹת
observation *n* הִתְבּוֹנְנוּת,
תַּצְפִּית; הֶעָרָה
observatory *n* מִצְפֶּה
observe *vt, vi* הִתְבּוֹנֵן; צָפָה;
קִיֵּים (חוק וכד׳)
observer *n* מַשְׁקִיף
obsess *vt* הִשְׁתַּלֵּט עַל
obsession *n* שִׁיגָּעוֹן לְדָבָר אֶחָד
obsolete *adj, n* מְיוּשָּׁן, לֹא בְּשִׁימּוּשׁ
obstacle *n* מִכְשׁוֹל
obstetric(al) *adj* שֶׁל מְיַילְּדוּת
obstetrics *n* מְיַילְּדוּת
obstinacy *n* עַקְשָׁנוּת
obstinate *adj* עַקְשָׁן
obstruct *vt* שָׂם מִכְשׁוֹל; חָסַם
obstruction *n* מִכְשׁוֹל; הַפְרָעָה
obtain *vt* הִשִּׂיג, רָכַשׁ
obtrusive *adj* נִדְחָק, טַרְדָנִי
obtuse *adj* קֵהֶה (בצורה, ברגש,
בתפיסה)

obviate *vt* הֵסִיר (מכשול), מָנַע
obvious *adj* בָּרוּר, פָּשׁוּט
occasion *n* הִזְדַּמְּנוּת
occasion *vt* גָּרַם
occasional *adj* הִזְדַּמְּנוּתִי, שֶׁלִּפְעָמִים
occident *n* אַרְצוֹת הַמַּעֲרָב
occult *adj* מִסְתּוֹרִי, כָּמוּס; מִיסְטִי
occupancy *n* הַחֲזָקָה; דַּיָּירוּת
occupant *n* דַּיָּיר; מַחֲזִיק
occupation *n* מִשְׁלַח יָד; כִּיבּוּשׁ
occupy *vt, vi* תָּפַס (מקום, זמן);
הֶעֱסִיק; כָּבַשׁ
occur *vi* קָרָה; עָלָה (על הדעת)
occurrence *n* מְאוֹרָע, הִתְרַחֲשׁוּת
ocean *n* אוֹקְיָינוֹס
oceanic *adj* אוֹקְיָינוֹסִי
o'clock *adv* עַל־פִּי הַשָּׁעוֹן
octave *n* אוֹקְטָבָה
October *n* אוֹקְטוֹבֶּר
octopus *n* תְּמָנוּן
octoroon *n* שְׁמִינִיּוֹן
ocular *adj* עֵינִי, רְאִיָּיתִי
oculist *n* רוֹפֵא עֵינַיִים
O.D. *abbr* officer of the day
odd *adj, n* פֶּרֶט; שׁוֹנֶה; מוּזָר
oddity *n* מוּזָרוּת; מוּזָר
odd jobs *n pl* עֲבוֹדוֹת מִקְרִיּוֹת
odd lot *n* שְׁאֵרִית, מִכְלוֹל לֹא־אָחִיד
odds *n pl* סִיכּוּיִים; תְּנָאֵי הִימּוּר
odds and ends *n pl* שְׁאֵרִיּוֹת
ode *n* אוֹדָה
odious *adj* דּוֹחֶה, שָׂנוּא
odor *n* רֵיחַ
odorous *adj* רֵיחָנִי
odorless *adj* חֲסַר רֵיחַ

Odyssey *n* אוֹדִיסֵיאָה
of *prep* שֶׁל, מִן, עַל
off *adv, prep* בְּמֶרְחָק; רָחוֹק
off *adj* מְרוּחָק יוֹתֵר
offal *n* שִׁירַיִים
offbeat *adj* יוֹצֵא דוֹפֶן
offchance *n* אֶפְשָׁרוּת רְחוֹקָה
offend *vt, vi* פָּגַע בּ...; הֶעֱלִיב
offender *n* מֵפֵר חוֹק, אָשֵׁם
offense *n* פְּגִיעָה; חֵטְא
offensive *adj* שֶׁל הַתְקָפָה; דוֹחֶה, פּוֹגֵעַ
offensive *n* מִתְקָפָה
offer *vt, vi* הִצִּיעַ; הִגִּישׁ, הוֹשִׁיט
offer *n* הַצָּעָה
offering *n* קוֹרְבָּן; מַתָּנָה
offhand *adj, adv* כִּלְאַחַר יָד
office *n* מִשְׂרָד; מִשְׂרָה
office-boy *n* נַעַר שָׁלִיחַ
office holder *n* נוֹשֵׂא מִשְׂרָה
office seeker *n* שׁוֹאֵף לְתַפְקִיד
officer *n* קָצִין
office supplies *n pl* צוֹרְכֵי מִשְׂרָד
official *adj, n* רִשְׁמִי; פָּקִיד
officiate *vi* כִּיהֵן, שִׁימֵּשׁ בְּתַפְקִיד
officious *adj* מִתְעָרֵב (שֶׁלֹּא לְצוֹרֶךְ)
off-peak load *n* עוֹמֶס לֹא מְרַבִּי
offprint *n* תַּדְפִּיס
offset *vt* אִיזֵּן, קִיזֵּז; הִדְפִּיס בְּאוֹפְסֶט
offset printing *n* הַדְפָּסַת צִילּוּם
offshoot *n* נֵצֶר; פּוֹעַל יוֹצֵא
offshore *adj, adv* מִן הַחוֹף וָהָלְאָה
offspring *n* צֶאֱצָא, יְלָדִים
off-stage *n* קַלְעֵי הַבִּימָה
off-the-record *adj* לֹא לְפִרְסוּם

often *adv* לְעִתִּים קְרוֹבוֹת
ogle *vt* הֵעִיף מַבָּט חַשְׁקָנִי
ogre *n* מִפְלֶצֶת
ohm *n* אוֹם
oil *n* שֶׁמֶן; נֵפְט
oil *vt, vi* שִׁימֵּן
oilcan *n* קַנְקַן שֶׁמֶן
oilcloth *n* שַׁעֲוָונִית
oil-gauge *n* מַד־שֶׁמֶן
oil pan *n* אַמְבַּט שֶׁמֶן
oil-tanker *n* מֵיכָלִית
oily *adj* שַׁמְנִי; מָלֵא שֶׁמֶן
ointment *n* מִשְׁחָה
O.K. *adj, n* נָכוֹן; אִישּׁוּר; אִישֵּׁר
okra *n* בַּמְיָה
old *adj* יָשָׁן; זָקֵן; בֶּן (...שָׁנִים)
old age *n* זִקְנָה
old boy *n* תַּלְמִיד לְשֶׁעָבַר
old-clothesman *n* סוֹחֵר בִּבְגָדִים יְשָׁנִים
old-fashioned *adj* מְיוּשָּׁן
Old Glory *n* דֶּגֶל אַרְהַ״ב
Old Guard *n* הַוָּתִיקִים; שַׁמְרָנֵי הַמִּפְלָגָה הָרֶפּוּבְּלִיקָנִית
old hand *n* עוֹבֵד מְנוּסֶּה, בַּעַל נִיסָּיוֹן
old maid *n* בְּתוּלָה זְקֵנָה
old master *n* צַיָּיר אוֹ צִיּוּר קְלַאסִּי
old moon *n* יָרֵחַ מִתְמַעֵט
old salt *n* מַלָּח וָתִיק
old school *n* אַסְכּוֹלָה יְשָׁנָה
old time *n* זְמַנִּים עָבָרוּ
old timer *n* וָתִיק
old wives' tale *n* סִפּוּר שֶׁל סַבְתָּא
old-world *adj* שֶׁל הָעוֹלָם הָעַתִּיק
oleander *n* הַרְדּוּף

oligarchy *n* אוֹלִיגַרכִיָה
olive *n* זַיִת; צֶבַע הַזַיִת
olive *adj* שֶׁל זַיִת
olive grove *n* כֶּרֶם זֵיתִים
Olympiad *n* אוֹלִימפִּיאָדָה
Olympian *n, adj* מִשְׁתַּתֵּף בַּמִשְׂחָקִים הָאוֹלִימפִּיִים; (אדם) נִישָׂא, מְרוּחָק
Olympic *adj* אוֹלִימפִּי
omelet, omelette *n* חֲבִיתָה
omen *n* סִימָן לַבָּאוֹת
ominous *adj* מְבַשֵּׂר רָע
omission *n* הַשְׁמָטָה; אִי־בִּיצוּעַ
omit *vt* הִשְׁמִיט; נִמנַע מִן
omnibus *n* אוֹטוֹבּוּס
omnipotent *adj* כּוֹל יָכוֹל
omniscient *adj* יוֹדֵעַ הַכּוֹל
omnivorous *adj* אוֹכֵל הַכּוֹל
on *prep* עַל, עַל גַּבֵּי; בּ...
on *adv, adj* עַל; בִּתמִידוּת; לְפָנִים; קָדִימָה
once *adv* פַּעַם
once *conj, n* בְּרֶגַע שֶׁ...; פַּעַם אַחַת
onceover *n* (דיבורית) מַבָּט בּוֹחֵן מָהִיר
one *adj* אֶחָד, אַחַת; פְּלוֹנִי
onerous *adj* מַכבִּיד
oneself *pron* הוּא עַצמוֹ
one-sided *adj* חַד־צְדָדִי
one-track *adj* חַד־נְתִיבִי
one-way *adj* חַד־סִטְרִי
onion *n* בָּצָל
onionskin *n* נְיָר שָׁקוּף דַּק
onlooker *n* מִסתַּכֵּל מִן הַצַּד
only *conj, adv* רַק; אֶלָּא שֶׁ...; בִּלבַד
only *adj* יָחִיד; יְחִידִי

onset *n* הַתקָפָה; הַתחָלָה
onward *adv* קָדִימָה
onyx *n* אֶנֶךְ, שׁוֹהַם
ooze *n* טִפטוּף, פִּכפּוּךְ
ooze *vt, vi* פִּיכָּה, נָטַף; דָּלַף
opal *n* לֶשֶׁם
opaque *adj* אָטוּם; עָמוּם
open *adj* פָּתוּחַ; פָּנוּי
open *vt, vi* פָּתַח; פָּתַח בּ...; נִפתַּח
open-air *adj* בָּאֲוִיר הַפָּתוּחַ
open-eyed *adj* מִשְׁתָּאֶה; פְּקוּחַ־עַיִן
openhanded *adj* נָדִיב
openhearted *adj* גְלוּי־לֵב
opening *n* פֶּתַח; פְּתִיחָה; הַתחָלָה; מִשְׂרָה פְּנוּיָה; הַצָּגַת־בְּכוֹרָה
opening night *n* עֶרֶב בְּכוֹרָה
opening number *n* פְּרִיט פּוֹתֵחַ
open-minded *adj* רְחַב־אוֹפֶק
open secret *n* סוֹד גָלוּי
openwork *n* עֲבוֹדַת רֶשֶׁת
opera *n* אוֹפֶּרָה
opera-glasses *n pl* מִשְׁקֶפֶת אוֹפֶּרָה
operate *vi, vt* פָּעַל; תִּפעֵל; נִיתֵּחַ
operatic *adj* שֶׁל אוֹפֶּרָה
operating-room *n* חֲדַר־נִיתּוּחִים
operating-table *n* שׁוּלחַן־נִיתּוּחִים
operation *n* פְּעוּלָה; תִּפעוּל; נִיתּוּחַ
operator *n* פּוֹעֵל; מַפעִיל
operetta *n* אוֹפֶּרֶטָה, אוֹפֵּרִית
opiate *n, adj* סַם מְיַיֵשֵׁן
opinion *n* דֵּעָה, סְבָרָה; חֲוַות־דַּעַת
opinionated *adj* עַקשָׁנִי בְּדַעתּוֹ
opium *n* אוֹפִּיוּם
opium-den *n* מְאוּרַת אוֹפִּיוּם
opponent *n, adj* יָרִיב, מִתנַגֵּד

opportune *adj* בְּעִתּוֹ
opportunist *n* סְתַגְּלָן, אוֹפּוֹרטוּנִיסט
opportunity *n* הִזדַמְּנוּת
oppose *vt* הִתנַגֵּד; הֶעֱמִיד לְעוּמַּת
opposite *adj, adv* שֶׁמִּמּוּל; מְנוּגָּד; נֶגֶד, מוּל
opposition *n* הִתנַגְּדוּת; אוֹפּוֹזִיצְיָה
oppress *vt* הֵעִיק עַל; דִיכֵּא
oppression *n* נְגִישָׂה, לַחַץ
oppressive *adj* מְדַכֵּא; מַכבִּיד; מֵעִיק
opprobrious *adj* מְגוּנֶּה; מֵבִישׁ
opprobrium *n* בּוּשָׁה; גְּנַאי
optic *adj* עֵינִי; שֶׁל הָעַיִן
optical *adj* רְאוּתִי, אוֹפּטִי
optician *n* אוֹפּטִיקַאי
optimism *n* אוֹפּטִימִיוּת
optimist *n* אוֹפּטִימִיסט
option *m n* בְּרֵירָה, אוֹפּציָה
optional *adj* שֶׁבִּרשׁוּת
optometrist *n* אוֹפּטוֹמֶטרִיסט
opulent *adj* עָשִׁיר, שׁוֹפֵעַ
or *conj* אוֹ
oracle *n* אוֹרַקל; אוּרִים וְתוּמִּים
oracular *adj* עוֹשֶׂה רוֹשֶׁם מוּסמָך; מְעוּרפָּל
oral *adj, n* שֶׁבְּעַל־פֶּה; שֶׁל פֶּה; בְּחִינָה בְּעַל־פֶּה
orange *n, adj* תַּפּוּחַ־זָהָב, תַּפּוּז; תָּפוֹז
orangeade *n* מִיץ תַּפּוּזִים בְּמַיִם, אוֹרַנזָ'דָה
orange-blossom *n* פֶּרַח הַתַּפּוּז
orange grove *n* פַּרדֵּס
orange juice *n* מִיץ תַּפּוּזִים
orang-outang *n* אוֹרַנג־אוּטַנג
oration *n* נְאוּם (חֲגִיגִי)
orator *n* נוֹאֵם (מְחוֹנָן)
oratorical *adj* נְאוּמִי
oratorio *n* אוֹרָטוֹרְיָה
orb *n* כּוֹכָב, גֶּרֶם שָׁמַיִם; גַּלגַּל הָעַיִן
orbit *n* מַסלוּל (שֶׁל כּוֹכָב); תְּחוּם פְּעוּלָּה
orbit *vi* נָע בְּמַסלוּל
orchard *n* בּוּסתָּן
orchestra *n* תִּזמוֹרֶת
orchestrate *vt* תִּזמֵר
orchid *n* סַחלָב
ordain *vt* (בנצרות) הִסמִיךְ; צִיוָּה
ordeal *n* מִבחָן, נִיסָּיוֹן קָשֶׁה; יִיסּוּרִים
order *n* סֵדֶר; מִשׁטָר; תְּקִינוּת; מִסדָּר (דתי)
order *vt* פָּקַד; הִזמִין; הִסדִיר
orderly *adj* מְסוּדָּר; שׁוֹמֵר סֵדֶר
orderly *n* מְשַׁמֵּשׁ, תּוֹרָן; (בְּבֵית־חוֹלִים) אָח
ordinal *adj, n* שֶׁל מַעֲרֶכֶת; מִספָּר סוֹדֵר
ordinance *n* פְּקוּדָּה; חוֹק
ordinary *adj* רָגִיל, שָׁכִיחַ
ordnance *n* תּוֹתָחִים; חִימּוּשׁ
ore *n* עַפְרָה
organ *n* עוּגָב; אֵיבָר; בִּיטָּאוֹן
organ-grinder *n* מְנַגֵּן בְּתֵיבַת־נְגִינָה
organic *adj* שֶׁל אֵבְרֵי הַגּוּף; חִיּוּנִי, יְסוֹדִי, אוֹרגָנִי
organism *n* יְצוּר חַי, מַנגָּנוֹן
organist *n* מְנַגֵּן בְּעוּגָב
organization *n* אִרגּוּן
organize *vt* אִרגֵּן
orgy *n* הִתהוֹלְלוּת מִינִית, אוֹרגְיָה

orient *n, adj* מִזְרָח,
אֲרָצוֹת הַמִּזְרָח; מִזְרָחִי
oriental *adj, n* מִזְרָחִי; בֶּן מִזְרָח
orientation *n* הִתְמַצְּאוּת
orifice *n* פּוּמִית; פִּיָּה
origin *n* מָקוֹר
original *adj* מְקוֹרִי
original *n* אַב־טִיפּוּס;
אָדָם מְקוֹרִי, יוֹצֵא דוֹפֶן
originate *vi, vt* נוֹלַד, צָמַח;
הִמְצִיא, הִצְמִיחַ
oriole *n* זַהֲבָן
ormolu *n* אוֹרמוֹלוּ; זָהָב מְזוּיָּף
ornament *n* קִישׁוּט; תַּכְשִׁיט
ornament *vt* קִישֵּׁט
ornate *adj* מְהוּדָּר לְרַאֲוָוה; מְלִיצִי
orphan *n, adj* יָתוֹם; מְיוּתָּם
orphan *vt* יִיתֵּם
orphanage *n* בֵּית־יְתוֹמִים
orthodox *adj* שַׁמְרָנִי, אוֹרתוֹדוֹקסִי
orthography *n* כְּתִיב נָכוֹן
oscillate *vi, vt* הִתְנוֹדֵד; פִּקְפֵּק
osier *n* עֲרָבָה אֲדוּמָּה
ossify *vt, vi* הָפַךְ לְעֶצֶם; נַעֲשָׂה לְעֶצֶם
ostensible *adj* מוּצְהָר, רַאֲוותָנִי
ostentatious *adj* רַאֲוותָנִי
ostracism *n* נִידּוּי
ostrich *n* יָעֵן, בַּת־יַעֲנָה
other *adj, pron, adv* אַחֵר, שׁוֹנֶה;
נוֹסָף; מִלְּבַד
otherwise *adv* אַחֶרֶת, וְלֹא
otter *n* לוּטרָה, כֶּלֶב הַנָּהָר
Ottoman *adj, n* עוֹתוֹמָנִי
ouch *interj* אוּף! (קְרִיאָה)
ought *v aux* חַיָּב; הָיָה חַיָּב

ought *n, adv* דְּבַר־מָה; מִכָּל בְּחִינָה
ounce *n* אוּנְקִיָּה; קוֹרֶט
our *pron* שֶׁלָּנוּ
ours *pron* שֶׁלָּנוּ
ourselves *pron* אָנוּ עַצְמֵנוּ; אוֹתָנוּ; לָנוּ
oust *vt* גֵּירֵשׁ; עָקַר מִמְּקוֹמוֹ
out *adv* לַחוּץ, הַחוּצָה; מִחוּץ ל...
out *n* בְּלִיטָה; הֵיחָלְצוּת
out-and-out *adj* מוּשְׁלָם, גָּמוּר
out-and-outer *n* קִיצוֹנִי
outbid *vt* הִצִּיעַ מְחִיר רַב יוֹתֵר
outbreak *n* הִתְפָּרְצוּת; מְהוּמוֹת
outbuilding *n* אֲגַף בִּניָין
outburst *n* הִתְפָּרְצוּת
outcast *n* מְנוּדֶּה
outcome *n* תּוֹצָאָה
outcry *n* זְעָקָה
outdated *adj* מְיוּשָּׁן
outdo *vt* עָלָה עַל
outdoor *adj* שֶׁבַּחוּץ
outdoors *adv, n* בַּחוּץ,
בָּאֲוויר הַצַּח, תַּחַת כִּיפַּת הַשָּׁמַיִם
outer space *n* הֶחָלָל הַחִיצוֹן
outfield *n* שָׂדֶה קִיצוֹנִי (בְּמִשׂחָק)
outfit *n* מַעֲרֶכֶת כֵּלִים;
תִּלְבּוֹשֶׁת; צִיּוּד
outfit *vt* צִיֵּיד, סִיפֵּק
outgoing *adj, n* יוֹצֵא; חַבְרוּתִי;
(בְּרִיבּוּי) סְכוּם הוֹצָאוֹת
outgrow *vt* גָּדַל יוֹתֵר מִן; נִגמַל מִן
outgrowth *n* תּוֹלָדָה
outing *n* יְצִיאָה, טִיּוּל
outlandish *adj* מוּזָר, תִּמְהוֹנִי
outlast *vt* חַי יוֹתֵר
outlaw *n* שֶׁמִּחוּץ לַחוֹק

outlaw *vt* הִפְקִיר, הוֹצִיא מִחוּץ לַחוֹק
outlay *n, vt* הוֹצָאוֹת; הוֹצִיא כֶּסֶף
outlet *n* מוֹצָא
outline *n* מִתְאָר, הֶיקֵף; תַּמְצִית
outline *vt* רָשַׁם מִתְאָר
outlive *vt* הֶאֱרִיךְ יָמִים יוֹתֵר מ...
outlook *n* הַשְׁקָפָה; סִיכּוּי
outlying *adj* מְרוּחָק מִמֶּרְכָּז
outmoded *adj* שֶׁאֵינוֹ בָּאוֹפְנָה
outnumber *vt* עָלָה בְּמִסְפָּרוֹ עַל
out-of-date *adj* לֹא מְעוּדְכָּן, מְיוּשָּׁן
out-of-doors *n pl* הָאֲוִויר הַצַּח
out-of-print *adj* (ספר) שֶׁאָזַל
out-of-the-way *adj* רָחוֹק, נִידָּח;
לֹא רָגִיל
outpatient *n* חוֹלֵה־חוּץ
outpost *n* מוּצַּב־חוּץ
output *n* תְּפוּקָה
outrage *n* נְבָלָה; שַׁעֲרוּרִייָה
outrage *vt* פָּגַע חֲמוּרוֹת בּ...
outrageous *adj* מְזַעֲזֵעַ
outrank *vt* עָלָה בְּדַרְגָּה עַל
outrider *n* פָּרָשׁ חוּץ
outright *adj* גָמוּר, מוּחְלָט
outright *adv* בִּשְׁלֵמוּת;
בְּבַת אַחַת; גְלוּיוֹת
outset *n* הַתְחָלָה, פְּתִיחָה
outside *n, adj* חוּץ; חִיצוֹנִיּוּת; חִיצוֹנִי
outside *adv, prep* הַחוּצָה;
מִחוּץ ל...; חוּץ מִן
outsider *n* הַנִּמְצָא בַּחוּץ; לֹא מִשְׁתַּיֵּךְ
outskirts *n pl* שׁוּלַיִים
outspoken *adj* מוּבָּע גְלוּיוֹת;
מְדַבֵּר גְלוּיוֹת
outstanding *adj* בּוֹלֵט; דָגוּל;
לֹא נִפְרָע, תָּלוּי וְעוֹמֵד
outward *adj, adv* כְּלַפֵּי חוּץ
outweigh *vt* הִכְרִיעַ בְּמִשְׁקָל
outwit *vt* הָיָה פִּיקֵּחַ יוֹתֵר
oval *adj* בֵּיצִי, סְגַלְגַּל
ovary *n* שַׁחֲלָה
ovation *n* תְּשׁוּאוֹת
oven *n* תַּנּוּר, כִּבְשָׁן
over *adv, prep* עַל, מֵעַל;
בְּמֶשֶׁךְ; שׁוּב; נוֹסָף
over-all, overall *adj* כּוֹלֵל הַכּוֹל
overalls *n pl* סַרְבָּל
overbearing *adj* שְׁתַלְּטָנִי, שַׁחֲצָנִי
overboard *adv* מִן הַסְּפִינָה לַמַּיִם
overcast *adj* מְעוּנָּן; קוֹדֵר
overcharge *vt* הִפְקִיעַ מְחִיר
overcharge *n* מְחִיר מוּפְקָע;
הֶעְמִיס יוֹתֵר מִדַּי
overcoat *n* מְעִיל עֶלְיוֹן
overcome *vt* גָּבַר, הִתְגַּבֵּר עַל
overdo *vt, vi* הִפְרִיז;
הִגְדִּישׁ אֶת הַסְּאָה
overdose *n* מָנָה יְתֵרָה
overdraft *n* מְשִׁיכַת־יֶתֶר
overdraw *vt* מָשַׁךְ מְשִׁיכַת־יֶתֶר
(בבאנק)
overdue *adj* שֶׁעָבַר זְמַנּוֹ
overeat *vt* זָלַל
overexertion *n* מַאֲמַץ־יֶתֶר
overexposure *n* חֲשִׂיפָה יְתֵרָה
overfeed *vt* הֵזִין יוֹתֵר מִדַּי, הִלְעִיט
overflow *vt, vi* הִשְׁתַּפֵּךְ, שָׁטַף;
עָלָה עַל גְדוֹתָיו
overflow *n* מִגְלָשׁ; קָהָל עוֹדֵף
overgrown *adj* מְגוּדָּל מִדַּי

overhang *vt, vi* בָּלַט מֵעַל
overhang *n* בְּלִיטָה, זִיז
overhaul *n* שִׁיפּוּץ
overhaul *vt* שִׁיפֵּץ, תִּיקֵּן; הִדבִּיק, הִשִּׂיג
overhead *adv* מֵעַל לָרֹאשׁ
overhead *adj* עִילִי; (הוֹצָאָה) כְּלָלִית
overhear *vt* שָׁמַע בְּאַקְרַאי
overheat *vt* חִימֵּם יוֹתֵר מִדַּי
overjoyed *adj* שָׂמֵחַ בְּיוֹתֵר, צוֹהֵל
overland *adv, adj* שֶׁבְּדֶרֶךְ הַיַּבָּשָׁה
overlap *vt, vi* חָפַף; עָדַף
overload *vt* הֶעְמִיס יֶתֶר עַל הַמִּידָּה
overlook *vt* הֶעְלִים עַיִן; נִשְׁקַף עַל
overly *adv* יוֹתֵר מִדַּי
overnight *adv, adj* בִּן־לַיְלָה; לְלַיְלָה אֶחָד
overnight bag *n* זְוָד לִינָה
overpass *n* צוֹמֶת עִילִי
overpopulate *vt* מִלֵּא אֲנָשִׁים יֶתֶר עַל הַמִּידָּה
overpower *vt* הִכְנִיעַ; גָּבַר עַל
overpowering *adj* מְהַמֵּם, מִשְׁתַּלֵּט
overproduction *n* תְּפוּקַת־יֶתֶר
overrate *vt* הִפְרִיז בְּהַעֲרָכָה
overrun *vt* (*pt* overran) פָּשַׁט כְּפוֹלֵשׁ; הִתְפַּשֵּׁט מַהֵר
overseas *adj, adv* (שֶׁל) מֵעֵבֶר לַיָּם
overseer *n* מַשְׁגִּיחַ
overshadow *vt* הֶאֱפִיל עַל
overshoe *n* עַרְדָּל
oversight *n* טָעוּת שֶׁבְּהַעֲלָמַת־עַיִן
oversleep *vi* הֶאֱרִיךְ לִישׁוֹן
overt *adj* פָּתוּחַ, גָּלוּי
overtake *vt* עָקַף; הִדְבִּיק; בָּא פִּתְאוֹם
overthrow *n* הֲפִיכָה, הַפָּלָה
overthrow *vt* הִפִּיל
overtime *adv, n* שָׁעוֹת נוֹסָפוֹת
overtrump *vt, vi* (בקלפים) עָלָה עַל... בִּקְלָף גָּבוֹהַּ יוֹתֵר
overture *n* פְּתִיחָה, אוֹבֶרטוּרָה
overweening *adj* יָהִיר מִדַּי
overweight *n, adj* (בַּעַל) מִשְׁקָל עוֹדֵף
overwhelm *vt* הִכְרִיעַ תַּחְתָּיו; הָמַם
overwork *n* עֲבוֹדָה מֵעֵבֶר לַכּוֹחוֹת
overwork *vt, vi* הֶעֱבִיד בְּפֶרֶךְ; עָבַד יֶתֶר עַל הַמִּידָּה
ow *interj* אוֹי!
owe *vt, vi* חָב, הָיָה חַיָּב ל...
owing *adj* (חוֹב) מַגִּיעַ
owl *n* יַנְשׁוּף
own *adj, n* שֶׁל, שֶׁל עַצְמוֹ
own *vt* הָיָה בְּעָלִים שֶׁל; הוֹדָה
owner *n* בַּעַל, בְּעָלִים
ownership *n* בַּעֲלוּת
ox *n* (*pl* oxen) שׁוֹר
oxide *n* תַּחְמוֹצֶת
oxidize *vt, vi* חִמְצֵן; הִתְחַמְצֵן
oxygen *n* חַמְצָן
oyster *n* צִדְפָּה
oyster bed *n* מִרְבַּץ צְדָפוֹת
oyster-knife *n* סַכִּין צְדָפוֹת
oysterman *n* מְגַדֵּל צְדָפוֹת
oyster-shell *n* שִׁרְיוֹן הַצִּדְפָּה
oyster stew *n* מְרַק צְדָפוֹת
oz. *abbr* ounce
ozone *n* אוֹזוֹן

P

P, p פִּי (הָאוֹת הַשֵּׁשׁ־עֶשְׂרֵה בָּאָלֶפְבֵּית)

p. *abbr* page, participle

P.A. *abbr* Passenger Agent, power of attorney, Purchasing Agent

pace *n* פְּסִיעָה; קֶצֶב

pace *vt, vi* צָעַד, פָּסַע

pacemaker *n* קוֹצֵב

pacific *adj* אוֹהֵב שָׁלוֹם; מְפַיֵּס; שָׁלֵו

Pacific Ocean *n* הָאוֹקְיָנוֹס הַשָּׁקֵט

pacifier *n* עוֹשֶׂה שָׁלוֹם; מַשְׁקִיט

pacifism *n* אַהֲבַת שָׁלוֹם; פָּצִיפִיזְם

pacifist *n* פָּצִיפִיסְט

pacify *vt* הִרְגִּיעַ; הִשְׁכִּין שָׁלוֹם

pack *n* חֲבִילָה, חֲפִיסָה; חֲבוּרָה, לַהֲקָה

pack *vt* אָרַז, צָרַר; צוֹפֵף

package *n* חֲבִילָה, צְרוֹר

package *vt* צָרַר, עָשָׂה חֲבִילָה

package deal *n* עִסְקַת חֲבִילָה

pack animal *n* בֶּהֱמַת מַשָּׂא

packing box *n* תֵּיבַת אֲרִיזָה

packing-house *n* בֵּית־אֲרִיזָה

pack-saddle *n* מַרְדַּעַת

pact *n* אֲמָנָה, בְּרִית

pad *n* רֶפֶד; כָּרִית; פִּנְקָס

pad *vt* מִילֵּא לְרִיפּוּד; נִיפֵּחַ (נאום וכד׳)

paddle *n* מָשׁוֹט; מַבְחֵשׁ

paddle *vt, vi* חָתַר; שִׁכְשֵׁךְ

paddle wheel *n* מְשׁוֹטָה

paddock *n* דִּיר, קַרְפִּיף

padlock *n, vt* מַנְעוּל; נָעַל

pagan *n, adj* עוֹבֵד אֱלִילִים (עכו״ם)

paganism *n* מַעֲשֵׂי עכו״ם

page *n, vt* עַמּוּד (שֶׁל דַּף); נַעַר מְשָׁרֵת; מִסְפֵּר דַּפִּים

pageant *n* הַצָּגַת רַאֲוָה

pageantry *n* מַחֲזוֹת מַרְהִיבֵי עַיִן

pail *n* דְּלִי

pain *n* כְּאֵב, מֵיחוּשׁ

pain *vt* הִכְאִיב, גָּרַם צַעַר

painful *adj* מַכְאִיב, כּוֹאֵב

painkiller *n* סַם מַרְגִּיעַ

painless *adj* לְלֹא כְּאֵב

painstaking *adj* מְדַקְדֵּק וּמַקְפִּיד

paint *vt, vi* צִיֵּיר; צָבַע

paint *n* צֶבַע; פּוּךְ

paintbox *n* קוּפְסַת צְבָעִים

paintbrush *n* מִכְחוֹל

painter *n* צַיָּר; צַבָּע

painting *n* צִיּוּר; צְבִיעָה

pair *n* זוּג, צֶמֶד

pair *vt, vi* זִיוֵּג; נַעֲשׂוּ זוּג; הִזְדַּוְּגוּ

pajamas, pyjamas *n* פִּיגָ׳מָה

Pakistan *n* פָּאקִיסְטָן

pal *n* (דיבורית) חָבֵר

palace *n* אַרְמוֹן

palatable *adj* טָעִים, נָעִים לַחֵךְ

palatal *adj* חִכִּי

palate *n* חֵךְ; חוּשׁ הַטַּעַם

pale *adj* חִיוֵּר

pale *vi* הֶחֱוִיר; עָמַם

pale *n* מִכְלָאָה; תְּחוּם
paleface *n* לְבֶן־פָּנִים
palette *n* לוּחַ צְבָעִים (שֶׁל צייר)
palisade *n* מְסוּכָה, גֶּדֶר יְתֵדוֹת
pall *vt, vi* עִיֵּף; נַעֲשָׂה חֲסַר טַעַם
pall *n* אֲרִיג אֵבֶל; מִיטַּת מֵת
pallbearer *n* נוֹשֵׂא מִיטַּת מֵת
palliate *vt* הֵקֵל, הִרְגִּיעַ
pallid *adj* חִיוּוֵר
pallor *n* חִיוָּרוֹן
palm *n* דֶּקֶל, תָּמָר; כַּף הַיָּד
palm *vt* שִׁיחֵד; שָׂם כַּפּוֹ
palmetto *n* דְּקָלוֹן, תְּמָרָה
palmist *n* מְנַחֵשׁ עַל־פִּי כַּף הַיָּד
palmistry *n* חָכְמַת הַיָּד
palm-oil *n* שֶׁמֶן תְּמָרִים
palpable *adj* מְשִׁישׁ; מַמָּשִׁי
palpitate *vi* פִּרְפֵּר, רָעַד
palsy *n* שִׁיתּוּק
palsy *vt* שִׁיתֵּק; הִדְהִים
paltry *adj* חֲסַר עֵרֶךְ, מְבוּטָּל
pamper *vt* פִּינֵּק
pamphlet *n* פַּמְפְלֵט, עָלוֹן
pan *n* מַחֲבַת
pan *vt, vi* בִּישֵּׁל בְּמַחֲבַת; שָׁטַף (עפרות זהב)
panacea *n* פְּנָצֵיאָה, תְּרוּפָה לַכּוֹל
Panama Canal *n* תְּעָלַת פַּאנָמָה
Panamanian *adj, n* פַּאנָמָנִי
Pan-American *adj* פַּן־אֲמֶרִיקָנִי
pancake *n* לֶחֶם־דְּפוּסִים
pancreas *n* לַבְלָב
pander *n* רוֹעֵה זוֹנוֹת
pander *vt* סִרְסֵר לִדְבַר עֲבֵירָה; עוֹדֵד (דברים שליליים)

pane *n* שִׁמְשָׁה; פָּן
panel *n* לוּחִית; רְשִׁימַת אֲנָשִׁים; צֶוֶות
panel vt מִילֵּא; קִישֵּׁט
panel discussion *n* דִּיּוּן צֶוֶות
panelist *n* חֲבֵר צֶוֶות דִּיּוּן
pang *n* כְּאֵב פִּתְאוֹמִי, מַכְאוֹב
panhandle *n* יָד שֶׁל מַחֲבַת
panhandle *vt, vi* בִּיקֵּשׁ נְדָבוֹת
panic *n* תַּבְהֵלָה, פָּנִיקָה
panic *vt, vi* עוֹרֵר בֶּהָלָה; אִיבֵּד עֶשְׁתּוֹנוֹת
panic-stricken *adj* אָחוּז בֶּהָלָה
panoply *n* חֲגוֹר מָלֵא
panorama *n* נוֹף; תְּמוּנָה מַקִּיפָה
pansy *n* אַמְנוֹן וְתָמָר; (דיבורית) הוֹמוֹסֶקְסוּאָלִיסְט
pant *vi, vt* הִתְנַשֵּׁף
pant *n* נְשִׁימָה כְּבֵדָה; (ברבים) מִכְנָסַיִים
pantheism *n* פַּנְתֵּאִיזם
pantheon *n* פַּנְתֵּיאוֹן
panther *n* נָמֵר, פַּנְתֵּר
panties *n pl* תַּחְתּוֹנִים קְצָרִים (שֶׁל נשים)
pantomime *n* פַּנְטוֹמִימָה
pantry *n* מִזְוֶוה
papacy *n* אַפִּיפְיוֹרוּת
paper *n* נְיָיר; תְּעוּדָה; חִיבּוּר; עִיתּוֹן
paper *adj* עֲשׂוּי נְיָיר; לַהֲלָכָה
paper *vt* כִּיסָּה בִּנְיָיר
paper-back *n* סֵפֶר בַּעַל כְּרִיכַת נְיָיר
paper-boy *n* מְחַלֵּק עִיתּוֹנִים
paper-clip *n* מְהַדֵּק
paper cone *n* חֲרוּט נְיָיר

paper-cutter *n* מְחַתֵּךְ נְיָיר

paper doll *n* בּוּבַּת נְיָיר

paper-hanger *n* רַפַּד קִירוֹת

paper-knife *n* סַכִּין לִנְיָיר

paper-mill *n* בֵּית־חֲרוֹשֶׁת לִנְיָיר

paper profits *n pl* רְוָוחִים שֶׁעַל הַנְּיָיר

paper tape *n* סֶרֶט מְנוּקָּב

paper-work *n* נַיֶּירֶת

paprika *n* פִּלְפֵּל אָדוֹם, פִּלְפֶּלֶת

papyrus *n* פַּפִּירוּס

par. *abbr* paragraph, parallel, parenthesis, parish

par *n, adj* שׁוֹוִי; שָׁוֶה

parable *n* מָשָׁל

parachute *vt, vi* הִצְנִיחַ; צָנַח

parachutist *n* צַנְחָן

parade *n* מִצְעָד; תַּהֲלוּכָה

parade *vt, vi* הִצִּיג לְרַאֲוָוה; עָבַר בְּמִסְדָּר

paradise *n* גַּן־עֵדֶן

paradox *n* פָּרָדוֹקְס

paradoxical *adj* פָּרָדוֹקְסִי

paraffin *n* פָּרָפִין

paragon *n* מוֹפֵת, דוּגְמָה

paragraph *n* סָעִיף, פִּסְקָה

paragraph *vt* חִילֵּק לִסְעִיפִים

Paraguay *n* פָּארָאגְוַואי

parakeet *n* תּוּכִּי־הַצַּוָּארוֹן

parallel *adj, n* מַקְבִּיל; קַו מַקְבִּיל

paralysis *n* שִׁיתּוּק

paralyze *vt* הִכָּה

paralytic *adj, n* מְשׁוּתָּק

paramount *adj, n* רָאשִׁי; עֶלְיוֹן

paranoiac *adj, n* מְשׁוּגַּע גַּדְלוּת

parapet *n* מַעֲקָה, מִסְעָד

paraphernalia *n pl* מַכְשִׁירִים; אֲבִזָרִים

parasite *n* טַפִּיל

parasitic(al) *adj* טַפִּילִי

parasol *n* שִׁמְשִׁיָּה, סוֹכֵךְ

paratrooper *n* חַיָּיל צַנְחָן

paratroops *n pl* חֵיל צַנְחָנִים

parboil *vt* בִּישֵּׁל פָּחוֹת מִדַּי

parcel *n* חֲבִילָה, צְרוֹר

parcel *vt* חִילֵּק, עָטַף

parch *vt, vi* יִיבֵּשׁ (יותר מדי), הִצְמִיא

parchment *n* גְּוִויל, קְלָף

pardon *n* מְחִילָה, סְלִיחָה

pardon *vt* סָלַח, מָחַל

pardonable *adj* סָלִיחַ, בַּר־סְלִיחָה

pardon board *n* וַעֲדַת חֲנִינָה

pare *vt* גָּזַר; קִלֵּף

parent *n* הוֹרֶה

parentage *n* הוֹרוּת

parenthesis *n* סוֹגְרַיִים

parenthood *n* הוֹרוּת

pariah *n* פַּרְיָה; מְנוּדֶּה

parish *n* (אצל הנוֹצרים) קְהִילָּה

parishioner *n* מִשְׁתַּיֵּיךְ לַקְּהִילָּה

Parisian *adj, n* פָּרִיזָאִי

parity *n* שׁוֹוְיוֹן

park *n* גַּן צִיבּוּרִי

park *vt, vi* חָנָה; הֶחֱנָה

parking *n* חֲנִיָּיה

parking lot *n* מִגְרַשׁ חֲנִיָּיה

parking ticket *n* דּוּ״חַ חֲנִיָּיה

parkland *n* אֵיזוֹר דֶּשֶׁא וְעֵצִים

parkway *n* מְסִילַּת שְׂדֵירוֹת וָדֶשֶׁא

parley *vi* נִיהֵל מַשָּׂא וּמַתָּן

parley *n* דִּיּוּן, מַשָּׂא וּמַתָּן
parliament *n* בֵּית־נִבְחָרִים;
(בִּישׂראל) כְּנֶסֶת
parlor *n* טְרַקְלִין
parochial *adj* עֲדָתִי; קַרְתָּנִי
parody *n* פָּרוֹדְיָה; חִיקּוּי־לַעַג
parody *vi, vt* חִיבֵּר פָּרוֹדְיָה;
חִיקָּה בְּצוּרָה לַעֲגָנִית
parole *n* דִּיבֵּר; הֵן צֶדֶק
parole *vt* שִׁחְרֵר (על סמך הן צדק)
parquet *n* פַּרְקֶט
parricide *n* הוֹרֵג אָבִיו
parrot *n* תּוּכִּי
parrot *vt* חִיקָּה כְּתוּכִּי
parry *vt* הָדַף; הִתְחַמֵּק (ממכה וכד׳)
parse *vt* נִיתַּח מִשְׁפָּט
parsley *n* כַּרְפַּס־נְהָרוֹת, פֶּטְרוֹסְלִינוֹן
parsnip *n* גֶּזֶר לָבָן
parson *n* כּוֹמֶר, כּוֹהֵן
part *n* חֵלֶק; תַּפְקִיד; צַד
part *vt, vi* הִפְרִיד; נִפְרַד
partake *vi* נָטַל חֵלֶק, הִשְׁתַּתֵּף
Parthenon *n* פַּרְתֵּנוֹן
partial *adj* חֶלְקִי; נוֹשֵׂא פָּנִים
participate *vi, vt* הִשְׁתַּתֵּף, נָטַל חֵלֶק
participle *n* בֵּינוֹנִי פּוֹעֵל
particle *n* חֶלְקִיק, קוּרְטוֹב
particular *n* פְּרָט, פָּרִיט
particular *adj* מְיוּחָד, מְסוּיָּם;
מְדַקְדֵּק
partisan *adj* חַד־צְדָדִי
partisan *n* חַיָּל לֹא סָדִיר, פַּרְטִיזָן
partition *n* מְחִיצָּה; חֲלוּקָּה
partition *vt* חִילֵּק; הֵקִים מְחִיצָּה
partner *n* שׁוּתָּף; בֶּן־זוּג
partner *vt* שִׁימֵּשׁ כְּשׁוּתָּף
partnership *n* שׁוּתָּפוּת
partridge *n* חוֹגְלָה
part-time *adj* חֶלְקִי
party *n* קְבוּצָה; מִפְלָגָה;
מְסִיבָּה; צַד (בוויכוח וכד׳)
party line *n* קַו טֶלֶפוֹן מְשׁוּתָּף;
קַו הַמִּפְלָגָה
party politics *n pl* מִפְלַגְתִּיּוּת
pass *vt, vi* עָבַר; חָלַף; אִישֵּׁר;
מָסַר; עָמַד (בבחינה)
pass *n* מַעֲבָר; תְּעוּדַת מַעֲבָר
passable *adj* עָבִיר; מֵנִיחַ אֶת הַדַּעַת
passage *n* מַעֲבָר; קֶטַע; פְּרוֹזְדוֹר
passbook *n* פִּנְקַס בַּנְק
passenger *n* נוֹסֵעַ
passerby *n* עוֹבֵר אוֹרַח
passing *adj* עוֹבֵר, חוֹלֵף
passing *n* מָוֶת, הִסְתַּלְּקוּת;
עֲמִידָה (בבחינה)
passion *n* תְּשׁוּקָה; הִתְלַהֲבוּת
passionate *adj* עַז רֶגֶשׁ
מִתְלַהֵב, רַגְשָׁנִי
passive *adj* סָבִיל, פַּסִּיבִי;
חֲסַר יוֹזְמָה
passive *n* (בדקדוק) בִּנְיַן סָבִיל
passkey *n* מַפְתֵּחַ פְּתַחְכּוֹל
Passover *n* פֶּסַח
passport *n* דַּרְכּוֹן
password *n* סִיסְמָה
past *adj, n* שֶׁעָבַר
past *prep, adv* מֵעֵבֶר ל...
paste *n, vt* עִיסָּה; דֶּבֶק; הִדְבִּיק
pasteboard *n* קַרְטוֹן (לכריכה)
pasteurize *vt* פִּסְטֵר

pastime *n* בִּילּוּי זְמַן, הִינָּפְשׁוּת
pastor *n* רוֹעֶה (רוּחָנִי); כּוֹמֶר
pastoral *adj* פַּסטוֹרָלִי; שֶׁל רוֹעִים
pastoral(e) *n* פַּסטוֹרָלֶה, אִידִילְיָה
pastry *n* עוּגִיָּה, תּוּפִין
pastry-cook *n* אוֹפֵה עוּגוֹת
pastry shop *n* מִגְדָנִיָּה
pasture *n* אַדמַת מִרְעֶה
pasture *vt, vi* הוֹלִיךְ לַמִּרְעֶה; רָעָה
pasty *adj* דָּבִיק, בְּצֵקִי
pat *adj, adv* מַתְאִים, בְּעִתּוֹ
pat *n, vt* לְטִיפָה, טְפִיחָה; טָפַח בְּחִיבָּה
patch *n* טְלַאי; אִיסְפְּלָנִית
patch *vt* הִטלִיא
patent *n* פָּטֶנט; הַרשָׁאָה
patent *vt* קִיבֵּל פָּטֶנט
paternal *adj* אַבהִי
paternity *n* אַבהוּת
path *n* שְׁבִיל, דֶּרֶךְ, מַסלוּל
pathetic *adj* פָּתֵטִי, מְעוֹרֵר רַחֲמִים
pathfinder *n* מְגַלֶּה נְתִיבוֹת, גַּשָּׁשׁ
pathology *n* תּוֹרַת הַמַּחֲלוֹת
pathos *n* פָּתוֹס
pathway *n* שְׁבִיל, נָתִיב
patience *n* סַבלָנוּת; פַּסִיאַנס (מִשׂחק קלפים)
patient *adj* סַבלָן
patient *n* פַּצִיאֶנט, חוֹלֶה
patriarch *n* אָב רִאשׁוֹן
patrician *adj, n* פַּטרִיצִי; אָצִיל
patricide *n* הֲרִיגַת אָב
patrimony *n* מוֹרָשָׁה, נַחֲלַת אָבוֹת
patriot *n* אוֹהֵב מוֹלַדְתּוֹ, פַּטרִיּוֹט
patriotic *adj* שֶׁל אַהֲבַת־הַמּוֹלֶדֶת
patriotism *n* אַהֲבַת־הַמּוֹלֶדֶת

patrol *vt, vi* פִּטרֵל, סִייֵר
patrol *n* פַּטרוֹל, סִיּוּר
patrolman *n* סַיָּר; שׁוֹטֵר מַקּוֹפִי
patrol wagon *n* מְכוֹנִית עֲצוּרִים
patron *n* תּוֹמֵךְ; מֵצֵנָט
patronize *vt* נָהַג כְּלָקוֹחַ קָבוּעַ כְּלַפֵּי; הִתנַשֵּׂא כְּלַפֵּי
patter *vi* נָקַשׁ נְקִישָׁה (כַּגֶּשֶׁם); רָץ בִּצְעָדִים קְצָרִים
patter *n* זַ'רגוֹן שֶׁל מַעֲמָד מְסוּיָּם; פִּטפּוּט (שֶׁל קוֹמִיקָאִים)
pattern *n, vt* תַּבנִית; דְּגָם; קָבַע תַּבנִית
P.A.U. *abbr* Pan American Union
patty *n* פַּשׁטִידִית
paucity *n* מִיעוּט בְּמִספָּר
Paul *n* שָׁאוּל הַתַּרסִי
paunch *n* כָּרֵס, בֶּטֶן
pauper *n* עָנִי; קַבְּצָן
pause *n, vi* הַפסָקָה, הֲפוּגָה; הִפסִיק
pave *vt* רִיצֵּף, סָלַל
pavement *n* מִדרָכָה; מַרצֶפֶת
pavilion *n* בִּיתָן
paw *n* רֶגֶל (שֶׁל חַיָּה)
paw *vt, vi* תָּפַף בְּרַגלוֹ; נָגַע בְּיָד גַּסָּה
pawn *vt* מִשׁכֵּן
pawn *n* (בשחמט) רַגלִי; מַשׁכּוֹן
pawnbroker *n* מַלוֶוה בַּעֲבוֹט
pawnshop *n* בֵּית־עֲבוֹט
pawn ticket *n* קַבָּלַת מַשׁכּוֹן
pay *vt, vi* שִׁילֵּם; הָיָה כְּדַאי; נָתַן רֶוַח
pay *n* שָׂכָר, מַשׂכּוֹרֶת
payable *adj* בַּר־תַּשׁלוּם
pay check *n* שֶׁק מַשׂכּוֹרֶת
payday *n* יוֹם הַתַּשׁלוּם

payee *n* מְקַבֵּל
pay envelope *n* מַעֲטֶפֶת שָׂכָר
payer *n* מְשַׁלֵּם, שַׁלָּם
pay load *n* מִטְעָן מַכְנִיס
paymaster *n* שַׁלָּם
payment *n* תַּשְׁלוּם; גְּמוּל
pay roll *n* רְשִׁימַת מְקַבְּלֵי שָׂכָר
pay station *n* טֵלֶפוֹן גּוֹבֶה
pd. *abbr* paid
pea *n* אָפוּן, אֲפוּנָה
peace *n* שָׁלוֹם; שַׁלְוָה
peaceable *adj* שָׁלֵו; אוֹהֵב שָׁלוֹם
peaceful *adj* שָׁקֵט, שָׁלֵו
peacemaker *n* עוֹשֶׂה שָׁלוֹם
peace of mind *n* שַׁלְוַת־נֶפֶשׁ
peach *n* אֲפַרְסֵק
peachy *adj* (המונית) מְפֹאָר, עָצוּם
peacock *n* טַוָּס
peak *vi* נֶחֱלַשׁ, רָזָה
peak *n* פִּסְגָּה; שִׂיא
peak load *n* עוֹמֶס שִׂיא
peal *n* צִלְצוּל פַּעֲמוֹנִים
peal *vi, vt* צִלְצֵל; רָעַם
peal of laughter *n* רַעֲמֵי צְחוֹק
peal of thunder *n* קוֹל רַעַם
peanut *n* אֱגוֹז־אֲדָמָה, בּוֹטֶן
pear *n* אַגָּס
pearl *n* מַרְגָּלִית, פְּנִינָה
pearl oyster *n* צִדְפַּת הַפְּנִינִים
peasant *n* אִכָּר, פַּלָּח
peashooter *n* יוֹרֶה אֲפוּנָה
peat *n* כָּבוּל
pebble *n* אֶבֶן חָצָץ
peck *vt, vi* נִיקֵּר, הִקִּישׁ בְּמַקּוֹר
peck *n* פֶּק (מידת היבש)

peculate *vt* מָעַל
peculiar *adj* מוּזָר; מְיוּחָד; בַּעַל יִיחוּד
pedagogue *n* מְחַנֵּךְ, פֵּדָגוֹג
pedagogy *n* תּוֹרַת הַהוֹרָאָה
pedal *adj* שֶׁל הָרֶגֶל
pedal *n* דַּוְושָׁה; מִדְרָס
pedant *n* קַפְּדָן, דַּקְדְּקָן
pedantic *adj* מַקְפִּיד בִּקְטַנּוֹת
pedantry *n* קַפְּדָנוּת עִיקֶּשֶׁת
peddle *vi* רָכַל
peddler *n* רוֹכֵל
pedestal *n* כַּן, בָּסִיס
pedestrian *n, adj* הוֹלֵךְ רֶגֶל; שֶׁל הֲלִיכָה בָּרֶגֶל; לְלֹא הַשְׁרָאָה
pediatrics *n pl* תּוֹרַת רִיפּוּי יְלָדִים
pedigree *n* אִילַן הַיִּיחוּס
peek *n* הֲצָצָה, מַבָּט חָטוּף
peek *vi* חָטַף מַבָּט
peel *vt, vi* קָלַף, קִילֵּף; הִתְקַלֵּף
peel *n* קְלִיפָּה
peep *vi* הֵצִיץ; צִפְצֵף
peep *n* הֲצָצָה; צִפְצוּף
peephole *n* חוֹר הֲצָצָה
peer *vi, vt* הִתְבּוֹנֵן מִקָּרוֹב
peer *n* פִּיר (אציל); שָׁוֶה
peerless *adj* שֶׁאֵין שֵׁנִי לוֹ
peeve *vt* הִרְגִּיז
peevish *adj* רַגְזָן, כַּעֲסָנִי
peg *n* יָתֵד, מַסְמֵר
peg *vt, vi* חִיזֵּק בִּיתֵדוֹת; תָּקַע
peg-top *n* סְבִיבוֹן
Peking *n* פֶּקִין
Pekin(g)ese *n, adj* פֶּקִינִי; פֶּקִינִי (כלב)
pelf *n* כֶּסֶף, מָמוֹן

pell-mell, pellmell *adv, adj* בְּעִרְבּוּבְיָה, בְּאִי־סֵדֶר
Peloponnesus *n* פֵּלֵפּוֹנֵז
pelota *n* פֵּלוֹטָה
pelt *vt, vi* סָקַל, רָגַם; נִיתַּךְ; מִיהֵר
pelt *n* עוֹר פַּרְוָה; מְהִירוּת
pen *n* דִּיר, גְּדֵרָה; עֵט
pen *vt* הִכְנִיס לְדִיר; סָגַר; כָּתַב בְּעֵט
penal *adj* שֶׁל עוֹנֶשׁ; עוֹנְשִׁי
penalize *vt* עָנַשׁ
penalty *n* עוֹנֶשׁ
penance *n* תְּשׁוּבָה, חֲרָטָה
penchant *n* חִיבָּה, נְטִיָּה
pencil *n* עִיפָּרוֹן; מִכְחוֹל
pendent *adj* תָּלוּי וְעוֹמֵד
pending *adj, prep* תָּלוּי, תָּלוּי וְעוֹמֵד
pendulum *n* מְטוּטֶלֶת
penetrate *vt, vi* חָדַר; הֶחְדִּיר
penguin *n* פִּנְגְּוִין
penholder *n* מַחֲזִיק־עֵט
penicillin *n* פֵּנִיצִילִין
peninsula *n* חֲצִי־אִי
peninsular *adj* דְּמוּי חֲצִי־אִי
penis *n* גִּיד, אֵיבַר־הַזַּכְרוּת, שׁוֹפְכָה
penitence *n* חֲרָטָה, תְּשׁוּבָה
penitent *adj, n* בַּעַל־תְּשׁוּבָה
penknife *n* אוֹלָר
penmanship *n* אוֹמָנוּת הַכְּתִיבָה הַתַּמָּה
pen-name *n* כִּינּוּי סִפְרוּתִי
penniless *adj* חֲסַר פְּרוּטָה
pennon *n* דִּגְלוֹן
penny *n* פֶּנִי
pennyweight *n* פֶּנִיוֵויְט
pen pal *n* חָבֵר לָעֵט
pen point *n* חוֹד הָעֵט
pension *n* קִצְבָּה, פֶּנְסְיָה; פֶּנְסִיוֹן
pension *vt* הֶעֱנִיק קִצְבָּה
pensioner *n* מְקַבֵּל קִצְבָּה
pensive *adj* מְהוּרְהָר
Pentecost *n* חַג הַשָּׁבוּעוֹת
penthouse *n* דִּירַת־גַּג
pent up *adj* סָגוּר, עָצוּר
penult *adj* לִפְנֵי הָאַחֲרוֹן
penurious *adj* עָנִי; קַמְצָנִי
penury *n* חוֹסֶר כּוֹל
penwiper *n* מְנַגֵּב עֵט
people *n* עַם; אֲנָשִׁים
people *vt* אִכְלֵס
pep *n, vt* מֶרֶץ, זְרִיזוּת; הִמְרִיץ
pepper *n, vt* פִּלְפֵּל; פִּלְפֵּל
peppermint *n* נַעֲנָה, מִנְתָּה
per *prep* בְּאֶמְצָעוּת; לְכָל
perambulator *n* עֶגְלַת יְלָדִים
per capita *adj* לַגּוּלְגּוֹלֶת
percent *n* אָחוּז (למאה)
perceive *vt, vi* הֵבִין; הִבְחִין
percentage *n* אֲחוּזִים לְמֵאָה
perception *n* תְּפִיסָה; תְּחוּשָׁה
perch *n* מוֹט לִמְנוּחַת עוֹפוֹת; מָקוֹם מוּגְבָּה; דַּקָר מַיִם מְתוּקִים
perch *vi, vt* יָשַׁב (הוֹשִׁיב) עַל מַשֶּׁהוּ גָּבוֹהַּ
percolator *n* מַסְנֵן
perdition *n* כְּלָיָה, אוֹבְדָן, גֵּיהִינּוֹם
perennial *adj, n* רַב־שְׁנָתִי, נִצְחִי
perfect *adj* שָׁלֵם, מוּשְׁלָם; לְלֹא מוּם
perfect *n* (בדקדוק) עָבָר גָּמוּר
perfect *vt* הִשְׁלִים, שִׁכְלֵל
perfidy *n* כַּחַשׁ, בְּגִידָה

perforate *vt* נִקְבֵּב
perforce *adv* בְּהֶכְרֵחַ
perform *vt, vi* בִּיצֵּעַ, הוֹצִיא לַפּוֹעַל; שִׂיחֵק
performance *n* בִּיצּוּעַ; הַצָּגָה
performer *n* שַׂחְקָן; מוֹצִיא לַפּוֹעַל
perfume *n, vt* בּוֹשֶׂם; בִּישֵּׂם
perfunctory *adj* כִּלְאַחַר יָד
perhaps *adv* שֶׁמָּא, אוּלַי
peril *n* סַכָּנָה
perilous *adj* מְסוּכָּן
period *n* תְּקוּפָה; עוֹנַת הַוֶּסֶת; סוֹף פָּסוּק, נְקוּדָה
period *adj* שַׁיָּךְ לִתְקוּפָה מְסוּיֶּמֶת
periodical *n* כְּתַב־עֵת
periphery *n* פֶּרִיפֶרְיָה; הֶיקֵּף
periscope *n* פֶּרִיסְקוֹפּ
perish *vi* אָבַד, נִסְפָּה; נִתְקַלְקֵל
perishable *adj, n* אָבִיד
periwig *n* פֵּיאָה נוֹכְרִית
perjure *vt* נִשְׁבַּע לַשֶּׁקֶר
perjury *n* שְׁבוּעַת־שֶׁקֶר
perk *vt, vi* הִגְבִּיהַּ רֹאשׁ
permanence *n* קֶבַע, קְבִיעוּת
permanency *n* קֶבַע; דָּבָר שֶׁל קֶבַע
permanent *adj, n* קָבוּעַ, תְּמִידִי; סִלְסוּל תְּמִידִי
permeate *vt* חִלְחֵל, הִתְפַּשֵּׁט
permission *n* רְשׁוּת, הֶיתֵּר
permissive *adj* מַתִּירָנִי
permit *vt* הִרְשָׁה, הִתִּיר
permit *n* רִשְׁיוֹן
permute *vt* שִׁינָּה סֵדֶר
pernicious *adj* הַרְסָנִי; מַמְאִיר
pernickety *adj* קַפְּדָן, נַקְרָן
peroration *n* סִיּוּם מְסַכֵּם שֶׁל נְאוּם
peroxide *n* עַל־תַּחְמוֹצֶת
peroxide *vt* חִמְצֵן
peroxide blonde *n* זַהֲבוֹנִית תַּחְמוֹצֶת הַמֵּימָן
perpendicular *adj, n* מְאוּנָּךְ, אֲנָכִי
perpetrate *vt* בִּיצֵּעַ (מַעֲשֶׂה רַע)
perpetual *adj* נִצְחִי, תְּמִידִי
perpetuate *vt* הִנְצִיחַ
perplex *vt* הֵבִיךְ; בִּלְבֵּל
perplexity *n* מְבוּכָה; תִּסְבּוֹכֶת
persecute *vt* רָדַף
persecution *n* רְדִיפָה
persevere *vi* דָּבַק בְּדַרְכּוֹ; הִתְמִיד, שָׁקַד
Persian *n, adj* פַּרְסִי; פַּרְסִית
persimmon *n* אֲפַרְסְמוֹן
persist *vi* הִתְמִיד; הִתְעַקֵּשׁ
persistent *adj* עוֹמֵד עַל דַּעְתּוֹ, מַתְמִיד, עַקְשָׁן
person *n* בֶּן־אָדָם, אֱנוֹשׁ; (בְּדִקְדּוּק) גּוּף
personage *n* אָדָם נִכְבָּד
persona grata *n* אִישִׁיּוּת רְצוּיָה
personal *adj* אִישִׁי, פְּרָטִי
personality *n* אִישִׁיּוּת
personality cult *n* פּוּלְחַן אִישִׁיּוּת
personify *vt* הֶאֱנִישׁ, גִּילֵּם
personnel *n, vt* מַנְגָּנוֹן, סֶגֶל
perspective *n* פֶּרְסְפֶּקְטִיבָה; סִיכּוּי
perspicacious *adj* בַּעַל תְּפִיסָה חַדָּה
perspire *vi, vt* הִזִּיעַ
persuade *vt* שִׁידֵּל, שִׁכְנֵעַ
persuasion *n* שִׁידּוּל, שִׁכְנוּעַ
pert *adj* חָצוּף, שׁוֹבָב

pertain *vi* הָיָה נוֹגֵעַ ל...

pertinacious *adj* עָקִיב; עַקְשָׁן

pertinent *adj* מִמִּין הָעִניָין

perturb *vt* הִדְאִיג

Peru *n* פֶּרוּ

perusal *n* עִיּוּן

peruse *vt* קָרָא בְּעִיּוּן; עִייֵן

Peruvian *adj, n* אִישׁ פֶּרוּ

pervade *vt* פָּשָׁה; מִילֵּא

perverse *adj* סוֹטֶה; אִיפְּכָא מִסְתַּבְּרָא

perversion *n* שְׁחִיתוּת הַמִּידּוֹת; סְטִיָּיה

perversity *n* עַקְשׁוּת; שְׁחִיתוּת הַמִּידּוֹת

pervert *vt* עִיוּוֵת, סִילֵּף

pervert *n* סוֹטֶה, מוּשְׁחָת

pesky *adj* מְייַגֵּעַ

pessimism *n* פֶּסִימִיּוּת

pessimist *n* רוֹאֶה שְׁחוֹרוֹת

pessimistic *adj* פֶּסִימִי

pest *n* טַרְדָן, טַרְחָן; דֶּבֶר

pester *vt* הֵצִיק

pesticide *n* מַשְׁמִיד כְּנִימוֹת

pestiferous *adj* אַרְסִי; מַדְבִּיק

pestilence *n* מַגֵּיפָה

pestle *n* עֱלִי

pet *n, adj* גּוּר שַׁעֲשׁוּעִים; יֶלֶד שַׁעֲשׁוּעִים; מוּעֲדָף; חָבִיב

pet *vt, vi* לִיטֵּף; חִיבֵּק

pet *n* הַתְקָפַת רוֹגֶז

petal *n* עֲלֵה כּוֹתֶרֶת

petard *n* מְכוֹנַת תּוֹפֶת

petcock *n* שַׁסְתּוֹם קָטָן

Peter *n* פֶּטְרוּס

petition *n* פֵּטִיצְיָה, עֲצוּמָה

petition *vt* הִגִּישׁ עֲצוּמָה

pet-name *n* כִּינּוּי חִיבָּה

Petrarch *n* פֶּטְרַארְכוּס

petrify *vt, vi* אִיבֵּן; הִתְאַבֵּן

petrol *n* בֶּנְזִין, פֶּטְרוֹל

petroleum *n* נֵפְט, שֶׁמֶן־אֲדָמָה

petticoat *n* תַּחְתּוֹנִית

petty *adj* פָּעוּט, קַל־עֵרֶךְ; קַטְנוּנִי

petty cash *n* קוּפָּה קְטַנָּה

petty larceny *n* גְּנֵיבַת דְּבָרִים פְּחוּתֵי־עֵרֶךְ

petulant *adj* תַּבְעָנִי, רָגִיז

pew *n* מוֹשָׁב בַּכְּנֵסִיָּיה

pewter *n, adj* נֶתֶךְ (בדיל ועופרת); כְּלִי־נֶתֶךְ

phalanx *n* הָמוֹן

phantasm(a) *n* חֶזְיוֹן תַּעְתּוּעִים

phantom *n, adj* רוּחַ, שֵׁד; דִּמְיוֹנִי

Pharaoh *n* פַּרְעֹה

Pharisee *n* פְּרוּשִׁי

pharmaceutic(al) *adj* שֶׁל רוֹקְחוּת

pharmacist *n* רוֹקֵחַ

pharmacy *n* בֵּית־מִרְקַחַת

pharynx *n* לוֹעַ

phase *n* מַרְאֵה כּוֹכַב־לֶכֶת; שָׁלָב

phase *vt* בִּיצֵּעַ בִּשְׁלַבִּים

pheasant *n* פַּסְיוֹן

phenomenal *adj* בִּלְתִּי־רָגִיל; שֶׁל תּוֹפָעָה

phenomenon *n* תּוֹפָעָה; דָּבָר (אוֹ אָדָם) מְיוּחָד בְּמִינוֹ

phial *n* בַּקְבּוּקוֹן

philanderer *n* עַגְבָן

philanthropist *n* נַדְבָן, פִילַנְטְרוֹפ

philanthropy *n* נַדְבָנוּת, פִילַנְטְרוֹפְּיָה

philately *n* בּוּלָאוּת

Philistine *n, adj* פְּלִשְׁתִּי; חֲסַר תַּרְבּוּת
philologist *n* בַּלְשָׁן, פִּילוֹלוֹג
philology *n* בַּלְשָׁנוּת, פִּילוֹלוֹגְיָה
philosopher *n* פִּילוֹסוֹף
philosophic(al) *adj* שָׁקוּל; פִּילוֹסוֹפִי
philter *n* שִׁיקּוּי אַהֲבָה
phlebitis *n* דַּלֶּקֶת הַוְּרִידִים
phlegm *n* רִיר, לֵיחָה
phlegmatic(al) *adj* פְלֶגְמָטִי
Phoenicia *n* פֵנִיקְיָה
Phoenician *adj, n* פֵנִיקִי
phoenix *n* חוֹל (עוֹף אגדי)
phone *n, vt* טֶלֶפוֹן; טִלְפֵּן
phone call *n* צִלְצוּל טֶלֶפוֹן
phonetic *adj* פוֹנֵטִי
phonograph *n* מָקוֹל
phonology *n* תּוֹרַת הַהֲגָיִים
phon(e)y *adj, n* מְזוּיָּף
phosphate *n* זַרְחָה, פוֹסְפָט
phosphorescent *adj* זַרְחוֹרִי
phosphorous *adj* זַרְחָנִי
photo *n* תַּצְלוּם, תְּמוּנָה
photoengraving *n* פִּיתּוּחַ אוֹר
photo finish *n* גְּמָר מְצוּלָּם (שֶׁל מירוֹץ)
photo-finish camera *n* מַצְלֵמַת גְּמָר
photogenic *adj* צָלִים, נוֹחַ לְצִילּוּם, פוֹטוֹגֵנִי; מְחוֹלֵל אוֹר
photograph *n* תַּצְלוּם, תְּמוּנָה
photograph *vt* צִילֵּם
photographer *n* צַלָּם
photography *n* צִילּוּם
photostat *n* פוֹטוֹסְטָט
phrase *n* פְרָזָה; מְלִיצָה
phrase *vt* הִבִּיעַ בְּמִלִּים, נִיסַּח
phrenology *n* פְרֶנוֹלוֹגְיָה
phys. *abbr* physical, physician, physics, physiology
physic *n* תְּרוּפָה, סַם
physical *adj* גּוּפָנִי, גַּשְׁמִי; פִּיסִי
physician *n* רוֹפֵא
physicist *n* פִּיסִיקַאי
physics *n pl* פִּיסִיקָה
physiognomy *n* פַּרְצוּפָאוּת, פִּיסִיוֹנוֹמְיָה; פַּרְצוּף
physiologic(al) *adj* פִּיסִיוֹלוֹגִי
physiology *n* פִּיסִיוֹלוֹגְיָה
physique *n* מִבְנֵה גוּף
piano *n* פְּסַנְתֵּר
picaresque *adj* (ספרות) פִּיקָרֶסְקִית
picayune *n, adj* פְּרוּטָה; חֲסַר עֵרֶךְ
piccolo *n* חֲלִילוֹן
pick *vt, vi* בָּחַר, בֵּירֵר; קָטַף; קָרַע
pick *n* בְּרֵירָה; בָּחִיר; מַעְדֵּר
pickax *n* מַעְדֵּר
picket *n* כְּלוֹנָס, יָתֵד; מִשְׁמָר
picket *vt, vi* גָּדַר; הִשְׁתַּתֵּף בְּמִשְׁמֶרֶת שׁוֹבְתִים
pickle *vt* כָּבַשׁ
pickle *n* מֵי כְּבוּשִׁים; כְּבוּשִׁים; מַצָּב בִּישׁ
pick-me-up *n* ׳מְחַיֶּיה נְפָשׁוֹת׳
pickpocket *n* כַּיָּיס
pickup *n* מַכִּיר מִקְרִי; מַשָּׂאִית קַלָּה
picnic *n* טוּזִיג, פִּיקְנִיק
picnic *vi* הִשְׁתַּתֵּף בְּטוּזִיג
pictorial *adj* צִיּוּרִי
picture *n* תְּמוּנָה; צִיּוּר; סֶרֶט
picture *vt* תֵּיאֵר; דִמְיֵין
picture-gallery *n* גַּלֶּרְיָה לְצִיּוּרִים

picture postcard *n* גְלוּיַת תְּמוּנָה
picture-show *n* הַצָּגַת קוֹלנוֹעַ
picturesque *adj* צִיוּרִי, צִיוּרָנִי; סַסגוֹנִי
picture window *n* חַלּוֹן נוֹף
piddling *adj* חֲסַר־עֵרֶך
pie *n* כִּיסָן; תַּעֲרוֹבֶת אוֹתִיּוֹת־דְפוּס
pie *vt* עִרְבֵּב (אוֹתִיּוֹת־דפוּס)
piece *n* חֲתִיכָה; פְּרוּסָה (לחם); פִּיסָּה (נייר); נֵתַח (בשׂר)
piece *vt, vi* חִיבֵּר, אִיחָה
piecework *n* עֲבוֹדָה בְּקַבְּלָנוּת
pier *n* מֵזַח; רָצִיף
pierce *vt, vi* חָדַר; נָקַב
piercing *adj* חוֹדֵר, חוֹדְרָנִי
piety *n* אֲדִיקוּת, דָתִיּוּת
piffle *n* שְׁטוּת, הֲבָלִים
pig *n* חֲזִיר; יַצֶּקֶת
pigeon *n* יוֹנָה
pigeonhole *n* גוּמחָה; תָּאוֹן
pigeonhole *vt* שָׂם בְּתָא; סִידֵּר
pigeon house *n* שׁוֹבַךְ יוֹנִים
piggish *adj* חֲזִירִי
pigheaded *adj* עַקְשָׁן
pig-iron *n* בַּרזֶל יְצִיקָה
pigment *n* צִבְעָן, פִּיגמֶנט
pigpen *n* דִיר חֲזִירִים
pigsticking *n* צֵיד חֲזִירֵי־בָּר
pigsty *n* דִיר חֲזִירִים
pigtail *n* צַמָּה עוֹרפִּית
pike *n* רוֹמַח; תַּחֲנַת מַס דְרָכִים; זְאֵב־הַיָּם
piker *n* אָדָם חֲסַר עֵרֶך
Pilate *n* פּוֹנטִיוּס פִּילָטוּס
pile *n* עֲרֵימָה; כַּמּוּת גְדוֹלָה
pile *vt, vi* עָרַם, צָבַר
pilfer *vt, vi* גָּנַב, ׳סָחַב׳
pilgrim *n* עוֹלֶה־רֶגֶל, צַלְיָין
pilgrimage *n* עֲלִייָה לְרֶגֶל
pill *n* גְלוּלָה; כַּדּוּר
pillage *n* בִּיזָּה; שָׁלָל
pillage *vt, vi* בָּזַז, שָׁדַד
pillar *n* עַמּוּד
pillory *vt* הֶעֱמִיד לְיַד עַמּוּד הַקָּלוֹן, בִּיזָּה
pillory *n* עַמּוּד קָלוֹן
pillow *n* כַּר
pillow *vt, vi* הֵנִיחַ עַל כַּר; שִׁימֵּשׁ כַּר
pillowcase *n* צִיפָּה
pilot *n* קַבַּרנִיט (במטוס), נַוָּט (באונייה)
pilot *vt* נָהַג; שִׁימֵּשׁ כְּקַבַּרנִיט; הוֹבִיל
pimp *n, vi* סַרסוּר זְנוּת; סִרסֵר לִזנוּת
pimple *n* חָטָט
pimply *adj* מְחוּטָט
pin *n* סִיכָּה; יָתֵד
pin *vt* פָּרַף; חִיבֵּר בְּסִיכָּה
pinafore *n* סִינַּר יְלָדִים
pinball *n* כַּדּוּר וִיתֵדוֹת
pince-nez *n* מִשְׁקְפֵי־אַף
pincers *n pl* מִצבָּטַיִים
pinch *vt, vi* צָבַט; לָחַץ; קִימֵּץ
pinch *n* צְבִיטָה; לְחִיצָה
pinchcock *n* מַלחֵץ
pincushion *n* כָּרִית לְסִיכּוֹת
pine *n* אוֹרֶן
pine *vt* נָמַק; הִתגַעגֵעַ
pineapple *n* אֲנָנָס
pine cone *n* אִיצטְרוֹבָּל
ping *n, vi* זִמזוּם; זִמזֵם

pinhead *n* גּוּלַּת סִיכָּה; טִיפֵּשׁ
pink *n* צִיפּוֹרֶן; מַצָּב מְצוּיָּן
pink *adj* וָרוֹד
pin money *n* כֶּסֶף לְהוֹצָאוֹת אִישִׁיּוֹת (שֶׁל אישה)
pinnacle *n* פִּסְגָּה
pinpoint *vt* אִיתֵּר בִּמְדוּיָּק
pinpoint *n* חוּד סִיכָּה
pinprick *n* דִּקְרוּר; הַקְנָטָה
pin-up girl *n* תְּמוּנַת עַלְמָה נַעֲרָצָה
pinwheel *n* גַּלְגַּל פִּין
pioneer *n* חָלוּץ
pioneer *vi, vt* הָיָה חָלוּץ; סָלַל
pious *adj* אָדוּק, צַדִּיק
pip *n* חַרְצָן; כּוֹכָב (שֶׁל קצין)
pipe *n* צִינּוֹר; (בְּמוּסיקה) קָנֶה; מִקְטֶרֶת
pipe *vi, vt* חִילֵּל; צָפַר
pipe cleaner *n* מְנַקֵּה מִקְטֶרֶת
pipe dream *n* הֲזָיָה
pipe-line *n* צִינּוֹר, קַו צִינּוֹרוֹת
pipe organ *n* עוּגָב
piper *n* חֲלִילָן
pipe wrench *n* מַפְתֵּחַ צִינּוֹרוֹת
piquant *adj* שָׁנוּן, מְפוּלְפָּל
pique *n* טִינָה, הֵיעָלְבוּת
pique *vt* הִרְגִּיז, עוֹרֵר טִינָה
Piraeus *n* פִּירֵאוּס
pirate *n* שׁוֹדֵד־יָם, פִּירָט
pirate *vt, vi* שָׁדַד; הִשְׁתַּמֵּשׁ בְּלֹא רְשׁוּת
pirouette *n* פִּירוּאֶט
pistol *n* אֶקְדָּח
piston *n* בּוּכְנָה; (בְּמוּסיקה) שַׁסְתּוֹם
piston-ring *n* טַבַּעַת הַבּוּכְנָה
piston-rod *n* מוֹט הַבּוּכְנָה

pit *n* בּוֹר, תְּהוֹם; אוּלָם (תיאטרון); שְׁקִיעָה (בְּבטן)
pit *vt, vi* עָשָׂה חוֹרִים, הֶעֱמִיד לִקְרָב
pitch *vt, vi* נָטָה (אוהל); אָהַל; הֶעֱמִיד
pitch *n* גּוֹבַהּ, רָמָה; גּוֹבַהּ הַצְּלִיל
pitcher *n* כַּד; מַגִּישׁ (בְּמשחקי כדור)
pitchfork *n* קִלְשׁוֹן, מַזְלֵג
pitfall *n* מַלְכּוֹדֶת, פַּח
pith *n* עִיקָּר, תַּמְצִית; כּוֹחַ
pithy *adj* תַּמְצִיתִי; נִמְרָץ
pitiful *adj* מְעוֹרֵר רַחֲמִים; בָּזוּי
pitiless *adj* חֲסַר רַחֲמִים
pity *n, vt* רַחֲמָנוּת; רִיחֵם
pivot *n* צִיר, יָד
pivot *vt, vi* הִרְכִּיב; סָב עַל צִיר
placard *n* כְּרָזָה, פְּלָקָט
placard *vt* הִדְבִּיק כְּרָזוֹת
place *n* מָקוֹם
place *vt, vi* שָׂם, הִנִּיחַ, הֶעֱמִיד, מִיקֵּם
place card *n* כַּרְטִיס מָקוֹם
placement *n* הֲשָׂמָה; הַמְצָאַת עֲבוֹדָה
placid *adj* שָׁלֵו, שָׁקֵט
plagiarism *n* גְּנֵיבַת יְצִירַת הַזּוּלַת, פְּלַגְיָט
plagiarize *vt* גָּנַב (יצירת הזולת)
plague *n* מַגֵּיפָה, דֶּבֶר
plague *vt* הִכָּה בְּדֶבֶר; הִטְרִיד
plaid *n* אָרִיג מְלוּכְסָן
plain *adj* פָּשׁוּט; בָּרוּר; גָּלוּי
plain *n* מִישׁוֹר, עֲרָבָה
plain-clothes man *n* בַּלָּשׁ בִּלְבוּשׁ אֶזְרָחִי
plainsman *n* יוֹשֵׁב הַמִּישׁוֹר
plaintiff *n* תּוֹבֵעַ

plaintive *adj* מַבִּיעַ תַּרעוֹמֶת
plan *n* תּוֹכנִית; תַּרשִׁים
plan *vt, vi* תִּכנֵן, הֵכִין תּוֹכנִית
plane *n* (עֵץ) דוֹלֶב; מִשׁטָח מִישׁוֹרִי; מָטוֹס
plane *adj* שָׁטוּחַ; מִישׁוֹרִי
plane *vt* הִקצִיעַ
planet *n* כּוֹכַב־לֶכֶת
plane tree *n* דוֹלֶב
planing mill *n* נַגָּרִייָה מֵכָנִית
plank *n* קֶרֶשׁ; סְעִיף (בּמצע מדיני)
plant *n* צֶמַח; נֶטַע, שָׁתִיל; בֵּית־חֲרוֹשֶׁת
plant *vt* זָרַע, נָטַע; שָׁתַל
plantation *n* מַטָּע, אֲחוּזַּת מַטָּעִים
planter *n* בַּעַל מַטָּעִים
plaster *n* אִיספְּלָנִית; טִיחַ
plaster *vt* טָח; כִּייֵר; הִדבִּיק
plasterboard *n* לוּחַ טִיחַ
plastic *adj, n* פּלַסטִי, גָּמִישׁ; חוֹמֶר פּלַסטִי
plate *n* צַלַּחַת; כְּלֵי שׁוּלחָן
plate *vt* צִיפָּה; רִיקֵּעַ
plateau *n* רָמָה; טַס
plate-glass *n* זְכוּכִית מְעוּרגֶּלֶת
plate-layer *n* פּוֹעֵל מְסִילַּת־בַּרזֶל
platform *n* בָּמָה, דוּכָן; רְצִיף
platform car *n* עֶגלַת רְצִיף
platinum *n* פּלָטִינָה
platitude *n* אִמרָה נְדוֹשָׁה
Plato *n* אַפְּלָטוֹן
platoon *n* מַחֲלָקָה
platter *n* צַלַּחַת
plausible *adj* סָבִיר לִכאוֹרָה, חֲלַקלַק
plausibly *adv* בְּאוֹפֶן סָבִיר
play *vi, vt* שִׂיחֵק; נִיגֵּן
play *n* מִשׂחָק; שַׁעֲשׁוּעַ; מַחֲזֶה
playbill *n* מוֹדָעַת הַצָּגָה
playful *adj* אוֹהֵב שְׂחוֹק
playgoer *n* מְבַקֵּר תֵּיאַטרוֹן קָבוּעַ
playground *n* מִגרַשׁ מִשׂחָקִים
playhouse *n* תֵּיאַטרוֹן
playing-cards *n pl* קְלָפִים לְמִשׂחָק
playing-field *n* מִגרַשׁ מִשׂחָקִים
playoff *n* תַּחֲרוּת מַכרַעַת
playpen *n* לוּל
plaything *n* צַעֲצוּעַ
playwright *n* מַחֲזַאי
playwriting *n* מַחֲזָאוּת
plea *n* טַעֲנָה; כְּתַב־הֲגַנָּה
plead *vi, vt* (בּמשפט) טָעַן, סִנגֵר; הִפצִיר
pleasant *adj* נָעִים, נוֹחַ
pleasantry *n* הִיתּוּל, הֲלָצָה
please *vt, vi* מָצָא חֵן בְּעֵינֵי, הִנעִים
please *interj* בְּבַקָּשָׁה
pleasing *adj* מַנעִים, מְהַנֶּה
pleasure *n* הֲנָאָה
pleat *n, vt* קִיפּוּל, קֶמֶט; עָשָׂה קְפָלִים
plebeian *n, adj* פְּשׁוּט־עַם, פּלֶבֵּאִי
pledge *n* מַשׁכּוֹן; עֵרָבוֹן; הִתחַייְבוּת
pledge *vt* מִשׁכֵּן; הִתחַייֵב
plentiful *adj* שׁוֹפֵעַ, גָּדוּשׁ
plenty *n* שֶׁפַע, רְווָחָה
plenty *adv* דַּי וְהוֹתֵר; מְאוֹד
pleurisy *n* דַּלֶּקֶת הָאֶדֶר
pliable *adj* כָּפִיף, גָּמִישׁ
pliers *n pl* מֶלקָחַיִים
plight *n* מַצָּב (שלילי)
plight *vt* הִבטִיחַ (נישׂוּאין)
plod *vi, vt* הָלַך בִּכבֵדוּת

plot *n* קֶשֶׁר; עֲלִילָה; מִגְרָשׁ
plot *vi, vt* קָשַׁר קֶשֶׁר, זָמַם; תִּכְנֵן
plow, plough *n, vt, vi* מַחֲרֵשָׁה; חָרַשׁ
plowman *n* חוֹרֵשׁ
plowshare *n* סַכִּין הַמַּחֲרֵשָׁה
plover *n* חוֹפָמִי
pluck *vt* קָטַף, תָּלַשׁ
pluck *n* אוֹמֶץ־לֵב
plucky *adj* אַמִּיץ
plug *n* מַצָּת; פְּקָק; (בחשמל) תֶּקַע;
תַּעֲמוּלָה מִסְחָרִית
plug *vt, vi* סָתַם, פָּקַק; עָשָׂה פִּרְסוֹמֶת
plum *n* שָׁזִיף; בָּחִיר
plumage *n* נוֹצוֹת הָעוֹף
plumb *n* אֲנָךְ
plumb *adj, adv* זָקוּף, מְאוּנָּךְ;
בִּמְאוּנָּךְ; מוּחְלָט
plumb *vt* מָדַד בַּאֲנָךְ; בָּדַק
plumb-bob *n* מִשְׁקוֹלֶת אֲנָךְ
plumber *n* שְׁרַבְרַב, אִינְסְטָלָטוֹר
plumbing *n* שְׁרַבְרָבוּת
plumbing fixtures *n pl* צַנֶּרֶת
(מים, ביוב); אִינְסְטָלַצְיָה
plumb-line *n* אֲנָךְ, אַמַּת־הַמִּידָּה
plum-cake *n* עוּגַת צִימּוּקִים
plume *n* נוֹצָה; קִישּׁוּט נוֹצוֹת
plummet *n* אֲנָךְ, מִשְׁקוֹלֶת הָאֲנָךְ
plummet *vi* יָרַד בִּמְאוּנָּךְ
plump *adj* שְׁמַנְמַן
plump *vi, vt* נָפַל, הִצְלִיל
plump *adv* בִּנְפִילָה פִּתְאוֹמִית
plum-pudding *n* פַּשְׁטִידַת שְׁזִיפִים
plunder *vt* שָׁדַד
plunder *n* שׁוֹד; בִּיזָּה; גְּנֵיבָה
plunge *vi, vt* הִתְפָּרֵץ;
קָפַץ (למים); הֵטִיל
plunge *n* טְבִילָה, קְפִיצָה לַמַּיִם
plunger *n* קוֹפֵץ, צוֹלֵל; מְהַמֵּר
plunk *vi, vt* פָּרַט (על כלי);
נָפַל בְּחוֹזְקָה; הֵטִיל
plural *adj, n* שֶׁל רִיבּוּי; רַבִּים
plus *prep, n, adj* וְעוֹד, בְּצֵירוּף;
פלוס; חִיּוּבִי
plush *n, adj* קְטִיפָה
plutonium *n* פלוטוניום
ply *vt, vi* עָבַד בְּמֶרֶץ ב...;
הִפְעִיל; סִיפֵּק בְּשֶׁפַע
ply *n* שִׁכְבָה, עוֹבִי; מְגַמָּה
plywood *n* לָבִיד
pneumatic *adj* אֲוִירִי, מֵכִיל אֲוִיר
pneumonia *n* דַּלֶּקֶת רֵיאוֹת
pneumonic *adj* שֶׁל דַּלֶּקֶת הָרֵיאוֹת
P.O. *abbr* Post Office
poach *vt, vi* חָלַט (ביצה); הִסִּיג גְּבוּל
poacher *n* צַד בְּלִי רְשׁוּת; מַסִּיג גְּבוּל
pock *n* אֲבַעְבּוּעָה
pocket *n* כִּיס; שַׂק
pocket *vt* הִכְנִיס לַכִּיס; לָקַח לְעַצְמוֹ
pocket-book *n* פִּנְקַס כִּיס
pocket handkerchief *n* מִמְחָטָה
pocketknife *n* אוֹלָר
pocket money *n* דְּמֵי־כִּיס
pockmark *n* סְטִיפָה
pod *n* תַּרְמִיל (קטניות)
poem *n* שִׁיר, פּוֹאֶמָה
poet *n* מְשׁוֹרֵר, פַּיְּטָן
poetess *n* מְשׁוֹרֶרֶת, פַּיְּטָנִית
poetic, poetical *adj* שִׁירִי, פִּיּוּטִי
poetry *n* שִׁירָה, פִּיּוּט
pogrom *n* פְּרָעוֹת, פּוֹגְרוֹם

poignancy *n* חֲרִיפוּת; נְגִיעָה לַלֵּב
poignant *adj* חָרִיף; מַכְאִיב, מְעוֹרֵר רְגָשׁוֹת
point *n* נְקוּדָה; חוֹד; דָּגֵשׁ; עִיקָּר; תַּכְלִית; תְּכוּנָה
point *vt, vi* שָׂם נְקוּדָה; חִידֵּד; הִצְבִּיעַ
point-blank *adj, adv* מִקָּרוֹב; בְּגָלוּי; מִנֵּיהּ וּבֵיהּ
pointed *adj* חַד, מְחוּדָּד; קוֹלֵעַ; עוֹקֵץ
pointer *n* מַחֲוָן, מוֹרֶה; מָחוֹג; כֶּלֶב צַיִד
poise *n* שִׁיוּוּי־מִשְׁקָל; זְקִיפוּת רֹאשׁ
poise *vt, vi* אִיזֵּן; שָׁמַר שִׁיוּוּי־מִשְׁקָל; הֶחֱזִיק מוּכָן
poison *n, vt* רַעַל, אֶרֶס; הִרְעִיל
poisonous *adj* מַרְעִיל, אַרְסִי
poke *vt, vi* תָּחַב, תָּקַע
poke *n* תְּחִיבָה; דְּחִיפָה קַלָּה
poker *n* מַחְתָּה; פּוֹקֶר
poky *adj* דַּל, צַר; קַטְנוּנִי
Poland *n* פּוֹלַנְיָה
polar bear *n* הַדּוֹב הַלָּבָן
polarize *vt* קִיטֵּב
pole *n* מוֹט; עַמּוּד; קוֹטֶב
polecat *n* חָמוֹס
polestar *n* כּוֹכַב הַקּוֹטֶב
pole-vault *vi* קָפַץ בְּמוֹט
police *n, vt* מִשְׁטָרָה; שִׁיטֵּר
policeman *n* שׁוֹטֵר
policy *n* מְדִינִיּוּת, קַו־פְּעוּלָּה; תְּעוּדַת בִּיטּוּחַ
polio *n* שִׁיתּוּק יְלָדִים
polish *vt, vi* לִיטֵּשׁ; צִחְצֵחַ
polish *n* צִחְצוּחַ; לִיטּוּשׁ; עִידּוּן
polisher *n* מְצַחְצֵחַ, מְלַטֵּשׁ
polite *adj* מְנוּמָּס, נִימוּסִי
politeness *n* אֲדִיבוּת, נִימוּס
politic *adj* נָבוֹן, מְחוּכָּם
political *adj* מְדִינִי
politician *n* פּוֹלִיטִיקַאי
politics *n pl* מְדִינִיּוּת, פּוֹלִיטִיקָה
poll *n* סְפִירַת קוֹלוֹת; הַצְבָּעָה
poll *vt, vi* עָרַךְ הַצְבָּעָה; קִיבֵּל קוֹלוֹת; נָתַן קוֹלוֹ
pollen *n* אֲבָקָה
pollinate *vt* הֶאֱבִיק (צמח)
polling booth *n* תָּא הַצְבָּעָה
poll-tax *n* מַס גּוּלְגּוֹלֶת
pollute *vt* זִיהֵם, טִינֵּף
pollution *n* זִיהוּם, טִינּוּף
polo *n* פּוֹלוֹ
polygamist *n* פּוֹלִיגָמִיסְט, רַב־נָשִׁים
polyglot *adj, n* רַב־לְשׁוֹנִי; יוֹדֵעַ לְשׁוֹנוֹת
polygon *n* מְצוּלָּע; רַב־צְלָעוֹת
polyp *n* פּוֹלִיפּ
polytheist *n* מַאֲמִין בְּאֵלִים רַבִּים
pomade *n* מִשְׁחַת בְּשָׂמִים
pomegranate *n* רִימּוֹן
pommel *vt* הִכָּה בְּאֶגְרוֹף
pomp *n* הוֹד, זוֹהַר
pompadour *n* תִּסְרוֹקֶת פּוֹמְפָּדוּר
pompous *adj* מִתְגַּנְדֵּר; מְנוּפָּח
pond *n* בְּרֵיכָה
ponder *vt, vi* שָׁקַל, הִרְהֵר
ponderous *adj* כָּבֵד
pontiff *n* אַפִּיפְיוֹר
pontoon *n* סִירַת גְּשָׁרִים
pony *n* סְיָיח
poodle *n* פּוּדֶל

pool *n* מִקְוֵה מַיִם; קוּפָּה מְשׁוּתֶּפֶת

pool *vt* הִפְקִידוּ בְּקֶרֶן מְשׁוּתֶּפֶת

poolroom *n* אוּלַם בִּילְיַארְד

poop *n* בֵּית־אַחֲרָה

poor *adj* עָנִי, דַל; מִסְכֵּן

poor-box *n* קוּפַּסַת צְדָקָה

poorhouse *n* לִינַת־צֶדֶק

poorly *adv, adj* בְּקוֹשִׁי; בְּקַמְצָנוּת; חוֹלָנִי

pop. *abbr* popular, population

pop *vi, vt* פָּקַק; יָרָה; בָּא בְּחִיפָּזוֹן; פָּעַר

pop *n* פֶּקֶק; יְרִיַּת רוֹבֶה; מַשְׁקֶה תּוֹסֵס

pop *adj* עֲמָמִי, פּוֹפּוּלָרִי

popcorn *n* תִּירָס קָלוּי

pope *n* אַפִּיפְיוֹר

popeyed *adj* פְּעוּר עֵינַיִם

popgun *n* רוֹבֵה פְּקָקִים

poplar *n* צַפְצָפָה

poppy *n* פֶּרָג

poppycock *n* שְׁטוּיוֹת

populace *n* הֲמוֹן הָעָם

popular *adj* אָהוּד; עֲמָמִי, פּוֹפּוּלָרִי

popularize *vt* הָפַךְ לְפּוֹפּוּלָרִי; הֵפִיץ בָּעָם

populous *adj* רַב־אוּכְלוֹסִין

porcelain *n* חַרְסִינָה

porch *n* מִרְפֶּסֶת

porcupine *n* קִיפּוֹד

pore *n* נַקְבּוּבִית

pore *vi* הָיָה שָׁקוּעַ בְּעִיּוּן

pork *n* בְּשַׂר חֲזִיר

porous *adj* נַקְבּוּבִי

porphyry *n* פּוֹרְפִיר

porpoise *n* פּוֹקֵנָה

porridge *n* דַּיְיסָה

port *n* נָמֵל; שְׂמֹאל (הָאוֹנִיָּה); יֵין אוֹפּוֹרְטוֹ

portable *adj, n* בַּר־טִלְטוּל

portal *n* שַׁעַר, דֶּלֶת

portend *vt* בִּישֵּׂר, נִיבֵּא

portent *n* אוֹת לַבָּאוֹת

portentous *adj* מְבַשֵּׂר, מְנַבֵּא

porter *n* סַבָּל; שׁוֹעֵר

portfolio *n* תִּיק נְיָירוֹת; מִשְׂרַת שַׂר

porthole *n* אֶשְׁנָב

portico *n* שְׂדֵירַת עַמּוּדִים

portion *n* חֵלֶק; מָנָה; נְדוּנְיָה

portly *adj* כַּרְסָן, שְׁמַנְמַן

portmanteau *n* מִזְוָדָה גְּדוֹלָה

portrait *n* פּוֹרְטְרֶט, דְּיוֹקָן

portray *vt* צִיֵּיר; תֵּיאֵר

portrayal *n* צִיּוּר; תֵּיאוּר

Portugal *n* פּוֹרְטוּגָל

port wine *n* יֵין אוֹפּוֹרְטוֹ

pose *vt, vi* הִצִּיג (בְּעָיָה וכד׳); יָשַׁב לִפְנֵי צַיָּיר; הֶעֱמִיד פָּנִים

pose *n* פּוֹזָה, צֶגַע; הַעֲמָדַת־פָּנִים

posh *adj* מְהוּדָּר, מְצוּחְצָח

position *n* מַצָּב, (בַּצָּבָא) מוּצָּב; מַעֲמָד; עֶמְדָּה (בְּוִיכּוּחַ)

position *vt* הֶעֱמִיד בְּמָקוֹם

positive *adj* חִיּוּבִי; קוֹנְסְטְרוּקְטִיבִי; מוּחְלָט

positive *n* פּוֹזִיטִיב (בְּצִילּוּם); חִיּוּב

possess *vt* הֶחֱזִיק בּ...; הָיָה לוֹ

possession *n* בַּעֲלוּת, חֲזָקָה

possible *adj* אֶפְשָׁרִי

possum *n* אוֹפּוֹסוּם

post *n* עַמּוּד; דּוֹאַר; (בַּצָּבָא) עֶמְדָּה

post *vt, vi* שָׁלַח בַּדּוֹאַר; הִדְבִּיק (מודעה וכד׳)
postage *n* דְּמֵי־דוֹאַר
postage meter *n* מַחְתֵּמָה
postage stamp *n* בּוּל דוֹאַר
postal *adj, n* שֶׁל דוֹאַר; גְלוּיָה
postal order *n* הַמְחָאַת דוֹאַר
postcard *n* גְלוּיַת־דוֹאַר
postdate *vt* קָבַע תַּאֲרִיךְ מְאוּחָר
poster *n* כְּרָזָה, פְּלָקָט
posterior *n* אֲחוֹרַיִים
posthaste *adv* בִּמְהִירוּת רַבָּה
posthumous *adj* שֶׁלְּאַחַר הַמָּוֶת
postman *n* דַּוָּר
postmark *n* חוֹתֶמֶת דוֹאַר
postmark *vt* חָתַם (חותמת־דואר)
postmaster *n* מְנַהֵל דוֹאַר
post-mortem *adj, n* (בְּדִיקָה) שֶׁלְּאַחַר הַמָּוֶת
post-office *n* בֵּית־דוֹאַר
post-office box *n* תָּא־דוֹאַר
postpaid *adj* שֶׁדְּמֵי־הַדּוֹאַר שׁוּלְּמוּ
postpone *vt* דָּחָה, הִשְׁהָה
postscript *n* הוֹסָפָה לַכָּתוּב
posture *n* מַעֲרַךְ הַגּוּף, תְּנוּחָה
postwar *adj* שֶׁלְּאַחַר הַמִּלְחָמָה
posy *n* זֵר פְּרָחִים
pot *n* סִיר; כְּלִי־בַּיִת; (המונית) חֲשִׁישׁ
potash *n* פַּחְמַת אַשְׁלְגָן
potassium *n* אַשְׁלְגָן
potato *n* תַּפּוּחַ־אֲדָמָה, תַּפּוּד
potbellied *adj* כְּרֵסָנִי
potency *n* עוֹצְמָה; כּוֹחַ־גַבְרָא, אוֹן
potent *adj* חָזָק; בַּעַל כּוֹחַ־גַבְרָא
potentate *n* שַׁלִּיט
potential *adj, n* שֶׁבְּכוֹחַ, פּוֹטֶנְצִיָּלִי; פּוֹטֶנְצִיָּל; אֶפְשָׁרוּת מֵירַבִּית
pothook *n* אַנְקוֹל הַסִּיר
potion *n* שִׁיקּוּי; לְגִימָה
pot-luck *n* הָאוֹכֶל שֶׁבַּבַּיִת, מַה שֶּׁיֵּשׁ
potshot *n* יְרִיָּה לֹא מְכוּוֶּנֶת
potter *n* קַדָּר, יוֹצֵר
potter *vi* עָבַד בַּעֲצַלְתַּיִים; ׳הִסְתּוֹבֵב׳
potter's clay *n* חוֹמֶר יוֹצֵר
pottery *n* קַדָּרוּת; כְּלֵי־חֶרֶס
pouch *n* כִּיס, שַׂק, שַׂקִּיק
poulterer *n* סוֹחֵר עוֹפוֹת
poultice *n* אִיסְפְּלָנִית מְרוּחָה בְּחוֹמֶר מְרַפֵּא
poultry *n* עוֹפוֹת בַּיִת
pounce *vt, vi* זִינֵּק, עָט עַל
pound *n* לִיטְרָה (משקל); לִירָה (כסף)
pound *vt, vi* הָלַם, הִכָּה
pour *vt, vi* שָׁפַךְ, מָזַג; נִיתַּךְ (גשם)
pout *vi* שִׁרְבֵּט (שפתיים); כָּעַס
poverty *n* עוֹנִי, דַּלּוּת
P.O.W. *abbr* Prisoner of War
powder *n* אַבְקָה, פּוּדְרָה (קוסמטית)
powder *vt, vi* אִיבֵּק; שָׁחַק; פִּידֵּר
powder-puff *n* כָּרִית לְפוּדְרָה
powder-room *n* בֵּית־שִׁימּוּשׁ (לנשים)
powdery *adj* אֲבָקִי
power *n* כּוֹחַ, חוֹזֶק; יְכוֹלֶת; שִׁלְטוֹן; חֶזְקָה (מתימטיקה)
power *vt* סִיפֵּק כּוֹחַ
power-dive *n* צְלִילַת עוֹצְמָה
powerful *adj* חָזָק, רַב־כּוֹחַ
powerhouse *n* תַּחֲנַת־כּוֹחַ

powerless *adj* אֵין־אוֹנִים

power mower *n* מַכְסַחַת מָנוֹעַ

power of attorney *n* יִיפּוּי־כּוֹחַ

power-plant *n* תַּחֲנַת־כּוֹחַ

power steering *n* הֶגֶה הִידרוֹלִי

pp. *abbr* pages

practical *adj* מַעֲשִׂי, תּוֹעַלְתִּי

practically *adv* מִבְּחִינָה מַעֲשִׂית; כִּמְעַט

practice *n* אִימּוּן, תִּרְגּוּל; הֶרְגֵל; פְּרַקְטִיקָה (שֶׁל רוֹפֵא וכד׳)

practice, practise *vt*, *vi* תִּרְגֵּל; הִתְאַמֵּן; עָסַק בְּמִקְצוֹעַ

practitioner *n* עוֹסֵק (בְּמִקְצוֹעַ)

Prague *n* פְּרָאג

prairie *n* עֲרָבָה, פְּרֶרְיָה

prairie dog *n* כֶּלֶב הָעֲרָבָה

praise *n*, *vt* שֶׁבַח, הַלֵּל; שִׁיבַּח, הִלֵּל

pram *n* עֶגְלַת יְלָדִים

prance *vi* קִיפֵּץ, פִּיזֵּז

prank *n* מַעֲשֶׂה קוּנְדֵס

prate *vi* פִּטְפֵּט

prattle *n* פִּטְפּוּט, שְׁטוּיוֹת

pray *vt*, *vi* הִתְפַּלֵּל, הִתְחַנֵּן

prayer *n* תְּפִילָּה

prayer-book *n* סִידּוּר תְּפִילָּה

preach *vi*, *vt* הִטִּיף; דָּרַשׁ דְּרָשָׁה

preacher *n* דַּרְשָׁן

preamble *n* הַקְדָּמָה

precarious *adj* מְסוּכָּן; רוֹפֵף

precaution *n* אֶמְצְעֵי־זְהִירוּת

precede *vt*, *vi* קָדַם; הִקְדִּים

precedent *n* תַּקְדִּים

precept *n* מִצְוָה

precinct *n* אֵיזוֹר, סְבִיבָה

precious *adj* יָקָר מְאוֹד

precious *adv* מְאוֹד

precipice *n* נֵד, צוּק תָּלוּל

precipitate *vt*, *vi* הִפִּיל בְּעוֹצְמָה; זֵירֵז, הֵאִיץ

precipitate *adj* נֶחְפָּז

precipitous *adj* תָּלוּל

precise *adj* מְדוּיָּק, מְדוּקְדָּק

precision *n* דִּיּוּק

preclude *vt* הוֹצִיא מִכְּלַל חֶשְׁבּוֹן

precocious *adj* מְפוּתָּח בְּלֹא עֵת

predatory *adj* טוֹרֵף; חַמְסָן

predicament *n* מַצָּב מֵעִיק

predict *vt*, *vi* נִיבֵּא, חָזָה מֵרֹאשׁ

prediction *n* נִיבּוּי; חִיזּוּי

predispose *vt* הִטָּה מֵרֹאשׁ; הִכְשִׁיר

predominant *adj* שׁוֹלֵט; מַכְרִיעַ

preeminent *adj* דָּגוּל, נַעֲלֶה

preempt *vt* קָנָה בִּזְכוּת קְדִימָה

preen *vt* נִיקָּה בְּמַקּוֹר; הִתְהַדֵּר

prefab *n* בַּיִת טְרוֹמִי

prefabricate *vt* יִיצֵּר מֵרֹאשׁ

preface *n*, *vt* הַקְדָּמָה; הִקְדִּים

prefer *vt* הֶעְדִּיף, בִּיכֵּר

preferable *adj* עָדִיף

preference *n* הַעְדָּפָה

prefix *n* תְּחִילִּית, קִידּוֹמֶת

prefix *vt* שָׂם לִפְנֵי

pregnant *adj* הָרָה; פּוֹרֶה

prejudice *n* מִשְׁפָּט קָדוּם; נֶזֶק

prejudice *vt* נָטַע דֵּעָה קְדוּמָה בְּלֵב (הַזּוּלַת); פָּגַע (בִּזְכוּת וכד׳)

prejudicial *adj* גּוֹרֵם דֵּעָה קְדוּמָה; מַזִּיק

prelate *n* כּוֹמֶר בָּכִיר

preliminary *adj, n* קוֹדֵם, מֵכִין; פְּעוּלָּה מְכִינָה

prelude *n* פְּרֵלוּד, אַקְדָמָה

premeditate *vt, vi* תִּכְנֵן מֵרֹאשׁ

premier *adj* רִאשׁוֹן; רֹאשׁ; רֹאשׁ מֶמְשָׁלָה

première *n* הַצָּגַת־בְּכוֹרָה

premise, premiss *n* הַנָּחַת יְסוֹד; (בּריבּוּי) חֲצֵרִים

premium *n* דְּמֵי־בִּיטּוּחַ, פְּרֶמְיָה; הֲטָבָה

premonition *n* תְּחוּשָׁה מוּקְדֶּמֶת

preoccupancy *n* תְּפִיסָה מֵרֹאשׁ

preoccupation *n* שְׁקִיעָה בְּמַחֲשָׁבוֹת; דְּאָגָה

preoccupy *vt* תָּפַס מֵרֹאשׁ; הֶעֱסִיק אֶת הַדַּעַת

prepaid *adj* שֶׁשּׁוּלַּם מֵרֹאשׁ

preparation *n* הֲכָנָה, הַכְשָׁרָה

preparatory *adj* מֵכִין; מַכְשִׁיר

prepare *vt, vi* הֵכִין; הִכְשִׁיר; הִתְכּוֹנֵן

preparedness *n* נְכוֹנוּת, כּוֹנְנוּת

prepay *vt* שִׁילֵּם מֵרֹאשׁ

preponderant *adj* מַכְרִיעַ

preposition *n* מִלַּת־יַחַס

prepossessing *adj* עוֹשֶׂה רוֹשֶׁם טוֹב

preposterous *adj* מְגוּחָךְ, אֱוִילִי

prep-school *n* מְכִינָה

prerequisite *adj, n* דָּרוּשׁ מֵרֹאשׁ; תְּנַאי מוּקְדָּם

prerogative *n* זְכוּת מְיוּחֶדֶת

Pres. *abbr* Presbyterian, President

presage *vt* נִיבֵּא, בִּישֵּׂר

Presbyterian *adj, n* פְּרֶסְבִּיטֶרִי

prescribe *vt, vi* (רוֹפא) רָשַׁם מַתכּוֹן; הִצִּיעַ

prescription *n* מִרְשָׁם

presence *n* נוֹכְחוּת; הוֹפָעָה

present *adj, n* נוֹכֵחַ; הוֹוֶה (זמן); מַתָּנָה

present *vt* הֶעֱנִיק, נָתַן; הִצִּיג

presentable *adj* יָאֶה לְהַצָּגָה בְּצִיבּוּר

presentation *n* הַצָּגָה; הַגָּשָׁה

presentation copy *n* עוֹתֶק מַתָּנָה

presentiment *n* רֶגֶשׁ מְנַבֵּא רָעוֹת

presently *adv* מִיָּד

preserve *vt* שִׁימֵּר; שָׁמַר עַל

preserve *n* רִיבָּה; שְׁמוּרָה; תְּחוּם פְּרָטִי

preside *vi* יָשַׁב רֹאשׁ

presidency *n* נְשִׂיאוּת

president *n* נָשִׂיא

press *vt, vi* לָחַץ, דָּחַק; גִּיהֵץ

press *n* גִּיהוּץ; לַחַץ; מַגְהֵץ; עִיתּוֹנוּת; אָרוֹן

press agent *n* סוֹכֵן פִּרְסוֹמֶת

press conference *n* מְסִיבַּת עִיתּוֹנָאִים

pressing *adj* דָּחוּף; לוֹחֵץ; גִּיהוּץ

pressure *n* לַחַץ

pressure cooker *n* סִיר לַחַץ

prestige *n* יוּקְרָה, פְּרֶסְטִיז'ָה

presumably *adv* כְּפִי שֶׁמִּסְתַּבֵּר

presume *vt, vi* הִנִּיחַ; הִרְשָׁה לְעַצְמוֹ

presumption *n* הַנָּחָה, סְבָרָה; חוּצְפָּה

presumptuous *adj* מַרְהִיב עוֹז

presuppose *vt* הִנִּיחַ מֵרֹאשׁ

pretend *vt, vi* הִתְייַמֵּר; הֶעֱמִיד פָּנִים

pretense *n* הַעֲמָדַת־פָּנִים

pretentious *adj* יוּמְרָנִי

pretty *adj* נֶחְמָד, יָפֶה
pretty *adv* לְמַדַּי
pretty-pretty *n* יוֹפִי מְעוּשֶׂה
prevail *vi* נִיצֵּחַ; שָׂרַר
prevailing *adj* שׂוֹרֵר, רוֹוֵחַ
prevalent *adj* רוֹוֵחַ; נָפוֹץ
prevaricate *vi* שִׁיקֵּר
prevent *vt* מָנַע
preventable *adj* בַּר־מְנִיעָה
prevention *n* מְנִיעָה
preventive *adj* מוֹנֵעַ
preview *n* הַצָּגָה מוּקְדֶמֶת
previous *adj, adv* קוֹדֵם; נֶחְפָּז
prewar *adj* קְדַם־מִלְחַמְתִּי
prey *n, vt* טֶרֶף; שָׁדַד; טָרַף; הֵעִיק
price *n* מְחִיר
price *vt* קָבַע מְחִיר; הֶעֱרִיךְ מְחִיר
price-control *n* פִּיקּוּחַ עַל מְחִירִים
price-cutting *n* הוֹרָדַת מְחִירִים
price fixing *n* קְבִיעַת מְחִירִים
price freezing *n* הַקְפָּאַת מְחִירִים
priceless *adj* שֶׁאֵין עָרוֹךְ לוֹ
prick *n* דְּקִרוּר; (המונית) שׁוֹפְכָה
prick *vt* דִּקְרֵר, דָּקַר
prickly *adj* דּוֹקְרָנִי
prickly heat *n* חֲרָרָה
prickly pear *n* צַבָּר
pride *n* גַּאֲוָה
pride *v reflex* הִתְגָּאָה
priest *n* כּוֹהֵן; כּוֹמֶר
priesthood *n* כְּהוּנָּה
prig *n* מְדַקְדֵּק דִּקְדּוּקֵי עֲנִיוּת
prim *adj* צְנוּעֲתָנִי; מְעוּמְלָן
primary *adj, n* רִאשׁוֹנִי; עִיקָּרִי; רִאשׁוֹן; בְּחִירָה מוּקְדֶמֶת
primary school *n* בֵּית־סֵפֶר יְסוֹדִי
prime *adj, n* רִאשׁוֹן בְּמַעֲלָה; חֵלֶק מוּבְחָר
prime *vt* הִפְעִיל; הִתְנִיעַ; סִיפֵּק (אבק־שׂריפה, ידיעות)
prime minister *n* רֹאשׁ מֶמְשָׁלָה
primer *n* אַלְפוֹן
primitive *adj* פְּרִימִיטִיבִי; קָדוּם; נֶחֱשָׁל
primp *vt, vi* קִישֵּׁט; הִתְגַּנְדֵּר
primrose *n, adj* רַקֶּפֶת; רַקַּפְתִּי
primrose path *n* שְׁבִיל תַּעֲנוּגוֹת
prince *n* נָסִיךְ
princess *n* נְסִיכָה
principal *adj* עִיקָּרִי, רָאשִׁי
principal *n* מְנַהֵל, רֹאשׁ; קֶרֶן
principle *n* עִיקָּרוֹן
print *n* דְּפוּס; אוֹתִיּוֹת־דְּפוּס
print *vt, vi* הִדְפִּיס; כָּתַב בְּאוֹתִיּוֹת־דְּפוּס
printed matter *n* דִּבְרֵי־דְפוּס
printer *n* מַדְפִּיס
printer's devil *n* שׁוּלִיַּית מַדְפִּיס
printer's ink *n* צֶבַע דְּפוּס
printer's mark *n* סִימָן מִסְחָרִי שֶׁל מַדְפִּיס
printing *n* הַדְפָּסָה; אוֹתִיּוֹת־דְּפוּס
prior *adj* קוֹדֵם
prior *n* רֹאשׁ מִנְזָר
priority *n* זְכוּת־בְּכוֹרָה
prism *n* מִנְסָרָה
prison *vt* בֵּית־סוֹהַר
prisoner *n* אָסִיר
prissy *adj* קַפְּדָן
privacy *n* פְּרָטִיּוּת, צְנִעָה

private *adj* פְּרָטִי, אִישִׁי
private *n* טוּרַאי
private first class *n* טוּרַאי רִאשׁוֹן
private view *n* הַצָּגָה פְּרָטִית
privet *n* לִיגוּסטרוּם
privilege *n* זְכוּת מְיוּחֶדֶת, פְּרִיבִילֶגְיָה
privy *adj, n* מוּחבָּא; סוֹדִי; בֵּית־כִּיסֵּא
prize *n, adj* פְּרָס; מְעוּלֶּה
prize *vt* הֶעֱרִיךְ מְאוֹד
prize-fight *n* תַּחֲרוּת אִגרוּף לְכֶסֶף
pro *adv, n* (נִימּוּק, הַצבָּעָה) בְּעַד; מִקצוֹעִי, מִקצוֹעָן
probability *n* הִסתַּבְּרוּת
probable *adj* מִסתַּבֵּר
probation *n* מִבחָן, נִיסָּיוֹן
probe *n* בְּדִיקָה; מַבדֵּק
probe *vt, vi* בָּחַן, בָּדַק
problem *n* בְּעָיָה
procedure *n* נוֹהַל
proceed *vi* הִתנַהֵל, הִתקַדֵּם
proceeding *n* הָלִיךְ; מַהֲלַךְ הָעִניָנִים
proceeds *n pl* הַכנָסוֹת
process *n* תַּהֲלִיךְ
process *vt* עִיבֵּד
proclaim *vt* הִכרִיז, הִצהִיר
proclitic *adj, n* (מִלָּה) נִגרֶרֶת
procrastinate *vt, vi* הִשׁהָה מִיּוֹם לְיוֹם; הִיסֵּס
procure *vt, vi* הִשִּׂיג, רָכַשׁ; סִרסֵר
prod *n* דְּחִיפָה
prod *vt* דָּחַף; דִּרבֵּן
prodigal *adj, n* בַּזבְּזָנִי; בַּזבְּזָן
prodigious *adj* מַפלִיא; עָצוּם
prodigy *n* פֶּלֶא, נֵס; עִילוּי
produce *vt* הִצִּיג; יָלַד; הֵפִיק
produce *n* יְבוּל; תּוֹצֶרֶת
product *n* תּוֹצָר, מוּצָר
production *n* תְּפוּקָה, יִיצוּר
profane *vt* טִימֵּא, חִילֵּל
profane *adj* חִילּוֹנִי; טָמֵא; גַּס
profanity *n* חִילּוּל הַקּוֹדֶשׁ; חֵירוּף
profess *vt, vi* טָעַן, הִתייַמֵּר
profession *n* מִקצוֹעַ; הַצהָרָה
professor *n* פּרוֹפֶסוֹר
proffer *vt, n* הִצִּיעַ; הַצָּעָה
proficient *adj* מְיוּמָּן, מוּמחֶה
profile *n* צְדוּדִית, פּרוֹפִיל
profile *vt* הִתקִין פּרוֹפִיל
profit *n* רֶוַח
profit *v* הֵפִיק רֶוַח אוֹ תּוֹעֶלֶת
profitable *adj* מֵבִיא רֶוַח
profiteer *n, vi* מַפקִיעַ שְׁעָרִים
profit taking *n* מִימּוּשׁ רְוָחִים
profligate *adj, n* מוּפקָר
pro forma invoice *n* חֶשׁבּוֹן פּרוֹפוֹרמָה
profound *adj* עָמוֹק
profuse *adj* פַּזְרָנִי, שׁוֹפֵעַ
progeny *n* צֶאֱצָאִים
prognosis *n* תַּחֲזִית; אַבחָנָה
prognostic *n, adj* נִיבּוּיִי, תַּחֲזִיתִי
program *n* תּוֹכנִית; תּוֹכנִיָּיה
progress *n* הִתקַדְּמוּת; קִדמָה
progress *vi* הִתקַדֵּם
progressive *adj, n* פּרוֹגרֶסִיבִי; מִתקַדֵּם
prohibit *vt* אָסַר
project *n* תּוֹכנִית, פּרוֹייֶקט
project *vt, vi* תִּכנֵן; הֵטִיל; הִקרִין; הִשׁלִיךְ; בָּלַט

projectile *n, adj* קָלִיעַ, טִיל
projection *n* תִּכְנוּן; הֲטָלָה; הַשְׁלָכָה; בְּלִיטָה
projector *n* מָטוֹל
proletarian *adj, n* פְּרוֹלֶטָרִי
proletariat *n* מַעֲמַד הַפּוֹעֲלִים
proliferate *vi* פָּרָה וְרָבָה
prolific *adj* פּוֹרֶה; שׁוֹפֵעַ
prolix *adj* רַב־מֶלֶל
prologue *n* מָבוֹא, פְּרוֹלוֹג
prolong *vt* הֶאֱרִיךְ, חִידֵּשׁ (תּוֹקֶף)
promenade *n* טִיּוּל, טַיֶּלֶת
promenade *vi, vt* טִיֵּל; הוֹלִיךְ לְרַאֲוָוה
prominent *adj* בּוֹלֵט; יָדוּעַ, נִכְבָּד
promise *n, vt* הַבְטָחָה; הִבְטִיחַ
promising *adj* מַבְטִיחַ
promissory *adj* מִתְחַיֵּיב
promissory note *n* שְׁטַר־חוֹב
promontory *n* צוּק־חוֹף
promote *vt* הֶעֱלָה בְּדַרְגָּה; קִידֵּם
promotion *n* עֲלִיָּיה בְּדַרְגָּה; קִידּוּם
prompt *adj* מָהִיר
prompt *vt* הֵנִיעַ; סִיֵּיעַ (לנואם); לָחַשׁ (לשחקן)
prompter *n* לַחֲשָׁן
promulgate *vt* פִּרְסֵם
prone *adj* שָׁכוּב עַל כְּרֵסוֹ; מוּעָד לְ...
prong *n* שֵׁן
pronoun *n* כִּינּוּי הַשֵּׁם
pronounce *vt* בִּיטֵּא; הִכְרִיז
pronouncement *n* הַכְרָזָה, הַצְהָרָה
pronunciation *n* מִבְטָא, הִיגּוּי
proof *n* הוֹכָחָה, רְאָיָה; הַגָּהָה
proof *adj* בָּדוּק; חָסִין
proofreader *n* מַגִּיהַּ
prop *n* סָמוֹךְ, מִשְׁעָן
prop *vt* תָּמַךְ, סָעַד
propaganda *n* תַּעֲמוּלָה
propagate *vt, vi* הֵפִיץ; הִטִּיף לְ...; רִיבָּה
propel *vt* הֵנִיעַ, דָּחַף
propeller *n* מַדְחֵף
propensity *n* נְטִיָּיה טִבְעִית
proper *adj* אֲמִיתִּי; מַתְאִים; הָגוּן, כָּשֵׁר
proper noun *n* שֵׁם־עֶצֶם פְּרָטִי
property *n* רְכוּשׁ נְכָסִים; תְּכוּנָה
prophecy *n* נְבוּאָה
prophesy *vt* נִיבָּא
prophet *n* נָבִיא
prophylactic *adj, n* מוֹנֵעַ (מחלה)
propitiate *vt* פִּיֵּיס, רִיצָּה
propitious *adj* מְעוֹדֵד, מְסַיֵּיעַ
propjet *n* סִילוֹן מַדְחֵף
proportion *n* יַחַס; פְּרוֹפּוֹרְצִיָּה
proportionate *adj* פְּרוֹפּוֹרְצִיוֹנִי, יַחֲסִי
proposal *n* הַצָּעָה, הַצָּעַת נִישּׂוּאִים
propose *vt, vi* הִצִּיעַ, הִצִּיעַ נִישּׂוּאִין
proposition *n* הַצָּעָה; הַנָּחָה
propound *vt* הִצִּיעַ, הֶעֱלָה
proprietor *n* בְּעָלִים
proprietress *n* בַּעֲלַת נֶכֶס
propriety *n* הֲגִינוּת, יָאוּת
prosaic *adj* פְּרוֹזָאִי
proscribe *vt* נִידָּה; גֵּירֵשׁ
prose *n* פְּרוֹזָה
prosecute *vt, vi* תָּבַע לְדִין; הִתְמִיד בְּ...
prosecutor *n* תּוֹבֵעַ, קָטֵגוֹר

proselyte *n* גֵר, גֵר־צֶדֶק
prosody *n* תּוֹרַת הַמִּשְׁקָל, פְּרוֹסוֹדְיָה
prospcct *n* מַרְאֶה נוֹף נִרְחָב; סִיכּוּי
prospect *vt, vi* בָּדַק בְּחִיפּוּשׂ (זהב וכד׳)
prosper *vi, vt* שִׂגְשֵׂג; גָּרַם לְהַצְלָחָה
prosperity *n* שֶׁפַע, שִׂגְשׂוּג
prosperous *adj* מְשַׂגְשֵׂג
prostitute *vt* מָכַר (עַצְמוֹ; כִּשְׁרוֹנוֹ)
prostitute *n* זוֹנָה
prostrate *adj* מִשְׁתַּטֵּחַ; מוּכְנָע
prostrate *vt* הִפִּיל אַרְצָה; הִשְׁתַּטֵּחַ
prostration *n* אֲפִיסַת כּוֹחוֹת
protagonist *n* מְצַדֵּד
protect *vt* הֵגֵן, שָׁמַר עַל
protection *n* הֲגַנָּה, שְׁמִירָה, חָסוּת
protégé(e) *n* בֶּן־חָסוּת
protein *n* חֶלְבּוֹן, פְּרוֹטֵאִין
pro tem(pore) *adj* זְמַנִּי
protest *vt, vi* מָחָה; טָעַן בְּתוֹקֶף
protest *n* מְחָאָה
protestant *n* פְּרוֹטֶסְטַנְט
protocol *n* פְּרוֹטוֹקוֹל
protoplasm *n* פְּרוֹטוֹפְּלַסְמָה
prototype *n* אַבְטִיפּוּס
protozoon *adj, n* חַד־תָּאִי; חַיָּה קְדוּמָה
protract *vt* הֶאֱרִיךְ
protrude *vi* בָּלַט, הִזְדַּקֵּר
proud *adj* גֵּא, גֵּאֶה; שַׁחֲצָן
prove *vt, vi* הוֹכִיחַ; הוּכַח
proverb *n* מָשָׁל, פִּתְגָּם
provide *vt, vi* סִיפֵּק; קָבַע; דָּאַג ל...
provided *conj* בִּתְנַאי
providence *n* דְּאָגָה מֵרֹאשׁ; הַהַשְׁגָּחָה הָעֶלְיוֹנָה
providential *adj* מֵאֵת הַהַשְׁגָּחָה הָעֶלְיוֹנָה
providing *conj* אִם
province *n* מָחוֹז; תְּחוּם
provision *n* הַסְפָּקָה; אַסְפָּקָה; אֶמְצָעִי; תְּנַאי
proviso *n* תְּנַאי
provocation *n* הִתְגָּרוּת; פְּרוֹבוֹקַצְיָה
provocative *adj* מְגָרֶה; מִתְגָּרֶה
provoke *vt* הִתְגָּרָה בּ...; גֵּירָה
provoking *adj* מְקַנְטֵר; מְגָרֶה
prow *n* חַרְטוֹם
prowess *n* אוֹמֶץ־לֵב, גְּבוּרָה
prowl *vi* שִׁיחֵר לְטֶרֶף
prowler *n* מְשׁוֹטֵט
proximity *n* קִרְבָה
proxy *n* בָּא־כּוֹחַ
prude *n* מִצְטַנֵּעַ, מִתְחַסֵּד
prudence *n* תְּבוּנָה; זְהִירוּת
prudent *adj* נָבוֹן; זָהִיר
prudery *n* הִצְטַנְּעוּת
prudish *adj* מִצְטַנֵּעַ
prune *n* שְׁזִיף מְיוּבָּשׁ
prune *vt* גָּזַם, זָמַר
pry *vt* חִיטֵּט; הֵצִיץ (ללא רשות)
P.S. *abbr* Postscript
psalm *n* מִזְמוֹר, מִזְמוֹר תְּהִילִּים
Psalms *n pl* תְּהִילִּים
pseudo *adj* מְזוּיָּף, מְדוּמֶּה
pseudonym *n* שֵׁם בָּדוּי, פְּסֶבְדוֹנִים
psyche *n* פְּסִיכֶה; נְשָׁמָה
psychiatrist *n* פְּסִיכִיאָטֶר
psychiatry *n* פְּסִיכִיאַטְרִיָּה
psychic *adj, n* נַפְשִׁי, פְּסִיכִי
psychoanalysis *n* פְּסִיכוֹאֲנָלִיזָה

psychoanalyze *vt* טִיפֵּל בְּאוֹרַח פְּסִיכוֹאֲנָלִיטִי
psychological *adj* פְּסִיכוֹלוֹגִי
psychologist *n* פְּסִיכוֹלוֹג
psychology *n* תּוֹרַת־הַנֶּפֶשׁ, פְּסִיכוֹלוֹגְיָה
psychopath *n* חוֹלֵה־נֶפֶשׁ
psychosis *n* פְּסִיכוֹזָה, טֵירוּף
psychotic *adj* סוֹבֵל מִפְּסִיכוֹזָה
pt. *abbr* part, pint, point
pub *n* מִסְבָּאָה
puberty *n* בַּגרוּת
public *adj* פּוּמְבִּי, צִיבּוּרִי
public *n* צִיבּוּר, קָהָל
publication *n* הוֹצָאָה לָאוֹר, פִּרסוּם
public conveyance *n* רֶכֶב צִיבּוּרִי
publicity *n* פִּרסוֹמֶת
publicize *vt* נָתַן פִּרסוּם ל...
public speaking *n* נְאִימָה בַּצִּיבּוּר
public toilet *n* בֵּית־כִּסֵּא צִיבּוּרִי
publish *vt* פִּרסֵם; הוֹצִיא לָאוֹר
publisher *n* מוֹצִיא לָאוֹר, מו״ל
publishing house *n* הוֹצָאָה לָאוֹר, מו״ל
pucker *vt, vi* קִימֵּט; הִתקַמֵּט
pudding *n* חֲבִיצָה
puddle *n* שְׁלוּלִית
pudgy *adj* גּוּץ
puerile *adj* יַלדוּתִי, טִיפְּשִׁי
puerility *n* יַלדוּתִיוּת, טִיפְּשׁוּת
Puerto Rican *n, adj* פּוֹרטוֹרִיקָנִי
puff *n* נְשִׁימָה; נְשִׁיפָה(שֶׁל עשן); כָּרִית; שֶׁבַח מוּגזָם
puff *vi, vt* נָשַׁם; נָשַׁף; הִתנַפֵּחַ; נִיפֵּחַ
pugilism *n* אֶגרוֹפָנוּת
pugilist *n* אֶגרוֹפָן
pug-nosed *adj* בַּעַל אַף קָצָר וְרָחָב
puke *n, vt, vi* (המונית) קִיא; הֵקִיא
pull *vi, vt* מָשַׁךְ; מָתַח
pull *n* מְשִׁיכָה; (המונית) הַשׁפָּעָה, פְּרוֹטֶקצִיָה
pullet *n* פַּרגִית
pulley *n* גַּלגֶּלֶת
pulp *n* חֵלֶק בְּשָׂרִי; צִיפָּה (שֶׁל פרי); כְּתוֹשֶׁת
pulp *vt, vi* מִייֵּךְ; נִתמַייֵּךְ
pulpit *n* דּוּכָן; בִּימָה
pulsate *vi* הָלַם, פָּעַם
pulsation *n* פְּעִימָה
pulse *n* דּוֹפֶק; קִטנִיּוֹת
pulse *vi* פָּעַם
pulverize *vt* שָׁחַק, כִּיתֵּת; הָרַס
pumice (stone) *n* אֶבֶן סְפוֹג
pummel *vt* הִכָּה בְּאֶגרוֹף
pump *n* מַשׁאֵבָה; נַעַל־סִירָה
pump *vt, vi* שָׁאַב; נִיפֵּחַ; 'סָחַט' (ידיעות)
pumpkin *n* דְּלַעַת
pump-priming *n* סִבסוּד
pun *n* מִשׂחַק מִלִּים
pun *vi* שִׂיחֵק בְּמִלִּים
punch *n* מְכוֹנַת־נִיקוּב, מַקָּב; 'פּוּנץ' (משקה); מַכַּת אֶגרוֹף
punch *vt* הִכָּה בְּאֶגרוֹף; נִיקֵּב
punch-bag *n* אַגַּס אִגרוּף
punch clock *n* שְׁעוֹן רִישׁוּם נוֹכְחוּת
punch-drunk *adj* הָלוּם כַּהֲלָכָה
punched tape *n* סֶרֶט נָקוּב
punctilious *adj* דַּקדְקָנִי
punctual *adj* דַּייְקָן, דַּקדְקָן

punctuate *vt, vi* פִּיסֵּק; שִׂיסֵּעַ
punctuation *n* פִּיסוּק; נִיקּוּד
punctuation mark *n* סִימַן פִּיסוּק
puncture *n* נֶקֶר (בצמיג), תֶּקֶר
puncture *vt* נִיקֵּב
puncture-proof *adj* חֲסִין נֶקֶר
pundit *n* פַּנְדִּיט (חכם הודי); מְלוּמָּד
pungent *adj* חָרִיף; צוֹרֵב
punish *vt* עָנַשׁ, הֶעֱנִישׁ; הִכָּה קָשׁוֹת
punishable *adj* בַּר־עוֹנֶשׁ
punishment *n* עוֹנֶשׁ
punk *n* עֵץ רָקוּב; נוֹכֵל; פָּרוּעַ
punster *n* מְשַׂחֵק בְּמִלִּים
puny *adj* קְטַנְטַן; חֲסַר־עֵרֶךְ
pup *n* כְּלַבְלָב
pupil *n* אִישׁוֹן; תַּלְמִיד
puppet *n* בּוּבָּה
puppet-show *n* מַחֲזֵה־בּוּבּוֹת
puppy love *n* אַהֲבָה רִאשׁוֹנָה
purchase *vt, n* קָנָה; קְנִיָּיה
purchasing power *n* כּוֹחַ קְנִיָּיה
pure *adj* טָהוֹר
purgative *adj, n* מְטַהֵר; סַם שִׁלְשׁוּל
purge *vt, vi* טִיהֵר; שִׁלְשֵׁל
purge *n* טִיהוּר
purify *vt* טִיהֵר, זִיכֵּךְ
Puritan *n, adj* פּוּרִיטָן, פּוּרִיטָנִי
purity *n* טוֹהַר
purloin *vt* גָּנַב
purple *n, adj* אַרְגָּמָן
purport *vt* הִתְכַּוֵּון; הִתְיַימֵּר
purport *n* כַּוָּונָה, מַשְׁמָעוּת
purpose *n* תַּכְלִית, כַּוָּונָה
purposely *adj* בְּכַוָּונָה
purr *n* פּוּרֵר (קוֹל חתול שְׂבַע־נחת)
purse *n* אַרְנָק
purse *vt* כִּיוֵּוץ; הִתְכַּוֵּוץ
purser *n* גִּזְבָּר
purse-strings *n pl* שְׂרוֹכֵי הַצְּרוֹר
pursue *vt* רָדַף; הִתְמִיד
pursuer *n* רוֹדֵף
pursuit *n* רְדִיפָה; מִשְׁלַח־יָד
purvey *vt* סִיפֵּק, צִיֵּיד
pus *n* מוּגְלָה
push *vt, vi* דָּחַף; דָּחַק; נִדְחַף
push *n* דְּחִיפָה; מַאֲמָץ; יוֹזְמָה
push-button *n* לְחִיץ
push-button control *n* הַפְעָלָה בִּלְחִיצַת כַּפְתּוֹר
pushcart *n* עֶגְלַת־יָד
pushing *adj* דּוֹחֵף, תּוֹקְפָנִי
pusillanimous *adj* פַּחְדָן
puss *n* חָתוּל, חֲתוּלָה
pussy *n* חֲתוּלָה
pussy-willow *n* עֲרָבָה
pustule *n* אֲבַעְבּוּעָה מוּגְלָתִית
put *vt* שָׂם, הִנִּיחַ, נָתַן
put-out *adj* מְרוּגָּז, מְעוּצְבָּן
putrid *adj* רָקוּב, נִרְקָב
putsch *n* נִיסְיוֹן הֲפִיכָה
putter *n* מַחְבֵּט גּוֹלְף
putty *n* מֶרֶק
putty *vt* דִּיבֵּק
put-up *adj* מְתוּחְבָּל
puzzle *n* חִידָה; חִידַת הַרְכָּבָה
puzzle *vt, vi* הִתְמִיהַּ; הִתְלַבֵּט
puzzler *n* מַתְמִיהַּ; בְּעָיָה קָשָׁה
P.W. *abbr* Prisoner of War
pygmy, pigmy *n* נַנָּס
pylon *n* עַמּוּד

pyramid *n* פִּירָמִידָה
pyramid *vi, vt* בָּנָה בְּצוּרַת
פִּירָמִידָה; נִיהֵל בְּצוּרָה סַפְסָרִית
pyre *n* מְדוּרָה
Pyrenees *n pl* הָרֵי הַפִּירֵנֵאִים

pyrites *n* אֶבֶן הָאֵשׁ, אֲבָנוּר
בַּרְזֶל גוֹפְרִיתִי
pyrotechnics *n pl* פִּירוֹטֶכְנִיקָה
python *n* פֶּתֶן
pyx *n* כְּלִי לַלֶּחֶם הַקָּדוֹשׁ

Q

Q, q קְיוּ (הָאוֹת הַשְּׁבַע־עֶשְׂרֵה
בָּאָלֶפְבֵּית)
Q-boat *n* אוֹנִיַּת מִסְתּוֹרִין
Q-fever *n* קַדַּחַת בַּת יוֹמָהּ
Q.M. *abbr* Quartermaster
qr. *abbr* quarter, quire
qt. *abbr* quantity, quart
quack *vi, n* קִרְקֵר; קִרְקוּר
quack *n* מִתְחַזֶּה כְּרוֹפֵא
quackery *n* נוֹכְלוּת, רַמָּאוּת
quadrangle *n* חָצֵר מְרוּבַּעַת
quadrant *n* רֶבַע עִיגּוּל
quadroon *n* קְוַודְרוּן, שָׁחוֹר לִרְבִיעַ
quadruped *adj, n* מְהַלֵּךְ־אַרְבַּע
quadruple *vt, vi* רִיבֵּעַ; כָּפַל בְּאַרְבַּע
quadruplet *n* רְבִיעִיָּה
quaff *vt, vi* גָּמַע, לָגַם
quail *vi* פָּחַד, נָמַס לִבּוֹ
quail *n* שְׂלָיו
quaint *adj* מוּזָר, שׁוֹנֶה
quake *vi* רָעַד
quake *n* חַלְחָלָה; רְעִידַת־אֲדָמָה
Quaker *n* קְוֵויקֶר

qualify *vt, vi* הִסְמִיךְ;
הִכְשִׁיר אֶת עַצְמוֹ; מִיתֵּן, רִיכֵּךְ
quality *n* אֵיכוּת, טִיב
qualm *n* הִיסּוּס; מוּסַר־כְּלָיוֹת
quandary *n* מְבוּכָה
quantity *n* כַּמּוּת
quantum *n* קְוַונְטוּם
quarantine *n* הֶסְגֵּר
quarantine *vt* שָׂם בְּהֶסְגֵּר
quarrel *n* רִיב, תִּגְרָה
quarrel *vi* רָב, הִתְקוֹטֵט
quarrelsome *adj* אִישׁ רִיב וּמָדוֹן
quarry *n* מַחְצָבָה; נִרְדָּף
quarry *vt* חָצַב
quart *n* רְבִיעִית שֶׁל גַּלּוֹן
quarter *n* רֶבַע; רֶבַע דּוֹלָר; רוֹבַע
quarter *vt* חִילֵּק לְאַרְבָּעָה; אִכְסֵן
quarter-deck *n* סִיפּוּן אַחֲרָה
quarterly *adj, adv, n* שֶׁל רֶבַע
שָׁנָה; רִבְעוֹן
quartermaster *n* אַפְסְנַאי; הַגַּאי
quartet *n* רְבִיעִיָּה
quartz *n* בְּדוֹלַח־הָרִים

quash *vt* דִּיכֵּא; בִּיטֵּל
quaver *vi* רָעַד
quaver *n* רַעַד, סִלְסוּל
quay *n* רָצִיף, מֵזַח
queen *n* מַלְכָּה
queen-dowager *n* אַלְמְנַת הַמֶּלֶךְ
queenly *adv, adj* כְּמַלְכָּה
queen olive *n* מַלְכַּת הַזֵּיתִים
queen-post *n* אוֹמְנָה
queer *adj* מוּזָר, מְשׁוּנֶּה; (המונית) הוֹמוֹסֶקְסוּאָלִי
queer *vt* קִלְקֵל; שִׁיבֵּשׁ
quell *vt* הִכְנִיעַ; הִשְׁקִיט
quench *vt* כִּיבָּה; רִיוָּה
query *n* שְׁאֵלָה; סִימַן־שְׁאֵלָה
query *vt* שָׁאַל, הִקְשָׁה
quest *n* חִיפּוּשׂ, בִּיקּוּשׁ
question *n* שְׁאֵלָה
question *vt* שָׁאַל, חָקַר
questionable *adj* מְסוּפָּק
question-mark *n* סִימַן־שְׁאֵלָה
questionnaire *n* שְׁאֵלוֹן
queue *n, vi* תּוֹר; עָמַד בַּתּוֹר
quibble *vi* הִתְפַּלְפֵּל
quick *adj* מָהִיר, זָרִיז
quicken *vt, vi* מִיהֵר, זֵירֵז; הִזְדָּרֵז
quicklime *n* סִיד חַי
quickly *adv* מַהֵר
quicksand *n* חוֹל טוֹבְעָנִי
quicksilver *n* כַּסְפִּית
quiet *adj, n* שָׁקֵט; שֶׁקֶט
quiet *vt, vi* הִשְׁקִיט, הִרְגִּיעַ; שָׁקַט, נִרְגַּע
quill *n* נוֹצָה, קוּלְמוֹס
quilt *n* כֶּסֶת
quince *n* חַבּוּשׁ
quinine *n* כִּינִין
quinsy *n* דַּלֶּקֶת שְׁקֵדִים
quintessence *n* תַּמְצִית, עִיקָּר
quintet(te) *n* קְוִינְטֶט, חֲמִשָּׁה
quintuplet *n* חֲמִישִׁיָּה
quip *n* הֶעָרָה שְׁנוּנָה
quip *vt, vi* הֵעִיר בִּשְׁנִינוּת
quire *n* קְוִירָה; קוּנְטְרֵס דַּפִּים
quirk *n* תְּכוּנָה מוּזָרָה
quit *vt, vi* נָטַשׁ; עָזַב
quit *adj* פָּטוּר, מְשׁוּחְרָר
quite *adv* לְגַמְרֵי; לְמַדַּי
quitter *n* מִתְיָיאֵשׁ בְּקַלּוּת
quiver *vi* רָטַט
quiver *n* רֶטֶט; אַשְׁפָּה (לחיצים)
quixotic *adj* דּוֹן־קִישׁוֹטִי
quiz *n* מִבְחָן; חִידוֹן
quizzical *adj* מוּזָר, מְשׁוּנֶּה; הִיתּוּלִי
quoit *n* דִּיסְקוּס, טַבַּעַת
quondam *adj* לְשֶׁעָבַר
quorum *n* מִנְיָן
quota *n* מִכְסָה
quotation *n* צִיטָטָה; מְחִיר נָקוּב
quotation marks *n pl* מֵרְכָאוֹת
quote *vt, vi* צִיטֵּט; נָקַב (מחיר)
quotient *n* מָנָה
q.v. *abbr Latin* quod vide רְאֵה, ר׳

R

R, r אַר (האות השמונה־עשׂרה באלפבית)

r. *abbr* railroad, railway, road, rod, ruble, rupee

R. *abbr* Regina (Latin, Queen), Republican, response, Rex (Latin, King), River, Royal

rabbet *n* דֶּרֶג

rabbet *vt, vi* שִׁילֵב, חִיבֵּר

rabbi *n* רַבִּי, רַב

Rabbinate *n* רַבָּנוּת

rabbinic(al) *adj* רַבָּנִי

rabbit *n* אַרְנָב, אַרְנֶבֶת

rabble *n* אֲסַפְסוּף

rabble rouser *n* מַסִּית לְמהוּמוֹת

rabies *n* כַּלֶּבֶת

raccoon *n* דוֹב רוֹחֵץ

race *n* מֵירוֹץ; גֶּזַע; זֶרֶם מַיִם מָהִיר

race *vt, vi* הִשְׁתַּתֵּף בְּמֵירוֹץ; רָץ בִּמְהִירוּת

racehorse *n* סוּס מֵירוֹץ

race riots *n pl* הִתְפָּרְעוּיוֹת גִּזְעָנִיּוֹת

race-track *n* מַסְלוּל מֵירוֹץ

racial *adj* גִּזְעִי, גִּזְעָנִי

rack *n* כּוֹנָן; סוֹרֶג; מְצוּקָה

rack *vt* עִינָּה, יִיסֵּר

racket *n* רַעַשׁ; סַחְטָנוּת; הוֹנָאָה; מַחְבֵּט טֶנִיס

racketeer *n* מִתְפַּרְנֵס מִסַּחְטָנוּת

racy *adj* חַי, מָלֵא חַיִּים; עֲסִיסִי

radar *n* מַכָּ״ם, רָדָר

radiant *adj* זוֹהֵר; קוֹרֵן

radiate *vi, vt* קָרַן (אור וכד׳)

radiate *adj* קוֹרֵן; יוֹצֵא מִן הַמֶּרְכָּז

radiation *n* קְרִינָה

radiation sickness *n* מַחֲלַת קְרִינָה, קָרֶנֶת

radiator *n* מַקְרֵן

radiator cap *n* מְגוּפַת הַמַּקְרֵן

radical *adj, n* רָדִיקָלִי, קִיצוֹנִי

radio *n* רַדְיוֹ; אַלְחוּט

radio *vt, vi* שִׁידֵּר

radioactive *adj* רַדְיוֹאַקְטִיבִי

radio announcer *n* קַרְייַן רַדְיוֹ

radio broadcasting *n* שִׁידּוּרֵי רַדְיוֹ

radio frequency *n* תֶּדֶר רַדְיוֹ

radio listener *n* מַאֲזִין רַדְיוֹ

radiology *n* מַדַּע הַקְּרִינָה, רַדְיוֹלוֹגְיָה

radio network *n* רֶשֶׁת רַדְיוֹ

radio newscaster *n* עוֹרֵךְ חֲדָשׁוֹת רַדְיוֹ

radio receiver *n* מַקְלֵט רַדְיוֹ

radio set *n* מַכְשִׁיר רַדְיוֹ

radish *n* צְנוֹן, צְנוֹנִית

radium *n* רַדְיוּם

radius *n* רַדְיוּס, מָחוֹג

raffle *n, vt* הַגְרָלָה; הִגְרִיל

raft *n* רַפְסוֹדָה, דּוֹבְרָה

rafter *n* קוֹרָה

rag *n* סְמַרְטוּט; סְחָבָה

ragamuffin *n* לְבוּשׁ קְרָעִים

rage *n* זַעַם, חֵימָה; בּוּלְמוּס

ragged *adj* לֹא מְהוּקְצָע; שָׁחוּק

raid *n, vt, vi* פְּשִׁיטָה; עָרַךְ פְּשִׁיטָה

rail *n* מַעֲקֶה; מְסִילַת־בַּרְזֶל
rail *vi* פָּרַץ בְּזַעַם
rail fence *n* מַעֲקֶה פַּסֵּי־בַּרְזֶל
railhead *n* סוֹף הַקַּו (שֶׁל רכבת)
railing *n* פַּסִּים; מַעֲקֶה
railroad *n* מְסִילַת־בַּרְזֶל
railroad *vt, vi* הֶעֱבִיר בִּמְסִלַּת־בַּרְזֶל; אִילֵּץ; כָּלָא לְלֹא צֶדֶק
railway *n* מְסִילַת־בַּרְזֶל
raiment *n* לְבוּשׁ
rain *n* גֶּשֶׁם, מָטָר
rain *vi, vt* יָרַד גֶּשֶׁם; הִמְטִיר
rainbow *n* קֶשֶׁת (בענן)
raincoat *n* מְעִיל־גֶּשֶׁם
rainfall *n* כַּמּוּת גֶּשֶׁם
raise *vt, vi* הֵרִים, הֶעֱלָה; גִּידֵּל
raise *n* הַעֲלָאָה
raisin *n* צִימּוּק
rake *n* מַגְרֵפָה; רוֹדֵף תַּעֲנוּגוֹת
rake *vt* גָּרַף; עָרַם
rake-off *n* מִיקַּח חֵלֶק
rakish *adj* מִתְהַדֵּר, עַלִּיז; הוֹלֵל
rally *n* כִּינּוּס, כֶּנֶס; הִתְאוֹשְׁשׁוּת
rally *vt, vi* כִּינֵּס, קִיבֵּץ; לִיכֵּד; הִתְלַכֵּד; הִתְאוֹשֵׁשׁ
ram *n* אַיִל; אֵיל־בַּרְזֶל
ram *vt* דָּחַף בְּחוֹזְקָה
ramble *vi* שׁוֹטֵט, טִיֵּיל; דִּיבֵּר (אוֹ כתב) שֶׁלֹּא לָעִנְיָן
ramble *n* טִיּוּל, שׁוֹטְטוּת
ramify *vt, vi* סֵיעֵף; הִסְתָּעֵף
ramp *n* מַעֲבָר מְשׁוּפָּע
rampage *n* הִשְׁתּוֹלְלוּת
rampart *n* סוֹלְלָה, דָּיֵק
ramrod *n* שַׁרְבִיט; חוֹטֶר
ranch *n* חַוָּה (לבקר)
rancid *adj* מַבְאִישׁ
rancor *n* שִׂנְאָה
random *adj* מִקְרִי, לְלֹא מַטָּרָה
range *vt, vi* עָרַךְ, סִידֵּר; נֶעֱמַד לְצַד; טִיוַּח; הִתְיַיצֵּב; הִשְׂתָּרֵעַ
range *n* רֶכֶס; שׁוּרָה; טְוָח; תְּחוּם; מִבְחָר, מִגְוָן
range-finder *n* מַד־טְוָח
rank *n* דַּרְגָּה, מַעֲמָד; שׁוּרָה חֲזִיתִית
rank *vt, vi* עָרַךְ בְּשׁוּרָה; הָיָה בַּעַל דַּרְגָּה
rank *adj* פּוֹרֶה (מדי); פָּרוּעַ
rank and file *n* אַנְשֵׁי הַשּׁוּרָה
rankle *vi* כִּרְסֵם, הִטְרִיד
ransack *vt* חִיטֵּט; בָּזַז
ransom *n* כּוֹפֶר נֶפֶשׁ
ransom *vt* נָתַן כּוֹפֶר; פָּדָה
rant *vi* הִתְרַבְרֵב
rap *vt* הִכָּה, טָפַח
rap *n* טְפִיחָה; קוֹל דְּפִיקָה
rapacious *adj* חַמְסָנִי; עוֹשֵׁק; טוֹרֵף
rape *vt, n* אָנַס; אוֹנֶס
rapid *adj* מָהִיר
rapid *n* אֶשֶׁד נָהָר
rapid-fire *adj* מְהִיר יְרִיָּה
rapier *n* סַיִף
rapt *adj* שָׁקוּעַ עָמוֹק; מְרוּתָּק
rapture *n* אֶקְסְטָזָה, שִׁלְהוּב
rare *adj* נָדִיר; קָלוּשׁ
rarefy *vt* הִקְלִישׁ, דִּבְלֵל
rarely *adv* לְעִיתִּים רְחוֹקוֹת
rascal *n* נוֹכֵל, נָבָל
rash *n* תִּפְרַחַת (בָּעוֹר)
rash *adj* פּוֹחֵז; פָּזִיז

rasp *vt, vi* שִׁיֵּף, פָּצַר; עִצְבֵּן; צָרַם (את האוזן)
rasp *n* מָשׁוֹף; קִרְצוּף
raspberry *n* פֶּטֶל
rat *n* חוּלְדָּה
rat *vi* לָכַד עַכְבָּרִים; (המונית) עָרַק, בָּגַד
ratchet, ratch *n* מַחֲגֵר שִׁנַּיִים
rate *n* שִׁיעוּר, קֶצֶב; אַרְנוֹנָה; שַׁעַר (מטבע)
rate *vt, vi* הֶעֱרִיךְ
rate of exchange *n* שַׁעַר חֲלִיפִין
rather *adv* מוּטָב שֶׁ...; אֶל־נָכוֹן; לְמַדַּי
rather! *interj* בְּהֶחְלֵט
ratify *vt* קִיֵּם, אִשְׁרֵר
ratio *n* יַחַס
ration *n* מָנָה קְצוּבָה
ration *vt* הִנְהִיג צֶנַע, קִיצֵּב
ration book *n* פִּנְקַס מָזוֹן
rational *adj* שִׂכְלְתָנִי, רַצְיוֹנָלִי
rattle *vi, vt* נָקַשׁ; טִרְטֵר
rattle *n* נְקִישָׁה, טִרְטוּר; קִשְׁקוּשׁ; רַעֲשָׁן
rattlesnake *n* נְחַשׁ נְקִישָׁה
raucous *adj* צָרוּד, צוֹרֵם
ravage *n* הֶרֶס, חוּרְבָּן
ravage *vt* הָרַס, הֶחֱרִיב
rave *vi* דִּיבֵּר בְּטֵירוּף; הִשְׁתּוֹלֵל
raven *n* עוֹרֵב שָׁחוֹר
ravenous *adj* רָעֵב מְאוֹד
ravine *n* גֵּיא הָרִים
ravish *vt* מִילֵּא הִתְפַּעֲלוּת; אָנַס
ravishing *adj* מְעוֹרֵר הִתְפַּעֲלוּת, מַקְסִים
raw *adj* גּוֹלְמִי; גַּס; חַי (פצע, מזון); פְּרִימִיטִיבִי
rawhide *n* שֶׁלַח
raw materials *n pl* חוֹמְרֵי גֶּלֶם
ray *n* קֶרֶן; תְּרִיסָנִית (דג)
rayon *n* זְהוֹרִית
raze *vt* הָרַס (עד היסוד)
razor *n* תַּעַר, סַכִּין־גִּילּוּחַ
razor-blade *n* סַכִּין־גִּילּוּחַ
razor-strop *n* רְצוּעַת הַשְׁחָזָה
R.C. *abbr* Red Cross, Reserve Corps, Roman Catholic
reach *vt, vi* הִגִּיעַ, הִשִּׂיג; הִשְׂתָּרֵעַ
reach *n* הֶישֵּׂג־יָד; הַשָּׂגָה
react *vi* הֵגִיב; הֵשִׁיב
reaction *n* תְּגוּבָה; רֵיאַקְצְיָה
reactionary *n, adj* רֵיאַקְצְיוֹנֶר, נִלְחָם בְּקִדְמָה
read *vt, vi* קָרָא; הִקְרִיא; הָיָה כָּתוּב
reader *n* קוֹרֵא; בַּעַל קְרִיאָה (בבית־כנסת); לֶקְטוֹר; מִקְרָאָה (ספר)
readily *adv* בְּרָצוֹן
reading *n* גִּרְסָה; קַרְיָינוּת; הַקְרָאָה
reading-desk *n* שׁוּלְחַן־קְרִיאָה
reading-glasses *n pl* מִשְׁקְפֵי־קְרִיאָה
ready *adj, adv* מוּכָן; מְיוּמָּן
ready *vt* הֵכִין
ready-made suit *n* חֲלִיפָה מוּכָנָה
reagent *n* מַפְעִיל, מְעוֹרֵר
real *adj* מַמָּשִׁי, אֲמִיתִּי, רֵיאָלִי
real estate *n* מְקַרְקְעִים
realism *n* מְצִיאוּתִיּוּת, רֵיאָלִיזְם
realist *n* רֵיאָלִיסְט
reality *n* מְצִיאוּת, מַמָּשׁוּת
realize *vt* הִגְשִׁים; הִמְחִישׁ; מִימֵּשׁ; נוֹכַח

realm *n* מַמְלָכָה; תְּחוּם
realtor *n* סוֹכֵן מְקַרְקְעִים
realty *n* מְקַרְקְעִים
ream *n* חֲבִילַת נְיָיר
reap *vt, vi* קָצַר, אָסַף
reaper *n* קוֹצֵר; מַקְצֵרָה
reappear *vi* הוֹפִיעַ מֵחָדָשׁ
reapportionment *n* חֲלוּקָה מֵחָדָשׁ
rear *n, adj* עוֹרֶף, אָחוֹר
rear *vt, vi* גִּידֵּל; הֵרִים; הִתְרוֹמֵם
rear-admiral *n* סְגַן־אַדְמִירָל
rear drive *n* הֶינֵעַ אֲחוֹרָנִי
rearmament *n* חִימּוּשׁ מֵחָדָשׁ
rear-view mirror *n* מַרְאַת תַּשְׁקִיף
reason *n* כּוֹחַ מַחֲשָׁבָה, שֵׂכֶל; סִיבָּה; הִיגָּיוֹן
reason *vi* חָשַׁב בְּהִיגָּיוֹן; שָׁקַל; נִימֵּק
reasonable *adj* הֶגְיוֹנִי, סָבִיר
reassert *vt* חָזַר וְהִצְהִיר
reassessment *n* הַעֲרָכָה מֵחָדָשׁ
reassure *vt* פִּיזֵּר חֲשָׁשׁוֹת
reawaken *vi, vt* הִתְעוֹרֵר מֵחָדָשׁ; הֵעִיר מֵחָדָשׁ
rebate *n* הֲנָחָה; הֲטָבָה
rebel *n, adj* מוֹרֵד
rebel *vt* מָרַד, הִתְקוֹמֵם
rebellion *n* מֶרֶד, מְרִידָה
rebellious *adj* מַרְדָנִי
rebirth *n* תְּחִיָּה
rebound *n* רְתִיעָה, רֶתַע
rebound *vi* נִרְתַּע, קָפַץ בַּחֲזָרָה
rebroadcast *vt, vi* הֶעֱבִיר שִׁידּוּר, שִׁידֵּר שׁוּב
rebuff *n* הֲשָׁבָה רֵיקָם
rebuff *vt* הֵשִׁיב פָּנִים רֵיקָם

rebuke *vt* יִיסֵּר, הוֹכִיחַ
rebuke *n* תּוֹכָחָה
rebut *vt* סָתַר
rebuttal *n* סְתִירָה
recall *vt* קָרָא בַּחֲזָרָה; בִּיטֵּל
recall *n* זְכִירָה; בִּיטּוּל
recant *vt, vi* חָזַר בּוֹ
recap *vt* גִּיפֵּר
recapitulation *n* חֲזָרָה בְּרָאשֵׁי פְּרָקִים
recast *vt* יָצַק מֵחָדָשׁ; עִיצֵּב מֵחָדָשׁ
recast *n* יְצִיקָה מֵחָדָשׁ; עִיצּוּב מֵחָדָשׁ
recd. *abbr* received
recede *vi* נָסוֹג; נִרְתַּע
receipt *n* קַבָּלָה
receipt *vt, vi* אִישֵּׁר קַבָּלָה
receive *vt* קִיבֵּל; קִיבֵּל פְּנֵי
receiver *n* מְקַבֵּל; אוֹזְנִית (טלפון); מַקְלֵט (רדיו)
receiving set *n* מַקְלֵט רַדְיוֹ
recent *adj* שֶׁמִּקָּרוֹב
recently *adv* לָאַחֲרוֹנָה
receptacle *n* בֵּית־קִיבּוּל
reception *n* קַבָּלָה; קַבָּלַת־פָּנִים
receptionist *n* פְּקִיד־קַבָּלָה
receptive *adj* מְהִיר־תְּפִיסָה
receptiveness *n* כּוֹשֶׁר קְלִיטָה
recess *n* הַפְסָקָה; גּוּמְחָה
recess *vt, vi* כָּנַס (קיר); הוּפְסְקָה (אסיפה וכד׳)
recession *n* יְרִידָה זְמַנִּית
recipe *n* מַתְכּוֹן, מִרְשָׁם
reciprocal *adj* הֲדָדִי; שֶׁל גּוֹמְלִין
reciprocity *n* הֲדָדִיּוּת
recital *n* (במוסיקה) רֵסִיטָל; דִּקְלוּם

recite *vt* דִקְלֵם
reckless *adj* פּוֹחֵז
recklessly *adv* בְּפַחֲזָנוּת
reckon *vt* חִישֵׁב; סָבַר
reclaim *vt* הֶחֱזִיר לְמוּטָב; טִייֵב
recline *vt, vi* נִשְׁעַן לְאָחוֹר; הֵסֵב
recluse *n, adj* פָּרוּשׁ
recognize *vt* הִכִּיר, הִבְחִין
recoil *vi, n* נִרְתַּע, נָסוֹג; רְתִיעָה, רֶתַע
recollect *vt, vi* נִזְכַּר, זָכַר
recommend *vt* הִמְלִיץ עַל
recompense *n* גְמוּל, פִּיצּוּי
reconcile *vt* הִשְׁלִים; יִישֵּׁב
reconnaissance *n* סִיוּר
reconnoiter *vt, vi* סִייֵר; סָקַר
reconsider *vt* עִייֵן מֵחָדָשׁ
reconstruct *vt* שִׁחזֵר; קוֹמֵם
reconversion *n* הַחֲזָרָה לְקַדְמוּתוֹ
record *vt, vi* רָשַׁם; הִקְלִיט
record *n* רְשִׁימָה; פְּרוֹטוֹקוֹל; תַּקְלִיט; שִׂיא
record changer *n* מַחֲלִיף תַּקְלִיטִים
record holder *n* שִׂיאָן, בַּעַל שִׂיא
recording *adj, n* רוֹשֵׁם; הַקְלָטָה
record player *n* פָּטֵיפוֹן, מָקוֹל
records *n pl* רְשׁוּמוֹת
recount *vt* סִיפֵּר, דִיוּוֵחַ
re-count *n, vt* מִנְייָן נוֹסָף; מָנָה שׁוּב
recourse *n* פְּנִייָה; מִפְלָט
recover *vt, vi* הִתְאוֹשֵׁשׁ; קִיבֵּל בַּחֲזָרָה
re-cover *vt* כִּיסָּה שׁוּב
recovery *n* הַחְלָמָה, הִתְאוֹשְׁשׁוּת; קַבָּלָה בַּחֲזָרָה
recreation *n* בִּידּוּר
recruit *vt* גִייֵּס, חִייֵּל
recruit *n* מְגוּיָּס; מִצְטָרֵף כְּחָבֵר
rectangle *n* מַלְבֵּן
rectify *vt* תִּיקֵּן
rectum *n* חַלְחוֹלֶת
recumbent *adj* שָׁכוּב, שָׁעוּן
recuperate *vt, vi* הֵשִׁיב לְאֵיתָנוֹ; הֶחֱלִים
recur *vi* חָזַר; נִשְׁנָה
red *adj, n* אָדוֹם; אוֹדֶם
red-baiter *n* מֵצִיק לְקוֹמוּנִיסְטִים
red-bird *n* חֲצוֹצְרָן
red-blooded *adj* נִמְרָץ; תַּאַוְתָן
redcap *n* סַבָּל; שׁוֹטֵר צְבָאִי
red cell *n* כַּדּוּרִית אֲדוּמָּה
redcoat *n* חַיָּיל אַנגְלִי (בהיסטוריה)
redden *vt, vi* אִידֵּם; הִתְאַדֵּם
redeem *vt* גָּאַל; קִייֵּם (הבטחה)
redeemer *n* גּוֹאֵל, פּוֹדֶה
redemption *n* גְּאוּלָּה
red-haired *adj* אֲדוֹם־שֵׂיעָר, אַדְמוֹנִי
redhead *n* אַדְמוֹנִי
red herring *n* הַסָּחַת־דַּעַת
red-hot *adj* אָדוֹם לוֹהֵט; טָרִי
rediscover *vt* גִּילָּה שׁוּב
re-do *vt* צָבַע שׁוּב; עָשָׂה שׁוּב
redolent *adj* מַעֲלֶה רֵיחַ (של)
redoubt *n* בִּיצּוּר סָגוּר
redound *vi* תָּרַם, הוֹסִיף
redress *vt, n* תִּיקֵּן מְעוּוָּת; תִּיקּוּן מְעוּוָּת
Red Ridinghood *n* כִּיפָּה אֲדוּמָּה
redskin *n* אִינְדִיָאנִי, אֲדוֹם־עוֹר
red tape *n* סַחֶבֶת, נַיֶּירֶת
reduce *vt, vi* הִקְטִין, צִמְצֵם; הִכְנִיעַ; פִּישֵּׁט; יָרַד בְּמִשְׁקָל
reducing exercises *n pl* תַּרְגִּילֵי־הַרְזָיָה

redundant *adj* מְיוּתָּר, עוֹדֵף
reed *n* קָנֶה; סוּף
re-edit *vt* עָרַךְ מֵחָדָשׁ, שִׁיעֲרֵךְ
reef *n* רִיף, שׁוּנִית
reefer *n* זִיג מַלָּחִים
reek *vi, vt* הִסְרִיחַ; הֶעֱלָה עָשָׁן
reel *n* סְלִיל; סְחַרְחוֹרֶת
reel *vt, vi* כָּרַךְ בִּסְלִיל; הִתְנוֹדֵד, הָיָה סְחַרְחַר
re-election *n* בְּחִירָה מֵחָדָשׁ
re-enlist *vi, vt* הִתְגַּיֵּיס שׁוּב; גִּיֵּיס שׁוּב
re-entry *n* כְּנִיסָה מֵחָדָשׁ
re-examination *n* בְּדִיקָה מֵחָדָשׁ
ref. *abbr* referee, reference
refer *vt, vi* יִיחֵס; הִפְנָה; הִתְיַיחֵס
referee *n* שׁוֹפֵט
referee *vt, vi* שָׁפַט
reference *n* מְסִירָה; אִזְכּוּר; מַרְאֵה מָקוֹם; עִיּוּן; הַמְלָצָה
reference book *n* סֵפֶר יַעַץ
referendum *n* מִשְׁאַל־עַם
refill *vt, n* מִילֵּא מֵחָדָשׁ; מִילּוּי
refine *vt, vi* זִיקֵּק, עִידֵּן
refinement *n* זִיקּוּק, עִידּוּן
refinery *n* בֵּית־זִיקּוּק
reflect *vt, vi* הֶחֱזִיר (אוֹר); שִׁיקֵּף; הִשְׁתַּקֵּף; הִרְהֵר
reflection *n* הַחֲזָרָה (שֶׁל אוֹר); הִרְהוּר; הַטָּלַת דּוֹפִי
reforestation *n* יִיעוּר מֵחָדָשׁ
reform *vt, vi* תִּיקֵּן; הֶחֱזִיר לְמוּטָב; חָזַר לְמוּטָב
reform *n* תִּיקּוּן, רֵפוֹרְמָה
reformation *n* תִּיקּוּן, שִׁינּוּי לְמוּטָב; (בְּהִיסְטוֹרְיָה) רֵפוֹרְמַצְיָה
reformatory *n* מוֹסָד לַעֲבַרְיָינִים צְעִירִים
reform school *n* מוֹסָד מְתַקֵּן
refraction *n* הִשְׁתַּבְּרוּת
refrain *vi* נִמְנַע; הִתְאַפֵּק
refrain *n* פִּזְמוֹן חוֹזֵר
refresh *vt, vi* רִיעֲנֵן; הֵשִׁיב נֶפֶשׁ
refreshment *n* רִיעֲנוּן; תִּקְרוֹבֶת
refrigerator *n* מְקָרֵר, מַקְרֵר
refuel *vt* תִּדְלֵק
refuge *n* מִקְלָט, מִפְלָט
refugee *n* פָּלִיט
refund *vt, vi* שִׁילֵּם בַּחֲזָרָה
refund *n* הַחֲזָרַת תַּשְׁלוּם
refurnish *vt* רִיהֵט מֵחָדָשׁ
refusal *n* סֵירוּב, דְּחִיָּיה
refuse *vi, vt* סֵירֵב, דָּחָה
refuse *n* פְּסוֹלֶת
refute *vt* הִפְרִיךְ
regain *vt* רָכַשׁ שׁוּב; הִגִּיעַ שׁוּב
regal *adj* מַלְכוּתִי
regale *vt* אָכַל (שָׁתָה) בַּהֲנָאָה; הִגִּישׁ בְּשֶׁפַע
regalia *n* סִימָנֵי מַלְכוּת; בִּגְדֵי שְׂרָד
regard *n* מַבָּט; תְּשׂוּמֶת־לֵב; הוֹקָרָה
regard *vt* הִתְיַיחֵס ל...; הִתְבּוֹנֵן
regardless *adj* בְּלֹא לְהִתְחַשֵּׁב
regenerate *vt, vi* חִידֵּשׁ; יָצַר מֵחָדָשׁ; נוֹצַר מֵחָדָשׁ
regent *n* עוֹצֵר
regicide *n* הוֹרֵג מֶלֶךְ; הֲרִיגַת מֶלֶךְ
regime *n* מִשְׁטָר
regiment *n* גְּדוּד
regiment *vt* אִרְגֵּן בְּמִשְׁטָר מִשְׁמַעְתִּי
region *n* אֵיזוֹר

regional *adj* אֵיזוֹרִי

register *n* פִּנְקַס רִישּׁוּם; מִרְשָׁם; מִשְׁלָב (בִּצְלִיל)

register *vt, vi* רָשַׁם; שָׁלַח בְּדוֹאַר רָשׁוּם

registrar *n* רַשָּׁם; מַזְכִּיר אֲקָדֵמִי

registration fee *n* אַגְרַת רִישּׁוּם

regret *vt* הִצְטַעֵר, הִתְחָרֵט

regret *n* צַעַר, חֲרָטָה

regrettable *adj* מְצַעֵר

regular *adj* סָדִיר; קָבוּעַ

regular *n* חַיַּל קֶבַע; אוֹרֵחַ קָבוּעַ

regulate *vt* כִּיוֵּן (שָׁעוֹן); תֵּיאֵם; וִיסֵּת

rehabilitate *vt* שִׁיקֵּם; הֵשִׁיב אֶת כְּבוֹדוֹ

rehearsal *n* חֲזָרָה

rehearse *vt* חָזַר

reign *n, vi* מַלְכוּת; שִׁלְטוֹן; מָלַךְ

reimburse *vt* הֶחֱזִיר הוֹצָאוֹת

rein *n* מוֹשְׁכָה

rein *vt* עָצַר, בָּלַם; רִיסֵּן

reincarnation *n* גִּלְגּוּל חָדָשׁ

reindeer *n* אַיָּל מְבוּיָּת

reinforce *vt* תִּגְבֵּר

reinforcement *n* תִּגְבּוֹרֶת

reinstate *vt* הֵשִׁיב עַל כַּנּוֹ

reiterate *vt* חָזַר וְשָׁנָה

reject *vt* דָּחָה, מָאַס בּ...

rejection *n* דְּחִיָּה

rejoice *vi, vt* שָׂמַח

rejoinder *n* תְּשׁוּבָה

rejuvenation *n* חִידּוּשׁ נְעוּרִים

rekindle *vt* הִלְהִיב מֵחָדָשׁ

relapse *vi* חָזַר לְסוּרוֹ

relapse *n* הֲרָעַת מַצָּב

relate *vt, vi* סִיפֵּר; יִיחֵס ל...

related *adj* קָשׁוּר ל...; קָרוֹב

relation *n* קֶשֶׁר; זִיקָה; קְרוֹב מִשְׁפָּחָה

relationship *n* קֶשֶׁר; קִרְבָה מִשְׁפַּחְתִּית; זִיקָה

relative *adj* יַחֲסִי; נוֹגֵעַ ל...

relative *n* קָרוֹב, שְׁאֵר בָּשָׂר

relax *vt, vi* הִרְפָּה; הִתְפָּרֵק, נִינּוֹחַ

relaxation *n* הַרְפָּיָה, נִינּוֹחוּת

relaxing *adj* מַרְפֶּה, מַרְגִּיעַ

relay *n* הַעֲבָרָה; הַמְסָרָה; סוּסֵי הַחֲלָפָה

relay *vt* הִמְסִיר

relay race *n* מֵירוֹץ שְׁלִיחִים

release *vt* שִׁחְרֵר; הִתִּיר

release *n* שִׁחְרוּר; הֶיתֵּר

relent *vi* הִתְרַכֵּךְ

relentless *adj* לְלֹא רַחֵם

relevant *adj* נוֹגֵעַ לָעִנְיָן

reliable *adj* מְהֵימָן

reliance *n* אֵימוּן, בִּטְחָה

relic *n* שָׂרִיד, מַזְכֶּרֶת

relief *n* הֲקַלָּה; פּוּרְקָן; תַּבְלִיט

relieve *vt* הֵקֵל; חִילֵּץ; הֶחֱלִיף

religion *n* דָּת

religious *adj, n* דָּתִי; חָרֵד

relinquish *vt* זָנַח, וִיתֵּר עַל

relish *n* טַעַם נָעִים; תַּבְלִין; חֵשֶׁק

relish *vt, vi* נָתַן טַעַם; הִתְעַנֵּג

reluctance *n* אִי־רָצוֹן

reluctant *adj* לֹא נוֹטֶה; כָּפוּי

rely *vi* סָמַךְ, בָּטַח

remain *vi* נִשְׁאַר

remainder *n* שְׁאֵרִית; יִתְרָה

remark *vi, vt* הֵעִיר; שָׂם לֵב

remark *n* הֶעָרָה; תְּשׂוּמֶת־לֵב

remarkable *adj* רָאוּי לְצִיּוּן; בּוֹלֵט

remarry *vt* נִישָּׂא (נִישְּׂאָה) שׁוּב

remedy *n* מַרְפֵּא; תְּרוּפָה; תַּקָּנָה

remedy *vt* הֵבִיא תַּקָּנָה

remember *vt* נִזְכַּר, זָכַר

remembrance *n* זִיכָּרוֹן, הִיזָּכְרוּת

remind *vt* הִזְכִּיר

reminder *n* תִּזְכּוֹרֶת; תַּזְכִּיר

reminisce *vi* הֶעֱלָה זִכְרוֹנוֹת

remiss *adj* רַשְׁלָנִי

remit *vt, vi* שָׁלַח; הֶעֱבִיר; מָחַל

remittance *n* הַעֲבָרַת כֶּסֶף

remnant *n* שְׁאֵרִית

remodel *vt* עִיצֵּב שׁוּב

remonstrate *vi* מָחָה, טָעַן נֶגֶד

remorse *n* מוּסַר־כְּלָיוֹת

remorseful *adj* מָלֵא חֲרָטָה

remote *adj* מְרוּחָק, נִידָּח

removable *adj* נִיתָּן לְסִילּוּק

removal *n* הֲסָרָה; סִילּוּק

remove *vt, vi* הֵסִיר; סִילֵּק;
עָבַר דִּירָה, הֶעְתִּיק מְגוּרִים

remuneration *n* שָׂכָר, תַּשְׁלוּם

renaissance *n* תְּחִיָּיה

rend *vt* קָרַע, בָּקַע

render *vt* מָסַר; הִגִּישׁ; בִּיצֵּעַ; הָפַךְ

rendezvous *n* רֵיאָיוֹן; פְּגִישָׁה; מִפְגָּשׁ

rendition *n* בִּיצּוּעַ; תַּרְגּוּם

renege *vt* הִתְכַּחֵשׁ

renew *vt, vi* חִידֵּשׁ; הִתְחִיל מֵחָדָשׁ

renewable *adj* נִיתָּן לְחִידּוּשׁ

renewal *n* חִידּוּשׁ

renounce *vt, vi* וִיתֵּר; הִסְתַּלֵּק מִן

renovate *vt* חִידֵּשׁ, שִׁיפֵּץ

renown *n* מוֹנִיטִין

renowned *adj* מְפוּרְסָם

rent *adj* קָרוּעַ

rent *n* דְּמֵי שְׂכִירוּת; קֶרַע

rent *vi, vt* שָׂכַר; הִשְׂכִּיר

rental *n* דְּמֵי שְׂכִירוּת

renunciation *n* וִיתּוּר, הִסְתַּלְּקוּת

reopen *vt, vi* פָּתַח מֵחָדָשׁ

reorganize *vt* אִרְגֵּן מֵחָדָשׁ

repair *vt, vi* תִּיקֵּן, שִׁיפֵּץ

repair *n* תִּיקּוּן; מַצָּב תָּקִין

reparation *n* תִּיקּוּן; פִּיצּוּי

repartee *n* תְּשׁוּבָה שְׁנוּנָה

repast *n* אֲרוּחָה

repatriate *vt* הֶחֱזִיר לַמּוֹלֶדֶת

repatriate *n* חוֹזֵר לַמּוֹלֶדֶת

repay *vt* שִׁילֵּם בַּחֲזָרָה

repayment *n* הֶחְזֵר תַּשְׁלוּם

repeal *vt, n* בִּיטֵּל; בִּיטּוּל

repeat *vt, vi* חָזַר עַל

repeat *n* הַדְרָן; תּוֹכְנִית חוֹזֶרֶת

repel *vt* הָדַף; דָּחָה

repent *vi* הִתְחָרֵט

repentant *n* מִתְחָרֵט

repertory theatre *n* תֵּיאַטְרוֹן
רֶפֶּרְטוּאָרִי

repetition *n* חֲזָרָה; הִישָּׁנוּת

repine *vi* הִתְמַרְמֵר

replace *vt* הֶחֱלִיף

replacement *n* הַחֲלָפָה;
מִילּוּי מָקוֹם; תַּחֲלִיף

replenish *vt* מִילֵּא שׁוּב

replete *adj* גָּדוּשׁ, שׁוֹפֵעַ

replica *n* הֶעְתֵּק, רֶפְּלִיקָה

reply *vt, n* עָנָה, הֵשִׁיב; תְּשׁוּבָה

report *vt, vi* דִיוּוֵחַ
report *n* דִין וְחֶשְׁבּוֹן; דו״חַ; יְדִיעָה
reportage *n* כַּתָּבָה, רְשִׁימָה
reportedly *adv* כְּפִי הַנִּמְסָר
reporter *n* כַּתָּב
reporting *n* עֲבוֹדַת כַּתָּב
repose *vi, vt* נָח; שָׁכַב (לנוח); הִנִּיחַ
repose *n* מְנוּחָה, מַרגוֹעַ
reprehend *vt* גָּעַר; מָצָא פְּגָם
represent *vt* יִיצֵּג; סִימֵּל; תֵּיאֵר
representative *adj* יִיצוּגִי,
רֶפְּרֶזֶנְטָטִיבִי
representative *n* נָצִיג, בָּא־כּוֹחַ
repress *vt* דִיכֵּא; הִדְחָה (רגשות)
reprieve *vt* דָחָה (הוֹצאה להורג);
נָתַן אַרכָּה
reprieve *n* דְחִיַּית הוֹצָאָה לַהוֹרֵג;
אַרכָּה
reprimand *n* נְזִיפָה, גְּעָרָה
reprimand *vt* נָזַף, גָּעַר
reprint *vt* הִדפִּיס שׁוּב
reprint *n* הַדפָּסָה חֲדָשָׁה
reprisal *n* פְּעוּלַּת תַּגמוּל
reproach *vt* נָזַף, הוֹכִיחַ
reproach *n* נְזִיפָה, הוֹכָחָה
reproduce *vt, vi* יָצַר שׁוּב;
הֶעתִּיק, שִׁעתֵּק, שִׁחזֵר; הוֹלִיד
reproduction *n* יְצִירָה מֵחָדָשׁ;
הֶעתֵּק; שִׁעתּוּק; שִׁחזוּר
reproof *n* הוֹכָחָה
reprove *vt* הוֹכִיחַ
reptile *n, adj* זוֹחֵל; רֶמֶשׂ
republic *n* רֶפּוּבּלִיקָה, קְהִילִיָּה
republican *adj, n* רֶפּוּבּלִיקָנִי
repudiate *vt* הִכחִישׁ; כָּפַר בּ...
repugnant *adj* דוֹחֶה,
מְעוֹרֵר הִתנַגְּדוּת, נוֹגֵד
repulse *vt* הָדַף; דָחָה
repulse *n* הֲדִיפָה; סֵירוּב
repulsive *adj* דוֹחֶה, מַגעִיל
reputation *n* שֵׁם; מוֹנִיטִין
repute *vt* חָשַׁב, חִישֵּׁב
repute *n* מוֹנִיטִין; שֵׁם
reputedly *adv* לְפִי הַשְּׁמוּעָה
request *vt, n* בִּיקֵּשׁ; בַּקָּשָׁה; מִשׁאָלָה
require *vt, vi* תָּבַע, דָרַשׁ;
הָיָה זָקוּק ל...
requirement *n* צוֹרֶך; דְרִישָׁה
requisite *adj, n* דָרוּשׁ; צוֹרֶך
requital *n* גְּמוּל, תַּגמוּל
requite *vt* גָּמַל, שִׁילֵּם
reread *vt* קָרָא שׁוּב
rescind *vt* בִּיטֵּל
rescue *vt, n* הִצִּיל; הַצָּלָה
research *n, vt* מֶחקָר; חָקַר
re-sell *vt* מָכַר מֵחָדָשׁ
resemblance *n* דִמיוֹן
resemble *vt* דָמָה
resent *vt* נֶעֱלַב; שָׁמַר טִינָה
resentful *adj* כּוֹעֵס; שׁוֹמֵר טִינָה
resentment *n* כַּעַס; טִינָה
reservation *n* הַזמָנַת מָקוֹם;
הִסתַּייְגוּת; מָקוֹם שָׁמוּר; שְׁמוּרָה
reserve *n* רֶזֶרבָה; שְׁמוּרָה; הִסתַּייְגוּת;
עֲתוּדָה (בצבא); יַחַס קָרִיר
reserve *vt* שָׁמַר; הִזמִין
reservoir *n* מַאֲגָר; מֵיכָל; מְלַאי
reship *vt, vi* שִׁילַּח (אוֹ יָרַד)
שׁוּב בְּאוֹנִיָּה
reshipment *n* שִׁילּוּחַ חוֹזֵר בָּאוֹנִיָּה

reside *vi* גָּר; הָיָה קַיָּם
residence *n* מְגוּרִים, מָעוֹן
resident *adj, n* תּוֹשָׁב
residue *n* שְׁאֵרִית, שְׁיָרִים
resign *vt, vi* הִתְפַּטֵּר; הִשְׁלִים
resignation *n* הִתְפַּטְּרוּת; הַשְׁלָמָה
resin *n* שְׂרָף
resist *vt, vi* פָּעַל נֶגֶד; עָמַד בִּפְנֵי
resistance *n* הִתְנַגְּדוּת, עֲמִידוּת
resole *vt* שָׂם סוּלְיָה חֲדָשָׁה
resolute *adj* מוּחְלָט; תַּקִּיף
resolution *n* הַחְלָטָה; תַּקִּיפוּת
resolve *vt, vi* הֶחֱלִיט; פָּתַר; הִתִּיר
resolve *n* הֶחְלֵטִיּוּת
resorption *n* סְפִיגָה מֵחָדָשׁ
resort *vi* פָּנָה אֶל, אָחַז בְּ...
resort *n* מְקוֹם מַרְגּוֹעַ
resound *vi* הִדְהֵד
resource *n* אֶמְצָעִי; תּוּשִׁיָּה; מַשְׁאָב
resourceful *adj* בַּעַל תּוּשִׁיָּה
respect *n* כָּבוֹד; בְּחִינָה; דַּ"שׁ
respect *vt* כִּיבֵּד; הוֹקִיר
respectability *n* נִכְבָּדוּת
respectable *adj* נִכְבָּד, מְהוּגָּן
respectful *adj* בַּעַל יִרְאַת כָּבוֹד
respectfully *adv* בְּדֶרֶךְ־אֶרֶץ
respecting *prep* בְּעִנְיַן־, בִּדְבַר־
respective *adj* שֶׁל כָּל אֶחָד וְאֶחָד
respire *vt, vi* נָשַׁם, שָׁאַף; הִתְאוֹשֵׁשׁ
respite *n* אַרְכָּה; הַרְוָוחָה
resplendent *adj* מַזְהִיר, מַבְרִיק
respond *vi* נַעֲנָה; עָנָה
response *n* תְּשׁוּבָה, תְּגוּבָה
responsibility *n* אַחֲרָיוּת; חוֹבָה
responsible *adj* אַחֲרָאִי; מְהֵימָן
rest *n* מְנוּחָה; מִשְׁעָן; (בְּמוּסִיקָה) הֶפְסֵק; שְׁאֵרִית, שְׁאָר
rest *vi, vt* נָח, נָפַשׁ; נָתַן מְנוּחָה
restaurant *n* מִסְעָדָה
restful *adj* מַרְגִּיעַ, שָׁקֵט
restitution *n* הַחֲזָרָה; שִׁילּוּב
restock *vt, vi* רָכַשׁ מְלַאי חָדָשׁ
restore *vt* הֶחֱזִיר; שִׁיקֵּם; שִׁחְזֵר
restrain *vt* עָצַר, בָּלַם
restraint *n* רִיסּוּן; הַבְלָגָה, הִתְאַפְּקוּת
restrict *vt* הִגְבִּיל, צִמְצֵם
restroom *n* חֲדַר־מְנוּחָה; חֲדַר־נוֹחִיּוּת
result *vi* נָבַע; הִסְתַּיֵּם
result *n* תּוֹצָאָה
resume *vt, vi* לָקַח מֵחָדָשׁ; הִתְחִיל שׁוּב
résumé *n* סִיכּוּם
resurrect *vt, vi* הֵקִים לִתְחִיָּה
resurrection *n* תְּחִיַּת הַמֵּתִים
resuscitate *vt, vi* הֶחֱזִיר לִתְחִיָּה; אוֹשֵׁשׁ
retail *n, adj, adv* קִמְעוֹנוּת; קִמְעוֹנִי; בְּקִמְעוֹנוּת
retail *vt, vi* מָכַר (אוֹ נִמְכַּר) בְּקִמְעוֹנוּת; חָזַר עַל (סִיפּוּר)
retailer *n* קִמְעוֹנַאי
retain *vt* הֶחֱזִיק בְּ..., שָׁמַר
retaliate *vi* גָּמַל
retaliation *n* תַּגְמוּל
retard *vt* הֵאֵט, עִיכֵּב
retch *vi* הִתְאַמֵּץ לְהָקִיא
retching *n* רֶפְלֶקְס הֲקָאָה
reticence *n* שַׁתְקָנוּת
reticent *adj* שַׁתְקָנִי
retinue *n* פָּמַלְיָה
retire *vi, vt* פָּרַשׁ; נָסוֹג; שָׁכַב לִישׁוֹן

retirement annuity *n* קִצְבַּת פְּרִישָׁה
retort *vt, vi* הֵשִׁיב כַּהֲלָכָה
retort *n* תְּשׁוּבָה נִמְרֶצֶת; (בכימיה) אַבִּיק
retouch *vt* שִׁיפֵּר; (בצילום) דִּיֵּית
retrace *vt* חָזַר (על עיקבותיו)
retract *vi, vt* חָזַר בּוֹ; הִתְכַּחֵשׁ
retread *vt* גִּיפֵּר שׁוּב
retreat *n* נְסִיגָה; פְּרִישָׁה; מִפְלָט
retreat *vi* נָסוֹג
retrench *vt* קִיצֵּץ, קִימֵּץ
retribution *n* תַּגְמוּל, גְּמוּל
retrieve *vt* הִשִּׂיג בַּחֲזָרָה; הִצִּיל (ממצב רע)
retriever *n* (כלב) מַחֲזִיר
retroactive *adj* רֶטרוֹאַקְטִיבִי, מַפְרֵעִי
retrospect *n* מַבָּט לְאָחוֹר
retrospective *adj* סוֹקֵר לְאָחוֹר; רֶטרוֹספֶּקְטִיבִי
retry *vt* דָּן מֵחָדָשׁ
return *vi, vt* חָזַר; הֶחֱזִיר
return *n* חֲזָרָה; הַחֲזָרָה; תְּמוּרָה
return address *n* כְּתוֹבֶת לִתְשׁוּבָה
return game *n* מִשְׂחַק גּוֹמְלִין
return ticket *n* כַּרְטִיס הָלוֹךְ וְחָזוֹר
return trip *n* נְסִיעָה הָלוֹךְ וְחָזוֹר
reunification *n* אִיחוּד מֵחָדָשׁ
reunion *n* אִיחוּד מֵחָדָשׁ; כִּינּוּס
reunite *vt, vi* אִיחֵד שׁוּב; הִתְאַחֵד שׁוּב
Rev. *abbr* Revelation, Reverend
rev *n* סִיבּוּב, סָבָב
rev *vt* הִתְנִיעַ
revamp *vt* פִּינֵּת מֵחָדָשׁ (נעל); חִידֵּשׁ (לחן)
reveal *vt, n* גִּילָּה; גִּילּוּי
reveille *n* תְּרוּעַת הַשְׁכָּמָה
revel *vi* הִתְהוֹלֵל, הִתְעַנֵּג
revel *n* הִילּוּלָה, הִתְהוֹלְלוּת
revelation *n* גִּילּוּי; גִּילּוּי מַפְתִּיעַ
revelry *n* הִתְהוֹלְלוּת
revenge *vt, n* נָקַם; גָּמַל; נְקָמָה
revengeful *adj* נַקְמָנִי
revenue *n* הַכְנָסָה
revenue cutter *n* סִירַת מִשְׁטֶרֶת הַמֶּכֶס
revenue stamp *n* בּוּל הַכְנָסָה
reverberate *vt, vi* הִדְהֵד; הֶחֱזִיר (חום); שִׁיקֵּף (אור)
revere *vt* הוֹקִיר
reverence *n* יִרְאַת־כָּבוֹד
reverence *vt* הוֹקִיר
reverie *n* חֲלוֹם בְּהָקִיץ
reversal *n* הֲפִיכָה
reverse *adj, n* הָפוּךְ; הֵפֶךְ, הִיפּוּךְ; כִּישָּׁלוֹן
reverse *vt, vi* הָפַךְ; נָהַג אֲחוֹרַנִּית
revert *vi* חָזַר (לקדמותו)
review *n* סְקִירָה, בְּחִינָה מֵחָדָשׁ
review *vt* סָקַר, בָּחַן
revile *vt, vi* חֵירֵף, גִּידֵּף
revise *vt* בָּדַק; עָרַךְ; שִׁינָּה
revision *n* עֲרִיכָה; בְּדִיקָה מֵחָדָשׁ
revisionism *n* רֵבִיזִיוֹנִיזם
revival *n* תְּחִיָּה, הַחֲיָאָה
revive *vi, vt* הֶחֱיָה, הֵשִׁיב נֶפֶשׁ; קָם לִתְחִיָּה
revoke *vt, vi* בִּיטֵּל; עָשָׂה לְאַיִן
revolt *n* מֶרֶד, הִתְקוֹמְמוּת; בְּחִילָה
revolt *vi, vt* מָרַד, הִתְקוֹמֵם; הִבְחִיל

revolting *adj* מַבְחִיל
revolution *n* מַהְפֵּכָה; סִיבּוּב
revolutionary *adj, n* מַהְפְּכָנִי
revolve *vi, vt* הִסְתּוֹבֵב; סוֹבֵב
revolver *n* אֶקְדָּח
revolving door *n* דֶּלֶת סוֹבֶבֶת
revolving fund *n* קֶרֶן חוֹזֶרֶת
revue *n* תִּסְקוֹרֶת, רֶבְיוּ (בתיאטרון)
revulsion *n* שִׁינּוּי פִּתְאוֹמִי
reward *vt* שִׁילֵּם תְּמוּרָה; גָּמַל
reward *n* גְּמוּל; פְּרָס
rewarding *adj* כְּדָאִי
rewrite *vt* שִׁכְתֵּב; עִיבֵּד
R.F. *abbr* radio frequency
rhapsody *n* הַבָּעָה נִרְגֶּשֶׁת; רַפְּסוֹדְיָה
Rhesus *n* רֶזוּס (קוֹף הוֹדִי)
rhetoric *n* רֵטוֹרִיקָה
rhetorical *adj* רֵטוֹרִי
rheumatic *adj, n* שִׁיגְרוֹנִי
rheumatism *n* שִׁיגָּרוֹן
Rhine *n* רַיין
Rhineland *n* חֶבֶל הָרַיין
rhinestone *n* אֶבֶן הָרַיין
rhinoceros *n* קַרְנַף
Rhodes *n* רוֹדוֹס
rhubarb *n* רִיבָּס
rhyme *n* חָרוּז, חֲרִיזָה
rhyme *vi* חָרַז, כָּתַב חֲרוּזִים
rhythm *n* קֶצֶב, רִיתְמוּס
rhythmic(al) *adj* קִצְבִּי, רִיתְמִי
rib *n* צֵלָע
rib *vt* צִילֵּעַ, חִיזֵּק בִּצְלָעוֹת; (המונית) קִנְטֵר
ribald *adj* מְנַבֵּל פִּיו, מְבַיֵּשׁ
ribbon *n* סֶרֶט

rice *n* אוֹרֶז
rich *adj* עָשִׁיר; מְהוּדָּר
rickets *n* רַכֶּכֶת
rickety *adj* סוֹבֵל מֵרַכֶּכֶת; רוֹפֵף
rid *vt* שִׁחְרֵר; טִיהֵר; הֵסִיר
riddance *n* הִשְׁתַּחְרְרוּת
riddle *n* חִידָה; מָשָׁל
riddle *vt* חָד; דִּיבֵּר בְּחִידוֹת; נִיקֵּב כִּכְבָרָה
ride *vi* רָכַב; נָסַע בְּרֶכֶב
ride *n* טִיּוּל (בנסיעה או ברכיבה)
rider *n* פָּרָשׁ; סֶפַח (לחוק וכד׳)
ridge *n* רֶכֶס; תֶּלֶם
ridgepole *n* מוֹט אוֹהֶל; מְרִישׁ גַּג
ridicule *n* לַעַג, קֶלֶס
ridicule *vt* לָעַג, הִתְקַלֵּס
ridiculous *adj* מְגוּחָךְ
riding academy *n* בֵּית־סֵפֶר לִרְכִיבָה
riding-habit *n* תִּלְבּוֹשֶׁת רְכִיבָה
rife *adj* נָפוֹץ, מָצוּי
riffraff *n* אֲסַפְסוּף
rifle *n* רוֹבֶה
rifle *vt* שָׁדַד; לָקַח שָׁלָל
rift *n* סֶדֶק, פִּרְצָה; קֶרַע
rig *v* עָרַךְ מַעֲטֶה; הִרְכִּיב חֲלָקִים
rig *n* (באוניה) מַעֲרַךְ הַמַּעֲטֶה
rigging *n* חִיבֵּל; הַרְכָּבָה
right *adj* צוֹדֵק; נָכוֹן; יְמָנִי
right *n* (צַד) יָמִין; זְכוּת; צֶדֶק
right *adv* יָשָׁר, יְשִׁירוֹת; בְּצֶדֶק; כַּשּׁוּרָה
right *vt, vi* יִישֵּׁר, תִּיקֵּן
righteous *adj* צַדִּיק
rightful *adj* בַּעַל זְכוּת; הוֹגֵן
right-hand drive *n* הֶגֶה יְמָנִי

right-hand man *n* יַד יָמִין
rightist *n, adj* יְמָנִי
rightly *adv* בְּצֶדֶק
right-minded *adj* בַּעַל דֵעוֹת נְכוֹנוֹת
right of way *n* זְכוּת קְדִימָה
rights of man *n pl* זְכוּיּוֹת הָאָדָם
right-wing *adj* שֶׁל הָאֲגַף הַיְמָנִי
rigid *adj* עִיקֵשׁ, נוּקְשֶׁה
rigmarole *n* גִיבּוּב מִלִּים
rigorous *adj* קַפְּדָנִי
rile *vt* הִרְגִיז
rill *n* פֶּלֶג
rim *n* קָצֶה, שָׂפָה; שׁוּל
rime *n* כְּפוֹר; חָרוּז
rind *n* קְרוּם, קְלִיפָּה
ring *vi, vt* צִלְצֵל; טִלְפֵּן; הִקִּיף, כִּיתֵּר
ring *n* צִלְצוּל; צְלִיל; טַבַּעַת; עִיגּוּל
ring-around-a-rosy *n* עוּגָה, עוּגָה, עוּגָה... בַּמַּעְגָל נָחוּגָה
ringing *adj* מְצַלְצֵל, מְהַדְהֵד
ringing *n* צִלְצוּל; זִמְזוּם (באוזניים)
ringleader *n* מַנְהִיג (בקשר, מרד וכד׳)
ringmaster *n* מְנַהֵל זִירָה
ringside *n* שׁוּרָה רִאשׁוֹנָה
ringworm *n* גַּזֶּזֶת
rink *n* חֲלַקְלַקָּה
rinse *n, vt* שְׁטִיפָה; שָׁטַף
riot *n* פְּרָעוֹת; הִשְׁתּוֹלְלוּת
riot *vt* פָּרַע; הִתְפָּרֵעַ
rioter *n* פּוֹרֵעַ
rip *vt, vi* קָרַע; נִיתֵּק; נִקְרַע
rip *n* שִׁיבּוֹלֶת
ripe *adj* בָּשֵׁל
ripen *vi* בָּשַׁל; הִתְבַּגֵּר
ripple *vt, vi* הֶעֱלָה אֲדווֹת; הִתְגַּלְיֵין
ripple *n* אַדְווָה; גַּל קָטָן
rise *vi* קָם, הִתְרוֹמֵם; עָלָה; הִתְקוֹמֵם
rise *n* עֲלִיָּיה; שִׁיפּוּעַ; הַעֲלָאָה
risk *n* סִיכּוּן
risk *vt* סִיכֵּן, הִסְתַּכֵּן בּ...
risky *adj* כָּרוּךְ בְּסִיכּוּן, מְסוּכָּן
risqué *adj* נוֹעָז
rite *n* טֶקֶס, פּוּלְחָן
ritual *adj, n* שֶׁל טֶקֶס דָתִי; סֵדֶר טֶקֶס
rival *n, vt* מִתְחָרֶה; הִתְחָרָה בּ...
rivalry *n* הִתְחָרוּת
river *n* נָהָר
river-bed *n* אֲפִיק נָהָר
river front *n* שְׂפַת נָהָר
riverside *n* שְׂפַת נָהָר
rivet *n* מַסְמֶרֶת
rivet *vt* סִמְרֵר; רָקַע
rm. *abbr* ream, room
roach *n* לֵיאוּצִיקוּס; מָקָק
road *n* דֶּרֶךְ, כְּבִישׁ
roadbed *n* מַצַּע הַכְּבִישׁ
roadblock *n* מַחְסוֹם דֶּרֶךְ
road-house *n* פּוּנְדָק
road laborer *n* פּוֹעֵל כְּבִישׁ
road service *n* שֵׁירוּת דְּרָכִים
roadside *n, adj* (בּ)צַד הַכְּבִישׁ
roadside inn *n* פּוּנְדָק
road sign *n* שֶׁלֶט דֶּרֶךְ
roadstead *n* מְבוֹא־יָם
roadway *n* כְּבִישׁ, דֶּרֶךְ
roam *vi, vt* שׁוֹטֵט, נָדַד
roam *n* נְדִידָה; נוֹדֵד
roar *vi, n* שָׁאַג; שְׁאָגָה
roast *vt, vi* צָלָה, קָלָה; נִצְלָה

roast *n, adj* צָלִי; צָלוּי
roast beef *n* צְלִי בָּקָר
rob *vt* שָׁדַד
robber *n* שׁוֹדֵד
robbery *n* שׁוֹד
robe *n* גְּלִימָה, חָלוּק
robe *vt, vi* הִלְבִּישׁ; הִתְלַבֵּשׁ
robin *n* אֲדוֹם־הֶחָזֶה
robot *n* רוֹבּוֹט
robust *adj* חָסוֹן
rock *n* סֶלַע, צוּר
rock *vt, vi* נִדְנֵד, נִעְנַע; הִתְנַדְנֵד, הִתְנַעֲנַע
rock-bottom *n, adj* תַּחְתִּית, קַרְקָעִית; נָמוּךְ בְּיוֹתֵר
rock crystal *n* בְּדוֹלַח הַסֶּלַע
rocker *n* כִּסְנוֹעַ
rocket *n* טִיל
rocket *vt, vi* הִתְקִיף בְּטִילִים; (מחיר) הֶאֱמִיר
rocket bomb *n* טִיל, רָקֵטָה
rocket launcher *n* מַזְנִיק טִילִים
rock-garden *n* גִּינַּת סְלָעִים
rocking-chair *n* כִּסְנוֹעַ
rocking-horse *n* סוּס נַדְנֵדָה
Rock of Gibraltar *n* סֶלַע גִּיבְּרַלְטָר
rock-salt *n* מֶלַח גְּבִישִׁי
rocky *adj* סַלְעִי; (המונית) רָעוּעַ
rod *n* מוֹט, מַטֶּה
rodent *n adj* מְכַרְסֵם
rodman *n* מוֹדֵד
roe *n* אַיָּלָה; בֵּיצֵי דָּגִים
rogue *n* נוֹכֵל, רַמַּאי
roguish *adj* נוֹכֵל; שׁוֹבָב
role *n* תַּפְקִיד
roll *vi, vt* הִתְגַּלְגֵּל, הִסְתּוֹבֵב; סוֹבֵב; גִּלְגֵּל
roll *n* גָּלִיל; לַחְמָנִית; רְשִׁימָה; מְגִילָּה; קוֹל (רעם)
roller *n* מַכְבֵּשׁ; גָּלִיל; מַעְגִּילָה
roller skate *n* גַּלְגַּלִּית
roller-skate *vt* הֶחֱלִיק בְּגַלְגַּלִּיּוֹת
roller-towel *n* מַגֶּבֶת חֲגוֹרָה
rolling-pin *n* מַעְגִּילָה
rolling stone *n* אֶבֶן מִתְגַּלְגֶּלֶת; (אדם) נוֹדֵד
roly-poly *n* פַּשְׁטִידַת רוֹלָדָה
Roman *n, adj* רוֹמָאִי; רוֹמִי
Romance *adj* רוֹמָנִי
romance *n* רוֹמַנְס; רוֹמָן; פָּרָשַׁת אֲהָבִים
romance *vi* הִפְרִיז; שִׁיקֵּר
Roman Empire *n* הַקֵּיסָרוּת הָרוֹמִית
Romanesque *adj* שֶׁל רוֹמַנְסִים
romantic *adj* דִּמְיוֹנִי; רוֹמַנְטִי, רִגְשִׁי
romanticism *n* רוֹמַנְטִיקָה
romp *n* הִתְרוֹצְצוּת יְלָדִים
romp *vi* הִתְרוֹצֵץ (בְּמשחק)
rompers *n pl* מַעֲפּוֹרֶת
roof *n* גַּג
roof *vt* קֵירָה, כִּיסָּה בְּגַג
roofer *n* רַעָף
rook *vt* הוֹנָה
rook *n* עוֹרֵב; רַמַּאי
rookie *n* טִירוֹן
room *n* חֶדֶר; מָקוֹם
room and board *n* חֶדֶר וְאוֹכֶל, אֶשֶׁל
room clerk *n* פְּקִיד־קַבָּלָה
roomer *n* דַּיָּר בְּחֶדֶר
rooming-house *n* בַּיִת שֶׁמַּשְׂכִּירִים בּוֹ חֲדָרִים

roomy *adj* מְרוּוָּח
roost *n* מוֹט; לוּל
roost *vi* נָח עַל מוֹט; יָשֵׁן; הֵלִין
rooster *n* תַּרְנְגוֹל
root *n* שׁוֹרֶשׁ; מָקוֹר
root *vt* הִשְׁרִישׁ; הִשְׁתָּרֵשׁ; הֵרִיעַ
rope *n* חֶבֶל; כֶּבֶל
rope *vt* קָשַׁר; פִּלְצֵר
rosary *n* עֲרוּגַת שׁוֹשַׁנִּים
rose *n* וֶרֶד, שׁוֹשַׁנָּה
rose *adj* וָרוֹד
rosebud *n* נִיצַּת וֶרֶד
rosebush *n* שִׂיחַ וְרָדִים
rose-colored *adj* וָרוֹד; אוֹפְּטִימִי
rose garden *n* גַּן וְרָדִים
rosemary *n* כְּלִיל־הַר
rose of Sharon *n* חֲבַצֶּלֶת הַשָּׁרוֹן
rosewood *n* סִיסָם
rosin *n* נָטָף
roster *n* לוּחַ תּוֹרָנוּת
rostrum *n* בָּמָה, דוּכָן
rosy *adj* וָרוֹד
rot *n* רָקָב; הִידַּרְדְּרוּת
rot *vi, vt* נִרְקַב; הִרְקִיב
rotate *vi, vt* הִתְחַלֵּף; סוֹבֵב; סִידֵּר לְפִי מַחֲזוֹרִיּוּת
rote *n* שִׁגְרָה
rotogravure *n* דְּפוּס שֶׁקַע
rotten *adj* רָקוּב; קְלוֹקֵל
rotund *adj* עָגוֹל; עֲגַלְגַּל
rouge *n* אוֹדֶם
rough *adj* מְחוּסְפָּס, גַּס; מְשׂוֹעָר
rough-cast *adj, n* מְטוּיָּח גַּס; מְנוּסָּח כְּלָלִית; טְיוּטָה גּוֹלְמִית
roughly *adv* בְּגַסּוּת; בְּקֵירוּב

roulette *n* מַקֵּדָה; רוּלֶטָה
round *adj* עָגוֹל; מַעֲגָלִי; שָׁלֵם
round *n* עִיגּוּל; הֶיקֵּף; סִיבּוּב; שָׁלָב
round *vt, vi* עִיגֵּל; הִשְׁלִים
round *adv* בְּעִיגּוּל; מִסָּבִיב
round *prep* סָבִיב ל...
roundabout *adj, n* עָקִיף; סְחַרְחֵרָה; כִּיכָּר
roundhouse *n* בֵּית־כֶּלֶא
round-shouldered *adj* כְּפוּף גֵּו
round-trip ticket *n* כַּרְטִיס הָלוֹךְ וָשׁוֹב
round-up *n* סִיכּוּם; מָצוֹד
rouse *n, vi* הֵעִיר; שִׁלְהֵב; הִתְעוֹרֵר
rout *n* הִתְגּוֹדְדוּת; מְהוּמָה
rout *vt* הֵבִיס
route *n* נָתִיב, דֶּרֶךְ
route *vt* קָבַע נְתִיב מִשְׁלוֹחַ
routine *n, adj* שִׁגְרָה; שִׁגְרָתִי
rove *vi* שׁוֹטֵט
row *n* שׁוּרָה
row *vi* חָתַר
row *n* רַעַשׁ, מְרִיבָה
row *vi, vt* רָב; נָזַף
rowboat *n* סִירַת־מְשׁוֹטִים
rowdy *n, adj* פֶּרֶא אָדָם
rower *n* חוֹתֵר
royal *adj* מַלְכוּתִי
royalist *n, adj* מְלוּכָנִי
royalty *n* מַלְכוּת; תַּמְלוּג
rub *vt, vi* שִׁפְשֵׁף; הִשְׁתַּפְשֵׁף
rub *n* שִׁפְשׁוּף, חִיכּוּךְ; קוֹשִׁי
rubber *n* גּוּמִי; מוֹחֵק
rubber band *n* גּוּמִיָּה
rubber plantation *n* מַטַּע גּוּמִי

rubber stamp *n*	חוֹתֶמֶת גוּמִי
rubber-stamp *vt*	שָׂם חוֹתֶמֶת; אִישֵׁר אוֹטוֹמָטִית
rubbish *n*	אַשְׁפָּה, זֶבֶל; שְׁטוּיוֹת
rubble *n*	שִׁבְרֵי אֶבֶן
rubdown *n*	עִיסּוּי
rube *n*	כַּפְרִי, מְסוּרְבָּל
ruby *n, adj*	אוֹדֶם (אבן); אָדוֹם לוֹהֵט
rudder *n*	הֶגֶה
ruddy *adj*	אַדְמוֹנִי
rude *adj*	גַּס
rudiment *n*	יְסוֹדוֹת רִאשׁוֹנִיִּים
rue *vt*	הִתְחָרֵט, הִצְטַעֵר
rueful *adj*	עָגוּם; עָצוּב
ruffian *n*	בִּרְיוֹן אַכְזָר, אַלָּם
ruffle *vt*	פָּרַע; קִימֵּט; הִרְגִּיז
ruffle *n*	אַדְווָה
rug *n*	שְׂמִיכַת צֶמֶר, שָׁטִיחַ
rugged *adj*	מְטוֹרָשׁ; גַּבְנוּנִי
ruin *n*	חוּרְבָּן, הֶרֶס; עִיֵּי מַפּוֹלֶת
ruin *vt*	הָרַס, הֶחֱרִיב
rule *n*	כְּלָל, תַּקָּנָה; שִׁלְטוֹן; סַרְגֵל
rule *vt, vi*	שָׁלַט, מָלַךְ; קָבַע
rule of law *n*	שִׁלְטוֹן הַחוֹק
ruler *n*	שַׁלִּיט; סַרְגֵל
ruling *adj*	שׁוֹלֵט; רוֹוֵחַ
ruling *n*	פְּסָק, קְבִיעָה
rum *n, adj*	רוּם; (המונית) מוּזָר
Rumanian *adj, n*	רוֹמָנִית; רוֹמָנִי
rumble *vi, vt*	רָעַם, רָעַשׁ
rumble *n*	רַעַם; הֶמְיָה
ruminate *vi*	הֶעֱלָה גֵּירָה; הִרְהֵר
rummage *vt*	חִיטֵּט, חִיפֵּשׂ בִּיסוֹדִיּוּת
rummage sale *n*	מְכִירַת שְׁיָרִים
rumor *n, vt*	שְׁמוּעָה; הֵפִיץ שְׁמוּעָה
rump *n*	עַכּוּז
rumple *vt, vi*	פָּרַע; קִימֵּט
rumpus *n*	(דיבּוּרית) רַעַשׁ, מְהוּמָה
run *vi, vt*	רָץ; נָטַף; נִמְשַׁךְ; נִיהֵל
run *n*	רִיצָה; מַהֲלָךְ; (בּגרב) קֶרַע
runaway *adj*	בּוֹרֵחַ; שֶׁהוּשַּׂג בְּקַלּוּת
run-down *adj*	לֹא מְכוּוָן; נֶחֱלָשׁ
rung *n*	חָווָק (של כיסא); שָׁלָב (של סולם)
runner *n*	רָץ, שָׁלִיחַ; שְׁטִיחַ צַר
runner-up *n*	שֵׁנִי בְּתַחֲרוּת
running *adj*	רָץ; זוֹרֵם; רָצוּף
running-board *n*	מִדְרָךְ
running head *n*	כּוֹתֶרֶת שׁוֹטֶפֶת
run-proof *adj*	חֲסִין קֶרַע
runt *n*	נַנָּס
runway *n*	מַסְלוּל הַמְרָאָה
rupture *n*	שֶׁבֶר; נִיתּוּק
rupture *vt, vi*	נִיתֵּק, קָרַע; גָּרַם שֶׁבֶר; סָבַל מִשֶּׁבֶר
rural *adj*	כַּפְרִי
rural policeman *n*	שׁוֹטֵר כַּפְרִי
rush *vi, vt*	חָפַז; גָּח; זִינֵּק; הִסְתָּעֵר; הֵאִיץ
rush *n*	חוּפְזָה; זִינּוּק
rushlight *n*	נֵר אַגְמוֹן
rush order *n*	הַזְמָנָה דְחוּפָה
russet *adj*	חוּם־אֲדַמְדַּם
Russia *n*	רוּסְיָה
Russian *adj, n*	רוּסִי; רוּסִית (לשון)
Russianization *n*	עֲשִׂיָּה לְרוּסִי; רוּסִיפִיקַצְיָה
rust *n*	חֲלוּדָה
rust *vi, vt*	הֶעֱלָה חֲלוּדָה, נֶחֱלַד
rustic *adj*	כַּפְרִי; בֶּן־כְּפָר

rustle *vi, vt* רִשְׁרֵשׁ; הִזְדָּרֵז
rustle *n* רִשְׁרוּשׁ
rusty *adj* חָלוּד
rut *n* תֶּלֶם; חָרִיץ; שִׁגְרָה;
(בחיות) הִתְיַיחֲמוּת
ruthless *adj* אַכְזָרִי
Ry. *abbr* railway
rye *n* שִׁיפוֹן; וִיסְקִי שִׁיפוֹן

S

S, s *n* אֶס (האות התשע־עשׂרה
באלפבית)
s. *abbr* second, shilling, singular
Sabbath *n* שַׁבָּת; יום א׳ (בנצרות)
sabbatical year *n* שְׁנַת שַׁבָּתוֹן
sable *n, adj* צוֹבֶל
sabotage *n* חַבָּלָה, סַבּוֹטָז׳
sabotage *vt, vi* חִיבֵּל
sack *vt* בָּזַז; הִכְנִיס לְשַׂק; פִּיטֵּר
sack *n* שַׂק; פִּיטוּרִין; בִּזָּה (של עיר
כבושה); סֶק (יין לבן)
sackcloth *n* לְבוּשׁ שַׂק; שַׂק
sacrament *n* טֶקֶס נוֹצְרִי;
סְעוּדַת קוֹדֶשׁ
sacred *adj* קָדוֹשׁ; מְקוּדָּשׁ
sacrifice *n* קוֹרְבָּן; זֶבַח; הַקְרָבָה
sacrifice *vt* הִקְרִיב
Sacrifice of the Mass *n* קָרְבַּן
הַמִּזְבֵּחַ (בנצרות)
sacrilege *n* חִילּוּל הַקּוֹדֶשׁ
sacrilegious *adj* שֶׁל חִילּוּל הַקּוֹדֶשׁ
sacristan *n* שַׁמַּשׁ כְּנֵסִייָה
sad *adj* עָצוּב; עָגוּם; מְצַעֵר
sadden *vt, vi* הֶעֱצִיב
saddle *n* אוּכָּף; מוֹשָׁב (אופניים)
saddle *vt* שָׂם אוּכָּף עַל; הֶעֱמִיס
saddlebag *n* אַמְתַּחַת
sadist *n* סָדִיסט, עַנַּאי
sadistic *adj* סָדִיסְטִי, עַנָּאִי
sadness *n* עַצְבוּת, תּוּגָה
safe *adj* בָּטוּחַ, שָׁלֵם
safe *n* כַּסֶּפֶת; תֵּיבָה
safe-conduct *n* (רשיון) מַעֲבָר
safe-deposit *n* בֵּית־כַּסָּפוֹת
safe-deposit box *n* כַּסֶּפֶת בַּנק
safeguard *n* אֶמְצָעִי בִּיטָּחוֹן; סְייָג
safeguard *vt* שָׁמַר, אִבטֵחַ
safety *n* בִּיטָּחוֹן; מִבטָח; בְּטִיחוּת
safety-belt *n* חֲגוֹרַת בְּטִיחוּת
safety match *n* גַּפרוּר בְּטִיחוּת
safety-pin *n* סִיכַּת בִּיטָּחוֹן
safety rail *n* מַעֲקֶה בִּטָּחוֹן
safety razor *n* מַגלֵחַ בְּטִיחוּת
safety-valve *n* שַׁסתּוֹם בְּטִיחוּת
saffron *n, adj* זְעַפְרָן צָהוֹב; כַּרכּוּמִי
sag *vi* הִתְקַעֵר; שָׁקַע; הָיָה שָׁמוּט
sag *n* שְׁקִיעָה; הִתְקַעֲרוּת; יְרִידָה
sagacious *adj* נָבוֹן, מְפוּקָּח

sage *adj, n* נָבוֹן, גָדוֹל בְּחָכְמָה; מַרווה; לַעֲנָה
sail *n* מִפְרָשׂ; מִפְרָשִׂית
sail *vi, vt* שָׁט בִּכְלִי־שַׁיִט; הִפְלִיג; הֵשִׁיט
sailcloth *n* אֲרִיג מִפְרָשִׂים
sailing *n* שַׁיִט; הַפְלָגָה
sailing boat *n* מִפְרָשִׂית
sailor *n* מַלָּח, יַמַּאי
saint *n* קָדוֹשׁ
saintliness *n* קְדוּשָּׁה, קוֹדֶשׁ
sake *n* סִיבָּה; אִינטֶרֶס
salaam *n* בִּרְכַּת שָׁלוֹם (מזרחית)
salable *adj* מָכִיר
salad *n* סָלָט, לִקְטָן
salad bowl *n* קַעֲרַת סָלָט
salad oil *n* שֶׁמֶן סָלָט
salami *n* סָלָמִי, נַקְנִיק מְתוּבָּל
salary *n* מַשְׂכּוֹרֶת
sale *n* מְכִירָה
salesclerk *n* זַבָּן
saleslady *n* זַבָּנִית
salesman *n* זַבָּן, סוֹחֵר
sales manager *n* מְנַהֵל מְכִירוֹת
salesmanship *n* אוֹמָנוּת הַמְּכִירָה
sales tax *n* מַס מְכִירוֹת
saliva *n* רוֹק, רִיר
sallow *adj* צְהַבְהַב, חִיוֵּר
sally *n* גִיחָה; הִתְפָּרְצוּת; הַבְרָקָה
sally *vi* הֵגִיחַ; הִתְפָּרֵץ
salmon *n, adj* אִלְתִּית; וָרוֹד־תָּפוּז
salon *n* טְרַקְלִין; חֲדַר־תְּצוּגָה
saloon *n* מִסְבָּאָה; (באונייה) אוּלַם הַנּוֹסְעִים
salt *n* מֶלַח; שְׁנִינוּת
salt *adj* מָלֵחַ; מָלוּחַ
salt *vt* הִמְלִיחַ; תִּיבֵּל
saltcellar *n* מִמְלָחָה
salted peanuts *n pl* בּוֹטְנִים מְמוּלָּחִים
salt-lick *n* מִלְקַק מֶלַח
saltpetre, saltpeter *n* מְלַחַת
salt shaker *n* מִמְלָחָה
salty *n* מָלוּחַ
salubrious *adj* בָּרִיא; מַבְרִיא
salutation *n* בְּרָכָה; פְּנִיַּית־נִימוּסִין
salute *vt, vi* בֵּירֵךְ לְשָׁלוֹם; הִצְדִּיעַ
salute *n* הַצְדָּעָה; יְרִיּוֹת כָּבוֹד
salvage *n* נְצוֹלֶת; רְכוּשׁ שֶׁנִּיצַּל; חִילּוּץ אוֹנִיָּה; נִיצּוּל פְּסוֹלֶת
salvage *vt* הִצִּיל; חִילֵּץ (אונייה); נִיצֵּל פְּסוֹלֶת
salvation *n* גְאוּלָּה, יְשׁוּעָה
Salvation Army *n* צְבָא יְשׁוּעָה
salve *n* מִשְׁחָה; מָזוֹר
salve *vt* הֵבִיא מַרְפֵּא
salvo *n* מַטַּח יְרִי; מַטָּח
Samaritan *n, adj* שׁוֹמְרוֹנִי; שׁוֹמְרוֹנִית; נָדִיב
same *adj, pron, adv* זֵהֶה, הוּא עַצְמוֹ; דוֹמֶה; אָחִיד; הַנַּ״ל
sample *n* דוּגְמָה; מִדְגָם
sample *vt* נָטַל מִדְגָם
sanctify *vt* הָפַךְ לִמְקוּדָּשׁ
sanctimonious *adj* מִתְחַסֵּד
sanction *n* הַרְשָׁאָה; אִישּׁוּר; (בריבוי) סַנקְצִיּוֹת, עוֹנֶשׁ
sanction *vt* נָתַן תּוֹקֶף; אִישֵּׁר
sanctuary *n* מְקוֹם קָדוֹשׁ; מִקְדָּשׁ; מִקְלָט
sand *n* חוֹל

sand *vt* זָרָה חוֹל; מֵירֵק בְּחוֹל
sandal *n* סַנְדָּל
sandalwood *n* עֵץ הַסַּנְדָּל; אַלְמוֹג
sandbag *n* שַׂק חוֹל
sandbag *vt* בִּיצֵּר בְּשַׂקֵּי חוֹל; הִיכָּה בְּשַׂק חוֹל
sand-bar *n* שִׂרְטוֹן
sandblast *n* סִילוֹן חוֹל
sandbox *n* אַרְגַּז חוֹל
sand dune *n* חוֹלָה, דְּיוּנָה
sandglass *n* שְׁעוֹן חוֹל
sandpaper *n* נְיַיר־זְכוּכִית
sandpaper *vt* שִׁפְשֵׁף בִּנְיַיר־זְכוּכִית
sandstone *n* אֶבֶן־חוֹל
sandstorm *n* סוּפַת־חוֹל
sandwich *n, vt* כָּרִיךְ; עָשָׂה כָּרִיךְ
sandy *adj* חוֹלִי; מִצֶּבַע הַחוֹל
sane *adj* שָׁפוּי; מְפוּקָּח
sanguinary *adj* עָקוֹב מִדָּם; צָמֵא לְדָם
sanguine *adj* בּוֹטֵחַ, אוֹפְּטִימִי
sanitary *adj* בְּרִיאוּתִי; תַּבְרוּאִי
sanitary napkin *n* תַּחְבּוֹשֶׁת הִיגְיֵינִית
sanitation *n* תַּבְרוּאָה
sanity *n* שְׁפִיּוּת
Santa Claus *n* סַנְטָה קְלוֹז
sap *n* מוֹהַל (שֶׁל צֶמַח); לַחְלוּחִית; חִיּוּת; (המונית) טִיפֵּשׁ
sap *vt* מָצַץ; הִתִּישׁ
saphead *n* שׁוֹטֶה
sapling *n* שָׁתִיל; נֵצֶר רַךְ
sapphire *n* סַפִּיר
saraband *n* סָרַבַּנְדָּה
Saracen *n* סָרָצֵנִי, מוּסְלְמִי (בתקופת הצלבנים)
sardine *n* טָרִית, סַרְדִּין
sash *vt* מִסְגֵּר; עִיטֵּר בְּסֶרֶט
sash *n* מִסְגֶּרֶת־שִׁמְשָׁה
sash window *n* חַלּוֹן זָחִיחַ
satchel *n* יַלְקוּט
sateen *n* סָטִין
satellite *n* יָרֵחַ; לַוְויָן; גָּרוּר; חָסִיד
satellite country *n* מְדִינָה גְּרוּרָה
satiate *adj* שָׂבֵעַ
satiate *vt* הִשְׂבִּיעַ
satin *n, adj* סָטִין; מְשִׁיִי
satiric(al) *adj* סָטִירִי
satirist *n* סָטִירִיקָן
satirize *vt* תֵּיאֵר בְּסָטִירִיּוּת
satisfaction *n* שְׂבִיעוּת־רָצוֹן; סִיפּוּק
satisfactory *adj* מְסַפֵּק; מֵנִיחַ אֶת הַדַּעַת
satisfy *vt, vi* סִיפֵּק; הִשְׂבִּיעַ רָצוֹן
saturate *vt* רִיוָּה, הִרְוָוה
Saturday *n* שַׁבָּת
sauce *n* רוֹטֶב; תַּבְלִין; (דיבורית) חוּצְפָּה
sauce *vt* תִּיבֵּל; הִתְחַצֵּף
saucepan *n* אִלְפָּס
saucer *n* תַּחְתִּית
saucy *adj* חָצוּף; עֲסִיסִי
sauerkraut *n* כְּרוּב כָּבוּשׁ
saunter *n* טִיּוּל שׁוֹטְטוּת
saunter *vi* טִיֵּיל לַהֲנָאָתוֹ
sausage *n* נַקְנִיק; נַקְנִיקִית
savage *adj* פִּרְאִי; זוֹעֵף; פֶּרֶא
savant *n* מְלוּמָּד, מַדְּעָן
save *vt, vi* הִצִּיל; חָסַךְ
save *prep, conj* מִלְּבַד, חוּץ מִן
saving *adj* מַצִּיל, גּוֹאֵל; חוֹסֵךְ

saving *prep, conj* מִלְּבַד, פְּרָט ל...
savings *n pl* חֶסְכוֹנוֹת
Savior, savior *n* מָשִׁיחַ, גוֹאֵל
savor *n* טַעַם; תַּבְלִין; סַמְמָן
savor *vi, vt* הָיָה לוֹ טַעַם; נִיכְּרוּ בּוֹ סִימָנִים
savory *n* צַתְרָה; פַּרְפֶּרֶת
savory *adj* טָעִים, בָּשִׂים; נָעִים
saw *n* מַסּוֹר; פִּתְגָם
saw *vt* נִיסֵּר
sawbuck *n* חֲמוֹר נְסִירָה
sawdust *n* נְסוֹרֶת
sawmill *n* מַנְסֵרָה (מכונה)
Saxon *n, adj* סַקְסוֹנִי; סַקְסוֹנִית
saxophone *n* סַקְסוֹפוֹן
say *vt, vi* אָמַר
say *n* זְכוּת דִיבּוּר, דֵעָה
saying *n* אֲמִירָה; מֵימְרָה
scab *n* גֶלֶד; גָרֶדֶת; מֵפֵר שְׁבִיתָה
scabbard *n* נָדָן
scabby *adj* עִם פְּצָעִים מוּגְלָדִים
scabrous *adj* מָלֵא קַשְׂקַשִׂים; מְסוּבָּךְ
scaffold *n* גַרְדוֹם; פִּיגוּם
scaffolding *n* מַעֲרֶכֶת פִּיגוּמִים
scald *vt* כָּוָוה
scale *n* סוּלָם; דֵירוּג
scale *vt, vi* טִיפֵּס; עָלָה בְּהַדְרָגָה; הִתְקַלֵּף
scallop *n* צִדְפָּה מְחוֹרֶצֶת
scallop *vt* עָשָׂה סִלְסוּלִים גַּלִּיִּים
scalp *n* קַרְקֶפֶת
scalp *vt* קִרְקֵף; פָּשַׁט עוֹר; רִימָּה; סִפְסֵר (בכרטיסים)
scalpel *n* אִזְמֵל
scaly *adj* מְכוּסֶּה קַשְׂקַשִׂים
scamp *n* בֶּן־בְּלִיַּעַל
scamp *vt, vi* עָשָׂה מְלֶאכֶת־רְמִיָּה
scamper *vi* נָס בִּבְהִילוּת
scamper *n* בְּרִיחָה מְבוֹהֶלֶת
scan *vt* תָּר (שטח); קָרָא בִּרְפְרוּף
scandal *n* שַׁעֲרוּרִייָּה
scandalize *vt* עוֹרֵר שַׁעֲרוּרִייָּה
scandalous *adj* מַחְפִּיר, שַׁעֲרוּרִי
scansion *n* קְבִיעַת מִשְׁקָל (של שיר)
scant *adj* זָעוּם, דַל
scant *vt, vi* קִימֵּץ; צִמְצֵם
scanty *adj* זָעוּם, דַל
scapegoat *n* שָׂעִיר לַעֲזָאזֵל
scar *n* צַלֶּקֶת
scar *vt, vi* צִילֵּק; הִצְטַלֵּק
scarce *adj* נָדִיר; לֹא מַסְפִּיק
scarcely *adj* בְּקוֹשִׁי
scare *vt, vi* הִפְחִיד; פָּחַד
scare *n* בֶּהָלָה
scarecrow *n* דַחְלִיל
scarf *n* סוּדָר; מַפָּה
scarf-pin *n* סִיכַּת עֲנִיבָה
scarlet *n, adj* אָדוֹם כַּשָּׁנִי
scarlet fever *n* שָׁנִית, סְקַרְלָטִינָה
scary *adj* מַבְהִיל; נוֹחַ לִפְחוֹד
scat *interj* הָלְאָה!
scathing *adj* חָרִיף
scatter *vt, vi* פִּיזֵּר; הִתְפַּזֵּר
scatterbrained *adj* מְפוּזָּר; קַל־דַעַת
scattered showers *n pl* מִמְטָרִים פְּזוּרִים
scenario *n* תַּסְרִיט
scene *n* סְצֵנָה; מְקוֹם הִתְרַחֲשׁוּת; שַׁעֲרוּרִייָה; תְּמוּנָה (במחזה)
scenery *n* נוֹף; תַּפְאוּרָה

scene-shifter *n* מַחֲלִיף תַּפְאוּרוֹת
scent *vt, vi* הֵרִיחַ; חָשַׁד
scent *n* רֵיחַ; נִיחוֹחַ; בּוֹשֶׂם; חוּשׁ־רֵיחַ
scepter *n* שַׁרְבִיט
sceptic(al) *adj, n* סַפְקָנִי; סַפְקָן
schedule *n* לוּחַ־זְמַנִּים; מִפְרָט
schedule *vt* תִּכְנֵן (כנ״ל)
scheme *n* תּוֹכְנִית; מַעֲרֶכֶת; קֶשֶׁר
scheme *vt, vi* זָמַם; עִיבֵּד תּוֹכְנִית
schemer *n* אִישׁ מְזִימּוֹת
scheming *adj* בַּעַל מְזִימּוֹת
schism *n* פִּילּוּג
scholar *n* מְלוּמָּד, תַּלְמִיד־חָכָם; תַּלְמִיד
scholarly *adj* מְלוּמָּד, לַמְדָנִי
scholarship *n* יֶדַע, חָכְמָה; מִלְגָה
school *n* בֵּית־סֵפֶר; אַסְכּוֹלָה
school *vt* חִינֵּךְ, הִדְרִיךְ; נִיהֵל
school attendance *n* בִּיקּוּר בְּבֵית־סֵפֶר
school-board *n* מוֹעֶצֶת חִינּוּךְ
schoolboy *n* תַּלְמִיד בֵּית־סֵפֶר
schoolgirl *n* תַּלְמִידַת בֵּית־סֵפֶר
schooling *n* הַשְׂכָּלָה
schoolmate *n* חָבֵר לְבֵית־הַסֵּפֶר
schoolroom *n* כִּיתָּה
school year *n* שְׁנַת לִימּוּדִים
schooner *n* מִפְרָשִׂית
sci. *abbr* science, scientific
science *n* מַדָּע
scientific *adj* מַדָּעִי
scientist *n* מַדְּעָן
scil. *abbr* scilicet (Latin) דְּהַיְינוּ
scimitar *n* חֶרֶב מִזְרָחִית
scintillate *vi* נִצְנֵץ, הִבְהֵב; הִבְרִיק
scion *n* חוֹטֶר; צֶאֱצָא
Scipio *n* עַקְרָב
scissors *n pl* מִסְפָּרַיִים
scoff *vi* לָעַג
scold *n* אֵשֶׁת־מְדָנִים
scold *vi, vt* גָּעַר, נָזַף
scoop *n* יָעֶה; מַצֶּקֶת; יְדִיעָה מַרְעִישָׁה
scoop *vt* דָּלָה, גָּרַף
scoot *vi* זִינֵּק וָרָץ
scooter *n* אוֹפַנִּית, גַּלְגַּלַּיִים; קַטְנוֹעַ
scope *n* הֶיקֵּף, תְּחוּם; מֶרְחָב
scorch *vt, vi* חָרַךְ, צָרַב; נֶחֱרַךְ, נִצְרַב
scorch *n* כְּוִויָּה קַלָּה
scorching *adj* צוֹרֵב, חוֹרֵךְ
score *n* מַצַּב הַנְּקוּדוֹת (בתחרות)
score *vt, vi* זָכָה בִּנְקוּדוֹת; רָשַׁם נְקוּדוֹת; (בְּמוּסִיקָה) תִּזְמֵר יְצִירָה
scoreboard *n* לוּחַ נִיקּוּד
scorn *n* בּוּז; לַעַג
scorn *vt* בָּז ל...; דָּחָה בְּבוּז
scornful *adj* מָלֵא בּוּז
scorpion *n* עַקְרָב
Scot *adj, n* סְקוֹטִי
Scotch *adj, n* סְקוֹטִי; סְקוֹטִית; סְקוֹטְשׁ (וִיסְקִי)
scotch *vt* שָׂם קֵץ, בָּלַם
Scotchman *n* סְקוֹטִי
Scotland *n* סְקוֹטְלַנְד
Scottish *adj, n* סְקוֹטִי; (עם) הַסְּקוֹטִים
scoundrel *n* נָבָל, נוֹכֵל
scour *vt* מֵירֵק; נִיקָּה; גָּרַף; סָרַק
scourge *n* פַּרְגּוֹל; מַטֵּה זַעַם; נֶגַע
scourge *vt* יִיסֵּר; הֵבִיא פּוּרְעָנוּת עַל
scout *n* סַיָּר; צוֹפֶה

scout *vt, vi* עָסַק בְּסִיוּר; גִישֵׁשׁ; חִיפֵּשׂ
scoutmaster *n* מַדְרִיךְ צוֹפִים
scowl *vi, vt* הִזְעִים עַפְעַפַּיִים
scowl *n* מַבָּט זוֹעֵף
scramble *vi, vt* הִתְגַבֵּר עַל דֶרֶךְ (תלולה); חָתַר לְהַשִּׂיג; גִיבֵּב
scramble *n* טִיפּוּס בְּקוֹשִׁי; הִדָּחֲקוּת
scrambled egg *n* בֵּיצָה טְרוּפָה
scrap *n* חֲתִיכָה, פֵּירוּר, פִּיסָּה; גְרוּטָה
scrap *vt* הִשְׁלִיךְ
scrapbook *n* סֵפֶר הַדְבָּקוֹת, תַּלְקִיט
scrape *vt, vi* גָרַד, שִׁיֵּף
scrape *n* גֵירוּד, שִׁיּוּף; שָׂרֶטֶת; מַצָּב בִּישׁ
scrap-iron *n* גְרוּטָאוֹת
scrap-paper *n* נְיַיר טְיוּטָה
scratch *vt, vi* סָרַט, גָרַד; מָחַק; הִתְגָרֵד
scratch *n* גֵירוּד, סְרִיטָה; שָׂרֶטֶת
scratch *adj* שֶׁל טְיוּטָה; שָׁוֵה תְּנָאִים
scratch paper *n* נְיַיר טְיוּטָה
scrawl *vt, vi* קִשְׁקֵשׁ, שִׁרְבֵּט
scrawl *n* קִשְׁקוּשׁ, שִׁרְבּוּט
scrawny *adj* דַק בָּשָׂר
scream *vi* צָוַח, צָרַח
scream *n* צְוָחָה, צְרִיחָה
screech *vi, n* צָוַח; צְוָחָה
screech-owl *n* תִּנְשֶׁמֶת
screen *n* מָסָךְ, חַיִץ; סוֹכֵךְ
screen *vt, vi* קָבַע חַיִץ, חָצַץ; הִקְרִין; הִסְרִיט
screenplay *n* תַּסְרִיט
screw *n* בּוֹרֶג, סְלִיל; סִיבּוּב בּוֹרְגִי
screw *vt, vi* בָּרַג, הִבְרִיג; כָּפָה; הִתְבָּרֵג
screwball *n* אָדָם מוּזָר
screwdriver *n* מַבְרֵג
screw-jack *n* מַגְבֵּהַ בּוֹרְגִי
screw propeller *n* מַדְחֵף בּוֹרְגִי
scribal error *n* פְּלִיטַת קוּלְמוֹס
scribble *vi. vt* שִׁרְבֵּט
scribble *n* כְּתַב חַרְטוּמִּים; שִׁרְבּוּט
scribe *n* סוֹפֵר; מַעְתִּיק
scrimp *vt, vi* קִימֵּץ
scrip *n* כְּתָב; אִיגֶּרֶת חוֹב
script *n* כְּתַב; אוֹתִיּוֹת כְּתָב; כְּתַב־יָד
Scripture *n* כִּתְבֵי־הַקּוֹדֶשׁ
script-writer *n* תַּסְרִיטָן
scrofula *n* חֲזִירִית
scroll *n* מְגִילָּה
scrollwork *n* מַעֲשֵׂה חֶלְזוֹנִית
scrub *vt* רָחַץ וְשִׁפְשֵׁף
scrub *n* רְחִיצָה וְשִׁפְשׁוּף, קִרְצוּף; סְבַךְ שִׂיחִים
scrub oak *n* אַלּוֹנִית
scruff *n* עוֹרֶף
scruple *n* הִיסּוּס מַצְפּוּנִי; קַמְצוּץ
scruple *vt, vi* סָבַל מִנְּקִיפוֹת לֵב
scrupulous *adj* בַּעַל מַצְפּוּן; דַקְדְקָן
scrutinize *vt* בָּדַק, בָּחַן
scrutiny *n* בְּדִיקָה מְדוּקְדֶקֶת
scuff *vt* גָרַר רַגְלַיִים; דִשְׁדֵשׁ; חִסְפֵּס
scuffle *vi* הִשְׁתַּתֵּף בְּתִגְרָה
scuffle *n* תִּגְרָה מְבוּלְבֶּלֶת
scull *n* מָשׁוֹט; סִירַת מֵירוֹץ
scull *vt, vi* חָתַר; הֵנִיעַ סִירָה בְּמָשׁוֹט
scullery *n* קִיטוֹן הַמְּבַשְּׁלִים
scullery maid *n* מְשָׁרֶתֶת מִטְבָּח
scullion *n, adj* מְשָׁרֵת מִטְבָּח
sculptor *n* פַּסָּל
sculptress *n* פַּסֶּלֶת

sculpture *n* פִּיסּוּל; פַּסָּלוּת; פֶּסֶל
sculpture *vt, vi* פִּיסֵּל, גִּילֵּף
scum *n* זוּהֲמָה; חֶלְאָה
scum *vt, vi* הֵסִיר זוּהֲמָה, קִיפָּה
scummy *adj* מְכוּסֶּה קְרוּם; שָׁפָל
scurf *n* קַשְׂקַשִּׂים
scurrilous *adj* שֶׁל נִיבּוּל־פֶּה
scurry *vi* אָץ־רָץ
scurvy *adj* מָאוּס, נִבְזֶה
scurvy *n* צַפְדִּינָה
scuttle *n* דְּלִי לְפֶחָם; פִּתְחָה (בסיפון, למשל)
scuttle *vi, vt* רָץ מַהֵר; נִיקֵּב (אונייה לטובעה)
Scylla *n* סְקִילָה
scythe *n* חֶרְמֵשׁ
sea *n* יָם
sea *adj* שֶׁל הַיָּם
seaboard *n* חוֹף יָם
sea-breeze *n* רוּחַ יָם
sea-dog *n* כֶּלֶב־יָם; יַמַּאי וָתִיק
seafarer *n* יוֹרֵד־יָם
sea-food *n* מָזוֹן יַמִּי
seagull *n* שַׁחַף
seal *n* חוֹתָם, חוֹתֶמֶת; כֶּלֶב־יָם
seal *vt* שָׂם חוֹתָם; אִישֵּׁר; אָטַם
sea-legs *n pl* רַגְלֵי סַפָּן מְנוּסֶּה
sea level *n* פְּנֵי הַיָּם
sealing-wax *n* דּוֹנַג חוֹתָם
seam *n* תֶּפֶר; סֶדֶק
seaman *n* אִישׁ יָם, יַמַּאי
seamless *adj* חֲסַר תֶּפֶר
seamstress *n* תּוֹפֶרֶת
seamy *adj* לֹא נָעִים, גָּרוּעַ; מְצוּלָּק
seance *n* מוֹשָׁב; סֵיאַנְס
seaplane *n* מְטוֹס־יָם
seaport *n* נָמֵל; עִיר נָמֵל
sea power *n* עוֹצְמָה יַמִּית; מַעֲצָמָה יַמִּית
sear *adj* יָבֵשׁ, קָמֵל
sear *vt, vi* חָרַךְ; צָרַב, סִימֵּן בְּבַרְזֶל מְלוּבָּן
search *vt* חִיפֵּשׂ, גִּישֵּׁשׁ
search *n* חִיפּוּשׂ, בְּדִיקָה
searchlight *n* זַרְקוֹר
search-warrant *n* פְּקוּדַּת־חִיפּוּשׂ
seascape *n* (תמונת) נוֹף יַמִּי
sea-shell *n* קוֹנְכִית
seashore *n* חוֹף־יָם
seasick *adj* חוֹלֵה יָם
seasickness *n* מַחֲלַת־יָם
seaside *n* חוֹף־יָם
sea-snake *n* נְחַשׁ־יָם
season *n* עוֹנָה
season *vt* תִּיבֵּל; הִבְשִׁיל
seasonal *adj* עוֹנָתִי
seasoning *n* תַּבְלִין; תִּיבּוּל
sea-swallow *n* שְׁחָפִית־יָם
seat *n* מוֹשָׁב; מְקוֹם יְשִׁיבָה; יַשְׁבָן
seat *vt* הוֹשִׁיב
seat belt *n* חֲגוֹרַת מוֹשָׁב
seat cover *n* כִּיסּוּי מוֹשָׁב
S.E.A.T.O. *abbr* South East Asia Treaty Organization סִיאָטוֹ
sea-wall *n* חוֹמַת־יָם
seaway *n* נְתִיב יַמִּי
seaweed *n* אַצַּת־יָם
sea wind *n* רוּחַ־יָם
seaworthy *adj* כָּשֵׁר לְשַׁיִט
secede *vi* פָּרַשׁ

secession *n* פְּרִישָׁה
seclude *vt* הִדִּיר מִן; בּוֹדֵד
secluded *adj* מוּפְרָשׁ; מְבוּדָּד
seclusion *n* בִּידּוּד; הִתבּוֹדְדוּת
second *adj* שֵׁנִי
second *n* שֵׁנִי, שְׁנִיָּה; עוֹזֵר; שׁוֹשְׁבִין
second *vt* תָּמַךְ בּ...; הִשְׁאִיל (פקיד וכד׳)
secondary *adj* שְׁנִיִּי, מִשְׁנִי
secondary school *n* בֵּית־סֵפֶר תִּיכוֹן
second-class *adj* מִמַּדרֵגָה שְׁנִיָּה
second hand *n* מְחוֹג הַשְּׁנִיּוֹת
secondhand *adj* מְשׁוּמָּשׁ
second lieutenant *n* סֶגֶן מִשְׁנֶה
second-rate *adj, n* מִמַּדרֵגָה שְׁנִיָּה; בֵּינוֹנִי
second sight *n* רְאִיָּה נְבוּאִית
second wind *n* נְשִׁימָה גוֹבֶרֶת
secrecy *n* סוֹדִיּוּת; סֵתֶר
secret *n, adj* סוֹד, סוֹדִי, חֲשָׁאִי
secretary *n* מַזכִּיר; שַׂר
Secretary of State *n* שַׂר הַחוּץ
secrete *vt* הִפרִישׁ; הִסתִּיר
secretive *adj* מִתעַטֵּף בְּסוֹדִיּוּת
sect *n* כַּת, כִּיתָּה
sectarian *adj, n* שֶׁל כַּת, כִּיתָּתִי
section *n* קֶטַע; סָעִיף; חֵלֶק; מַחְלָקָה; אֵיזוֹר
secular *adj* חִילּוֹנִי
secularism *n* רוּחַ חִילּוֹנִיּוּת
secure *adj* בָּטוּחַ; בּוֹטֵחַ
secure *vt* הִשִּׂיג; אִבטֵחַ; בִּיצֵּר; שָׁמַר
securely *adv* בְּבִטָּחוֹן; לָבֶטַח; (סגירה וכד׳) הֵיטֵב
security *n* בִּיטָּחוֹן; עֲרוּבָּה; (בריבוי) נְיָירוֹת־עֵרֶךְ
Security Council *n* מוֹעֶצֶת הַבִּיטָּחוֹן
sedate *adj* מְיוּשָּׁב בְּדַעתּוֹ
sedative *adj, n* מַרגִּיעַ; סַם מַרגִּיעַ
sedentary *adj* שֶׁל יְשִׁיבָה
sediment *n* מִשְׁקָע
sedition *n* הֲסָתָה לְמֶרֶד
seditious *adj* מֵסִית לְמֶרֶד
seduce *vt* פִּיתָּה
seducer *n* מְפַתֶּה, פַּתַּיָּן
seduction *n* הֲדָּחָה; פִּיתּוּי
seductive *adj* מְפַתֶּה; מוֹשֵׁךְ
sedulous *adj* שַׁקְדָן; מַתמִיד
see *n* בִּישׁוֹפוּת
see *vt, vi* רָאָה; חָזָה; לִיוְּוָה; סָבַר
seed *n* זֶרַע
seed *vi, vt* זָרַע, טָמַן זֶרַע; גִּרעֵן
seedling *n* שָׁתִיל; זָרִיעַ
seedy *adj* מָלֵא גַּרעִינִים; מוּזנָח (בהופעה); חוֹלֶה
seeing *conj* לְאוֹר
seek *vt* חִיפֵּשׂ, בִּיקֵּשׁ לִמצוֹא
seem *vi* נִראָה, הָיָה נִדמֶה
seemingly *adv* לִכאוֹרָה
seemly *adj* הָגוּן, יָאֶה, הוֹלֵם
seep *vi* חִלחֵל, הִסתַּנֵּן
seer *n* חוֹזֶה
seesaw *n* נַדנֵדַת קוֹרָה
seesaw *vi* הִתנַדנֵד
seethe *vi* רָתַח, סָעַר
segment *n* חֵלֶק, פֶּלַח; קֶטַע
segregate *vt, vi* הִפרִיד, הִבדִּיל
segregation *n* הַפרָדָה
segregationist *n* חֲסִיד הַפרָדָה גִּזעִית

seismograph *n* מַדְרַעַד, מַדְרַעַשׁ
seismology *n* סֵיסְמוֹלוֹגְיָה
seize *vt* תָּפַס; חָטַף; הֶחֱרִים; תָּקַף
seizure *n* תְּפִיסָה, לְכִידָה; הַחֲרָמָה
seldom *adv* לְעִיתִּים רְחוֹקוֹת
select *adj* נִבְחָר, מוּבְחָר
select *vt* בָּחַר
selectee *n* מְגוּיָּס
selection *n* בְּחִירָה; מִבְחָר, הִיבָּחֲרוּת
self *n, adj, pron* עַצְמִיּוּת, זֶהוּת
self-abuse *n* בִּיזּוּי עַצְמִי
self-addressed envelope *n* מַעֲטֶפֶת תְּשׁוּבָה
self-centered *adj* אֶגוֹצֶנְטְרִי, אָנוֹכִיִּי
self-conscious *adj* רָגִישׁ לְעַצְמוֹ; נָבוֹךְ בְּחֶבְרָה
self-control *n* שְׁלִיטָה עַצְמִית
self-defense *n* הֲגַנָּה עַצְמִית
self-denial *n* הִתְנַזְּרוּת
self-determination *n* הַגְדָּרָה עַצְמִית
self-educated *n* בַּעַל הַשְׂכָּלָה עַצְמִית
self-employed *adj* (עוֹבֵד) עַצְמָאִי
self-evident *adj* מוּבָן מֵאֵלָיו
self-explanatory *adj* מִתְבָּאֵר מֵאֵלָיו
self-government *n* מִמְשָׁל עַצְמִי
self-important *adj* חָשׁוּב בְּעֵינֵי עַצְמוֹ
self-indulgence *n* הִתְמַכְּרוּת לַהֲנָאָתוֹ
self-interest *n* טוֹבַת עַצְמוֹ
selfish *adj* אָנוֹכִיִּי
selfishness *n* אָנוֹכִיּוּת
selfless *adj* בִּלְתִּי־אָנוֹכִיִּי
self-love *n* אַהֲבָה עַצְמִית
self-portrait *n* דְּיוֹקַן עַצְמוֹ
self-possessed *adj* מוֹשֵׁל בְּרוּחוֹ
self-preservation *n* שְׁמִירַת הַקִּיּוּם (העצמי)
self-reliant *adj* בָּטוּחַ בְּעַצְמוֹ
self-respecting *adj* בַּעַל כָּבוֹד עַצְמִי
self-righteous *adj* צַדִּיק בְּעֵינֵי עַצְמוֹ
self-sacrifice *n* הַקְרָבָה עַצְמִית
selfsame *adj* אוֹתוֹ עַצְמוֹ, זֵהֶה
self-satisfied *adj* שְׂבַע־רָצוֹן מֵעַצְמוֹ
self-seeking *n, adj* אָנוֹכִיּוּת; אָנוֹכִיִּי
self-service restaurant *n* מִסְעֶדֶת שֵׁירוּת עַצְמִי
self-starter *n* מַתְנֵעַ
self-support *n* הַחֲזָקָה עַצְמִית
self-taught *adj* בַּעַל הַשְׂכָּלָה עַצְמִית
self-willed *adj* תַּקִּיף בְּדַעְתּוֹ
sell *vt, vi* מָכַר; נִמְכַּר
sell *n* תַּרְמִית
seller *n* מוֹכֵר, זַבָּן
sell-out *n* מְכִירָה כְּלָלִית
Seltzer water *n* מֵי סוֹדָה
selvage *n* שָׂפָה (של אריג)
semantic *adj* סֵמַנְטִי; שֶׁל תּוֹרַת הַמַּשְׁמָעִים
semaphore *n* סֵמָפוֹר
semblance *n* מַרְאֶה; מַרְאִית־עַיִן
semen *n* זֶרַע
semester *n* סֵמֶסְטֶר, זְמַן
semicolon *n* נְקוּדָה וּפְסִיק (;)
semiconscious *adj* בְּהַכָּרָה לְמֶחֱצָה
semifinal *adj, n* (שֶׁל) חֲצִי־גְמָר
semi-learned *adj* מְלוּמָּד לְמֶחֱצָה
semimonthly *n, adj, adv* דּוּ־שָׁבוּעוֹן; דּוּ־שְׁבוּעוֹנִי
seminar *n* סֶמִינַרְיוֹן
seminary *n* בֵּית־סֵפֶר גָּבוֹהַּ לִנְעָרוֹת; סֶמִינַרְיוֹן

Semite *n* שֵׁמִי
Semitic *adj* שֵׁמִי
semitrailer *n* גּוֹרֵר לְמֶחֱצָה
semiweekly *adj, n, adv* חֲצִי־שְׁבוּעִי
semiyearly *adj, adv* חֲצִי־שְׁנָתִי
Sen. *abbr* Senator, Senior
senate *n* סֵנָט
senator *n* סֵנָטוֹר
send *vt* שָׁלַח
sender *n* שׁוֹלֵחַ; מְמַעֵן
send-off *n* פְּרֵידָה חֲגִיגִית
senile *adj* שֶׁל זִקְנָה; סֵנִילִי
senility *n* תְּשִׁישׁוּת מִזִּקְנָה; סֵנִילִיּוּת
senior *adj, n* בָּכִיר
senior citizens *n pl* זְקֵנִים
seniority *n* וֶתֶק
sensation *n* תְּחוּשָׁה; מִרְעָשׁ, סֶנסַצְיָה
sense *n* חוּשׁ; רֶגֶשׁ; הַכָּרָה; שֵׂכֶל; מַשְׁמָע
sense *vt* חָשׁ
senseless *adj* חֲסַר טַעַם
sensibility *n* כּוֹשֶׁר חִישָּׁה; תְּבוּנָה
sensible *adj* נָבוֹן; הֶגְיוֹנִי; נִיכָּר; חָשׁ
sensitive *adj* רָגִישׁ
sensitize *vt* עָשָׂה לְרָגִישׁ
sensory *adj* חוּשִׁי
sensual *adj* חוּשָׁנִי; תַּאַוְותָנִי
sensuous *adj* חוּשִׁי, רָגִישׁ לְגֵירוּי חוּשִׁי
sentence *n* מִשְׁפָּט (תחבירי); גְּזַר־דִּין
sentence *vt* דָּן; חָרַץ דִּין
sentiment *n* רֶגֶשׁ, סֶנְטִימֶנְט
sentimentality *n* רִגְשִׁיּוּת, רַגְשָׁנוּת
sentinel *n* זָקִיף
sentry *n* זָקִיף; מִשְׁמָר
sentry-box *n* תָּא זָקִיף

separate *vt, vi* הִפְרִיד; חָצַץ; נִפְרַד
separate *adj* נִפְרָד, נִבְדָּל; מְנוּתָּק
Sephardic *adj* סְפָרַדִּי (יהודי)
Sephardim *n pl* (יהודים) סְפָרַדִּים
September *n* סֶפְּטֶמְבֶּר
septet *n* שַׁבְעִית
septic *adj, n* (חומר) אָלוּחַ
sepulcher *n* קֶבֶר, קְבוּרָה
sequel *n* הֶמְשֵׁךְ; תּוֹלָדָה
sequence *n* הִשְׁתַּלְשְׁלוּת, רֶצֶף; סֵדֶר
sequester *vt* הִפְקִיעַ
seraph *n* שָׂרָף, מַלְאָךְ
Serb *n* סֶרְבִּי
sere *adj* יָבֵשׁ, כָּמוּשׁ
serenade *n* סֵרֶנָדָה
serenade *vt* סִרְנֵד
serene *adj* שָׁלֵו, רוֹגֵעַ; רַם מַעֲלָה
serenity *n* שַׁלְוָה, רוֹגַע
serf *n* צְמִית, עֶבֶד
serfdom *n* שִׁעְבּוּד
sergeant *n* סַמָּל
sergeant-at-arms *n* קְצִין הַטֶּקֶס
sergeant-major *n* רַב־סַמָּל
serial *adj, n* סוֹדֵר; סִיפּוּר בְּהֶמְשֵׁכִים
series *n* סִדְרָה
serious *adj* רְצִינִי, חָמוּר
sermon *n* דְּרָשָׁה
sermonize *vt, vi* הִטִּיף; נָשָׂא דְּרָשָׁה
serpent *n* נָחָשׁ
serum *n* נַסְיוּב
servant *n* מְשָׁרֵת
servant-girl (maid) *n* עוֹזֶרֶת (בית), מְשָׁרֶתֶת
serve *vt, vi* שֵׁירֵת; עָבַד אֶת; כִּיהֵן בּ...; תִּיפְקֵד; הִגִּישׁ

serve *n* (בטניס) חֲבָטַת פְּתִיחָה
service *n* שֵׁירוּת; אַחֲזָקָה; טוֹבָה; חֲבָטַת פְּתִיחָה (בטניס)
service *vt* נָתַן שֵׁירוּת
serviceable *adj* שָׁמִישׁ; תַּכְלִיתִי
serviceman *n* חַיָּל; אִישׁ שֵׁירוּת
servile *adj* מִתְרַפֵּס
servitude *n* עַבְדוּת, שִׁעְבּוּד
sesame *n* שׁוּמְשׁוּם
session *n* מוֹשָׁב; יְשִׁיבָה
set *vt, vi* שָׂם, הִנִּיחַ; קָבַע; הוֹשִׁיב; עָרַךְ (שולחן); סִידֵּר (בִּדפוס); כִּיוּוֵּן (שעון וכד׳)
set *adj* קָבוּעַ מֵרֹאשׁ; מְיוּעָד; מְכוּוָּן
set *n* מַעֲרֶכֶת; סִדְרָה; קְבוּצָה (של אנשים); תַּפְאוּרָה (בתיאטרון)
setback *n* הֵיעָצְרוּת, בְּלִימָה
setscrew *n* בּוֹרֶג כִּוּוּנוּן
settee *n* סַפָּה
setting *n* קְבִיעָה, סִידּוּר; מִסְגֶּרֶת, רֶקַע
settle *n* סַפְסָל נוֹחַ
settle *vt, vi* סִידֵּר, הִסְדִּיר; הֶחֱלִיט; פָּרַע (חוב); בָּא לָגוּר; הוֹשִׁיב, הִשְׁכִּין; יִישֵּׁב (סכסוך); הִתְיַישֵּׁב
settlement *n* סִידּוּר; הֶסְדֵּר; הֶסְכֵּם; פֵּירָעוֹן (חוב); הוֹרָשָׁה; יִישׁוּב, הִתְיַישְּׁבוּת
settler *n* מִשְׁתַּקֵּעַ, מִתְיַישֵּׁב
set-up *n* (דיבורית) מִבְנֶה, צוּרַת אִרְגּוּן
seven *adj, n* (של) שִׁבְעָה, שֶׁבַע
seven hundred *adj, n* שְׁבַע מֵאוֹת
seventeen *adj, n* שִׁבְעָה־עָשָׂר, שְׁבַע־עֶשְׂרֵה
seventeenth *adj, n* הַשִּׁבְעָה־עָשָׂר, הַשְּׁבַע־עֶשְׂרֵה
seventh *adj, n* שְׁבִיעִי; שְׁבִיעִית
seventieth *adj, n* הַשִּׁבְעִים; הַחֵלֶק הַשִּׁבְעִים
seventy *adj, n* שִׁבְעִים
sever *vt, vi* נִיתֵּק
several *adj* אֲחָדִים
severance pay *n* פִּיצּוּיֵי פִּיטּוּרִים
severe *adj* חָמוּר
sew *vt, vi* תָּפַר, אִיחָה
sewage *n* שׁוֹפָכִים, מֵי בִּיוּב
sewer *n* בִּיב
sewerage *n* בִּיּוּב; שׁוֹפָכִים
sewing machine *n* מְכוֹנַת תְּפִירָה
sex *n* מִין
sex appeal *n* חֵן מִינִי
sextant *n* סֶקְסְטַנְט
sextet *n* שִׁיתִּית (במוסיקה); שִׁישִׁיָּה
sexton *n* שַׁמַּשׁ כְּנֵסִיָּה
sexual *adj* מִינִי
sexy *adj* מְעוֹרֵר תְּשׁוּקָה מִינִית
shabby *adj* מְרוּפָּט
shack *n* בִּקְתָּה
shackle *n* אֶצְעָדַת אֲזִיקִים
shade *n* צֵל; גָּוֶן
shade *vt, vi* יָצַר צֵל; הֵצֵל עַל; (בציור) קִוְקֵו צְלָלִים
shadow *n* צֵל
shadow *vt* הֵצֵל; עָקַב אַחֲרֵי
shadowy *adj* צְלָלִי; קָלוּשׁ; מְעוּרְפָּל
shady *adj* מֵצֵל; (דיבורית) מְפוּקְפָּק
shaft *n* מוֹט, כְּלוֹנָס
shaggy *adj* שָׂעִיר, מְדוּבְלָל
shake *vt, vi* נִעְנַע, טִלְטֵל; זִעְזַע; הִתְנַדְנֵד
shake *n* נִעְנוּעַ, טִלְטוּל

shakedown *n* יָצוּעַ; (המונית) סְחִיטָה בְּעִינּוּיִים

shake-up *n* שִׁידּוּד מַעֲרָכוֹת

shaky *adj* לֹא יַצִּיב

shall *v aux* (פּוֹעַל־עֵזֶר לציון העתיד גוּף רִאשׁוֹן)

shallow *adj* רָדוּד; שִׁטְחִי

sham *n* זִיּוּף, הַעֲמָדַת־פָּנִים

sham *vt, vi* הֶעֱמִיד פָּנִים

sham battle *n* תַּרְגִּיל קְרָב

shambles *n* בֵּית־מִטְבָּחַיִים; שְׂדֵה־הֶרֶג

shame *n* בּוּשָׁה; חֶרְפָּה

shame *vt* בִּייֵּשׁ; הִשְׁפִּיל

shameful *adj* מֵבִישׁ, מַחְפִּיר

shameless *adj* חֲסַר בּוּשָׁה

shampoo *vt* חָפַף רֹאשׁ (בשמפו)

shampoo *n* שַׁמְפּוּ; חֲפִיפָה

shamrock *n* תִּלְתָּן

shank *n* שׁוֹק, רֶגֶל

shanty *n* בִּקְתָּה, צְרִיף

shape *n* צוּרָה; דְּמוּת

shape *vt, vi* צָר (צורה), עִיצֵּב; גִּיבֵּשׁ; לָבַשׁ צוּרָה

shapeless *adj* חֲסַר צוּרָה

shapely *adj* יְפֵה צוּרָה, חָטוּב

share *n* חֵלֶק; מְנָיָה

share *vt, vi* חִילֵּק; נָטַל חֵלֶק

shareholder *n* בַּעַל מְנָיָה

shark *n* כָּרִישׁ; נוֹכֵל

sharp *adj* חַד; שָׁנוּן, מְמוּלָּח

sharp *adv* בְּדִיּוּק נִמְרָץ; בְּעֵרָנוּת

sharpen *vt, vi* חִידֵּד; הִתְחַדֵּד

sharper *n* רַמַּאי

sharpshooter *n* קַלָּע

shatter *vt, vi* נִיפֵּץ; הִתְנַפֵּץ

shatterproof *adj* חֲסִין הִתְנַפְּצוּת

shave *vt, vi* גִּילֵּחַ; קִילֵּף; הִתְגַּלֵּחַ

shave *n* גִּילּוּחַ, תִּגְלַחַת

shavings *n pl* שִׁיפּוּיִים

shawl *n* סוּדָר

she *pron, n* הִיא

sheaf *n* אֲלוּמָּה

shear *vt* גָּזַר; סִיפֵּר

shears *n pl* מִסְפָּרַיִים (גדולים)

sheath *n* נָדָן; תִּיק

sheathe *vt* הִכְנִיס לַנָּדָן

shed *n* צְרִיף; סְכָכָה

shed *vt* הִזִּיל (דמעות); שָׁפַךְ (דם); הֵפִיץ (אור); הִשִּׁיל (עור וכד׳)

sheen *n* בָּרָק, זוֹהַר

sheep *n* צֹאן; כֶּבֶשׂ

sheep-dog *n* כֶּלֶב רוֹעִים

sheepish *adj* מְבוּיָּשׁ; נָבוֹךְ

sheepskin *n* עוֹר כֶּבֶשׂ; קְלָף

sheer *vi* סָטָה

sheer *adj* דַּק וְשָׁקוּף; טָהוֹר; תָּלוּל מְאוֹד

sheet *n* סָדִין (מיטה); לוּחַ; רִיקּוּעַ; גִּילָּיוֹן (נייר)

sheik *n* שֵׁייך

shelf *n* מַדָּף

shell *n* קְלִיפָּה; קוֹנְכִית; פָּגָז

shell *vt* קִילֵּף, הוֹצִיא מֵהַקְּלִיפָּה

shellac *n* שֶׁלָּק (לכה)

shell hole *n* פִּיר פָּגָז

shell-shock *n* הֶלֶם קְרָב

shelter *n* מַחְסֶה; מִקְלָט

shelter *vt, vi* שִׁימֵּשׁ מַחְסֶה; חָסָה

shelve *vi, vt* הִשְׁתַּפֵּעַ; גָּנַז; מִידֵּף

shepherd *n* רוֹעֶה

shepherd *vt* רָעָה; הוֹבִיל

sheriff *n* שֶׁרִיף

sherry *n* שֶׁרִי

shield *n* מָגֵן

shield *vt* הֵגֵן עַל, חִיפָּה עַל

shift *vt, vi* הֶעְתִּיק, הֶעֱבִיר; זָז

shift *n* הַעְתָּקָה, הֲזָזָה; מִשְׁמֶרֶת; חִילּוּף

shift key *n* מַחֲלֵף

shiftless *adj* חֲסַר תּוּשִׁיָּה; לֹא יָעִיל

shifty *adj* עָרוּם, תַּחְבְּלָנִי

shilling *n* שִׁילִינג

shimmer *vi* נִצְנֵץ; הִבְלִיחַ

shimmer *n* נִצְנוּץ; הַבְלָחָה

shin *n* שׁוֹק

shin *vi* טִיפֵּס

shinbone *n* שׁוֹקָה

shine *vi* זָהַר, זָרַח

shine *n* זוֹהַר; בָּרָק

shingle *n* רַעַף; תִּסְפּוֹרֶת קְצָרָה

shingle *vt* רִיעֵף; גָּזַז (שֵׂיעָר)

shining *adj* מַבְרִיק

shiny *adj* מַבְרִיק, נוֹצֵץ

ship *n* אוֹנִיָּה

ship *vt, vi* הִטְעִין בִּסְפִינָה; שִׁיגֵּר;
הִפְלִיג

shipboard *n* אוֹנִיָּה

shipbuilder *n* בּוֹנֶה אוֹנִיּוֹת

shipmate *n* מַלָּח חָבֵר

shipment *n* הַטְעָנָה; מִטְעָן

shipper *n* קַבְּלַן הוֹבָלָה

shipping *n* מִשְׁלוֹחַ; סַפָּנוּת; שַׁיִט

shipshape *adj, adv* בְּסֵדֶר נָאֶה

shipside *n* מֵזַח, רְצִיף נָמֵל

shipwreck *n* הִיטָּרְפוּת סְפִינָה

shipwreck *vt, vi* טִיבֵּעַ סְפִינָה;
נִטְרְפָה סְפִינָתוֹ

shipyard *n* מִסְפָּנָה

shirk *vt* הִשְׁתַּמֵּט

shirk, shirker *n* מִשְׁתַּמֵּט

shirred eggs *n pl* בֵּיצִים אֲפוּיוֹת

shirt *n* כּוּתוֹנֶת

shirt-front *n* חֲזִית כּוּתוֹנֶת

shirtsleeve *n* שַׁרווּל חוּלְצָה

shirttail *n* זְנַב חוּלְצָה

shirtwaist *n* חוּלְצַת נָשִׁים

shiver *vi* רָעַד

shiver *n* רַעַד, רֶטֶט

shoal *n* מַיִם רְדוּדִים; שִׂרְטוֹן

shock *n* זַעֲזוּעַ, הֶלֶם;
סְבַךְ (שֶׁל שֵׂיעָר)

shock *vt, vi* גָּרַם הֶלֶם, זִעְזֵעַ

shocking *adj* מְזַעְזֵעַ

shoddy *n, adj* אָרִיג זוֹל; זוֹל

shoe *n* נַעַל; פַּרְסָה

shoe *vt* הִנְעִיל; פִּרְזֵל

shoeblack *n* מְצַחְצֵחַ נַעֲלַיִים

shoehorn *n* כַּף לִנְעָלַיִים

shoelace *n* שְׂרוֹךְ נַעַל

shoemaker *n* סַנְדְּלָר

shoeshine *n* צִחְצוּחַ נַעֲלַיִים

shoestring *n* שְׂרוֹךְ נַעַל

shoe-tree *n* אִימוּם (לְנַעַל)

shoot *vt, vi* יָרָה בּ...; יָרָה; הִסְרִיט

shoot *n* יְרִי; צַיִד; תַּחֲרוּת קְלִיעָה;
נֶטַע רַךְ

shooting match *n* תַּחֲרוּת קְלִיעָה

shooting star *n* כּוֹכָב נוֹפֵל

shop *n* חֲנוּת; בֵּית־מְלָאכָה

shop *vi, vi* עָרַךְ קְנִיּוֹת

shopgirl *n* זַבָּנִית
shopkeeper *n* חֶנְווָנִי
shoplifter *n* גַּנָּב בַּחֲנוּיוֹת
shopper *n* עוֹרֵךְ קְנִיּוֹת
shopping district *n* אֵיזוֹר חֲנוּיוֹת
shopwindow *n* חַלּוֹן־רַאֲוָוה
shopworn *adj* בְּלוּי חֲנוּת
shore *n* חוֹף, גָּדָה
shore *vt* תָּמַךְ (בְּמִתמך)
shore leave *n* חוּפְשַׁת חוֹף
shore patrol *n* מִשְׁמַר חוֹפִים
short *adj* קָצָר; (אדם) נָמוּךְ
short *n* קֶצֶר; סֶרֶט קָצָר
short *adv* פִּתְאוֹם; בְּקִיצּוּר; בְּגַסּוּת
short *vt, vi* גָּרַם אוֹ נִגְרַם קֶצֶר
shortage *n* מַחְסוֹר
shortcake *n* עוּגָה פְּרִיכָה
shortchange *vt, vi* נָתַן עוֹדֶף פָּחוֹת מִן הַמַּגִּיעַ
short circuit *n* קֶצֶר
shortcoming *n* חִיסָּרוֹן, מִגְרַעַת
short cut *n* קַפַּנְדַּרְיָּה
shorten *vt, vi* קִיצֵּר; הִתְקַצֵּר
shorthand *n, adj* (שֶׁל) קַצְרָנוּת
shorthand-typist *n* קַצְרָנִית־כַּתְבָנִית
short-lived *adj* קְצַר־יָמִים
shortly *adv* בְּקָרוֹב; בְּקִיצּוּר
short-range *adj* קְצַר־טְוָוח
shorts *n pl* מִכְנָסַיִים קְצָרִים
shortsighted *adj* קְצַר־רְאִיָּה
short stop *n* (בְּבֵייסְבּוֹל) מֵגֵן
short-tempered *adj* קְצַר־אַפַּיִים
short-term *adj* קְצַר־מוֹעֵד
shot *n* יְרִיָּה; נִיסָּיוֹן; זְרִיקָה
shotgun *n* רוֹבֵה־צַיִד

shot-put *n* הֲדִיפַת־כַּדּוּר
should *v aux* צָרִיךְ, מִן הַדִּין שֶׁ...
shoulder *n* כָּתֵף; שֶׁכֶם
shoulder *vt* דָּחַף, הָדַף; נָשָׂא
shoulder-blade *n* עֶצֶם הַשֶּׁכֶם
shoulder-strap *n* רְצוּעַת כָּתֵף
shout *n* צְעָקָה, צְווָחָה
shout *vt, vi* צָעַק, צָוַח
shove *vt, vi* דָּחַף, הָדַף; נִדְחָק
shove *n* דְּחִיפָה
shovel *n* יָעֶה; אֵת
shovel *vt* הֶעֱבִיר בְּיָעֶה, יִיעָה
show *vt, vi* הֶרְאָה; הִצִּיג; נִרְאָה; הוֹפִיעַ
show *n* גִּילּוּי, הוֹפָעָה; הַצָּגָה; רַאֲוָוה
show bill *n* מוֹדָעַת תֵּיאַטְרוֹן
showcase *n* תֵּיבַת רַאֲוָוה
showdown *n* גִּילּוּי הַקְּלָפִים
shower *n* מִמְטָר; מִקְלַחַת
shower *vt, vi* הִמְטִיר; הִתְקַלֵּחַ
shower-bath *n* מִקְלַחַת
show-girl *n* שַׂחְקָנִית בְּלַהֲקָה
showman *n* מְנַהֵל הַצָּגוֹת
show-off *n* הַצָּגָה לְרַאֲוָוה; מִתְהַדֵּר
showpiece *n* פְּאֵר הַתּוֹצֶרֶת
showplace *n* אֲתַר רַאֲוָוה
showroom *n* חֲדַר תְּצוּגָה
show-window *n* חַלּוֹן רַאֲוָוה
showy *adj* רַאַוְותָנִי
shrapnel *n* שְׁרַפְנֶל
shred *n* קֶרַע; רְסִיס
shred *vt* קָרַע לִגְזָרִים
shrew *n* גַּדְּפָנִית, מִרְשַׁעַת
shrewd *adj* פִּיקֵחַ, חָרִיף
shriek *vi* צָוַח, צָרַח

shriek *n* צְוָחָה, צְרִיחָה
shrill *adj* צַרְחָנִי
shrimp *n* סַרְטָן (קטן, לאכילה); אָדָם קָטָן
shrine *n* אֲרוֹן־קוֹדֶשׁ; מִקְדָּשׁ
shrink *vi, vt* הִתְכַּוֵּץ; כִּיוֵּץ
shrinkage *n* הִתְכַּוְּצוּת; פְּחָת
shrivel *vi, vt* כָּמַשׁ; הִכְמִישׁ
shroud *n* סְדִין תַּכְרִיכִים
shroud *vt* כָּרַךְ בְּתַכְרִיכִים; כִּיסָּה
Shrove Tuesday *n* יוֹם ג׳ שֶׁלִּפְנֵי צוֹם לֶנְט
shrub *n* שִׂיחַ
shrubbery *n* שִׂיחִים
shrug *vt, vi* מָשַׁךְ בִּכְתֵפָיו
shrug *n* מְשִׁיכַת כְּתֵפַיִים
shudder *vi* רָעַד, הִתְחַלְחֵל
shudder *n* רַעַד, חַלְחָלָה
shuffle *vt, vi* גֵּרֵר רַגְלָיו; הִשְׁתָּרֵךְ; טָרַף (קלפים)
shuffle *n* גְּרִירַת רַגְלַיִים; טְרִיפַת קְלָפִים
shuffleboard *n* לוּחַ הַחֲלָקָה
shun *vt* הִתְרַחֵק מִן
shunt *vt* הִטָּה לְמַסְלוּל צְדָדִי
shut *vt, vi* סָגַר, הֵגִיף (תריס); עָצַם (עיניים); נִסְגַּר
shut up! *interj* בְּלוֹם פִּיךָ!
shutdown *n* סְגִירָה, הַשְׁבָּתָה
shutter *n* תְּרִיס; סֶגֶר
shuttle *vi* נָע הָלוֹךְ וָשׁוֹב
shuttle train *n* רַכֶּבֶת הָלוֹךְ וָשׁוֹב
shy *adj* בַּיְישָׁן
shy *vi, vt* נִרְתַּע בְּבֶהָלָה; הִשְׁלִיךְ (אבן וכד׳)
shyster *n* פְּרַקְלִיט נַכְלוּלִים
Siamese *adj, n* סִיאָמִי; סִיאָמִית
Siberian *adj, n* סִיבִּירִי
sibilant *adj, n* (הגה) שׁוֹרֵק
sibyl *n* סִיבִּילָה; מְכַשֵּׁפָה
sic *adv, adj* כָּךְ
Sicilian *adj, n* סִיצִילְיָאנִי
sick *adj* חוֹלֶה; מַרְגִּישׁ בְּחִילָה
sickbed *n* עֶרֶשׂ דְּוַי
sicken *vi, vt* נֶחֱלָה; הֶחֱלָה; חָשׁ (אוֹ עוֹרֵר) בְּחִילָה
sickening *adj* מַחֲלֶה; מַבְחִיל
sickle *n* חֶרְמֵשׁ
sick-leave *n* חוּפְשַׁת מַחֲלָה
sickly *adj* חוֹלָנִי
sickness *n* מַחֲלָה, חוֹלִי
side *n* צַד, עֵבֶר
side *adj* צִדִּי
side *vi* צִידֵּד בּ...
side-arms *n pl* נֶשֶׁק צַד
sideboard *n* מִזְנוֹן; דּוּפָן צִדִּי
sideburns *n pl* זְקַן לְחָיַיִם
side-dish *n* תּוֹסֶפֶת (בסעודה)
side effect *n* תּוֹצָאָה מִשְׁנִית
side glance *n* מַבָּט מְלוּכְסָן
side issue *n* עִנְיָן צְדָדִי
side-line *n* עִיסוּק צְדָדִי
sidereal *adj* שֶׁלְּפִי הַכּוֹכָבִים
sidesaddle *n* אוּכַּף נָשִׁים
side-show *n* ׳פַּרְפֶּרֶת׳
sidesplitting *adj* מְגַלְגֵּל מִצְחוֹק
sidetrack *vt* הִטָּה לַצַּד
sidetrack *n* מַסְלוּל צְדָדִי
side view *n* רְאִיָּה צְדָדִית
sidewalk *n* מִדְרָכָה

sideward *adv, adj* הַצִּדָּה, לַצַּד
sideway(s) *adv, adj* הַצִּדָּה
side whiskers *n* זְקַן לְחָיַיִם
siding *n* מְסִילָּה צְדָדִית
sidle *vi* הָלַךְ בְּצִידּוּד
siege *n* מָצוֹר
sieve *n* נָפָה, כְּבָרָה
sift *vt, vi* סִינֵּן, נִיפָּה; בָּדַק; חוּשַּׁר
sigh *vi, vt* נֶאֱנַח; הִבִּיעַ בַּאֲנָחוֹת
sigh *n* אֲנָחָה
sight *n* מַרְאֶה; רְאִיָּה; (ברובה) כַּוֶּנֶת
sight *vt* כִּיוֵּן בְּכַוֶּנֶת; גִּילָּה (מרחוק)
sight draft *n* מִמְשָׁךְ בְּהַצָּגָה
sight read *n* נִיגֵּן בִּקְרִיאָה רִאשׁוֹנָה
sight reader *n* מְנַגֵּן בִּקְרִיאָה רִאשׁוֹנָה
sightseeing *n* תִּיּוּר, סִיּוּר
sightseer *n* תַּיָּיר, מְסַיֵּיר
sign *n* סִימָן, סֶמֶל; שֶׁלֶט; מֶחֱוָה
sign *vt* חָתַם; רָמַז
signal *n* אוֹת
signal *vt, vi* נָתַן אוֹת, אוֹתֵת
signal *adj* מוּבְהָק, בּוֹלֵט
Signal Corps *n* חֵיל־הַקֶּשֶׁר
signal tower *n* מִגְדַּל אִיתּוּת
signatory *n, adj* חוֹתֵם
signature *n* חֲתִימָה
signboard *n* שֶׁלֶט
signer *n* חוֹתֵם
signet ring *n* טַבַּעַת־חוֹתָם
significant *adj* בּוֹלֵט, מַשְׁמָעוּתִי
signify *vt, vi* צִיֵּין, הוֹדִיעַ;
הָיָה בַּעַל מַשְׁמָעוּת
signpost *n* תַּמְרוּר
signpost *vt* הִצִּיב צִיּוּנֵי־דֶּרֶךְ
silence *n, vt* שְׁתִיקָה; הִשְׁתִּיק
silent *adj* שׁוֹתֵק, שַׁתְקָן
silhouette *n* צְלָלִית
silk *n* מֶשִׁי
silk *adj* מִשְׁיִי; שֶׁל מֶשִׁי
silken *adj* מִשְׁיִי; רַךְ כְּמֶשִׁי
silkworm *n* תּוֹלַעַת מֶשִׁי
silky *adj* מִשְׁיִי
sill *n* אֶדֶן חַלּוֹן; סַף
silly *adj, n* טִיפְּשִׁי; שׁוֹטֶה
silo *n* מִגְדַּל הַחְמָצָה
silt *n* מִשְׁקַע סְחוֹפֶת
silver *n, adj* כֶּסֶף; שֶׁל כֶּסֶף
silver *vt, vi* צִיפָּה כֶּסֶף; הִכְסִיף
silverfish *n* דַּג הַכֶּסֶף
silver foil *n* רִיקּוּעַ כֶּסֶף
silver lining *n* קֶרֶן אוֹר
silver screen *n* מָסַךְ הַקּוֹלְנוֹעַ
silver spoon *n* כְּתוֹנֶת פַּסִּים
silver-tongue *n* (נוֹאֵם) מַזְהִיר
silverware *n* כְּלֵי־כֶּסֶף
similar *adj* דּוֹמֶה
simile *n* מָשָׁל, דִּימּוּי
simmer *vt, vi* הֶחֱזִיק בְּמַצַּב
פִּעְפּוּעַ; פִּעְפֵּעַ
simoon *n* סִימוּם, סוּפָה מִדְבָּרִית
simper *n* חִיּוּךְ מְטוּפָּשׁ
simple *adj* פָּשׁוּט; רָגִיל; תָּמִים
simpleminded *adj* תָּם; לָקוּי בְּשִׂכְלוֹ
simple substance *n* יְסוֹד פָּשׁוּט
simpleton *n* פֶּתִי, שׁוֹטֶה
simulate *vt* הֶעֱמִיד פָּנִים; חִיקָּה
simultaneous *adj* בּוֹ־זְמַנִּי
sin *n, vi* חֵטְא; חָטָא
since *adv, prep, conj* מֵאָז; מִלִּפְנֵי;
מִכֵּיוָן שֶׁ...

sincere *adj* כֵּן, אֲמִיתִּי
sincerity *n* כֵּנוּת, יוֹשֶׁר
sinecure *n* סִינֵקוּרָה
sinew *n* גִּיד; שְׁרִירִיּוּת
sinful *adj* חוֹטֵא; שֶׁל חֵטְא
sing *vi, vt* שָׁר, זִימֵּר
singe *vt* חָרַךְ, צָרַב
singer *n* זַמָּר
single *adj* יָחִיד, בּוֹדֵד; לֹא נָשׂוּי
single *vt, vi* בָּחַר, בֵּרֵר
single blessedness *n* בִּרְכַּת הָרַוָּקוּת
single-breasted *adj* (מעיל) בַּעַל חֲזִית חַד־רוֹבְדִית
single file *n* טוּר עוֹרְפִּי
single-handed *adj, adv* בְּכוֹחוֹת עַצְמוֹ
single-track *adj* חַד־מְסִילָתִי
singsong *n* שִׁירָה בְּצִיבּוּר
singsong *adj* חַדְגוֹנִי
singular *adj* יָחִיד; בּוֹדֵד
sinister *adj* מְבַשֵּׂר רָעוֹת
sink *vi, vt* שָׁקַע; צָלַל, טָבַע; טִיבֵּעַ
sink *n* בּוֹר שׁוֹפְכִים
sinking-fund *n* קֶרֶן לְפִדְיוֹן
sinner *n* חוֹטֵא
sinuous *adj* מִתְפַּתֵּל
sinus *n* גַּת, סִינוּס
sip *vt, vi* לָגַם
sip *n* לְגִימָה
siphon *n* גִּשְׁתָּה, סִיפוֹן
siphon *vt, vi* שָׁאַב, זָרַם בְּגִשְׁתָּה
sir *n* אָדוֹן, אֲדוֹנִי
sire *n* אָב; בֶּהֱמַת הַרְבָּעָה
sire *vt* הוֹלִיד
siren *n* בְּתוּלַת־יָם; אִשָּׁה מְפַתָּה
sirloin *n* בְּשַׂר מוֹתֶן
sissy *n* (גבר) רַכְרוּכִי
sister *n* אָחוֹת
sister-in-law *n* גִּיסָה
(*pl* sisters-in-law)
sit *vi* יָשַׁב; הָיָה מוּנָּח
sit-down strike *n* שְׁבִיתַת שֶׁבֶת
site *n, vt* אֲתַר, מָקוֹם; מִיקֵם
sitting *n* יְשִׁיבָה; מוֹשָׁב
sitting duck *n* מַטָּרָה קַלָּה
sitting-room *n* טְרַקְלִין
situate *vt* מִיקֵם, הִנִּיחַ
situation *n* מַצָּב; מִיקוּם
six *adj, n* שֵׁשׁ, שִׁשָּׁה
six hundred *n, adj* שֵׁשׁ מֵאוֹת
sixteen *n, adj* שִׁשָּׁה־עָשָׂר, שֵׁשׁ־עֶשְׂרֵה
sixteenth *adj, n* הַשִּׁשָּׁה־עָשָׂר, הַשֵּׁשׁ־עֶשְׂרֵה; הַחֵלֶק הַשִּׁשָּׁה־עָשָׂר
sixth *adj, n* שִׁשִּׁי; שִׁשִּׁית
sixtieth *adj, n* הַשִּׁשִּׁים; אֶחָד מִשִּׁשִּׁים
sixty *n* שִׁשִּׁים
sizable *adj* נִיכָּר, גָּדוֹל
size *n* מִידָּה, שִׁיעוּר, גּוֹדֶל
sizzle *vi* לָחַשׁ, רָחַשׁ
sizzle *n* רְחִישָׁה
S.J. *abbr* Society of Jesus
skate *n* גַּלְגִּלִּית; (בּרבים) מַחֲלִיקַיִים; תְּרִיסָנִית (דג)
skate *vi* הֶחֱלִיק (בּמחליקיים אוֹ בּגלגליוֹת)
skating-rink *n* מַסְלוּל הַחֲלָקָה
skein *n* דּוּלְלָה, כְּרִיכָה (של חוּטים)
skeleton *n, adj* שֶׁלֶד; שִׁלְדִּי
skeleton key *n* פּוֹתַחַת
sketch *n* מִתְוָה, סְקִיצָה; סִרְטוּט

sketch *vt* עָרַךְ מִתְוָוה; תִּיוָוה

sketchbook *n* פִּנְקַס מִרְשָׁמִים

skewer *n* שַׁפּוּד

skewer *vt* שִׁיפֵּד

ski *n* מִגְלָשׁ, סְקִי

ski *vi* הֶחֱלִיק בְּמִגְלָשַׁיִים

skid *n* יְגִייָה (במכונית); סַפָּג (של זעזועים); מַגְלֵשׁ (של מטוס); סָמוֹךְ

skid *vi, vt* יָגָה; תָּמַךְ בְּסָמוֹךְ

skiff *n* סִירָה קַלָּה

skiing *n* גְּלִישָׁה

ski jacket *n* חֲגוֹרַת סְקִי

ski-jump *n* קְפִיצַת מִגְלָשַׁיִים

ski lift *n* מֵנִיף סְקִי

skill *n* מְיוּמָּנוּת

skilled *adj* מְיוּמָּן

skillet *n* אִלְפָּס

skil(l)ful *adj* מְיוּמָּן; מַעֲשֵׂה חוֹשֵׁב

skim *vt, vi* קִיפָּה; רִפְרֵף מֵעַל

skimmer *n* מְקַפָּה; סִירַת־מָנוֹעַ קַלָּה

skim-milk *n* חָלָב רָזֶה

skimp *vt, vi* נָתַן בְּצִמְצוּם

skimpy *adj* קַמְצָנִי, זָעוּם

skin *n* עוֹר; קְלִיפָּה (של פרי וכד׳)

skin *vt, vi* פָּשַׁט עוֹר; רִימָּה

skin-deep *adj, adv* שִׁטְחִי

skinflint *n* קַמְצָן

skin-game *n* תַּרְמִית

skinny *adj* דַּק בָּשָׂר; כָּחוּשׁ

skip *vi* דִּילֵּג, פָּסַח עַל

skip *n* דִּילּוּג

ski pole *n* מַטֵּה סְקִי

skipper *n* רַב־חוֹבֵל; מַנְהִיג

skirmish *n* הִתְכַּתְּשׁוּת

skirmish *vi* הִתְכַּתֵּשׁ, הִתְנַגֵּשׁ

skirt *n* חֲצָאִית

skirt *vt* הִקִּיף אֶת הַשּׁוּלַיִים שֶׁ

ski run *n* מַסְלוּל סְקִי

ski stick *n* מַטֵּה סְקִי

skit *n* חִיבּוּר הִיתּוּלִי, מַהֲתַלָּה

skittish *adj* קַפְרִיזִי; שׁוֹבָבִי

skulduggery *n* תְּכָכִים שְׁפָלִים

skull *n* קוֹדְקוֹד, קַרְקֶפֶת

skullcap *n* כִּיפָּה

skunk *n* צַחֲנָן; בְּזוּי אָדָם

sky *n* שָׁמַיִים

skylark *n* זַרְעִית הַשָּׂדֶה

skylark *vi* הִשְׁתּוֹבֵב

skylight *n* צוֹהַר (בתקרה)

skyline *n* קַו־אוֹפֶק

skyrocket *n* זִיקּוּק־אֵשׁ

skyrocket *vi* הִמְרִיא; הֶאֱמִיר

skyscraper *n* גּוֹרֵד שְׁחָקִים

skywriting *n* כְּתִיבַת עָשָׁן (של מטוס)

slab *n* לוּחַ, טַבְלָה

slack *adj, adv* רָפוּי, מְרוּשָּׁל, אִטִּי

slack *vi* הִתְבַּטֵּל

slack *n* חֵלֶק רָפוּי (של חבל וכד׳)

slacker *n* מִשְׁתַּמֵּט

slag *n* סִיגִים

slake *vt* הִרְוָוה (צמאו); הִשְׂבִּיעַ (נקם)

slam *vt* טָרַק (דלת); הֵטִיל בַּהֲטָחָה

slam *n* טְרִיקָה

slam-bang *n* טְרִיקָה חֲזָקָה

slander *n* דִּיבָּה, לַעַז

slander *vt* הוֹצִיא דִּיבָּה

slanderous *adj* מוֹצִיא דִּיבָּה

slang *n* הֲמוֹנִית, סְלֶנְג

slang *vt* חֵירֵף

slant *vi, vt* הִתלַכסֵן; נָטָה; הִטָּה
slant *n* שִׁיפּוּעַ; נְטִייָה
slap *n, vt* סְטִירָה; סָטַר, טָפַח
slash *vt* חָתַך, סָרַט בְּחֶרֶב אוֹ בְּסַכִּין
slash *n* חֲתָך, פֶּצַע, סְרִיטָה
slat *n* פָּסִיס
slate *n* צִפחָה; רַעַף; רְשִׁימַת מוּעֲמָדִים
slate *vt* בִּיקֵּר קָשׁוֹת; הִכלִיל בִּרְשִׁימָה
slate roof *n* גג רְעָפִים
slattern *n* אִישָּׁה מְרוּשֶּׁלֶת
slaughter *n* שְׁחִיטָה, טֶבַח
slaughter *vt* שָׁחַט, טָבַח
slaughterhouse *n* בֵּית־מִטבָּחַיִים
Slav *n* סלָבִי
slave *n* עֶבֶד, שִׁפחָה
slave-driver *n* נוֹגֵשׂ
slaveholder *n* בַּעַל עֲבָדִים
slavery *n* עַבדוּת
slave-trade *n* סְחַר עֲבָדִים
Slavic *adj* סלָבִי
slay *vt* הָרַג, טָבַח
slayer *n* הוֹרֵג, רוֹצֵחַ
sled *n* מִזחֶלֶת
sledge-hammer *n* קוּרנָס, הַלמוּת
sleek *adj* חָלָק; מְלוּטָּשׁ
sleek *vt* הֶחֱלִיק; לִיטֵּשׁ
sleep *n* שֵׁינָה
sleep *vi, vt* יָשַׁן; נִרדַם; הֵלִין
sleeper *n* נַמנְמָן; אֶדֶן (של פסי רכבת)
sleeping-bag *n* שַׂק שֵׁינָה
sleeping car *n* קְרוֹן שֵׁינָה
sleeping partner *n* שׁוּתָּף לֹא פָּעִיל
sleeping pill *n* גְלוּלַת שֵׁינָה
sleepless *adj* חֲסַר שֵׁינָה
sleepwalker *n* סַהֲרוּרִי
sleepy *adj* מְנוּמנָם, רָדוּם, אֲחוּז שֵׁינָה
sleepyhead *n* מְנוּמנָם, קֵהֶה
sleet *n* חֲנָמַל
sleeve *n* שַׁרווּל
sleigh *n* מִזחֶלֶת
sleigh *vi* נָסַע בְּמִזחֶלֶת
slender *adj* דַק גֵו, עָדִין
sleuth *n* בַּלָּשׁ
slew *n* סִיבּוּב, פְּנִייָה
slice *n* פְּרוּסָה
slice *vt, vi* פָּרַס, חָתַך פְּרוּסָה
slick *vt* הֶחֱלִיק, לִיטֵּשׁ
slick *adj* חֲלַקלַק
slide *vi, vt* הֶחֱלִיק, גָלַשׁ
slide *n* (מַסלוּל) הַחֲלָקָה; שְׁקוּפִית
slide fastener *n* רוֹכְסָן, סְגוֹרָץ
slide rule *n* סַרגֵל־חִישׁוּב
slide valve *n* שַׁסתּוֹם הַחֲלָקָה
sliding door *n* דֶלֶת הֲזָזָה
slight *adj* קַל, שֶׁל מַה־בְּכָך; דַק
slight *vt, n* הֶעֱלִיב; עֶלבּוֹן
slim *adj* דַק, צַר
slim *vi* הִרזָה; רָזָה
slime *n* טִיט, יָוֵן
slimy *adj* מְכוּסֶּה טִיט; (אדם) שָׁפָל
sling *n* מִקלַעַת, קֶלַע; לוּלָאָה; מִתלֶה
sling *vt* הִשׁלִיך בְּקֶלַע
slingshot *n* קֶלַע, מִקלַעַת
slink *v* הִתגַּנֵּב
slip *vi* הֶחֱלִיק וּמָעַד; נִשׁמַט
slip *n* טָעוּת; מַעֲשֵׂה כֶּשֶׁל; הַחֲלָקָה; תַּקָּלָה; תַּחתּוֹנִית
slip of the pen (tongue) *n* פְּלִיטַת קוּלמוֹס (פֶּה)
slipper *n* נַעַל־בַּיִת

slippery *adj* חֲלַקְלַק, חֲמַקְמַק
slip-up *n* מְשׁוּגָה, טָעוּת
slit *n* סֶדֶק, חֲתָךְ
slit *vt, vi* חָתַךְ לָאוֹרֶךְ, חָרַץ
slobber *vi* רָר; הֵרִיר (מתוך רגשנות)
slogan *n* סִיסְמָה
sloop *n* סְפִינָה חַד־תּוֹרְנִית
slop *vt* שָׁפַךְ, נָתַן לִגְלוֹשׁ; נִשְׁפַּךְ, גָּלַשׁ
slope *n* שִׁיפּוּעַ, מִדְרוֹן
slope *vi, vt* הִשְׁתַּפֵּעַ; מִדְרֵן
sloppy *adj* רָטוֹב וּמְלוּכְלָךְ
slot *n* חָרִיץ; חֶרֶץ
sloth *n* עַצְלוּת
slot machine *n* אוֹטוֹמָט מוֹכֵר
slot meter *n* מוֹנֶה גּוֹבֶה
slouch *n* תְּנוּחַת רִישׁוּל
slouch *vi* עָמַד מְרוּשָּׁל
slouch hat *n* כּוֹבַע רְחַב־אוֹגֶן
slough *n* נֶשֶׁל
slough *vi, vt* נָשַׁל; הִשִּׁיל
Slovak *n, adj* סְלוֹבָקִי
slovenly *adj* מְרוּשָּׁל, מוּזְנָח
slow *adj* אִטִּי
slow *vt, vi* הֵאֵט
slow *adv* לְאַט
slowdown *n* הָאָטָה
slow-motion *adj* (סרט) מוּקְרָן לְאַט
slow poke *n* זַחְלָן
slug *n* חִילָּזוֹן עָרוֹם
slug *vi* הִכָּה, הִרְבִּיץ
sluggard *n* עַצְלָן
sluggish *adj* עַצְלָנִי, אִטִּי
sluice *n* מָגוֹף; אֲרוּבָּה (בּסכר); תְּעָלָה
sluicegate *n* אֲרוּבָּה (בּסכר)
slum *n* מִשְׁכַּן־עוֹנִי
slum *vi* סִיֵּיר בְּמִשְׁכְּנוֹת־עוֹנִי
slumber *vi* נָם, יָשֵׁן
slumber *n* תְּנוּמָה
slump *n* שֵׁפֶל פִּתְאוֹמִי
slump *vi* יָרַד פִּתְאוֹם
slur *vt* הִבְלִיעַ (הגייה); הֶעֱלִיב
slur *n* פְּגָם, דּוֹפִי
slush *n* מֵי־רֶפֶשׁ
slut *n* אִישָּׁה מְרוּשֶּׁלֶת; חֲצוּפָה, פְּרוּצָה
sly *adj* עַרְמוּמִי; חֲשָׁאִי; שָׁנוּן
smack *n* סְטִירָה מְצַלְצֶלֶת; טַעַם
smack *vt, vi* סָטַר בְּקוֹל; הָיָה בּוֹ רֵיחַ שֶׁל
smack *adv* יָשָׁר, הַיְשֵׁר
small *adj* קָטָן, פָּעוּט, זָעִיר
small arms *n pl* נֶשֶׁק קַל
small beer *n* אָדָם (דָבָר) לֹא חָשׁוּב
small change *n* כֶּסֶף קָטָן
small fry *n* זַאֲטוּטִים; דְּגֵי רְקָק
small hours *n pl* הַשָּׁעוֹת הַקְּטַנּוֹת
small intestines *n pl* מֵעַיִים דַּקִּים
small-minded *adj* צַר מוֹחִין
smallpox *n* אֲבַעְבּוּעוֹת
small-time *adj* פָּעוּט, קַל־עֵרֶךְ
small-town *adj* קַרְתָּנִי
smart *vi* סָבַל כְּאֵבִים
smart *n* כְּאֵב חַד
smart *adj* פִּיקֵּחַ, מְמוּלָּח; נוֹצֵץ; נִמְרָץ
smart aleck *n* תְּחַכְּמָן, יְהִירָן
smart set *n* חוּג נוֹצֵץ
smash *n* נִיפּוּץ, הִתְנַפְּצוּת; הִתְמוֹטְטוּת
smash *vt, vi* נִיפֵּץ, מָחַץ; הִתְנַפֵּץ; הִתְמוֹטֵט
smash-hit *n* לְהִיט הָעוֹנָה
smashup *n* הֶרֶס גָּמוּר

smattering *n* יְדִיעָה שִׁטְחִית
smear *vt* מָרַח, סָךְ; הִשְׁמִיץ; טִינֵּף
smear *n* כֶּתֶם, רְבָב
smear campaign *n* מַסַּע הַשְׁמָצָה
smell *vi, vt* הֵפִיץ רֵיחַ; הֵרִיחַ
smell *n* חוּשׁ רֵיחַ; רֵיחַ; רֵיחַ רַע
smelling-salts *n pl* מִלְחֵי הֲרָחָה
smelly *adj* מַסְרִיחַ
smelt *vt* הִתִּיךְ
smile *vi, n* חִייֵּךְ; חִיּוּךְ
smiling *adj* מְחַייֵּךְ, חַייְּכָנִי
smirk *vi* חִייֵּךְ בְּמעוּשֶּׂה
smirk *n* חִיּוּךְ מְעוּשֶּׂה
smite *vt* הִכָּה
smith *n* נַפָּח, חָרָשׁ
smithy *n* מַפָּחָה
smock *n* חָלוּק, מַעֲפוֹרֶת
smog *n* עַרְפִּיחַ, סמוֹג
smoke *n* עָשָׁן
smoke *vi, vt* הֶעֱלָה עָשָׁן; עִישֵּׁן
smoked glasses *n pl* מִשְׁקָפַיִם כֵּהִים
smoker *n* מְעַשֵּׁן; קְרוֹן־עִישּׁוּן
smoke rings *n pl* טַבְּעוֹת עָשָׁן
smoke-screen *n* מָסַךְ עָשָׁן
smokestack *n* אֲרוּבָּה, מַעֲשֵׁנָה
smoking *n* עִישּׁוּן
smoking car *n* קְרוֹן־עִישּׁוּן
smoking jacket *n* מִקְטוֹרֶן בַּיִת
smoking room *n* חֲדַר עִישּׁוּן
smoky *adj* דְּמוּי עָשָׁן; אָפוּף עָשָׁן
smooth *adj* חָלָק, חֲלַקְלַק
smooth *vt, vi* הֶחֱלִיק, יִישֵּׁר (הדורים)
smooth *n* הַחֲלָקָה, יִישּׁוּר
smooth-spoken *adj* בַּעַל לָשׁוֹן מְשַׁכְנַעַת

smoothy *n* מְדַבֵּר חֲלַקְלַקּוֹת
smother *vt* הֶחֱנִיק; הִדְחִיק; הֵצִיף
smudge *n* מְדוּרַת־עָשָׁן; כֶּתֶם
smudge, smutch *vt, vi* טִשְׁטֵשׁ, מָרַח (כתב); הִיטַּשְׁטֵשׁ
smug *adj* שְׂבַע־רָצוֹן מֵעַצְמוֹ
smuggle *vt* הִבְרִיחַ, הִגְנִיב
smuggler *n* מַבְרִיחַ
smuggling *n* הַבְרָחָה
smut *n* פְּתוֹת פִּיחַ
smutty *adj* שֶׁל נִיבּוּל־פֶּה; מְלוּכְלָךְ
snack *n* אֲרוּחָה קַלָּה
snag *n* תַּקָּלָה; מִזְקָר חַד
snail *n* חִילָּזוֹן, שַׁבְּלוּל
snake *n* נָחָשׁ
snake in the grass *n* אוֹיֵב נִסְתָּר
snap *n* פְּקִיעָה; תֶּפֶס קְפִיצִי; גַּל קוֹר
snap *adj* שֶׁל פֶּתַע, שֶׁל חֶתֶף
snap *vt, vi* פָּקַע; הִשְׁמִיעַ פִּצְפּוּץ; דִּיבֵּר בְּכַעַס; (כלב) חָטַף לְפֶתַע בְּשִׁינַּיִים; נִפְקַע
snapdragon *n* לוֹעַ הָאֲרִי
snap judgment *n* הַחְלָטַת חֶתֶף
snappy *adj* נַשְׁכָנִי; חֲרִיף תְּגוּבָה; זָרִיז
snapshot *n* תַּצְלוּם־בָּזָק
snare *vt* לָכַד בְּמַלְכּוֹדֶת
snare *n* מַלְכּוֹדֶת, פַּח
snarl *vi* (לגבי כלב) נָהַם; רָטַן; סִיבֵּךְ; הִסְתַּבֵּךְ
snarl *n* נְהִימָה; סְבַךְ
snatch *vt* חָטַף; תָּפַס
snatch *n* חֲטִיפָה
sneak *vi, vt* הִתְגַּנֵּב; הִגְנִיב; הִלְשִׁין
sneak *n* בָּזוּי; מַלְשִׁין
sneaker *n* נַעַל הִתְעַמְּלוּת

sneak-thief *n* גַּנָּב חַטְפָן
sneaky *adj* גַּנְבָנִי
sneer *n* הִבִּיעַ לַעַג
sneeze *vi, n* הִתְעַטֵּשׁ; עִיטּוּשׁ
snicker *vi* צָחַק צְחוֹק טִיפְּשִׁי
sniff *vi, vt* רִחְרֵחַ
sniff *n* רִחְרוּחַ; מְשִׁיכַת חוֹטֶם
sniffle *vi* מָשַׁךְ בִּנְחִירָיו
sniffle *n* שְׁאִיפַת נְחִירַיִים; נַזֶּלֶת
snip *vi, vt* גָּזַר בְּמִסְפָּרַיִים
snipe *n* חַרְטוּמִית
snipe *vi* צָלַף
sniper *n* צַלָּף
snippet *n* קֶטַע גָּזוּר
snitch *vt, vi* (המונית) חָטַף, גָּנַב
snivel *vi* הִתְבַּכְיֵין
snob *n* סְנוֹבּ
snobbery *n* סְנוֹבִּיוּת
snobbish *adj* סְנוֹבִּי
snoop *vi* (המונית) חִיטֵּט בְּעִנְיָנִים
לֹא לוֹ
snoop *n* (המונית) חִיטּוּט (כנ״ל);
מְחַטֵּט (כנ״ל)
snoopy *adj* חַטְטָנִי, סַקְרָנִי
snoot *n* (המונית) חוֹטֶם, פַּרְצוּף
snooty *adj* סְנוֹבִּי
snooze *n* תְּנוּמָה קַלָּה
snooze *vi* חָטַף תְּנוּמָה
snore *vi, n* נָחַר; נְחִירָה
snort *n* חִרְחוּר, נַחַר
snort *vi, vt* חִרְחֵר, נָחַר
snot *n* מֵי חוֹטֶם
snotty *adj* מְלוּכְלָךְ (כנ״ל)
snout *n* חַרְטוֹם
snow *n, vi* שֶׁלֶג; יָרַד שֶׁלֶג

snowball *n* כַּדּוּר שֶׁלֶג
snowball *vi* הָלַךְ וְגָדַל
snowblind *adj* מְסוּנְוַור שֶׁלֶג
snowcapped *adj* עֲטוּר שֶׁלֶג
snowdrift *n* סַחַף שֶׁלֶג
snowfall *n* שְׁלִיגָה
snowflake *n* פְּתוּת שֶׁלֶג
snowman *n* אִישׁ שֶׁלֶג
snowplow *n* מַחֲרֵשַׁת שֶׁלֶג
snowshoe *n* נַעַל שֶׁלֶג
snowstorm *n* סוּפַת שֶׁלֶג
snowy *adj* שָׁלוּג, מוּשְׁלָג
snub *n* הַשְׁפָּלָה, זִלְזוּל; חוֹטֶם סוֹלֵד
snub *vt* נָהַג בּוֹ זִלְזוּל
snubby *adj* (חוטם) סוֹלֵד; עוֹלֵב
snuff *vt, vi* רִחְרֵחַ; הֵרִיחַ;
כִּיבָּה (נר); (המונית) חִיסֵּל
snuff *n* טַבַּק הֲרָחָה
snuffbox *n* קוּפְסַת טַבַּק הֲרָחָה
snuffers *n pl* מַמְחֵט
snug *adj* מוּקָּף רוֹךְ וָחוֹם
snuggle *vi* הִתְרַפֵּק; חִיבֵּק
so *adv, pron, conj, interj* כָּךְ;
כָּל־כָּךְ; וּבְכֵן, עַל־כֵּן; כְּמוֹ־כֵן
soak *vt, vi* סָפַג; שָׁרָה, הִשְׁרָה, הִסְפִּיג
so-and-so *n* כָּךְ וְכָךְ; פְּלוֹנִי
soap *n* סַבּוֹן
soap *vt* סִיבֵּן; הִסְתַּבֵּן
soapbox *n* אַרְגַּז סַבּוֹן; בָּמַת רְחוֹב
soapbox orator *n* נוֹאֵם רְחוֹב
soap dish *n* סַבּוֹנִית
soap-flakes *n* שְׁבָבֵי סַבּוֹן
soapstone *n* חוֹמֶר סַבּוֹן
soapsuds *n pl* קֶצֶף סַבּוֹן
soapy *adj* מֵכִיל סַבּוֹן, שֶׁל סַבּוֹן

soar *vi*	הִגְבִּיהַּ עוּף
sob *vi, n*	הִתְיַיפֵּחַ; הִתְיַיפְּחוּת
sober *adj*	פִּיכֵּחַ, מְפוּכָּח
sober *vi*	הִתְפַּכֵּחַ
sobriety *n*	פִּיכָּחוֹן
sob story *n*	סִיפּוּר סוֹחֵט דְמָעוֹת
so-called *adj*	(הַ)מִּתְקָרֵא
soccer *n*	כַּדּוּרֶגֶל
sociable *adj, n*	חַבְרוּתִי; אוֹהֵב חֶבְרָה
social *adj*	חֶבְרָתִי; סוֹצְיָאלִי
social climber *n*	חוֹתֵר לַעֲלִייָה בַּחֶבְרָה
socialism *n*	סוֹצְיָאלִיזם
socialist *n, adj*	סוֹצְיָאלִיסְט, סוֹצְיָאלִיסְטִי
socialite *n*	אִישׁ הַחֶבְרָה הַגְּבוֹהָה
society *n*	חֶבְרָה; חֶבְרָה גְּבוֹהָה
society editor *n*	עוֹרֵךְ הַמָּדוֹר לְחֶבְרָה
sociology *n*	סוֹצְיוֹלוֹגְיָה
sock *n*	גֶּרֶב
sock *vt*	(המונית) הִכָּה
socket *n*	תּוֹשֶׁבֶת, שֶׁקַע; בֵּית־נוּרָה
sod *n*	רֶגֶב־אֲדָמָה
soda *n*	סוֹדָה
soda fountain *n*	דוּכָן לְסוֹדָה
soda water *n*	סוֹדָה, מֵי־סוֹדָה
sodium *n*	נַתְרָן
sofa *n*	סַפָּה
soft *adj*	רַךְ, עָדִין; מָתוּן
soft-boiled egg *n*	בֵּיצָה רַכָּה
soft coal *n*	פַּחַם חֵימָר
soften *vt, vi*	רִיכֵּךְ; הִתְרַכֵּךְ
soft-pedal *vt*	עִמְעֵם
soft-soap *vt*	סִיבֵּן בְּסַבּוֹן נוֹזֵל; הִקִּיף בַּחֲנוּפָּה
soggy *adj*	סְפוּג לֵיחַ
soil *n*	קַרְקַע, עָפָר, אֲדָמָה
soil *vt, vi*	לִכְלֵךְ; הִתְלַכְלֵךְ
soirée *n*	נֶשֶׁף
sojourn *vi*	שָׁהָה
sojourn *n*	שְׁהִיָּה, יְשִׁיבַת עֲרַאי
solace *n*	נִיחוּמִים, נֶחָמָה
solace *vt*	נִיחֵם
solar *adj*	שִׁמְשִׁי, סוֹלָרִי
solar battery *n*	סוֹלְלַת שֶׁמֶשׁ
solar system *n*	מַעֲרֶכֶת הַשֶּׁמֶשׁ
solder *n*	לַחַם; גּוֹרֵם מְאַחֶה
solder *vt*	הִלְחִים
soldering iron *n*	מַלְחֵם
soldier *n*	חַיָּיל
soldier of fortune *n*	חֶרֶב לְהַשְׂכִּיר
soldiery *n*	חַיָּילִים; צָבָא
sold out *adj*	שֶׁאָזַל
sole *n*	סוּלְיָה; כַּף רֶגֶל; סוּלִית
sole *adj*	יָחִיד
sole *vt*	הִתְקִין סוּלְיָה
solely *adv*	בִּלְבַד, אַךְ וְרַק
solemn *adj*	חֲגִיגִי, טִקְסִי; רְצִינִי
solicit *vt*	בִּיקֵשׁ; שִׁידֵּל
solicitor *n*	עוֹרֵךְ־דִּין (בבריטניה)
solicitous *adj*	חָרֵד, דוֹאֵג
solicitude *n*	דְּאָגָה, חֲרָדָה
solid *n, adj*	(גוּף) מוּצָק; יַצִּיב, מְבוּסָּס; נֶאֱמָן
solidity *n*	מוּצָקוּת; יַצִּיבוּת
soliloquy *n*	חַד־שִׂיחַ
solitaire *n*	אֶבֶן טוֹבָה (משובצת)
solitary *adj*	בּוֹדֵד, גַּלְמוּד
solitary *n*	מִתְבּוֹדֵד
solitude *n*	בְּדִידוּת

solo *n* אַחְדִית, סוֹלוֹ
soloist *n* סוֹלָן
solstice *n* הִיפּוּךְ
soluble *adj* מָסִיס; בַּר־פִּתְרוֹן
solution *n* פִּתְרוֹן; תְּמִיסָה
solve *vt* פָּתַר; הִתִּיר
solvent *adj* בַּעַל כּוֹשֶׁר פֵּרָעוֹן; מָסִיס
solvent *n* מְמוֹסֵס
somber *adj* קוֹדֵר, אָפֵל
somberness *n* קַדְרוּת
some *adj, pron, adv* אֵיזֶה, אֵיזֶשֶׁהוּ; מַשֶּׁהוּ, מְעַט; קְצָת; חֵלֶק; כַּמָּה
somebody *pron, n* מִישֶׁהוּ
someday *adv* (בְּ)יוֹם אֶחָד
somehow *adv* אֵיכְשֶׁהוּ
someone *pron* מִישֶׁהוּ
somersault *n* סֶבֶב, סַלְטָה
somersault *vi* עָשָׂה סַלְטָה
something *n, adv* מַשֶּׁהוּ, דְּבַר־מָה
sometime *adj* בִּזְמַן מִן הַזְּמַנִּים
sometimes *adv* לִפְעָמִים
someway *adv* בְּדֶרֶךְ־מָה
somewhat *adv, n* בְּמִקְצָת; מַשֶּׁהוּ
somewhere *adv, n* אֵי־שָׁם; כָּלְשֶׁהוּ
somnambulist *n* סַהֲרוּרִי
somnolent *adj* נִמְשָׁךְ לִישׁוֹן
son *n* בֵּן
song *n* שִׁיר
songbird *n* צִיפּוֹר־שִׁיר
Song of Solomon *n* שִׁיר הַשִּׁירִים
Song of Songs *n* שִׁיר הַשִּׁירִים
sonic *adj* קוֹלִי
sonic boom *n* בּוּם עַל־קוֹלִי
son-in-law *n* חָתָן
sonnet *n* סוֹנֶטָה, שִׁיר־זָהָב

sonneteer *n* מְחַבֵּר סוֹנֶטוֹת
soon *adv* בִּמְהֵרָה, בְּקָרוֹב, בְּהֶקְדֵּם
soot *n* פִּיחַ
soothe *vt, vi* הִרְגִּיעַ; רִיכֵּךְ
soothsayer *n* מַגִּיד עֲתִידוֹת
sooty *adj* מְפוּיָּח
sophisticated *adj* מְתוּחְכָּם
sopping *adj* סְפוּג מַיִם
soprano *adj, n* סוֹפְּרָן; זַמֶּרֶת סוֹפְּרָן
sorcerer *n* קוֹסֵם, אַשָּׁף
sorceress *n* קוֹסֶמֶת
sorcery *n* כִּישּׁוּף
sordid *adj* מְלוּכְלָךְ; שָׁפָל
sore *adj* כּוֹאֵב; כָּאוּב; רָגוּז
sore *n* פֶּצַע; עִנְיָן כָּאוּב
sorely *adv* אֲנוּשׁוֹת
sorority *n* אֲגוּדַּת נָשִׁים
sorrel *adj, n* אֲדַמְדַּם־חוּם; חוּמְעָה
sorrow *n* צַעַר, יָגוֹן
sorrow *vi* הִצְטַעֵר, הִתְיַיסֵּר
sorrowful *adj* עָצוּב, עָגוּם
sorry *adj* מִצְטַעֵר; מִתְחָרֵט; אוּמְלָל
sort *n* סוּג, מִין, טִיפּוּס
sort *vt, vi* סִיוּוֵג, מִיֵּין
so-so *adj, adv* לֹא מִצְטַיֵּין; נִסְבָּל; כָּכָה־כָּכָה
sot *n* שִׁיכּוֹר מוּעָד
sotto voce *adv* בַּחֲצִי קוֹל
soul *n* נֶפֶשׁ, נְשָׁמָה
soulfulness *n* נְשָׁמָה יְתֵרָה
sound *n* קוֹל צְלִיל; טוֹן
sound *vi, vt* נִשְׁמַע; עָשָׂה רוֹשֶׁם שֶׁל
sound *adj* בָּרִיא, שָׁפוּי
soundly *adv* בִּיעִילוּת, כַּהֲלָכָה
soundproof *adj* חֲסִין־קוֹל

soup *n* מָרָק
soup-kitchen *n* בֵּית־תַּמְחוּי
soupspoon *n* כַּף לְמָרָק
sour *adj* חָמוּץ; בּוֹסֶר
sour *vt, vi* הֶחְמִיץ
source *n* מָקוֹר; מַעְיָן
south *n* דָּרוֹם
south *adj, adv* דְּרוֹמִי; דְּרוֹמִית
South America *n* אֲמֵרִיקָה הַדְּרוֹמִית
southern *adj* דְּרוֹמִי
Southern Cross *n* הַצְּלָב הַדְּרוֹמִי
southerner *n* דְּרוֹמִי
southpaw *n* אִיטֵר, שְׂמָאלִי
southward *adj, adv* דְּרוֹמִי; דָּרוֹמָה
south wind *n* רוּחַ דְּרוֹמִית
souvenir *n* מַזְכֶּרֶת
sovereign *adj* רִיבּוֹנִי, עֶלְיוֹן
sovereign *n* רִיבּוֹן; מֶלֶךְ; סוֹבְרִין (מטבע)
sovereignty *n* רִיבּוֹנוּת
soviet *n, adj* סוֹבְיֶיט; סוֹבְיֶיטִי
sovietize *vt* סִבְיֵיט
Soviet Russia *n* בְּרִית־הַמּוֹעָצוֹת
sow *n* חֲזִירָה
sow *vt, vi* זָרַע; הֵפִיץ
soybean *n* פּוֹל סוֹיָה
spa *n* מַעְיָן מִינֶרָלִי
space *n* מֶרְחָב, חָלָל; רֶוַח
space *vt* רִיוֵּחַ; פִּיסֵּק
space craft *n* חֲלָלִית
space flight *n* טִיסָה לֶחָלָל
space key *n* מַקַּשׁ הָרְוָוחִים
spaceman *n* חֲלָלַאי
space ship *n* סְפִינַת־חָלָל, חֲלָלִית
spacious *adj* מְרוּוָּח
spade *n* אֵת (לחפירה)
spadework *n* עֲבוֹדַת הֲכָנָה
Spain *n* סְפָרַד
span *n* אוֹרֶךְ, רוֹחַק, מֶשֶׁךְ
span *vt, vi* נִמְתַּח, הִשְׂתָּרֵעַ
spangle *n* לוּחִית נוֹצֶצֶת
spangle *vt, vi* כִּיסָּה בִּנְקוּדוֹת כֶּסֶף
Spaniard *n* סְפָרַדִּי
spaniel *n* סְפַּנְיֵיל
Spanish *adj, n* סְפָרַדִּי
Spanish America *n* אֲמֵרִיקָה הַלָּטִינִית
Spanish broom *n* אֲחִירוֹתֶם הַחוֹרֶשׁ
Spanish fly *n* זְבוּב אַסְפַּמְיָה
spank *vt* הִצְלִיף בַּיַּשְׁבָן
spanking *n* הַצְלָפָה בַּיַּשְׁבָן
spanking *adj* יוֹצֵא מִן הַכְּלָל, מְצוּיָּן
spar *n* כְּלוֹנָס, קוֹרָה
spar *vi, vt* עָשָׂה תְּנוּעוֹת אִגְרוּף
spare *vt, vi* חָסַךְ; חָס עַל; קִימֵּץ
spare *adj* רָזֶה, כָּחוּשׁ; רֶזֶרְבִי
spare *n* חֵלֶק־חִילּוּף, חֲלָף
spare bed *n* מִיטָּה יְתֵרָה
spare parts *n pl* חֶלְקֵי־חִילּוּף
spare room *n* חֶדֶר פָּנוּי
sparing *adj* חֶסְכוֹנִי, קַמְּצָנִי
spark *n* נִיצוֹץ; הַבְרָקָה
spark *vt, vi* הִתִּיז נִיצוֹצוֹת
sparkle *vi* נִצְנֵץ, נָצַץ
sparkle *n* נִצְנוּץ
sparkling *adj* נוֹצֵץ; תּוֹסֵס
sparrow *n* דְּרוֹר
sparse *adj* דָּלִיל
Spartan *n, adj* סְפַּרְטָנִי
spasm *n* עֲוִית

spasmodic *adj* עֲווִיתִי
spastic *adj, n* עֲווִיתִי
spat *n* בֵּיצֵי צִדְפָּה; רִיב קַל; גְּמָשָׁה
spate *n* שִׁיטָּפוֹן
spatial *adj* מֶרְחָבִי
spatter *vt, vi* הִתִּיז; נִיתַּז
spatula *n* מָרִית
spawn *vt, vi* הֵטִיל בֵּיצִים; הוֹלִיד; הִשְׁרִיץ; נוֹלְדוּ
spawn *n* בֵּיצֵי דָגִים
speak *vi, vt* דִּיבֵּר
speakeasy *n* בֵּית־מִמְכָּר חֲשָׁאִי לְמַשְׁקָאוֹת מְשַׁכְּרִים
speaker *n* נוֹאֵם, דּוֹבֵר; יוֹשֵׁב־רֹאשׁ בֵּית־נִבְחָרִים
speaking-tube *n* צִינּוֹר דִּיבּוּר
spear *n* רוֹמַח
spear *vt, vi* שִׁיפֵּד, דָּקַר בְּרוֹמַח
spearhead *n* רֹאשׁ חֲנִית
spearmint *n* נַעֲנָה
special *adj* מְיוּחָד
specialist *n* מוּמְחֶה
speciality, specialty *n* יִיחוּד, תְּכוּנָה מְיוּחֶדֶת; תְּחוּם הִתמַחוּת
specialize *vt* יִיחֵד; הִתמַחָה
species *n* מִין; זַן
specific *adj* מוּגדָר, מְסוּיָּם; יִיחוּדִי
specific *n* תְּרוּפָה מְיוּחֶדֶת
specify *vt* פֵּירֵט, הִפְרִיט
specimen *n* דוּגמָה, מִדגָם
specious *adj* עוֹשֶׂה רוֹשֶׁם טוֹב לִכאוֹרָה
speck *n* כֶּתֶם, רְבָב, נְקוּדָּה
speckle *n* כֶּתֶם, רְבָב
speckle *vt* נִימֵּר
spectacle *n* מַחֲזֶה, מַרְאֶה
spectator *n* צוֹפֶה
spectrum *n* תַּחֲזִית, סְפֶּקטרוּם
speculate *vi* הָפַךְ וְהָפַךְ בְּמַחֲשַׁבְתּוֹ; סִפְסֵר
speech *n* כּוֹחַ הַדִּיבּוּר; דִּיבּוּר
speech clinic *n* מִרְפָּאָה לְמגַמגְמִים
speechless *adj* מוּכֵּה־אֵלֶם
speed *n* מְהִירוּת
speed *vi, vt* נָע בִּמהִירוּת, מִיהֵר; הֵאִיץ
speeding *n* נְהִיגָה בִּמהִירוּת מוּפרֶזֶת
speed king *n* אַלּוּף מְהִירוּת
speed limit *n* סְייָג מְהִירוּת
speedometer *n* מַד־מְהִירוּת
speedy *adj* מָהִיר
spell *n* כִּישׁוּף, קֶסֶם; פֶּרֶק זְמַן
spell *vt* אִייֵת; נָשָׂא בְּחוּבּוֹ
spellbinder *n* נוֹאֵם מְרַתֵּק
spelling *n* כְּתִיב; אִיּוּת
spend *vt, vi* הוֹצִיא כֶּסֶף; בִּילָּה (זמן); כִּילָּה (כּוֹח)
spender *n* מוֹצִיא בְּיָד רְחָבָה
spending money *n* דְּמֵי־כִּיס
spendthrift *n, adj* בַּזְבְּזָן, פַּזְּרָן
sperm *n* זֶרַע
sperm-whale *n* רָאשְׁתָן
spew *vt, vi* הֵקִיא
sp. gr. *abbr* specific gravity
sphere *n* כַּדּוּר; סְפֵירָה; תְּחוּם
spherical, spheric *adj* כַּדּוּרִי
sphinx *n* סְפִינקְס
spice *n, vt* תַּבְלִין; תִּיבֵּל
spicebox *n* קוּפסַת־בְּשָׂמִים
spick and span *adj* צַח וּמְצוּחצָח
spicy *adj* מְתוּבָּל; מְגָרֶה; מְפוּלפָּל

spider *n* עַכָּבִישׁ

spider web *n* קוּרֵי עַכָּבִישׁ

spigot *n* מְגוּפָה; בֶּרֶז

spike *n* חַדּוּד; דָרְבָן

spike *vt* חִיבֵּר בְּמַסְמְרִים; הוֹצִיא מִכְּלַל שִׁימּוּשׁ

spill *vt, vi* שָׁפַךְ; נִשְׁפַּךְ; גָלַשׁ; הִפִּיל

spill *n* הִישָּׁפְכוּת; גְלִישָׁה

spin *vt, vi* טָוָה; סוֹבֵב; הִסְתּוֹבֵב

spin *n* סִיבּוּב, סְחרוּר (שֶׁל מטוס)

spinach *n* תֶּרֶד

spinal *adj* שֶׁל הַשִּׁדרָה

spinal column *n* עַמּוּד־הַשִּׁדְרָה

spinal cord *n* חוּט־הַשִּׁדְרָה

spindle *n* כּוֹשׁ; כִּישׁוֹר

spine *n* שִׁדְרָה; עוֹקֶץ; גַּב (שֶׁל ספר)

spineless *adj* חֲסַר חוּט־שִׁדְרָה

spinet *n* צֶ׳מְבָּלוֹ קָטָן

spinner *n* מְכוֹנַת־טְוִויָּה, מַטְוִויָּה

spinning-wheel *n* גַּלְגַּל־טְוִויָּה

spiral *adj* לוּלְיָינִי, סְלִילִי

spiral *n* לוּלְיָין, חִילָּזוֹן

spiral *vi, vt* הִתְחַלְזֵן; חִלְזֵן

spire *n* מִבְנֶה מְשׁוּפָּד, מִגְדַּל חַד

spirit *n* רוּחַ; נֶפֶשׁ; נְשָׁמָה; (בְּרַבִּים) יַי״שׁ

spirit *vt* 'נִידֵּף', סִילֵּק בַּחֲשַׁאי

spirited *adj* נִמְרָץ, אַמִּיץ

spirit-lamp *n* מְנוֹרַת־כּוֹהֶל

spiritless *adj* רְפֵה־רוּחַ

spirit-level *n* פֶּלֶס־מַיִם

spiritual *adj* רוּחָנִי, נֶאֱצָל

spiritual *n* סְפִּירִיטוּאֶל; שִׁיר־דָּת

spiritualism *n* סְפִּירִיטוּאָלִיזְם

spit *vt* יָרַק, רָקַק

spit *n* שַׁפּוּד; לָשׁוֹן יַבָּשָׁה; רִיר, רוֹק

spite *n* מְרִי, זָדוֹן; קַנְטְרָנוּת

spite *vt* קִנְטֵר, הִכְעִיס

spiteful *adj* קַנְטְרָנִי

spittoon *n* מִרְקָקָה

splash *vt, vi* הִתִּיז (מים, בּוֹץ וכד׳)

splash *n* הַתָּזָה, נֶתֶז; כֶּתֶם

splashdown *n* נְחִיתַת חֲלָלִית (בּים)

spleen *n* טְחוֹל; מְרִירוּת

splendid *adj* נֶהְדָר, מְפוֹאָר; מְצוּיָּן

splendor *n* הוֹד, הָדָר, פְּאֵר

splice *vt* חִיבֵּר חֲבָלִים

splint *n* גָּשִׁישׁ; קָנֶה בְּמִקְלַעַת

splint *vt* קָשַׁר גָּשִׁישׁ

splinter *vt, vi* פִּיצֵּל (הִתְפַּצֵּל) לְקִיסְמִים; שִׁיבֵּר (שׁוּבַּר) לִרְסִיסִים

splinter *n* שְׁבָב, רְסִיס

splinter group *n* קְבוּצָה פּוֹרֶשֶׁת

split *vt, vi* בִּיקַּע; חִילֵּק; נִבְקַע; נִתְפַּצֵּל

split *n* בִּיקוּעַ; פִּיצּוּל

split *adj* מְפוּצָּל; בָּקוּעַ; שָׁסוּעַ

split personality *n* אִישִׁיּוּת מְפוּצֶּלֶת

splitting *adj, n* מְפַצֵּל, מְבַקֵּעַ; פּוֹלֵחַ

splurge *n* פְּעַלְתָּנוּת לְרַאֲוָוה

splurge *vi* הִתְרַבְרֵב

splutter *vi, vt* הִתִּיז מִפִּיו

splutter *n* פֶּרֶץ דְּבָרִים

spoil *n* שָׁלָל

spoil *vt, vi* קִלְקֵל; פִּינֵּק

spoilsman *n* דּוֹגֵל בְּשְׁחִיתוּת צִיבּוּרִית

spoils system *n* שְׁחִיתוּת צִיבּוּרִית

spoke *n* חִישּׁוּר; חָווָק

spokesman *n* דּוֹבֵר

sponge *n* סְפוֹג; טַפִּיל
sponge *vt, vi* קִינֵּחַ בִּספוֹג; הִספִּיג
spongecake *n* לוּבְנָן
sponger *n* מְנַקֶּה בִּספוֹג; סַחֲבָן, טַפִּיל
spongy *adj* סְפוֹגִי, דְמוּי סְפוֹג
sponsor *n* סַנְדָק, נוֹתֵן חָסוּת
sponsor *vi* נָתַן חָסוּת
sponsorship *n* חָסוּת, פַּטרוֹנוּת
spontaneous *adj* ספּוֹנטָנִי
spoof *n* תַּעְתּוּעַ, שִׁיטוּי
spoof *vt, vi* תִּעְתֵּעַ, שִׁיטָּה
spook *n* רוּחַ־רְפָאִים
spooky *adj* שֶׁל רוּחַ־רְפָאִים
spool *n* סְלִיל
spoon *n* כַּף, כַּפִּית
spoon *vt, vi* אָכַל בְּכַף; הִתעַלֵּס
spoonful *n* מְלוֹא (הַ)כַּף
sporadic *adj* שֶׁלְּעִתִּים לֹא מְזוּמָּנוֹת
spore *n* נֶבֶג
sport *n* ספּוֹרט; שַׁעֲשׁוּעִים; לָצוֹן
sport *vt, vi* הִשְׁתַּעֲשֵׁעַ; הִצִּיג לְרַאֲוָוה
sport-fan *n* חוֹבֵב ספּוֹרט
sporting chance *n* סִיכּוּי שָׁקוּל
sporting goods *n pl* צוֹרכֵי ספּוֹרט
sportscaster *n* פַּרשַׁן ספּוֹרט
sportsman *n* ספּוֹרטַאי
sports wear *n* תִּלבּוֹשֶׁת ספּוֹרט
sports writer *n* כַּתָּב ספּוֹרט
sporty *adj* רַאַוְותָנִי; אֶלֶגַנטִי
spot *n* מָקוֹם; נְקוּדָה; כֶּתֶם
spot *vt, vi* הִכְתִּים; נִכְתַּם; גִּילָּה, זִיהָה
spot cash *n* מְזוּמָּנִים
spotless *adj* נְקִי מִכֶּתֶם
spotlight *n* מְנוֹרָה מְמַקֶּדֶת
spot remover *n* מֵסִיר כְּתָמִים

spot welding *n* רִיתּוּך נְקוּדוֹת
spouse *n* בֶּן־זוּג
spout *vt, vi* הִתִּיז; נִיתַּז
spout *n* צִינּוֹר; זַרבּוּבִית
sprain *vt* סִיבֵּב אוֹ מָתַח אֵיבָר
sprain *n* מְתִיחַת אֵיבָר
sprawl *vi* הִתפַּרקֵד לְלֹא חֵן
spray *vt, vi* הִזלִיף; הִזדַּלֵּף
spray *n* תַּרסִיס; עָנָף פּוֹרֵחַ
sprayer *n* מַרסֵס, מַזלֵף
spread *vt, vi* פָּרַשׂ, שָׁטַח; הִשְׂתָּרֵעַ
spread *n* הִתפַּשְׁטוּת; מִמְרָח; (דִיבּוּרִית) סְעוּדָה
spree *n* הִילוּלָה, חִנְגָּה
sprig *n* עָנָף רַךְ; זַאֲטוּט
sprightly *adj* מָלֵא חַיִּים
spring *vi, vt* קָפַץ; צָץ, נָבַע
spring *n* קְפִיצָה, נִיתּוּר; קְפִיץ; מַעְיָן; אָבִיב
spring *adj* אֲבִיבִי; קְפִיצִי
springboard *n* מַקפֵּצָה, קֶרֶשׁ־קְפִיצָה
spring chicken *n* פַּרגִּית
spring fever *n* בּוּלמוּס אַהֲבָה
springtime *n* תּוֹר הָאָבִיב
sprinkle *vt, vi* זִילֵּף; הִמטִיר; הִזדַּלֵּף
sprinkle *n* זִילּוּף; נֶתֶז; גֶּשֶׁם קַל
sprinkling can *n* מַזלֵף
sprint *vi, vt* רָץ מֶרחָק קָצָר
sprint *n* מֵירוֹץ קָצָר
sprite *n* שֵׁדוֹן
sprocket *n* שֵׁן גַּלגַּל
sprout *vi, vt* נָבַט; גִּידֵּל
sprout *n* נֶבֶט
spruce *adj* נָאֶה בִּלבוּשׁוֹ
spruce *vt, vi* נֵיאָה לְבוּשׁוֹ

spruce *n* אַשׁוּחִית (עץ)
spry *adj* פָּעִיל, תּוֹסֵס
spud *n* אֵת צַר; קְלִיפַּת עֵץ; (דיבורית) תַּפּוּד
spunk *n* אוֹמֶץ
spur *n* דָּרְבָן; תַּמְרִיץ
spur *vt, vi* דִּרְבֵּן; הִתְקִין דָּרְבָנוֹת
spurious *adj* מְזוּיָּף
spurn *vt, vi* דָּחָה בְּבוּז
spurt *vt, vi* פָּרַץ לְפֶתַע; הִתִּיז לְפֶתַע
spurt *n* פֶּרֶץ
sputter *vi* הִתִּיז מִפִּיו
sputter *n* פֶּרֶץ דְּבָרִים
spy *vt, vi* רָאָה, צָפָה; רִיגֵּל
spy *n* מְרַגֵּל
spyglass *n* מִשְׁקֶפֶת
sq. *abbr* square
squabble *vi, vt* רָב עַל דָּבָר פָּעוּט
squad *n* קְבוּצָה; חוּלִיָּה
squadron *n* שַׁיֶּיטֶת; טַיֶּסֶת
squalid *adj* מְזוֹהָם, מְטוּנָּף; עָלוּב
squall *n* סוּפַת־פֶּתַע
squalor *n* חֲלָאָה, נִיווּל
squander *vi* בִּזְבֵּז
square *n* רִיבּוּעַ; מִשְׁבֶּצֶת; רוֹבַע
square *vt* רִיבֵּעַ; יִישֵּׁר; (דיבורית) פָּרַע (חשבון); (דיבורית) שִׁיחֵד
square *adj* רָבוּעַ; מַלְבֵּנִי; רִיבּוּעִי
square *adv* בְּצוּרָה רְבוּעָה
square dance *n* רִיקּוּד מְרוּבָּע
square deal *n* עִסְקָה הוֹגֶנֶת
square meal *n* אֲרוּחָה מַשְׂבִּיעָה
squash *vt, vi* מִיעֵךְ, כָּתַת; נִדְחַק
squash *n* הָמוֹן דָּחוּס; דְּלַעַת; סקווש (משחק); מִיץ מָהוּל בְּסוֹדָה
squashy *adj* מָעוּךְ; מִתְמַעֵךְ בְּקַלּוּת
squat *vi, vt* יָשַׁב (הוֹשִׁיב) בִּשְׁפִיפָה
squat *adj* גּוּץ וְרָחָב
squatter *n* פּוֹלֵשׁ (לקרקע לא לוֹ)
squaw *n* אִישָּׁה אִינְדִּיאָנִית
squawk *vi* קִעְקַע, צָוַח
squawk *n* קִעְקוּעַ, צְוָוחָה
squeak *vi, n* צִיֵּיץ; חָרַק; צִיּוּץ; חֲרִיקָה
squeal *vi, vt* צָוַח, יִיבֵּב
squeal *n* צְוָוחָה, יְבָבָה
squealer *n* יַלְלָן, יַבְּבָן; (המונית) מַלְשִׁין
squeamish *adj* יַשְׁרָן; אִיסְטְנִיס
squeeze *vt, vi* סָחַט; לָחַץ; נִדְחַק
squeeze *n* לְחִיצָה; סְחִיטָה
squelch *n* קוֹל שִׁכְשׁוּךְ
squelch *vt, vi* רָמַס, דָּרַס; הִשְׁתִּיק
squid *n* דְּיוֹנוּן
squint *vi, vt* פָּזַל; לִכְסֵן מַבָּט
squint *n* פְּזִילָה
squint-eyed *adj* פּוֹזֵל; עוֹיֵן
squire *n* בַּעַל אֲחוּזָּה
squire *vt* לִיוּוָה (אישה)
squirm *vi, n* הִתְפַּתֵּל; הִתְפַּתְּלוּת
squirrel *n* סְנָאִי
squirt *vt, vi* הִתִּיז
squirt *n* סִילוֹן
S.S. *abbr* Secretary of State, steamship, Sunday School
stab *vt, vi* דָּקַר
stab *n* דְּקִירָה; פְּעוּלַּת נִיסָּיוֹן
stable *adj* יַצִּיב
stable *n* אוּרְוָה
stack *n* גָּדִישׁ; עֲרֵימָה
stack *vt* עָרַם לַעֲרֵימָה

stadium *n* אִיצְטַדְיוֹן
staff *n* מַטֶּה; חֶבֶר עוֹבְדִים
staff *vt* גִּיֵּס (עובדים)
stag *n* צְבִי
stage *n* בָּמָה, בִּימָה
stage *vt, vi* בִּיֵּם
stagecoach *n* מֶרְכָּבָה בְּקַו קָבוּעַ
stagemanager *n* בַּמַּאי
stagger *vi, vt* הִתְנוֹדֵד; הִדְהִים; פִּיזֵּר (חופשות וכד׳)
stagger *n* הִתְנוֹדְדוּת, פִּיק
staggering *adj* מַדְהִים
stagnant *adj* קוֹפֵא (עַל שְׁמָרָיו)
stagnate *vi, vt* עָמַד, קָפָא עַל שְׁמָרָיו
staid *adj* מְיוּשָּׁב
stain *vt, vi* הִכְתִּים; צָבַע
stain *n* כֶּתֶם
stained glass window *n* וִיטְרִינָה
stainless *adj* לֹא חָלִיד
stair *n* מַדְרֵגָה
staircase *n* מַעֲרֶכֶת מַדְרֵגוֹת
stairwell *n* חֲדַר־מַדְרֵגוֹת
stake *n* יָתֵד; עַמּוּד הַמּוֹקֵד; אִינְטֶרֶס; חֵלֶק וְנַחֲלָה
stake *vt* חִיזֵּק; סִימֵּן בִּיתֵדוֹת; סִימֵּר
stale *adj* מְיוּשָּׁן; בָּאוּשׁ; נָדוֹשׁ
stalemate *n* כְּפָת; נְקוּדַת־קִיפָּאוֹן
stalk *vi, vt* צָעַד קוֹמְמִיּוּת; הִתְגַּנֵּב בְּעִיקְבוֹת (ציד)
stalk *n* גִּבְעוֹל, קָנֶה
stall *vi, vt* (מנוע) נִשְׁתַּתֵּק; דָּחָה בְּדִבְרֵי הִתְחַמְּקוּת
stall *n* תָּא בְּאוּרְוָה; מוֹשָׁב (באולם התיאטרון)
stallion *n* סוּס־רְבִיעָה

stalwart *adj, n* חָזָק; אֵיתָן; (חבר) מוּשְׁבָּע
stamen *n* אַבְקָן
stamina *n* כּוֹחַ־עֲמִידָה
stammer *vi, vt* גִּמְגֵּם
stammer *n* גִּמְגּוּם
stamp *vt, vi* הִטְבִּיעַ (בחותם וכד׳); בִּיֵּל; כָּתַשׁ
stamp *n* בּוּל; תָּוִית; מִטְבָּע; חוֹתָם
stampede *n* מְנוּסַת־תַּבְהֵלָה
stampede *vi, vt* נָס מְנוּסַת־תַּבְהֵלָה; גָּרַם לִמְנוּסַת־תַּבְהֵלָה
stance *n* עֲמִידָה, עֶמְדָּה
stanch *vt, vi* עָצַר; נֶעֱצַר
stanch *adj* נֶאֱמָן, מָסוּר
stand *vi, vt* (stood) עָמַד; עָמַד זָקוּף; סָבַל; עָמַד בִּפְנֵי; הֶעֱמִיד
stand *n* עֲמִידָה; עֶמְדָּה; דּוּכָן
standard *n* דֶּגֶל; תֶּקֶן; רָמָה
standard *adj* תִּקְנִי, סְטַנְדַּרְטִי
standardize *vt* תִּקְנֵן, קָבַע תֶּקֶן
standard of living *n* רָמַת־חַיִּים
standard time *n* הַשָּׁעוֹן הָרִשְׁמִי
stand-in *n* מַחֲלִיף
standing *n* עֲמִידָה; עֶמְדָּה
standing *adj* עוֹמֵד; קָבוּעַ, שֶׁל קֶבַע
standing army *n* צְבָא־קֶבַע
standing room *n* מְקוֹמוֹת עֲמִידָה
standpoint *n* נְקוּדַת־מַבָּט
standstill *n* חוֹסֶר תְּנוּעָה, קִיפָּאוֹן
staple *n* סְחוֹרָה עִיקָּרִית; חוֹמֶר יְסוֹדִי; סִיכַּת־חַיִת
staple *adj* עִיקָּרִי
staple *vt* חִיבֵּר בְּסִיכַּת־חַיִת
star *n* כּוֹכָב; מַזָּל

star *adj* מְצֻטַיֵּן, מַזְהִיר
star *vt, vi* סִימֵּן בְּכוֹכָב; כִּיכֵּב
starboard *n, adj* צַד יָמִין; יְמָנִי
starch *n, vt* עֲמִילָן; עִמְלֵן
stare *vi, vt* תָּקַע מַבָּט
stare *n* מַבָּט תָּקוּעַ
starfish *n* כּוֹכַב־יָם
stargaze *vi* הִבִּיט בַּכּוֹכָבִים;
שָׁקַע בַּהֲזָיוֹת
stark *adj* מוּחְלָט; קָשֶׁה, קָשִׁיחַ
stark naked *adj* עָרוֹם לַחֲלוּטִין
starlight *n* אוֹר כּוֹכָבִים
Star of David *n* מָגֵן דָּוִיד
Star-Spangled Banner *n* הַדֶּגֶל
הַמְכוּכָּב
start *vt, vi* הִתְחִיל; יִיסֵּד;
הִפְעִיל; הִתְנִיעַ; זִינֵּק; יָצָא לַדֶּרֶךְ
start *n* הַתְחָלָה; זִינּוּק; נְתִירָה
starter *n* מַתְנֵעַ; מַזְנִיק (בְּמִירוֹץ)
starting *adj* הַתְחָלָתִי; מַזְנִיק
starting point *n* נְקוּדַּת זִינּוּק
startle *vt, vi* הֶחֱרִיד, הִדְהִים
starvation *n* רָעָב
starvation wages *n pl* מַשְׂכּוֹרֶת רָעָב
starve *vi, vt* גָּוַע בְּרָעָב; הִרְעִיב
state *n* מַצָּב; מְדִינָה
state *adj* שֶׁל הַמְּדִינָה
state *vt* אָמַר, הִצְהִיר
State Department *n* מַחְלֶקֶת
הַמְּדִינָה
stately *adj* מְפוֹאָר
statement *n* הַצְהָרָה; גִּילּוּי־דַּעַת
state of mind *n* מַצַּב־רוּחַ
stateroom *n* אוּלַם־פְּאֵר;
תָּא פְּרָטִי (בְּרַכֶּבֶת וכד׳)

statesman *n* מְדִינַאי
static *adj* סְטָטִי, נַיָּח
static *n* חַשְׁמַל סְטָטִי
station *n* בָּסִיס; מַעֲמָד; תַּחֲנָה
station *vt* הִצִּיב; שִׁיבֵּץ
stationary *adj, n* נַיָּח
stationer *n* מוֹכֵר מַכְשִׁירֵי־כְּתִיבָה
stationery *n* מַכְשִׁירֵי־כְּתִיבָה
station house *n* תַּחֲנַת מִשְׁטָרָה
station identification *n* הִזְדַּהוּת
תַּחֲנַת שִׁידּוּר
stationmaster *n* מְנַהֵל תַּחֲנַת־הָרַכֶּבֶת
statistical *adj* סְטָטִיסְטִי
statistician *n* סְטָטִיסְטִיקָן
statistics *n pl* סְטָטִיסְטִיקָה
statue *n* אַנְדַּרְטָה, פֶּסֶל
statuesque *adj* חָטוּב כְּאַנְדַּרְטָה
stature *n* (שִׁיעוּר) קוֹמָה
status *n* מַעֲמָד, סְטָטוּס
status symbol *n* סֵמֶל הַמַּעֲמָד
statute *n* חוֹק
statutory *adj* בַּעַל גּוּשְׁפַּנְקָה חוּקִית
staunch *adj* נֶאֱמָן, מָסוּר
stave *vt* פָּרַץ פִּרְצָה; מָנַע, דָּחָה
stave *n* לִימּוּד (שֶׁל חָבִית);
חָווָק (שֶׁל סוּלָּם); בַּיִת (בְּשִׁיר)
stay *n* שְׁהִיָּה; עִיכּוּב; (בְּרַבִּים) מָחוֹךְ
stay *vi, vt* שָׁהָה; נִשְׁאַר; עָצַר; הֵלִין
stay-at-home *n, adj* יוֹשֵׁב אוֹהָלִים
stead *n* מָקוֹם
steadfast *adj* יַצִּיב, אֵיתָן
steady *adj* יַצִּיב; סָדִיר; קָבוּעַ
steady *vt, vi* יִיצֵּב; הִתְיַיצֵּב; הִרְגִּיעַ
steak *n* אוּמְצַת בָּשָׂר, סְטֵיק
steal *vt, vi* גָּנַב; הִתְגַּנֵּב

stealth *n* הִתְגַּנְּבוּת, סֵתֶר
steam *n, adj* אֵדֵי מַיִם; שֶׁל קִיטוֹר
steam *vt, vi* אִידָּה; פָּלַט אֵדִים
steamboat *n* סְפִינַת־קִיטוֹר
steamer *n* סְפִינַת־קִיטוֹר
steamer trunk *n* מִזְוֶודֶת אוֹנִיָּה
steam heat *n* חִימּוּם קִיטוֹר
steam-roller *n* מַכְבֵּשׁ קִיטוֹר
steamship *n* סְפִינַת־קִיטוֹר
steed *n* סוּס
steel *adj, n* (שֶׁל) פְּלָדָה
steel *vt* הִקְשָׁה (לִבּוֹ)
steel wool *n* צֶמֶר־פְּלָדָה
steep *adj* תָּלוּל; מוּפְרָז
steep *vt* הִשְׁרָה
steeple *n* צְרִיחַ
steeplechase *n* מֵירוֹץ מִכְשׁוֹלִים
steeplejack *n* מַרְקִיעַ צְרִיחִים
steer *vt, vi* נִיוֵּט, נִיהֵג
steer *n* שׁוֹר צָעִיר
steerage *n* נִיוּוּט; הַמַּחְלָקָה הַזּוֹלָה
steersman *n* הַגַּאי
stem *n* גֶּזַע; גִּבְעוֹל
stem *vt, vi* סָכַר; עָצַר;
יָצָא (מִשּׁוֹרֶשׁ), נָבַע מ...
stench *n* רֵיחַ רַע, סִרְחוֹן
stencil *n* שַׁעֲוָונִית; סְטֶנְסִיל
stencil *vt* שִׁכְפֵּל; הֵכִין סְטֶנְסִיל
stenographer *n* קַצְרָן, קַצְרָנִית
stenography *n* קַצְרָנוּת, סְטֶנוֹגְרַפְיָה
step *n* צַעַד; מַדְרֵגָה; שָׁלָב
step *vi* צָעַד, פָּסַע
stepbrother *n* אָח חוֹרֵג
stepdaughter *n* בַּת חוֹרֶגֶת
stepfather *n* אָב חוֹרֵג
stepladder *n* סוּלָּם מַדְרֵגוֹת
stepmother *n* אֵם חוֹרֶגֶת
steppe *n* עֲרָבָה
steppingstone *n* אֶבֶן מִדְרָךְ;
קֶרֶשׁ קְפִיצָה
stepsister *n* אָחוֹת חוֹרֶגֶת
stepson *n* בֵּן חוֹרֵג
stereo *n* אִימָּה, סְטֶרֵאוֹטִיפּ
stereotyped *adj* עָשׂוּי מֵאִימָּהוֹת;
שַׁבְּלוֹנִי
sterile *adj* עָקָר; מְעוּקָּר; סְטֶרִילִי
sterilization *n* עִיקּוּר; סֵירוּס
sterilize *vt* עִיקֵּר; סֵירֵס
sterling *n* שְׁטֶרְלִינג
sterling *adj* שֶׁל שְׁטֶרְלִינג; מְעוּלֶּה
stern *adj* חָמוּר; קָשׁוּחַ; מַחְמִיר
stern *n* יַרְכָתַיִים
stethoscope *n* מַסְכֵּת, סְטֶתוֹסְקוֹפּ
stevedore *n* סַוָּור
stevedore *vt, vi* עָסַק בִּמְלֶאכֶת סַוָּור
stew *vt, vi* בִּישֵּׁל; הִתְבַּשֵּׁל
stew *n* תַּבְשִׁיל, נָזִיד
steward *n* מְנַהֵל מֶשֶׁק־בַּיִת; דַּיָּיל
stewardess *n* דַּיֶּילֶת
stewed fruit *n* לִפְתָּן־פֵּירוֹת
stick *n* מַקֵּל, מַטֶּה
stick *vt, vi* תָּקַע; נָעַץ; תָּחַב;
הִדְבִּיק; נִתְקַע; נִדְבַּק
sticker *n* דּוֹקֵר; תָּווִית הַדְבָּקָה
sticking-plaster *n* אִיסְפְּלָנִית דְּבִיקָה
stickpin *n* סִיכַּת־נוֹי
stick-up *n* שׁוֹד
sticky *adj* דָּבִיק, צָמוּג
stiff *adj* קָשִׁיחַ, נוּקְשֶׁה
stiff *n* (הֲמוֹנִית) גְּוִויָּה

stiff collar *n* צַוָּארוֹן קָשֶׁה
stiffen *vt, vi* הִקְשָׁה, הִקְשִׁיחַ
stiff-necked *adj* קְשֵׁה־עוֹרֶף
stiff shirt *n* חוּלְצָה מְעוּמְלֶנֶת
stifle *vt* חָנַק; הֶחֱנִיק
stigma *n* אוֹת־קָלוֹן
stigmatize *vt* הִדְבִּיק אוֹת־קָלוֹן
stiletto *n* פִּגְיוֹן דַּק
still *adj* שָׁקֵט, דּוֹמֵם
still *n* תַּצְלוּם דּוֹמֵם; מַזְקֵקָה
still *adv* עוֹד, עֲדַיִין; אַף־עַל־פִּי־כֵן
still *vt* הִשְׁקִיט, הִשְׁתִּיק
stillborn *adj* שֶׁנּוֹלַד מֵת
still-life *adj, n* דּוֹמֵם
stilt *n* קַב; רֶגֶל עֲנָק
stilted *adj* מוּגְבָּהּ; מְנוּפָּח
stimulant *adj, n* מַמְרִיץ; מְגָרֶה
stimulate *vt, vi* הִמְרִיץ; גֵּירָה
stimulus *n* (*pl* stimuli) תַּמְרִיץ; גֵּירוּי
sting (stung) *vt, vi* עָקַץ; הוֹנָה
sting *n* עוֹקֶץ, עֲקִיצָה
stingy *adj* קַמְּצָן
stink *vi* הִסְרִיחַ; עוֹרֵר גּוֹעַל
stink *n* סִרְחוֹן; שַׁעֲרוּרִייָה
stint *vt* קִימֵּץ בּ...
stint *n* מִכְסָה; הַגְבָּלָה
stipend *n* שָׂכָר קָבוּעַ; קִצְבָּה
stipulate *vi, vt* הִתְנָה
stir *vt, vi* הֵנִיעַ, עוֹרֵר, הִלְהִיב; נָע
stir *n* רַעַשׁ, מְהוּמָה, הִתְרַגְּשׁוּת
stirring *adj* מְעוֹרֵר, מַלְהִיב
stirrup *n* מִשְׁוֶורֶת
stitch *n* תַּךְ, תֶּפֶר; כְּאֵב
stitch *vt, vi* תָּפַר; תִּיפֵּר (עוֹר)
stock *n* מְלַאי; אִיגְּרוֹת־חוֹב
stock *vt, vi* צִיֵּיד; הִצְטַיֵּיד
stock *adj* שִׁגְרָתִי, קָבוּעַ
stockade *n* מִכְלָאָה מְבוּצֶּרֶת
stock-breeder *n* מְגַדֵּל בְּהֵמוֹת
stockbroker *n* סַרְסוּר בּוּרְסָה
stock company *n* חֶבְרַת־מְנָיוֹת
stock exchange *n* בּוּרְסָה
stockholder *n* בַּעַל־מְנָיוֹת
Stockholm *n* שְׁטוֹקְהוֹלְם
stocking *n* גֶּרֶב (ארוך)
stock market *n* בּוּרְסָה
stockpile *n* מְלַאי אָגוּר
stock-room *n* מַחְסָן, חֲדַר תְּצוּגָה
stock split *n* פִּיצּוּל מְנָיוֹת
stocky *adj* גּוּץ וְחָסוֹן
stockyard *n* מִכְלָאַת בָּקָר
stoic *n, adj* שׁוֹלֵט בְּרִגְשׁוֹתָיו, סְטוֹאִי
stoke *vt, vi* סִיפֵּק דֶּלֶק
stoker *n* מַסִּיק
stolid *adj* חֲסַר רְגִישׁוּת, חֲסַר הַבָּעָה
stomach *n* קֵיבָה, בֶּטֶן; תֵּיאָבוֹן
stomach *vt, vi* בָּלַע, סָבַל
stone *n* אֶבֶן; גַּלְעִין
stone *vt, vi* רָגַם, סָקַל; גִּלְעֵן (פרי)
stone-broke *adj* חֲסַר פְּרוּטָה
stone-deaf *adj* חֵרֵשׁ גָּמוּר
stonemason *n* סַתָּת
stone quarry *n* מַחְצָבָה
stony *adj* אַבְנִי, סַלְעִי
stool *n* שְׁרַפְרַף; פְּעוּלַּת־קֵיבָה
stoop *vi* הִתְכּוֹפֵף; הִרְכִּין
stoop *n* כְּפִיפַת גֵּו; מִרְפֶּסֶת
stoop shouldered *adj* כְּפוּף־גֵּו
stop *vt, vi* סָתַם, פָּקַק; עָצַר; חָדַל, נֶעֱמַד; נִשְׁאַר

stop *n* עֲצִירָה; קֵץ; תַּחֲנָה
stopcock *n* בֶּרֶז מַפְסִיק
stopgap *n* פְּקָק, מְמַלֵּא מָקוֹם
stopover *n* שְׁהִיַּת־בֵּינַיִם
stoppage *n* עֲצִירָה; הַפְסָקָה; סְתִימָה
stopper *n* עוֹצֵר; סֶתֶם, פְּקָק
stop-watch *n* שְׁעוֹן־עֶצֶר
storage *n* אַחְסָנָה, אִחְסוּן; מַחְסָן
storage battery *n* סוֹלְלַת מַצְבְּרִים
store *n* חֲנוּת; מַחְסָן; כַּמּוּת
store *vt* צִיֵּד; אִחְסֵן; צָבַר
storehouse *n* מַחְסָן; גּוֹרֶן
storekeeper *n* מַחְסְנַאי; חֶנְוָנִי
storeroom *n* חֲדַר אַחְסָנָה
stork *n* חֲסִידָה
storm *n* סְעָרָה
storm *vt, vi* סָעַר, גָּעַשׁ; הִסְתָּעֵר
storm cloud *n* עֲנַן סוּפָה
storm-troops *n pl* פְּלוּגוֹת־סַעַר
stormy *adj* סוֹעֵר, סַעֲרָנִי
story *n* סִיפּוּר; עֲלִילָה
story *vt* סִיפֵּר
storyteller *n* מְסַפֵּר; שַׁקְרָן
stout *adj* אַמִּיץ, עַקְשָׁנִי; נֶאֱמָן; שְׁמַנְמַן
stout *n* שֵׁיכַר־לֶתֶת
stove *n* תַּנּוּר, כִּירָה
stovepipe *n* אֲרוּבַּת תַּנּוּר
stow *vt* הִכְנִיס וְסִידֵּר בְּמַחְסָן; צוֹפֵף בִּיעִילוּת
stowaway *n* נוֹסֵעַ סָמוּי
straddle *vt, vi* עָמַד (אוֹ יָשַׁב) בְּפִישּׂוּק־רַגְלַיִם
straddle *n* עֲמִידָה (אוֹ יְשִׁיבָה) בְּפִישּׂוּק־רַגְלַיִם
strafe *vt* עָרַךְ הַפְצָצָה כְּבֵדָה
straggle *vi* הִזְדַּנֵּב, פִּיגֵּר; הִתְפַּזֵּר
straight *adj* יָשָׁר; הָגוּן, כֵּן
straight *adv* יָשָׁר; בְּמֵישָׁרִין
straighten *vt, vi* יִישֵּׁר; הִתְיַישֵּׁר
straight face *n* מַבָּע רְצִינִי
straightforward *adj* יָשָׁר, כֵּן; בָּרוּר
straight off *adv* מִיָּד, מִנֵּיהּ וּבֵיהּ
straight razor *n* תַּעַר
straightway *adv* תֵּיכֶף וּמִיָּד
strain *vt, vi* מָתַח; אִימֵּץ; הִתְאַמֵּץ; סִינֵּן
strain *n* מֶתַח; מְתִיחוּת; גֶּזַע; נִימָה
strained *adj* מָתוּחַ; מְסוּנָּן
strainer *n* מִתְאַמֵּץ; מְסַנֶּנֶת
strait *n* מֵיצַר; מְצוּקָה
strait-jacket *n* מְעִיל־מְשׁוּגָּעִים
strait-laced *adj* טַהֲרָנִי, פּוּרִיטָנִי
strand *n* גְּדִיל; נִימָה; גָּדָה
strand *vt, vi* הֶעֱלָה (אוֹ עָלָה) עַל שִׂרְטוֹן אוֹ עַל חוֹף
stranded *adj* נֶעֱזָב, תָּקוּעַ
strange *adj* זָר; מוּזָר
stranger *n* זָר, נוֹכְרִי
strangle *vt* חִינֵּק
strap *n* רְצוּעָה
strap *vt* קָשַׁר (אוֹ הִלְקָה) בִּרְצוּעָה
straphanger *n* נוֹסֵעַ בַּעֲמִידָה
stratagem *n* תַּכְסִיס
strategic, strategical *adj* אַסְטְרָטֵגִי
strategist *n* אַסְטְרָטֵג
strategy *n* אַסְטְרָטֶגְיָה
stratify *vt* רִיבֵּד
stratosphere *n* סְטְרָטוֹסְפֵירָה
stratum *n* שִׁכְבָה
straw *n, adj* קַשׁ, תֶּבֶן

strawberry *n* תּוּת־שָׂדֶה

straw man *n* כְּלִי־שָׁרֵת; עֵד־שֶׁקֶר

stray *vi* תָּעָה

stray *n, adj* תּוֹעֶה; פָּזוּר

streak *n* קַו, פַּס; קַו אוֹפִי

streak *vt, vi* פִּסְפֵּס, סִימֵּן בְּפַסִּים

stream *n* זֶרֶם; נַחַל

stream *vi* נָהַר, זָרַם, זָלַג

streamer *n* נֵס, דֶּגֶל; טְרַנְסְפָּרֶנְט; כּוֹתֶרֶת רָאשִׁית

streamlined *adj* זָרִים, זְרִימָנִי

street *n* רְחוֹב

streetcar *n* חַשְׁמַלִּית

street floor *n* קוֹמַת־קַרְקַע

street sprinkler *n* מַזְלֵף רְחוֹבוֹת

streetwalker *n* יַצְאָנִית

strength *n* כּוֹחַ; חוֹזֶק, תֹּקֶן

strengthen *vt, vi* חִיזֵּק; הִתְחַזֵּק

strenuous *adj* מְאוּמָּץ; נִמְרָץ

stress *n* הַדְגָּשָׁה, הַטְעָמָה; לַחַץ

stress *vt* הִדְגִּישׁ, הִטְעִים

stretch *vt, vi* מָתַח; הִתְמַשֵּׁךְ

stretch *n* מֶשֶׁךְ; רֶצֶף; מֶרְחָק; מִשְׁטָח; (המונית) תְּקוּפַת מַאֲסָר

stretcher *n* אֲלוּנְקָה; סָמוֹךְ

stretcher-bearer *n* אֲלוּנְקַאי

strew *vt* פִּיזֵּר, זָרָה

stricken *adj* מוּכֶּה, נָגוּעַ

strict *adj* חָמוּר, קַפְּדָן; מְדוּיָּק

stricture *n* בִּיקּוֹרֶת

stride *vi* פָּסַע (פסיעה גסה)

stride *n* פְּסִיעָה גַסָּה

strident *adj* צוֹרְמָנִי, צוֹרְחָנִי

strife *n* מְרִיבָה, סִכְסוּךְ

strike *vt, vi* הִכָּה, הִתְקִיף; שָׁבַת; עָשָׂה רוֹשֶׁם

strike *n* שְׁבִיתָה; גִּילּוּי; הַתְקָפָה

strikebreaker *n* מֵפֵר שְׁבִיתָה

striker *n* שׁוֹבֵת; מַכֶּה

striking *adj* מַרְשִׁים

striking power *n* כּוֹחַ הוֹלֵם

string *n* חוּט; מֵיתָר; מַחֲרוֹזֶת

string *vt* קָשַׁר; קָבַע מֵיתָר; הִידֵּק

string bean *n* שְׁעוּעִית יְרוּקָה

stringed instruments *n pl* כְּלֵי־מֵיתָר

stringent *adj* חָמוּר, קַפְּדָנִי

string quartet *n* רְבִיעִיַּת כְּלֵי־מֵיתָר

strip *vt, vi* הִפְשִׁיט, פָּשַׁט; חָשַׂף; הִתְפַּשֵּׁט

strip *n* רְצוּעָה, סֶרֶט

stripe *n* פַּס; סִימַן דַּרְגָּה

strive *vi* חָתַר

stroke *n* מַכָּה; פְּעִימָה; שָׁבָץ; לְטִיפָה

stroke *vt* לִיטֵּף; חָתַר

stroll *vi* הָלַךְ בְּנַחַת

stroll *n* טִיּוּל קָצָר בְּנַחַת

strong *adj* חָזָק, עַז; יַצִּיב; חָרִיף

strongbox *n* כַּסֶּפֶת

strong drink *n* מַשְׁקֶה חָרִיף

stronghold *n* מִבְצָר

strong-minded *adj* שֶׁמּוֹחוֹ הֶגְיוֹנִי

strontium *n* סְטְרוֹנְצִיוּם

strop *n* רְצוּעַת־הַשְׁחָזָה

strop *vt* הִשְׁחִיז (בִּרְצוּעָה)

strophe *n* סְטְרוֹפָה

structure *n* מִבְנֶה

struggle *vi* נֶאֱבַק; הִתְלַבֵּט

struggle *n* מַאֲבָק; הִתְלַבְּטוּת

strum *vt, vi* פִּרְפֵּט, פָּרַט

strumpet *n* זוֹנָה
strut *vt* הָלַךְ בִּתנוּעָה שַׁחֲצָנִית
strut *n* תְּמוֹכָה
strychnin(e) *n* סטרִיכנִין
stub *n* שְׁאֵרִית; גֶּדֶם; זָנָב
stubble *n* שֶׁלֶף; שֵׂיעָר עַל פָּנִים
stubborn *adj* קְשֵׁה־עוֹרֶף, עַקשָׁן
stucco *n* טִיחַ־הַתִּזָּה
stuck-up *adj* מְנוּפָּח, יָהִיר
stud *n* מַסמֵר, גוּלָּה; חַוַּת סוּסִים
stud *vt* שִׁיבֵּץ; זָרַע
studbook *n* סֵפֶר־יוּחֲסִין (של סוסים)
student *n* סטוּדֶנט; חוֹקֵר
student body *n* צִיבּוּר סטוּדֶנטִים
stud-horse *n* סוּס־רְבִיעָה
studied *adj* מְכוּוָּן, מְחוּשָׁב
studio *n* אוּלפָּן; חֲדַר־עֲבוֹדָה
studious *adj* שַׁקדָן בְּלִימוּדִים
study *n* לִימּוּד; חֵקֶר, חֲדַר־עֲבוֹדָה
study *vt, vi* לָמַד; חָקַר; עִיֵּין בּ...
stuff *n* חוֹמֶר; אָרִיג; דְּבָרִים
stuff *vt, vi* דָּחַס, גָּדַשׁ; מִילֵּא; פִּיטֵּם
stuffing *n* מִילּוּי, מְלִית
stuffy *adj* מַחֲנִיק; מְעוּפָּשׁ; צַר־אוֹפֶק
stumble *vi* מָעַד, נִכשַׁל
stumbling-block *n* אֶבֶן־נֶגֶף
stump *n* גֶּדֶם; זָנָב
stump *vt, vi* הָלַךְ בִּצעָדִים כְּבֵדִים; עָרַךְ מַסַּע נְאוּמִים
stump speaker *n* נוֹאֵם רְחוֹב
stun *vt* הֵמַם
stunning *adj* יָפֶה לְהַפלִיא; מַדהִים
stunt *vt, vi* עָצַר גִידּוּל; בִּיצֵּעַ תְּצוּגָה נוֹעֶזֶת
stunt *n* לַהֲטוּט
stunt flying *n* טִיסַת לַהֲטוּטִים
stupefy *vt* טִמטֵם, הִקהָה
stupendous *adj* עָצוּם, כַּבִּיר
stupid *adj* אֱוִילִי, טִיפְּשִׁי
stupor *n* הִימּוּם, טִמטוּם־חוּשִׁים
sturdy *adj* חָסוֹן; נִמרָץ
sturgeon *n* חִדקָן
stutter *vt, vi* גִמגֵם
stutter *n* גִמגוּם
sty *n* דִּיר חֲזִירִים
style *n* סִגנוֹן; אוֹפנָה
style *vt* כִּינָּה
stylish *adj* אֱלֶגַנטִי, לְפִי הָאוֹפנָה
styptic pencil *n* עִיפָּרוֹן עוֹצֵר דָּם
Styx *n* סטִיקס
suave *adj* נְעִים־הֲלִיכוֹת
subaltern *adj, n* נְחוּת־דַּרגָה
subconscious *adj, n* תַּת־הַכָּרָתִי; תַּת־הַכָּרָה
subconsciousness *n* תַּת־מוּדָע, תַּת־הַכָּרָה
subdivide *vt, vi* חִילֵּק (הִתחַלֵּק) חֲלוּקַת־מִשׁנֶה
subdue *vt* הִדבִּיר; רִיכֵּךְ; עִמעֵם
subheading *n* כּוֹתֶרֶת־מִשׁנֶה
subject *n* נוֹשֵׂא; נָתִין; מִקצוֹעַ
subject *adj* נָתוּן; כָּפוּף; מוּתנֶה
subject *vt* הִכנִיעַ; חָשַׂף ל...
subjection *n* הַכנָעָה; חִישּׂוּף
subjective *adj* סוּבּיֶיקטִיבִי; נוֹשְׂאִי
subject matter *n* תּוֹכֶן
subjugate *vt* שִׁעבֵּד, הִכנִיעַ
subjunctive *adj, n* דֶּרֶךְ הָאִיווּי
sublet *vt* הִשׂכִּיר שְׂכִירוּת־מִשׁנֶה
submachine-gun *n* תַּת־מַקלֵעַ

submarine *adj, n* תַּת־מֵימִי; צוֹלֶלֶת
submerge *vt, vi* שִׁיקֵעַ, טִיבֵּעַ; צָלַל
submission *n* כְּנִיעָה; הַכְנָעָה
submissive *adj* צַייְתָן
submit *vt, vi* הִגִּישׁ; טָעַן; חָשַׂף; נִכנַע
subordinate *adj, n* נָחוּת; כָּפוּף, מִשְׁנִי
subordinate *vt* שִׁעבֵּד
subplot *n* עֲלִילַת־מִשְׁנֶה
subpoena, subpena *n* הַזמָנָה
לְבֵית־מִשְׁפָּט
sub rosa *adv* בַּחֲשַׁאי
subscribe *vi, vt* חָתַם; תָּמַך; תָּרַם;
הָיָה מָנוּי
subscriber *n* מָנוּי; חָתוּם
subsequent *adj* בָּא אַחֲרֵי־כֵן
subservient *adj* מִתרַפֵּס
subside *vi* שָׁקַע; שָׁכַך
subsidize *vt* סִבסֵד
subsidy *n* סוּבּסִידיָה, מַעֲנָק
subsist *vi* הִתקַיֵים, חַי
subsistence *n* קִיוּם, מִחיָה
subsonic *adj* תַּתקוֹלִי
substance *n* חוֹמֶר; עִיקָר; מַמָּשׁוּת
substandard *adj* תַּת־תִּקנִי
substantial *adj* יְסוֹדִי; מַמָּשִׁי; נִיכָּר
substantiate *vt* אִימֵת, בִּיסֵס
substantive *adj* בַּעַל יֵשׁוּת עַצמָאִית
substantive *n* שֵׁם־עֶצֶם
substation *n* תַּחֲנַת־מִשְׁנֶה
substitute *n* תַּחֲלִיף; מְמַלֵּא מָקוֹם
substitute *vt, vi* שָׂם בִּמקוֹם, הֶחֱלִיף
substitution *n* הַחֲלָפָה, הֲמָרָה
subterranean *adj* תַּת־קַרקָעִי;
מַחתַּרתִּי
subtitle *n* כּוֹתֶרֶת מִשְׁנֶה;
תַּרגוּם בְּגוּף סֶרֶט
subtle *adj* דַק בְּיוֹתֵר;
בַּעַל הַבחָנָה; שָׁנוּן
subtlety *n* דַקוּת; הַבחָנָה דַקָּה; שְׁנִינוּת
subtract *vt* חִיסֵר
suburb *n* פַּרבָּר
subvention *n* סוּבּסִידיָה, מַעֲנָק
subversive *adj* חַתרָנִי
subvert *vt* עִרעֵר; גָרַם לְהַפָּלָה
subway *n* רַכֶּבֶת תַּחתִּית;
מַעֲבָר תַּת־קַרקָעִי
succeed *vt, vi* בָּא בִּמקוֹם; הִצלִיחַ
success *n* הַצלָחָה
successful *adj* מַצלִיחַ, מוּצלָח
succession *n* סִדרָה; רְצִיפוּת; יְרוּשָׁה
successive *adj* רָצוּף
succor *n, vt* עֶזרָה, תְּמִיכָה; עָזַר
succumb *vi* נִכנַע; מֵת
such *adj, pron* כָּזֶה; שֶׁכָּזֶה
suck *vt, vi* מָצַץ, יָנַק
suck *n* מְצִיצָה, יְנִיקָה
sucker *n* יוֹנֵק; (המונית) פֶּתִי
suckle *vt* הֵינִיקָה
suckling *n* יוֹנֵק, עוֹלָל
suckling pig *n* חֲזִירוֹן
suction *n* יְנִיקָה; שְׁאִיבָה
sudden *adj, n* פִּתאוֹמִי; פִּתאוֹמִיוּת
suds *n pl* קֶצֶף סַבּוֹן
sue *vt, vi* תָּבַע לְדִין; הִפצִיר
suède *n* עוֹר מְמוֹרָט
suet *n* חֵלֶב (של בהמות)
suffer *vi, vt* סָבַל; הִרשָׁה
sufferance *n* סוֹבלָנוּת, חֶסֶד
suffering *n* סֵבֶל
suffice *vi, vt* הָיָה דַי

sufficient *adj*	מַסְפִּיק, דַּיּוֹ, סוֹפִית
suffix *n, vt*	(הוֹסִיף) סִיּוֹמֶת
suffocate *vt, vi*	חָנַק; נֶחֱנַק
suffrage *n*	זְכוּת הַצְבָּעָה; הַסְכָּמָה
suffragette *n*	סוּפְרָזִ׳יסְטִית
suffuse *vt*	פִּעְפַּע; כִּיסָּה
sugar *n*	סוּכָּר
sugar-beet *n*	סֶלֶק־סוּכָּר
sugar-bowl *n*	מִסְכֶּרֶת
sugar-cane *n*	קְנֵה־סוּכָּר
suggest *vt*	הֶעֱלָה עַל הַדַּעַת; הִצִּיעַ
suggestion *n*	הַצָּעָה
suggestive *adj*	מְרַמֵּז
suicide *n*	הִתְאַבְּדוּת; מִתְאַבֵּד
suit *n*	חֲלִיפָה; תְּבִיעָה
suit *vt, vi*	הִתְאִים, הָלַם
suitable *adj*	מַתְאִים, הוֹלֵם
suitcase *n*	מִזְווָדָה
suite *n*	פָּמַלְיָה; מַעֲרֶכֶת; סוּוִיטָה
suiting *n*	אָרִיג לַחֲלִיפוֹת
suit of clothes *n*	חֲלִיפָה
suitor *n*	בַּעַל־דִּין; מְחַזֵּר
sulfa drugs *n pl*	תְּרוּפוֹת סוּלְפָה
sulfate, sulphate *n, adj*	גוֹפְרָה
sulfur, sulphur *n*	גוֹפְרִית
sulfuric *adj*	גוֹפְרָתִי
sulfurous *adj*	גוֹפְרִיתִי
sulk *vi, n*	שָׁתַק וְזָעַם; שְׁתִיקַת רוֹגֶז
sulky *adj*	מְרוּגָּז וְשׁוֹתֵק
sullen *adj*	קוֹדֵר וְעוֹיֵן; כָּבֵד
sully *vt*	הִכְתִּים, טִימֵּא
sultan *n*	שׁוּלְטָן
sultry *adj*	חַם וּמַחֲנִיק, לוֹהֵט
sum *n*	סְכוּם; סַךְ־הַכּוֹל
sum *vt, vi*	סִיכֵּם
summarize *vt*	תִּמְצֵת
summary *adj*	מַקִּיף; מָהִיר, מְזוֹרָז
summary *n*	תַּקְצִיר, סִיכּוּם
summer *n*	קַיִץ
summer *adj*	קֵיצִי
summer resort *n*	מְקוֹם קַיִט
summersault *n*	סַלְטָה, דוּ־סֶבֶב
summersault *vi*	עָשָׂה סַלְטָה, עָשָׂה דוּ־סֶבֶב
summer school *n*	שִׁיעוּרֵי קַיִץ
summery *adj*	קֵיצִי
summit *n*	פִּסְגָּה
summon *vt*	צִיוָּה לְהוֹפִיעַ
summons *n*	הַזְמָנָה (לְהוֹפִיעַ בְּבֵית־מִשְׁפָּט)
summons *vt*	שָׁלַח הַזְמָנָה (כנ״ל)
sumptuous *adj*	הָדוּר, מְפוֹאָר
sun *n*	שֶׁמֶשׁ
sun-bath *n*	אַמְבַּט־שֶׁמֶשׁ
sunbeam *n*	קֶרֶן שֶׁמֶשׁ
sunbonnet *n*	כּוֹבַע שֶׁמֶשׁ
sunburn *n*	שִׁיזּוּף; הִשְׁתַּזְּפוּת
sunburn *vt, vi*	שִׁיזֵּף; הִשְׁתַּזֵּף
sundae *n*	גְּלִידַת פֵּירוֹת
Sunday *n*	יוֹם א׳, יוֹם רִאשׁוֹן
Sunday best *n*	בִּגְדֵי שַׁבָּת
Sunday school *n*	בֵּית־סֵפֶר שֶׁל יוֹם א׳
sunder *vt*	הִפְרִיד, נִיתֵּק
sundial *n*	שְׁעוֹן שֶׁמֶשׁ
sundown *n*	שְׁקִיעַת הַחַמָּה
sundries *n pl*	שׁוֹנוֹת
sundry *adj*	שׁוֹנִים
sunflower *n*	חַמָּנִית
sunglasses *n pl*	מִשְׁקְפֵי־שֶׁמֶשׁ

sunken *adj* שָׁקוּעַ
sun-lamp *n* מְנוֹרָה כְּחוּלָּה
sunlight *n* אוֹר שֶׁמֶשׁ
sunlit *adj* מוּצָף שֶׁמֶשׁ
sunny *adj* מוּצָף שֶׁמֶשׁ; עַלִּיז
sunrise *n* זְרִיחַת הַשֶּׁמֶשׁ
sunset *n* שְׁקִיעַת־הַחַמָּה
sunshade *n* סוֹכֵךְ, שִׁמְשִׁיָּה
sunshine *n* אוֹר שֶׁמֶשׁ
sunspot *n* כֶּתֶם שֶׁמֶשׁ
sunstroke *n* מַכַּת שֶׁמֶשׁ
sup *vi* אָכַל אֲרוּחַת־עֶרֶב
superannuated *adj* הוֹעֲבַר לְקִצְבָּה; הוּצָא מִשִּׁימּוּשׁ כִּמְיוּשָּׁן
superb *adj* עִילָּאִי
supercargo *n* מְמוּנֶּה עַל הַמִּטְעָן
supercharge *vt* הִגְדִּישׁ
supercilious *adj* מִתְנַשֵּׂא
superficial *adj* שִׁטְחִי
superfluous *adj* מְיוּתָּר
superhuman *adj* עַל־אֱנוֹשִׁי
superimpose *vt* הוֹסִיף עַל גַּבֵּי
superintendent *n* מְפַקֵּחַ; (במשטרה) רַב־פַּקָּד
superior *adj* גָּבוֹהַּ יוֹתֵר; טוֹב יוֹתֵר; יָהִיר
superior *n* מְמוּנֶּה עַל רֹאשׁ מִנְזָר
superiority *n* עֶלְיוֹנוּת, עֲדִיפוּת
superlative *adj* עִילָּאִי
superlative *n* הַפְרָזָה, הַפְלָגָה
superman *n* אָדָם עֶלְיוֹן
supermarket *n* שׁוּפֶרְסַל, כּוֹל בּוֹ
supernatural *adj* עַל־טִבְעִי
supersede *vt* בָּא בִּמְקוֹם
supersonic *adj* עַלְקוֹלִי

superstitious *adj* מַאֲמִין בֶּאֱמוּנוֹת טְפֵלוֹת
supervene *vt* קָרָה בְּמַפְתִּיעַ
supervise *vt, vi* פִּיקֵּחַ, הִשְׁגִּיחַ
supervisor *n* מְפַקֵּחַ, מַשְׁגִּיחַ
supper *n* אֲרוּחַת־עֶרֶב
supplant *vt* תָּפַס מְקוֹם
supple *adj* כָּפִיף, גָּמִישׁ; סָגִיל
supplement *n* תּוֹסֶפֶת; (בעיתון) מוּסָף
supplement *vt* הִשְׁלִים, הוֹסִיף
suppliant, supplicant *n, adj* מִתְחַנֵּן
supplication *n* תְּחִינָּה
supply *vt* סִיפֵּק, צִיֵּיד; מִלֵּא
supply *n* הַסְפָּקָה; מְלַאי; הֶיצֵעַ
supply and demand *n* הֶיצֵעַ וּבִיקּוּשׁ
support *vt* תָּמַךְ; סָמַךְ; פִּרְנֵס
support *n* תְּמִיכָה; תּוֹמֵךְ; סָמוֹךְ
supporter *n* תּוֹמֵךְ
suppose *vt, vi* הִנִּיחַ, שִׁיעֵר, סָבַר
supposed *adj* חַיָּיב; מְשׁוֹעָר
supposition *n* הַנָּחָה, סְבָרָה, הַשְׁעָרָה
suppository *n* פְּתִילָה, נֵר
suppress *vt* דִּיכֵּא, שָׂם קֵץ; הִסְתִּיר
suppression *n* דִּיכּוּי; הַעֲלָמָה
suppurate *vi* מִיגֵּל
supreme *adj* עֶלְיוֹן; עִילָּאִי
supt. *abbr* superintendent
surcharge *vt* דָּרַשׁ תַּשְׁלוּם נוֹסָף
surcharge *n* מִטְעָן נוֹסָף; תַּשְׁלוּם נוֹסָף
sure *adj, adv* בָּטוּחַ, וַדַּאי; בְּוַדַּאי
sure thing *n* סִיכּוּי לְלֹא סִיכּוּן
surety *n* עָרֵב; עֵירָבוֹן
surf *n* דָּכִי, נַחְשׁוֹלִים מִשְׁתַּבְּרִים
surface *vt, vi* לִיטֵּשׁ, צִיפָּה; עָלָה (עַל פְּנֵי הַמַּיִם)

surface *n, adj* שֶׁטַח, מִשְׁטָח; שִׁטְחִי
surfboard *n* מִגְרֶשֶׁת־גַּלִּים
surfeit *n* הַפְרָזָה, זְלִילָה
surfeit *vt, vi* הֶאֱכִיל בְּהַפְרָזָה; זָלַל
surge *n* גַּל, גַּלִּים
surge *vi* נָע כְּגַל, הִתְנוֹדֵד
surgeon *n* מְנַתֵּחַ, כִּירוּרג
surgery *n* כִּירוּרגְיָה
surgical *adj* כִּירוּרגִי
surly *adj* חֲמוּץ פָּנִים, גַּס
surmise *n* נִיחוּשׁ, סְבָרָה
surmise *vt, vi* נִיחֵשׁ
surmount *vt* הִתְגַּבֵּר עַל
surname *n* שֵׁם־מִשְׁפָּחָה
surpass *vt* עָלָה עַל
surplice *n* גְּלִימָה
surplus *n, adj* עוֹדֶף; עוֹדֵף
surprise *vt* הִפְתִּיעַ
surprise *n* הַפְתָּעָה; תְּמִיהָה
surprising *n* מַפְתִּיעַ
surrender *vt, vi* הִסְגִּיר; נִכְנַע
surrender *n* כְּנִיעָה
surreptitious *adj* חֲשָׁאִי
surround *vt* הִקִּיף; כִּיתֵּר
surrounding *n* סְבִיבָה
surtax *n* מַס־יֶסֶף
surveillance *n* הַשְׁגָּחָה
survey *vt, vi* סָקַר, מָדַד
survey *n* סֶקֶר, סְקִירָה; מְדִידָה
surveyor *n* מוֹדֵד
survival *n* שְׂרִידָה
survive *vi, vt* שָׂרַד, נִשְׁאַר בַּחַיִּים;
הִמְשִׁיךְ לִחְיוֹת אַחֲרֵי
survivor *n* שָׂרִיד
susceptible *adj* נִיתָּן ל...; מִתְרַשֵּׁם בְּנָקֵל
suspect *vt* חָשַׁד
suspect *adj, n* חָשׁוּד
suspend *vt, vi* תָּלָה; דָּחָה;
בִּיטֵּל זְמַנִּית; הִשְׁעָה
suspenders *n pl* כְּתֵפוֹת
(למכנסיים); בִּירִיּוֹת (לגרביים)
suspense *n* מֶתַח, מְתִיחוּת; אִי־וַדָּאוּת
suspension bridge *n* גֶּשֶׁר תָּלוּי
suspicion *n* חֲשָׁד; קוֹרטוֹב
suspicious *adj* חוֹשֵׁד, מְעוֹרֵר חֲשָׁד
sustain *vt* נָשָׂא, קִיֵּם; תָּמַךְ; אִימֵּת
sutler *n* רוֹכֵל
swab *n* מַטְלִית, סְפוֹגִית
swab *vt* נִיקָּה (בְּמטלית)
swaddling clothes *n pl* חִיתּוּלִים
swagger *vi* נָע בְּהִילּוּךְ מִתְרַבְרֵב
swagger *n* הִילּוּךְ מִתְרַבְרֵב
swain *n* כַּפְרִי צָעִיר; מְאַהֵב
swallow *n* סְנוּנִית; בְּלִיעָה, לְגִימָה
swallow *vt* בָּלַע
swallow wort *n* חֲנָק
swamp *n* בִּיצָה
swamp *vt, vi* הֵצִיף
swan *n* בַּרְבּוּר
swank *n* הִתְגַּנְדְּרוּת; גַּנְדְּרָן
swank *vi* הִתְגַּנְדֵּר
swan's-down *n* נוֹצַת בַּרְבּוּר
swap *vt, vi* (המונית) הֶחֱלִיף; הִתְחַלֵּף
swap *n* הַחֲלָפָה, חִילּוּפִים
swarm *n* עֵדָה (של דבורים),
לַהֲקָה; הָמוֹן
swarm *vi* נִקְהַל; שָׁרַץ; מָלֵא וְגָדוּשׁ
swarthy *adj* שְׁחַרְחַר
swashbuckler *n* רַבְרְבָן; מַטִּיל אֵימִים
swastika *n* צְלָב־קֶרֶס

swat *vt* הִכָּה מַכָּה זְרִיזָה
sway *vi, vt* הִתְנַדְנֵד; הִיסֵּס; נִדְנֵד; הִטָּה; הִשְׁפִּיעַ עַל
sway *n* נִעְנוּעַ; שְׁלִיטָה
swear *vi, vt* נִשְׁבַּע; גִּידֵּף; הִשְׁבִּיעַ
sweat *vi, vt* הִזִּיעַ
sweat *n* זֵיעָה
sweater *n* אֲפוּדָּה
sweaty *adj* מַזִּיעַ; גּוֹרֵם הֲזָעָה
Swede *n* שְׁוֶודִי
Sweden *n* שְׁוֶודְיָה
sweep *vi, vt* נָע בִּתְנוּפָה; גָּרַף, סָחַף; טִאטֵא
sweep *n* טִאטוּא; סְחִיפָה; טְוָוח; תְּנוּפָה; מְנַקֵּה אֲרוּבּוֹת
sweeper *n* מְטַאטֵא
sweeping *adj, n* כּוֹלְלָנִי; טִאטוּא
sweepstake(s) *n* הַגְרָלָה
sweet *adj* מָתוֹק; עָרֵב
sweet *n* מַמְתָּק, סוּכָּרִייָה
sweetbread *n* לַבְלָב
sweetbrier *n* וֶרֶד אֶגְלַנְטִין
sweeten *vt, vi* הִמְתִּיק; מִיתֵּן
sweetheart *n* אָהוּב, אֲהוּבָה
sweet marjoram *n* אֲזוֹבִית
sweetmeat *n* סוּכָּרִייָה, מַמְתָּק
sweet pea *n* אֲפוּנָה רֵיחָנִית
sweet potato *n* בָּטָטָה
sweet-scented *adj* רֵיחָנִי
sweet toothed *adj* אוֹהֵב מַמְתַּקִּים
sweet william *n* צִיפּוֹרֶן צְפוּפָה
swell *vi, vt* תָּפַח, גָּאָה; נִיפֵּחַ, הִגְבִּיר
swell *n* תְּפִיחוּת; (דיבּוּרית) אָדָם חָשׁוּב
swell *adj* נָאֶה, מְהוּדָּר (דיבּוּרית)
swelter *vi* נָמַק; הָיָה חַלָּשׁ (מחוֹם)
swerve *vi, vt* פָּנָה, סָטָה; הִפְנָה, הִסְטָה
swerve *n* סְטִייָה
swift *adj, adv* מָהִיר; מַהֵר
swig *vt, vi* (המוֹנית) לָגַם (מהבּקבּוּק)
swig *n* לְגִימָה גְדוֹלָה (כּנ״ל)
swill *vt, vi* שָׁטַף (בּמים); שָׁתָה בְּגַסּוּת
swill *n* שְׁטִיפָה; שְׁפוֹכֶת
swim *vi* שָׂחָה; הָיָה שָׁטוּף; הָיָה סְחַרְחַר
swim *n* שְׂחִייָה; זֶרֶם הָעִנְייָנִים
swimmer *n* שַׂחְייָן
swimming-pool *n* בְּרֵיכַת שְׂחִייָה
swim-suit *n* בֶּגֶד־יָם
swindle *vt, vi* הוֹנָה, רִימָּה
swindle *n* הוֹנָאָה, רַמָּאוּת, תַּרְמִית
swine *n* חֲזִיר
swing *vi, vt* הִתְנַעְנֵעַ, הִתְנַדְנֵד; נִעְנַע, נִדְנֵד; רָקַד סווִינג; (המוֹנית) נִתְלָה
swing *n* נִעְנוּעַ; תְּנוּפָה
swing door *n* דֶּלֶת מְטוּטֶלֶת
swinish *adj* חֲזִירִי
swipe *n* חֲבָטָה פְּרָאִית; נִיסָּיוֹן לַחְבּוֹט
swipe *vt* חָבַט, הִכָּה; נִיסָּה לַחְבּוֹט; (המוֹנית) גָּנַב
swirl *vi, vt* הִתְעַרְבֵּל
swish *vi* נָע בְּרַעַשׁ שׁוֹרֵק
swish *n* רַעַשׁ שׁוֹרֵק
Swiss *adj, n* שְׁוֵויצִי
switch *n* מֶתֶג; שַׁרְבִיט; הַחְלָפָה; הַעְתָּקָה (רכּבת)
switch *vt* מִיתֵּג; הֶחֱלִיף
switchback *n* מְסִילַּת עֲקַלְּתוֹן
switchboard *n* (בּטלפוֹן) רַכֶּזֶת
switching engine *n* קַטַּר עִיתּוּק
switchman *n* עַתָּק (רכּבוֹת)

switchyard *n* מִגְרַשׁ עִיתּוּק (לרכבות)
Switzerland *n* שְׁוַיְץ
swivel *n* סְבִיבוֹל
swivel *vi, vt* הִסְתּוֹבֵב (אוֹ סוֹבֵב) עַל סְבִיבוֹל
swivel chair *n* כִּיסֵּא מִסְתּוֹבֵב
swoon *vi, n* הִתְעַלֵּף; הִתְעַלְּפוּת
swoop *vi* עָט
swoop *n* עִיטָה; חֲטִיפָה בְּמַחִי־יָד
sword *n* חֶרֶב, סַיִף
swordfish *n* דַּג־הַחֶרֶב
sword rattling *n* נִפְנוּף חֲרָבוֹת
swordsman *n* סַיָּף
sword thrust *n* מַדְקְרוֹת חֶרֶב
sycophant *adj* חַנְפָן
sycosis *n* דַּבְלֶלֶת
syllable *n* הֲבָרָה
syllabus *n* תּוֹכְנִית לִימוּדִים
syllogism *n* סִילוֹגִיזם
sylph *n* נַעֲרָה תְּמִירָה וְקַלַּת־תְּנוּעָה
symbol *n* סֶמֶל; סִימָן (בְּמתימטיקה)
symbolic(al) *adj* סִמְלִי
symbolize *vt* סִימֵּל
symmetric(al) *adj* סִימֶטְרִי
sympathetic *adj* אוֹהֵד, מַבִּיעַ אַהֲדָה; מִשְׁתַּתֵּף בְּצַעַר
sympathize *vi* אָהַד; הִשְׁתַּתֵּף בְּצַעַר
sympathy *n* אַהֲדָה; הִשְׁתַּתְּפוּת בְּצַעַר
symphonic *adj* סִימְפוֹנִי
symphony *n* סִימְפוֹנְיָה
symposium *n* סִימְפּוֹזְיוֹן, רַב־שִׂיחַ
symptom *n* סִימַן מַחֲלָה
synagogue *n* בֵּית־כְּנֶסֶת
synchronize *vi, vt* הִתְרַחֵשׁ כְּאַחַת; סִנְכְּרֵן
synchronous *adj* סִינְכְּרוֹנִי, מְתוֹאָם
syndicate *n* סִינְדִיקָט; הִתְאַגְּדוּת
syndicate *vt, vi* אִיגֵּד; הֵפִיץ דֶּרֶךְ אִיגּוּד
synonym *n* שֵׁם נִרְדָּף
synonymous *adj* סִינוֹנִימִי, נִרְדָּף
synopsis *n* תַּמְצִית, תַּקְצִיר
syntax *n* תַּחְבִּיר
synthesis *n* סִינְתֶּזָה
synthetic(al) *adj* סִינְתֶּטִי; מְלָאכוּתִי
syphilis *n* עַגֶּבֶת
Syria *n* סוּרְיָה
Syriac *adj, n* סוּרִי; סוּרִית
Syrian *adj, n* סוּרִי
syringe *n* מַזְרֵק
syringe *vt* הִזְרִיק
syrup, sirup *n* סִירוֹפּ
system *n* שִׁיטָה; מַעֲרֶכֶת
systematic *adj* שִׁיטָתִי; שֶׁל מִיּוּן
systematize *vt* הִנְהִיג שִׁיטָה; הָפַךְ לְשִׁיטָה
systole *n* הִתְכַּוְּצוּת הַלֵּב

T

T, t טִי (האות העשׂרים באלפבית)
tab *n* דַּשׁ; תָּוִית; תָּג (שׁל קצין)
tabby *n* מֶשִׁי גַּלִּי; חֲתוּלָה; בְּתוּלָה זְקֵנָה
tabernacle *n* סוּכָּה;
מִשְׁכָּן (שׁל בני ישׂראל במדבר)
table *n* שׁוּלְחָן; לוּחַ; טַבְלָה
table *vt* עָרַךְ טַבְלָאוֹת; דָּחָה דִּיוּן;
הִנִּיחַ עַל הַשּׁוּלְחָן
tableau *n* תְּמוּנָה חַיָּה
tablecloth *n* מַפַּת שׁוּלְחָן
table d'hote *n* אֲרוּחָה אֲחִידָה
tableland *n* הַר טַבְלָה
table linen *n* אֲרִיגֵי שׁוּלְחָן
table manners *n pl* נִימוּסֵי שׁוּלְחָן
Tables of the Covenant *n pl* לוּחוֹת הַבְּרִית
tablespoon *n* כַּף לְמָרָק
tablespoonful *n* מְלוֹא הַכַּף
tablet *n* לוּחַ; לוּחִית; טַבְלִית (תרופה)
table-tennis *n* טֶנִּיס־שׁוּלְחָן
tableware *n* כְּלֵי־שׁוּלְחָן
tabloid *n* טַבְלִית
taboo *n, adj* טָאבּוּ, אִיסּוּר;
בְּחֶזְקַת אִיסּוּר
taboo *vt* אָסַר
tabulate *vt* עָרַךְ בְּטַבְלָאוֹת;
לִיוּוַּח, רִידֵּד
tacit *adj* מוּבָן מֵאֵלָיו, מִשְׁתַּמֵּעַ
taciturn *adj* מְמַעֵט בְּדִיבּוּר
tack *n* נַעַץ; שִׁינּוּי עֶמְדָּה
tack *vt, vi* הִידֵּק בִּנְעָצִים; אִיחָה;
שִׁינָּה עֶמְדָּתוֹ
tackle *n* חִיבֵּל; צִיּוּד;
הַכְשָׁלָה (בכדורגל)
tackle *vt* הִתְמוֹדֵד (עם בעיה);
שָׁקַד לִגְבּוֹר; (בכדורגל) הִכְשִׁיל
tacky *adj* דָּבִיק
tact *n* טַקְט, חָכְמַת הַהִתְנַהֲגוּת
tactful *adj* טַקְטִי
tactical *adj* מִבְצָעִי, תַּכְסִיסִי; טַקְטִי
tactician *n* טַקְטִיקָן
tactics *n pl* טַקְטִיקָה
tactless *adj* חֲסַר טַקְט
tadpole *n* רֹאשָׁן
taffeta *n* טַפְטָה
tag *n* קָצֶה שֶׁל שְׂרוֹךְ; תָּו, תָּוִית
tag *vt* הִצְמִיד תָּג אֶל
tail *n* זָנָב; כָּנָף (שׁל בגד); מַעֲקָב
tail *vt* (דיבורית) עָקַב אַחֲרֵי;
הִזְדַּנֵּב
tail-end *n* קָצֶה, סִיּוּם
tail-light *n* פַּנַּס אֲחוֹרִי
tailor *n* חַיָּט
tailor *vt* תָּפַר לְפִי מִידָּה
tailoring *n* חַיָּטוּת
tailor-made *adj* מַעֲשֵׂה חַיָּט;
עָשׂוּי לְפִי מִידָּה
tailpiece *n* קָצֶה; עִיטּוּר
tailspin *n* סִחְרוּר
taint *vt* טִימֵּא, זִיהֵם; דִּיבֵּק
taint *n* אֲבַק דּוֹפִי, כֶּתֶם
take *vt, vi* (took) לָקַח, אָחַז

take *n* לְקִיחָה; פִּדְיוֹן (בחנות וכד׳)
take-off *n* הַמְרָאָה; חִיקּוּי
talcum powder *n* אַבְקַת טַאלְק
tale *n* סִיפּוּר, מַעֲשִׂיָּה
talebearer *n* הוֹלֵךְ רָכִיל
talent *n* כִּשְׁרוֹן
talented *adj* מְחוֹנָן, מוּכְשָׁר
talk *vi* דִּיבֵּר, שׂוֹחַח
talk *n* דִּיבּוּר, שִׂיחָה
talkative *adj* פַּטְפְּטָן מְלַהֵג
talker *n* פַּטְפְּטָן
talkie *n* סֶרֶט קוֹלְנוֹעַ
tall *adj* גָּבוֹהַּ; (המונית) לֹא סָבִיר
tallow *n* חֵלֶב
tally *n* מַקֵּל מְחוֹרָץ; חֶשְׁבּוֹן; שׁוֹבֵר
tally *vt, vi* חִישֵּׁב; הִתְאִים ל...
tally sheet *n* תְּעוּדַת סִיכּוּם
Talmudic *adj* תַּלְמוּדִי
Talmudist *n* חוֹקֵר תַּלְמוּד, תַּלְמוּדָאִי
talon *n* טוֹפֶר; לְשׁוֹן הַמַּנְעוּל
tambourine *n* טַנְבּוּרִית
tame *adj* מְאוּלָּף, מְבוּיָּת; נִכְנָע
tame *vt* אִילֵּף, בִּייֵּת; רִיסֵּן
tamp *vt* סָתַם חוֹר
tamper *vi* הִשְׁתַּמֵּשׁ לְרָעָה; טִיפֵּל בַּחֲשַׁאי
tampon *n* סֶתֶם, טַמְפּוֹן
tan *n* קְלִיפַּת אַלּוֹן; שִׁיזָּפוֹן
tan *adj* שֶׁל עִיבּוּד עוֹרוֹת; שֶׁל שִׁיזּוּף
tan *vt, vi* עִיפֵּץ; שִׁיזֵּף; הִשְׁתַּזֵּף; (המונית) הִלְקָה
tang *n* רֵיחַ (אוֹ טַעַם) חָרִיף; צִלְצוּל
tangent *adj, n* מַשִּׁיקִי; מַשִּׁיק, טַנְגֶּנְט
tangerine *n* מַנְדָּרִינָה
tangible *adj* מוּחָשִׁי
tangle *vt, vi* סִיבֵּךְ; נִתְבַּלְבֵּל
tangle *n* סְבַךְ, פְּקַעַת
tank *n* מְכַל, מֵיכַל; טַנְק
tanker *n* מֵיכָלִית
tanner *n* בּוּרְסִי
tannery *n* בֵּית־חֲרוֹשֶׁת לְעוֹרוֹת
tantalize *vt* עִינָּה בַּהֲפָחַת תִּקְווֹת־שָׁוְא, טִנְטֵל
tantamount *adj* כָּמוֹהוּ כְּ...
tantrum *n* הִשְׁתּוֹלְלוּת חֵימָה
tap *vt, vi* טָפַח; הִקִּישׁ
tap *n* דְּפִיקָה, הַקָּשָׁה; בֶּרֶז
tap dance *n* רִיקּוּד טֶפּ
tape *n* סֶרֶט
tape *vt* מָדַד בְּסֶרֶט; הִקְלִיט עַל סֶרֶט
tape-measure *n* סֶרֶט־מִידָּה
taper *n* נֵר דַּק; הִתְחַדְּדוּת הַדְרָגָתִית
taper *vt, vi* הִקְטִין בְּהַדְרָגָה; הָלַךְ וְדַק
tapestry *n* טַפִּיט
tapeworm *n* תּוֹלַעַת־הַסֶּרֶט
taproom *n* מִסְבָּאָה
taproot *n* שׁוֹרֶשׁ־אָב
tar *n* זֶפֶת; (המונית) מַלָּח
tar *vt* זִיפֵּת
tardy *adj* אִטִּי; מְאַחֵר, מְפַגֵּר
target *n* מַטָּרָה, יַעַד
target area *n* מְטוּוָח
Targumist *n* חוֹקֵר הַתַּרְגּוּם
tariff *n* תַּעֲרִיף, רְשִׁימַת מִסֵּי מֶכֶס
tarnish *vt, vi* הִכְהָה; לִכְלֵךְ; כָּהָה
tar paper *n* נְיַר־זֶפֶת
tarpaulin *n* אֲבַרְזִין, בְּרֶזֶנְט
tarry *vi* הִתְמַהְמַהּ
tarry *adj* מָשׁוּחַ בְּזֶפֶת

tart *adj* חָרִיף; חָמוּץ; שָׁנוּן

tart *n* עוּגַת־פֵּירוֹת; (דיבורית) זוֹנָה

task *n* מְשִׂימָה, תַּפְקִיד

taskmaster *n* נוֹגֵשׂ; מְנַהֵל־עֲבוֹדָה

tassel *n* גְּדִיל, פִּיף

taste *vt, vi* טָעַם; יֵשׁ לוֹ טַעַם שֶׁל

taste *n* טַעַם; קוּרטוֹב

tasteless *adj* חֲסַר טַעַם, תָּפֵל

tasty *adj* טָעִים, עָרֵב

tatter *n* קֶרַע; סְחָבָה

tattered *adj* קָרוּעַ וּבָלוּי

tattle *vi* גִּילָּה סוֹד; פִּטְפֵּט; רִיכֵּל

tattletale *n* רַכְלָן; רְכִילוּת

tattoo *vt* קִיעֲקַע; תָּפַף בְּאֶצְבָּעוֹת

tattoo *n* כְּתוֹבֶת־קַעֲקַע; (בצבא) תְּרוּעַת הַשְׁכָּבָה

taunt *n* לַעַג, הִתְגָּרוּת

taunt *vt* הִתְגָּרָה בְּלִגְלוּג

taut *adj* מָתוּחַ

tavern *n* פּוּנְדָק

tawdry *adj* מַבְרִיק וְזוֹל

tawny *n, adj* צָהוֹב־חוּם; שָׁזוּף

tax *vt* הִטִּיל מַס; הֶאֱשִׁים

tax *n* מַס

taxable *adj* חַיָּב מַס, בַּר־מִיסּוּי

taxation *n* מִיסּוּי, הַטָּלַת מַס

tax-collector *n* גּוֹבֵה מִסִּים

tax cut *n* קִיצּוּץ בְּמִסִּים

tax evader *n* שְׁתַמְּטַן מִסִּים

tax-exempt, tax-free *adj* פָּטוּר מִמַּס

taxi *n* מוֹנִית

taxi *vi* הִסִּיעַ (מטוס, על הקרקע)

taxicab *n* מוֹנִית

taxi-dancer *n* רַקְדָנִית שְׂכִירָה

taxi-driver *n* נַהַג מוֹנִית

taxi-plane *n* מְטוֹס מוֹנִית

taxpayer *n* מְשַׁלֵּם מִסִּים

T.B. *abbr* tuberculosis

tea *n* תֵּה

teach *vt, vi* הוֹרָה, הִנְחִיל, לִימֵּד

teacher *n* מוֹרֶה

teacher's pet *n* יֶלֶד שַׁעֲשׁוּעֵי מוֹרֶה

teaching *n* הוֹרָאָה, לִימּוּד

teaching aids *n pl* עֶזְרֵי הוֹרָאָה

teaching staff *n* סֶגֶל מוֹרִים

teak *n* שֶׁגָא, טִיק

teakettle *n* קוּמקוּם תֵּה

team *n* צֶוֶת; קְבוּצָה (ספורט); צֶמֶד (סוסים וכד׳)

team *vt, vi* צִימֵּד; הִתְחַבֵּר

teammate *n* חָבֵר לִקְבוּצָה

teamster *n* עֶגְלוֹן

teamwork *n* עֲבוֹדַת צֶוֶת

teapot *n* קוּמקוּם לְתֵה

tear *vt* קָרַע, טָרַף

tear *n* קְרִיעָה, קֶרַע

tear *n* דִּמְעָה

tear bomb *n* פִּצְצַת גַּז מַדְמִיעַ

tearful *adj* מַזִּיל דְּמָעוֹת

tearjerker *n* (המונית) סוֹחֵט דְּמָעוֹת

tear sheet *n* דַּף תָּלוּשׁ

tease *vt* הִקְנִיט

teaspoon *n* כַּפִּית

teaspoonful *n* מְלוֹא הַכַּפִּית

teat *n* דַּד, פִּטְמָה

tea-time *n* שְׁעַת תֵּה

technical *adj* טֶכְנִי

technicality *n* פְּרָט טֶכְנִי; טֶכְנִיּוּת

technician *n* טֶכְנַאי

technics *n pl* טֶכְנִיקָה

technique *n* טֶכנִיקָה; תְּבוּנַת כַּפַּיִים
teddy bear *n* דּוּבּוֹן
teem *vi* שָׁפַע; שָׁרַץ
teeming *adj* שׁוֹרֵץ
teen-age *adj* שֶׁל גִיל הָעֶשׂרֵה
teenager *n* בֶּן ׳טִיפֵּשׁ־עֶשׂרֵה׳
teens *n pl* שְׁנוֹת הָעֶשׂרֵה
teeny *adj* קָטוֹן
teeter *vi* הִתנַדנֵד
teethe *vi* צָמְחוּ (אצלו) שִׁנַּיִים
teething *n* צְמִיחַת שִׁנַּיִים
teething ring *n* דִסקִית נְגִיסָה
teetotaler *n* מִתנַזֵּר גָמוּר
telecast *vt, vi* שִׁידֵּר בְּטֵלֵווִיזיָה
telegram *n* מִברָק
telegraph *n* מִברָקָה
telegraph *vt* שִׁיגֵּר מִברָק
telegrapher *n* פְּקִיד מִברָקָה
telemeter *n* מַד־רוֹחַק, טֵלֶמֶטֶר
telemetry *n* מְדִידַת־רוֹחַק,
טֵלֶמֶטרִייָה
telephone *n* טֵלֵפוֹן
telephone *vt, vi* טִלפֵּן
telephone booth *n* תָּא טֵלֵפוֹן
telephone call *n* קְרִיאָה טֵלֵפוֹנִית
telephone operator *n* טֵלֵפוֹנַאי
telephone receiver *n* מַכשִׁיר טֵלֵפוֹן
teleprinter *n* טֵלֶפּרִינטֶר
telescope *n* טֵלֶסקוֹפּ
teletype *n* טֵלֵטַיפּ, טֵלֶפּרִינטֶר
teletype *vt, vi* טִלפֵּר
televiewer *n* צוֹפֶה טֵלֵווִיזיָה
televise *vt* שִׁידֵּר בְּטֵלֵווִיזיָה, טִלוֵוז;
עִיבֵּד לְטֵלֵווִיזיָה
television *n* טֵלֵווִיזיָה
television set *n* מַקלֵט טֵלֵווִיזיָה
tell *vt* (told) סִיפֵּר, אָמַר; הִבחִין
teller *n* מְסַפֵּר; קוּפַּאי (בבנק)
temper *vt, vi* מִיזֵּג, מִיתֵּן, רִיכֵּך
temper *n* מֶזֶג; מַצַּב־רוּחַ;
דַרגַּת הַקַּשִׁיוּת
temperament *n* מֶזֶג; טֶמפֶּרָמֶנט
temperamental *adj* הֲפַכפַּך; נִסעָר
temperance *n* הִינָּזְרוּת גְמוּרָה
temperate *adj* מָתוּן; מְמוּזָּג
temperature *n* טֶמפֶּרָטוּרָה,
מִידַּת הַחוֹם
tempest *n* סְעָרָה
tempestuous *adj* סוֹעֵר
temple *n* בֵּית־הַמִּקדָּשׁ;
בֵּית־כְּנֶסֶת; רַקָּה
tempo *n* טֶמפּוֹ, מִפעָם, קֶצֶב
temporal *adj* זְמַנִּי, חוֹלֵף; חִילּוֹנִי
temporary *adj* עֲרָאִי, אַרעִי, זְמַנִּי
temporize *vi* הִתחַמֵּק מִפְּעוּלָּה מִיָּדִית
tempt *vt* נִיסָּה, פִּיתָּה
temptation *n* גֵירוּי הַיֵּצֶר; פִּיתּוּי
tempter *n* מַדִּיחַ, מְפַתֶּה
tempting *adj* מְגָרֶה; מַדִּיחַ
ten *adj, n* עֶשֶׂר, עֲשָׂרָה; עֲשִׂירִייָה
tenable *adj* עָמִיד, בַּר־הַחֲזָקָה
tenacious *adj* בַּעַל אֲחִיזָה חֲזָקָה
tenacity *n* אֲחִיזָה חֲזָקָה; דְבִיקוּת
tenant *n* אָרִיס; דַייָר; שׂוֹכֵר
Ten Commandments *n pl* עֲשֶׂרֶת
הַדִּיבְּרוֹת
tend *vt, vi* טִיפֵּל בּ...; עִיבֵּד; נָטָה
tendency *n* מְגַמָּה, נְטִייָה
tender *adj* רַך; עָדִין; רָגִישׁ
tender *vt* הִצִּיעַ, הִגִּישׁ

tender *n* הַצָּעָה (בְּמכרז);
הַצָּעַת תַּשְׁלוּם; מַשָּׂאִית קַלָּה
tenderhearted *adj* רַחֲמָן
tenderloin *n* בְּשַׂר אֲחוֹרַיִים
tenderness *n* נוֹעַם, רוֹךְ
tendon *n* גִּיד, מֵיתָר
tendril *n* קְנוֹקֶנֶת
tenement *n* דִּירָה; אֲחוּזָּה
tenet *n* עִיקָּרוֹן, דוֹקטְרִינָה
tennis *n* טֶנִּיס
tenor *n* כִּיווּן, מְגַמָּה; טֵנוֹר
tense *n* זְמַן
tense *adj* דָּרוּךְ, מָתוּחַ
tension *n* מֶתַח, מְתִיחוּת
tent *n* אוֹהֶל
tentacle *n* אֵיבַר הַמִּישׁוּשׁ
tentative *adj* נִיסְיוֹנִי; אַרְעִי
tenth *adj*, *n* עֲשִׂירִי; עֲשִׂירִית
tenuous *adj* דַּק, רָפֶה, קָלוּשׁ
tenure *n* חֲזָקָה; תְּקוּפַת כְּהוּנָּה
tepid *adj* פּוֹשֵׁר
term *n* מוּנָּח; בִּיטּוּי;
עוֹנַת לִימּוּדִים; (בְּרַבִּים) תְּנָאִים
term *vt* כִּינָּה, קָרָא בְּשֵׁם
terminal *n* תַּחֲנָה סוֹפִית, מָסוֹף
terminal *adj* אַחֲרוֹן, סוֹפִי
terminate *vt*, *vi* סִייֵּם; הִסְתַּיֵּים
termination *n* גְּמָר, סִיּוּם, סוֹף
terminus *n* סוֹף, קָצֶה; תַּחֲנָה סוֹפִית
termite *n* נְמָלָה לְבָנָה
terra *n* הָאָרֶץ, הָאֲדָמָה
terrace *n* מַדְרֵגָה (בְּהר) טֵרַסָּה; גַּג שָׁטוּחַ
terrain *n* פְּנֵי הַשֶּׁטַח
terrestrial *adj* אַרְצִי, יַבַּשְׁתִּי
terrible *adj* אָיוֹם, נוֹרָא
terrific *adj* מַפִּיל אֵימָה; עָצוּם
terrify *vt* הִבְהִיל, הִבְעִית
territory *n* שֶׁטַח אֶרֶץ; תְּחוּם פְּעוּלָּה
terror *n* אֵימָה, טֶרוֹר
terrorize *vt* הֵטִיל אֵימָה
terry *n* אֲרִיג מַגֶּבֶת
terse *adj* קָצָר וְחָלָק
tertiary *adj* שְׁלִישִׁי, שְׁלִישׁוֹנִי
test *n* מִבְחָן, נִיסָּיוֹן
test *vt* בָּחַן, בָּדַק
testament *n* צַוָּואָה; בְּרִית
testicle *n* אֶשֶׁךְ
testify *vi*, *vt* הֵעִיד
testimonial *n* תְּעוּדַת אוֹפִי;
תְּעוּדַת הוֹקָרָה
testimony *n* עֵדוּת
test pilot *n* טַיָּיס לְנִיסּוּי מְטוֹסִים
test-tube *n* מַבְחֵנָה
tether *n* אַפְסָר; תְּחוּם
tether *vt* אִפְסֵר, קָשַׁר בְּאַפְסָר
text *n* נוֹסַח; תַּמְלִיל (שֶׁל שִׁיר)
textbook *n* סֵפֶר לִימּוּד
textile *adj*, *n* טֶקְסְטִיל, שֶׁל אֲרִיגָה
texture *n* מַטְוֶה; מִרְקָם
Thailand *n* תַּיילַנְד
Thames *n* תֶּמְזָה
than *conj* מִ..., מֵ..., מֵאֲשֶׁר
thank *vt* הוֹדָה
thankful *adj* אֲסִיר־תּוֹדָה
thankless *adj* כְּפוּי טוֹבָה
thanks *n pl* תּוֹדוֹת, תּוֹדָה
thanksgiving *n* הוֹדָיָה, תְּפִילַּת הוֹדָיָה
Thanksgiving Day *n* יוֹם הַהוֹדָיָה
that *pron*, *adj* אוֹתוֹ, אוֹתָהּ;
הַהוּא, הַהִיא; כָּזֶה

that *conj* שֶׁ..., כְּדֵי שֶׁ...;
עַד שֶׁ...; מִפְּנֵי שֶׁ...
that *adv* עַד כְּדֵי כָּךְ שֶׁ...
thatch *n* סְכָךְ
thatch *vt* סִיכֵּךְ, כִּיסָּה בִּסְכָךְ
thaw *n* הַפְשָׁרָה
thaw *vt, vi* הִפְשִׁיר
the *def article, adj* הַ..., הָ..., הֶ...
the *adv* בְּמִידָּה שֶׁ..., בָּהּ בְּמִידָּה
theater *n* תֵּיאַטְרוֹן
theatergoer *n* שׁוֹחֵר תֵּיאַטְרוֹן
theatrical *adj* תֵּיאַטְרוֹנִי; תֵּיאַטְרָלִי
thee *pron* לְךָ, לָךְ; אוֹתְךָ, אוֹתָךְ
theft *n* גְּנֵיבָה
their *pron, adj* שֶׁלָּהֶם, שֶׁלָּהֶן
theirs *pron* שֶׁלָּהֶם, שֶׁלָּהֶן
them *pron* אוֹתָם, אוֹתָן; לָהֶם, לָהֶן
theme *n* נוֹשֵׂא; תֵּמָה; רַעְיוֹן עִיקָּרִי
theme song *n* שִׁיר חוֹזֵר
themselves *pron* בְּעַצְמָם,
בְּעַצְמָן; לְבַדָּם, לְבַדָּן
then *adv, conj, adj, n* אָז; אַחַר,
אַחֲרֵי־כֵן; אִם־כֵּן, לְפִיכָךְ; דְּאָז
thence *adv* מֵאָז; מִשָּׁם; לְפִיכָךְ
thenceforth *adv* מֵאָז וָאֵילָךְ
theology *n* תֵּיאוֹלוֹגְיָה, תּוֹרַת־הָאֱמוּנָה
theorem *n* תֵּיאוֹרֶמָה, הַנָּחָה
theory *n* הֲלָכָה, תֵּיאוֹרְיָה, הַצַּד הָעִיּוּנִי
therapeutic(al) *adj* רִיפּוּיִי
therapy *n* רִיפּוּי
there *adv* שָׁם, לְשָׁם
thereabout(s) *adv* בְּסָמוּךְ לְ...; בְּעֵרֶךְ
thereafter *adv* אַחֲרֵי־כֵן
thereby *adv* בָּזֶה, בְּכָךְ
therefore *adv, conj* לָכֵן, מִכָּאן שֶׁ...

therein *adv* בָּזֶה, בְּעִנְיָן זֶה
thereof *adv* מִזֶּה, הֵימֶנּוּ
thereupon *adv* לְפִיכָךְ;
מִיָּד לְאַחַר מִכֵּן
thermodynamic *adj* תֶּרְמוֹדִינָמִי
thermometer *n* מַדְחוֹם
thermonuclear *adj* תֶּרְמוֹגַרְעִינִי
thermos *n* תֶּרְמוֹס, שְׁמַרְחוֹם
thermostat *n* תֶּרְמוֹסְטָט, וַסַּתְחוֹם
thesaurus *n* אוֹצַר מִלִּים, עָרוּךְ
these *pron, adj* אֵלֶּה, הָאֵלֶּה, הַלָּלוּ
thesis *n* (*pl* theses) דִּיסֶרְטַצְיָה,
מֶחְקָר; הַנָּחָה
they *pron* הֵם, הֵן
thick *adj* עָבֶה; עָבוֹת
thick *n* מַעֲבֶה, עוֹבִי
thicken *vt, vi* עִיבָּה; הִתְעַבָּה
thicket *n* סְבַךְ־יַעַר
thickheaded *adj* מְטוּפָּשׁ, מְטוּמְטָם
thickset *adj* רְחַב־גֶּרֶם
thief *n* (*pl* thieves) גַּנָּב
thieve *vt, vi* גָּנַב
thievery *n* גְּנֵיבָה, גַּנָּבוּת
thigh *n* יָרֵךְ
thighbone *n* עֶצֶם הַיָּרֵךְ
thimble *n* אֶצְבָּעוֹן
thin *adj* דַּק; רָזֶה; דָּלִיל
thin *vt, vi* דִּילֵל, הֵדֵל; דָּלַל; רָזָה
thine *pron, adj* שֶׁלְּךָ, שֶׁלָּךְ
thing *n* דָּבָר; חֵפֶץ; עִנְיָן
think *vt, vi* חָשַׁב, הִרְהֵר, סָבַר
thinker *n* הוֹגֶה, חוֹשֵׁב
third *adj, n* שְׁלִישִׁי; שְׁלִישׁ
third degree *n* חֲקִירָה אַכְזָרִית
third rail *n* פַּס שְׁלִישִׁי

thirst *n* צָמָא, צִימָאוֹן
thirst *vi* צָמֵא, נִכסַף
thirsty *adj* צָמֵא; צָחִיחַ; מִשְׁתּוֹקֵק
thirteen *adj, n* שְׁלוֹשָׁה־עָשָׂר, שְׁלוֹש־עֶשְׂרֵה
thirteenth *adj, n* הַשְּׁלוֹשָׁה־עָשָׂר, הַשְּׁלוֹש־עֶשְׂרֵה; הַחֵלֶק הַשְּׁלוֹשָׁה־עָשָׂר
thirtieth *adj, n* הַשְּׁלוֹשִׁים; הַחֵלֶק הַשְּׁלוֹשִׁים
thirty *adj, n* שְׁלוֹשִׁים
this *pron, adj* זֶה, הַזֶּה, זֹאת, הַזּאת, זוֹ
thistle *n* דַּרְדַּר
thither *adv, adj* לְשָׁם, שָׁמָּה
thong *n* רְצוּעַת עוֹר
thorax *n* חָזֶה
thorn *n* קוֹץ, דַּרְדַּר
thorny *adj* דוֹקְרָנִי, קוֹצִי
thorough *adj* גָּמוּר; יְסוֹדִי; מַקִּיף
thoroughbred *adj, n* טְהוֹר גֶּזַע, גִּזְעִי; תַּרְבּוּתִי
thoroughfare *n* דֶּרֶךְ, מַעֲבָר
thoroughgoing *adj* גָּמוּר, מוּחלָט
thoroughly *adv* בְּאוֹפֶן יְסוֹדִי
those *adj, pron* אוֹתָם, אוֹתָן, הָהֵם, הָהֵן
thou *pron* אַתָּה, אַתְּ
though *conj* אִם־כִּי, אַף־עַל־פִּי
thought *n* מַחֲשָׁבָה; חֲשִׁיבָה; רַעְיוֹן
thoughtful *adj* מְהַרְהֵר, שָׁקוּעַ בְּמַחֲשָׁבָה; מִתחַשֵּׁב
thousand *adj, n* אֶלֶף
thousandth *adj* אַלְפִּית; הָאֶלֶף
thraldom *n* עַבדוּת
thrash *vt, vi* דָּשׁ; הִכָּה עַד חוֹרמָה
thread *n* חוּט; פְּתִיל; תַּבְרִיג
thread *vt, vi* הִשְׁחִיל; הִבְקִיעַ דַּרכּוֹ
threadbare *adj* בָּלוּי, מְרוּפָּט
threat *n* אִיּוּם
threaten *vt, vi* אִיֵּם עַל, הִשְׁמִיעַ אִיּוּם
three *adj, n* שְׁלוֹשָׁה, שָׁלוֹש
three-cornered *adj* מְשׁוּלָּשׁ הַקְּצָווֹת
three hundred *adj, n* שְׁלוֹשׁ מֵאוֹת
three-ply *adj* תְּלַת־שִׁכְבָתִי
three R's *n pl* קְרִיאָה, כְּתִיבָה וְחֶשְׁבּוֹן
threescore *adj, n* שֶׁל שִׁשִּׁים; שִׁשִּׁים
threnody *n* קִינָה
thresh *vt* דָּשׁ; חָבַט
threshing-machine *n* מְכוֹנַת־דִּישָׁה
threshold *n* מִפְתָּן, סַף
thrice *adv* פִּי שְׁלוֹשָׁה; שָׁלוֹשׁ פְּעָמִים
thrift *n* חַסְכָנוּת, קִימּוּץ
thrifty *adj* חוֹסֵךְ, חֶסְכוֹנִי
thrill *vt, vi* הִרְעִיד, הִרְטִיט; הִתְרַגֵּשׁ
thrill *n* הִתרַגְּשׁוּת; רֶטֶט
thriller *n* סִיפּוּר (אוֹ מַחֲזֶה) מֶתַח
thrilling *adj* מַרְטִיט
thrive *vi* שִׂגְשֵׂג
throat *n* גָּרוֹן
throb *vi, n* פָּעַם; פְּעִימָה
throes *n pl* מַאֲבָק קָשֶׁה; צִירֵי לֵידָה, יִיסּוּרֵי גְסִיסָה
throne *n* כֵּס־מַלְכוּת
throng *n* הָמוֹן, עַם רַב
throng *vi, vt* הִתקַהֵל; מִילֵּא בַּהֲמוֹנִים
throttle *n* מַשְׁנֵק
throttle *vt* הֶחֱנִיק, שִׁינֵּק
through *prep, adv, adj* בְּעַד, דֶּרֶךְ; בִּגלַל; לְאוֹרֶךְ; בְּאֶמְצָעוּת; יָשִׁיר

throughout *prep, adv* כָּל־כּוּלּוֹ; מִכָּל הַבְּחִינוֹת; עַל פְּנֵי כָּל

throughway *n* כְּבִישׁ מָהִיר

throw *vt* זָרַק, הִשְׁלִיךְ

throw *n* זְרִיקָה, הַפָּלָה, הֲטָלָה, הַשְׁלָכָה

thrum *n* דַּלָּה; נְגִינָה חַדגוֹנִית

thrush *n* קִיכְלִי מְזַמֵּר

thrust *vt* בִּיתֵּק; נָעַץ; תָּחַב

thrust *n* דְּחִיפָה; דַּחַף; תְּחִיבָה

thud *n* חֲבָטָה

thud *vi* הִשְׁמִיעַ קוֹל עָמוּם

thug *n* סַכִּינַאי, רוֹצֵחַ

thumb *n* אֲגוּדָל, בּוֹהֶן

thumb *vt, vi* דִּפְדֵּף מַהֵר; בִּיקֵּשׁ (הַסָּעָה)

thumb-index *n* (בספר) מַפְתֵּחַ־בּוֹהֶן

thumbprint *n* טְבִיעַת אֲגוּדָל

thumbtack *n* נַעַץ

thump *n* חֲבָטָה, הַקָּשָׁה

thumping *adj* (דיבּוּרית) עָצוּם

thunder *n* רַעַם

thunder *vt* רָעַם

thunderbolt *n* בָּרָק, מַהֲלוּמַת־בָּרָק

thunderclap *n* נֶפֶץ־רַעַם

thunderous *adj* מַרְעִים

thunderstorm *n* סוּפַת רְעָמִים

Thursday *n* יוֹם חֲמִישִׁי

thus *adv* כָּךְ, כָּכָה; לְפִיכָךְ, עַל־כֵּן

thwack *vt* הִכָּה

thwack *n* חֲבָטָה

thwart *vt* סִיכֵּל, שָׂם לְאַל

thy *adj* שֶׁלְּךָ, שֶׁלָּךְ

thyme *n* קוֹרָנִית

thyroid gland *n* בַּלּוּטַת הַתְּרִיס

thyself *n* אַתָּה בְּעַצְמְךָ

tiara *n* נֵזֶר; כֶּתֶר

tic *n* עֲוִוית שְׁרִירֵי הַפָּנִים

tick *n* תִּקְתּוּק; (דיבּוּרית) רֶגַע

tick *vt, vi* סִימֵּן; טִקְטֵק

ticker *n* מְטַקְטֵק; טִיקֶר; (המונית) לֵב

ticker tape *n* סֶרֶט טֶלֶפְּרִינְטֶר

ticket *n* כַּרְטִיס; רְשִׁימַת מוּעֲמָדִים

ticket collector *n* כַּרְטִיסָן

ticket scalper *n* סַפְסַר כַּרְטִיסִים

ticket window *n* אֶשְׁנַב כַּרְטִיסִים

ticking *n* כּוּתֹנֶת מַצָּע

tickle *vt, vi* דִגְדֵּג; שִׁיעֲשַׁע

tickle *n* דִגדוּג

ticklish *adj* רָגִישׁ לְדִגדוּג; עָדִין

tidal wave *n* נַחְשׁוֹל גֵאוּת

tide *n* גֵיאוּת וָשֵׁפֶל; מְגַמָּה

tide *vi, vt* חָתַר בְּעֶזְרַת הַגֵּיאוּת

tidewater *n* מֵי גֵיאוּת וָשֵׁפֶל

tidings *n pl* בְּשׂוֹרוֹת חֲדָשׁוֹת

tidy *adj* מְסוּדָּר, נָקִי; גָּדוֹל לְמַדַּי

tidy *vt, vi* נִיקָּה, סִידֵּר

tidy *n* צִיפִּית שְׁמִיטָה; סַל לִפְסוֹלֶת

tie *vt* קָשַׁר, חִיבֵּר

tie *n* חֶבֶל; קֶשֶׁר; עֲנִיבָה

tiepin *n* סִיכַּת עֲנִיבָה

tier *n* טוּר, נִדְבָּךְ

tiger *n* נָמֵר

tiger-lily *n* הַשּׁוֹשָׁן הַמְנוּמָּר

tight *adj, adv* הָדוּק; צַר; (דיבּוּרית) קַמְּצָן; (המונית) שִׁיכּוֹר; בְּחוֹזְקָה

tighten *vt, vi* אִימֵּץ, הִידֵּק; נֶהֱדַק

tightfisted *adj* קַמְּצָן

tightrope *n* חֶבֶל מָתוּחַ

tigress *n* נְמֵרָה
tile *n* מַרְצֶפֶת, רַעַף
tile *vt* רִיעֵף, כִּיסָּה בִּרְעָפִים
tile roof *n* גַג רְעָפִים
till *prep, conj* עַד שֶׁ...
till *vt, vi* חָרַשׁ, עִיבֵּד
till *n* קוּפַּת דֶלְפֵּק
tilt *n* סִיּוּף; הַטָּיָה, לְכסוּן
tilt *vt* הִטָּה, לְכסֵן
timber *n* עֵצָה; עֲצֵי בִּנְיָן
timber *vt* כִּיסָּה בְּעֵצִים
timberline *n* גְבוּל הַצּוֹמֵחַ
timbre *n* גוֹן הַצְּלִיל
time *n* זְמַן, עֵת; שָׁהוּת; תְּקוּפָה; קֶצֶב
time *vt* סִינכְּרֵן, תִּזְמֵן
time bomb *n* פְּצָצַת זְמַן
timecard *n* כַּרְטִיס זְמַן
time clock *n* שְׁעוֹן עֲבוֹדָה
time exposure *n* חֲשִׂיפַת זְמַן
time fuse *n* פִּיצּוּץ זְמַן
timekeeper *n* רוֹשֵׁם שְׁעוֹת הָעֲבוֹדָה; שׁוֹפֵט הַזְּמַן; שָׁעוֹן
timely *adj, adv* בַּזְּמַן הַנָּכוֹן, בְּעִיתּוֹ
timepiece *n* מַדזְמַן, שָׁעוֹן
time signal *n* צְלִיל זְמַן
timetable *n* לוּחַ זְמַנִּים; מַעֲרֶכֶת שָׁעוֹת
timework *n* שָׂכָר לְפִי הַזְּמַן
timeworn *adj* בָּלֶה מִיּוֹשֶׁן
time zone *n* אֵיזוֹר זְמַן
timid *adj* בַּיְישָׁנִי; חֲסַר עוֹז
timidity, timidness *n* בַּיְישָׁנוּת; פַּקְפְּקָנוּת
timorous *adj* פַּחדָנִי, הַסְּסָנִי
tin *n* בְּדִיל; פַּח; פַּחִית
tincture *n* מִשְׁרָה, תְּמִיסָּה

tinder *n* חוֹמֶר הַצָּתָה
tinderbox *n* קוּפסָה לְחוֹמֶר הַצָּתָה
tin foil *n* רִיקּוּעַ פַּח
ting-a-ling *n* צִיל־צְלִיל
tinge *vt* גִּיוּוֵן; תִּיבֵּל
tinge *n* בֶּן־גָוֶן
tingle *vi* חָשׁ עִקצוּץ
tingle *n* הַרגָּשַׁת דְקִירָה
tin hat *n* כּוֹבַע פְּלָדָה
tinker *n* פֶּחָח, מַטלִיא
tinker *vi* עָשָׂה עֲבוֹדַת סְרָק
tinkle *vi* צִלְצֵל, קִשְׁקֵשׁ
tinkle *n* צִלצוּל, קִשקוּשׁ
tin opener *n* פּוֹתְחַן קוּפסָאוֹת
tinplate *n* פַּח לָבָן
tin roof *n* גַג פַּח
tinsel *n* חוּטֵי־כֶּסֶף נוֹצְצִים
tinsmith *n* פֶּחָח
tin soldier *n* חַיַּיל עוֹפֶרֶת
tint *n* גָוֶן
tint *vt* גִּיוּוֵן, גִּוונֵן
tintype *n* תַּצלוּם לוּחִית
tinware *n* כְּלֵי בְּדִיל, כְּלֵי פַּח
tiny *adj* זָעִיר, קְטַנטַן
tip *n* חוֹד; דְמֵי־שְׁתִיָּה; יְדִיעָה סוֹדִית
tip *vt, vi* נָגַע קַלּוֹת; הִטָּה; נָתַן דְמֵי־שְׁתִיָּה; גִּילָּה סוֹד
tip-off *n* אַזְהָרָה בַּחֲשַׁאי
tipple *n* מַשְׁקֶה חָרִיף
tipple *vt, vi* הָיָה שׁוֹתֶה טִיפָּה מָרָה
tipstaff *n* שַׁמָּשׁ בֵּית־דִין
tipsy *adj* מְבוּסָּם
tiptoe *n* רָאשֵׁי אֶצבָּעוֹת
tirade *n* הַתקָפָה מִילּוּלִית
tire *vi, vt* נִלְאָה, נִתְיַיגֵּעַ; הוֹגִיעַ

tire *n* צָמִיג
tire chain *n* שַׁרְשֶׁרֶת צְמִיגִים
tired *adj* עָיֵף
tire gauge *n* מַד־לַחַץ צְמִיגִים
tireless *adj* שֶׁאֵינוֹ יוֹדֵעַ לֵיאוּת
tire pressure *n* לַחַץ צְמִיגִים
tire pump *n* מַשְׁאֵב
tiresome *adj* מַטְרִיד, מַלְאֶה
tissue *n* רִקְמָה; אָרִיג דַק
tithe *n* מַעֲשֵׂר
tithe *vt, vi* נָתַן מַעֲשֵׂר; גָבָה מַעֲשֵׂר
title *n* שֵׁם, כּוֹתָר; כּוֹתֶרֶת; תּוֹאַר; זְכוּת
title *vt* כִּינָּה, קָרָא בְּשֵׁם
title deed *n* שְׁטַר־קִנְיָן
title holder *n* בַּעַל תּוֹאַר; בַּעַל זְכוּת
title page *n* דַף הַשַּׁעַר
title role *n* תַּפְקִיד הַשֵּׁם
titter *vi* צָחַק צְחוֹק עָצוּר
titter *n* צְחוֹק עָצוּר
titular *adj* בְּשֵׁם בִּלְבַד; מִכּוֹחַ תּוֹאַר
to *prep, adv* אֶל, ל..., בּ...;
עַד; עַד כְּדֵי; לְפִי
toad *n* קַרְפָּדָה
toadstool *n* פִּטְרִיָּה, פִּטְרִיָּה אַרְסִית
toast *n* פַּת קְלוּיָה; שְׁתִיַּת לְחַיִּים
toast *vt, vi* קָלָה; חִימֵּם; נִקְלָה;
שָׁתָה לְחַיִּים
toaster *n* טוֹסְטֶר, מַקְלֶה
toastmaster *n* מַנְחֶה בִּמְסִיבָּה
tobacco *n* טַבָּק
toboggan *n* מִזְחֶלֶת קֶרַח
tocsin *n* פַּעֲמוֹן אַזְעָקָה
today *adv, n* הַיּוֹם; כַּיּוֹם
toddle *vi* הִידַּדָּה
toddy *n* עֲסִיס תְּמָרִים

to-do *n* הֲמוּלָּה, מְהוּמָה
toe *n* אֶצְבַּע (שֶׁל רגל), בּוֹהֶן
toe *vt* נָגַע בִּבְהוֹנוֹת הָרֶגֶל
toenail *n* צִיפּוֹרֶן הַבּוֹהֶן
together *adv* בְּיַחַד, יַחַד
toil *vi* טָרַח, עָמַל קָשׁוֹת
toil *n* עָמָל
toilet *n* חֲדַר רַחְצָה; בֵּית כִּסֵּא
toilet articles *n pl* כְּלֵי תַּמְרוּק
toilet paper *n* נְיַר טוּאָלֶט
toilet powder *n* אַבְקַת תַּמְרוּק
toilet soap *n* סַבּוֹן רַחְצָה
toilet water *n* מֵי בּוֹשֶׂם
token *n* אוֹת, סִימָן, סֶמֶל
tolerance *n* סוֹבְלָנוּת; סְבוֹלֶת
tolerate *vt* הִתִּיר, הִשְׁלִים עִם
toll *n* צִלְצוּל פַּעֲמוֹן; מַס דְּרָכִים
tollbridge *n* גֶשֶׁר הַמַּס
tollgate *n* שַׁעַר מֶכֶס
tomato *n* עַגְבָנִיָּה
tomb *n* קֶבֶר
tomboy *n* נַעֲרָה־נַעַר; קוּנְדֵסִית
tombstone *n* מַצֵּבָה
tomcat *n* חָתוּל
tome *n* כֶּרֶךְ עָבֶה
tommy-gun *n* תַּת־מַקְלֵעַ
tomorrow *adv, n* מָחָר, מָחֳרָת
tomtom *n* טַמְטַם
ton *n* טוֹנָה
tone *n* צְלִיל, נְעִימָה; אוֹרַח דִּיבּוּר
tone *vt, vi* כִּיוֵּן אֶת הַצְּלִיל;
שִׁיוָּה גָוֶן
tone-deaf *adj* חֵרֵשׁ לִצְלִילִים
tongs *n pl* מֶלְקָחַיִם, צְבָת
tongue *n* לָשׁוֹן, שָׂפָה

tongue-twister *n* מִשְׁפָּט קָשֶׁה בִּיטּוּי
tonic *adj, n* טוֹנִי; מְחַזֵּק; סַם חִיזּוּק
tonight *adv, n* הַלַּיְלָה
tonnage *n* טוֹנָז׳, תְּפוּסָה
tons *n pl* (דיבּוּרית) הַרְבֵּה
tonsil *n* שָׁקֵד
tonsillitis *n* דַּלֶּקֶת שְׁקֵדִים
too *adv* אַף, גַּם; מִדַּי
tool *n* כְּלִי, מַכְשִׁיר
tool *vt, vi* עִיבֵּד; קִישֵּׁט
tool-bag *n* יַלְקוּט כֵּלִים
toolmaker *n* עוֹשֶׂה כֵּלִים
toot *vi, vt* צָפַר, תָּקַע
toot *n* צְפִירָה
tooth *n* (*pl* teeth) שֵׁן; בְּלִיטָה
toothache *n* מֵיחוּשׁ שִׁנַּיִים
toothbrush *n* מִבְרֶשֶׁת שִׁנַּיִים
toothless *adj* חֲסַר שִׁנַּיִים
tooth-paste *n* מִשְׁחַת־שִׁנַּיִים
toothpick *n* קִיסַם שִׁנַּיִים
top *n* פִּסְגָּה, צַמֶּרֶת; מִכְסֶה; סְבִיבוֹן
top *adj* רָאשִׁי; עֶלְיוֹן; עִילִּי
top *vt* הִתְקִין רֹאשׁ ל...; כִּיסָּה; גָּזַם; עָלָה עַל
top billing *n* רִאשׁוֹן בִּרְשִׁימָה
topcoat *n* מְעִיל עֶלְיוֹן
toper *n* שִׁיכּוֹר מוּעָד
top-heavy *adj* כָּבֵד מִלְמַעְלָה, לֹא מְאוּזָּן
topic *n* נוֹשֵׂא
topmast *n* תּוֹרֶן עִילִּי
topmost *adj* עֶלְיוֹן
topography *n* טוֹפּוֹגְרַפְיָה
topple *vi, vt* מָט לִיפּוֹל; הִפִּיל
top priority *n* עֲדִיפוּת עֶלְיוֹנָה
topsoil *n* רוֹבֶד הָאֲדָמָה הָעֶלְיוֹנָה
topsyturvy *adv, adj* בְּאִי־סֵדֶר; מְבוּלְבָּל
torch *n* לַפִּיד; פַּנַּס־כִּיס
torchbearer *n* נוֹשֵׂא הַלַּפִּיד
torchlight *n* אוֹר לַפִּידִים
torch-song *n* פִּזְמוֹן אַהֲבָה נִכְזֶבֶת
torment *n* יִיסּוּרִים
torment *vt* הֵצִיק, יִיסֵּר, עִינָּה
tornado *n* טוֹרְנָדוֹ, סְעָרָה
torpedo *n* טוֹרְפֵּדוֹ
torpedo *vt* טִרְפֵּד
torrent *n* זֶרֶם עַז, גֶּשֶׁם שׁוֹטֵף
torrid *adj* חַם מְאוֹד; צָחִיחַ
torso *n* גּוּף־פֶּסֶל; גּוּפַת אָדָם
tortoise *n* צָב
torture *n* עִינּוּי
torture *vt* עִינָּה
toss *vt, vi* זָרַק; טִלְטֵל; נִיטַּלְטֵל
tossup *n* הַפָּלַת גּוֹרָל
tot *n* פָּעוֹט; טִיפַּת מַשְׁקֶה
total *adj, n* גָּמוּר, מוּשְׁלָם; סַךְ־הַכּוֹל
total *vt, vi* סִיכֵּם; הִסְתַּכֵּם בְּ...
totter *vi* הִידַּדָּה; הִתְנוֹדֵד
touch *vt, vi* נָגַע, מִישֵּׁשׁ; נָגַע לַלֵּב
touch *n* נְגִיעָה
touching *adj, prep* נוֹגֵעַ אֶל הַלֵּב
touch typewriting *n* כְּתִיבָה עִיוּוֶרֶת (בִּמְכוֹנַת־כְּתִיבָה)
touchy *adj* רָגִישׁ מְאוֹד
tough *adj, n* קָשֶׁה, מְחוּסְפָּס
toughen *vt, vi* הִקְשָׁה; נִתְקַשָּׁה
tour *n* טִיּוּל, סִיבּוּב; תִּיּוּר
tour *vi, vt* טִיֵּיל, עָרַךְ סִיבּוּב; סִיֵּיר
touring car *n* מְכוֹנִית סִיּוּר

tourist *n, adj* תַּיָּר; שֶׁל תַּיָּרוּת
tournament *n* סִיבּוּב תַּחֲרוּתִי
tourney *n* סִיבּוּב שֶׁל תַּחֲרוּת אַבִּירִים
tourniquet *n* חוֹסֵם עוֹרְקִים
tousle *vt* בִּלְבֵּל; הָפַךְ סְדָרִים
tow *n* גְּרִירָה; חֶבֶל גְּרִירָה
tow *vt* גָּרַר, מָשַׁךְ
toward(s) *prep* לִקְרַאת, לְעֵבֶר; כְּלַפֵּי
towboat *n* סִירַת גְּרָר
towel *n, vt* מַגֶּבֶת; נִיגֵּב
tower *n* מִגְדָּל
tower *vi* הִתְנַשֵּׂא; גָּבַהּ מֵעַל
towering *adj* גָּבוֹהַּ מְאוֹד; מִתְרוֹמֵם
towing service *n* שֵׁירוּת גְּרִירָה
towline *n* חֶבֶל גְּרִירָה
town *n* עִיר
town clerk *n* מַזְכִּיר הָעִירִיָּה
town council *n* מוֹעֶצֶת עִירִיָּה
town hall *n* בִּנְיַן הָעִירִיָּה
townsfolk *n* תּוֹשְׁבֵי הָעִיר
township *n* עֲיָרָה
townsman *n* בֶּן־עִיר
townspeople *n pl* אֶזְרְחֵי הָעִיר
town talk *n* שִׂיחַת הָעִיר
towpath *n* שְׁבִיל גְּרִירָה
towplane *n* מָטוֹס גּוֹרֵר
tow truck *n* מַשָּׂאִית גְּרִירָה
toxic *adj* מַרְעִיל, אַרְסִי
toy *n* צַעֲצוּעַ
toy *vi* הִשְׁתַּעֲשֵׁעַ
toy bank *n* קוּפַּת חִיסָּכוֹן שֶׁל יְלָדִים
trace *n* עֲקֵבוֹת, סִימָן; סִרְטוּט
trace *vt, vi* עָקַב אַחֲרֵי; סִרְטֵט, גִּילָּה
track *vt* יָצָא בְּעִיקְּבוֹת
track *n* נָתִיב; מַסְלוּל (מֵירוֹץ); (בְּרַבִּים) פַּסֵּי מְסִילָּה
tracking *n* עִיקּוּב
trackless trolley *n* חַשְׁמַלִּית לְלֹא מְסִילָּה; טְרוֹלִיבּוּס
track meet *n* תַּחֲרוּת אַתְלֵטִיקָה קַלָּה
tract *n* אֵיזוֹר, מֶרְחָב; חִיבּוּר
tractate *n* מַסֶּכֶת
traction *n* גְּרִירָה, מְתִיחָה
traction company *n* חֶבְרַת תַּחְבּוּרָה
tractor *n* טְרַקְטוֹר
trade *n* אוּמָּנוּת, מְלָאכָה; מִסְחָר
trade *vi* סָחַר; עָשָׂה עֵסֶק חֲלִיפִין
trademark *n* סִימָן מִסְחָרִי
trader *n* סוֹחֵר
trade school *n* בֵּית־סֵפֶר מִקְצוֹעִי
tradesman *n* חֶנְוָנִי; בַּעַל מְלָאכָה
trade-union *n* אִיגּוּד מִקְצוֹעִי
trade-unionist *n* חָבֵר בְּאִיגּוּד מִקְצוֹעִי
trading post *n* חֲנוּת סְפָר
trading stamp *n* בּוּל דּוֹרוֹן
tradition *n* מָסוֹרֶת; מָסוֹרָה
traduce *vt* הוֹצִיא דִּיבָּה, הִשְׁמִיץ
traffic *n* תְּנוּעַת דְּרָכִים; מִסְחָר
traffic *vi* סָחַר (למשל בסמים)
traffic jam *n* פְּקַק תְּנוּעָה
traffic-light *n* רַמְזוֹר
traffic sign *n* תַּמְרוּר
traffic ticket *n* דּוּ״חַ תְּנוּעָה
tragedy *n* מַחֲזֵה תּוּגָה, טְרָגֶדְיָה
tragic *adj* טְרָגִי
trail *vt, vi* גָּרַר; הָלַךְ בְּעִיקְּבוֹת; נִגְרַר
trail *n* שְׁבִיל; עֲקֵבוֹת
trailer *n* גּוֹרֵר; רֶכֶב נִגְרָר
trailing arbutus *n* קְטָלָב מִשְׂתָּרֵךְ

train *vt, vi* אִימֵּן, הִכְשִׁיר, הִתְאַמֵּן
train *n* רַכֶּבֶת; שְׁיָירָה; שׁוֹבֶל
trained nurse *n* אָחוֹת מוּסְמֶכֶת
trainer *n* מְאַמֵּן, מַדְרִיךְ
training *n* אִימּוּן, הַכְשָׁרָה
trait *n* תְּכוּנָה, קַו אוֹפִי; קוֹרטוֹב
traitor *n* בּוֹגֵד
trajectory *n* מַסלוּל מָעוֹף
tramp *vi, vt* פָּסַע כְּבֵדוֹת; דָּרַךְ; שׁוֹטֵט
tramp *n* צְעִידָה כְּבֵדָה; הֵלֶךְ; פּוֹחֵחַ
trample *vi* דָּרַךְ, רָמַס
tranquil *adj* שָׁלֵו, רוֹגֵעַ
tranquilize *vt, vi* הִרגִיעַ; נִרגַע
tranquilizer *n* סַם מַרגִיעַ
tranquillity *n* שֶׁקֶט, שַׁלְוָה
transact *vt, vi* בִּיצֵּעַ; נִיהֵל
transaction *n* עִסקָה; פְּעוּלָּה
transcend *vt* יָצָא אֶל מֵעֵבֶר; עָלָה עַל
transcribe *vt* תִּעתֵּק
transcript *n* תַּעתִּיק
transcription *n* תַּעתִּיק
transfer *vt, vi* הֶעֱבִיר; עָבַר
transfer *n* הַעֲבָרָה; מְסִירָה
transfix *vt* פִּילַּח; שִׁיתֵּק, אִיבֵּן
transform *vt, vi* שִׁינָּה צוּרָה; שִׁינָּה מֶתַח וָזֶרֶם
transformer *n* שַׁנַּאי, טרַנספוֹרמָטוֹר
transfusion *n* עֵירוּי
transgress *vt, vi* עָבַר עַל, הֵפֵר
transgression *n* עֲבֵירָה, חֵטא
transient *adj, n* בֶּן־חֲלוֹף; חוֹלֵף
transistor *n* מַקלֵט־כִּיס, טרַנזִיסטוֹר
transit *n* מַעֲבָר
transitive *adj, n* פּוֹעַל יוֹצֵא
transitory *adj* חוֹלֵף, בֶּן־חֲלוֹף

Transjordan *n* עֵבֶר הַיַּרדֵּן (מִזרחה)
translate *vt, vi* תִּרגֵּם; נִיתַּרגֵּם
translation *n* תַּרגּוּם; תִּרגּוּם
translator *n* מְתַרגֵּם, מְתוּרגְמָן
transliterate *vt* תִּעתֵּק
translucent *adj* עָמוּם, שָׁקוּף לְמֶחֱצָה
transmission *n* הַעֲבָרָה; שִׁידּוּר
transmission gear *n* מַעֲרֶכֶת הַהִילּוּכִים
transmit *vt* הֶעֱבִיר, מָסַר; שִׁידֵּר
transmitter *n* מַשׁדֵר; מַעֲבִיר, מוֹסֵר
transmitting station *n* תַּחֲנַת שִׁידּוּר
transmute *vt, vi* שִׁינָּה מַהוּתוֹ; הֵמִיר
transparency *n* שְׁקִיפוּת
transparent *adj* שָׁקוּף; גְּלוּי־לֵב
transpire *vt, vi* הִסתַּנֵּן, הוּדלַף; (דִיבּוּרית) הִתרַחֵשׁ
transplant *vt, vi* הִשׁתִּיל; הוּשׁתַּל
transport *vt* הוֹבִיל; הֶעֱבִיר
transport *n* הוֹבָלָה; כְּלִי־תּוֹבָלָה; מִשׁלוֹחַ
transportation *n* הוֹבָלָה; כְּלִי־הוֹבָלָה
transpose *vt* שִׁינָּה מְקוֹמוֹ שֶׁל
transship *vt* שִׁינֵּעַ
transshipment *n* שִׁינּוּעַ
trap *n* מַלכּוֹדֶת, פַּח
trap *vt* טָמַן פַּח, לָכַד
trap-door *n* דֶּלֶת סְתָרִים
trapeze *n* טרַפֵּז; מֶתַח נָע
trapezoid *n, adj* טרַפֵּז; טרַפֵּזִי
trapper *n* לוֹכֵד, צַיָּיד
trappings *n pl* קִישּׁוּטֵי מַלבּוּשׁ
trash *n* חֲדַל־אִישִׁים; אֲסַפסוּף; שְׁטוּיוֹת; אַשׁפָּה
trash can *n* פַּח אַשׁפָּה

travail *n* יְגִיעָה; צִירֵי לֵידָה

travel *vi* נָסַע

travel *n* נְסִיעָה, מַסָּע

travel bureau *n* סוֹכְנוּת נְסִיעוֹת

traveler *n* נוֹסֵעַ, תַּיָּר; סוֹכֵן־נוֹסֵעַ

traveling expenses *n pl* הוֹצָאוֹת נְסִיעָה

traverse *vt, vi* חָצָה, עָבַר

travesty *n* חִיקּוּי נִלְעָג; פָּרוֹדְיָה

travesty *vt* חִיקָּה בְּצוּרָה נִלְעֶגֶת

trawl *n* מִכְמוֹרֶת

tray *n* טַס, מַגָּשׁ

treacherous *adj* בּוֹגְדָנִי

treachery *n* בְּגִידָה

tread *vi, vt* צָעַד; דָּרַךְ, רָמַס

tread *n* דְּרִיכָה; פְּסִיעָה; רְמִיסָה

treadmill *n* מַכְשִׁיר דִּיווּשׁ; שִׁגְרָה מְייַגַּעַת

treason *n* בֶּגֶד, בְּגִידָה

treasonable *adj* שֶׁל בְּגִידָה

treasure *n* אוֹצָר; מַטְמוֹן

treasure *vt* אָצַר; הוֹקִיר

treasurer *n* גִּזְבָּר

treasury *n* בֵּית־אוֹצָר; מִשְׂרַד הָאוֹצָר

treat *vi, vt* הִתְנַהֵג עִם; הִתְייַחֵס אֶל; כִּיבֵּד (בְּמַשְׁקֶה וכד׳)

treat *n* תִּקְרוֹבֶת; כִּיבּוּד; תַּעֲנוּג

treatise *n* מַסָּה, מַסֶּכֶת

treatment *n* הִתְנַהֲגוּת; טִיפּוּל; עִיבּוּד

treaty *n* אֲמָנָה, בְּרִית

treble *adj, n* כָּפוּל שָׁלוֹשׁ, פִּי שְׁלוֹשָׁה; (קוֹל) דִּיסְקַנְטִי

treble *vt, vi* הִכְפִּיל בְּשָׁלוֹשׁ, הִשְׁלִישׁ

tree *n* עֵץ, אִילָן

treeless *adj* שׁוֹמֵם מֵעֵצִים

treetop *n* צַמֶּרֶת אִילָן

trellis *n* סְבָכָה, סוֹרֶג

tremble *vi* רָעַד, רָטַט

tremendous *adj* עָצוּם

tremor *n* רְעָדָה, רֶטֶט

trench *n* חֲפִירָה

trenchant *adj* חַד, חָרִיף, שָׁנוּן

trench plow *n* מַחֲרֵשָׁה מְתַלֶּמֶת

trend *vi* נָטָה ל...

trend *n* כִּיוּוּן, מְגַמָּה

trespass *vi* הִסִּיג גְּבוּל; חָטָא

trespass *n* הַסָּגַת גְּבוּל; חֵטְא

tress *n* תַּלְתַּל

trestle *n* מִתְמָךְ

trial *n* מִבְחָן; נִיסָּיוֹן; מִשְׁפָּט

trial and error *n* נִיסָּיוֹן וּטְעִייָה

trial balloon *n* כַּדּוּר נִיסָּיוֹן

trial by jury *n* מִשְׁפַּט מוּשְׁבָּעִים

trial order *n* הַזְמָנַת נִיסָּיוֹן

triangle *n* מְשׁוּלָּשׁ

tribe *n* שֵׁבֶט; כַּת

tribunal *n* בֵּית־דִּין

tribune *n* בָּמָה, דוּכָן

tributary *n* יוּבַל, פֶּלֶג

tribute *n* מַס; שִׁילּוּמֵי כְּנִיעָה; שַׁלְמֵי הוֹקָרָה

trice *n* הֶרֶף־עַיִן

trick *n* אֲחִיזַת עֵינַיִים, לַהֲטוּט, תַּחְבּוּלָה

trick *vt* גָּנַב אֶת הַדַּעַת, הוֹנָה

trickery *n* גְּנֵיבַת־דַּעַת, הוֹנָאָה

trickle *vi* דָּלַף, טִפְטֵף

trickle *n* זְרִימָה אִטִּית

trickster *n* גּוֹנֵב דַּעַת, מְאַחֵז עֵינַיִים

tricky *adj* זָרִיז; מַטְעֶה

tried *adj* בָּדוּק וּמְנוּסֶּה
trifle *n* דָּבָר קַל־עֵרֶךְ; קְצָת
trifle *vi, vt* הִשְׁתַּעֲשֵׁעַ; הִתְבַּטֵּל
trifling *adj* שֶׁל מַה בְּכָךְ
trig. *abbr* trigonometry
trigger *n* הֶדֶק
trigger *vt* הִפְעִיל, הֵחִישׁ
trigonometry *n* טְרִיגוֹנוֹמֶטְרִיָּה
trill *n* טְרִיל, סִלְסֶלֶת
trillion *n, adj* טְרִילְיוֹן
trilogy *n* טְרִילוֹגְיָה
trim *vt, vi* גָּזַם; הֶחֱלִיק; שָׁף; תֵּיאֵם
trim *n* מַצָּב תָּקִין, סֵדֶר; כּוֹשֶׁר הַפְלָגָה
trim *adj* נָאֶה, מְסוּדָּר
trimming *n* גִּיזּוּם; קִישּׁוּט
trinity *n* הַשִּׁילּוּשׁ הַקָּדוֹשׁ; שְׁלָשָׁה
trinket *n* קִישּׁוּט פָּשׁוּט; דָּבָר פָּעוּט
trio *n* שַׁלְשִׁית, טְרִיוֹ
trip *vi, vt* מָעַד; הִמְעִיד
trip *n* טִיּוּל, נְסִיעָה; מְעִידָה
tripe *n* מֵעַיִם; (המונית) שְׁטוּיוֹת
triphammer *n* קוּרְנָס
triphthong *n* תְּלַת־תְּנוּעָה
triple *adj, n* פִּי שְׁלוֹשָׁה;
בַּעַל שְׁלוֹשָׁה חֲלָקִים
triple *vt, vi* הִגְדִּיל (אוֹ גָּדַל) פִּי
שְׁלוֹשָׁה
triplet *n* שְׁלִישִׁיָּה
triplicate *adj, n* פִּי שְׁלוֹשָׁה;
אֶחָד מִשְּׁלוֹשָׁה; עוֹתֶק מְשׁוּלָּשׁ
tripod *n* תְּלַת־רֶגֶל, חֲצוּבָה
triptych *n* מִסְגֶּרֶת תְּלַת־לוּחִית
(לשלוש תמונות); לוּחִית מְשׁוּלֶּשֶׁת
trite *adj* נָדוֹשׁ
triumph *n* נִיצָּחוֹן; הַצְלָחָה מַזְהִירָה

triumph *vi* נִיצַּח; הִצְלִיחַ
triumphant *adj* מְנַצֵּחַ; חוֹגֵג נִיצָּחוֹן
trivia *n pl* קְטַנּוֹת, פַּכִּים קְטַנִּים
trivial *adj* שֶׁל מַה־בְּכָךְ
triviality *n* עִנְיָן פָּעוּט
Trojan *adj, n* טְרוֹיָאנִי
troll *vi* זִימֵּר בְּעַלִּיזוּת; דִּייֵג בְּחַכָּה
trolley *n* עֶגְלַת רוֹכֵל; קְרוֹנִית
trolley bus *n* טְרוֹלֵיבּוּס
trolley car *n* חַשְׁמַלִּית
trollop *n* מוּפְקֶרֶת, זוֹנָה
trombone *n* טְרוֹמְבּוֹן
troop *n* לַהֲקָה; פְּלוּגָה, גְּדוּד;
(ברבים) חַיָּילִים
troop *vi* הִתְאַסֵּף; יָצָא בְּהָמוֹן
troopcarrier *n* מָטוֹס לְהוֹבָלַת צָבָא
trooper *n* חַיָּל; שׁוֹטֵר רוֹכֵב
trophy *n* מַלְקוֹחַ, שָׁלָל; סֵמֶל גְּבוּרָה
tropic *n* טְרוֹפִּיק, מַהְפָּךְ
tropical *adj* טְרוֹפִּי, מַהְפָּכִי
trot *vi, vt* צָעַד מְהִירוֹת, רָץ מְתוּנוֹת
trot *n* הֲלִיכָה מְהִירָה; דְּהִירָה קַלָּה
troth *n* נֶאֱמָנוּת; הַבְטָחַת נִישּׂוּאִים
troubadour *n* טְרוּבָּדוּר
trouble *vt, vi* הִדְאִיג; הִטְרִיד,
הִטְרִיחַ; טָרַח
trouble *n* דְּאָגָה, טִרְדָה; צָרָה
troublemaker *n* גּוֹרֵם צָרוֹת
troubleshooting *n* תִּיקּוּן
קִלְקוּלִים, יִישּׁוּב סִכְסוּכִים
troublesome *adj* מַדְאִיג; מַטְרִיד
trouble spot *n* אֲתַר סִכְסוּךְ
trough *n* אֵיבוּס, שׁוֹקֶת
troupe *n* חֶבֶר, לַהֲקָה
trousers *n pl* מִכְנָסַיִם

trousseau *n* נִכְסֵי מְלוֹג
trout *n* טְרוּטָה
trowel *n* כַּף טַיָּחִים; כַּף גַּנָּנִים
truant *n, adj* מִשְׁתַּמֵּט
truce *n* שְׁבִיתַת־נֶשֶׁק זְמַנִּית
truck *n* מַשָּׂאִית; קָרוֹן
truck *vt* הוֹבִיל בְּמַשָּׂאִית
truck driver *n* נַהַג מַשָּׂאִית
truculent *adj* תּוֹקְפָנִי, אַכְזָרִי
trudge *vi* צָעַד בִּכְבֵדוּת
true *adj* אֲמִיתִּי, כֵּן; נָכוֹן
true copy *n* הֶעְתֵּק נֶאֱמָן
truelove *n* אָהוּב, אֲהוּבָה; פָּארִיס (צמח)
truism *n* אֲמִתָּה, אֱמֶת מוּסְכֶּמֶת
truly *adv* בֶּאֱמֶת, אֶל־נָכוֹן
trump *n* קְלַף עֲדִיפוּת
trump *vt, vi* שִׂיחֵק בִּקְלַף הַנִּצָּחוֹן
trumpet *n* חֲצוֹצְרָה
trumpet *vi, vt* חִיצְצֵר; הֵרִיעַ
truncheon *n* אַלָּה
trunk *n* גֶּזַע, גּוּף; מִזְוָדָה; חֶדֶק
truss *vt* קָשַׁר, אָגַד; תָּמַךְ
truss *n* מִבְנֶה תּוֹמֵךְ; חֲגוֹרַת־שֶׁבֶר
trust *n* אֵימוּן, אֱמוּנָה; פִּיקָּדוֹן
trust *vi, vt* הֶאֱמִין בּ...; סָמַךְ עַל
trust company *n* חֶבְרַת נֶאֱמָנוּת
trustee *n* נֶאֱמָן
trusteeship *n* נֶאֱמָנוּת
trustful *adj* מַאֲמִין, בּוֹטֵחַ
trustworthy *adj* רָאוּי לְאֵימוּן, מְהֵימָן
trusty *adj* נֶאֱמָן, מְהֵימָן
truth *n* אֱמֶת
truthful *adj* דּוֹבֵר אֱמֶת
try *vt, vi* נִיסָּה; דָּן; הוֹגִיעַ; הִשְׁתַּדֵּל
try *n* נִיסָּיוֹן; הִשְׁתַּדְּלוּת
trying *adj* מַרְגִּיז, מֵצִיק
tryst *n* מִפְגָּשׁ, רֵיאָיוֹן
tub *n* אַמְבָּט, גִּיגִית
tube *n* אַבּוּב, צִינּוֹר
tuber *n* גַּבְשׁוּשִׁית, בְּלִיטָה
tuberculosis *n* שַׁחֶפֶת
tuck *vt* תָּחַב; כִּיסָּה; קִיפֵּל
tuck *n* קֶפֶל; חִיפּוּת; (המונית) מַאֲכָל
Tuesday *n* יוֹם שְׁלִישִׁי
tuft *n* אֶגֶד; חֲתִימַת זָקָן
tug *vt, vi* מָשַׁךְ בְּחוֹזְקָה, גָּרַר; יָגַע
tug *n* גְּרִירָה, מְשִׁיכָה חֲזָקָה
tugboat *n* סְפִינַת־גֶּרֶר
tug of war *n* תַּחֲרוּת מְשִׁיכַת חֶבֶל
tuition *n* הוֹרָאָה, לִימּוּד
tulip *n* צִבְעוֹנִי
tumble *vi* כָּשַׁל, מָעַד; נָפַל; הִתְהַפֵּךְ
tumble *n* נְפִילָה, הִתְגַּלְגְּלוּת
tumble-down *adj* רָעוּעַ
tumbler *n* כּוֹס; לוּלְיָן; נִצְרַת מַנְעוּל
tumor *n* גִּידּוּל, תְּפִיחָה
tumult *n* הֲמוּלָּה, מְהוּמָה
tuna *n* טוּנָה
tune *n* לַחַן
tune *vt, vi* כִּוונֵן; הִתְאִים
tungsten *n* ווֹלְפְרָם
tunic *n* מִקְטוֹרֶן; טוּנִיקָה, אִצְטָלָה
tuning fork *n* קוֹלָן, מַזְלֵג־קוֹל
tuning coil *n* סְלִיל הֶכְווֵן
Tunisia *n* טוּנִיסְיָה
tunnel *n* מִנְהָרָה, נִקְבָּה
tunnel *vt* חָפַר מִנְהָרָה
turban *n* מִצְנֶפֶת, טוּרְבָּן
turbine *n* טוּרְבִּינָה

turbojet 368 twist

turbojet *n* מְנוֹעַ סִילוֹן־טוּרְבִּינָה
turboprop *n* מַדְחֵף סִילוֹן־טוּרְבִּינָה
turbulent *adj* נִסְעָר, רוֹגֵשׁ
tureen *n* מָגֵס
turf *n* שִׁכְבַת עֵשֶׂב;
מַסְלוּל לְמֵירוֹץ סוּסִים
Turk *n* טוּרְקִי
turkey *n* תַּרְנְהוֹד, תַּרְנְגוֹל הוֹדּוּ
turkey vulture *n* הָעַיִט הָאֲמֵרִיקָנִי
Turkish *adj*, *n* טוּרְקִי; טוּרְקִית
turmoil *n* אִי־שֶׁקֶט, אַנְדְרָלָמוּסְיָה
turn *vt*, *vi* סוֹבֵב; הִטָּה; שִׁינָּה;
פָּנָה, סָבַב; הִסְתּוֹבֵב
turn *n* סִיבּוּב; פְּנִיָּה; תּוֹר
turncoat *n* מוּמָר; בּוֹגֵד
turning point *n* נְקוּדַּת מִפְנֶה
turnip *n* לֶפֶת
turnkey *n* סוֹהֵר
turn of life *n* הַפְסָקַת הַוֶּסֶת
turn of mind *n* נְטִיָּה רוּחָנִית
turn-out *n* נוֹכְחִים, מִשְׁתַּתְּפִים
turnover *n* הֲפִיכָה; שִׁינּוּי; מַחֲזוֹרִיּוּת
turnpike *n* כְּבִישׁ אַגְרָה; מַחְסוֹם אַגְרָה
turnstile *n* מַחְסוֹם כְּנִיסָה
turntable *n* רְצִיף־קְרוֹנוֹת מִסְתּוֹבֵב;
דִּיסְקַת הַתַּקְלִיט (בְּפוֹנוֹגְרָף)
turpentine *n* טֶרְפֶּנְטִין
turpitude *n* שְׁחִיתוּת
turquoise *n* טוּרְקִיז
turret *n* צְרִיחַ
turtle *n* צָב
turtledove *n* תּוֹר
Tuscan *adj*, *n* טוּסְקָנִי; טוּסְקָנִית
tusk *n* שֶׁנְהָב
tussle *vi* הִתְקוֹטֵט
tussle *n* הִתְגּוֹשְׁשׁוּת, תִּגְרָה
tutor *n* מוֹרֶה פְּרָטִי
tutor *vt*, *vi* הוֹרָה בְּאוֹרַח פְּרָטִי
tuxedo *n* תִּלְבּוֹשֶׁת עֶרֶב
TV *abbr* television
twaddle *n* פִּטְפּוּט, דִּבְרֵי לַהַג
twang *n* אִנְפּוּף, צְלִיל חַד
twang *vi* הִשְׁמִיעַ צְלִיל חַד
tweed *n* טְוִויד
tweet *n*, *vi* צִיּוּץ; צִיֵּץ
tweezers *n pl* מַלְקֵט
twelfth *adj*, *n* הַשְּׁנֵים־עָשָׂר;
הַחֵלֶק הַשְּׁנֵים־עָשָׂר
twelve *adj*, *pron* שְׁנֵים־עָשָׂר,
שְׁתֵּים־עֶשְׂרֵה
twentieth *adj*, *n* הָעֶשְׂרִים;
אֶחָד מֵעֶשְׂרִים
twenty *adj*, *pron* עֶשְׂרִים
twice *adv* פַּעֲמַיִם; כִּפְלַיִם
twice-told *adj* אָמוּר פַּעֲמַיִם
twiddle *vt* הִתְבַּטֵּל, גִּלְגֵּל בְּאֶצְבְּעוֹתָיו
twig *n* זְמוֹרָה
twilight *n* דִּמְדּוּמִים, בֵּין־הַשְּׁמָשׁוֹת
twill *n* מַאֲרָג מְלוּכְסָן
twin *adj*, *n* תְּאוֹמִי; תְּאוֹם
twine *n* חוּט שָׁזוּר; פִּיתּוּל
twine *vt*, *vi* שָׁזַר, פִּיתֵּל; הִשְׂתָּרֵג
twinge *n* כְּאֵב חַד
twinjet plane *n* מָטוֹס דּוּ־סִילוֹנִי
twinkle *vi*, *n* נִצְנֵץ; נִצְנוּץ
twin-screw *adj* דּוּ־מַדְחֵפִי
twirl *vt*, *vi* סוֹבֵב; הִסְתּוֹבֵב בִּמְהִירוּת
twist *vt*, *vi* שָׁזַר; לִיפֵּף; עִיקֵּם;
סִילֵּף; הִתְפַּתֵּל
twist *n* פִּיתּוּל, עִיקּוּם, מַעֲקָל; סִילּוּף

twit *vt* הִקְנִיט, לִגְלֵג
twitch *vi* הִתְכַּוֵּץ; הִתְעַוֵּת
twitch *n* עֲוִית
twitter *n* צִיּוּץ
two *adj, pron* שְׁנֵי, שְׁתֵּי; שְׁנַיִם, שְׁתַּיִם
two-cylinder *adj* דּוּ־צִילִינְדְרִי
two-edged *adj* בַּעַל שְׁנֵי קְצָווֹת
two hundred *adj, pron* מָאתַיִם
twosome *n, adj* זוּג; בִּשְׁנַיִם, לִשְׁנַיִם, בֵּין שְׁנַיִם
two-time *vt* בָּגַד
tycoon *n* אֵיל הוֹן
type *n* טִיפּוּס, דּוּגְמָה, סוּג; סְדַר אוֹתִיּוֹת
type *vt, vi* תִּקְתֵּק; סִימֵּל
type face *n* צוּרַת אוֹת, גּוֹפָן
typescript *n* חוֹמֶר מְתוּקְתָּק
typesetter *n* סַדָּר
typewrite *vt, vi* (typewrote, typewritten) כָּתַב (בִּמְכוֹנַת־כְּתִיבָה)
typewriter *n* מְכוֹנַת־כְּתִיבָה
typewriting *n* כְּתִיבָה בִּמְכוֹנָה
typhoid fever *n* טִיפוּס הַבֶּטֶן
typhoon *n* טַיְפוּן
typical *adj* טִיפּוּסִי
typify *vi* סִימֵּל, שִׁימֵּשׁ טִיפּוּס
typist *n* כַּתְבָן, כַּתְבָנִית
typographical error *n* טָעוּת דְּפוּס
typography *n* מְלֶאכֶת הַדְּפוּס, טִיפּוֹגְרַפְיָה
tyrannic(al) *adj* רוֹדָנִי, עָרִיץ
tyrannous *adj* רוֹדָנִי, עָרִיץ
tyranny *n* רוֹדָנוּת, עָרִיצוּת
tyrant *n* רוֹדָן, עָרִיץ
tyro *n* טִירוֹן

U

U, u יוּ (הָאוֹת הָעֶשְׂרִים וְאַחַת בָּאָלֶפְבֵּית)
U. *abbr* University
ubiquitous *adj* נִמְצָא בְּכָל מָקוֹם
udder *n* עָטִין
ugliness *n* כִּיעוּר
ugly *adj, n* מְכוֹעָר
ulcer *n* כִּיב, מוּרְסָה
ulcerate *vt, vi* כִּייֵּב; הִתְכַּייֵּב
ulterior *adj* כָּמוּס; שֶׁלְּאַחַר מִכֵּן
ultimate *adj* סוֹפִי, אַחֲרוֹן
ultimatum *n* אוּלְטִימָטוּם
ultimo *adv* בַּחוֹדֶשׁ הָאַחֲרוֹן
ultraviolet *adj* אוּלְטְרָה־סָגוֹל
umbilical cord *n* חֶבֶל הַטַּבּוּר
umbrage *n* עֶלְבּוֹן, פְּגִיעָה
umbrella *n* מִטְרִיָּה; סוֹכֵךְ; שִׁמְשִׁיָּה
umbrella stand *n* כַּן מִטְרִיּוֹת
umpire *n* בּוֹרֵר, פּוֹסֵק, (בִּסְפּוֹרְט) שׁוֹפֵט
umpire *vt, vi* שִׁימֵּשׁ כְּבוֹרֵר (אוֹ כְּשׁוֹפֵט)

unable *adj* חֲסַר יְכוֹלֶת

unabridged *adj* לֹא מְקוּצָּר

unaccented *adj* לֹא מוּטְעָם

unaccountable *adj* לֹא אַחְרָאִי; שֶׁאֵין לְהַסְבִּירוֹ

unaccounted-for *adj* שֶׁאֵין לוֹ הֶסְבֵּר

unaccustomed *adj* לֹא מוּרְגָּל

unafraid *adj* לֹא נִפְחָד

unaligned *adj* בִּלְתִּי־מִזְדַּהֶה

unanimity *n* תְּמִימוּת־דֵּעִים

unanimous *adj* פֶּה אֶחָד

unanswerable *adj* שֶׁאֵין לִסְתּוֹר אוֹתוֹ

unappreciative *adj* שֶׁאֵינוֹ מַעֲרִיךְ

unapproachable *adj* בִּלְתִּי נָגִישׁ

unarmed *adj* לֹא חָמוּשׁ

unascertainable *adj* שֶׁאֵינוֹ נִיתָּן לְבֵירוּר

unassuming *adj* בִּלְתִּי מִתְיַימֵּר

unattached *adj* לֹא מִשְׁתַּיֵּךְ; לֹא נָשׂוּי

unattainable *adj* שֶׁאֵינוֹ בַּר־הֶישֵּׂג

unattractive *adj* לֹא מְצוֹדֵד

unavailable *adj* לֹא בְּנִמְצָא

unavailing *adj* לֹא־יִצְלַח, לֹא מוֹעִיל

unavoidable *adj* בִּלְתִּי־נִמְנָע

unaware *adj, adv* לֹא מוּדָע; בְּלֹא יוֹדְעִים

unawares *adv* בְּלֹא יוֹדְעִים

unbalanced *adj* לֹא מְאוּזָּן; לֹא שָׁפוּי

unbar *vt* הֵסִיר אֶת הַבְּרִיחַ

unbearable *adj* בִּלְתִּי־נִסְבָּל

unbeatable *adj* שֶׁאֵין לְנַצְּחוֹ

unbecoming *adj* לֹא יָאֶה, לֹא הוֹלֵם

unbelievable *adj* לֹא יֵיאָמֵן

unbending *adj* לֹא נִכְפָּף; קָשִׁיחַ

unbiassed *adj* לֹא מְשׁוּחָד

unbind *vt* הִתִּיר; שִׁחְרֵר

unbleached *adj* לֹא מוּלְבָּן

unbolt *vt, vi* פָּתַח אֶת הַבְּרִיחַ

unborn *adj* שֶׁטֶּרֶם נוֹלַד

unbosom *vt, vi* גִּילָּה רְגָשׁוֹתָיו

unbound *adj* לֹא מְכוֹרָךְ; לֹא קָשׁוּר

unbreakable *adj* לֹא שָׁבִיר

unbuckle *vt* רִיפָּה אֶת הָאַבְזֵם

unburden *vt* פָּרַק מֵעָלָיו; גִּילָּה לִבּוֹ

unbutton *vt* הִתִּיר כַּפְתּוֹרִים

uncalled-for *adj* לֹא נָחוּץ, לֹא מוּצְדָּק

uncanny *adj* שֶׁלֹּא כְּדֶרֶךְ הַטֶּבַע

uncared-for *adj* מוּזְנָח

unceasing *adj* בִּלְתִּי־פּוֹסֵק

unceremonious *adj* לְלֹא גִּינּוּנִים

uncertain *adj* לֹא וַדָּאִי; מְעוּרְפָּל

uncertainty *n* אִי־וַדָּאוּת

unchain *vt* הִתִּיר מִכְּבָלָיו

unchangeable *adj* לֹא נִיתָּן לְשִׁינּוּי

uncharted *adj* שֶׁאֵינוֹ בַּמַּפָּה

unchecked *adj* לֹא מְבוּקָּר; בִּלְתִּי־מְרוּסָּן

uncivilized *adj* פֶּרֶא, לֹא תַּרְבּוּתִי

unclaimed *adj* שֶׁאֵין לוֹ תּוֹבְעִין

unclasp *vt, vi* רִיפָּה; נִשְׁתַּחְרֵר

unclassified *adj* בִּלְתִּי־מְסוּוָּג

uncle *n* דּוֹד

unclean *adj* לֹא נָקִי, מְלוּכְלָךְ

unclouded *adj* לֹא עָבוֹת, בָּהִיר

uncomfortable *adj* לֹא נוֹחַ

uncommitted *adj* שֶׁאֵינוֹ מִתְחַיֵּיב

uncommon *adj* בִּלְתִּי־רָגִיל

uncompromising *adj* לֹא פַּשְׁרָן, לֹא מְוַותֵּר

unconcerned *adj* חֲסַר הִתְעַנְיְינוּת

unconditional *adj* לְלֹא תְּנָאִים
uncongenial *adj* לֹא נָעִים, לֹא מַתְאִים, לֹא מוֹשֵׁךְ
unconquerable *adj* שֶׁאֵין לְכָבְשׁוֹ
unconquered *adj* בִּלְתִּי־מְנוּצָּח
unconscionable *adj* לֹא מוּסָרִי; לֹא סָבִיר
unconscious *adj, n* חֲסַר הַכָּרָה
unconsciousness *n* חוֹסֶר הַכָּרָה
unconstitutional *adj* בְּנִיגּוּד לַחוּקָּה
uncontrollable *adj* לְלֹא רִיסּוּן
unconventional *adj* לֹא קוֹנוֶונְצִיוֹנָלִי
uncork *vt* חָלַץ פְּקָק
uncouth *adj* מְגוּשָּׁם, חֲסַר חֵן
uncover *vt, vi* חָשַׂף; הֵסִיר הַכּוֹבַע
unction *n* מְשִׁיחָה; הִתְלַהֲבוּת מְעוּשָּׂה
unctuous *adj* מִתְרַפֵּס
uncultivated *adj* לֹא מְעוּבָּד; לֹא מְטוּפָּח
uncultured *adj* חֲסַר תַּרְבּוּת
uncut *adj* לֹא גָּזוּר; לֹא מְלוּטָּשׁ (יהלום וכד׳)
undamaged *adj* לֹא פָּגוּם, לֹא נִיזָּק
undaunted *adj* עָשׂוּי לְבִלִי חַת
undecided *adj* לֹא שָׁלֵם בְּדַעְתּוֹ; לֹא מוּחְלָט
undefeated *adj* שֶׁלֹּא הוּבַס
undefended *adj* לֹא מוּגָן
undefiled *adj* לְלֹא רְבָב, שֶׁלֹּא זוֹהַם
undeniable *adj* שֶׁאֵין לְהַפְרִיכוֹ; שֶׁאֵין לְסָרֵב לוֹ
under *prep* תַּחַת; מִתַּחַת ל...; פָּחוֹת מִן
under *adj, adv* מִשְׁנִי, תַּחְתִּי, תַּת־
underbrush *n* שִׂיחִים, סְבַךְ
undercarriage *n* תּוֹשֶׁבֶת
underclothes *n pl* לְבָנִים, תַּחְתּוֹנִים
undercover *adj* שֶׁל סוֹכֵן רִיגּוּל; סוֹדִי
underdeveloped *adj* לֹא מְפוּתָּח דַּיּוֹ; מִתְפַּתֵּחַ
underdog *n* מְקוּפָּח
underdone *adj* לֹא מְבוּשָּׁל דַּיּוֹ
underestimate *vt* מִיעֵט בְּעֶרְכּוֹ שֶׁל
undergarment *n* לְבוּשׁ תַּחְתּוֹן
undergo *vt* נָשָׂא, סָבַל; הִתְנַסָּה
undergraduate *n* סטוּדֶנט
underground *adj* תַּת־קַרְקָעִי
underground *n* מַחְתֶּרֶת
undergrowth *n* שִׂיחִים, עֵצִים נְמוּכִים
underhanded *adj* בַּחֲשַׁאי; בְּעוֹרמָה
underline *vt, n* מָתַח קַו מִתַּחַת; הִדגִישׁ; קַו תַּחְתִּי
underling *n* כָּפִיף
undermine *vt* חָתַר תַּחַת
underneath *adj, adv* תַּחַת; מִתַּחַת ל...
undernourished *adj* שֶׁבְּתַת־תְּזוּנָה
undernourishment *n* תַּת־תְּזוּנָה
underpass *n* מַעֲבָר תַּחְתִּי
underpay *vt* שִׁילֵּם שָׂכָר יָרוּד
underpin *vt* הִשְׁעִין מִלְּמַטָּה
underprivileged *adj* מְשׁוּלַּל זְכוּיוֹת, מְקוּפָּח
underrate *vi, vt* מִיעֵט בְּעֶרְכּוֹ שֶׁל
underscore *vt* מָתַח קַו מִתַּחַת, הִדְגִישׁ
undersea *adj, adv* תַּת־יַמִּי
undersecretary *n* תַּת־מַזְכִּיר, תַּת־שַׂר
undersell *vt* מָכַר בְּזוֹל (ממתחרה)
undershirt *n* גּוּפִיָּה
undersigned *adj* הֶחָתוּם מַטָּה
underskirt *n* תַּחְתּוֹנִית

understand *vt, vi* הֵבִין
understandable *adj* שֶׁנִּיתָּן לַהֲבִינוֹ
understanding *n* הֲבָנָה, בִּינָה; הֶסְכֵּם
understanding *adj* בַּעַל הֲבָנָה
understudy *n* שַׂחֲקָן חָלִיף
understudy *vt, vi* הִתְאַמֵּן לְתַפְקִידוֹ שֶׁל שַׂחֲקָן אַחֵר
undertake *vt, vi* נָטַל עַל עַצְמוֹ
undertaker *n* קַבְּלָן; מְסַדֵּר הַלְוָיוֹת
undertaking *n* סִידּוּר הַלְוָיוֹת; הִתְחַיְּבוּת; מְשִׂימָה
undertone *n* קוֹל נָמוּךְ
undertow *n* זֶרֶם נֶגֶד־חוֹפִי
underwear *n* לְבָנִים, תַּחְתּוֹנִים
underworld *n* הָעוֹלָם הַתַּחְתּוֹן
underwriter *n* מְבַטֵּחַ; עָרֵב
undeserved *adj* שֶׁאֵינוֹ רָאוּי לוֹ
undesirable *adj, n* בִּלְתִּי־רָצוּי
undignified *adj* לֹא מְכוּבָּד
undo *vt* סִילֵּק, הֵסִיר; הָרַס; הִתִּיר
undoing *n* בִּיטּוּל; הֶרֶס
undone *adj* לֹא עָשׂוּי, לֹא גָמוּר; הָרוּס; לֹא מְכוּפְתָּר; לֹא רָכוּס
undoubtedly *adv* בְּלִי סָפֵק
undress *adj, n* לֹא לָבוּשׁ; לְבוּשׁ מְרוּשָּׁל; לְבוּשׁ רָגִיל
undress *vt, vi* הִפְשִׁיט, עִרְטֵל; הִתְפַּשֵּׁט
undrinkable *adj* שֶׁלֹּא נִיתָּן לִשְׁתִיָּה
undue *adj* מוּפְרָז; לֹא הוֹגֵן
undulate *vi* הִתְנַחְשֵׁל, הִתְנוֹעֵעַ בְּצוּרָה גַּלִּית
unduly *adv* בְּהַפְרָזָה; שֶׁלֹּא כַּדִּין
undying *adj* נִצְחִי
unearned *adj* שֶׁלֹּא הִרְוִיחַ בַּעֲבוֹדָה (אוֹ בְּשֵׁירוּת)
unearth *vt* גִּילָּה, חָשַׂף
unearthly *adj* שֶׁלֹּא מֵהָעוֹלָם הַזֶּה
uneasy *adj* שֶׁלֹּא בְּנוֹחַ; מוּדְאָג
uneatable *adj* לֹא אָכִיל
uneconomical *adj* לֹא חֶסְכוֹנִי
uneducated *adj* חֲסַר חִינּוּךְ
unemployed *adj, n* חֲסַר עֲבוֹדָה; מוּבְטָל
unemployment *n* אַבְטָלָה
unending *adj* בִּלְתִּי־פּוֹסֵק
unequal *adj* לֹא שָׁוֶה
unequaled, unequalled *adj* שֶׁאֵין דּוֹמֶה לוֹ
unerring *adj* לְלֹא שְׁגִיאָה, מְדוּיָּק
unessential *adj* בִּלְתִּי־הֶכְרֵחִי
uneven *adj* לֹא יָשָׁר, לֹא חָלָק
uneven number *n* מִסְפָּר לֹא זוּגִי
unexpected *adj* לֹא צָפוּי
unexpectedly *adv* בְּאוֹרַח לֹא צָפוּי
unexplained *adj* שֶׁלֹּא הוּסְבַּר
unexplored *adj* שֶׁלֹּא נֶחְקַר; שֶׁלֹּא סִיְּירוּ בּוֹ
unexposed *adj* שֶׁלֹּא נֶחְשַׂף
unfading *adj* שֶׁלֹּא דָהָה; שֶׁלֹּא פָּג
unfailing *adj* לֹא אַכְזָב, נֶאֱמָן
unfair *adj* לֹא הוֹגֵן
unfaithful *adj* לֹא נֶאֱמָן
unfamiliar *adj* לֹא יָדוּעַ; לֹא בָּקִי; זָר
unfasten *vt* הִתִּיר
unfathomable *adj* שֶׁאֵין לָרֶדֶת לְעוּמְקוֹ
unfavorable *adj* לֹא נוֹחַ; שְׁלִילִי
unfeeling *adj* נְטוּל רֶגֶשׁ
unfetter *vt* נִיתֵּק כְּבָלִים
unfilled *adj* שֶׁלֹּא נִתְמַלֵּא

unfinished *adj* לא גָמוּר
unfit *adj* לא רָאוּי, לא כָּשֵׁר, לא כָּשִׁיר
unfold *vt, vi* גָּלַל, פָּרַשׂ; נִגְלַל
unforeseeable *adj* שֶׁאֵין לַחֲזוֹתוֹ מֵרֹאשׁ
unforeseen *adj* בִּלְתִּי־צָפוּי
unforgettable *adj* בִּלְתִּי־נִשְׁכָּח
unforgivable *adj* שֶׁאֵין לוֹ כַּפָּרָה
unfortunate *adj, n* חֲסַר מַזָּל, אוּמְלָל
unfounded *adj* לְלֹא יְסוֹד
unfreeze *vt* הִפְשִׁיר
unfriendly *adj* לא יְדִידוּתִי
unfruitful *adj* לא פּוֹרֶה, עָקָר
unfulfilled *adj* שֶׁלֹּא קוּיַּם
unfurl *vt* גָּלַל, פָּרַשׂ
unfurnished *adj* לא מְרוֹהָט
ungainly *adj* מְסוּרְבָּל, מְגוּשָּׁם
ungentlemanly *adj* לא מְנוּמָּס
ungodly *adj* חוֹטֵא
ungracious *adj* לא אָדִיב, לא מְנוּמָּס
ungrateful *adj* כְּפוּי טוֹבָה
ungrudgingly *adv* בְּרוֹחַב־לֵב
unguarded *adj* לא מוּגָן; לא זָהִיר
unguent *n* מִשְׁחָה
unhandy *adj* לא נוֹחַ; (אדם) לא מְאוּמָּן
unhappiness *n* עַצְבוּת; אוּמְלָלוּת
unhappy *adj* עָצוּב; אוּמְלָל
unharmed *adj* לא נִיזּוֹק, לא נִפְגַּע
unharmonious *adj* לא הַרְמוֹנִי, צוֹרֵם
unhealthy *adj* לא בָּרִיא; מַזִּיק לַבְּרִיאוּת
unheard-of *adj* שֶׁלֹּא נִשְׁמַע כְּמוֹתוֹ
unhinge *vt* עָקַר מִן הַצִּירִים; הִפְרִיד
unholy *adj* לא קָדוֹשׁ; רָשָׁע
unhook *vt* הוֹרִיד מֵאוּנְקָל
unhorse *vt* הִפִּיל מֵעַל סוּס
unhurt *adj* שָׁלֵם, לא פָּגוּעַ
unicorn *n* חַדְקֶרֶן
unification *n* אִיחוּד, הַאֲחָדָה
uniform *adj* אָחִיד; שֶׁל מַדִּים
uniform *n* מַדִּים
uniformity *n* אֲחִידוּת
unify *vt* אִיחֵד, הֶאֱחִיד
unilateral *adj* חַד־צְדָדִי
unimpeachable *adj* לְלֹא אַשְׁמָה
unimportant *adj* לא חָשׁוּב
uninhabited *adj* לא מְיוּשָּׁב
uninspired *adj* בְּלִי הַשְׁרָאָה
unintelligent *adj* חֲסַר דֵּעָה
unintelligible *adj* לא מוּבָן
uninterested *adj* שְׁוֵה־נֶפֶשׁ, אָדִישׁ
uninteresting *adj* לא מְעַנְיֵין
uninterrupted *adj* רָצוּף
union *n* אִיחוּד; בְּרִית; אֲגוּדָה
unionize *vt* יָצַר אִיגּוּד מִקְצוֹעִי
Union of Socialist Soviet Republics *n* בְּרִית הַמּוֹעָצוֹת, בריה״מ
unique *adj* יָחִיד בְּמִינוֹ
unison *n* הַרְמוֹנְיָה שֶׁל קוֹלוֹת
unit *n* יְחִידָה
unite *vt, vi* אִיחֵד, לִיכֵּד; הִתְאַחֵד; הִזְדַּוּוֵג
united *adj* מְאוּחָד, מְחוּבָּר
United Kingdom *n* הַמַּמְלָכָה הַמְאוּחֶדֶת
United Nations *n pl* הָאוּמּוֹת הַמְאוּחָדוֹת (או״ם)
United States of America *n pl* אַרְצוֹת־הַבְּרִית שֶׁל אֲמֵרִיקָה, ארה״ב
unity *n* אַחְדוּת

univalency *n* חַד־עֶרְכִּיּוּת
universal *adj* כּוֹלְלָנִי, כּוֹלֵל
universal joint *n* מִפְרָק אוּנִיבֶרְסָלִי
universe *n* יְקוּם, עוֹלָם, קוֹסְמוֹס
university *n* מִכְלָלָה, אוּנִיבֶרְסִיטָה
unjust *adj* לֹא צוֹדֵק
unjustified *adj* לֹא מוּצְדָק
unkempt *adj* לֹא מְסוֹרָק, מְרוּשָּׁל
unkind *adj* לֹא טוֹב, רַע־לֵב
unknowingly *adv* שֶׁלֹּא מִדַּעַת
unknown *adj, n* לֹא נוֹדָע, לֹא יָדוּעַ; בִּלְתִּי נוֹדָע
unknown quantity *n* נֶעְלָם
Unknown Soldier *n* הַחַיָּל הָאַלְמוֹנִי
unlatch *vt, vi* פָּתַח (מנעול)
unlawful *adj* שֶׁלֹּא כַּדִּין, לֹא חוּקִי
unleash *vt* הִתִּיר אֶת הָרְצוּעָה
unleavened bread *n* מַצָּה
unless *conj* אֶלָּא אִם; עַד שֶׁלֹּא
unlettered *adj* בּוּר, לֹא מְחוּנָּךְ
unlike *adj, prep* לֹא דוֹמֶה; שׁוֹנֶה מִן
unlikely *adj* לֹא נִרְאֶה, לֹא מִתְקַבֵּל עַל הַדַּעַת
unlimber *vt, vi* הֵכִין לִפְעוּלָּה
unlined *adj* לְלֹא בִּטְנָה; חֲסַר קַוִּים; (עוֹר) לֹא מְקוּמָּט
unload *vt, vi* פָּרַק; נִפְטַר מִן
unloading *n* פְּרִיקָה
unlock *vt* פָּתַח (מנעול)
unloose *vt* רִיפָּה, שִׁחְרֵר, הִרְפָּה
unloved *adj* לֹא אָהוּב
unlovely *adj* לֹא מוֹשֵׁךְ, נְטוּל חֵן
unlucky *adj* בִּישׁ־גַּדָּא, רַע־מַזָּל
unmake *vt* עָשָׂה לְאַל
unmanageable *adj* שֶׁלֹּא נִיתָּן לְהִשְׁתַּלֵּט עָלָיו
unmanly *adj* לֹא גַבְרִי
unmannerly *adj, adv* חֲסַר נִימּוּס
unmarketable *adj* לְלֹא קוֹנֶה
unmarried *adj* לֹא נָשׂוּי, רַוָּק
unmask *vt* הֵסִיר אֶת הַמַּסְוֶה
unmatchable *adj* שֶׁאֵין לְהִשְׁתַּוּוֹת אֵלָיו
unmerciful *adj* חֲסַר רַחֲמִים
unmesh *vt, vi* הִתִּיר (סבך)
unmindful *adj* לֹא זָהִיר
unmistakable *adj* שֶׁאֵין לִטְעוֹת בּוֹ
unmistakably *adv* בִּמְפוֹרָשׁ
unmixed *adj* לֹא מְעוּרְבָּב, טָהוֹר
unmoved *adj* לֹא מוּשְׁפָּע, אָדִישׁ
unnatural *adj* לֹא טִבְעִי
unnecessary *adj* לֹא נָחוּץ
unnerve *vt* רִיפָּה יָדָיו שֶׁל
unnoticeable *adj* לֹא נִיכָּר
unnoticed *adj* שֶׁלֹּא הִבְחִינוּ בּוֹ
unobliging *adj* שֶׁאֵינוֹ עוֹזֵר לַזּוּלַת
unobserved *adj* שֶׁלֹּא הִבְחִינוּ בּוֹ
unobtrusive *adj* נֶחְבָּא אֶל הַכֵּלִים
unoccupied *adj* לֹא כָּבוּשׁ; לֹא תָּפוּס
unofficial *adj* לֹא רִשְׁמִי
unopened *adj* לֹא נִפְתָּח
unorthodox *adj* לֹא דָתִי; לֹא דָבֵק בְּמוּסְכָּמוֹת
unpack *vt* פָּרַק
unpalatable *adj* שֶׁאֵינוֹ עָרֵב לַחֵךְ
unparalleled *adj* שֶׁאֵין כָּמוֹהוּ
unpardonable *adj* שֶׁלֹּא יִיסָּלֵחַ
unpatriotic *adj* לֹא פַּטְרִיּוֹטִי
unperceived *adj* שֶׁלֹּא הִבְחִינוּ בּוֹ
unpleasant *adj* לֹא נָעִים

unpopular *adj* לֹא עֲמָמִי; לֹא מְחוּבָּב
unpopularity *n* חוֹסֶר פּוֹפּוּלָרִיוּת
unprecedented *adj* חֲסַר תַּקְדִּים
unpremeditated *adj* שֶׁלֹּא בְּכַוָּנָה תְּחִילָּה
unprepared *adj* לֹא מוּכָן
unprepossessing *adj* לֹא מוֹשֵׁךְ
unpresentable *adj* לֹא רָאוּי לְהַגָּשָׁה; לֹא רָאוּי לְהוֹפָעָה
unpretentious *adj* לֹא יוּמְרָנִי
unprincipled *adj* חֲסַר עֶקְרוֹנוֹת
unproductive *adj* לֹא פּוֹרֶה, לֹא יָעִיל
unprofitable *adj* שֶׁאֵינוֹ מֵבִיא רֶוַח
unpronounceable *adj* לֹא נִיתָּן לְבִיטּוּי
unpropitious *adj* לֹא מְעוֹדֵד
unpunished *adj* לֹא נֶעֱנָשׁ
unquenchable *adj* שֶׁלֹּא יִיכָּבֶה; שֶׁאֵין לְדַכֵּא אוֹתוֹ
unquestionable *adj* שֶׁאֵינוֹ מוּטָל בְּסָפֵק
unravel *vt, vi* הִתִּיר; פָּתַר; הִבְהִיר
unreal *adj* לֹא מַמָּשִׁי; דִּמְיוֹנִי
unreality *n* אִי־מְצִיאוּתִיּוּת
unreasonable *adj* חֲסַר הִיגָּיוֹן; לֹא סָבִיר
unrecognizable *adj* שֶׁאֵין לְהַכִּירוֹ
unreel *vt, vi* גָּלַל, הִתִּיר
unrefined *adj* לֹא מְזוּקָק; לֹא תַּרְבּוּתִי
unrelenting *adj* אֵיתָן בְּתַקִּיפוּתוֹ
unreliable *adj* לֹא מְהֵימָן
unremitting *adj* לֹא פּוֹסֵק
unrepentant *adj* לֹא מַבִּיעַ חֲרָטָה
unrequited love *n* אַהֲבָה לְלֹא הֵיעָנוּת
unresponsive *adj* לֹא נַעֲנֶה, אָדִישׁ
unrest *n* אִי־שֶׁקֶט
unrighteous *adj* לֹא צַדִּיק, רָשָׁע
unripe *adj* בּוֹסֶר, לֹא בָּשֵׁל
unrivalled *adj* לְלֹא מִתְחָרֶה
unroll *vt* גּוֹלֵל, גָּלַל, פָּרַשׂ
unruffled *adj* חָלָק, שָׁקֵט; קַר־רוּחַ
unruly *adj* פָּרוּעַ
unsaddle *vt* הֵסִיר אוּכָּף; הִפִּיל מִסּוּס
unsafe *adj* לֹא בָּטוּחַ, מְסוּכָּן
unsaid *adj* שֶׁלֹּא נֶאֱמַר
unsanitary *adj* לֹא הִיגְיֵינִי
unsatisfactory *adj* לֹא מֵנִיחַ אֶת הַדַּעַת
unsatisfied *adj* לֹא בָּא עַל סִיפּוּקוֹ
unsavory *adj* לֹא נָעִים, דּוֹחֶה
unscathed *adj* לֹא נִיזּוֹק
unscientific *adj* לֹא מַדָּעִי
unscrew *vt* פָּתַח בּוֹרֶג
unscrupulous *adj* חֲסַר מַצְפּוּן
unseal *vt* שָׁבַר אֶת הַחוֹתָם
unseasonable *adj* שֶׁלֹּא בְּעוֹנָתוֹ
unseemly *adj* לֹא יָאֶה
unseen *adj* לֹא נִרְאֶה
unselfish *adj* לֹא אָנוֹכִיִּי
unsettled *adj* לֹא מְאוּכְלָס; לֹא יַצִּיב
unshackle *vt* שִׁחְרֵר מִכְּבָלִים
unshaken *adj* לֹא מְעוּרְעָר
unshapely *adj* לֹא חָטוּב יָפֶה
unshaven *adj* לֹא מְגוּלָּח
unsheathe *vt* שָׁלַף
unshod *adj* לְלֹא נַעֲלַיִים; (לְגַבֵּי סוּס) לֹא מְפוּרְזָל
unshrinkable *adj* לֹא כָּוִויץ
unsightly *adj* רַע הַמַּרְאֶה

unsinkable *adj* לֹא טָבִיעַ
unskilful *adj* לֹא מְיוּמָּן
unskilled *adj* לֹא מְאוּמָּן
unskilled laborer *n* פּוֹעֵל פָּשׁוּט
unsociable *adj* לֹא חֶבְרָתִי
unsold *adj* לֹא מָכוּר
unsolder *vt* הִפְרִיד, הֵמֵס
unsophisticated *adj* לֹא מְתוּחְכָּם
unsound *adj* לֹא אֵיתָן, חוֹלֶה; פָּגוּם
unsown *adj* לֹא זָרוּעַ
unspeakable *adj* שֶׁאֵין לְהַעֲלוֹתוֹ עַל הַשְּׂפָתַיִם
unsportsmanlike *adj* לֹא הוֹגֵן, נוֹגֵד הָרוּחַ הַספּוֹרטִיבִית
unstable *adj* לֹא יַצִּיב
unsteady *adj* לֹא יַצִּיב; הֲפַכְפַּךְ
unstinted *adj* בְּיָד רְחָבָה
unstitch *vt* פָּרַם
unstressed *adj* לֹא מוּדְגָשׁ, לֹא מוּטְעָם
unstrung *adj* חֲסַר מֵיתָרִים; חֲלוּשׁ עֲצַבִּים
unsuccessful *adj* לֹא מוּצְלָח
unsuitable *adj* לֹא מַתְאִים
unsurpassable *adj* שֶׁאֵין לְמַעְלָה מִמֶּנּוּ
unsuspected *adj* לֹא חָשׁוּד; שֶׁקִּיּוּמוֹ לֹא עָלָה עַל הַדַּעַת
unswerving *adj* יַצִּיב, לֹא סוֹטֶה
unsympathetic *adj* לֹא אוֹהֵד; לֹא שׁוּתָּף לָרְגָשׁוֹת
unsystematic(al) *adj* חֲסַר שִׁיטָה
untamed *adj* לֹא מְאוּלָּף
untangle *vt* הוֹצִיא מִן הַסְּבַךְ
unteachable *adj* לֹא לָמִיד
untenable *adj* לֹא נִיתָּן לַהֲגַנָּה

unthinkable *adj* שֶׁאֵין לְהַעֲלוֹתוֹ עַל הַדַּעַת
unthinking *adj* חֲסַר מַחֲשָׁבָה
untidy *adj* מְרוּשָּׁל
untie *vt, vi* הִתִּיר קֶשֶׁר
until *prep, conj* עַד, עַד שֶׁ...
untillable *adj* לֹא חָרִישׁ
untimely *adj* שֶׁלֹּא בְּעִיתּוֹ
untiring *adj* שֶׁאֵינוֹ יוֹדֵעַ לֵאוּת
untold *adj* לְאֵין סְפוֹר
untouchable *adj, n* שֶׁאֵין לָגַעַת בּוֹ
untouched *adj* שֶׁלֹּא נָגְעוּ בּוֹ
untoward *adj* לֹא נוֹחַ, רַע מַזָּל
untrammeled *adj* חוֹפְשִׁי, לֹא כָּבוּל
untried *adj* שֶׁלֹּא נוּסָּה
untroubled *adj* לֹא מוּטְרָד
untrue *adj* לֹא נָכוֹן; לֹא נֶאֱמָן, כּוֹזֵב
untruth *n* אִי־אֱמֶת, שֶׁקֶר
untruthful *adj* כּוֹזֵב
untrustworthy *adj* לֹא מְהֵימָן
untwist *vt* הִתִּיר, סָתַר
unused *adj* לֹא מוּרְגָל; בִּלְתִּי־מְשׁוּמָּשׁ
unusual *adj* לֹא רָגִיל
unutterable *adj* שֶׁאֵין לְבַטְּאוֹ
unvanquished *adj* בִּלְתִּי־מְנוּצָּח
unvarnished *adj* לֹא מְצוּחְצָח
unveil *vt, vi* הֵסִיר צָעִיף; הֵסִיר לוֹט
unveiling *n* הֲסָרַת לוֹט; הֲסָרַת צָעִיף
unwanted *adj* לֹא רָצוּי
unwarranted *adj* לֹא מוּצְדָּק; לֹא מוּסְמָךְ
unwary *adj* לֹא זָהִיר; נִמְהָר
unwavering *adj* הֶחְלֵטִי, יַצִּיב
unwelcome *adj* לֹא רָצוּי
unwell *adj* לֹא בָּרִיא

unwholesome *adj* לֹא בָּרִיא; מַזִּיק
unwieldy *adj* מְגוּשָּׁם; קָשֶׁה שִׁימּוּשׁ
unwilling *adj* מְמָאֵן, בּוֹחֵל
unwillingly *adj* בְּאִי־רָצוֹן
unwind *vt* הִתִּיר, סָתַר
unwise *adj* לֹא מְחוּכָּם
unwitting *adj* בִּלְתִּי־יוֹדֵעַ
unwonted *adj* לֹא רָגִיל, לֹא נָהוּג
unworldly *adj* לֹא גַשְׁמִי
unworthy *adj* לֹא רָאוּי
unwrap *vt* גּוֹלֵל, פָּתַח
unwritten *adj* שֶׁלֹּא בִּכְתָב
unyielding *adj* לֹא מְוַתֵּר
unyoke *vt* הֵסִיר עוֹל
up *adv*, *prep*, *adj* עַד; עַל; מַעלָה; מַאֲמִיר; זָקוּף; בְּמַעֲלֶה
up-and-coming *adj* מַבטִיחַ, בַּעַל סִיכּוּיִים
up-and-up *n* יוֹשֶׁר; שִׁיפּוּר
upbraid *vt* נָזַף, הוֹכִיחַ
upbringing *n* גִּידּוּל, חִינּוּךְ
upcountry *adj*, *adv*, *n* הַרחֵק מֵהַגְּבוּל; פְּנִים הָאָרֶץ
update *vt* עִדכֵּן
upheaval *n* תַּהפּוּכָה
uphill *adj* עוֹלֶה; מְיַיגֵּעַ
uphill *adv* בְּמַעֲלֵה הָהָר
uphold *vt* הֶחֱזִיק, חִיזֵּק
upholster *vt* רִיפֵּד
upholsterer *n* רַפָּד
upholstery *n* רִיפּוּד; רַפָּדוּת
upkeep *n* אַחֲזָקָה
upland *n*, *adj* רָמָה; רָמָתִי
uplift *vt* הֵרִים; רוֹמֵם
uplift *n* הֲרָמָה; הַעֲלָאָה; הִתעַלּוּת
upon *prep*, *adv* עַל, עַל־פְּנֵי; אַחֲרֵי
upper *adj* עֶליוֹן, עִילִי
upper *n* פֶּנֶת; מִטָּה עִילִית
upper berth *n* מִיטָּה עִילִית
upper hand *n* יָד עַל הָעֶליוֹנָה
upper middle class *n* מַעֲמָד בֵּינוֹנִי עִילִי
uppermost *adj*, *adv* רֹאשׁ וְרִאשׁוֹן; בְּרֹאשׁ
uppish *adj* מִתנַשֵּׂא
upright *adj* זָקוּף; יְשַׁר דֶּרֶךְ
upright *n* עַמּוּד זָקוּף
uprising *n* הִתקוֹמְמוּת
uproar *n* רַעַשׁ, שָׁאוֹן
uproarious *adj* רוֹעֵשׁ, הוֹמֶה
uproot *vt* עָקַר מִן הַשּׁוֹרֶשׁ
upset *vt*, *vi* הָפַךְ; בִּלבֵּל; הִדאִיג
upset *n* הֲפִיכָה; מַצַּב־רוּחַ נִרגָּז
upset *adj* מְבוּלבָּל; נִרגָּז
upsetting *adj* מְצַעֵר
upshot *n* סוֹף־דָּבָר, תּוֹצָאָה
upside *n* בַּצַּד הָעֶליוֹן
upside-down *adj* מְהוּפָּךְ; תּוֹהוּ וָבוֹהוּ
upstage *adv*, *adj* בְּיַרכְּתֵי הַבִּימָה; יָהִיר
upstairs *adv*, *adj*, *n* לְמַעלָה; (שֶׁל) קוֹמָה עֶליוֹנָה
upstanding *adj* זְקוּף־קוֹמָה; יָשָׁר, הָגוּן
upstate *adj*, *n* (שֶׁל) צְפוֹן הַמְּדִינָה
upstream *adv* בְּמַעֲלֵה הַנָּהָר
upstroke *n* מְשִׁיכַת־עַל
upswing *n* עֲלִיָּיה גְדוֹלָה
up-to-date *adj* מְעוּדכָּן
up-to-the-minute *adj* מְעוּדכָּן לָרֶגַע

uptown *adj, adv, n* (שֶׁל) מַעֲלֵה הָעִיר; בְּמַעֲלֵה הָעִיר
uptrend *n* מְגַמַּת עֲלִיָּיה
upturned *adj* מוּפְנֶה כְּלַפֵּי מַעְלָה
upward *adj, adv* עוֹלֶה; אֶל עָל, לְמַעְלָה
uranium *n* אוּרָן, אוּרַניוּם
urban *adj* עִירוֹנִי
urbane *adj* אָדִיב, יְפֵה־הֲלִיכוֹת
urbanite *n* עִירוֹנִי
urbanity *n* אֲדִיבוּת, נִימוּסִים
urbanize *vt* עִייֵּר
urchin *n* מַזִּיק, שׁוֹבָב
urethra *n* שׁוֹפְכָה
urge *vt* דָּחַף, דָּחַק עַל; תָּבַע בְּמַפְגִּיעַ
urge *n* דַּחַף, דְּחִיפָה; יֵצֶר
urgency *n* דְּחִיפוּת
urgent *adj* דָּחוּף
urgently *adv* בִּדְחִיפוּת
urinal *n* כְּלִי שֶׁתֶן; מִשְׁתָּנָה
urinate *vi* הִשְׁתִּין
urine *n* שֶׁתֶן
urn *n* כַּד, קַנְקַן
us *pron* אוֹתָנוּ; לָנוּ
U.S.A. *abbr* United States of America
usable *adj* בַּר שִׁימוּשׁ
usage *n* נוֹהַג, שִׁימוּשׁ; מִנְהָג
use *vt, vi* הִשְׁתַּמֵּשׁ בּ...; נָהַג בּ...; נָהַג ל...; נִיצֵּל; צָרַךְ
use *n* שִׁימוּשׁ; נִיצּוּל; תּוֹעֶלֶת
used *adj* מְשׁוּמָּשׁ; רָגִיל
useful *adj* מוֹעִיל, שִׁימוּשִׁי
usefulness *n* תּוֹעֶלֶת
useless *adj* חֲסַר תּוֹעֶלֶת
user *n* מִשְׁתַּמֵּשׁ
usher *n* סַדְּרָן, שַׁמָּשׁ (בְּבֵית־דִּין)
U.S.S.R. *abbr* Union of Socialist Soviet Republics
usual *adj* רָגִיל, שָׁכִיחַ
usually *adv* בְּדֶרֶךְ כְּלָל
usurp *vt* נָטַל בְּכוֹחַ; הִסִּיג גְּבוּל
usury *n* רִיבִּית קְצוּצָה
utensil *n* כְּלִי; מַכְשִׁיר
uterus *n* רֶחֶם
utilitarian *adj, n* תּוֹעַלְתָּנִי; תּוֹעַלְתָּן
utility *n* תּוֹעֶלֶת, דָּבָר מוֹעִיל; שֵׁירוּת צִיבּוּרִי
utilize *vt* נִיצֵּל
utmost *adj, n* בְּיוֹתֵר; מֵיטָב, מְלוֹא
Utopia *n* אוּטוֹפְּיָה
utopian *adj* אוּטוֹפִּי, בַּעַל חֲלוֹמוֹת
utter *adj* גָּמוּר, מוּחְלָט
utter *vt* בִּיטֵּא, הִבִּיעַ; פִּרְסֵם
utterance *n* בִּיטּוּי, הַבָּעָה; דִּיבּוּר
utterly *adv* לְגַמְרֵי
uxoricide *n* הוֹרֵג אִשְׁתּוֹ
uxorious *adj* כָּרוּךְ מְאוֹד אַחֲרֵי אִשְׁתּוֹ

V

V, v וִי (הָאוֹת הָעֶשְׂרִים־וּשְׁתַּיִם בָּאָלֶפְבֵּית)
vacancy *n* רֵיקוּת; מָקוֹם פָּנוּי
vacant *adj* רֵיק; פָּנוּי; נָבוּב
vacate *vt* פִּינָּה
vacation *n* פַּגְרָה, חוֹפֶשׁ; חוּפְשָׁה
vacation *vi, vt* נָטַל חוּפְשָׁה
vacationist *n* נוֹפֵשׁ, מְבַלֶּה חוּפְשָׁה
vacation with pay *n* חוֹפֶשׁ בְּתַשְׁלוּם
vaccination *n* הַרְכָּבַת אֲבַעְבּוּעוֹת
vaccine *n* תַּרְכִּיב
vacillate *vi* הִיסֵּס
vacillating *adj* מְהַסֵּס
vacuity *n* רֵיקוּת, רֵיקָנוּת
vacuum *vt* שָׁאַב אָבָק
vacuum *n* רֵיק, חָלָל רֵיק
vacuum-cleaner *n* שׁוֹאֵב־אָבָק
vacuum-tube *n* שְׁפוֹפֶרֶת־רִיק
vagabond *adj, n* שׁוֹטְטָן; בֶּן־בְּלִי־בַּיִת
vagary *n* גַּחַם, קַפְּרִיזָה
vagina *n* פּוֹתָה
vagrancy *n* נַיְידוּת, שׁוֹטְטוּת
vagrant *n, adj* נָע־וָנָד, שׁוֹטְטָן
vague *adj* מְעוּרְפָּל, לֹא בָּרוּר
vain *adj* הַבְלִי; רֵיקָנִי; שָׁווֹא; גַּאַוְתָנִי
vainglorious *adj* רַבְרְבָן, מִתְפָּאֵר
vale *n* עֵמֶק
valedictory *adj, n* (נְאוּם) פְּרֵידָה
valentine *n* אָהוּב, אֲהוּבָה; מִכְתַּב אֲהָבִים
vale of tears *n* עֵמֶק הַבָּכָא
valet *n* נוֹשֵׂא־כֵּלִים; מְשָׁרֵת
valiant *adj* אַמִּיץ־לֵב; שֶׁל אוֹמֶץ־לֵב
valid *adj* שָׁרִיר, תָּקֵף; תּוֹפֵס
validate *vt* הִשְׁרִיר, הִקְנָה תּוֹקֶף
validation *n* הַשְׁרָרָה
validity *n* תְּקֵפוּת
valise *n* מִזְווָדָה
valley *n* עֵמֶק, בִּקְעָה
valor *n* אוֹמֶץ־לֵב
valuable *adj, n* רַב־עֵרֶךְ; דְּבַר־עֵרֶךְ
value *n* עֵרֶךְ, שׁוֹוִי
value *vt* הֶעֱרִיךְ, שָׂם
valve *n* שַׁסְתּוֹם, מַסְתֵּם; שְׁפוֹפֶרֶת
valve cap *n* מְגוּפַת הַשַּׁסְתּוֹם
valve gears *n pl* הֶינֵעַ הַשַּׁסְתּוֹם
valve lifter *n* מַגְבֵּהַ הַשַּׁסְתּוֹם
valve spring *n* קְפִיץ הַשַּׁסְתּוֹם
valve stem *n* כּוֹשׁ הַשַּׁסְתּוֹם
vamp *n* חַרְטוֹם הַנַּעַל; טְלַאי; (אִישָׁה) עַרְפָּדִית, וַמְפּ
vamp *vt* הִטְלִיא, אִלְתֵּר; עִרְפְּדָה
vampire *n* עַרְפָּד
van *n* חֵיל הֶחָלוּץ; רֶכֶב מִשְׁלוֹחַ
vandal *n* וַנְדָל; בַּרְבָּר
vandalism *n* וַנְדָלִיּוּת, וַנְדָלִיזְם
vane *n* שַׁבְשֶׁבֶת
vanguard *n* חֵיל חָלוּץ
vanilla *n* שֶׁנֶף, וָנִיל
vanish *vi* נֶעֱלַם, גָּז
vanishing cream *n* מִשְׁחַת פָּנִים נֶעֱלֶמֶת
vanity *n* הִתְרַהֲבוּת, הִתְפָּאֲרוּת־שָׁווְא
vanity case *n* פּוּדְרִיָּיה

vanquish *vt* נִיצַּח, הֵבִיס
vantage ground *n* עֶמְדַת יִתְרוֹן
vapid *adj* חֲסַר טַעַם, תָּפֵל
vapor *n* אֵד, הֶבֶל, קִיטוֹר
vaporize *vt, vi* אִידָּה; הִתְאַדָּה
vapor trail *n* עִיקְבוֹת מְטוֹס סִילוֹן
variable *adj* מִשְׁתַּנֶּה; שֶׁאֵינוֹ יַצִּיב
variance *n* שׁוֹנִי, שִׁינּוּי; הֶבְדֵּל
variant *adj, n* שׁוֹנֶה, מִשְׁתַּנֶּה; גִּרְסָה שׁוֹנָה
variation *n* שִׁינּוּי, שׁוֹנִי; וַרְיַאצְיָה
varicose veins *n pl* דַּלְיוּת הָרַגְלַיִים
varied *adj* שׁוֹנֶה, מְגוּוָּן
variegated *adj* מְגוּוָּן, שׁוֹנֶה
variety *n* רַבְגּוֹנִיּוּת, מִגְוָן
variety show *n* הַצָּגַת וַארְיֶיטֶה
variola *n* אֲבַעְבּוּעוֹת
various *adj* שׁוֹנִים
varnish *n* מִשְׁחַת־בָּרָק, לַכָּה
varnish *vt* לִיכָּה; צִחְצֵחַ
varsity *n* אוּנִיבֶרְסִיטָה
vary *vt, vi* שִׁינָּה, גִּיוֵּן; הִשְׁתַּנָּה
vase *n* וָזָה, אֲגַרְטֵל
vaseline *n* וָזֶלִין
vassal *n, adj* צָמִית, וַסָּל; מְשׁוּעְבָּד
vast *adj* גָּדוֹל, נִרְחָב
vastly *adv* בְּמִידָּה רְחָבָה
vat *n* מֵיכָל, אַמְבָּט
vaudeville *n* ווֹדֶבִיל וַרְיֶיטֶה
vault *n* כּוּךְ, מַרְתֵּף; כִּיפָּה; נִיתּוּר, קְפִיצָה
vault *vi, vt* נִיתֵּר, קָפַץ
veal *n* בְּשַׂר עֵגֶל
veal chop *n* כְּתִיתַת עֵגֶל
vedette *n* זָקִיף רָכוּב

veer *vi, vt* שִׁינָּה כִּיווּן; חָג
vegetable *n, adj* יָרָק; צוֹמֵחַ; צִמְחִי; שֶׁל יְרָקוֹת
vegetarian *n, adj* צִמְחוֹנִי; שֶׁל יְרָקוֹת
vegetation *n* צִמְחִיָּיה
vehemence *n* עוֹז, כּוֹחַ עַז
vehement *adj* עַז, תַּקִּיף, נִסְעָר
vehicle *n* רֶכֶב; אֶמְצָעִי הַעֲבָרָה
vehicular traffic *n* תְּנוּעַת כְּלֵי־רֶכֶב
veil *n* צָעִיף, רְעָלָה
veil *vt* צִיעֵף, כִּיסָּה
vein *n* וָרִיד, גִּיד; נְטִיָּיה
vellum *n* קְלָף מֵעוֹר עֵגֶל
velocity *n* מְהִירוּת
velvet *n, adj* קְטִיפָה; רַךְ
velveteen *n* קְטִיפִין
velvety *adj* קְטִיפָנִי
Ven. *abbr* Venerable
vend *vt* מָכַר
vendor *n* מוֹכֵר; מְזַבֶּנֶת (מכונה)
veneer *n* לָבִיד; בָּרָק חִיצוֹנִי
veneer *vt* לָבַד, הִלְבִּיד
venerable *adj* נִכְבָּד, רָאוּי לְהוֹקָרָה
venerate *vt* כִּיבֵּד, הוֹקִיר
venereal *adj* שֶׁל מַחֲלַת־מִין
Venetian blind *n* תְּרִיס רְפָפוֹת
vengeance *n* נָקָם, נְקָמָה
vengeful *adj* נוֹקֵם, נַקְמָנִי
Venice *n* וֶנֶצְיָה
venison *n* בְּשַׂר צְבִי
venom *n* אֶרֶס, רַעַל
venomous *adj* אַרְסִי
vent *n* פֶּתַח יְצִיאָה; פּוּרְקָן; מַבָּע
vent *vt, vi* הִתְקִין פֶּתַח; נָתַן בִּיטּוּי
venthole *n* נֶקֶב אִוְורוּר

ventilate *vt* אִוורֵר; דָּן בְּפוּמבֵּי
ventilator *n* מְאַוורֵר
ventricle *n* חֲדַר הַלֵּב; חֲדַר הַמּוֹחַ
ventriloquism *n* מַעֲשֵׂה פִּיתוֹם, דִּיבּוּר מֵהַבֶּטֶן
venture *n* מִפְעָל נוֹעָז; מַעְפָּל
venture *vt* הֵעֵז
venturesome *adj* מִסתַּכֵּן; נוֹעָז
venue *n* מְקוֹם הַפֶּשַׁע; מְקוֹם הַמִּשְׁפָּט; מְקוֹם הַמִּפגָּשׁ
Venus *n* וֵנוּס
veracious *adj* דּוֹבֵר אֱמֶת
veracity *n* אֲמִיתּוּת, נְכוֹנוּת
veranda(h) *n* מִרפֶּסֶת
verb *n* פּוֹעַל
verbatim *adv* מִלָּה בְּמִלָּה
verbiage *n* גִּיבּוּב מִלִּים
verbose *adj* מְגַבֵּב מִלִּים
verdant *adj* מְכוּסֶּה יֶרֶק; יָרוֹק
verdict *n* פְּסַק־דִּין
verdigris *n* יְרַק־נְחוֹשֶׁת
verdure *n* יַרקוּת, דֶּשֶׁא
verge *n* קָצֶה, גְּבוּל, שׁוּל
verge *vi* גָּבַל עִם
verification *n* אִימּוּת, וִידּוּא
verify *vt* אִימֵּת, וִידֵּא
verily *adv* בֶּאֱמֶת
veritable *adj* אֲמִיתִּי, מוּחָשִׁי
vermicelli *n* אִטרִיּוֹת וֶרמִיצֶ׳לִי
vermillion *n* שָׁשַׁר, תּוֹלַעְנָה
vermin *n pl or sing* רֶמֶשׂ, שֶׁרֶץ
vermouth *n* וֶרמוּת
vernacular *adj, n* מְקוֹמִי; שְׂפַת הַמָּקוֹם
versatile *adj* רַב־צְדָדִי
verse *n* חָרוּז, שִׁיר, בַּיִת; פָּסוּק
versed *adj* מְנוּסֶּה, מְיוּמָּן
versify *vi* חִיבֵּר שִׁיר, כָּתַב חֲרוּזִים
version *n* גִּרסָה, נוּסַח
versus *prep* נֶגֶד, מוּל
vertebra *n* חוּליָה
vertex *n* פִּסגָּה, שִׂיא קוֹדקוֹד
vertical *adj* מְאוּנָּךְ
vertical rudder *n* הֶגֶה אֲנָכִי
vertigo *n* סְחַרחוֹרֶת
verve *n* חִיּוּת, הַשְׁרָאָה
very *adj* אוֹתוֹ עַצמוֹ; (דבר) כְּמוֹת שֶׁהוּא בְּדִיּוּק; עִיקָר; מַמָּשׁ
very *adv* מְאוֹד
vesicle *n* בּוּעִית, שַׁלחוּפִית
vesper *n* תְּפִלַּת עַרבִית (בנצרות)
vessel *n* כְּלִי־שַׁיִט, סְפִינָה; כְּלִי־קִיבּוּל
vest *n* גּוּפִיָּה; חֲזִיָּיה
vest *vt* הֶעֱטָה; הִקנָה
vestibule *n, vt* מִסדְּרוֹן
vestige *n* שָׂרִיד
vestment *n* לְבוּשׁ, גְּלִימָה
vestpocket *n, adj* (שֶׁל) כִּיס חֲזִיָּיה
vestry *n* חֲדַר תַּשְׁמִישֵׁי הַקְּדוּשָּׁה
vestryman *n* חֲבֵר וַעַד הַקְּהִילָּה
Vesuvius *n* וֶזוּב
vet. *abbr* veteran, veterinary
vet *vt, vi* בָּדַק בְּדִיקָה וֶטֶרִינָרִית
vetch *n* בַּקִּיָּה
veteran *adj, n* וָתִיק; בַּעַל וֶתֶק
veterinary *adj, n* שֶׁל רִיפּוּי בְּהֵמוֹת
veterinary medicine *n* רְפוּאָה וֶטֶרִינָרִית
veto *n* וֶטוֹ

veto *vt, vi* פָּסַק לִשְׁלִילָה; הִטִּיל וֵטוֹ

vex *vt* הִקְנִיט, הִרְגִּיז

vexation *n* הַרְגָּזָה, רוֹגֶז

via *prep* דֶּרֶךְ; בְּאֶמְצָעוּת

viaduct *n* גֶּשֶׁר דְּרָכִים, וִיאָדוּקְט

vial *n* צְלוֹחִית; כּוֹס קְטַנָּה

viand *n* מַאֲכָל

vibrate *vt, vi* נִעְנַע; הִרְטִיט; נָע; רָטַט

vibration *n* תְּנוּדָה, רֶטֶט

vicar *n* כּוֹהֵן הַקְּהִילָּה; עוֹזֵר לְבִישׁוֹף; מְמַלֵּא מָקוֹם

vicarage *n* בֵּית כּוֹהֵן הַקְּהִילָּה

vicarious *adj* מְמַלֵּא מָקוֹם, חֲלִיפִי

vice *n* מִידָּה רָעָה

vice *prep* בִּמְקוֹם

vice-admiral *n* סְגַן־אַדְמִירָל

vice-president *n* סְגַן־נָשִׂיא

viceroy *n* מִשְׁנֶה לְמֶלֶךְ

vice versa *adv* לְהֶפֶךְ

vicinity *n* סְבִיבָה, שְׁכֵנוּת

vicious *adj* מוּשְׁחָת, רַע, מְרוּשָּׁע

victim *n* קוֹרְבָּן, טֶרֶף

victimize *vt* עֲשָׂאוֹ קוֹרְבָּן, רִימָּה

victor *n* מְנַצֵּחַ

victorious *adj* מְנַצֵּחַ, שֶׁל נִיצָּחוֹן

victory *n* נִיצָּחוֹן

victual *vt, vi* סִיפֵּק צוֹרְכֵי מִחְיָה

victuals *n pl* מִצְרְכֵי מָזוֹן

vid. *abbr* vide (Latin) רְאֵה, עַיֵּין

video *adj* שֶׁל טֶלֶוִויזְיָה

video signal *n* אוֹת חוֹזִי

video tape *n* סֶרֶט חוֹזִי

vie *vi* הִתְחָרָה

Viennese *adj, n* וִינָּאִי

view *n* מַרְאֶה, מַחֲזֶה, נוֹף; הַשְׁקָפָה

view *vt* רָאָה, הִבִּיט, בָּחַן

viewer *n* רוֹאֶה (בטלוויזיה)

view-finder *n* טֶלֶסְקוֹפּ קָטָן

viewpoint *n* נְקוּדַּת הַשְׁקָפָה

vigil *n* פִּיקּוּחַ; עֵרוּת, שִׁימּוּרִים

vigilance *n* עֵרוּת, כּוֹנְנוּת

vigilant *adj* מַשְׁגִּיחַ; עֵר, דָּרוּךְ

vignette *n* גַּפְנִית, וִינְיֶיטָה

vigor *n* אוֹן, מֶרֶץ, כּוֹחַ

vigorous *adj* עַז, תַּקִּיף, רַב־מֶרֶץ

vile *adj* נִתְעָב, שָׁפָל

vilify *vt* הִשְׁמִיץ, הִלְעִיז

villa *n* חֲוִילָּה

village *n* כְּפָר, מוֹשָׁבָה

villager *n* כַּפְרִי

villain *n* נָבָל, בֶּן־בְּלִיַּעַל

villainous *adj* נִתְעָב, רָע

villainy *n* מַעֲשֵׂה נָבָל

vim *n* כּוֹחַ, מֶרֶץ

vinaigrette *n* צִנְצֶנֶת תְּבָלִים

vindicate *vt* הִצְדִּיק, הֵגֵן עַל

vindictive *adj* נַקְמָן

vine *n* גֶּפֶן

vinegar *n* חוֹמֶץ

vinegary *adj* חָמוּץ; שֶׁל חוֹמֶץ

vineyard *n* כֶּרֶם

vintage *n* בָּצִיר; יֵין עוֹנַת הַבָּצִיר

vintager *n* בּוֹצֵר

vintage wine *n* יַיִן מְשׁוּבָּח

vintner *n* יֵינָן

violate *vt* הֵפֵר; חִילֵּל; אָנַס

violence *n* אַלִּימוּת

violent *adj* אַלִּים

violet *n, adj* סֶגֶל; סָגוֹל (צבע)

violin *n* כִּינּוֹר

violinist *n*	כַּנָּר
violoncellist *n*	וִיוֹלוֹנְצֶ׳לָן
violoncello *n*	וִיוֹלוֹנְצֶ׳לוֹ
viper *n*	צֶפַע
virago *n*	מִרְשַׁעַת
virgin *adj, n*	בְּתוּלָה, שֶׁל בְּתוּלָה, בָּתוּל
virginity *n*	בְּתוּלִים
virility *n*	גַבְרִיּוּת, גַּבְרוּת
virology *n*	תּוֹרַת הַנְּגִיפִים
virtual *adj*	לְמַעֲשֶׂה, שֶׁבְּעֶצֶם
virtue *n*	מִידָּה טוֹבָה; סְגוּלָּה; תּוֹקֶף
virtuosity *n*	אוֹמָנוּת מְעוּלָּה, וִירטוּאוֹזִיּוּת
virtuoso *n*	אוֹמָן בְּחֶסֶד עֶלְיוֹן
virtuous *adj*	מוּסָרִי, יָשָׁר, צַדִּיק
virulence *n*	אַרְסִיּוּת עַזָּה
virulent *adj*	אַרְסִי; מִידַּבֵּק
virus *n*	נְגִיף, וִירוּס
visa *n, vt*	(נָתַן) אֲשָׁרָה
visage *n*	חָזוּת, מַרְאֶה
vis-a-vis *adj, adv*	פָּנִים אֶל פָּנִים
viscera *n*	קְרָבַיִים
viscount *n*	וִיקוֹנְט
viscountess *n*	וִיקוֹנְטִית
viscous *adj*	דָּבִיק, צָמִיג
vise, vice *n*	מֶלְחָצַיִים
visible *adj*	נִרְאֶה, גָּלוּי לָעֵינַיִים
visibly *adv*	גְּלוּיוֹת, בְּאוֹפֶן נִרְאֶה לָעַיִן
vision *n*	רְאִיָּה; חָזוֹן, מַרְאֶה
visionary *n, adj*	הוֹזֶה, חוֹלֵם; דִּמְיוֹנִי; בַּעַל דִּמְיוֹן
visit *vt, vi*	בִּיקֵּר, סָר אֶל
visit *n*	בִּיקּוּר
visitation *n*	בִּיקּוּר; עוֹנֶשׁ מִשָּׁמַיִים
visiting card *n*	כַּרְטִיס בִּיקּוּר
visiting nurse *n*	אָחוֹת מְבַקֶּרֶת חוֹלִים
visitor *n*	אוֹרֵחַ, מְבַקֵּר
visor *n*	מִצְחַת קַסְדָּה
vista *n*	מַרְאֶה, נוֹף
visual *adj*	חָזוּתִי, רְאִיּוּתִי
visualize *vt*	הֶחֱזָה; חָזָה
vital *adj*	חִיּוּנִי; הֶכְרֵחִי
vitality *n*	חִיּוּת, חִיּוּנִיּוּת
vitalize *vt*	הֶחֱיָה, נָפַח חַיִּים בּ...
vitamin *n*	וִיטָמִין
vitiate *vt*	קִלְקֵל, זִיהֵם, פָּסַל
vitreous *adj*	זְגוּגִי
vitriolic *adj*	נוֹקֵב, צוֹרֵב
vituperate *vt*	גִּידֵּף
viva *interj, n*	׳יְחִי!׳
vivacious *adj*	מָלֵא רוּחַ חַיִּים
vivacity *n*	חִיּוּת, עֵרָנוּת
viva-voce *adj, adv, n*	בְּדִיבּוּר חַי
vivid *adj*	חַי, מָלֵא חַיִּים
vivify *vt*	הֵפִיחַ רוּחַ חַיִּים
vivisection *n*	נִיתּוּחַ בַּעֲלֵי חַיִּים
vixen *n*	מִרְשַׁעַת; שׁוּעָלָה
vocabulary *n*	אוֹצַר מִלִּים
vocal *adj*	קוֹלִי, בַּעַל קוֹל
vocalist *n*	זַמָּר
vocation *n*	מִשְׁלַח־יָד; יִיעוּד
vocative *adj, n*	(שֶׁל) יַחֲסַת פְּנִיָּיה
vociferate *vt*	צָעַק, צָרַח
vociferous *adj*	צַעֲקָנִי, צַרְחָנִי
vogue *n*	אוֹפְנָה, מַהֲלָכִים
voice *n*	קוֹל
voice *vt*	בִּיטֵּא, הִבִּיעַ, הִשְׁמִיעַ
voiceless *adj*	חֲסַר קוֹל
void *adj*	בָּטֵל; נְטוּל תּוֹקֶף

void *n* מָקוֹם רֵיק, חָלָל
void *vt, vi* בִּיטֵּל; רוֹקֵן, הֵרִיק
voile *n* אֲרִיג שְׂמָלָה
volatile *adj* מִתנַדֵּף; קַל־דַּעַת
volcanic *adj* ווּלקָנִי, שֶׁל הַר־גַּעַשׁ
volition *n* רָצוֹן; בְּחִירָה
volley *n* מַטַּח יְרִיּוֹת; (בטניס) מַכַּת יְעָף
volley *vt, vi* יָרָה צְרוֹר; הִכָּה בִּיעָף
volleyball *n* כַּדּוּר עָף
volplane *vi, n* דָּאָה; דְאִיָּה
volt *n* וולט
voltage *n* וולטָג׳
voltaic *adj* וולטִי
volte-face *n* סִיבּוּב לְאָחוֹר
voltmeter *n* מַד־מֶתַח
voluble *adj* קוֹלֵחַ מִלִּים
volume *n* כֶּרֶךְ; נֶפַח
voluminous *adj* רַב־מְמַדִּים
voluntary *adj* ווֹלוּנטָרִי, הִתנַדְּבוּתִי
voluntary *n* סוֹלוֹ בְּעוּגָב (בכנסייה)
volunteer *n* מִתנַדֵּב
volunteer *vt, vi* הִתנַדֵּב; הִצִּיעַ
voluptuary *n, adj* מִתמַכֵּר לְתַעֲנוּגוֹת חוּשָׁנִיִּים
voluptuous *adj* חוּשָׁנִי, תַּאַוותָנִי
vomit *n* הֲקָאָה; קִיא
vomit *vt, vi* הֵקִיא
voodoo *n, adj* כְּשָׁפִים; מְכַשֵּׁף ווּדוּ
voracious *adj* רַעַבתָן, זוֹלְלָן
voracity *n* זְלִילָה, רַעַבתָנוּת
vortex *n* (*pl* vortices) מְעַרבּוֹלֶת; גַּלגַּל סוּפָה
votary, votarist *n* אָדוּק, חָסִיד; נָזִיר
vote *n* קוֹל, דֵּעָה, הַצבָּעָה
vote *vt* בָּחַר, הִצבִּיעַ
vote getter *n* מוֹשֵׁךְ קוֹלוֹת
voter *n* מַצבִּיעַ, בּוֹחֵר
votive *adj* מְקוּדָּשׁ; שֶׁל נֶדֶר
vouch *vt, vi* אִישֵּׁר; עָרַב
voucher *n* עָרֵב; תְּעוּדָה, שׁוֹבֵר
vouchsafe *vt, vi* הֶעֱנִיק; הוֹאִיל בְּרוֹב טוּבוֹ ל...
vow *n* נֶדֶר, הַצהָרָה חֲגִיגִית
vow *vt* נָדַר, הִבטִיחַ
vowel *n* תְּנוּעָה
voyage *n* מַסָּע (באונייה)
voyage *vi* נָסַע (באונייה)
voyager *n* נוֹסֵעַ
V.P. *abbr* Vice-President
vs. *abbr* versus
vulcanize *n* גִּיפֵּר
vulgar *adj* גַּס, הֲמוֹנִי
vulgarity *n* גַּסּוּת, הֲמוֹנִיּוּת
Vulgate *n* ווּלגָטָה
vulnerable *adj* פָּגִיעַ
vulture *n* פֶּרֶס, עַיִט

W

W, w דַּבֶּל־יוּ (הָאוֹת הָעֶשְׂרִים־וּשְׁלוֹשׁ בְּאָלֶפְבֵּית)

W. *abbr* Wednesday, West

wad *vt* צָרַר; מָעַךְ

wad *n* מוֹךְ; צְרוֹר רַךְ

wadding *n* צֶמֶר גֶּפֶן, מוֹךְ; מִילּוּי

waddle *vi* הָלַךְ כְּבַרְוָז

waddle *n* הִתְבַּרְוְזוּת, בִּרְווּז

wade *vi, vt* הָלַךְ בְּרֶגֶל בְּמַיִם; עָבַר בִּכְבֵדוּת

wafer *n* אֲפִיפִית; מַרְקוֹעַ

waffle *n* עוּגָה מְחוֹרֶצֶת

waft *vt* הֵנִיף, נָשָׂא

wag *vt* נִעְנַע, כִּשְׁכֵּשׁ (בזנבו)

wag *n* נִעְנוּעַ, כִּשְׁכּוּשׁ (בזנב); לֵיצָן

wage *vt* עָרַךְ (מלחמה)

wage *n* שָׂכָר

wage-earner *n* עוֹבֵד בְּשָׂכָר

wager *n* הִימּוּר, הִתְעָרְבוּת

wager *vt, vi* הִתְעָרֵב, הִימֵּר

waggish *adj* לֵיצָנִי

wagon *n* קְרוֹן־מִטְעָן

wagtail *n* נַחֲלִיאֵלִי

waif *n* חֲסַר בַּיִת (עזובי)

wail *vi, vt* בָּכָה, קוֹנֵן

wail *n* בְּכִיָּיה, קִינָה

wainscot *n* לִיוּוּחַ קִיר

waist *n* מוֹתְנַיִם; לְסוּטָה

waistband *n* חֲגוֹרָה

waistcloth *n* עֲטִיפַת מוֹתְנַיִם

waistcoat *n* חֲזִיָּיה

waistline *n* קַו הַמּוֹתְנַיִם

wait *vi, vt* הִמְתִּין, חִיכָּה; הִגִּישׁ (אוכל)

wait *n* צִיפִּיָּיה, חִיכִּיָּיה

waiter *n* מֶלְצַר

waiting list *n* רְשִׁימַת תּוֹר

waiting-room *n* חֲדַר־הַמְתָּנָה

waitress *n* מֶלְצָרִית

waive *vt* וִיתֵּר עַל

wake *vt, vi* (woke) הֵעִיר; הִתְעוֹרֵר

wake *n* מִשְׁמַר כָּבוֹד (למת); עִקְבָה, שׁוֹבֶל (של אונייה); עֲקֵבוֹת

wakeful *adj* עֵרָנִי

wakefulness *n* עֵרָנוּת, עֵרוּת

waken *vi, vt* הִתְעוֹרֵר; הֵעִיר

Wales *n* וֵלְס

walk *vi, vt* הָלַךְ, הִתְהַלֵּךְ; הוֹלִיךְ

walk *n* דֶּרֶךְ, שְׁבִיל; טִיּוּל בְּרֶגֶל

walker *n* הַלְּכָן

walkie-talkie *n* שַׁחֲנוֹעַ

walking-papers *n* מִכְתַּב־פִּיטוּרִים

walking-stick *n* מַקֵּל הֲלִיכָה

walk-on *n* תַּפְקִיד פָּעוּט (בתיאטרון)

walkout *n* שְׁבִיתַת עוֹבְדִים

walkover *n* נִיצָּחוֹן קַל

wall *n* קִיר, דוֹפֶן

wall-board *n* לוּחַ דוֹפֶן

wallet *n* תִּיק, אַרְנָק

wallflower *n* כּוֹתְלִית; פֶּרַח־קִיר

wallop *vt* הִכָּה

wallop *n* מַהֲלוּמָה

wallow *vi* הִתְפַּלֵּשׁ

wallow *n* הִתְפַּלְּשׁוּת

wallpaper *n* טַפֵּיטֵי נְיָר, נְיַר־קִיר

walnut *n* אֱגוֹזָה
walrus *n* סוּס־יָם
waltz *n* וַלְס
wan *adj* חִיוֵּר
wand *n* מַטֶּה; שַׁרְבִיט
wander *vi* שָׁט, שׁוֹטֵט; נָדַד
wanderer *n* נוֹדֵד
wanderlust *n* תַּאֲוַת נְדוּדִים
wane *vi* הִתְמַעֵט
wane *n* יְרִידָה, הִתְמַעֲטוּת
wangle *vt* הִשִּׂיג בִּדְרָכִים לֹא כְּשֵׁרוֹת
wangle *n* תְּחִבּוּל, זִיּוּף
want *vt, vi* חָסַר; צָרִיךְ; רָצָה
want *n* מַחְסוֹר; רָצוֹן; צוֹרֶךְ; עוֹנִי
wanton *adj, n* זְדוֹנִי, מְרוּשָּׁע; מוּפְקָר
war *n* מִלְחָמָה
warble *vt, vi* סִלְסֵל
warble *n* סִלְסוּל קוֹל
warbler *n* סִיבְּכִי מְזַמֵּר
war-cloud *n* סַכָּנַת מִלְחָמָה
ward *vi* דָּחָה, מָנַע
ward *n* אֵיזוֹר, רוֹבַע; בֶּן־חָסוּת
warden *n* מְמוּנֶּה, אֶפִּיטְרוֹפּוֹס; רַב־סוֹהֵר
ward heeler *n* מְשָׁרֵת מִפְלָגָה
wardrobe *n* אֲרוֹן בְּגָדִים; מֶלְתָּחָה
wardrobe trunk *n* מִזְוֶדֶת אָרוֹן
wardroom *n* (בְּאוֹנִיָּה) מְגוּרֵי הַקְּצִינִים
ware *n* סְחוֹרָה; מוּצָרִים
war-effort *n* מַאֲמַץ מִלְחָמָה
warehouse *n, vt* מַחְסָן
warehouseman *n* מַחְסְנַאי, אַפְסְנַאי
warfare *n* לוֹחְמָה, לְחִימָה
warhead *n* רֹאשׁ חֵץ
warily *adv* בִּזְהִירוּת
wariness *n* זְהִירוּת
warlike *adj* מִלְחַמְתִּי
war loan *n* מִלְוֵה מִלְחָמָה
warm *adj* חָמִים, חַם
warm *vt, vi* חִימֵּם, שִׁלְהֵב; הִתְחַמֵּם
warm-blooded *adj* חַם־דָּם
war memorial *n* אַנְדַּרְטָה לַנּוֹפְלִים
warmhearted *adj* חַם־לֵב, לְבָבִי
warmonger *n* מְחַרְחֵר מִלְחָמָה
warmth *n* חוֹם; חֲמִימוּת
warm-up *n* הִתְחַמְּמוּת; הִתְכּוֹנְנוּת
warn *vt* הִזְהִיר
warning *n* אַזְהָרָה
warp *vt, vi* עִיקֵּל, פִּיתֵּל; עִיוּוֵת
warpath *n* שְׁבִיל הַלּוֹחֲמִים
warplane *n* מָטוֹס צְבָאִי
warrant *n* הַרְשָׁאָה; סַמְכוּת
warrant *vt* הִרְשָׁה; הִצְדִּיק; עָרַב
warrantable *adj* שֶׁנִּיתָּן לְהַצְדִּיקוֹ
warrant officer *n* נַגָּד בָּכִיר
warren *n* שְׁפַנִיָּה
warrior *n* אִישׁ מִלְחָמָה
Warsaw *n* וַרְשָׁה
warship *n* אוֹנִיַּית מִלְחָמָה
wart *n* יַבֶּלֶת; גַּבְשׁוּשִׁית
wartime *n* תְּקוּפַת מִלְחָמָה
war-torn *adj* חֲרֵב מִלְחָמָה
war-to-the-death *n* מִלְחָמָה עַד חוֹרְמָה
wary *adj* זָהִיר, חוֹשְׁדָנִי
wash *vt, vi* רָחַץ, שָׁטַף; נִשְׁטַף, נִגְרַף
wash *n* רְחִיצָה; שְׁטִיפָה
washable *adj* כָּבִיס
washbasin *n* קַעֲרַת רַחְצָה

washbasket *n* סַל כְּבִיסָה
washboard *n* לוּחַ כְּבִיסָה
washbowl *n* קַעֲרַת רַחְצָה
washcloth *n* סְמַרְטוּט רְחִיצָה
washday *n* יוֹם כְּבִיסָה
washed-out *adj* דָהוּי; עָיֵף
washed-up *adj* רָצוּץ מֵעֲיֵפוּת
washer *n* מְכַבֵּס; דִיסְקִית
washerwoman *n* כּוֹבֶסֶת
wash goods *n pl* אֲרִיגִים כְּבִיסִים
washing *n* רְחִיצָה, כְּבִיסָה
washing-machine *n* מְכוֹנַת כְּבִיסָה
washing-soda *n* סוֹדָה לְכְבִיסָה
washout *n* שֶׁבֶר סַחַף; כִּישָׁלוֹן
washrag *n* מַטְלִית רְחִיצָה
washroom *n* חֲדַר כְּבִיסָה; חֲדַר נוֹחִיּוּת
washstand *n* כִּיּוֹר
washtub *n* גִיגִית
waste *vt* בִּזְבֵּז, פִּיזֵּר; הִתְבַּזְבֵּז
waste *adj* שָׁמֵם; לֹא מְנוּצָל; מְיוּתָּר
waste *n* בִּזְבּוּז; אַדְמַת בּוּר; פְּסוֹלֶת
waste-basket *n* סַל פְּסוֹלֶת
wasteful *adj* בַּזְבְּזָנִי
waste paper *n* נְיַיר פְּסוֹלֶת
wastrel *n* בַּזְבְּזָן, פַּזְרָן; רֵיקָה
watch *n* שְׁמִירָה; מִשְׁמָר; שָׁעוֹן
watch *vi, vt* צָפָה, הִתְבּוֹנֵן; צִיפָּה
watchcase *n* קוּפְסַת שָׁעוֹן
watchdog *n* כֶּלֶב שְׁמִירָה
watchful *adj* עֵר, עֵרָנִי
watchfulness *n* עֵרָנוּת
watchmaker *n* שֶׁעָן
watchman *n* שׁוֹמֵר
watch-night *n* לֵיל שִׁימּוּרִים
watchstrap *n* רְצוּעַת שָׁעוֹן
watchtower *n* מִגְדַל תַּצְפִּית
watchword *n* סִיסְמַת שְׁמִירָה
water *n* מַיִם
water *vt, vi* הִשְׁקָה, הִרְוָה; זָלַג
water-carrier *n* שׁוֹאֵב מַיִם; מוֹבִיל מַיִם
water-closet *n* בֵּית־כִּסֵּא
water-color *n* צֶבַע מַיִם; צִיּוּר בְּצִבְעֵי־מַיִם
watercourse *n* אֲפִיק מַיִם
water-cress *n* גַרְגִיר הַנְּחָלִים
waterfall *n* אֶשֶׁד, מַפַּל־מַיִם
water-front *n* שֶׁטַח חוֹף
water gap *n* עָרוּץ, גַיְא
water-heater *n* מֵחַם, דוּד חִימּוּם
watering-can *n* מַזְלֵף
watering-place *n* מְקוֹם מֵי־מַרְפֵּא
watering pot *n* מַזְלֵף
watering trough *n* שׁוֹקֶת
water-lily *n* חֲבַצֶּלֶת מַיִם
waterline *n* קַו־מַיִם
water-main *n* מוֹבָל רָאשִׁי
watermark *n* סִימַן מַיִם
watermelon *n* אֲבַטִּיחַ
water-meter *n* מַדְמַיִם
water-pipe *n* צִינּוֹר מַיִם
water polo *n* כַּדּוּר מַיִם
waterproof *adj, n* עֲמִיד־מַיִם, חֲסִין־מַיִם; אַבַּרְזִין; מְעִיל־גֶשֶׁם
watershed *n* קַו פָּרָשַׁת מַיִם
water ski *n* סְקִי מַיִם
waterspout *n* עַמּוּד מַיִם; שֶׁבֶר עָנָן
water supply system *n* מַעֲרֶכֶת אַסְפָּקַת מַיִם
watertight *adj* אֲטִים מַיִם; מוּשְׁלָם

water-tower *n* מִגְדַּל־מַיִם

water wagon *n* מַשָּׂאִית מַיִם

waterway *n* דֶּרֶךְ מַיִם

water-weed *n* עֵשֶׂב מַיִם

water-wings *n pl* כַּנְפֵי־מַיִם

watery *adj* מֵימִי; דוֹמֵעַ

watt *n* וַט

wattage *n* וַטָּג׳

watt-hour *n* וַט־שָׁעָה

wattle *n* סְכָךְ, סְכָכָה; גָּדֵר קְלוּעָה

wave *vi, vt* נָע בְּגַלִּים; נוֹפֵף

wave *n* גַּל, נַחְשׁוֹל; סִלְסוּל (שֵׂיעָר)

waver *vi* הִתְנוֹדֵד; הִבְהֵב; הִיסֵּס

wavy *adj* מְפוּתָּל; גַּלִּי, מְסוּלְסָל

wax *n* שַׁעֲוָה, דּוֹנַג

wax *vt* מָשַׁח בְּדוֹנַג

wax-paper *n* נְיַר שַׁעֲוָה

wax taper *n* פְּתִילַת שַׁעֲוָה

way *n* דֶּרֶךְ, מַהֲלָךְ; אוֹפֶן; נוֹהַג; נָתִיב

waybill *n* רְשִׁימַת נוֹסְעִים (אוֹ מִטְעָן)

wayfarer *n* צוֹעֵד, מְהַלֵּךְ

waylay *vt* אָרַב; לְסַטֵּם

wayside *n, adj* (שֶׁל) שׁוּלֵי הַכְּבִישׁ

way-station *n* תַּחֲנַת בֵּינַיִים

way train *n* רַכֶּבֶת מְאַסֶּפֶת

wayward *adj* סוֹטֶה; אָנוֹכִיִּי; קַפְּרִיסִי

we *pron* אֲנַחְנוּ, אָנוּ

weak *adj* חַלָּשׁ; רָפֶה; קָלוּשׁ

weaken *vt, vi* הֶחֱלִישׁ; נֶחֱלַשׁ

weakling *n* יְצוּר חָלוּשׁ

weak-minded *adj* רְפֵה שֵׂכֶל

weakness *n* חוּלְשָׁה, רִפְיוֹן

weal *n* רְוָוחָה; צַלֶּקֶת

wealth *n* עוֹשֶׁר; שֶׁפַע

wealthy *adj* עָשִׁיר

wean *vt* גָּמַל

weapon *n* כְּלִי־נֶשֶׁק

wear *vt, vi* לָבַשׁ; נָעַל; חָבַשׁ (כּוֹבַע); בָּלָה, נִשְׁחַק; הִשְׁתַּמֵּר, הֶחֱזִיק מַעֲמָד

wear *n* לְבוּשׁ, מַלְבּוּשׁ; בְּלַאי; יְגִיעָה

wear and tear *n* בְּלַאי וּפְחָת

weariness *n* לֵאוּת, עֲיֵיפוּת

wearing apparel *n* לְבוּשׁ

wearisome *adj* מַלְאֶה

weary *adj* עָיֵף; מַלְאֶה

weary *vt, vi* עִיֵּף, הוֹגִיעַ

weasel *n* סַמּוּר; עָרוּם

weasel-faced *adj* פַּרְצוּף סַמּוּר

weasel words *n pl* דִּיבּוּרִים דּוּ־מַשְׁמָעִיִּים

weather *n* מֶזֶג־אֲוִויר

weather *vt, vi* יִיבֵּשׁ בָּאֲוִויר; הוּשְׁפַּע מֵהָאֲוִויר; הֶחֱזִיק מַעֲמָד; בָּלָה

weather-beaten *adj* שְׁדוּף־רוּחוֹת

weather bureau *n* שֵׁרוּת מֵטֵאוֹרוֹלוֹגִי

weathercock *n* שַׁבְשֶׁבֶת

weatherman *n* חַזַּאי

weather report *n* דּוּ״חַ מֶזֶג־הָאֲוִויר

weather-vane *n* שַׁבְשֶׁבֶת

weave *vt, vi* אָרַג; שֵׂירֵךְ דְּרָכָיו; שָׁזַר, הִשְׁתַּזֵּר

weave *n* מִרְקָם, מַאֲרָג

weaver *n* אוֹרֵג

web *n* רֶשֶׁת; מַסֶּכֶת, אָרִיג

web-footed *adj* בַּעַל רַגְלֵי שְׂחִיָּה

wed *vt, vi* הִשִּׂיא; נָשָׂא, נִישְּׂאָה

wedding *n* חֲתוּנָּה

wedding-cake *n* עוּגַת חֲתוּנָּה

wedding-day *n* יוֹם חֲתוּנָּה, יוֹם כְּלוּלוֹת

wedding march *n* תַּהֲלוּכַת כְּלוּלוֹת
wedding night *n* לֵיל כְּלוּלוֹת
wedding ring *n* טַבַּעַת נִישׂוּאִין
wedge *vt, vi* יִיתֵּד; בִּיקֵּעַ בְּטְרִיז
wedge *n* טְרִיז; יָתֵד; קוֹנוּס מְהַדֵּק
wedlock *n* נִישׂוּאִים
Wednesday *n* יוֹם רְבִיעִי, יוֹם ד׳
wee *adj* פָּעוּט, קָטָן
weed *n* עֵשֶׂב רַע, עֵשֶׂב שׁוֹטֶה
weed *vt, vi* עָקַר עֵשֶׂב רַע
weed-killer *n* קוֹטֵל עֲשָׂבִים מַזִּיקִים
week *n* שָׁבוּעַ
weekday *n* יוֹם חוֹל
weekend *n* סוֹף־שָׁבוּעַ
weekly *adj, adv* שְׁבוּעִי
weekly *n* שְׁבוּעוֹן
weep *vi, vt* בָּכָה, שָׁפַךְ דְּמָעוֹת
weeper *n* בּוֹכֶה; מְקוֹנֵן
weeping willow *n* עֲרָבָה
מוּטַּת־עֲנָפִים, עַרְבַת־בָּבֶל
weepy *adj* בַּכְיָינִי
weevil *n* חִדְקוֹנִית
weigh *vt, vi* שָׁקַל
weight *n* מִשְׁקָל; מִשְׁקוֹלֶת, כּוֹבֶד
weight *vt* הוֹסִיף מִשְׁקָל; הִכְבִּיד
weightless *adj* חֲסַר מִשְׁקָל
weighty *adj* כָּבֵד, כְּבַד מִשְׁקָל
weir *n* סֶכֶר; מַגָּר
weird *adj* עַל־טִבְעִי; מִסְתּוֹרִי;
מוּזָר
welcome *adj* רָצוּי, מִתְקַבֵּל בְּשִׂמְחָה
welcome! *interj* בָּרוּךְ הַבָּא!
welcome *n* קַבָּלַת פָּנִים
welcome *vt* קִידֵּם בִּבְרָכָה
weld *vt, vi* רִיתֵּךְ; חִיבֵּר

welder *n* רַתָּךְ
welding *n* רִיתּוּךְ
welfare *n* טוֹבָה, רְווָחָה
welfare state *n* מְדִינַת סַעַד
well *n* בְּאֵר, מַבּוּעַ, מַעְיָן
well *vi* נָבַע, פָּרַץ
well *adv* הֵיטֵב, יָפֶה, טוֹב
well *adj* בָּרִיא; מַשְׂבִּיעַ רָצוֹן
well-appointed *adj* מְצוּיָּד כַּהֲלָכָה
well-attended *adj* שֶׁהַהִשְׁתַּתְּפוּת
בּוֹ מְנִיחָה אֶת הַדַּעַת
well-balanced *adj* מְאוּזָּן יָפֶה
well-behaved *adj* מִתְנַהֵג כָּרָאוּי
well-being *n* אוֹשֶׁר, טוֹב
well-bred *adj* מְחוּנָּךְ יָפֶה
well-disposed *adj* מִתְכַּוֵּון לְטוֹב
well-done *adj* עָשׂוּי כַּהֲלָכָה
well-formed *adj* גְּזוּר יָפֶה
well-founded *adj* מְבוּסָּס
well-groomed *adj* לָבוּשׁ בִּקְפִידָה
well-heeled *adj* אָמִיד
well-informed *adj* יוֹדֵעַ דָּבָר
well-intentioned *adj* שֶׁכַּוָּונָתוֹ טוֹבָה
well-kept *adj* מְטוּפָּח, נִשְׁמָר הֵיטֵב
well-known *adj* יָדוּעַ, מְפוּרְסָם
well-meaning *adj* מִתְכַּוֵּון לְטוֹבָה
well-nigh *adv* כִּמְעַט
well-off *adj* אָמִיד
well-preserved *adj* נִשְׁמָר יָפֶה
well-read *adj* בָּקִיא בִּסְפָרִים
well-spent *adj* שֶׁהוּצָא בְּיְעִילוּת
well-spoken *adj* נֶאֱמָר יָפֶה,
מְדַבֵּר דִּבְרֵי טַעַם
wellspring *n* מָקוֹר
well sweep *n* מַעֲלֶה דְּלִי (בִּבְאֵר)

well-thought-of *adj* שֶׁהַדֵּעוֹת עָלָיו טוֹבוֹת
well-timed *adj* בְּעִיתּוֹ
well-to-do *adj* אָמִיד
well-wisher *n* דּוֹרֵשׁ טוֹבָתוֹ שֶׁל
well-worn *adj* בָּלֶה; מְשׁוּמָּשׁ
welsh *vt, vi* הִתְחַמֵּק מִתַּשְׁלוּם
Welshman *n* וֶלְשִׁי
welt *n* סִימַן מַלְקוֹת, חַבּוּרָה
welter *vi* הִתְבּוֹסֵס
welter *n* עִרְבּוּבְיָה; מְבוּכָה וּמְהוּמָה
welterweight *n* מִשְׁקָל פְּלַג־בֵּינוֹנִי
wench *n* צְעִירָה, בַּחוּרָה
wend *vt* שָׂם פָּנָיו
west *n, adj, adv* מַעֲרָב; מַעֲרָבִי; מַעֲרָבָה
westering *adj* נוֹטֶה מַעֲרָבָה
western *adj, n* מַעֲרָבִי; מַעֲרָבוֹן
westward *adj, adv* מַעֲרָבָה
wet *adj* לַח, רָטוֹב
wet *vt, vi* הִרְטִיב; נִרְטַב
wetback *n* גּוֹנֵב גְּבוּל (מקסיקני)
wet blanket *n* מְדַכֵּא הִתְלַהֲבוּת
wet goods *n pl* סְחוֹרוֹת נוֹזְלוֹת
wet-nurse *n* מֵינֶקֶת
w.f. *abbr* wrong font תֵּיבָה זָרָה
whack *vt, vi* הִצְלִיף חָזָק
whack *n* מַהֲלוּמָה; (דיבורית) חֵלֶק
whale *n* לִוְיָתָן
whale *vi* צָד לִוְיָתָנִים
wharf *n* מֵזַח, מַעֲגָן
what *pron, adj, adv, interj, conj* מַה; מַה?; מַה שֶׁ...; אֵיזֶה, אֵיזוֹ, אֵילוּ
whatever *pron, adj* כָּל מַה, כָּלשֶׁהוּ
whatnot *n* כָּלשֶׁהוּ, מַה שֶׁתִּרְצֶה
what's-his-name *n* ׳מַה־שְּׁמוֹ׳
wheat *n* חִיטָּה
wheedle *vt, vi* פִּיתָּה, הִשִּׁיא
wheel *n* גַּלְגַּל, אוֹפַן; הֶגֶה
wheel *vi, vt* שִׁינָּה כִּיווּן; נָסַע עַל גַּלְגַּלִּים
wheelbarrow *n* מְרִיצָה
wheelbase *n* בְּסִיס הַגַּלְגַּלִּים
wheel-chair *n* כִּיסֵּא גַּלְגַּלִּים
wheeler-dealer *n* (המונית) אִישׁ־בֵּינַיִים בַּעַל קְשָׁרִים וְתוּשִׁיָּה
wheel-horse *n* סוּס הַגַּלְגַּל
wheelwright *n* עוֹשֵׂה גַּלְגַּלִּים
wheeze *vi* נָשַׁם בִּכְבֵדוּת
wheeze *n* גְּנִיחָה; בְּדִיחָה
whelp *n* גּוּר חַיָּה
whelp *vt* הִמְלִיטָה
when *adv, conj, pron* כַּאֲשֶׁר, כְּשֶׁ...; מָתַי?
whence *adv* מִמָּקוֹם שֶׁ...; מֵאַיִן?, מִנַּיִן?
whenever *adv, conj* בְּכָל זְמַן שֶׁ...
where *adv, conj, pron* הֵיכָן?, אֵיפֹה?; בְּמָקוֹם שֶׁ...; לְאָן?
whereabouts *n* סְבִיבָה
whereabouts *conj, adv* הֵיכָן בְּעֵרֶךְ?; בִּסְבִיבָה
whereas *conj* וְאִילוּ; הוֹאִיל וּ...
whereby *adv* שֶׁבּוֹ, שֶׁבְּאֶמְצָעוּתוֹ
wherefore *conj* לָמָּה, מַדּוּעַ?; לְפִיכָךְ
wherefrom *adv* מֵהֵיכָן שֶׁ...
wherein *adv* שֶׁבּוֹ, שֶׁשָּׁם
whereof *adv* שֶׁמִּשָּׁם, שֶׁמִּמֶּנּוּ
whereupon *adv* עַל כָּךְ, לְפִיכָךְ
wherever *adv, conj* בְּכָל מָקוֹם שֶׁהוּא

wherewithal *n* מִימּוּן
whet *vt* חִידֵּד, הִשְׁחִיז; גֵּירָה
whether *conj* אִם, בֵּין אִם
whetstone *n* אֶבֶן מַשְׁחֶזֶת
which *pron, adj* אֵיזֶה, לְאֵיזֶה; שֶׁ..., אֲשֶׁר
whichever *pron, adj* אֵיזֶשֶׁהוּ; כָּלשֶׁהוּ
whiff *n* מַשָּׁב קַל
whiff *vi* נָשַׁב קַלּוֹת
while *n* שָׁעָה קַלָּה
while *conj* בְּעוֹד, שָׁעָה שֶׁ...
while *vt* הֶעֱבִיר זְמַנּוֹ
whim *n* צִפּרוֹנוּת, קַפְּרִיסָה
whimper *vi, n* יִיבֵּב; יְבָבָה
whimsical *adj* קַפְּרִיסִי, מוּזָּר
whine *vi, vt* יִיבֵּב, יִילֵּל
whine *n* יְבָבָה, תְּלוּנָּה
whinny *vi, n* צָהַל; צָהֳלָה (שׁל סוּס)
whip *vt, vi* הִצְלִיף, הִלְקָה
whip *n* שׁוֹט, מַגְלֵב; (בְּבֵית־הַנִּבְחָרִים) מַצְלִיף
whipcord *n* חֶבֶל שׁוֹט
whip hand *n* יִתְרוֹן כּוֹחַ
whiplash *n* צְלִיפַת שׁוֹט
whipped cream *n* קַצֶּפֶת
whippersnapper *n* שַׁחֲצָן
whippet *n* וִיפֶּט
whipping-boy *n* שְׂעִיר לַעֲזָאזֵל
whir(r) *vi* טָס בְּזִמְזוּם
whir(r) *n* טִיסָה בְּזִמְזוּם
whirl *vi, vt* הִסְתּוֹבֵב; סוֹבֵב
whirl *n* עִרְבּוּל; סִיבּוּב
whirligig *n* סְבִיבוֹן; גַּלְגַּל חוֹזֵר
whirlpool *n* מְעַרְבּוֹלֶת
whirlwind *n* עַלְעוֹל
whirly bird *n* מַסּוֹק, הֶלִיקוֹפְּטֶר
whisk *vt, vi* טִאטֵא בְּמַטְאֲטוֹן
whisk *n* מַטְאֲטֵא עֵשֶׂב, מַטְאֲטוֹן
whisk broom *n* מִבְרֶשֶׁת טִאטוּא
whiskers *n pl* זְקַן לְחָיַיִם
whisk(e)y *n* וִיסְקִי
whisper *vi, vt* לָחַשׁ
whisper *n* לְחִישָׁה
whispering *n* הִתְלַחֲשׁוּת, לַחַשׁ
whist *n* וִיסְט
whistle *vi, vt* שָׁרַק, צִפְצֵף
whistle *n* שְׁרִיקָה, צִפְצוּף; צַפְצֵפָה
whistle stop *n* תַּחֲנַת שְׁרִיקָה
whit *n* שֶׁמֶץ
white *adj* לָבָן, צָחוֹר, חִיוֵּר
white *n* צֶבַע לָבָן, לוֹבֶן; חֶלְבּוֹן (בֵּיצָה)
whitecap *n* נַחְשׁוֹל, מִשְׁבָּר
white-collar *adj* לְבֶן־צַוָּארוֹן
white feather *n* פַּחְדָנוּת
white-haired *adj* כְּסוּף שֵׂיעָר; חָבִיב
white heat *n* חוֹם לָבָן; הִשְׁתַּלְהֲבוּת יֵצֶר
White House *n* הַבַּיִת הַלָּבָן
white lie *n* שֶׁקֶר לָבָן
whiten *vt, vi* הִלְבִּין
whiteness *n* לוֹבֶן
white slavery *n* סְחַר זוֹנוֹת
white tie *n* עֲנִיבָה לְבָנָה; חֲלִיפַת עֶרֶב
whitewash *n* תְּמִיסַּת סִיד
whitewash *vt* סִייֵּד; טִיהֵר
whither *adv, pron* לְאָן?; לְאֵיזוֹ מַטָּרָה
whitish *adj* לְבַנְבַּן
whitlow *n* דַּחַס, מַכַּת צִיפּוֹרֶן
Whitsuntide *n* שְׁבוּעַ חַג הַשָּׁבוּעוֹת

whittle *vt, n* גִילֵף; צִמצֵם
whiz *vi, vt* זִמזֵם
whiz *n* שְׁרִיקָה
who *pron* מִי?; אֲשֶׁר
whoever *pron* (כָּל) מִי שֶׁ...
whole *adj, n* שָׁלֵם, כָּל־, כּוֹל; כְּלָלוּת
wholehearted *adj* בְּכָל לֵב
wholesale *n, adj, adv* (שֶׁל) מְכִירָה סִיטוֹנִית; בְּסִיטוֹנוּת
wholesaler *n* סִיטוֹנַאי
wholesome *adj* מַבְרִיא
wholly *adv* בִּשְׁלֵמוּת, לְגַמרֵי
whom *pron* אֶת מִי?; לְמִי, שֶׁ..., שֶׁאוֹתוֹ
whomever *pron* אֶת מִי שֶׁ...
whoop *n* קְרִיאָה; גְנִיחָה
whoop *vi, vt* צָעַק; הִשׁמִיעַ גְנִיחָה
whooping-cough *n* שַׁעֶלֶת
whopper *n* (דיבּוּרית) עָצוּם; שֶׁקֶר גָדוֹל
whopping *adj* (דיבּוּרית) עֲנָקִי
whore *n, vi* זוֹנָה, זָנָה
whorl *n* חוּלְיָה שַׁבְּלוּלִית
whortleberry *n* אוּכמָנִית
whose *pron* שֶׁל מִי?; אֲשֶׁר לוֹ; שֶׁאֶת שֶׁלוֹ
why *adv, n* מַדוּעַ?, לָמָה?; הַסִּיבָּה
why *interj* מַה! (מלת קריאה)
wick *n* פְּתִילָה
wicked *adj* רָשָׁע, רָע
wicker *n, adj* נְצָר; קָלוּעַ
wicket *n* פִּשׁפָּשׁ, אֶשׁנָב; (בּקריקט) שַׁעַר, תּוֹר
wide *adj* רָחָב; בְּרוֹחַב שֶׁל
wide *adv* בְּמִידָה רַבָּה; לַמֶּרחַקִּים
wide-awake *adj, n* עֵר; עֵרָנִי
widen *vt, vi* הִרחִיב; הִתרַחֵב
wide-open *adj* פָּתוּחַ לָרְוָוחָה
widespread *adj* נָפוֹץ מְאוֹד
widow *n* אַלמָנָה
widow *vt* אִלמֵן
widower *n* אַלמָן
widowhood *n* אַלמָנוּת
widow's mite *n* נְדָבָה צְנוּעָה
widow's weeds *n pl* בִּגדֵי אֲבֵלוּת שֶׁל אַלמָנָה
width *n* רוֹחַב
wield *vt* הֶחֱזִיק וְהִפעִיל
wife *n* (*pl* wives) אִישָׁה (אשת־איש)
wig *n* פֵּיאָה נוֹכרִית
wiggle *vt, vi* התנוֹדֵד; הֵנִיעַ, כִּשׁכֵּשׁ
wiggle *n* נִדנוּד, הִתנוֹעֲעוּת; נִפתּוּל
wigwam *n* וִיגוָואם
wild *adj, adv* פִּראִי; פֶּרֶא; בָּר
wild *n* נְשַׁמָּה, מִדבָּר
wild-boar *n* חֲזִיר־בָּר
wild card *n* ג׳וֹקֶר
wildcat *n* חֲתוּל בָּר; יוֹזמָה פְּזִיזָה
wildcat strikes *n pl* שְׁבִיתוֹת פְּראִיוֹת
wilderness *n* מִדבָּר
wild-fire *n* אֵשׁ מִתלַקַּחַת
wild-goose *adj* אֲוָוז בָּר
wildlife *n* חַיּוֹת בָּר
wild oats *n pl* חַטאוֹת נְעוּרִים
wile *n* תַּחבּוּלָה
wilfulness *n* כַּוָּונָה; זָדוֹן; עַקשָׁנוּת
will *n* רָצוֹן; כּוֹחַ רָצוֹן
will *vi, vt* הִפעִיל רָצוֹן; הוֹרִישׁ
will *v aux* (פּוֹעל עזר להבּעת זמן עתיד)
willing *adj* מוּכָן; רוֹצֶה, מִשׁתּוֹקֵק

willingly *adv* בְּרָצוֹן
willingness *n* נְכוֹנוּת
will-o'-the-wisp *n* זוֹהַר בִּיצּוֹת; אַשְׁלָיָה
willow *n* עֲרָבָה
willowy *adj* דְּמוּי עֲרָבָה; תָּמִיר
will-power *n* כּוֹחַ רָצוֹן
willy-nilly *adv* בְּעַל כּוֹרְחוֹ
wilt *vt, vi* קָמַל; נֶחֱלַשׁ
wily *adj* עַרְמוּמִי
win *vi, vt* (won) נִיצֵּחַ; זָכָה בּ...; שָׁבָה לֵב
win *n* נִיצָּחוֹן; זְכִייָה
wince *vi* עִיוּוּת פָּנִים
wince *n* רְתִיעָה
wind *vt, vi* (wound) סִיבֵּב; לִיפֵּף; הִתְפַּתֵּל; נִכְרַךְ; כּוֹנֵן
wind *n* רוּחַ; גַּאזִים; כּוֹחַ נְשִׁימָה
wind *vt, vi* גָּרַם קָשְׁיֵי נְשִׁימָה
windbag *n* רוֹעֵה רוּחַ
windbreak *n* שׁוֹבֵר־רוּחַ
wind cone *n* שַׁרְווּל רוּחַ
winded *adj* קְצַר נְשִׁימָה
windfall *n* נְשׁוֹרֶת רוּחַ; יְרוּשָּׁה לֹא צְפוּיָה
winding-sheet *n* תַּכְרִיךְ
wind instrument *n* כְּלִי־נְשִׁיפָה
windmill *n* טַחֲנַת־רוּחַ
window *n* חַלּוֹן, אֶשְׁנָב
window-dressing *n* קִישּׁוּט חַלּוֹנוֹת רַאֲוָוה; הַצָּגָה לְרַאֲוָוה
window frame *n* מִסְגֶּרֶת חַלּוֹן
windowpane *n* שִׁמְשַׁת חַלּוֹן
window screen *n* רֶשֶׁת חַלּוֹן
window shade *n* מָסַךְ חַלּוֹן
window-shop *vi* סָקַר חַלּוֹנוֹת־רַאֲוָוה
window shutter *n* תְּרִיס חַלּוֹן
window sill *n* אֶדֶן חַלּוֹן
windpipe *n* קְנֵה הַנְּשִׁימָה
windshield *n* שִׁמְשַׁת מָגֵן
windshield washer *n* שׁוֹטֵף שְׁמָשׁוֹת
windshield wiper *n* מַגֵּב שְׁמָשׁוֹת
wind-sock *n* גֶּרֶב־רוּחַ
wind-up *n* סִיּוּם, סִיכּוּם; חִיסּוּל
windward *n, adj, adv* אֵיזוֹר הָרוּחַ; גָּלוּי לָרוּחַ
windy *adj* שֶׁל רוּחַ; חָשׂוּף לָרוּחַ
wine *n* יַיִן; אוֹדֶם יַיִן
wine *vt, vi* הִשְׁקָה בְּיַיִן; שָׁתָה יַיִן
wine cellar *n* מַרְתֵּף יַיִן
winegrower *n* כּוֹרֵם
winegrowing *n* כּוֹרְמוּת
wine press *n* גַּת
winery *n* יֶקֶב
wineskin *n* חֵמַת יַיִן
winetaster *n* טוֹעֵם יַיִן
wing *n* כָּנָף; אֲגַף
wing *vt, vi* נָתַן כְּנָפַיִם, הֵעִיף; יִירֵט; עָף, טָס
wing collar *n* צַוּוָארוֹן כְּנָפַיִם
wingspread *n* מוּטַת כְּנָפַיִם
wink *vi, vt* קָרַץ בְּעֵינוֹ
wink *n* קְרִיצָה, מִצְמוּץ
winner *n* מְנַצֵּחַ, זוֹכֶה
winning *adj* מְלַבֵּב, שׁוֹבֵה לֵב
winnings *n pl* רְוָחִים (בְּמִשְׂחָק)
winnow *vt* זָרָה; נִיפָּה
winsome *adj* שׁוֹבֵה לֵב, מְצוֹדֵד
winter *n, adj* חוֹרֶף; חוֹרְפִּי

winter *vi* חָרַף
wintry *adj* חוֹרְפִּי
winy *adj* יֵינִי; דְמוּי יַיִן
wipe *vt* מָחָה, נִיגֵב
wipe *n* נִיגוּב, מְחִיָּה
wiper *n* מְנַגֵּב, מוֹחֶה; מַגֵּב (שמשות)
wire *n* תַּיִל; מִברָק
wire *vt, vi* צִיֵּיד בְּתַיִל; טִלגרֵף
wirecutter, wirecutters *n* מִגזְרֵי־תַּיִל
wire gauge *n* מַד עוֹבִי תַּיִל
wire-haired *adj* סְמוּר שֵׂיעָר
wireless *adj, n* אַלחוּטִי; אַלחוּט, רַדיוֹ
wireless *vt, vi* טִלגרֵף; טִלפֵּן בְּאַלחוּט
wire nail *n* מַסמֵר תַּיִל
wirepulling *n* מְשִׁיכָה בְּחוּטִים; ׳פּרוֹטֶקציָה׳
wire recorder *n* רְשַׁמקוֹל תַּיִלִי
wire screen *n* מְחִיצַת תַּיִל
wire-tap *n* צוֹתֵת
wiring *n* תִּיוּל; רֶשֶׁת־תַּיִל
wiry *adj* תַּיִלִי; דַק וּשְׁרִירִי
wisdom *n* חָכמָה; בִּינָה
wise *adj, n* חָכָם, נָבוֹן
wiseacre *n* חָכָם (בלגלוג)
wisecrack *n* הֶעָרָה חֲרִיפָה
wise guy *n* (המונית) מִתחַכֵּם
wish *vt, vi* רָצָה, שָׁאַף; אִיחֵל
wish *n* רָצוֹן, חֵפֶץ; מִשְׁאָלָה
wishbone *n* עֶצֶם הַבְּרִיחַ
wishful *adj* רְצוֹנִי; מִשתּוֹקֵק
wishful thinking *n* הִרהוּרֵי לֵב
wistful *adj* מְהַרהֵר; עַגמוּמִי
wit *n* בִּינָה; שְׁנִינָה
witch *n* מְכַשֵּׁפָה
witch-hazel *n* אִלסַר הַקּוֹסֵם
with *prep* עִם; בּ..., עַל־יְדֵי
withal *adv, prep* מִלְּבַד זֹאת; עִם זֹאת
withdraw *vi, vt* נָסוֹג; הוֹצִיא; פָּרַשׁ; הֵסִיר
withdrawal *n* נְסִיגָה; פְּרִישָׁה; הוֹצָאָה
wither *vi, vt* קָמַל, כָּמַשׁ; כִּיוּוֵץ
withhold *vt* מָנַע, עָצַר, עִיכֵּב
withholding tax *n* נִיכּוּי מַס בַּמָּקוֹר
within *adv, n, prep* פְּנִימָה, לְתוֹך; הַפְּנִים; תּוֹך; בְּמֶשֶׁך
without *adv, prep* בַּחוּץ; בְּלִי
withstand *vt* עָמַד בּ...
witness *n* עֵד; עֵדוּת
witness *vt, vi* הָיָה עֵד; הֵעִיד
witness stand *n* דוּכַן עֵדִים
witticism *n* הֶעָרָה שְׁנוּנָה
wittingly *adv* בְּיוֹדְעִין
witty *adj* שָׁנוּן
wizard *n* קוֹסֵם, מְכַשֵּׁף
wizardry *n* כְּשָׁפִים
wizened *adj* קָמֵל, נוֹבֵל
wk. *abbr* week
woad *n* אִיסָטִיס הַצֶּבַע
wobble *vi* נָע מִצַּד אֶל צַד; הִתנַדנֵד
wobble *n* נִדנוּד, נִענוּעַ
wobbly *adj* מִתנַדנֵד; מְהַסֵּס
woe *n, interj* אָסוֹן; אוֹי!
woebegone *adj* מְדוּכדָך
woeful *adj* אוּמלָל; עָצוּב
wolf *n* זְאֵב
wolf *vt* זָלַל
wolfhound *n* כֶּלֶב צַיִד זְאֵבִי
wolfram *n* וּולפרָם
wolfsbane *n* חוֹנֵק הַזְּאֵב

woman *n*	אִשָּׁה
womanhood *n*	נָשִׁיּוּת; מִין הַנָּשִׁים
womankind *n*	מִין הַנָּשִׁים
womanly *adj, adv*	נָשִׁי
woman suffragist *n*	לוֹחֵם לִזְכוּת בְּחִירָה לְנָשִׁים
womb *n*	רֶחֶם
womenfolk *n*	נְשֵׁי הַמִּשְׁפָּחָה
wonder *n*	פֶּלֶא; תִּימָּהוֹן
wonder *vi, vt*	הִתְפַּלֵּא, תָּמַהּ
wonder drugs *n pl*	תְּרוּפוֹת פֶּלֶא
wonderful *adj*	נִפְלָא, מַפְלִיא
wonderland *n*	אֶרֶץ הַפְּלָאוֹת
wonderment *n*	תִּימָּהוֹן
wont *adj, n*	רָגִיל; נוֹהֵג; מִנְהָג
wonted *adj*	רָגִיל, נָהוּג
woo *vt*	בִּיקֵּשׁ אַהֲבָה; חִיזֵּר
wood *n*	עֵץ; חוֹרְשָׁה
woodbine *n*	יַעְרָה
woodcarving *n*	גִּילּוּף בָּעֵץ
woodchuck *n*	מַרְמִיטָה
woodcock *n*	חַרְטוֹמָן יְעָרוֹת
woodcut *n*	חִיתּוּךְ עֵץ
woodcutter *n*	חוֹטֵב עֵצִים
wooded *adj*	מְיוֹעָר
wooden *adj*	עֵצִי; נוּקְשֶׁה; חֲסַר מַבָּע
wood-engraving *n*	גִּילּוּף בָּעֵץ
woodenheaded *adj*	קֵהֶה, מְטוּמְטָם
wood grouse *n*	תַּרְנְגוֹל יְעָרוֹת
woodland *n*	שֶׁטַח מְיוֹעָר
woodman *n*	אִישׁ יַעַר
woodpecker *n*	נַקָּר
woodpile *n*	עֲרֵימַת עֵצִים
woodshed *n*	מַחְסַן עֲצֵי הַסָּקָה
woodsman *n*	אִישׁ יַעַר
wood-wind *n*	כְּלֵי־נְשִׁיפָה מֵעֵץ
woodwork *n*	עֲבוֹדוֹת עֵץ
woodworker *n*	נַגָּר
woody *adj*	מְיוֹעָר; יַעֲרִי
wooer *n*	מְחַזֵּר
woof *n*	(בְּאָרִיג) עֵרֶב
wool *n*	צֶמֶר; לְבוּשׁ צֶמֶר
woolen *n, adj*	צֶמֶר מְנוּפָּץ; אֲרִיג צֶמֶר; עָשׂוּי צֶמֶר
woolgrower *n*	מְגַדֵּל צֹאן
woolly *adj, n*	צַמְרִי; הַמֵּכִיל צֶמֶר; מְטוּשְׁטָשׁ
word *n*	מִלָּה, דָּבָר, דִּיבּוּר
word *vt*	הִבִּיעַ בְּמִלִּים, נִיסֵּחַ
word count *n*	סְפִירַת מִלִּים
word formation *n*	בְּנִיַּת מִלִּים
wording *n*	נִיסּוּחַ
word order *n*	סֵדֶר מִלִּים
wordy *adj*	רַב־מִלִּים, מִילּוּלִי
work *n*	עֲבוֹדָה, מְלָאכָה; (בְּרַבִּים) כְּתָבִים; (בְּרַבִּים) מִפְעָל
work *vi, vt*	עָבַד, פָּעַל; הִפְעִיל
workable *adj*	שֶׁאֶפְשָׁר לַעֲשׂוֹתוֹ
workbench *n*	שׁוּלְחַן־מְלָאכָה
workbook *n*	יוֹמַן עֲבוֹדָה
workbox *n*	תֵּיבַת מַכְשִׁירִים
workday *n*	יוֹם עֲבוֹדָה
worked-up *adj*	נִסְעָר; מוּסָת
worker *n*	פּוֹעֵל, עוֹבֵד
work force *n*	כּוֹחַ אָדָם
workhouse *n*	בֵּית־מַחְסֶה לַעֲנִיִּים
working class *n*	מַעֲמַד הַפּוֹעֲלִים
working girl *n*	עוֹבֶדֶת צְעִירָה
workman *n*	פּוֹעֵל, עוֹבֵד
workmanship *n*	אוּמָּנוּת, צוּרַת בִּיצּוּעַ

work of art *n* מְלֶאכֶת אָמָנוּת
workout *n* מִבְחָן מוּקְדָם
workroom *n* חֲדַר עֲבוֹדָה
workshop *n* בֵּית־מְלָאכָה, סַדְנָה
work stoppage *n* שְׁבִיתָה; הַשְׁבָּתָה
world *n* עוֹלָם; כַּדּוּר־הָאָרֶץ
worldly *adj* חִילוֹנִי; גַּשְׁמִי
worldly-wise *adj* נָבוֹן בְּעִנְיְנֵי הָעוֹלָם
world-wide *adj* שֶׁבְּרַחֲבֵי הָעוֹלָם
worm *n* תּוֹלָע, תּוֹלַעַת
worm *vt, vi* חָדַר, הִתְגַּנֵּב; זָחַל
worm-eaten *adj* אֲכוּל תּוֹלָעִים; מְיוּשָּׁן
wormwood *n* לַעֲנָה; מְרִירוּת
wormy *adj* מְתוּלָּע
worn *adj* מְשׁוּמָּשׁ, מְיוּשָּׁן
worn-out *adj* בָּלוּי, שֶׁיָּצָא מִכְּלַל שִׁימּוּשׁ; תָּשׁוּשׁ
worrisome *adj* מַדְאִיג, מַטְרִיד
worry *vt, vi* הִטְרִיד, הֵצִיק; דָּאַג
worry *n* דְּאָגָה
worse *adj, adv* יוֹתֵר רָע
worsen *vt, vi* הֵרַע; הוּרַע
worship *n* פּוּלְחָן; הַאֲלָלָה
worship *vt, vi* סָגַד, הֶאֱלִיל
worship(p)er *n* סוֹגֵד; מִתְפַּלֵּל
worst *vt* גָּבַר עַל
worst *adj, adv* הָרָע בְּיוֹתֵר; בְּמַצָּב הָרָע בְּיוֹתֵר
worsted *n* אֲרִיג צֶמֶר
wort *n* צֶמַח, יֶרֶק
worth *n* שׁוֹוִי, עֵרֶךְ
worth *adj* רָאוּי; שָׁוֶה; כְּדָאִי
worthless *adj* חֲסַר עֵרֶךְ
worthwhile *adj* כְּדָאִי
worthy *adj, n* בַּעַל חֲשִׁיבוּת; רָאוּי; אָדָם חָשׁוּב
would *v aux* (פּוֹעַל עֵזֶר בְּעָתִיד אוֹ בְּעָתִיד שֶׁבְּעָבָר לְהוֹרָאָה רְגִילָה, וְכֵן בַּקָּשָׁה, רָצוֹן)
would *pt of* will (צוּרַת הֶעָבָר שֶׁל will: בְּמִשְׁפַּט תְּנַאי, בַּקָּשָׁה, מִשְׁאָלָה אוֹ רִיכּוּךְ הַבָּעַת חִיוּוּי אוֹ שְׁאֵלָה)
would-be *adj* מִתְיַימֵּר, מִי שֶׁרוֹצֶה לִהְיוֹת
wound *n* פֶּצַע
wound *vt, vi* פָּצַע; פָּגַע
wounded *adj, n* פָּצוּעַ
wrack *n* שְׂרִידֵי סְפִינָה טְרוּפָה
wraith *n* רוּחַ רְפָאִים
wrangle *vi* רָב, הִתְכַּתֵּשׁ
wrangle *n* רִיב, הִתְכַּתְּשׁוּת
wrap *vt* עָטָה, עָטַף; הִתְכַּסָּה
wrap *n* כִּיסּוּי עֶלְיוֹן
wrapper *n* אוֹרֵז; עֲטִיפָה
wrapping paper *n* נְיַיר עֲטִיפָה
wrath *n* זַעַם
wrathful *adj* זוֹעֵם
wreak *vt* מוֹצִיא לַפּוֹעַל (נְקָמָה); נָתַן בִּיטּוּי (לְרוֹגֶז וכד׳)
wreath *n* זֵר, עֲטָרָה; תִּימָרָה
wreathe *vt, vi* עִיטֵּר בְּזֵר; הִקִּיף, כִּיסָּה; (עָשָׁן) תִּימֵּר
wreck *vt, vi* הֶחֱרִיב, הָרַס
wreck *n* חוּרְבָּן; טְרוֹפֶת; אוֹנִיָּה טְרוּפָה; שֶׁבֶר כְּלִי
wrecking car *n* רֶכֶב מְפַנֵּה הֲרִיסוֹת
wren *n* גִּדְרוֹן
wrench *n* עִיקּוּם בְּכוֹחַ; מַפְתֵּחַ לִבְרָגִים

wrench *vt, vi* עִיקֵם בְּכוֹחַ
wrest *vt* סָחַב בְּכוֹחַ; חָטַף
wrestle *vi, vt* נֶאֱבַק; הִתְאַבֵּק
wrestle *n* מַאֲבָק
wrestling match *n* תַּחֲרוּת הִתְאַבְּקוּת
wretch *n* עֲלוּב־חַיִּים; בָּזוּי
wretched *adj* עֲלוּב חַיִּים, מִסְכֵּן, שָׁפָל
wriggle *vi, vt* כִּשְׁכֵּשׁ; הִתְפַּתֵּל; הִתְחַמֵּק
wriggle *n* נִעְנוּעַ; הִתְחַמְּקוּת
wriggly *adj* נִפְתָּל, חֲמַקְמַקְתָּנִי
wring *vt, vi* עִיקֵם; סָחַט; לָחַץ, הֵצִיק
wringer *n* מִתְקַן סְחִיטָה
wrinkle *n* קֶמֶט, קֶפֶל
wrinkle *vt, vi* קִימֵּט; הִתְקַמֵּט
wrist *n* פֶּרֶק כַּף הַיָּד
wrist-watch *n* שְׁעוֹן יָד
writ *n* כְּתָב; צַו
write *vt, vi* כָּתַב; רָשַׁם
writer *n* כּוֹתֵב; סוֹפֵר
write-up *n* כַּתָּבָה מְשַׁבַּחַת
writhe *vt, vi* עִיוּוֵת; הִתְעַוּוֵת
writing *n* כְּתִיבָה; כְּתָב
writing-desk *n* מִכְתָּבָה, שׁוּלְחַן־כְּתִיבָה
writing materials *n pl* צוֹרְכֵי כְּתִיבָה
writing-paper *n* נְיַיר כְּתִיבָה
wrong *n* עָוֶל, חֵטְא; אִי־צֶדֶק
wrong *adj, adv* לֹא נָכוֹן; מוּטְעֶה; לֹא צוֹדֵק
wrong *vt, vi* עָשָׂה עָוֶל ל...
wrongdoer *n* חוֹטֵא
wrongdoing *n* עֲשׂוֹת רַע, חֵטְא
wrong side *n* צַד לֹא נָכוֹן
wrought iron *n* בַּרְזֶל חָשִׁיל
wrought-up *adj* נִרְגָּשׁ, מָתוּחַ
wry *adj* מְעוּוָּת
wryneck *n* סַבְּרֹאשׁ

X

X, x *n, adj* אֶקְס (הָאוֹת הָעֶשְׂרִים־וְאַרְבַּע בָּאָלֶפְבֵּית); נֶעְלָם, אִיקְס
Xanthippe *n* מִרְשַׁעַת
xebec *n* מִפְרָשִׂית תְּלַת־תּוֹרְנִית
xenia *n* קְסֶנְיָה
xenon *n* קְסֶנוֹן
xenophobe *n* שׂוֹנֵא זָרִים
xenophobia *n* שִׂנְאַת זָרִים
Xenophon *n* קְסֶנוֹפוֹן
Xerxes *n* אֲחַשְׁוֵרוֹשׁ
X-ray *vt* רִנְטְגֵן, צִילֵּם בְּקַרְנֵי רֶנְטְגֶן
X-rays *n* קַרְנֵי רֶנְטְגֶן
xylograph *n* גִּילּוּף בָּעֵץ
xylophone *n* קְסִילוֹפוֹן

Y

Y, y *n* וַיי (האות העשׂרים־וחמש באלפבית)

y. *abbr* yard, year

yacht *n, vi* סְפִינַת טִיוּל, יַכט

yacht club *n* מוֹעֲדוֹן שִׁיוּט

yachtsman *n* בַּעַל יַכט

yak *n* יַאק

yam *n* בַּטָטָה

yank *n* מְשִׁיכַת־פִּתאוֹם

yank *vt, vi* שָׁלַף, מָשַׁךְ פִּתאוֹם

Yankee *n* יַאנקִי

Yankeedom *n* (מְחוֹז) יַאנקִים

yap *vi* נָבַח; קִשׁקֵשׁ

yap *n* נְבִיחָה חֲטוּפָה

yard *n* חָצֵר, מִגרָשׁ; יַארד (מידה)

yardarm *n* זְרוֹעַ הָאִיסקַריָה

yardstick *n* קְנֵה־מִידָּה

yarn *n, vt* מַטוֶה; מַעֲשִׂיָּה, סִיפּוּר בַּדִּים

yarrow *n* אֲכִילֵיאַת אֶלֶף הֶעָלֶה

yaw *vi, n* סִבסֵב; סִבסוּב

yawl *n* סִירַת מְשׁוֹטִים

yawn *vi, n* פִּיהֵק; פִּיהוּק

yd. *abbr* yard

yea *adv, n* כֵּן, בֶּאֱמֶת

year *n* שָׁנָה

yearbook *n* שְׁנָתוֹן

yearling *n, adj* בֶּן שְׁנָתוֹ

yearly *adj, adv* שְׁנָתִי; מִדֵּי שָׁנָה

yearn *vi* עָרַג, הִתגַעגֵעַ

yearning *n* גַעגוּעִים

yeast *n* שְׁמָרִים

yell *vi* צָרַח; יִילֵּל

yell *n* צְרִיחָה; יְלָלָה

yellow *adj* צָהוֹב

yellow *n* צוֹהַב, צֶבַע צָהוֹב; חֶלמוֹן (של ביצה)

yellow *vt, vi* הִצהִיב

yellowish *adj* צַהֲבוּנִי

yellow jacket *n* צִרעָה

yellow streak *n* פַּחדָנוּת

yelp *vi* יִיבֵּב

yelp *n* יְבָבָה

yeoman *n* סַמָל יַמִּי; אִיכָּר עַצמָאִי

yeomanly *adj, adv* נֶאֱמָן; בְּנֶאֱמָנוּת

yes *adv, n* כֵּן; הֵן

yesterday *n, adv* אֶתמוֹל

yet *adv, conj* עֲדַיִין, עוֹד; בְּכָל זֹאת

yew tree *n* טַקסוּס

Yiddish *n, adj* אִידִית; אִידִי

yield *vt, vi* הֵנִיב; נִכנַע; וִיתֵּר

yield *n* תְּנוּבָה, יְבוּל; תְּפוּקָה

yodelling *n* יִדלוּל, יִידוּל

yoke *vt, vi* שָׂם עוֹל; חִיבֵּר; הִתחַבֵּר

yoke *n* עוֹל; אֵסֶל; צֶמֶד (שְׁוָורִים)

yokel *n* בֶּן כְּפָר

yolk *n* חֶלמוֹן; חֵלֶב

yonder *adj, adv* הַהוּא; שָׁם

yore *n* יְמֵי־קֶדֶם

you *pron* אַתָּה, אַתְּ, אַתֶּם, אַתֶּן; אוֹתְךָ (וכו׳); לְךָ (וכו׳)

young *adj* צָעִיר

youngster *n* צָעִיר, יֶלֶד

your *pron* שֶׁלְּךָ, שֶׁלָּךְ, שֶׁלָּכֶם, שֶׁלָּכֶן

yours *pron* שֶׁלְּךָ, שֶׁלָּךְ, שֶׁלָּכֶם, שֶׁלָּכֶן

yourself *pron* עַצְמְךָ, עַצְמֵךְ (עצמכם, עצמכן); בְּעַצְמְךָ (וכו׳); אֶת עַצְמְךָ (וכו׳)

youth *n* נוֹעַר; נַעַר

youthful *adj* צָעִיר, יָאֶה לַנּוֹעַר

yowl *vi* יִיבֵּב

yowl *n* יְבָבָה

yr. *abbr* year

Yugoslav *n, adj* יוּגוֹסלָבִי

Yugoslavia *n* יוּגוֹסלַבִיָה

Yule *n* חַג הַמּוֹלָד

yuletide *n* עוֹנַת חַג הַמּוֹלָד

Z

Z, z זִי, זֶד (האות העשׂרים־ושש באלפבית)

zany *n* מוּקְיוֹן; שׁוֹטֶה

zeal *n* קַנָּאוּת; לַהַט

zealot *n* קַנַּאי

zealous *adj* קַנָּאִי

zebra *n* זֶבְּרָה

zebu *n* זֶבּוּ

zenith *n* זֵנִית; שִׂיא הַגּוֹבַה

zephyr *n* צֶפִרִיר; רוּחַ מַעֲרָב

zeppelin *n* סְפִינַת אֲוִיר

zero *n* נְקוּדַת־הָאֶפֶס; אֶפֶס

zest *n* טַעַם נָעִים; חֵשֶׁק, הִתְלַהֲבוּת

zigzag *adj, adv, n* סִכְסָךְ, זִגְזָג; סִכְסָכִי, זִגְזָגִי; בְּזִגְזָג

zigzag *vi* הִזְדַּגְזֵג

zinc *n* אָבָץ

zinc *vt* אִיבֵּץ, צִיפָּה בְּאָבָץ

zinc etching *n* חֲרִיטַת אָבָץ

zinnia *n* זִינִּיָּה

Zionism *n* צִיּוֹנוּת

Zionist *adj, n* צִיּוֹנִי

zip *n* שְׁרִיקָה; כּוֹחַ

zip *vi, vt* חָלַף בִּשְׁרִיקָה; רָכַס בְּרוֹכְסָן

zip fastener *n* רוֹכְסָן

zipper *n* רוֹכְסָן

zircon *n* זִרְקוֹן

zirconium *n* זִרְקוֹנְיוּם

zither *n* צִיתֶר

zodiac *n* גַּלְגַּל הַמַּזָּלוֹת

zone *n* אֵיזוֹר, חֶבֶל

zone *vt, vi* קָבַע אֲזוֹרִים

zoologic(al) *adj* זוֹאוֹלוֹגִי

zoologist *n* זוֹאוֹלוֹג

zoom *n* נְסִיקָה מְהִירָה תְּלוּלָה

zoom *vi* הִנְסִיק בִּמְהִירוּת וּבִתְלִילוּת

zoophyte *n* צִמְחַי, זוֹאוֹפִיט

zugzwang (בשחמט) כְּפָאִי

מקורו של המילון העברי והאנגלי החדש של בנטם-מגידו.

כתוצאה מן השינויים המהירים החלים בשפות העברית
והאנגלית והמגע ההדדי המתהדק יותר ויותר בין שתי
הלשונות נוצר הצורך במילון שיתן ביטוי לתופעות אלה.
מילון הכיס העברי והאנגלי החדש של בנטם-מגידו משקף
את ההתפתחות הגדולה של שתי הלשונות בתחומי המדע
והטכנולוגיה ובשיחת יום-יום.
מילון כיס עברי ואנגלי מעודכן ושווה לכל נפש הוא ספר
עזר חיוני למספר הולך וגדל של אנשים בכל רחבי העולם.

המחברים :
ד"ר ראובן סיוון, מחנך ירושלמי, בלשן, סופר ומתרגם, הוא
המייסד וחבר ההנהלה של החברה הישראלית לבלשנות
שימושית ומרצה בכיר באוניברסיטאות ובסמינרים.

ד"ר אדוארד א. לבנסטון, ראש המחלקה לאנגלית באוני-
ברסיטה העברית ומרצה בכיר לבלשנות אנגלית, הוא איש
חינוך, בלשן ומחברם של ספרים רבים בתחום התרגום,
הדקדוק, הבלשנות, ההוראה והסגנון.

בנטם־מגידו
מילון עברי ואנגלי חדש

נערך ע"י ד"ר ראובן סיוון וד"ר אדוארד א. לבנסטון

מיוסד על מילון מגידו החדיש
ע"י ד"ר ראובן סיוון וד"ר אדוארד א. לבנסטון

BANTAM BOOKS
TORONTO · NEW YORK · LONDON · SYDNEY

This book was completely typeset in Israel.

התוכן

מבוא vii

הפועל האנגלי – הפעלים החריגים xi

ההיגוי האנגלי xvii

מילון עברי־אנגלי . . . . 1—294

מבוא

המגע ההדדי שבין הלשונות עברית ואנגלית מתרחב ומתהדק בתקופתנו יותר ויותר. שתי הלשונות מתפתחות במהירות רבה. העברית, לשון התנ״ך, הגיעה לשלב חדש בהתפתחותה בסוף המאה הקודמת עם חידוש הדיבור העברי ושיבת העם היהודי לארץ אבותיו וביתר שְׂאֵת עם הקמת מדינת ישראל; האנגלית, הלשון העשירה והנפוצה, הופכת בימינו לשפת תקשורת בין־לאומית, ואף רובו של העם היהודי באמריקה, באירופה ובחלקי העולם האחרים נזקקים לה.

מילון כיס מעודכן של שתי הלשונות האלה, המדביק את התפתחותן בענפי המדע, הטכנולוגיה וחיי החברה, והשווה לכל נפש, צורך חיוני הוא לרבבות הרבות של צעירים ומבוגרים בכל רחבי העולם, שיש להם זיקה לשתי הלשונות הללו במגעיהן.

מילון באנטם זה, הערוך בשיטה חדשה, מאפשר מֵרַב התועלת ונוחות השימוש לכל המעיין בו.

יתן נא המעיין את דעתו לעקרונות שלהלן של מילון זה. שני הראשונים שבהם מהווים שינוי מהפכני בשיטת המילונות העברית־לועזית, וכבר הוכחה תועלתם במילון מגידו הגדול העברי־אנגלי – אנגלי־עברי.

1. הכתיב. הטור העברי בשני המילונים כתוב בכתיב ׳מלא׳, לפי כללי האקדמיה ללשון העברית במהדורתם האחרונה. אף כי הוספנו ניקוד מלא ומדויק (חוץ מנקודת השווא הנח, שאותה השמטנו) כדי שכל מעיין ידע לבטא כל מלה בדיוקה, לא חיסרנו וי״ים ויו״דים הנהוגות בכתיב ה׳מלא׳, כדי שהמעיין ידע לאשורו גם את הכתיב הרשמי של כל מלה, כפי שהוא נהוג כיום בטקסט לא מנוקד שבספרות ובעיתונות. ייתן נא איפוא המעיין את דעתו בחפשו במילון העברי־אנגלי את תרגומן של מלים כגון אורן, גיבור, חייָל.

מָוֶת, סידור, שולחן, תורגם, לבקשן בכתיב הזה, ה׳מלא׳, ולא בכתיב החסר כפי שנהוג במילונים מיושנים.

2. הפעלים. הפעלים הובאו בשני המילונים בטור האנגלי בצורת המקור (בלי to): blame, disappear, insist, ובטור העברי בצורת עבר נסתר: הֶאֱשִׁים, נֶעֱלַם, הִטעִים.

המבקש תרגום אנגלי לפועל עברי יחפש את הפועל העברי במקומו בסדר האל״ף־בי״ת, לא לפי ה׳שורש׳, אלא לפי בניין הפועל בעבר נסתר. כלומר, פועל כגון התעקש יבוא במקומו באות ה (ולא בשורש עקש), נכנס באות נ, הוחלף באות ה, וכן לָמַד באות ל ולִימֵד בל׳ וי׳ אחריה ולוּמַד בל׳ ושורוק אחריה.

3. התארים. בתרגומי שמות התואר האנגליים צוין שם התואר בטור העברי שבמילון האנגלי־עברי בצורת יחיד זכר. למשל, מול התואר האנגלי good הובאה הצורה טוב בטור העברי. המעיין צריך לתת את דעתו שכל שם תואר באנגלית יפה לשני המינים וכן ליחיד ולרבים, ולמעשה good הוא בעברית טוב וגם טובה, וכן טובים וגם טובות. כן צריך המעיין במילון העברי־אנגלי לזכור, שתרגומו האנגלי של התואר טוב הוא גם תרגום התארים טובה, טובים, טובות.

4. סימנים וקיצורים. הבדלי משמעים הקרובים זה לזה – סינונימים – הופרדו זה מזה בטור המקביל בפסיק (,); אך כשלמלה יש משמעים השונים זה מזה במובהק סימננו נקודה ופסיק (;) בין מלה המשמשת למשמע אחד, לבין אחרת המשמשת למשמע השונה. ראה למשל חֶבְרָה בעברי־אנגלי ו־just באנגלי־עברי.

הקיצורים במילון העברי־אנגלי הם:

ז   – שם עצם ממין זכר ביחיד.

ז״ז   – זכר זוגי, שם עצם ממין זכר במספר זוגי, מסתיים ב־ַיים.

זו־נ   – זכר ונקבה, שם עצם שמינו זכר או נקבה.

ז״ר   – זכר רבים, שם עצם זכר המצוי בלשון בצורת הרבים.

מ״ג   – מלת־גוף או כינוי־גוף.

מ״ח – מלת־חיבור.

מ״י   – מלת־יחס.

מ״ק   – מלת־קריאה.

מ׳׳ש – מלת שאלה.

נ   – שם עצם ממין נקבה ביחיד.

נ״ז   – נקבה זוגי, שם עצם ממין נקבה במספר זוגי, מסתיים ב־ַיים.

נ״ר   – נקבה רבים, שם עצם ממין נקבה, המצוי בלשון בצורת הרבים.

פ   – פועל.

ר׳   – ראה; רבים.

ש״מ – שם מספר.

ת   – תואר, בצורת יחיד, זכר.

תה״פ – תואר הפועל.

הפועל האנגלי

בפועל האנגלי הרגיל (regular verb) בלשון עבר ובבינוני פעול באה סיומת ש
-ed, או של -d כאשר האות האחרונה של השורש היא e.
לדוגמא

enter	entered	entered
walk	walked	walked
believe	believed	believed
love	loved	loved

במקרה של מלים המסתיימות באותיות b, d, g, m, n, p, r, t וכאשר לפני
אות כזאת תנועה אחת בלבד, מכפילים את האות ומוסיפים ed.
לדוגמא

stop	stopped	stopped
beg	begged	begged

אך ישנם פעלים שהכללים הנ״ל אינם חלים עליהם – הפעלים החריגים –
irregular verbs, ואלה הם:

ENGLISH IRREGULAR VERBS

PRESENT	PAST	PAST PARTICIPLE
abide	abode	abode
am, is, are	was, were	been
arise	arose	arisen
awake	awoke, awaked	awoke, awaked
bear	bore	born, borne
beat	beat	beaten, beat
become	became	become
begin	began	begun
bend	bent	bent
bereave	bereaved, bereft	bereaved, bereft
beseech	beseeched, besought	beseeched, besought
beset	beset	beset
bet	bet, betted	bet, betted
bid	bade, bid	bidden, bid
bind	bound	bound
bite	bit	bitten
bleed	bled	bled

PRESENT	PAST	PAST PARTICIPLE
blow	blew	blown
break	broke	broken
breed	bred	bred
bring	brought	brought
build	built	built
burn	burned, burnt	burned, burnt
burst	burst	burst
buy	bought	bought
can	could	—
cast	cast	cast
catch	caught	caught
choose	chose	chosen
cleave	cleaved; clove, cleft	cleaved; cloven, cleft
cling	clung	clung
clothe	clothed, clad	clothed, clad
come	came	come
cost	cost	cost
creep	crept	crept
crow	crew, crowed	crowed
cut	cut	cut
deal	dealt	dealt
dig	dug	dug
do	did	done
draw	drew	drawn
dream	dreamed, dreamt	dreamed, dreamt
drink	drank	drunk
drive	drove	driven
dwell	dwelt	dwelt
eat	ate	eaten
fall	fell	fallen
feed	fed	fed
feel	felt	felt
fight	fought	fought
find	found	found
flee	fled	fled
fling	flung	flung
fly	flew	flown
forbear	forbore	forborne
forbid	forbade, forbad	forbidden
forget	forgot	forgotten

PRESENT	PAST	PAST PARTICIPLE
forgive	forgave	forgiven
forsake	forsook	forsaken
freeze	froze	frozen
get	got	got, gotten
gild	gilded, gilt	gilded, gilt
gird	girded, girt	girded, girt
give	gave	given
go	went	gone
grind	ground	ground
grow	grew	grown
hang	hung	hung
have	had	had
hear	heard	heard
heave	heaved, hove	heaved, hove
help	helped	helped
hew	hewed	hewed, hewn
hide	hid	hidden, hid
hit	hit	hit
hold	held	held
hurt	hurt	hurt
keep	kept	kept
kneel	knelt, kneeled	knelt, kneeled
knit	knitted, knit	knitted, knit
know	knew	known
lay	laid	laid
lead	led	led
lean	leaned, leant	leaned, leant
leap	leaped, leapt	leaped, leapt
learn	learned, learnt	learned, learnt
leave	left	left
lend	lent	lent
let	let	let
lie	lay	lain
light	lighted, lit	lighted, lit
load	loaded	loaded, laden
lose	lost	lost
make	made	made
may	might	—
mean	meant	meant
meet	met	met

PRESENT	PAST	PAST PARTICIPLE
mow	mowed	mowed, mown
must	—	—
ought	—	—
overcome	overcame	overcome
overthrow	overthrew	overthrown
pay	paid	paid
pen	penned, pent	penned, pent
put	put	put
read	read	read
rend	rent	rent
rid	rid	rid
ride	rode	ridden
ring	rang	rung
rise	rose	risen
run	ran	run
saw	sawed	sawed, sawn
say	said	said
see	saw	seen
seek	sought	sought
sell	sold	sold
send	sent	sent
set	set	set
sew	sewed	sewed, sewn
shake	shook	shaken
shall	should	—
shave	shaved	shaved, shaven
shear	sheared	shorn
shed	shed	shed
shine	shone	shone
shoe	shod	shod
shoot	shot	shot
show	showed	shown
shred	shredded	shredded, shred
shrink	shrank, shrunk	shrunk
shut	shut	shut
sing	sang	sung
sink	sank	sunk
sit	sat	sat
slay	slew	slain
sleep	slept	slept

PRESENT	PAST	PAST PARTICIPLE
slide	slid	slid
sling	slung	slung
slink	slunk	slunk
slit	slit, slitted	slit, slitted
smell	smelled, smelt	smelled, smelt
smite	smote	smitten
sow	sowed	sown, sowed
speak	spoke	spoken
speed	sped, speeded	sped, speeded
spell	spelled, spelt	spelled, spelt
spend	spent	spent
spill	spilled, spilt	spilled, spilt
spin	spun	spun
spit	spat, spit	spat, spit
split	split	split
spoil	spoiled, spoilt	spoiled, spoilt
spread	spread	spread
spring	sprang	sprung
stand	stood	stood
stave	staved, stove	staved, stove
steal	stole	stolen
stick	stuck	stuck
sting	stung	stung
stink	stank, stunk	stunk
strew	strewed	strewed, strewn
stride	strode	stridden
strike	struck	struck
string	strung	strung
strive	strove, strived	striven, strived
swear	swore	sworn
sweep	swept	swept
swell	swelled	swelled, swollen
swim	swam	swum
swing	swung	swung
take	took	taken
teach	taught	taught
tear	tore	torn
tell	told	told
think	thought	thought
thrive	throve, thrived	thrived, thriven

PRESENT	PAST	PAST PARTICIPLE
throw	threw	thrown
thrust	thrust	thrust
tread	trod	trodden, trod
understand	understood	understood
underwrite	underwrote	underwrote
upset	upset	upset
wake	waked, woke	waked, woken
wear	wore	worn
weave	wove	woven
weep	wept	wept
wet	wet, wetted	wet, wetted
will	would	—
win	won	won
wind	wound	wound
work	worked, wrought	worked, wrought
wring	wrung	wrung
write	wrote	written

הַהִיגוּי הָאַנגְלִי

הסימנים הבאים מייצגים – בקירוב – את כל קשת ההגיים של השפה האנגלית

תנועות

סימן פונט	צליל	דוגמה
[æ]	בין אַ (כמו במילה טַל) לבין אֶ (רֶמֶז)	hat [hæt]
[a]	כמו אָ במילה דָבָר	father [ˈfaðər] proper [ˈprapər]
[ɛ]	כמו אֶ במילה בֶּן	met [mɛt]
[e]	כמו אֵי במילה יֵש. בסוף המילה – כמו במילה עֵינֵי	fate [fet] they [ðe]
[ə]	כמו אְ במלה לְהַבדִיל	heaven [ˈhɛvən] pardon [ˈpardən]
[i]	כמו אִי במלה הִיא	she [ʃi] machine [məˈʃin]
[ɪ]	סגר יותר מהצליל אִ במלה מִן	fit [fɪt] beer [bɪr]
[o]	כמו [בקירוב] אְאוּ	nose [noz] road [rod] row [ro]
[ɔ]	כמו אוֹ במלה בּוֹקר	bought [bɔt] law [lɔ]
[ʌ]	בין אָ במלה דָם ובין אְ במלה דְמֵי	cup [kʌp] come [kʌm] mother [ˈmʌðər]
[U]	כמו אוּ במלה דוּבּים	pull [pul] book [buk] wolf [wulf]
[u]	כמו אוּ במלה מַבּוּל	move [muv] tomb [tum]
	דו־תנוּעוֹת (דיפתוֹנגים)	
[aɪ]	כמו אַי במלה כְּדַאי	night [naɪt] eye [aɪ]
[aU]	אַאוּ	found [faund] cow [kau]
[ɔɪ]	אוֹי	voice [vɔɪs] oil [ɔɪl]
	עִיצוּרים	
[b]	כמו בּ במלה בּוּל	bed [bɛd] robber [ˈrabər]
[d]	כמו ד במלה דוֹד	dead [dɛd] add [æd]
[dz]	כמו ג׳	gem [dʒɛm] jail [dʒel]
[δ]	אין סימן בעברית. כמו ד מנושף	this [ðɪs] father [ˈfaðər]
[f]	כמו פ׳ במלה רוֹפֵא	face [fes] phone [fon]

סימן פונטי	צליל	דוגמא
[g]	כמו ג׳ במלה גַּן	**go** [go] **get** [gɛt]
[h]	כמו ה׳ במלה הָלַךְ	**hot** [hɑt] **alcohol** ['ælkə ˌhɔl]
[j]	כמו י׳ במלה יֶלֶד	**yes** [jes] **unit** ['junɪt]
[k]	כמו כּ׳ במלה כָּתַב	**cat** [kæt] **chord** [kɔrd] **kill** [kɪl]
[l]	כמו ל׳ במלה לֶחֶם	**late** [let] **allow** [ə'laʊ]
[m]	כמו מ׳ במלה מוֹרֶה	**more** [mor] **command** [kə'mænd]
[ŋ]	כמו נ׳ במלה נֶגֶב	**nest** [nɛst] **manner** ['mænər]
[n]	כמו נג׳ במלה אַנגלִי	**king** [kɪŋ] **conquer** ['kɑŋkər]
[p]	כמו פּ׳ במלה פֶּן	**pen** [pɛn] **cap** [kæp]
[r]	בחלקים גדולים של אנגליה וברוב איזורי ארה״ב וקנדה, מתבטאת האות כתנועה למחצה, שהיגויה מופק כשקצה הלשון מורם לקראת החיך. עיצור זה הינו חלש מאוד כשהוא מבוטא בין תנועות או בסוף הברה, ועל כן הינו כמעט בלתי־נשמע. היגויו משפיע על התנועות הסמוכות.	**run** [rʌn] **far** [fɑr] **art** [ɑrt] **carry** ['kæri]
	כשהוא בא אחרי הצלילים [ʌ] או [ə] הוא נותן את צביונו המיוחד לצלילים האלה ונעלם כליל.	**burn** [bʌrn] **learn** [lʌrn] **weather** ['wɛðər]
[s]	כמו ס׳ במלה סַל	**send** [sɛnd] **cellar** ['sɛlər]
[ʃ]	כמו שׁ׳ במלה שֶׁל	**shall** [ʃæl] **machine** [mə'ʃin] **nation** ['neʃən]
[t]	כמו ט׳ במלה אָטוּם	**ten** [tɛn] **dropped** [drɑpt]
[tʃ]	כמו טשׁ׳ (צ׳).	**child** [tʃaɪld] **much** [mʌtʃ] **nature** ['netʃər]
[θ]	אין הגייה כזאת בעברית, כמו ת׳ מנושף	**think** [θɪŋk] **truth** [truθ]
[v]	כמו ב׳ במלה אֶבְיוֹן	**vest** [vɛst] **over** ['ovər] **of** [ɑv]
[w]	כמו ו׳ בהגיית יהודי תימן.	**work** [wʌrk] **tweed** [twid] **queen** [kwin]
[z]	כמו ז׳ במלה זֶמֶר	**zeal** [zil] **busy** ['bɪzi] **his** [hɪz] **winds** [wɪndz]
[ʒ]	כמו ז׳ (ז׳ מנושף)	**azure** ['eʒər] **measure** ['mɛʒər]

אָב — אֶבֶן יְקָרָה

א

אָב ז	father; Ab (July-Aug.)
אֵב ז	tender, green shoot
אַבָּא ז	daddy, father
אִבְגֵּד (יְאַבְגֵּד) פ	spell aloud
אָבַד (יֹאבַד) פ	be lost, perish
אֲבֵדָה, אֲבֵידָה נ	loss; lost property
אֲבַדּוֹן ז	destruction, ruin
אָבְדָן, אוֹבְדָן ז	destruction, ruin; loss
אָבָה (יֹאבֶה) פ	want, desire, consent
אַבְהוּת נ	parentage, fatherhood
אַבָּהִי ת	fatherly, paternal
אַבּוּב ז	oboe; tube
אַבּוּבִית נ	small oboe; tubule
אַבּוּבָן ז	oboist
אָבוּד ת	lost, perished, forlorn
אֲבוֹי מ״ק	alas, woe
אָבוּס ת	fattened, well-fed
אֲבוּקָה נ	blazing torch
אַבְזֵם ז	buckle
אַבְזָר ז	accessory
אִבְחוּן ז	diagnosis
אָב חוֹרֵג	stepfather
אִבְחֵן (יְאַבְחֵן) פ	diagnose
אַבְחָנָה נ	diagnosis
אֲבַטִּיחַ ז	water-melon, melon
אֲבַטִּיחַ צָהוֹב	musk melon, canteloupe
אַבְטִיפּוּס ז	archetype, prototype
אַבְטָלָה נ	unemployment
אָבִיד ת, ז	perishable
אֶבְיוֹן ז	pauper
אֲבִיּוֹנָה נ	lust, concupiscence
אֲבִיזָר ר׳ אַבְזָר	
אָבִיךְ ת	misty, hazy
אֲבִיסָה נ	feeding, fattening (of animals for food)
אָבִיק ז	button-hole; outlet pipe
אַבִּיק ז	retort, alembic
אַבִּיר ז, ת	knight; mighty, powerful
אַבִּירוּת נ	valor
אָבַל (יֶאֱבַל) פ	grieve, mourn
אֲבָל מ״ח	but, yet
אָבֵל ז׳, ת	mourner; grief-stricken
אֵבֶל ז	grief, mourning
אֲבֵלוּת נ	mourning (state of), mourning
אֶבֶן נ	stone, pebble; a weight
אֶבֶן בּוֹחַן	touchstone, criterion
אֶבֶן גָּזִית	ashlar, hewn stone
אֶבֶן חֵן, אֶבֶן טוֹבָה	jewel, precious stone
אַבְנֵט ז	sash, girdle
אָבְנַיִם, אוֹבְנַיִם ז״ז	potter's-wheel; workbench; stool (for woman in labor)
אַבְנֵי מָרָה	gallstones
אֶבֶן יְסוֹד	foundation-stone
אֶבֶן יְקָרָה	jewel, gem

אַבְנִית נ	lime (in kettles, etc.)
אֶבֶן מַשְׁחֶזֶת	grindstone, whetstone
אֶבֶן מַשְׂכִּית	stone with carved figures
אֶבֶן נֶגֶף	stumbling-bloc
אֶבֶן פִּינָּה	corner stone
אֶבֶן רֵיחַיִים	millstone
אֶבֶן שׁוֹאֶבֶת	lodestone, magnet
אֶבֶן שָׂפָה	kerbstone
אָבַס (יֶאֱבוֹס) פ	fatten, stuff
אֲבַעְבּוּעָה נ	blister, boil
אֲבַעְבּוּעוֹת	small-pox, pox
אָבָץ ז	zinc, spelter
אָבָק ז	dust, powder
אֶבֶק ז	button-hole
אֲבָקָה, אַבְקָה נ	powder; pollen
אִבְקָה נ	loop, button-hole, eyelet
אַבְקָן ז	stamen
אֲבַק־שְׂרֵפָה	gun-powder
אֵבֶר ז	wing (of a bird)
אַבְּרֵזִין ז	tarpaulin
אַבְרֵךְ ז	newly-wed (husband); young scholar
אַבְרָקַיִים ז״ז	breeches, pantaloons
אַבְרָשׁ ז	heather
אַגַּב מ״י ותה״פ	by way of
אֶגֶד ז	bundle, bunch, sheaf; surgical bandage
אַגָּדָה נ	legend, fable, tale, homily
אַגָּדָתִי ת	legendary, fabulous
אֲגוּדָּה נ	association, union, society
אֲגוּדָל ז	thumb
אֱגוֹז ז	nut, walnut (fruit or tree)
אֲגוֹרָה נ	agora (one hundredth of an Israeli pound); ancient coin
אָגִיד נ	gill (of a fish)
אֲגִירָה נ	hoarding, storing
אֵגֶל ז	drop
אֲגַם ז	lake, pond
אַגְמוֹן ז	bulrush
אֲגַמִּיָּה נ	coot
אַגָּן ז	basin, bowl
אַגָּס ז	pear; electric bulb
אֲגַף ז	wing, department, branch
אָגַף (יֶאֱגוֹף) פ	outflank (military)
אָגַר (יֶאֱגוֹר) פ	hoard, store
אַגְרָה נ	fee, toll
אִגְרוּף ז	boxing, fisticuffs
אֶגְרוֹף ז	fist, toll
אֶגְרוֹפָן ז	knuckle-duster; boxer, pugilist
אֲגַרְטֵל ז	pitcher, bowl, jar
אִגְרֵף (יְאַגְרֵף) פ	box, fight
אֵד ז	vapor, mist, steam
אַדְווָה נ	ripple, wavelet
אָדוֹם ת	red, ruddy
אָדוֹן ז	Sir, Mr., gentleman; master; possessor
אֲדוֹנָי, אֲדֹנָי ז	Lord God, the Lord
אָדוּק ת	orthodox (in religion), devout; devoted
אָדִיב ת	courteous, polite
אֲדִיבוּת נ	courtesy, politeness
אֲדִיקוּת נ	orthodoxy, piety; adherence
אַדִּיר ת	mighty, powerful
אָדִישׁ ז	apathetic, indifferent

apathy, indifference	אֲדִישׁוּת נ
be red, turn red, redden	אָדַם (יֶאְדַּם) פ
man, human being	אָדָם ז
reddish, pale-red, ruddy	אֲדַמְדַּם ת
light attack of measles	אֲדַמְדֶּמֶת נ
earth, soil, land	אֲדָמָה נ
reddish, pale red	אַדְמוּמִי נ
reddishness	אַדְמוּמִיּוּת נ
redness	אַדְמוּמִית נ
ruddy, red-haired	אַדְמוֹנִי ת
(colloquial) measles	אַדֶּמֶת נ
the Holy Land	אַדְמַת הַקּוֹדֶשׁ
base, sill	אֶדֶן ז
clip, fastener	אֶדֶק ז
stuffed animal	אֶדֶר ז
Adar (Feb.-March)	אֲדָר ז
on the contrary!	אַדְּרַבָּה תה״פ
fish-bone	אִדְרָה נ
common eider, eider-duck	אִדְרִיָּה נ
architect	אַדְרִיכָל ז
overcoat	אַדֶּרֶת נ
love, adore	אָהַב (יֹאהַב) פ
love, affection	אַהֲבָה נ
flirtation, philandering	אֲהַבְהָבִים ז״ר
avarice, love of money	אַהֲבַת בֶּצַע
altruism, love of mankind	אַהֲבַת הַבְּרִיּוֹת
profound love	אַהֲבַת נֶפֶשׁ
sympathize with, have affection for	אָהַד (יֶאֱהוֹד) פ
mutually	אַהֲדָדֵי תה״פ
sympathy	אַהֲדָה נ
oh, alas	אֲהָהּ מ״ק
sweetheart, beloved	אָהוּב ת
well-liked; sympathetic	אָהוּד ת
lampshade	אָהִיל ז
live in a tent, pitch a tent; camp	אָהַל (יֶאֱהַל) פ
or	אוֹ מ״ח
necromancy	אוֹב ז
lost, forlorn	אוֹבֵד ת
perplexed, at a loss	אוֹבֵד עֵצוֹת
dust-laden air	אוֹבֶךְ ז
copulative (in Hebrew grammar), copula	אוֹגֵד ז
division (mil.)	אוּגְדָּה נ
brim (of a hat); rim; handle	אוֹגֶן ז
collector, hoarder	אוֹגֵר ז
brand, firebrand	אוּד ז
concerning, about	אוֹדוֹת נ״ר
redness, ruby; lipstick	אוֹדֶם ז
lover	אוֹהֵב ז
sympathizer	אוֹהֵד ז
tent	אוֹהֶל ז
goose, gander	אַוָּז ז
simpleton, dolt	אֱוִיל ז
silliness, stupidity	אֱוִילוּת נ
air, atmosphere	אֲוִיר
aviation	אֲוִירָאוּת ז
airman, aircraftsman	אֲוִירָאִי ז
atmosphere	אֲוִירָה נ
airplane	אֲוִירוֹן ז
airy, aerial, ethereal	אֲוִירִי ת
airiness	אֲוִירִיּוּת נ
air-strength (of a country)	אֲוִירִיָּה נ

אָוֶן ז wickedness, evil
אִוורוּר ז ventilation, airing
אִוורֵר (יְאַוורֵר) פ ventilate, air, aerate
אִוושָׁה נ rustle, hiss; murmur
אוזלַת יָד ר׳ אָזלַת יָד
אוֹזֶן נ (נ״ז אוֹזנַיִים) ear; handle
אוֹזנֵי הָמָן Haman's ears – an ear-shaped Purim cake
אוֹזנִית נ earphone
אוֹחַ ז eagle-owl
אוֹטֶם ז stoppage, obstruction
אוֹי! מ״ק oh! alas!
אוֹיֵב ז enemy, foe
אוֹיָה! מ״ק alas! woe!
אוֹי וַאֲבוֹי alas! alack!
אוֹכֶל ז food, nourishment
אוּכַּל (יְאוּכַּל) פ be burnt; be digested
אוכלוּסִיָּה נ population, populace
אוכלוּסִים ז״ר population
אוּכלַס (יְאוּכלַס) פ be populated
אוכמָנִית נ blackberry
אוּכַּן (יְאוּכַּן) פ be identified, be pin-pointed
אוּכסַן (יְאוּכסַן) פ be given lodging
אוּכָּף ז saddle
אוּלַי תה״פ perhaps, maybe
אוּלָם מ״ח however, but, yet
אוּלָם ז hall, auditorium
אוּלַּף (יְאוּלַּף) פ be trained, be tamed
אוּלפָּן ז studio, ulpan (center for intensive study)
אוּלפָּנִית נ short ulpan
אוּלפַּן עֲבוֹדָה ulpan in a Kibbutz
אוּלַץ (יְאוּלַץ) פ be compelled, forced
אוֹלָר ז pen-knife, pocket knife
אוּלתַּר (יְאוּלתַּר) פ be improvised
או״ם ז The U.N.
אוֹם נ nut (for bolt)
אוֹמֶד ז assessment, estimate
אוּמדָן ז estimate
אוּמָּה נ nation, people
אוּמּוֹת מְאוּחָדוֹת United Nations
אוּמלָל ת wretched, miserable; pitiful, pitiable
אוּמלַל, (יְאוּמלַל) פ be made miserable, be made unhappy, be miserable
אוּמלָלוּת נ wretchedness, pitifulness
אוֹמֶן ז faithfulness, faith
אוּמַּן (יְאוּמַּן) פ be trained, be taught
אוֹמֵן ז trainer, foster-father
אוּמָּן ז craftsman, artisan
אוֹמְנָה נ pilaster, pillar, pier
אוּמָּנוּת נ craftsmanship, craft; art
אוֹמֶנֶת נ nursemaid, governess
אוֹמֶץ ז courage, pluck, nerve
אוּמצָה נ (beef) steak; hunk of meat
אוֹמֶץ־לֵב courage, prowess
אוֹמֶץ־רוּחַ spiritual courage
אוֹמֶר ז utterance, speech
אוֹן ז strength, force
אוֹנָאָה נ fraud, deceit, deception
אוּנָה נ lobe
אוֹנִיָּה, אֳנִיָּה נ ship, boat

אוֹנִיַּת קִיטוֹר — steamship
אוֹנֵן ז — mourner
אוֹנָן ת — onanist
אוֹנָנוּת נ — onanism, masturbation
אוֹנֵס ז — raper, rapist
אוֹנֶס ז — rape; compulsion
אוּנְקִיָּה נ — ounce
אוּנְקָל ז — hook
אוֹסֶם ז — bounty, rich harvest
אוֹפֶה — baker
אוֹפִי ז — character
אוֹפְיָנִי ת — characteristic
אוּפַּל (יְאוּפַּל) פ — be blacked out
אוֹפֶל ז — gloom, darkness
אוֹפַן ז — wheel
אוֹפֶן ז — way, manner
אוֹפַנּוֹעַ ז — motorcycle
אוֹפַנּוֹעָן ז — motorcyclist
אוֹפַנַּיִם ז״ז — bicycle
אוֹפַנִּית נ — scooter (for children)
אוֹפְנָתִי ת — fashionable, stylish
אוֹפֶק ז — horizon (lit. and fig.)
אוֹפְקִי ת — horizontal
אוּפְשַׁר (יְאוּפְשַׁר) פ — be enabled
אוֹצָר ז — treasure, treasury
אוֹצָר בָּלוּם — polymath
אוֹצְרוֹת קוֹרַח — immense wealth, the riches of Croesus
אוֹקְיָינוֹס ז — ocean, sea
אוֹר ז — light, brightness
אוֹר (יָאוֹר) פ — be lit, shine
אוּר ז — flame, fire
אוֹרֵב ז — one who lies in ambush, lurker
אוֹרֵג ז — weaver
אוּרְגַּן (יְאוּרְגַּן) פ — be organized
אוֹרָה נ — light
אוֹרֶה ז — fruit-picker
אוּרְוָוה נ — stable
אוֹרֵז ז — packer
אוֹרֶז ז — rice
אוֹרֵחַ ז — guest, visitor
אוֹרַח ז (ר׳ אוֹרָחוֹת) — way, manner
אוֹרְחָה נ — caravan
אוֹרְיָין ז — scholarship, erudition
אוֹרַיְיתָא נ — the Law, the Torah
אוֹרֶךְ ז — length; duration
אוֹרֶךְ אַפַּיִם — patience, long-suffering
אוֹר ל... — the night before
אוֹרְלוֹגִין ז — clock
אוֹרֶן ז — pine, pine-wood
אוֹרַס, אוֹרַשׂ (יְאוֹרַס) פ — become engaged, become betrothed
אוֹרְקוֹל ז — audio-visual communication
אוֹרְקוֹלִי ת — audio-visual
אוּשְׁפַּז (יְאוּשְׁפַּז) פ — be hospitalized, be sent to hospital
אוּשְׁפִּיז ז — lodger, guest
אוּשַּׁר (יְאוּשַּׁר) פ — be confirmed
אוֹשֶׁר ז — happiness, bliss
אוֹשֵׁשׁ (יְאוֹשֵׁשׁ) פ — strengthen
אוֹת (ר׳ אוֹתוֹת) ז — sign, mark
אוֹת (ר׳ אוֹתִיּוֹת) נ — letter (of the alphabet)
אוֹתֵת (יְאוֹתֵת) פ — signal
אוּתַּת (יְאוּתַּת) פ — be signalled
אָז תה״פ — then; so, thus
אִזְדָּרֶכֶת נ — China-berry tree, azedarach

אַזְהָרָה נ	warning, caution
אֵזוֹב ז	hyssop
אֵזוֹר ז	zone, district, belt
אֲזַי	then
אֲזִיקִּים ז״ר	fetters, shackles
אִזְכֵּר (יְאַזְכֵּר) פ	cite, refer
אַזְכָּרָה נ	memorial service
אָזַל (יֶאֱזַל) פ	sold out
אָזְלַת יָד	helplessness, impotence
אִזְמֵל ז	lancet, scalpel; chisel
אִזְמָרַגְד, אִיזְמָרַגְד ז	emerald
אָזֵן ז	quiver, holster; rail, ledge, horizontal cross-beam
אַזְעָקָה נ	alarm, alarm signal, siren
אָזַר (יֶאֱזוֹר) פ	gird, put on (equipment)
אֶזְרָח ז	citizen, civilian
אִזְרֵחַ (יְאַזְרֵחַ) פ	naturalize, grant citizenship to
אֶזְרָחוּת נ	citizenship
אֶזְרָחִי ת	civic, civil
אָח ז (אַח־ אוֹ אֲחִי־)	brother, kinsman; fellow
אָח ז	fireplace, hearth, brazier
אָחָא ז	brother! my brother!
אֶחָד ש״מ	one (*masculine*)
אַחְדוּת נ	unity, unification; oneness
אָחוּ ז	meadow
אַחֲוָה נ	fraternity, brotherhood
אָחוּז (לְמֵאָה) ז	percentage
אֲחוּזָה, אֲחֻזָּה נ	landed property, estate
אָחוּי ת	joined, stitched
אָחוֹר ז	back, rear
אֲחוֹרָה נ	back part
אֲחוֹרָה תה״פ	in reverse
אֲחוֹרַיִים ז״ר	buttocks
אֲחוֹרַנִּית תה״פ	backwards
אָחוֹת נ	sister; nurse
אָחַז (יֹאחַז) פ	hold, grasp
אֹחֶז ז	handle
אַחְזָקָה נ	maintenance
אָחִיד ת	uniform, homogeneous
אֲחִידוּת נ	uniformity
אֲחִיזָה נ	holding, grasping
אַחְיָן ז	nephew
אַחְיָנִית נ	niece
אַחְלָמָה ז	amethyst
אִחְסוּן ז	storage
אִחְסֵן (יְאַחְסֵן) פ	store
אַחְסָנָה נ	storage
אַחַר תה״פ	after, behind
אַחֵר מ״ג, ת	other, different
אַחֲרַאי ז	responsible person
אַחְרָאִי ת	responsible, liable
אַחֲרוֹן ת	last, latter
אַחֲרֵי תה״פ	after
אַחְרָיוּת נ	responsibility, liability
אַחֲרִית נ	end
אַחַר־כָּךְ	afterwards, later
אַחַת נ	one (*feminine*); once
אַט תה״פ	slowly, slow
אֶטֶב ז	paper-clip; clothes-peg
אָטָד ז	box-thorn
אָטוּם ת	sealed, closed; opaque
אָטִים ת	impermeable (to air or water), waterproof, air-tight
אֲטִימָה נ	sealing, closing (act of); stoppage; occlusion

אֲטִימוּת נ impermeability, opacity, tightness

אָטִיף ז pore, hole (in bread or cheese)

אִטְלוּלָא, אִטְלוּלָה, אִיטְלוּלָא נ jest, joke

אִטְלִיז, אִיטְלִיז ז butcher's shop

אָטַם (יֶאֱטוֹם) פ shut up, seal, pack; stop, obstruct

ʹאֶטֶם ז gasket, seal, packing

אַטְמָה נ thigh

אִטְמוּט ז automation

אִטְמֵט (יְאַטְמֵט) פ to automatize, to make automatic

אִטְרִית נ noodle, thread of macaroni or vermicelli

אִי ז island, isle

אִי תה״פ not

אִי מ״ק woe!

אֵי תה״פ where

אִי־אֶפְשָׁר impossible

אִיבֵּד, אִבֵּד (יְאַבֵּד) פ lose, forfeit; ruin, exterminate

אֵיבָה נ hostility, hatred

אִיבּוּד, אִבּוּד ז loss, forfeiture; extermination, ruin

אִיבּוּד לָדַעַת suicide

אִיבּוּךְ, אִבּוּךְ ז billowing (as of smoke); heterodyning

אִיבּוּכִי ת heterodyne

אִיבּוּס ז fattening, feeding (act of)

אִיבּוּץ ז galvanization, zinc-plating

אִיבּוּק ז dusting (putting on)

אִיבֵּךְ (יְאַבֵּךְ) פ billow (smoke etc.)

אִיבֵּן (יְאַבֵּן) פ petrify, turn to stone

אִיבֵּץ (יְאַבֵּץ) פ galvanize, zinc-plate, cover with zinc

אִיבֵּק (יְאַבֵּק) פ dust, powder; raise dust

אֵיבָר ז limb, organ

אִיגֵּד (יְאַגֵּד) פ tie, bind

אִיגּוּד, אִגּוּד ז union, association

אִיגּוּף ז outflanking

אִיגֵּם (יְאַגֵּם) פ create an artificial lake

אִיגֵּף (יְאַגֵּף) פ outflank

אִיגָּרָא, אִגָּרָא ז roof

אִיגֶּרֶת נ letter, epistle

אֵיד ז calamity, misfortune

אִידָּה (יְאַדֶּה) פ evaporate, vaporize

אִידּוּי ז evaporation

אִידְיוֹט ז idiot, imbecile

אִידִית, אִידִישׁ נ Yiddish

אִידָךְ מ״ג the other

אַיָּה נ kite (bird of prey)

אַיֵּה תה״פ where?

אִיווּי ז desire, craving

אִיוֶּלֶת נ stupidity

אִיוֵּר (יְאַוֵּר) פ introduce air, vent

אִיּוּם ז threat, menace

אָיוֹם ת terrible, dreadful

אִיּוֹן ז islet

אִיּוּן ז negation

אִיּוּר ז illustration

אֵיזֶה מ״ג לזכר what? which?

אֵיזֶהוּ מ״ג לזכר who is? which is? who is it?

אֵיזוֹ מ״ג לנקבה what? which? (*fem.*); someone, anyone

אֵיזוֹהִי מ״ג לנקבה — who is? which is? (*fem.*)
אִיזּוּן ז — balancing
אִיזּוּן הַכּוֹחוֹת — balance of power
אִיזֵּן (יְאַזֵּן) פ — weigh, balance
אֵיזֶשֶׁהוּ מ״ג — whichever, whatever
אִיחֵד (יְאַחֵד) פ — unite, unify
אִיחָה (יְאַחֶה) פ — join (together); patch up; coordinate
אִיחוּד ז — union, unification
אִיחוּי, אִחוּי ז — stitching; patching up; coordination
אִיחוּל ז — wish, greeting
אִיחוּר ז — lateness, delay
אִיחֵל (יְאַחֵל) פ — wish
אִיחֵר (יְאַחֵר) פ — be late; be slow (clock)
אִיטוּם ז — sealing
אִיטִי ת — slow
אִיטִיּוּת נ — slowness
אִיטְלִיז ר׳ אִטְלִיז
אִיטֵּם פ — seal, make waterproof
אִיטֵּר ת — left-handed
אִיטְּרוּת נ — left-handedness
אֱיָיל ז — power
אַיָּל ז — deer, stag
אַיָּלָה נ — hind, doe
אַיֶּלֶת הַשַּׁחַר — morning star
אִיֵּים (יְאַיֵּים) פ — threaten, menace
אִיֵּיר (יְאַיֵּיר) פ — illustrate
אִיָּיר ז — Iyar (April-May)
אִיֵּישׁ (יְאַיֵּישׁ) פ — man
אִיֵּית (יְאַיֵּית) פ — spell (letter by letter)
אֵיךְ תה״פ — how? in what way?

אֵיכָה תה״פ — how? in what way?
אִיכּוּל ז — consumption; combustion, burning; devouring
אִיכּוּן ז — pin-pointing, identification
אֵיכוּת נ — quality
אֵיכוּתִי ת — qualitative
אֵיכָכָה תה״פ — how?
אִיכֵּל (יְאַכֵּל) פ — burn; digest; consume
אִיכֵּן (יְאַכֵּן) פ — identify, pin-point
אִיכְפַּת, אִכְפַּת פ — concern, matter to
אִיכְפָּתִיּוּת נ — concern, a feeling of responsibility
אִיכָּר ז — peasant, farmer
אֵיכְשֶׁהוּ תה״פ — somehow or other
אַיִל ז — ram
אִילוּ מ״ח — if
אֵילוּ מ״ג — which (pl)
אִילוּלֵי מ״ח — if not; but for
אִילּוּחַ ז — infection
אִילּוּם ז — sheaving
אֵילוֹנִית נ — barren woman
אִילּוּף ז — training, taming
אִילּוּץ ז — compulsion, coercion
אֵילֵי נֵפְט — oil tycoons
אֵילַךְ תה״פ — onwards, thereafter
אִילְכָּךְ מ״ח — therefore, accordingly
אִילֵּם (יְאַלֵּם) פ — sheave
אִילֵּם ז, ת — dumb, mute
אִילְמָלֵא, אִלְמָלֵא מ״ח — if not
אִילְמָלֵי, אִלְמָלֵי מ״ח — if
אִילָן ז (ר׳ אִילָנוֹת) — tree
אִילֵּף (יְאַלֵּף) פ — train, tame
אִילֵּץ (יְאַלֵּץ) פ — compel, oblige
אִימָא, אִמָּא נ — mummy, mother

אֵימָה נ	dread, terror
אִימָּהוֹת נ״ר	mothers; matrix
אִימָּהוּת, אִמָּהוּת נ	maternity, motherhood
אִימָּהִי, אִמָּהִי ת	maternal, motherly
אִימּוּם ז	block, last
אִימּוּן ז	training, practice
אִימּוּץ ז	straining; adoption
אִימּוּת ז	verification
אִימֵּל (יְאַמֵּל) פ	enamel-plate
אִימֵּן (יְאַמֵּן) פ	train, practise
אִימֵּץ (יְאַמֵּץ) פ	brace, tone up, straih, adopt (child)
אִימֵּת (יְאַמֵּת) פ	verify
אֵימַת הַצִּיבּוּר	stage fright
אֵימָתַי תה״פ	whenever, when
אֵימְתָנוּת נ	terrorism
אַיִן, אֵין ז, תה״פ	not; nil, there is no; nothing
אֵין־אוֹנִים	helpless, powerless
אֵין דָּבָר	never mind
אִינָּה (יְאַנֶּה) פ	bring about; lament
אֵינוּת נ	non-existence
אִינֵּךְ (יְאַנֵּךְ) פ	make vertical
אֵינְסוֹף, אֵין־סוֹף ז	infinity
אֵינְסוֹפִי, אֵין־סוֹפִי ת	infinite
אִי־סֵדֶר	disorder, lack or order
אִיסּוּם ז	storage
אִיסּוּף ז	collection, gathering
אִיסּוּר ז	ban, prohibition
אִיסְטְנִיס ת ז	fastidious
אִיסֵּם (יְאַסֵּם) פ	store
אִיסֵּף (יְאַסֵּף) פ	collect, gather
אֵיפֹה תה״פ	where?
אֵיפוֹא ר׳ אֵפוֹא	
אִיפּוּל ז	black-out
אִיפּוּר ז	make-up
אִיפֵּל (יְאַפֵּל) פ	black-out, dim
אִיפֵּס (יְאַפֵּס) פ	nullify; zero
אֵי־פַּעַם	sometime, ever
אִיפֵּר (יְאַפֵּר) פ	make-up
אִיצָּה נ	haste, hurry
אִיצְטְלָה נ	robe, toga
אִיקוֹנִין ז	portrait, picture; icon
אֵירוּחַ ז	hospitality
אִירוּס ז	iris; drum
אֵירוּסִים, אֵירוּסִין, אֵירוּשִׂים ז״ר	engagement, betrothal
אֵירוּעַ ז	event, occurrence
אֵירֵחַ (יְאָרֵחַ) פ	entertain (as guest)
אֵירֵס (יְאָרֵס) פ	betroth, become engaged to
אֵירַע (יְאָרַע) פ	happen, occur
אִישׁ ז (ר׳ אֲנָשִׁים)	man, male; husband; anyone, anybody
אִישׁ אֶשְׁכּוֹלוֹת	great scholar
אִישׁ בְּלִייַּעַל	scoundrel
אִישׁ דָּמִים	murderer
אִישָּׁה, אִשָּׁה נ	woman; wife; female
אִישֶּׁה ז	offering made by fire
אֵישֶׁהוּ תה״פ	somewhere
אִישּׁוּם ז	indictment, accusation
אִישׁוֹן ז	pupil (of the eye)
אִישּׁוּר ז	confirmation, endorsement, approval
אִישּׁוּת נ	marriage relationship
אִישׁ חַיִל	hero, smart man
אִישִׁי ת	personal, individual
אִישִׁיּוּת נ	personality

אִישִׁים ז״ר	important people
אִישִׁית תה״פ	personally, in person
אִישׁ צָבָא	soldier
אִישׁ צְפַרְדֵּעַ	frogman
אִישֵּׁר (יְאַשֵּׁר) פ	confirm
אִיתּוּת ז	signalling
אֵיתָן ת	firm, sound
אֵיתָנוּת נ	soundness, firmness, stability
אִיתֵּר (יְאַתֵּר) פ	localize, pinpoint
אִיתֵּת (יְאַתֵּת) פ	signal
אַךְ	but; only
אָכוּם ת	swarthy, dark brown
אַכְזָב ת	deceptive, illusory
אִכְזֵב (יְאַכְזֵב) פ	disappoint, disillusion
אַכְזָבָה נ	disappointment, disillusionment
אַכְזָר, אַכְזָרִי ת	cruel, harsh, brutal
אַכְזָרִיּוּת נ	cruelty, brutality, harshness
אָכִיל ת	edible
אֲכִילָה נ	eating; consumption
אֲכִיפָה נ	oppression, stress, constraint
אָכַל (יֹאכַל)	eat; consume, use up; devour, eat up
אָכְלָה, אוֹכְלָה נ	food
אִכְלוּס ז	population, populating
אַכְלָן ז	glutton, gourmand
אִכְלֵס (יְאַכְלֵס) פ	populate
אָכֵן תה״פ	surely, truly; for all that; well
אַכְסַדְרָה נ	lobby, porch
אִכְסוּן ז	accommodation; provision of lodging
אִכְסֵן (יְאַכְסֵן) פ	accommodate, put up
אַכְסְנַאי ז	guest, lodger
אַכְסַנְיָה נ	hostel, inn
אָכַף (יֶאֱכוֹף) פ	compel, press
אַכְרָזָה נ	proclamation, public announcement
אַל תה״פ	not, don't...
אֵל ז	god, God; ability
אֶל מ״י	to, towards, into; at, by
אֶלָּא תה״פ	but
אֶלְגָּבִישׁ ז	crystal; hailstone; meteorite
אֵלָה נ	pistachio-tree
אֵלָה נ	goddess
אַלָּה נ	club; baton
אָלָה נ	imprecation
אֵלֶּה מ״ג	these
אֵלּוּ מ״ג	these
אֱלוֹהַּ ז	god, deity; God
אֱלוֹהוּת נ	divinity, godhead
אֱלוֹהִי ת	divine, godly, godlike
אֱלוֹהִים ז	God
אָלוּחַ ת	septic, infected
אֱלוּל ז	Ellul (Aug.-Sept)
אֲלוּמָּה נ	sheaf
אַלּוֹן ז	oak, oak-wood
אֲלוּנְטִית נ	towel
אֲלוּנְקָה נ	stretcher
אַלּוּף ז	Major-General; champion
אֶלַח ז	sepsis, infection
אַלְחוּט ז	wireless, radio
אַלְחוּטָאוּת נ	wireless telegraphy
אַלְחוּטַאי ז	radio operator

אַלחוּשׁ ז — anaesthesia

אִלחוּשׁ ז — anaesthetization

אִלחֵשׁ (יְאַלחֵשׁ) פ — anaesthetize

אַלִיבָּא תה״פ — according to

אַלְיָה נ — fat tail of sheep

אֱלִיל ז — idol, false god

אֱלִילָה נ — idol (in female form), goddess

אֱלִילוּת נ — idolatry, paganism, idol-worship

אֱלִילִי ת — pagan

אַלִּים ת — strong; violent

אַלִּימוּת נ — violence; power

אַלִּיפוּת נ — championship

אֲלַכסוֹן ז — diagonal; slant, slope

אַלְלַי! מ״ק — woe, alas

אֵלֶם ז — dumbness, muteness; silence

אַלָּם ז — violent person

אַלמוֹג, אַלגּוֹם ז — coral; sandalwood

אַלמָוֶת ז — immortality; everlasting (flower)

אַלמוֹן ז — widowhood

אַלמוֹנִי ת — unknown, anonymous

אַלמוֹנִיּוּת נ — anonymity

אַלמוֹתִי ת — immortal, everlasting

אַלמָן ז — widower

אִלמֵן (יְאַלמֵן) פ — widow, bereave

אַלמָנָה נ — widow

אַלמְנוּת נ — widowhood

אַלמַתֶּכֶת נ — non-metallic element

אִלסָר, אִילסָר ז — hazel (nut or tree)

אֶלֶף ז — a thousand

אָלֶפבֵּיתִי ת — alphabetic(al)

אַלפוֹן ז — primer (in reading instruction)

אַלפִּי ז — thousandth

אַלפִּית נ — a thousandth part

אִלפָס, אִילפָס ז — saucepan, pan

אִלרֵחַ (יְאַלרֵחַ) פ — deodorize

אִלתּוּר ז — improvization

אִלתִּית נ — salmon

אַלתַּר, לְאַלתַּר תה״פ — on the spot, forthwith

אִלתֵּר (יְאַלתֵּר) פ — improvize, extemporize

אֵם נ — mother

אִם מ״ח — if, whether; if, in case; or

אַמבַּט ז — bath, bathroom

אַמבָּר ז — granary

אָמַד (יֶאֱמוֹד) פ — estimate, assess

אָמָה נ (ר׳ אֲמָהוֹת) — maidservant, maid

אַמָּה נ — cubit, forearm; third finger

אֲמוֹדַאי ז — diver

אֵמוּן ז (ר׳ אֱמוּנִים) — faith, confidence; fidelity, loyalty

אֱמוּנָה נ — faith, religion, belief

אֱמוּנָה תְּפֵלָה — superstition

אָמוֹץ ת — bay, chestnut (color)

אָמוֹרָא ז — Amora, Talmudic sage

אֱמוֹרִי ז — Amorite

אֵם חוֹרֶגֶת — stepmother

אָמִיד ת ז — prosperous, well-to-do

אֲמִידָה נ — approximation, estimate

אֲמִידוּת נ — affluence

אָמִין ת — authentic; credible

אֲמִינוּת נ — authenticity; credibility

אַמִּיץ ת — brave, courageous

אָמִיר ז — upper branch

אֲמִירָה נ — utterance, speech
אֲמִיתָּה נ — truth; axiom
אֲמִיתּוּת נ — veracity, truth
אֲמִיתִּי ת — genuine; true
אֲמִיתִּיּוּת נ — authenticity; truthfulness
אִם כִּי — although
אִמְלֵל (יְאַמְלֵל) פ — make miserable
אִמֵּן (יְאַמֵּן) פ — foster, nurture
אָמֵן תה״פ — Amen, so be it
אָמָּן, אֻמָּן ז — artist
אֲמָנָה נ — pact, treaty
אַמְנוּן ז — tilapia
אַמְנוּן וְתָמָר — pansy
אָמָּנוּת, אֻמָּנוּת נ — art
אָמָּנוּתִי, אֻמָּנוּתִי ת — artistic
אָמְנָם, אָמְנָם, אוּמְנָם תה״פ — in truth, it is true that
אָמַץ (יֶאֱמַץ) פ — be strong, be brave
אַמְצָאָה נ — device, invention
אֶמְצַע ז — center, middle
אֶמְצָעוּת ז — means; middle, center
אֶמְצָעִי ת — center, middle
אֶמְצָעִי ז — means
אֶמְצָעִיּוּת נ — centrality
אֶמְצָעִית נ — center, middle
אָמַר (יֹאמַר) פ — say, utter; intend, mean; tell, relate
אֲמַרְגָּן ז — impresario
אִמְרָה נ — saying, maxim
אֲמַרְכָּל ז — administrator
אֲמַרְכָּלוּת נ — administration
אֶמֶשׁ ז, תה״פ — last night
אֱמֶת נ — truth, verity
אַמְתַּחַת נ — large sack; rucksack, haversack, bag

אֲמַתְלָה נ — pretext, lame excuse
אָן, לְאָן תה״פ — where (to)?, whither?
אָנָּא מ״ק — please, I beseech you
אַנְדְּרוֹגִינוֹס ז — androgyne, hermaphrodite
אַנְדַּרְטָה נ — bust, statue
אַנְדְּרָלָמוּסְיָה נ — chaos, utter confusion
אָנָה תה״פ — whither?, where (to)?
אָנוּ מ״ג — we
אָנוֹכִי, אָנֹכִי מ״ג — I
אָנוֹכִיּוּת, אָנֹכִיּוּת נ — egotism, egoism, selfishness
אָנוֹכִיִּי, אָנֹכִיִּי ת — egotistic, egoistic, selfish
אָנוּס ת — compelled, forced
אָנוּשׁ ת — mortal, incurable
אֱנוֹשׁ ז — man
אֱנוֹשׁוּת נ — humanity, mankind
אֱנוֹשִׁי ת — human; humane
אֱנוֹשִׁיּוּת ז — humanity; humaneness
אֲנָחָה נ — sigh, groan
אֲנַחְנוּ מ״ג — we
אַנְטִישֵׁמִיּוּת נ — anti-Semitism
אֲנִי מ״ג — I
אֲנִין, אֲנִין־הַדַּעַת ת — fastidious, epicurean, particular
אֲנִינוּת־הַדַּעַת — fastidiousness, epicurism
אֲנִיץ ז — flake (of hair, fiber etc.)
אֲנָךְ ז — plummet, plumb line
אֲנָכִי ת — vertical; perpendicular
אָנַס (יֶאֱנוֹס) פ — compel; rape
אַנָּס ז — rapist
אָנַף (יֶאֱנַף) פ — be wroth, be angry

אֲנָפָה נ heron

אִנְפּוּף ז nasalization

אַנְפִּילָה נ felt boot

אִנְפֵּף (יְאַנְפֵּף) פ nasalize, talk through one's nose

אֲנָקָה נ moaning, groaning, crying

אַנְקוֹל ז hook

אַנְקוֹלִית נ hook-worm

אַנְקוֹר ז sparrow

אֲנָשִׁים ז״ר men; people (plural of אִישׁ q.v.)

אַסְדָּה נ raft

אָסוּךְ ז oil-can

אָסוֹן ז (ר׳ אֲסוֹנוֹת) disaster

אֲסוּפִי ת foundling

אָסוּר תה״פ וגם ת forbidden, prohibited; imprisoned

אֵסוּר ז אֲסוּרִים ז״ר shackle, fetter, manacle

אַסְטֵלָה נ grave-stone, stele

אַסְטְרָטֵגִי ת strategic

אֲסִימוֹן ז defaced coin; token

אָסִיף ז harvest-time

אֲסִיפָה נ accumulation; collecting

אֲסֵיפָה, אֲסֵפָה נ meeting, assembly

אָסִיר, אַסִּיר ז prisoner, captive

אֲסִיר תּוֹדָה grateful

אַסְכּוֹלָה נ school (of thought, painting etc.)

אַסְכָּרָה נ diphtheria, croup

אֵסֶל ז yoke (for carrying two buckets)

אַסְלָה נ lavatory seat

אִסְלֵם (יְאַסְלֵם) פ convert to Islam

אָסָם ז granary

אַסְמַכְתָּא, אַסְמַכְתָּה נ authority (for action, emendation)

אָסַף (יֶאֱסוֹף) פ collect, gather, assemble

אַסְפָן ז collector (as a hobby)

אֲסַפְסוּף ז rabble, mob

אַסְפֶּסֶת נ lucerne grass, alfalfa

אַסְפָּקָה נ supplies, supply

אַסְפַּקְלַרְיָה נ mirror, looking-glass

אַסְקוּפָּה נ doorstep

אָסַר (יֶאֱסוֹר) פ imprison, jail; forbid, prohibit

אִסְרוּ־חַג the day after a festival (Passover, Pentecost or Tabernacles)

אַף ז (ר׳ אַפִּים, אַפַּיִם) nose; anger

אַף מ״ח also, even, too

אָפָה (יֹאפֶה) פ bake

אֵפוֹא, אֵיפוֹא תה״פ therefore, then; consequently

אֵפוֹד ז ephod; tunic

אֲפוּדָּה נ pullover, sweater, jumper

אַפּוֹטְרוֹפּוֹס ז guardian, custodian; guarantor

אַפּוֹטְרוֹפְּסוּת נ custodianship, guardianship

אָפוּי ת baked

אָפוּן ז pea

אֲפוּנָה נ (ר׳ אֲפוּנִים) pea

אָפוּף ת wrapped, clothed

אָפוֹר ת grey, grizzly

אַפִּי ת nasal

אֲפִיָּה נ baking

אִפְיֵן (יְאַפְיֵן) פ characterize, be characteristic of
אֲפִילוּ מ״ח even, even if
אֲפִיפִית נ dry biscuit, wafer
אָפִיק ז bed (of a river), channel
אֲפִיקוֹמָן ז piece of unleavened bread hidden and later eaten at end of Passover evening
אִפְּכָא, אִיפְּכָא ז the opposite, the reverse
אַף כִּי although
אָפֵל ת dark, dim, gloomy
אֲפֵלָה נ gloom, darkness
אַפְלוּלִי ת dim, dusky
אַפְלוּלִית נ dusk, dimness
אַפְלָיָה נ discrimination
אָפֵס (יֶאְפַּס) פ cease, come to an end
אֶפֶס ז nothing; zero, nil
אֶפֶס תה״פ yet, but
אַפְסוּת נ futility, worthlessness, inefficacy
אַפְסִי ת insignificant, worthless, futile
אַפְסְנַאי ז storekeeper, quartermaster
אַפְסָר ז halter, bridle
אֶפְעֶה ז viper
אַף עַל פִּי־כֵן nevertheless
אַף עַל פִּי שֶׁ... though, although
אָפַף (יֶאֱפוֹף) פ beset, surround, set about
אֵפֶר ז ash, ashes
אֲפֵר ז mask, disguise
אָפָר ז meadow, pasture

אֶפְרוֹחַ ז chick, young bird
אַפְרוּרִי ת greyish
אַפִּרְיוֹן ז sedan-chair
אַפְּרִיל April
אֲפַרְכֶּסֶת נ outer ear, ear-piece
אֲפַרְסְמוֹן ז persimmon; balsam
אֲפַרְסֵק ז peach
אֶפְרָתִי ת patrician, aristocratic; Ephraimite
אִפְשׁוּר ז facilitation, enabling
אֶפְשָׁר תה״פ possibly, perhaps
אִפְשֵׁר (יְאַפְשֵׁר) פ enable, facilitate
אֶפְשָׁרוּת נ possibility, feasibility
אֶפְשָׁרִי ת possible, feasible
אָץ (יָאוּץ) פ rush, hurry
אֶצְבַּע נ finger, toe
אֶצְבָּעוֹן ז thimble
אֶצְבְּעוֹנִי ז, ת midget; Tom Thumb
אֶצְבָּעִי ת midget
אַצָּה נ sea weed
אֲצוּלָה נ aristocracy, nobility
אִצְטַבָּה, אִיצְטַבָּה נ shelf, ledge
אִצְטַגְנִין ז astrologer, horoscoper
אִצְטַדְיוֹן ז stadium, arena
אִצְטְרוֹבָּל ז cone (of pine)
אַצִּיל ז אַצִּילָה נ the upper arm
אָצִיל ז peer; gentleman
אֲצִילָה נ (act of) delegation; bestowal
אֲצִילוּת נ aristocracy, nobility; gentlemanliness, gentility, breeding
אֵצֶל מ״י near, beside; at, to (the house of); with, in the possession of

אֶצֶ״ל I.Z.L., Irgun Zevai Leumi ("the Irgun")
אָצַל (יֶאֱצוֹל) פ delegate, bestow
אֶצְעָדָה נ bangle, bracelet
אֶקְדָּח, אֶקְדּוֹחַ ז pistol, revolver
אֶקְדָּח ז carbuncle, garnet
אַקּוֹ ז ibex
אַקְלִים ז climate
אַקְלִימִי ת climatic
אִקְלֵם (יְאַקְלֵם) פ acclimate (U.S.), acclimatize (Brit.)
אַקְרַאי ז chance, accident
אֶרְאֵל ז angel
אָרַב (יֶאֱרוֹב) פ lie in wait, lurk
אֶרֶב, אוֹרֶב ז ambush, ambuscade
אַרְבֶּה ז locust
אַרְבָּה נ barge
אַרְבַּע נ אַרְבָּעָה ז four
אַרְבָּעָה־עָשָׂר fourteen (*masc.*)
אַרְבַּע־עֶשְׂרֵה fourteen (*fem.*)
אַרְבָּעִים forty
אַרְבַּעְתַּיִם תה״פ fourfold, quadruple
אָרַג (יֶאֱרוֹג) פ weave
אֶרֶג ז material, stuff (woven)
אִרְגּוּן ז organization
אִרְגּוּנִי ת organizational
אַרְגָּז ז box, crate
אַרְגִּיעָה ז moment, instant
אַרְגָּמָן ז purple, mauve
אִרְגֵּן, אִירְגֵּן (יְאַרְגֵּן) פ organize
אַרְגָּעָה נ relief; all-clear
אָרָד ז bronze
אַרְדִּיכָל ז architect
אַרְדִּיכָלוּת נ architecture
אָרָה (יֶאֱרֶה) פ pick (fruit), gather

אֲרוּבָּה, אֲרֻבָּה נ chimney
אָרוּז ת packed; tied up
אֲרוּחָה נ meal, repast
אָרוּי ת picked, gathered
אָרוֹךְ (ר׳ אֲרוּכִּים, סמ׳ אֶרֶךְ־, אֲרוֹךְ־) ת long, lengthy
אֲרוּכָה נ cure, recovery
אָרוֹן, אֲרוֹן ז cupboard, cabinet; coffin
אֲרוֹן הַקּוֹדֶשׁ The Ark, the Holy Ark
אֲרוֹנִית נ small cupboard
אָרוּס ז fiancé, betrothed (man)
אֲרוּסָה נ fiancée, betrothed (woman)
אֶרֶז ז cedar
אָרַז (יֶאֱרוֹז) פ pack, tie up
אָרַח (יֶאֱרַח) פ journey, travel
אָרְחֵי פָּרְחֵי ז״ר vagabonds, tramps
אֲרִי, אַרְיֵה ז lion
אָרִיג ז cloth, material, stuff
אֲרִיגָה נ weaving
אֲרִיזָה נ packing, package
אָרִיחַ ז tile; small brick
אֲרִייָה נ picking, gathering (of fruit)
אֲרִיכוּת נ prolongation, lengthening
אֲרִינָמָל ז ant-lion
אָרִיס ז tenant-farmer, share-cropper
אֲרִיסוּת נ tenancy (on land); condition of tenant
אָרַךְ (יֶאֱרַךְ) פ last, take (time)
אַרְכָּה נ extension of time, respite

אַרְכּוּבָּה נ — knee joint; cranking handle

אַרְכּוֹף ז — stirrup

אַרְכִיּוֹן ז — archives

אַרְכָנוּת נ — long-windedness, verbosity

אַרְמוֹן ז — palace, mansion

אֲרַמִּי ת — Aramaic, Aramaean

אֲרָמִית נ — Aramaic

אַרְנָב ז, אַרְנֶבֶת נ — rabbit, hare

אַרְנוֹנָה נ — property tax, rates

אַרְנָק ז — purse, wallet

אֶרֶס ז — poison, venom

אַרְסִי ת — poisonous

אַרְסִיּוּת נ — toxity; virulence

אַרְסָן ז — arsenic

אֵרַע, אֵירַע (יֶאֱרַע) פ — happen, occur, take place

אֲרָעִי, עֲרָאִי ת — provisional, temporary

אֶרֶץ נ — country, land; ground, earth

אַרְצִי ת — national, earthly

אַרְצִית נ — white ant, termite

אָרַר (יָאוֹר) פ — curse, damn

אֲרֶשֶׁת נ — expression

אֲרֶשֶׁת שְׂפָתַיִם — expression (verbal)

אֵשׁ נ — fire, flame

אֶשְׁבּוֹל ז — corn cob

אֶשֶׁד ז — waterfall, cascade

אֲשֵׁדָה נ — slope (of a hill); waterfall

אַשְׁוָה נ — reel (for cotton), bobbin

אַשׁוּחַ ז — fir tree

אָשׁוּן ת — rough, uneven; rigid, inflexible

אַשּׁוּר ז — box-tree, box-wood

אַשּׁוּרִית נ — Assyrian (language)

אָשְׁיָה, אוֹשְׁיָה נ — foundation; basic principle

אֲשִׁינוּת נ — stiffness

אֶשֶׁךְ ז — testicle

אַשְׁכָּבָה נ — interment, burial

אֶשְׁכּוֹל ז — bunch (of grapes)

אֶשְׁכּוֹלִית נ (ר׳ אֶשְׁכּוֹלִיּוֹת) — grapefruit

אֶשְׁכָּר ז — gift, tribute

אֵשֶׁל ז — tamarisk

אֵשֶׁ״ל ז — expenses (board and lodging)

אַשְׁלָג ז — potash

אַשְׁלְגָן ז — potassium

אַשְׁלָיָה נ — illusion

אָשַׁם (יֶאְשַׁם) פ — found guilty

אָשֵׁם ת — guilty, culpable

אָשָׁם ז — offense, crime; guilt

אַשְׁמָאִי, אַשְׁמַיי ת — sinner

אַשְׁמְדַאי ז — Asmodeus, prince of demons

אַשְׁמָה נ — blame

אַשְׁמוּרָה, אַשְׁמוֹרֶת נ — watch (division of the night)

אַשְׁמָן ז — gloom, darkness

אֶשְׁנָב ז — small window

אֶשְׁנַבַּאי ז — clerk (dealing with public from behind a grille)

אַשָּׁף ז — magician, sorcerer

אַשְׁפָּה נ — rubbish, refuse; quiver (for bows)

אִשְׁפּוּז ז — hospitalization

אִשְׁפֵּז (יְאַשְׁפֵּז) פ hospitalize
אַשְׁפָּרָה נ finishing (in weaving)
אֵשׁ צוֹלֶבֶת crossfire
אֲשֶׁר מ״ח, מ״ג that, who, which, what
אַשְׁרַאי ז credit
אֲשָׁרָה נ visa, permit
אַשְׁרֵי מ״ק happy! blessed!
אִשְׁרֵר (יְאַשְׁרֵר) פ ratify
אֶשְׁתָּקַד תה״פ last year
אַתְּ, אַתָּה, אַתֶּם, אַתֶּן מ״ג you (sing. fem., sing. masc., pl. masc., pl. fem.)
אֵת, אֶת־ מ״י (form-word indicating direct object)
אֵת מ״י (אִתִּי, אִתְּךָ, אִתָּךְ,...) with
אֶתְגָּר ז challenge
אָתוֹן נ donkey, she-ass
אַתְחַלְתָּא נ beginning
אַתְלֵט ז athlete, strong man
אַתְלֵטִיקָה נ athletics, athletic sports
אֶתְמוֹל תה״פ yesterday
אֶתְנָח ז אֶתְנַחְתָּא נ pause, rest
אֶתְנָן ז gift (to a prostitute)
אֲתַר, אַתְרָא ז place, site
אֶתֶר ז ether
אַתְרָאָה נ warning
אֶתְרוֹג ז citron
אַתָּת ז signaller (military)

ב

בְּ־, בַּ־, בָּ־, בֶּ־, בִּ־ in, at; with, by
בָּא (יָבוֹא) פ come, enter
בָּא ת next, subsequent, coming
בְּאוֹפֶן תה״פ in a... manner, — ly
בָּאוּשׁ ת putrid, stinking
בָּאוֹת־כּוֹחַ representation
בָּאַחֲרוֹנָה, לָאַחֲרוֹנָה תה״פ recently, lately
בְּאִיבּוֹ at a tender age, in the bud
בְּאִישָׁה נ putrefaction, stench
בְּאַקְרַאי תה״פ by chance, accidentally
בְּאֵר נ (ר׳ בְּאֵרוֹת) well
בָּאַשׁ (יִבְאַשׁ) פ stink, putrefy
בַּאֲשֶׁר תה״פ as regards, as for, as to; because; where
בָּבָה, בָּבַת עַיִן נ pupil (of the eye)
בָּבוּאָה נ reflection, image
בִּבְחִינַת תה״פ a kind of, a sort of
בְּבֵירוּר תה״פ clearly, explicitly
בַּבְלִי ת Babylonian
בְּבַקָּשָׁה תה״פ please, you're welcome, don't mention it
בְּבַת־אַחַת at one go, all at once
בָּבַת־עַיִן pupil (of the eye)
בְּבַת־רֹאשׁ with a nod
בָּגַד (יִבְגּוֹד) פ betray
בֶּגֶד ז garment, dress

בְּגֶדֶר תה״פ	within the bounds of
בָּגוּר ת	adult
בְּגִידָה נ	betrayal
בְּגִילוּפִין תה״פ	tipsy, tipsily
בְּגִין מ״י	because of
בָּגִיר ז	adult (in the legal sense)
בַּגִירוּת נ	adulthood (legal)
בִּגְלַל מ״י	because of, on account of
בְּגַפּוֹ תה״פ	alone, by himself
בָּגַר (יִבְגַּר) פ	mature, grow up
בַּגְרוּת נ	adolescence; maturity
בַּד נ	linen
בַּדַּאי ז	liar, cheat
בְּדַאי ז	fiction
בָּדָד תה״פ	alone
בָּדָה (יִבְדֶּה)	fabricate, invent
בָּדוּחַ ת	merry, jolly
בָּדוּי ת	fabricated, invented
בְּדוֹלַח ז	crystal; bdellium
בַּדּוֹן ז	hut, tent
בָּדוּק ת	tried, tested
בְּדוּת, בְּדוּתָה נ	invention, fabrication
בִּדְחִילוּ וּרְחִימוּ	with awe and reverence
בַּדְחִית נ	farce, musical comedy
בַּדְחָן ז	comedian, jester
בַּדִּיד ז	twig, small branch
בְּדִידוּת נ	solitude, loneliness
בְּדָיָה נ	falsehood, invention
בִּדְיוֹנִי ת	fictitious
בְּדִיּוּק תה״פ	precisely, exactly
בְּדִיחָה נ	joke, jest
בְּדִיחוּת נ	merriment, hilarity
בְּדִיל ז	tin
בְּדִיעֲבַד תה״פ	now that it's happened, in the event
בְּדִיקָה נ	inspection, check
בָּדָל ז	tip, end
בַּדְלָנוּת נ	isolationism
בָּדַק (יִבְדּוֹק) פ	inspect, examine
בֶּדֶק ז	repair
בֶּדֶק הַבַּיִת	house-repairs
בַּדְּרָן ז	entertainer, comedian
בְּהַדְרָגָה תה״פ	gradually, in stages
בָּהוּל ת	hasty, hard-pressed
בְּהִזְדַּמְּנוּת תה״פ	when time permits
בְּהֶחְלֵט תה״פ	certainly
בַּהַט ז	alabaster
בְּהִילוּת נ	hurry, impetuosity
בְּהֶיסַּח הַדַּעַת תה״פ	absentmindedly
בָּהִיר ת	bright
בְּהִירוּת נ	brightness, clarity
בֶּהָלָה נ	panic, alarm
בְּהֵמוֹת ז	hippopotamus
בַּהֲמִיּוּת נ	brutishness
בַּהֶקֶת נ	albinism
בַּהֶרֶת נ	freckle, white spot (on a skin)
בְּהַשְׁאָלָה תה״פ	figuratively, metaphorically; on loan
בְּהֶתְאֵם תה״פ	respectively; accordingly
בּוֹ מ״ג	(inflected form, 3rd person masc. sing, of ב q.v.)
בּוֹא מקור	coming, arrival, entering
בּוֹאֵשׁ ז	skunk
בּוֹאשָׁה נ	weed; stench, stink
בּוּבָּה נ	doll, puppet

בּוֹגֵד ז — traitor, renegade

בּוֹגְדָנוּת נ — disloyalty, treachery

בּוֹגֵר ז — adult; graduate

בּוֹדֵד ת — isolated; lonely

בּוֹדַד (יְבוֹדַד) פ — be isolated

בּוֹהוּ ז — chaos, emptiness

בּוֹהֶן ז — thumb, big toe

בּוֹהַק ז — leukoderma; a white patch on the skin

בְּוַדַּאי תה״פ — certainly, evidently

בּוּז ז — contempt, scorn

בּוֹזֵז ז — plunderer, looter

בּוֹזְמַנִּית תה״פ — simultaneously

בּוֹחַל ז — puberty

בּוֹחַן ז — test, examination

בּוֹחֵן ז — examiner

בּוֹחֵר ז — voter, elector

בּוּטַּח (יְבוּטַּח) פ — be insured

בּוּטַּל (יְבוּטַּל) פ — be cancelled

בּוֹטֶן ז (ר׳ בּוֹטְנִים) — peanut; pistachio nut

בּוּיַּל (יְבוּיַּל) פ — be stamped

בּוּיַּם (יְבוּיַּם) פ — be staged

בּוּכְיָר ז — weaver's shuttle

בּוּכְנָה נ — piston

בּוּל ז — stamp

בּוּלָאוּת נ — philately, stamp-collecting

בּוּלַאי ז (ר׳ בּוּלָאִים) — philatelist, stamp-dealer

בּוּלְבּוּל ז — bulbul, song-thrush

בּוּלְבּוּס ז — tuber, potato, bulb

בּוֹלֵט ת — protruding, prominent

בּוּלַל (יְבוּלַל) פ — assimilate

בּוּלְמוּס ז — mania, craze

בּוּלַע (יְבוּלַע) פ — be harmed

בּוֹלֶשֶׁת נ — secret police

בּוֹנֶה ז — builder, mason; beaver(animal)

בּוֹסֵס (יְבוֹסֵס) פ — trample, tread on

בּוֹסֶר ז — unripe fruit

בּוּסְתָּן ז — fruit garden

בּוּעָה נ — bubble; blister

בּוֹץ ז — mud, mire

בּוּצִית נ — dinghy

בּוּצַּע (יְבוּצַּע) פ — be performed

בּוֹצֵר ז — grape-picker

בּוֹקֵר ז — herdsman, cowherd

בּוֹקֶר ז — morning

בּוּקַּשׁ (יְבוּקַּשׁ) פ — be sought

בּוֹר ז — pit

בּוּר ת — ignoramus

בּוֹרֵא ז — creator

בּוֹרֶג ז — screw

בּוֹרְגִי ת — helical, screw-like

בּוּרְגָנִי ת — bourgeois

בּוֹרְדָם ז — dysentery

בּוּרוּת נ — ignorance

בּוֹרֵחַ ז — runaway

בּוּרְסָה נ — stock-exchange

בּוּרְסְקִי ז — tannery

בּוֹרֵר ז — sorter; arbitrator

בּוֹרַר (יְבוֹרַר) פ — be clarified

בּוֹרְרוּת נ — arbitration

בּוֹשׁ (יֵבוֹשׁ) פ — be ashamed

בּוּשָׁה נ — shame, shyness

בּוֹשֶׂם ז — scent, fragrance; perfume, spice

בּוֹשֵׁשׁ (יְבוֹשֵׁשׁ) פ — tarry, be late

בּוֹשֶׁת נ — shame

despise	בָּז (יָבוּז) פ
loot; hawk	בַּז ז
waste, squandering	בִּזְבּוּז ז
serin finch	בַּזְבּוּז ז
waste, squander	בִּזְבֵּז (יְבַזְבֵּז) פ
spendthrift, waster	בַּזְבְּזָן ז
maliciously	בְּזָדוֹן תה"פ
despise, scorn, mock	בָּזָה (יִבְזֶה) פ
despicable, contemptible	בָּזוּי ת
cheap(ly)	בְּזוֹל תה"פ
plunder, pillage	בָּזַז (יָבוֹז) פ
falconer	בַּזְיָיר ז
censer	בָּזִיךְ ז
dirt-cheap	בְּזִיל הַזּוֹל
basalt	בַּזֶּלֶת נ
in his (its) time	בִּזְמַנּוֹ תה"פ
telecommunication	בֶּזֶק ז
flash; lightning	בָּזָק ז
hastily	בְּחוֹפְזָה
young man, boy-friend	בָּחוּר ז
girl; girl-friend	בַּחוּרָה נ
severely, forcefully	בְּחָזְקָה, בְּחוֹזְקָה תה"פ
having the status of	בְּחֶזְקַת תה"פ
in return, back	בַּחֲזָרָה תה"פ
On my word!	בְּחַיַּי! מ"ק
nausea, disgust	בְּחִילָה נ
aspect, point of view; examination, test	בְּחִינָה נ
free, gratis	בְּחִינָם, חִינָּם תה"פ
chosen	בָּחִיר ת
choice, option, selection; free	בְּחִירָה נ
elections	בְּחִירוֹת נ"ר
stirring, mixing	בְּחִישָׁה נ

loathe, feel loathing	בָּחַל (יִבְחַל) פ
examine, test	בָּחַן (יִבְחַן) פ
choose, select	בָּחַר (יִבְחַר) פ
youth	בַּחֲרוּת נ
stir	בָּחַשׁ (יִבְחַשׁ) פ
secretly, in secret	בַּחֲשַׁאי תה"פ
sure, certain; safe	בָּטוּחַ ת
concrete	בֶּטוֹן ז
trust in, rely on	בָּטַח (יִבְטַח) פ
security, safety; safely; certainly (colloquial)	בֶּטַח ז, תה"פ
certainty, sureness	בִּטְחָה נ
safety	בְּטִיחוּת נ
beating (of clothes, carpets)	בְּטִישָׁה נ
cease, stop	בָּטַל (יִבְטַל) פ
unemployed, idle; null	בָּטֵל ת
idleness, inactivity	בַּטָּלָה נ
idler, loafer	בַּטְלָן ז
belly, abdomen	בֶּטֶן נ
lining	בִּטְנָה נ
double-bass	בַּטְנוּן ז
cello	בַּטְנוּנִית נ
stamp, beat (clothes)	בָּטַשׁ (יִבְטוֹשׁ) פ
entry, incoming; coition	בִּיאָה נ
explanation, exposition	בֵּיאוּר ז
explain	בֵּיאֵר (יְבָאֵר) פ
gutter; canal	בִּיב ז
zoo	בֵּיבָר ז
clothing	בִּיגוּד ז
isolate, insulate	בִּידֵּד (יְבַדֵּד) פ
isolation, insulation	בִּידוּד, בִּדּוּד ז
amusing	בִּידּוּחַ ז
separation	בִּידּוּל ז
entertainment	בִּידוּר ז

entertain, amuse	בִּידֵּחַ (יְבַדֵּחַ) פ
entertainment	בִּידּוּר ז
separate	בִּידֵּל (יְבַדֵּל) פ
entertain	בִּידֵּר (יְבַדֵּר) פ
sewage, drainage	בִּיּוּב ז
knowingly, wittingly	בְּיוֹדְעִין תה״פ
affixing of stamps	בִּיּוּל ז
production (of a play); staging	בִּיּוּם ז
Intelligence	בִּיּוּן ז
expensive, dear	בְּיוֹקֶר תה״פ
domestication	בִּיּוּת ז
most; exceedingly	בְּיוֹתֵר תה״פ
scorn	בִּיזָּה (יְבַזֶּה) פ
scorn	בִּיזּוּי ז
decentralization	בִּיזּוּר ז
disgrace, shame	בִּיזָּיוֹן ז
decentralize	בִּיזֵּר (יְבַזֵּר) פ
pronounce, express	בִּיטֵּא (יְבַטֵּא) פ
organ, journal	בִּיטָּאוֹן ז
insurance, assurance	בִּיטּוּחַ ז
life insurance	בִּיטּוּחַ חַיִּים
expression, idiom	בִּיטּוּי ז
cancellation, annulment	בִּיטּוּל ז
treading, trampling	בִּיטּוּשׁ ז
insure	בִּיטֵּחַ (יְבַטֵּחַ) פ
security; confidence	בִּיטָּחוֹן ז
cancel; void	בִּיטֵּל (יְבַטֵּל) פ
line, make lining	בִּיטֵּן (יְבַטֵּן) פ
particularly, especially	בְּיִיחוּד תה״פ
affix stamps to	בִּיֵּיל (יְבַיֵּיל) פ
produce, stage	בִּיֵּים (יְבַיֵּים) פ
put to shame, embarrass	בִּיֵּישׁ (יְבַיֵּישׁ) פ
shy person	בַּיְּישָׁן ז
shyness, bashfulness	בַּיְּישָׁנוּת נ
domesticate	בִּיֵּית (יְבַיֵּית) פ
lament	בִּיכָּה (יְבַכֶּה) פ
first fruits	בִּיכּוּרִים ז״ר
prefer, give preference to	בִּיכֵּר (יְבַכֵּר) פ
spend; wear out	בִּילָּה (יְבַלֶּה) פ
spending (time); expenditure (of leisure)	בִּילּוּי ז
destroy	בִּילַּע (יְבַלַּע) פ
search, nose around	בִּילֵּשׁ (יְבַלֵּשׁ) פ
producer (of a play)	בִּימַּאי ז
stage, platform	בִּימָה נ
production (of a play)	בִּימּוּי ז
between, among	בֵּין מ״י
understanding	בִּינָה נ
twilight, dusk	בֵּין הָעַרְבַּיִים
dusk, night-fall	בֵּין הַשְּׁמָשׁוֹת
rebuilding	בִּינּוּי ז
middle, intermediate	בֵּינוֹנִי ת
mediocrity	בֵּינוֹנִיּוּת נ
between, among	בֵּינוֹת מ״י
intermediate	בֵּינַיִים ז״ז
barbel (the fish)	בִּינִית נ
international	בֵּין־לְאוּמִּי ת
meanwhile	בֵּינָתַיִים תה״פ
basing, establishing	בִּיסּוּס ז
perfume, scent	בִּיסֵּם (יְבַסֵּם) פ
base, establish	בִּיסֵּס (יְבַסֵּס) פ
clearing out, rooting out	בִּיעוּר ז
terror, dread	בִּיעוּת ז
in a rush	בְּיָעַף תה״פ
root out; burn up	בִּיעֵר (יְבַעֵר) פ
egg; testicle	בֵּיצָה נ
hard-boiled egg	בֵּיצָה שְׁלוּקָה

בִּיצָה נ swamp, marsh
בִּיצּוּעַ ז performance, execution
בִּיצּוּר ז fortification, strengthening
בֵּיצִי ת egg-like
בֵּיצִיָּה נ fried egg
בֵּיצִית נ ovule
בִּיצֵּעַ (יְבַצֵּעַ) פ carry out, perform
בִּיצֵּר (יְבַצֵּר) פ fortify, strengthen
בִּיצָּרוֹן ז stronghold
בִּיקּוּעַ ז splitting
בִּיקּוּר ז visit, call
בִּיקּוֹרֶת נ criticism
בִּיקּוֹרְתִּי ת critical, censorious
בִּיקּוּשׁ ז demand
בִּיקֵּעַ (יְבַקֵּעַ) פ cleave, split
בִּיקֵּר (יְבַקֵּר) פ criticize; visit
בִּיקֵּשׁ (יְבַקֵּשׁ) פ request; beg; seek
בֵּירַג (יְבָרֵג) פ unscrew
בִּירָה נ capital (city); citadel, fortress
בֵּירוּץ ז surplus, overflow, excess
בֵּירוּר ז clarification, inquiry
בִּירִית נ garter; sleeve band
בֵּירֵךְ (יְבָרֵךְ) פ bless; greet
בֵּירַר (יְבָרֵר) פ clarify
בֵּירַשׁ (יְבָרֵשׁ) פ brush
בִּישׁ ת bad, wrong
בִּישּׁוּל ז stewing, cooking
בִּישּׂוּם ז scenting
בִּישֵּׁל (יְבַשֵּׁל) פ boil, stew; cook
בִּישֵּׂם (יְבַשֵּׂם) פ scent, perfume
בִּישֵּׂר (יְבַשֵּׂר) פ bring news
בַּיִת ז (ר׳ בָּתִּים) house, home; family, household; stanza
בֵּית־אוֹכֶל ז restaurant
בֵּית־אֲחִיזָה ז handle
בֵּית־אֲרִיגָה ז mill (for weaving)
בֵּית־אֲרִיזָה ז packing-house
בֵּית־בַּד ז oil factory
בֵּית־בּוֹשֶׁת ז brothel; (female) pudenda
בֵּית־בְּלִיעָה ז gullet, esophagus
בֵּית־גִּידּוּל ז natural habitat
בֵּית־דּוֹאַר ז post office
בֵּית־דִּין ז law court
בֵּית־דְּפוּס ז printing-house
בֵּית־הַבְרָאָה ז rest home
בֵּית־הַמִּקְדָּשׁ ז the Temple
בִּיתּוּק ז stabbing, cutting open
בִּיתּוּר ז dissection, cutting up
בֵּית־זוֹנוֹת ז brothel
בֵּית־זִיקּוּק ז refinery
בֵּית־חוֹלִים ז hospital
בֵּית־חָזֶה ז chest; brassiere
בֵּית־חֲרוֹשֶׁת ז factory
בֵּיתִי ת domestic; homely
בֵּית־יִשְׂרָאֵל ז Jewry, the Jewish people
בֵּית־יְתוֹמִים ז orphanage
בֵּית־כָּבוֹד ז lavatory (euphem.)
בֵּית־כִּיסֵּא ז lavatory, water closet
בֵּית־כֶּלֶא ז prison
בֵּית־כְּנֶסֶת ז synagogue
בֵּית־מִדְרָשׁ ז house of study; school (of thought)
בֵּית־מְחוֹקְקִים ז legislature
בֵּית־מַחֲסֶה ז asylum, poor-house
בֵּית־מִטְבָּחַיִם ז slaughterhouse, abattoir

בֵּית־מְלָאכָה ז workshop, workrooms
בֵּית־מָלוֹן ז hotel
בֵּית־מִסְחָר ז department store
בֵּית־מַרְגּוֹעַ ז rest-home
בֵּית־מַרְזֵחַ ז ale-house, tavern
בֵּית־מֶרְחָץ ז bath-house, public baths
בֵּית־מִרְקַחַת ז pharmacy
בֵּית־מְשׁוּגָּעִים ז lunatic asylum, mad-house
בֵּית־מִשְׁפָּט ז court (of law), tribunal
בִּיתָן ז booth; pavilion
בֵּית־נִבְחָרִים ז parliament
בֵּית־נוּרָה ז socket of electric bulb
בֵּית־נְכוֹת ז museum
בֵּית־סוֹהַר ז prison
בֵּית־סֵפֶר ז school, college
בֵּית־סְפָרִים ז library
בֵּית־סֵפֶר יְסוֹדִי elementary school
בֵּית־סֵפֶר עַל־יְסוֹדִי, בֵּית־סֵפֶר תִּיכוֹן secondary school
בֵּית־עָלְמִין ז cemetery
בֵּית־עָם ז community center
בִּיתֵּק (יְבַתֵּק) פ stab, cut open
בֵּית־קְבָרוֹת ז graveyard, cemetery
בֵּית־קִיבּוּל ז receptacle
בֵּית־קָלוֹן ז brothel
בֵּית־קָפֶה ז café
בִּיתֵּר (יְבַתֵּר) פ dissect, cut up
בֵּית־שֶׁחִי ז arm-pit
בֵּית־שִׁימּוּשׁ ז lavatory, convenience
בֵּית־תַּמְחוּי ז soup kitchen
בֵּית־תְּפִילָּה ז place of worship, synagogue

בִּכְבֵדוּת תה״פ heavily
בִּכְדִי תה״פ in vain, for nothing
בָּכָה (יִבְכֶּה) פ cry, weep
בְּכַוָּונָה תה״פ on purpose, intentionally
בְּכוֹחַ תה״פ by force; potential(ly)
בְּכוֹר ז first-born, eldest
בְּכוֹרָה נ birthright, priority
בַּכּוּרָה, בִּיכּוּרָה נ early ripening fruit
בְּכִי ז crying, weeping
בְּכִי־טוֹב for the best
בְּכִיָּה נ crying, weeping
בַּכְיָן ז crybaby, blubberer
בָּכִיר ת elder; senior
בְּכִירוּת נ seniority
בְּכָל־אוֹפֶן in any case, anyhow, anyway
בְּכָל־זֹאת nevertheless, still, for all that
בִּכְלָל תה״פ at all; generally
בְּלֹא תה״פ without
בְּלָאו הָכִי in any case
בַּלָּאט תה״פ stealthily, softly
בְּלַאי ז amortization, wear
בְּלֹא עֵת prematurely
בִּלְבַד תה״פ only, merely
בִּלְבַדִּי ת exclusive
בִּלְבּוּל ז confusion, disorder
בְּלֵב וָלֵב insincerely, falsely
בִּלְבּוֹלֶת נ a mess, a state of confusion
בִּלְבֵּל (יְבַלְבֵּל) פ confuse, mix up
בַּלְדָּר ז emissary, courier
בָּלָה (יִבְלֶה) פ wear out; grow old

בָּלֶה ת	worn out, shabby
בַּלָּהָה נ	terror, dread
בְּלוֹ ז	excise
בַּלּוּט ז	acorn
בַּלּוּטָה נ	gland
בָּלוּי ת	worn out; tattered
בָּלוּם ת	stuffed up, closed
בְּלוֹרִית נ	hair, quiff
בָּלַט (יִבְלוֹט) פ	project, protrude
בֶּלֶט ז	projection
בְּלִי מ״י	without
בְּלָיָה, בְּלִיָּה נ	wearing out, decay
בְּלִי הֶרֶף	incessantly
בְּלִיטָה נ	projection
בְּלִיָּה נ	wear and tear
בְּלִיַּעַל ז	wickedness, malice
בְּלִיל ז	mash (of fodder); mish-mash
בְּלִילָה נ	mixing; medley
בְּלִימָה נ	braking, halting, stopping; nothing
בָּלִיעַ ת	swallowable, absorbable
בְּלִיעָה נ	swallowing, absorption
בְּלִית נ	debris, detritus
בָּלַל (יִבְלוֹל; גם יָבוֹל) פ	mix, mingle
בָּלַם (יִבְלוֹם) פ	stop, halt; curb
בַּלָּם ז	"stopper" (in football)
בֶּלֶם ז	brake (on a vehicle)
בַּלְמנוֹעַ ז	safety brake
בָּלַע (יִבְלַע) פ	swallow, absorb
בֶּלַע ז	crookedness, corruption
בִּלְעֲדֵי מ״י	without, apart from
בִּלְעָדִי ת	exclusive
בְּלַעַז תה״פ	in a foreign language (not Hebrew)
בָּלַשׁ (יִבְלוֹשׁ) פ	search
בַּלָּשׁ ז	detective
בַּלְשָׁן ז	linguist, philologist
בַּלְשָׁנוּת נ	linguistics, philology
בִּלְתִּי מ״י	not; un—, in—
בִּלְתִּי־נִמְנָע	inevitable
בַּמָּאוּת נ	stage production
בַּמַּאי ז	producer (of a play)
בָּמָה נ	stage, platform
בְּמֵזִיד תה״פ	maliciously, with evil intent
בְּמָטוּתָא תה״פ	please
בַּמְיָה נ	okra
בִּמְיוּחָד תה״פ	in particular, particularly
בְּמֵישָׁרִין תה״פ	directly
בִּמְקוֹם תה״פ	instead of
בְּמִקְרֶה תה״פ	by chance
בְּמֶשֶׁךְ תה״פ	during, in the course of
בְּמִתְכַּוֵּן תה״פ	intentionally
בֵּן ז (ר׳ בָּנִים)	son, child
בֶּן־אָדָם	human being; man
בִּנְאוּם ז	internationalization
בַּנָּאוּת נ	building (trade)
בֶּן־אָח	nephew
בַּנַּאי	builder, mason
בֶּן־אַלְמָוֶת	immortal
בֶּן־בַּיִת	frequent visitor
בֶּן־בְּלִיַּעַל	scoundrel, villain
בֶּן־בְּלִי־שֵׁם	a nobody
בֶּן־בְּרִית	a Jew
בֶּן־גִּיל	of the same age
בֶּן־דּוֹד	cousin
בָּנָה (יִבְנֶה) פ	build

concerning	בְּנוֹגֵעַ לְ... תה״פ
built	בָּנוּי ת
mate	בֶּן־זוּג
stepson	בֶּן חוֹרֵג
free, freeborn	בֶּן חוֹרִין
smart fellow	בֶּן־חַיִל
of good parentage	בֶּן־טוֹבִים
masonry	בְּנִי ז
day-old	בֶּן־יוֹמוֹ
an only child	בֵּן יָחִיד
(slang) teenagers	בְּנֵי טִיפֵּשׁ־עֶשְׂרֵה
building (work)	בְּנִיָּה נ
building; verb stem pattern	בִּנְיָן ז
villager	בֶּן־כְּפָר
townsman	בֶּן־כְּרַךְ
companion	בֶּן־לְוָיָה
doomed to die	בֶּן־מָוֶת
one of his kind	בֶּן־מִינוֹ
in an instant	בֵּן רֶגַע, בִּן רֶגַע
mortal	בֶּן־תְּמוּתָה
hostage	בֶּן־תַּעֲרוֹבֶת
a cultured person	בֶּן־תַּרְבּוּת
wholesale	בְּסִיטוֹנוּת תה״פ
base, basis, foundation	בָּסִיס ז
basic; fundamental; alkaline	בְּסִיסִי ת
spice merchant	בַּסָּם ז
bubbling, effervescence	בִּעְבּוּעַ ז
bubble; blister	בַּעְבּוּעַ ז
boil, blister	בַּעְבּוּעָה נ
for	בַּעֲבוּר מ״י
bubble; effervesce	בִּעְבֵּעַ (יְבַעְבֵּעַ) פ
for	בַּעַד, בְּעַד־ מ״י
while; after	בְּעוֹד תה״פ
kick; spurn, scorn	בָּעַט (יִבְעַט) פ
because of him	בְּעֶטְיוֹ תה״פ
problem	בְּעָיָה נ
kick, kicking	בְּעִיטָה נ
sexual possession of woman	בְּעִילָה נ
in actual fact, in reality	בְּעַיִן תה״פ
generously, liberally	בְּעַיִן יָפָה
inflammable	בָּעִיר ת
grazing cattle, live stock	בְּעִיר ז
Limited (Ltd)	בְּעֵירָבוֹן מוּגְבָּל (בע״מ)
burning; conflagration	בְּעֵירָה נ
problematic(al)	בְּעָיָתִי ת
husband; owner	בַּעַל ז
man of character	בַּעַל אוֹפִי ז
man of means	בַּעַל אֶמְצָעִים ז
landlord, householder	בַּעַל־בַּיִת
ally, confederate	בַּעַל בְּרִית
burly person	בַּעַל־גּוּף
person concerned	בַּעַל דָּבָר
capitalist	בַּעַל הוֹן
ownership, proprietorship	בַּעֲלוּת נ
living creature; animal	בַּעַל חַיִּים
man of taste	בַּעַל טַעַם
vertebrates	בַּעֲלֵי חוּלִיוֹת
clearly, manifestly	בְּעָלִיל תה״פ
owner, proprietor	בְּעָלִים ז
repentant sinners	בַּעֲלֵי תְשׁוּבָה
against one's will; perforce	בְּעַל־כּוֹרְחוֹ
talented person	בַּעַל כִּשְׁרוֹן
invalid, cripple	בַּעַל מוּם
craftsman	בַּעַל מְלָאכָה
skilled worker	בַּעַל מִקְצוֹעַ
person with experience	בַּעַל נִסָּיוֹן

בַּעַל עֲגָלָה — coachman
בְּעַל־פֶּה — by heart, orally
בַּעַל תְּפִילָּה — cantor
בְּעֶצֶם תה״פ — actually, as a matter of fact
בַּעֲקִיפִין תה״פ — indirectly, roundabout
בָּעַר (יִבְעַר) פ — burn, blaze
בַּעַר ז — boor, oaf
בַּעֲרוּת נ — boorishness; ignorance
בְּעֵרֶךְ תה״פ — about, approximately
בַּעַת ז — intense fear; phobia
בְּעָתָה נ — horror, dread
בְּפֶה מָלֵא — wholeheartedly
בְּפוּמְבֵּי תה״פ — in public, publicly
בְּפוֹעַל תה״פ — actually; acting, deputizing
בְּפֵירוּשׁ תה״פ — explicitly
בִּפְנֵי תה״פ — in the presence of, in front of; against
בִּפְנִים תה״פ — inside, within
בִּפְנֵי עַצְמוֹ — by itself, in itself
בְּפַרְהֶסְיָא תה״פ — flagrantly, openly
בִּפְרוֹטְרוֹט תה״פ — in detail, minutely
בִּפְרָט תה״פ — particularly, in particular
בִּצְבֵּץ (יְבַצְבֵּץ) פ — break out; sprout (flowers); ooze (sweat); burst forth
בְּצַוְותָא, בְּצַוְותָה תה״פ — in company, together
בַּצּוֹרֶת נ — drought
בָּצִיר ז — grape harvest, vintage
בָּצָל ז — bulb; onion
בְּצַלְצוּל, בְּצַלְצַל ז — shallot

בְּצִמְצוּם — sparingly
בָּצַע (יִבְצַע) פ — slice, cut
בֶּצַע ז — ill-gotten gains, unjust reward
בָּצֵק ז — dough, pastry
בַּצֶּקֶת נ — edema, oedema
בָּצַר (יִבְצוֹר) פ — gather, harvest (grapes)
בַּקְבּוּק ז — bottle
בִּקְבִיעוּת תה״פ — regularly, constantly
בְּקוֹצֶר־רוּחַ — impatiently
בְּקוֹשִׁי תה״פ — barely, hardly, with difficulty
בָּקִי, בָּקִיא ת (ר׳ בְּקִיאִים) — well-versed, expert
בְּקִיאוּת נ — proficiency; erudition
בַּקְיָה נ — vetch
בְּקִיעַ ז — crack, cleft, split
בָּקִיעַ ת — splittable, fissionable (atom)
בְּקִיעָה נ — cleaving, splitting
בְּקִיצּוּר תה״פ — in short, briefly
בְּקֵירוּב תה״פ — approximately
בָּקַע (יִבְקַע) פ — cleave, split
בִּקְעָה נ — valley
בָּקָר ז — cattle
בַּקָּרָה נ — control
בְּקָרוֹב תה״פ — soon, in the near future
בַּקָּשָׁה נ — request, application
בִּקְתָּה נ — shed, hovel
בָּר, בַּר ז — countryside, open fields
בַּר ת — pure, clean
בַּר ז — son, child
בָּרָא (יִבְרָא) פ — create
בְּרֵאשִׁית תה״פ — in the beginning

בַּרְבּוּר ז	swan
בָּרַבִּים תה״פ	in public, publicly
בָּרַג (יִבְרוֹג) פ	screw in, screw
בָּרָד ז	hail, hailstone
בַּרְדְּלָס ז	panther
בַּרְדָּס ז	hood (connected to a coat)
בָּרוּא ז	creature
בָּרוּג ת	screwed, screwed in
בְּרוֹגֶז תה״פ	angrily, not on speaking terms
בָּרוֹד ת	spotted, dappled
בַּרְוָז ז	duck, drake; canard, gossip
בַּרְוָזוֹן ז	duckling
בַּרְוָזִיָּה נ	shed for raising ducks, duck-farm
בָּרוּךְ ת	blessed, blest; praised
בָּרוּר ת	clear, evident, certain
בָּרוּר תה״פ	clearly, plainly
בְּרוֹשׁ ז	cypress
בֶּרֶז ז	tap
בַּרְזִילִי ת	iron, ferrous
בַּרְזִלָן ז	iron-worker
בַּרְזֶל ז	iron
בִּרְזֵל (יְבַרְזֵל) פ	cover with iron, iron-plate
בָּרַח (יִבְרַח) פ	run away, flee
בָּרִיא ת	healthy, sound
בְּרִיאָה נ	creation, the world
בְּרִיאוּת נ	health, soundness
בְּרִיאוּתִי ת	sanitary, salubrious
בִּרְיוֹן ז	hooligan, bully
בִּרְיוֹנוּת נ	hooliganism, bullying
בְּרִיּוֹת זונ״ר	folk, people
בְּרִיחַ ז	bolt, latch
בְּרִיחָה נ	flight, escape
בְּרִיָּה נ	creature, person
בְּרֵירָה, בְּרֵרָה נ	choice, alternative
בְּרִירָה נ	sorting, selecting
בְּרִית נ	covenant, pact
בְּרִית שָׁלוֹם	peace treaty, pact
בָּרַךְ (יִבְרַךְ) פ	kneel
בֶּרֶךְ נ (נ״ז בִּרְכַּיִם)	knee
בְּרָכָה נ	blessing, benediction; greeting
בְּרֵכָה, בְּרֵיכָה נ	pool, pond
בְּרֵכִיָּה נ	wild duck, mallard
בְּרַם תה״פ	however, yet
בַּרְמִינָן ז	dead, deceased
בַּר־מִצְוָה	boy of thirteen, responsible (in religious law)
בַּרְנָשׁ ז	guy, fellow (derisive)
בְּרָצוֹן תה״פ	willingly, with pleasure
בִּרְצִיפוּת תה״פ	continuously
בָּרָק ז	lightning; flash
בַּרְקַאי ז	morning star
בַּרְקָן ז	brier
בָּרֶקֶת נ	agate
בֵּרַר (יְבָרוֹר או יָבוֹר) פ	select, pick, sort
בַּרְדָן ז	choosy
בִּשְׁבִיל מ״י	for, on behalf of
בְּשׁוּם אוֹפֶן	on no account, by no means
בְּשׁוּם מָקוֹם	nowhere
בְּשׁוּם פָּנִים	by no means, on no account
בְּשׂוֹרָה נ	tidings (usu. good)
בְּשִׁילוּת ז	ripeness, maturity
בָּשַׁל (יִבְשַׁל) פ	ripen, become ripe

בָּשֵׁל ת	ripe
בְּשֶׁל מ״י	for, because of
בְּשֵׁלוּת נ	ripeness, maturity
בְּשֵׁם	in the name of; on behalf of
בַּשָּׂם ז	parfumier, scent-merchant
בִּשְׁעַת תה״פ	at the time of, while
בִּשְׁעָתוֹ תה״פ	in its time
בָּשָׂר נ	flesh, meat
בְּשָׂרוֹנִי ת	meat-eating
בְּשָׂרִי ת	carnal, fleshy
בַּשְׂרָנִי ת	fleshy, juicy (fruit or vegetable)
בַּת נ	daughter, girl, lass; native of, born in; aged...
בָּתָה נ	scrub; waste land
בְּתוֹךְ תה״פ	within, inside
בְּתוּלָה נ	virgin, maiden
בְּתוּלִים ז״ר	virginity
בְּתוֹם לֵב, בְּתוֹם לֵבָב	innocently, in good faith
בְּתוֹר, בְּתוֹרַת תה״פ	in the role of, as
בַּתְּחִילָּה תה״פ	first; previously
בְּתֵיאָבוֹן תה״פ	bon appetit
בַּת־יַעֲנָה נ	ostrich
בְּתַכְלִית תה״פ	entirely, absolutely
בִּתְמִיהָה תה״פ	interrogatively, with astonishment
בַּת־עַיִן	pupil of the eye
בַּת־צְחוֹק	smile
בַּת־קוֹל	echo; rumor
בָּתַר (יִבְתּוֹר) פ	cut up, dissect
בְּתַשְׁלוּמִים תה״פ	in instalments

ג

גֵּא, גֵּאֶה ת	proud; haughty, conceited
גָּאָה (יִגְאֶה) פ	rise, grow (in height); be exalted
גַּאֲוָה נ	pride, conceit
גַּאַוְתָן ת	conceited, cocky, self-important
גַּאַוְתָנוּת נ	pride, self-conceit
גְּאוּלָּה נ	redemption, salvation; reclamation (of land)
גָּאוֹן ז	grandeur, majesty
גָּאוֹן ת	genius, gifted
גְּאוֹנוּת נ	quality of genius
גְּאוֹנִי ת	highly talented, possessing genius
גֵּאוּת, גֵּיאוּת נ	high tide
גָּאַל (יִגְאַל) פ	redeem, deliver
גַּב ז	back, rear
גֵּב ז	hollow (where water collects)
גַּבָּאוּת נ	office of honorary management
גַּבַּאי ז	honorary officer (of a synagogue or religious institution); collector of synagogue dues or contributions to charity

גָּבַב (יִגְבּוֹב) פ — pile up, heap together
גָּבָב ז גְּבָבָה נ — pile, heap
גָּבַהּ (יִגְבַּה) פ — be tall, be high; rise, mount
גָּבָה (יִגְבֶּה) פ — collect (money), receive payment
גַּבָּה נ — eyebrow, brow
גַּבְהוּת נ — haughtiness
גָּבוֹהַּ ת — high, tall
גְּבוֹהָה תה״פ — proudly, vainly
גְּבוּל ז — border, limit; frontier
גְּבוּרָה נ — might, heroism
גַּבַּחַת נ — baldness (at the temples)
גְּבִיָּה נ — collection (of money)
גָּבִין ז — brow, eyebrow
גְּבִינָה נ — cheese
גָּבִיעַ ז — chalice, wine-glass; cup, trophy; calix (botany)
גְּבִיר ז — rich man
גְּבִישׁ ז — crystal
גְּבִישִׁי ת — crystalline
גָּבַל (יִגְבּוֹל) פ — set limits to; border on; adjoin; knead
גַּבְלוּל ז — lump of dough; lump of mortar
גַּבָּן ז — cheese-maker; cheese-vendor
גַּבְנוּן ז — hump, bump
גַּבְנוּנִי ת — hump-backed; rounded, convex
גֶּבֶס ז — gypsum, plaster
גֶּבַע ז — hillock, low hill, hill
גִּבְעָה נ — hill, hillock
גִּבְעוֹל ז — stalk, stem

גָּבַר (יִגְבַּר) פ — be strong, be mighty; increase, grow stronger
גֶּבֶר ז — man, male; he-man; cock
גַּבְרָא ז — man, male
גַּבְרוּת נ — masculinity
גַּבְרִי ת — male, manly, masculine
גְּבֶרֶת נ — lady, madame; Miss, Mrs
גְּבַרְתָּן ת — strong man, "tough guy"
גַּבְשׁוּשִׁית נ — mound, hillock; hump, knob
גַּג ז — roof, roofing
גַּגּוֹן ז — awning
גָּדָה נ — bank (of river)
גְּדוּד ז — battalion, regiment
גָּדוֹל ת — big; great
גְּדוּלָּה נ — greatness, magnitude
גָּדוּעַ ת — hewn, cut down
גָּדוּר ת — fenced, fenced in
גָּדוּשׁ ת — replete, brimful
גְּדִי ז — kid (male)
גָּדִיל ז — fringe (on a garment)
גְּדִיעָה נ — hewing, chopping
גָּדִישׁ ז — stack (of corn, or other plants)
גָּדַל (יִגְדַּל) פ — grow; expand
גַּדְלוּת נ — greatness, magnitude
גָּדַם (יִגְדּוֹם) פ — lop off, cut off
גֶּדֶם ז — stump (of tree or limb)
גָּדַע (יִגְדַּע) פ — hew, chop, cut down
גַּדְּפָן ז — blasphemer, abuser
גָּדַר (יִגְדּוֹר) פ — fence in, enclose
גָּדֵר ז — fence, railing
גְּדֵרָה נ — sheep-pen, sheep-fold; enclosure, pound

גֶּדֶר תַּיִל barbed-wire fence
גָּדַשׁ (יִגְדּוֹשׁ) פ pile up, overfill, overdo
גֵּהָה נ healing, cure
גֵּהוּת, גֵּיהוּת ת hygiene, sanitation
גָּהַק (יִגְהַק) פ belch
גֵּו, גַּו ז back, rear
גּוֹאַל (יְגוֹאַל) פ be fouled, be soiled
גּוֹאֵל ז redeemer, saviour
גּוֹב ז locust; den, pit
גּוֹבַהּ ז height, altitude
גּוֹבֶה ז collector (of money, debts, taxes)
גּוֹבַיינָה נ collection (of debts)
גּוֹבֵל ת bordering, adjacent
גּוֹדֶל ז size, magnitude
גּוֹדֵר ז fence-maker
גּוֹדֶשׁ ז overflow, surplus
גְּוִויָּה נ corpse
גְּוִיל ז rough parchment
גְּוִיעָה נ expiration, final coma (before death); dying
גָּוֶן ז color, shade
גִּוּוּן ז tinging, tinting
גִּוֵּן (יְגַוֵּן) פ tinge, tint
גָּוַע (יִגְוַע) פ expire, die
גּוֹזֵז ז sheep-shearer
גּוֹזָל ז chick, young bird
גּוּזְמָה נ exaggeration
גּוֹי ז nation, people; gentile
גּוּיַּס (יְגוּיַּס) פ be mobilized, be called up
גּוּלְגּוֹלֶת נ skull, head
גּוּלָּה נ marble (children's toy); ball-shaped head of walking-stick
גּוֹלָה נ exile, the Diaspora
גּוֹלֵל ז tomb-stone
גּוֹלֶם ז robot, golem; idiot, dummy
גּוֹלְמִי ת raw, crude
גּוֹמֶא ז paper reed, papyrus plant
גּוֹמֶד ז cubit
גּוּמָּה נ dimple; shallow crater
גּוּמְחָה נ recess, niche
גּוּמִי ז rubber, elastic
גּוּמִיָּה נ rubber band
גּוֹמֵל ז reciprocator; benefactor
גּוֹמֵר ת finishing, ending
גּוּנְדָּר ז company commander (army)
גּוֹנִי ת tinted, shaded, colored
גּוֹנִית נ nuance
גּוֹנֵן (יְגוֹנֵן) פ protect, shelter
גּוֹסֵס ת, ז dying, moribund; a dying man
גּוֹעַל ז disgust, repulsion
גּוֹעֲלִי ת disgusting, repulsive
גּוֹעַל נֶפֶשׁ disgust
גּוּף ז body; substance, material essence
גּוּפָה נ corpse, body (dead)
גּוּפִיָּה נ undervest; singlet
גּוּפִיף ז corpuscle
גּוּפָנִי ת physical, material; bodily, corporal
גּוֹפֶר ז gopher-wood
גּוּף רִאשׁוֹן first person
גּוֹפְרָה, גָּפְרָה נ sulphate
גּוֹפְרִית, גָּפְרִית נ sulphur, brimstone
גּוֹפְרָתִי, גָּפְרָתִי ת sulphate
גּוֹפְרִיתָנִי ת sulphuric

גּוּץ ת short (in stature)
גּוּר פ ר׳ גָּר
גּוּר ז cub, whelp
גּוֹרָל ז fate, destiny; lot
גּוֹרָלִי ת fateful
גּוֹרֵם ז factor, cause
גּוֹרֶן נ threshing-floor
גּוֹרֵר ז tug, tug-boat
גּוֹרֶרֶת נ tug, tug-boat
גּוֹרַשׁ, (יְגוֹרַשׁ) פ be expelled, be driven away
גּוּשׁ ז bloc; clod, lump
גּוּשְׁפַּנְקָה נ seal; authorization
גַּז ז gas
גֵּז ז sheep-shearing; shorn wool, fleece
גָּז (יָגוּז) פ pass away, go by
גִּזְבָּר ז treasurer
גַּזָּה נ gauze (especially medical)
גָּזוֹז ז flavored soda water
גָּזוּז ת shorn, fleeced
גְּזוּזְטְרָה נ balcony, verandah
גָּזוּל ת plundered, robbed, pillaged
גְּזוֹמֶת נ prunings, the pruned branches
גָּזַז (יִגְזוֹז) פ shear, fleece; remove, cut off
גַּזֶּזֶת נ ringworm
גְּזִיזָה נ clipping, shearing
גְּזֵילָה, גְּזֵלָה נ loot, plunder
גָּזִיר ת cuttable, easily cut
גְּזִירָה נ cutting, shearing; (math.) differentiation
גְּזֵירָה, גְּזֵרָה נ decree, edict
גָּזִית נ hewn stone

גָּזַל (יִגְזוֹל) פ rob, plunder, pillage
גֵּזֶל ז robbery, seizure
גַּזְלָן ז robber, brigand, bandit
גָּזַם (יִגְזוֹם) פ prune, clip (branches of a tree)
גַּזְמָן ז exaggerator
גֶּזַע ז genus, race; tree trunk
גִּזְעִי ת racial; pure bred, thoroughbred, pedigree
גִּזְעָנוּת נ racialism, racism
גָּזַר (יִגְזוֹר) פ cut; decree
גֶּזֶר ז carrot
גְּזַר־דִּין ז verdict
גִּזְרָה נ build (of body); sector (military); segment (of a circle); conjugation (verbs)
גִּזְרַקְשׁ ז machine for cutting hay and straw
גָּח (יָגִיחַ) פ burst forth, break out
גָּחוֹן ז belly (of reptile); bottom
גָּחוּן ת bent over, stooping
גַּחֲלִילִית נ glow-worm, firefly
גַּחֶלֶת נ ember, glowing coal
גַּחַם ז caprice, whim
גַּחֲמוֹן ז arsonist
גָּחַן (יִגְחַן) פ stoop, bend over
גֵּט ז bill of divorcement
גַּי, גַּיא ז valley, wadi
גֵּיאַל (יְגָאֵל) פ foul, soil
גִּיבֵּב (יְגַבֵּב) פ stack, pile up, amass
גִּיבָּה (יְגַבֶּה) פ back, give backing to
גִּיבּוּב ז stacking, piling up; accumulation
גִּיבּוּי ז backing
גִּיבּוּל ז kneading, remoulding

גִּבּוֹר ז, ת hero, champion; brave, valiant
גִּבּוּשׁ ז crystallization; integration
גִּבֵּחַ ת bald (at the temples)
גִּבֵּן ז hunchback, humpback
גִּבֵּן (יְגַבֵּן) פ make cheese
גִּבֵּשׁ (יְגַבֵּשׁ) פ crystallize; integrate
גִּבְתּוֹן ז yellow-hammer
גִּגִית נ tub, wash-tub
גִּיד ז sinew, tendon, strand
גִּידּוּל ז growing (of plants), cultivation; rearing, raising (of children), crop; growth, tumor
גִּידּוּלֵי פֶּרֶא weeds
גִּידּוּף ז abuse, revilement
גִּידּוּר ז fencing, enclosure (act of); constraint, restraint
גִּידֵּל (יְגַדֵּל) פ rear, raise (children, cattle); grow, cultivate (crops)
גִּידֵּם ת one-armed
גִּידֵּעַ (יְגַדֵּעַ) פ cut to pieces, hew down
גִּידֵּף (יְגַדֵּף) פ abuse, revile
גִּידֵּר (יְגַדֵּר) פ fence, fence in
גִּיהוּץ ז ironing, pressing
גִּיהוּק ז belching, eructation
גֵּיהִינּוֹם ז hell, gehinnom
גִּיהֵץ (יְגַהֵץ) פ iron, press
גִּיוּוּן ז variegation; variation, diversification
גִּיוֵּן (יְגַוֵּן) פ vary, shade
גִּוְונֵן (יְגַוְונֵן) פ tint; add a nuance
גִּיּוּס ז mobilization, call-up
גִּיּוּר ז conversion, proselytization (to Judaism)
גִּיּוֹרֶת נ converted Jewess
גִּיזָּה נ fleece
גִּיזּוּם ז pruning
גִּיזּוּר ז cutting
גִּיזֵּם (יְגַזֵּם) פ prune (plant, trees)
גִּיזָּרוֹן ז etymology
גִּיחָה נ breaking out, sudden onslaught
גִּיחוּךְ ז giggle, smirk; absurdity
גִּיחוֹר ת scarlet, crimson
גִּיחֵךְ (יְגַחֵךְ) פ smile (in scorn); giggle
גֵּיטוֹ ז ghetto
גִּיֵּס (יְגַיֵּס) פ mobilize, call up, call to arms
גַּיֶּצֶת נ cutter, etching tool, mill, engraving tool
גִּיֵּר (יְגַיֵּר) פ convert, proselytize (to Judaism)
גִּיל ז joy; age
גִּילַאי ז aged, of age-group
גִּילָה נ joy, rejoicing
גִּילָּה (יְגַלֶּה) פ reveal, discover, disclose
גִּילּוּחַ ז shaving
גִּילּוּי ז revealing, discovery, revelation
גִּילּוּלִים ז״ר idols
גִּילּוּם ז embodiment
גִּילּוּף ז carving, engraving
גִּילֵּחַ (יְגַלֵּחַ) פ shave
גִּילָּיוֹן ז sheet (of paper); copy (of a newspaper)
גִּילֵּם (יְגַלֵּם) פ embody

גִּילֵף (יְגַלֵּף) פ engrave, carve, incise
גִּימֵּד (יְגַמֵּד) פ reduce, shrink
גִּימוּר ז completion, ending
גִּימֵּז (יְגַמֵּז) פ prune; criticize severely (literary slang)
גִּימֵּשׁ (יְגַמֵּשׁ) פ make flexible, make elastic
גִּינָּה (יְגַנֶּה) פ censure, denounce, condemn
גִּינָּה נ garden (small), vegetable garden
גִּינּוּי ז censure, condemnation, denunciation
גִּינּוּן ז manner, mode of behaviour; gardening
גִּיס ז brother-in-law
גַּיִס ז column (military); army, corps
גִּיפּוּף ז embracing, hugging
גִּיפּוּר ז dusting (with sulphur); sulphurization
גִּיפֵּף (יְגַפֵּף) פ embrace, hug; encircle
גִּיפֵּר (יְגַפֵּר) פ dust (trees or plants with sulphur or similar material); sulphurize
גִּיר ז chalk, a piece of chalk; limestone
גֵּירֵד (יְגָרֵד) פ scratch, scrape
גֵּירָה (יְגָרֶה) פ stimulate, provoke; incite, stir up; irritate
גֵּירוּד ז scratching, scraping
גֵּירוּי ז stimulation, provocation, irritation
גֵּירוּשׁ ז expulsion, banishment

גִּירִית נ badger
גִּירְסָא, גִּרְסָה נ text; learning, study
גֵּירָעוֹן ז deficit, shortage
גֵּירַף (יְגָרֵף) פ rake
גֵּירַשׁ (יְגָרֵשׁ) פ expel, drive away; banish; divorce
גִּישָׁה נ approach, access; attitude
גִּישּׁוּם ז realization
גִּישּׁוּר ז bridging
גִּישּׁוּשׁ ז groping
גִּישֵּׁר (יְגַשֵּׁר) פ bridge
גִּישֵּׁשׁ (יְגַשֵּׁשׁ) פ grope
גַּל ז wave
גַּלַּאי ז detector (electrical instrument)
גַּלָּב ז barber
גִּלְגּוּל ז rolling; metamorphosis
גַּלְגִּילָּה נ pulley, sheave
גַּלְגִּילוֹן ז small wheei, pulley, roller
גַּלְגִּילַיִים, גַּלְגִּלַּיִם ז״ז scooter
גַּלְגַּל ז wheel, cycle
גִּלְגֵּל (יְגַלְגֵּל) פ roll, revolve
גַּלְגִּלִּית נ (ר׳ גַּלְגִּלִּיּוֹת) roller-skate
גַּלְגֶּלֶת נ pulley-block, pulley-wheel
גָּלָה (יִגְלֶה) פ reveal; be exiled
גִּלְוֵן (יְגַלְוֵן) פ galvanize; electro-plate
גָּלוּחַ ת shaven; irreligious
גָּלוּי ת open, revealed
גְּלוּי רֹאשׁ bare-headed
גְּלוּיָה נ postcard
גָּלוּם ת embodied
גְּלוֹסְקָמָה נ sarcophagus, coffin
גְּלוּפָה נ block (for printing)

גָּלוּת נ (ר׳ גָּלֻיּוֹת) exile, banishment; the Diaspora

גַּלָּח ז Christian priest, monk

גַּלִּי ת wavy, wave-like, undulating

גְּלִיד ז ice

גְּלִידָה נ ice-cream

גַּלִּיּוּת נ waviness, undulation

גָּלִיל ז district, circuit; roll; cylinder

גְּלִילִי ת cylindrical; Galilean

גְּלִימָה נ cloak, gown

גְּלִיפָה נ engraving

גְּלִישָׁה נ skiing; sliding, slipping; boiling over

גָּלַל (יָגֹל או יִגְלוֹל) פ roll, roll away; roll up

גָּלָל ז dung

גֹּלֶם ז crudeness

גַּלְמוּד ת lonely, solitary

גַּלְעִין ז stone (of fruit), kernel

גַּלְעִינִי ת containing a stone, stone-bearing (of fruit)

גִּלְעֵן (יְגַלְעֵן) פ stone (fruit)

גָּלַף (יִגְלוֹף) פ engrave, carve

גָּלַשׁ (יִגְלוֹשׁ) פ overflow, boil over; ski; glide

גִּלְשׁוֹן ז glider (plane)

גַּלְשׁוֹן ז avalanche

גָּלֶשֶׁת נ eczema

גַּם מ״ח also, too, as well

גִּמְגּוּם ז stammer, stutter

גִּמְגֵּם (יְגַמְגֵּם) פ stammer, stutter

גַּמְגְּמָן ז stammerer, stutterer

גַּמָּד ז dwarf

גָּמוּד ת dwarfish, undersized

גָּמוּל ת weaned child, infant

גְּמוּל ז recompense

גָּמוּר ת finished, complete

גָּמַז (יִגְמוֹז) פ criticize severely (literary slang)

גְּמִיאָה נ sipping (act of); sip

גְּמִילָה נ ripening (of fruit); weaning

גְּמִיעָה נ sipping, swallowing (a liquid)

גָּמִישׁ ת flexible, elastic

גְּמִישׁוּת נ flexibility, pliability

גָּמַל (יִגְמוֹל) פ requite; recompense; ripen

גָּמָל ז camel

גַּמָּל ז camel driver

גִּמְלָה, גִּימְלָה נ insurance benefit, pension

גַּמְלוֹנִי ת overlarge, outsize

גְּמֵלוּת נ ripeness, maturity

גַּמֶּלֶת נ caravan (of camels)

גֻּמָמִית נ depression (in rock)

גָּמַע (יִגְמַע) פ sip, swallow; gulp

גָּמַר (יִגְמוֹר) פ finish, complete, end; conclude, decide

גְּמָר, גֶּמֶר ז end, finish

גְּמָרָא נ the Talmud

גְּמָשָׁה נ spat, legging

גַּן ז garden; kindergarten

גְּנַאי ז reproach, disgrace

גָּנַב (יִגְנוֹב) פ steal, thieve

גַּנָּב ז thief, robber

גְּנֵבָה, גְּנֵיבָה נ theft, stealing, stolen property

גַּנְדְּרָן ת dandy, coxcomb

גַּנְדְּרָנוּת נ ostentation, overdressing

גָּנוּב ת stolen
גְּנוֹגֶנֶת נ awning (over a door or window)
גָּנוּז ת hidden, concealed
גַּנּוֹן ז nursery school
גְּנוּת ת disgrace, dishonor; reproach
גָּנַז (יִגְנוֹז) פ hide, conceal
גַּנָּז ז archivist
גַּנְזַךְ ז archives
גָּנַח (יִגְנַח) פ groan; cough blood
גְּנִיזָה נ concealing, hiding; archives
גְּנִיחָה נ groaning, groan
גַּנָּן ז gardener, horticulturist
גַּנָּנוּת נ horticulture, gardening
גַּנֶּנֶת נ kindergarten teacher
גַּן עֵדֶן Paradise
גַּס ת crude, rough; large, ample; obscene, vulgar
גַּסּוּת נ rudeness, bad manners
גְּסִיסָה נ dying, last moments
גָּסַס (יִגְסוֹס) פ be dying, be about to die
גַּס־רוּחַ rude, coarse, vulgar
גַּעְגּוּעִים ז״ר longing, yearning
גָּעָה (יִגְעֶה) פ moo, low (of cows); wail, moan
גְּעִיָּה נ mooing; wailing
גָּעַל (יִגְעַל) פ loathe, abhor
גָּעַר (יִגְעַר) פ scold, rebuke; curse
גְּעָרָה נ scolding, rebuke, reproof
גָּעַשׁ (יִגְעַשׁ) פ rage, storm
גַּעַשׁ ז raging, storming
גַּעֲשִׁי ת volcanic

גַּף ז wing (of a bird); arm; leg
גֶּפֶן נ vine
גֶּפֶס ז plaster of Paris, gypsum
גַּפְרוּר ז safety match
גֵּץ ז spark
גֵּר ז proselyte
גָּר (יָגוּר) פ live, dwell, inhabit
גָּרָב ז eczema
גֶּרֶב ז sock, stocking
גִּרְגּוּר ז gargling, gargle
גַּרְגִּיר ז grain
גִּרְגֵּר (יְגַרְגֵּר) פ glut, gormandize
גַּרְגְּרָן ז glutton
גַּרְגֶּרֶת נ throat
גַּרְדּוֹם ז scaffold
גָּרֶדֶת נ itch; scabies
גְּרוֹדֶת נ filings, shavings
גְּרוּטָאוֹת נ״ר scrap metal
גָּרוּם ת bony; oversized
גָּרוֹן נ throat
גְּרוֹנִי ת throaty, guttural
גָּרוּעַ ת bad, inferior
גָּרוּף ז trailer
גְּרוֹפֶת נ drift, bed load (of river)
גָּרוּשׁ ז divorced man
גְּרוּשָׁה נ divorced woman
גַּרְזֶן ז axe, hatchet
גְּרֵידָא תה״פ purely, merely
גְּרִיּוּת נ sensitivity, excitability
גְּרִימָה נ causing, producing (act of)
גְּרִיסִים ז״ר grits, groats
גְּרִיעוּת נ inferiority, badness
גְּרִיפָה נ scouring, cleaning out
גְּרִירָה נ dragging, trailing
גָּרַם (יִגְרוֹם) פ cause, bring about

גֶּרֶם ז bone; body
גַּרְמִי ת osseous, bony
גָּרַס (יִגְרוֹס) פ crush, crumble; learn, study
גָּרַע (יִגְרַע) פ subtract, deduct; withdraw, withhold
גַּרְעִין ז stone, kernel, pip; nucleus
גַּרְעִינִי ת pippy; nuclear
גִּרְעֵן (יְגַרְעֵן) פ core (fruit); stone
גַּרֶעֶת נ trachoma
גָּרַף (יִגְרוֹף) פ sweep away; scour
גְּרָר ז towing, trailing
גְּרָרָה נ sledge, sleigh
גַּשׁ draw near, come
גָּשׁוּם ת rainy
גָּשׁוֹשׁ ז sounding rod, plummet; calipers
גֶּשֶׁם ז rain, shower
גַּשְׁמִי ז physical, material
גֶּשֶׁר ז bridge
גָּשַׁר (יִגְשׁוֹר) פ bridge, build (a bridge); connect
גְּשָׁרוֹן ז small bridge
גִּשְׁרִית נ bridge (of a violin)
גָּשַׁשׁ (יִגְשׁוֹשׁ) פ feel, stroke
גַּשָּׁשׁ ז tracker; reconnoitrer
גִּשְׁתָּה נ syphon
גַּת נ wine-press, wine-pit

ד

דָּאַב (יִדְאַב) פ pine, languish
דְּאָבוֹן ז languishing; regret
דָּאַג (יִדְאַג) פ worry, be anxious
דְּאָגָה נ worry, anxiety, concern
דָּאָה (יִדְאֶה) פ glide, hover
דָּאוֹן ז glider
דְּאָז ת then, former
דְּאִיָּה נ gliding
דָּבוּק ת attached (lit. and fig.); affixed
דָּבוּר ת spoken, uttered
דַּבּוּר ז hornet
דְּבוֹרָה נ bee
דָּבִיק ת sticky, adhesive
דְּבִיר ז the Holy of Holies; court (of palace)
דָּבַק (יִדְבַּק) פ stick, adhere
דָּבֵק ת attached, adherent
דֶּבֶק ז glue
דְּבֵקוּת נ loyalty, devotion
דִּבְקִי ת sticky, glutinous
דָּבָר ז word, saying; thing, matter; something, anything
דַּבָּר ז leader
דֶּבֶר ז plague, pestilence
דִּבְרָה נ saying; speech
דִּבְרֵי הַיָּמִים history; the Book of Chronicles

דְּבָרִים ז״ר	Deuteronomy
דְּבַר־מָה	something, a trifle
דַּבְּרָן ז	chatter-box
דַּבֶּרֶת נ	verbal diarrhoea
דְּבַשׁ ז	honey
דַּבֶּשֶׁת נ	hump (of a camel)
דָּג (יָדוּג) פ	fish, angle
דָּג ז	fish
דִּגְדֵּג (יְדַגְדֵּג) פ	tickle
דַּגְדְּגָן ז	clitoris
דָּגוּל ת	excellent, outstanding
דָּגִיג ז	small fish
דְּגִימָה ז	sampling, random sampling
דְּגִירָה נ	brooding, incubation
דָּגַל (יִדְגּוֹל) פ	raise a standard; wave a flag; stand for
דֶּגֶל ז	flag, banner, standard
דַּגָּלָן ז	standard-bearer
דְּגָם ז	pattern
דֶּגֶם ז	model
דָּג מָלוּחַ ז	herring
דָּג מְמוּלָּא	stuffed fish
דָּגָן ז	corn, grain
דָּגַר (יִדְגּוֹר) פ	hatch, incubate;
דָּגֵשׁ ז	dagesh (a dot put in a consonant); stress, emphasis
דַּד ז	nipple, teat, breast
דָּהָה (יִדְהֶה) פ	fade (of colors)
דָּהוּי ת	faded
דְּהַיְינוּ תה״פ	that is to say, in other words, i.e.
דְּהִירָה נ	galloping, gallop
דָּהַר (יִדְהַר) פ	gallop
דְּהָרָה נ	gallop
דּוֹאַר ז	post, postage; post office
דּוֹב ז	bear
דּוֹבֵב (יְדוֹבֵב) פ	induce to talk
דּוּבְדְּבָן ז	cherry
דּוּבָּה נ	she-bear
דּוֹבֵר ז	spokesman
דּוֹבְרָה נ	raft
דּוּבְשָׁן, דּוּבְשָׁנִית ז	honey cake
דּוּגִית נ	dinghy, fishing boat
דּוּגְמָה נ	sample; example, model
דּוּגְמָנִית נ	model (artist's or fashion)
דּוּד ז (ר׳ דְּוָדִים וגם דּוּדִים)	boiler (for hot water), geyser
דּוֹד ז	uncle
דּוֹדָה נ	aunt
דּוֹדָן ז	cousin (male)
דּוֹדָנִית נ	cousin (female)
דְּוַאי ז	affliction, sickness
דָּוֶה ת	in pain, doleful, sad
דָּווּי ת	afflicted, sick
דַּוָּוי ת	distressed, afflicted
דַּווְקָא, דַּווְקָה תה״פ	for all that, necessarily
דַּוָּור ז	postman, courier
דַּוְושָׁה נ	pedal
דו״חַ ז (דין וחשבון)	report
דּוּחַי ז	amphibian
דּוֹחַן ז	millet
דּוֹחַק ז	stress, strain, overcrowding
דּוּכָּא (יְדוּכָּא) פ	be suppressed, be oppressed, be depressed
דּוֹכִי, דָּכִי ז	surf
דּוּכִיפַת נ	hoopoe
דּוּכָן ז	stall (in market); pulpit (for preacher); stand, platform

דוֹלֶב ז — plane (tree)
דוּלְדַל, (יְדוּלְדַל) פ — be impoverished, be weakened
דוֹלָה נ — ball of thread
דוֹם — attention!
דוֹמֶה ת — like, alike, resembling
דוֹמֶה שֶׁ... — it seems that...
דוֹמִי, דֳּמִי ז — stillness, quietness, still
דוּמִיָּה נ — stillness, quiet, hush
דוּמָם תה״פ — in silence, soundlessly, quietly
דוֹמֵם ת — inanimate, inorganic; silent, still
דוֹמֶן ז — manure, dung
דוּ־מַשְׁמָעִי ת — ambiguous
דוֹנַג ז — wax
דוֹנַגִית נ — waxlike matter
דוּ־סִטְרִי ת — two-way (street)
דוֹפִי ז — stain, blemish, flaw
דוֹפֶן ז — side, wall
דוֹפֶק ז — pulse
דוּ־קִיּוּם ז — co-existence
דוּקְרָב, דוּ־קְרָב ז — duel, combat; match
דוּקְרָן ז — sear (of a rifle)
דוּקְרָנִי ת — barbed (wire); spiky, thistly
דוֹר ז (ר׳ דּוֹרוֹת) — generation; epoch, age
דוּרַג (יְדוּרַג) פ — be graded, be classed
דוּרֶגֶל ז — biped
דוּרָה נ — sorghum
דוֹרוֹן ז — gift
דוֹרְסָנִי ת — predatory, clawing
דוֹרֵשׁ ז — preacher, expounder (of texts)
דוּ־שְׁבוּעוֹן ז — fortnightly journal
דוּ־שִׂיחַ ז — dialogue
דָּחָה (יִדְחֶה) פ — push away, repel; postpone
דָּחוּי ת — postponed, adjourned
דָּחוּס ת — compressed
דָּחוּף ת — urgent, pressing
דָּחוּק ת — packed tight; in need, hard up
דְּחִי, דֶּחִי ז — failure, fall (moral)
דְּחִיָּה נ — postponement, rejection
דְּחִיסוּת נ — compressibility, density
דְּחִיפָה נ — push, impetus
דְּחִיפוּת נ — urgency
דְּחִיקָה ז — pressing, pressure
דַּחְלִיל ז — scarecrow; bogy
דָּחַס (יִדְחַס) פ — compress (air); pack tight, squeeze
דַּחַף ז — incentive, drive; impetus, impulse
דָּחַף (יִדְחַף) פ — push, thrust
דַּחְפּוֹר ז — bulldozer
דָּחַק (יִדְחַק) פ — press, push; prod, urge on
דְּחָק ז — pressure, press; stress, need
דַּי, דֵּי תה״פ — enough, sufficient
דִּיבָּה נ — slander, defamation
דִּיבּוּב ז — encouragement (of others) to speak; interviewing
דִּיבּוּק ז — a dead soul possessing a live person; obsession
דִּיבּוּר ז — speech, utterance; saying, expression, phrase

דִּיבּוּרִי ת colloquial, spoken
דִּיבֵּר ז speech; commandment
דִּיבֵּר (יְדַבֵּר) פ speak
דַּיִג ז fishing; fish-breeding
דִּיגֵּל (יְדַגֵּל) פ raise a standard
דַּיָּה נ kite
דֵּיהֶה, דֵּהֶה ת faded, dim, discolored
דִּיהוּי ז discoloration, fading
דְּיוֹ נ ink
דִּיּוּג ז fishing, angling
דִּיוּוּחַ ז report, account
דִּיוֵּחַ (יְדַוּוֵחַ) פ report, make a report
דִּיוֵּשׁ (יְדַוּוֵשׁ) פ pedal
דְּיוֹטָה נ floor, storey
דִּיּוּן ז discussion
דְּיוֹפָן ז barrow, two-wheeled cart
דִּיּוּק ז accuracy, precision, exactness
דְּיוֹקָן ז portrait; likeness, image
דִּיּוּר ז housing; dwelling, living
דְּיוֹת נ India ink
דְּיוֹטָה נ inkwell, inkpot
דִּיחוּי ז deferment, postponement
דַּיָּג ז fisherman, angler
דִּייֵּג (יְדַייֵּג) פ fish
דַּייָּל ז air host; steward, waiter
דַּייֶּלֶת נ air hostess; stewardess, waitress
דַּייָּן ז judge (in a religious court)
דַּייְסָה נ porridge, gruel; mess, muddle
דִּייֵּק (יְדַייֵּק) פ be precise, be accurate; be punctual
דָּיֵק ז siege-wall; bulwark, rampart

דַּייְקָן ז a punctual person
דַּייְקָנוּת נ punctuality
דַּייָּר ז tenant, lodger
דִּיכֵּא (יְדַכֵּא) פ oppress; depress, suppress
דִּיכָּאוֹן ז depression (mental), dejection
דִּיכּוּי ז suppression; oppression
דִּילֵּג (יְדַלֵּג) פ skip
דִּילּוּג, דִּלּוּג ז skipping, omitting
דִּילּוּל ז thinning
דִּילֵּל (יְדַלֵּל) פ thin, thin out; dilute
דִּימָּה (יְדַמֶּה) פ compare to, liken to; fancy, imagine
דִּימּוּי ז comparison, likeness
דִּימּוּם ז bleeding, hemorrhage
דִּין ז judgment; law; lawsuit, cause, trial
דִּין וְחֶשְׁבּוֹן, דו"חַ report
דִּינָר ז dinar (ancient Roman coin)
דִּיסְקוּס ז disc; discus
דִּיצָה נ joyful dancing, joy
דִּיר ז sheep-pen; sty; shed
דֵּירָאוֹן ז abomination; aversion
דֵּירֵג (יְדָרֵג) פ grade, class, classify
דִּירָה נ apartment
דֵּירוּג ז grading, classification
דַּיִשׁ ז threshing; threshing time
דִּישָׁה נ threshing
דִּישׁוֹן ז antelope
דִּישּׁוּן ז fertilization
דִּישֵּׁן (יְדַשֵּׁן) פ fertilize
דִּכְדּוּךְ ז dejection
דִּכְדֵּךְ (יְדַכְדֵּךְ) פ depress (mentally)

דַּכָּה נ crushing, bruising
דָּכִי־חוֹף ז surf
דַּל ת meager; poor
דָּלַג (יִדְלוֹג) פ leap, jump; skip, omit
דַּלְגִּית נ skipping rope
דִּלְדּוּל ז impoverishment, decline
דִּלְדֵּל (יְדַלְדֵּל) פ impoverish, weaken
דָּלָה (יִדְלֶה) פ draw water; bring out, reveal
דָּלוּחַ ת turbid, muddy, dirty (water)
דְּלוּעִים ז״ר pumpkins
דַּלּוּת נ poverty
דָּלַח (יִדְלַח) פ make turbid, make muddy, pollute
דְּלִי ז bucket, pail
דְּלִיגָה נ leaping, skipping
דַּלְיָה נ dahlia
דְּלִיחָה נ pollution (of water)
דָּלִיל ת thin, meager, sparse
דְּלִיפָה נ leakage, leak
דָּלִיק ת inflammablc, combustible
דְּלִיקָה נ lighting, kindling; pursuit
דְּלִיקוּת נ inflammability, combustibility
דָּלַל (יִדְלוֹל, יִדַּל) פ dwindle, waste away; decline, run low
דְּלַעַת נ pumpkin
דָּלַף (יִדְלוֹף) פ drip, leak
דֶּלְפֵּק ז counter
דָּלַק (יִדְלַק, יִדְלוֹק) פ burn, be alight; pursue, chase
דֶּלֶק ז fuel
דְּלֵקָה, דְּלֵיקָה נ fire, conflagration

דִּלְקַמָּן, כִּדְלְקַמָּן as follows
דַּלֶּקֶת הַסִּימְפּוֹנוֹת bronchitis
דַּלֶּקֶת נ inflammation
דַּלֶּקֶת הָרֵיאוֹת pneumonia
דַּלַּקְתִּי ת inflammatory
דֶּלֶת נ door
דָּם ז blood
דִּמְדּוּם ז half-light, glimmer
דָּמָה (יִדְמֶה) פ be like, resemble
דְּמוּת נ figure, shape; likeness, image; character (in a play, etc.)
דִּמְיוֹן ז resemblance, similarity; imagination; fancy
דִּמְיוֹנִי ת imaginary, fanciful
דִּמְיֵן (יְדַמְיֵן) פ imagine, fancy
דָּמִים ז״ר fee, price; money; blood
דְּמֵי־מַפְתֵּחַ key money
דְּמֵי־קְדִימָה advance, advance payment
דָּמַם (יִדּוֹם) פ keep quiet
דֶּמֶם ז hemorrhage, bleeding
דְּמָמָה נ stillness, hush, quiet
דָּמַע (יִדְמַע) פ shed tears, weep
דִּמְעָה נ tear
דָּן (יָדוּן) פ consider; judge, punish;
דִּסְקָה נ writ; small disc
דִּסְקִית נ small disc, washer
דֵּעָה נ opinion
דֵּעָה צְלוּלָה clear thinking, lucidity
דָּעַךְ (יִדְעַךְ) פ die (esp. fire)
דַּעַת נ mind; understanding
דַּעַת קָהָל public opinion
דַּף ז page, leaf; plank
דִּפְדֵּף (יְדַפְדֵּף) פ turn over pages

דַּפְדֶּפֶת נ	notepad
דְּפוּס ז	printing press; mold
דְּפִיקָה נ	knock, beat; (slang) mistreatment, ill use;(slang) sexual intercourse
דַּפְנָה נ	laurel, bay
דַּפָּס ז	printer
דָּפַק (יִדְפּוֹק) פ	knock, beat; "do" (in slang senses); "have" sexually (slang)
דָּץ (יָדוּץ) פ	rejoice
דָּק (יָדוּק) פ	examine punctiliously
דַּק ת	thin, fine; delicate
דַּק ז	minute
דִּקְדּוּק ז	grammar; precision
דִּקְדּוּקִי ת	grammatical
דִּקְדֵּק (יְדַקְדֵּק) פ	perform accurately
דַּקְדְּקָן ז	grammarian; a meticulous person
דַּקָּה נ	minute
דַּקּוּת נ	fineness, niceness
דַּקִּיק ת	very fine
דְּקִירָה נ	prick; stab
דֶּקֶל ז	palm tree
דִּקְלוּם ז	declamation, recitation
דִּקְלֵם (יְדַקְלֵם) פ	declaim, recite
דָּקַר (יִדְקוֹר) פ	stab, prick
דֶּקֶר נ	mattock, pick
דַּקָּר ז	spineback
דִּקְתָּה נ	plywood
דָּר (יָדוּר) פ	dwell, live, reside
דִּרְבּוּן ז	spur, urging
דָּרְבָן, דָּרְבוֹן ז	spur; goad
דַּרְבָּן ז	porcupine
דִּרְבֵּן (יְדַרְבֵּן) פ	spur, goad; urge, egg on
דְּרְבָנִית נ	delphinium
דֶּרֶג ז	level, grade
דַּרְגָּה נ	step; degree, grade
דְּרַגְנוֹעַ ז	escalator
דַּרְגָּשׁ ז	couch
דִּרְדּוּר ז	rolling, scattering
דַּרְדַּק ז	infant, tot
דַּרְדַּר ז	thistle, centaury
דָּרוּךְ ת	cocked, drawn; tense
דָּרוֹם ז	south
דְּרוֹמִי ת	south, southern, southerly
דְּרוֹר ז	liberty, freedom; sparrow
דְּרוּשׁ ז	homily, sermon
דָּרוּשׁ ת	required, needed
דְּרִיכָה נ	trampling; cocking; drawing
דְּרִיכוּת נ	tension, suspense, readiness
דְּרִיסָה נ	running over; trampling
דְּרִישָׁה נ	demand; requirement
דְּרִישַׁת־שָׁלוֹם, דָּ״שׁ	regards, greetings
דָּרַךְ (יִדְרוֹךְ) פ	step, tread; cock; draw
דֶּרֶךְ זו״נ	way, route; method
דֶּרֶךְ אַגַּב	incidentally, by the way
דֶּרֶךְ אֶרֶץ	good manners
דֶּרֶךְ הַמֶּלֶךְ	highway
דַּרְכּוֹן ז	passport
דָּרַס (יִדְרוֹס) פ	run over
דְּרָקוֹן ז	dragon
דָּרַשׁ (יִדְרוֹשׁ) פ	ask for, demand; inquire, seek; expound; interpret, explain

דְּרָשָׁה נ — sermon, homily; homiletic interpretation
דַּרְשָׁן ז — preacher, homilist
דָּ״שׁ ז (ר״ת דרישת שלום) — regards (colloquial)
דָּשׁ (יָדוּשׁ) פ — thresh; get used to
דַּשׁ ז — flap, lapel
דֶּשֶׁא ז — lawn, grass
דִּשְׁדּוּשׁ ז — trampling, trudging
דִּשְׁדֵּשׁ (יְדַשְׁדֵּשׁ) פ — trudge, trample
דֶּשֶׁן ז — chemical fertilizer; ashes (after sacrifice)
דָּשֵׁן ת — lush, fat
דָּשַׁן (יִדְשַׁן) פ — grow fat, be fat
דָּת נ — religion; faith
דָּתִי ת — religious, pious
דָּתִיּוּת נ — religiousness, piety

ה

הַ־ (הָ־, הֶ־) — the definite article
הֲ־ (הַ־, הֶ־)...? — prefix indicating a question
הֵא מ״ק — here!
הַאֲבָקָה נ — pollination
הֶאְדִּים (יַאְדִּים) פ — become red; redden
הֶאְדִּיר (יַאְדִּיר) פ — magnify; be magnified
הֵ״א הַיְדִיעָה — the definite article
הֶאֱהִיל (יַאֲהִיל) פ — shelter, shade; pitch (a tent)
הַאוּמְנָם? מ״ש — is that so? really?
הֶאֱזִין (יַאֲזִין) פ — listen
הַאֲזָנָה נ — listening
הַאֲחָדָה נ — making uniform; unification
הֶאֱחִיד (יַאֲחִיד) פ — make uniform, unify
הֵאֵט (יָאֵט) פ — slow down, decelerate
הָאָטָה נ — slowing down
הֵאִיץ (יָאִיץ) פ — hurry, quicken
הֵאִיר (יָאִיר) פ — illuminate, throw light on
הֶאֱכִיל (יַאֲכִיל) פ — feed
הַאֲלָהָה נ — deification
הַאֲלָחָה נ — infection; pollution
הֶאֱמִין (יַאֲמִין) פ — believe; trust
הֶאֱמִיר (יַאֲמִיר) פ — rise, increase (of prices)
הַאֲמָנָה נ — confirmation, verification
הֶאֱפִיל (יַאֲפִיל) פ — black-out, darken, obscure, grow dark
הֶאֱפִיר (יַאֲפִיר) פ — make grey; turn grey
הַאֲפָלָה נ — black-out; darkening
הָאָצָה נ — acceleration; hurrying
הֶאֱצִיל (יַאֲצִיל) פ — bestow on, inspire

הֶאָרָה נ illumination, lighting; kindling

הַאֲרָחָה נ entertaining (of visitors), granting of hospitality

הֶאֱרִיךְ (יַאֲרִיךְ) פ lengthen, prolong

הֶאֱרִיק (יַאֲרִיק) פ earth (electricity)

הַאֲרָכָה נ extension

הַאֲרָקָה נ earthing

הֶאֱשִׁים (יַאֲשִׁים) פ accuse; blame

הַאֲשָׁמָה נ accusation; charge

הֲבָאָה נ bringing, fetching

הֲבַאי ז nonsense, exaggeration

הִבְאִישׁ (יַבְאִישׁ) פ stink, be offensive; befoul

הִבְדִּיל (יַבְדִּיל) פ separate, detach; distinguish

הֶבְדֵּל ז difference

הַבְדָּלָה נ distinction; separation

הִבְהֵב (יְהַבְהֵב) פ smoulder, flicker

הִבְהִיל (יַבְהִיל) פ alarm, frighten, summon urgently

הִבְהִיק (יַבְהִיק) פ shine, glisten

הִבְהִיר (יַבְהִיר) פ clarify, elucidate

הַבְהָרָה נ brightening; clarification

הִבְזָה (יַבְזֶה) פ humiliate, pour scorn on

הִבְזִיק (יַבְזִיק) פ flash

הַבְזָקָה נ flash, flashing

הִבְחִיל (יַבְחִיל) פ be nearly ripe; cause to ripen early

הִבְחִין (יַבְחִין) פ distinguish, discriminate

הַבְחָנָה נ distinction; diagnosis

הַבְטָחָה נ promise, assurance

הִבְטִיחַ (יַבְטִיחַ) פ promise, assure; secure, make safe

הֵבִיא (יָבִיא) פ bring, fetch

הִבִּיט (יַבִּיט) פ look

הֵבִיךְ (יָבִיךְ) פ bewilder, perplex

הָבִיל ת steamy, clammy

הֵבִין (יָבִין) פ understand, comprehend

הֵבִיס (יָבִיס) פ defeat

הִבִּיעַ (יַבִּיעַ) פ express

הֶבֶל ז vanity, nonsense

הַבְלָגָה נ self-restraint, moderation

הַבְלָטָה נ emphasis, stress

הַבְלִי ת vain, nonsensical

הִבְלִיג (יַבְלִיג) פ restrain oneself

הִבְלִיחַ (יַבְלִיחַ) פ flicker, flutter

הִבְלִיט (יַבְלִיט) פ give prominence to, stress, emphasize

הִבְלִיעַ (יַבְלִיעַ) פ swallow, take in; insert unnoticed

הֲבָנָה נ understanding, comprehension

הֲבָסָה נ rout, heavy defeat

הַבָּעָה נ expression

הִבְעִיר (יַבְעִיר) פ set alight, burn

הִבְעִית (יַבְעִית) פ terrify

הִבְקִיעַ (יַבְקִיעַ) פ seize; break through

הַבְרָאָה נ convalescence, recovery

הַבְרָגָה נ screwing in

הֲבָרָה נ syllable

הַבְרָחָה נ smuggling

הִבְרִיא (יַבְרִיא) פ convalesce, recover

הִבְרִיג (יַבְרִיג) פ screw in

הִבְרִיחַ (יַבְרִיחַ) פ cause to flee; smuggle
הִבְרִיךְ (יַבְרִיךְ) פ make kneel
הִבְרִיק (יַבְרִיק) פ shine, gleam; flash, send a telegram
הִבְרִישׁ (יַבְרִישׁ) פ brush
הַבְרָקָה נ polishing; flash, brilliancy
הִבְשִׁיל (יַבְשִׁיל) פ ripen, come to fruition
הַבְשָׁלָה נ ripening
הַגַּאי ז pilot; helmsman
הֲגָבָה נ response, reaction
הַגְבָּהָה נ elevating; elevation
הִגְבִּיהַּ (יַגְבִּיהַּ) פ elevate; be elevated
הִגְבִּיל (יַגְבִּיל) פ restrict, limit
הִגְבִּיר (יַגְבִּיר) פ strengthen
הִגְבִּישׁ (יַגְבִּישׁ) פ harden, become hard
הַגְבָּלָה נ limitation, restriction
הַגְבָּרָה נ strengthening
הַגָּדָה נ saga, tale
הַגָּדָה שֶׁל פֶּסַח the Passover Haggada (book)
הִגְדִּיל (יַגְדִּיל) פ increase, enlarge, become larger
הִגְדִּיר (יַגְדִּיר) פ define
הִגְדִּישׁ (יַגְדִּישׁ) פ overfill, overdo
הַגְדָּלָה נ magnification, increase
הַגְדָּרָה נ definition
הַגְדָּשָׁה נ overdoing
הָגָה (יֶהְגֶּה) פ utter, say, study
הֶגֶה ז sound, utterance; steering wheel
הַגָּהָה נ proof-reading
הָגוּי ת pronounced
הָגוּן ת decent, honest

הָגוּת נ philosophy, contemplation
הַגְזָמָה נ exaggeration
הֵגִיב (יָגִיב) פ react
הָגִיג ז inner feelings
הִגִּיד (יַגִּיד) פ tell, inform
הִגִּיהַּ (יַגִּיהַּ) פ proof-read
הֶגְיוֹנִי ת logical, rational, reasonable
הֵגִיחַ (יָגִיחַ) פ break out, burst forth
הֲגִיָּה נ pronunciation
הֲגִינוּת נ decency
הִגִּיעַ (יַגִּיעַ) פ arrive at, reach
הֵגִיף (יָגִיף) פ close, bolt
הֲגִירָה נ emigration
הִגִּישׁ (יַגִּישׁ) פ serve (food); present, hand in
הִגְלָה (יַגְלֶה) פ banish, exile
הִגְלִיד (יַגְלִיד) פ form a scab; coagulate
הַגְלָיָה נ banishment, exile
הֶגְמוֹן ז cardinal
הֶגְמוֹנְיָה נ hegemony
הֵגֵן (יָגֵן) פ defend, protect
הַגְנָבָה נ stealthy insertion
הֲגָנָה נ protection, defense
הִגְנִיב (יַגְנִיב) פ insert stealthily
הַגְעָלָה נ ritual cleansing (in boiling water)
הֲגָפָה נ closing, bolting
הִגְרִיל (יַגְרִיל) פ raffle, draw lots for
הַגְרָלָה נ lottery, raffle
הַגָּשָׁה נ serving (food); presenting, submitting
הִגְשִׁים (יַגְשִׁים) פ realize, materialize
הַגְשָׁמָה נ realization, materialization
הֵד ז echo

הִדְאִיב (יַדְאִיב) פ — distress, grieve
הִדְאִיג (יַדְאִיג) פ — worry
הִדְבִּיק (יַדְבִּיק) פ — stick, glue; infect; overtake
הִדְבִּיר (יַדְבִּיר) פ — destroy, exterminate
הַדְבָּקָה נ — sticking, gluing
הִדְגִּים (יַדְגִּים) פ — demonstrate, give example of
הִדְגִּישׁ (יַדְגִּישׁ) פ — stress, emphasize
הַדְגָּמָה נ — exemplification, demonstration
הַדְגָּשָׁה נ — stress, emphasis
הֲדָדִי ת — mutual, reciprocal
הֲדָדִיּוּת נ — mutuality, reciprocity
הִדְהֵד (יְהַדְהֵד) פ — echo, resound
הִדְהִים (יַדְהִים) פ — stun, astound
הֲדוֹם ז — footstool, footrest
הָדוּר ת — splendid, illustrious
הַדָּחָה נ — dismissal, removal (from a post)
הֶדְיוֹט ז — ordinary person; layman, commoner
הֵדִיחַ (יָדִיחַ) פ — rinse, sluice, wash out
הִדִּיחַ (יַדִּיחַ) פ — expel, thrust out
הֲדִיפָה נ — repulse; push
הִדְלָה (יַדְלֶה) פ — trellis (vines)
הִדְלִיחַ (יַדְלִיחַ) פ — befoul, pollute
הִדְלִיף (יַדְלִיף) פ — cause to leak, let leak
הִדְלִיק (יַדְלִיק) פ — light, set fire to
הַדְלָקָה נ — lighting; bonfire
הֲדַס ז — myrtle
הֶדֶף ז — repulsion
הֶדֶף אֲוִיר ז — blast (after explosion)

הָדַף (יֶהֱדוֹף) פ — repulse, rebut, push
הִדְפִּיס (יַדְפִּיס) פ — print
הַדְפָּסָה נ — printing
הֶדֶק ז — trigger; paper clip; clothes peg
הֵדַק (יָדֵק) פ — grind to powder
הָדָר ז — splendor, glory; citrus fruits
הַדְרָגָה נ — gradualness, gradation
הַדְרָגָתִי ת — gradual, graduated
הִדְרִיךְ (יַדְרִיךְ) פ — guide, lead
הִדְרִים (יַדְרִים) פ — turn south
הַדְרָכָה נ — guidance, instruction
הַדְרָן מ״ק — encore!
הָהּ! מ״ק — ah! alas!
הֵהִין (יָהִין) פ — dare, venture
הֵהֵל (יָהֵל) פ — shine, gleam
הוּא מ״ג — he, it
הוּאֲחַד (יוּאֲחַד) פ — be made uniform, be standardized; be unified
הוּאַט (יוּאַט) פ — be slowed down
הוֹאִיל (יוֹאִיל) פ — consent, be willing
הוֹאִיל וְ... תה״פ — since, because
הוּאֲרַךְ (יוּאֲרַךְ) — be lengthened, be prolonged
הוּבָא (יוּבָא) פ — be brought, be fetched
הוּבְהַל (יוּבְהַל) פ — be rushed in, be brought in a hurry
הוּבְטַח (יוּבְטַח) פ — be promised, be assured
הוֹבִיל (יוֹבִיל) פ — lead, guide, conduct; bring (in a vehicle), transport
הוֹבָלָה נ — transport, carriage, freight

be understood	הוּבַן (יוּבַן) פ
ebony (tree or wood)	הוֹבְנֶה ז
ebonite	הוֹבְנִית נ
be trounced	הוּבַס (יוּבַס) פ
be expressed	הוּבַּע (יוּבַּע) פ
be clarified	הוּבְרַר (יוּבְרַר) פ
weary, exhaust	הוֹגִיעַ (יוֹגִיעַ) פ
decency	הוֹגֶן ז
proper, suitable	הוֹגֵן ת
be raffled	הוּגְרַל (יוּגְרַל) פ
glory, splendor	הוֹד ז
be worried, be made anxious	הוּדְאַג (יוּדְאַג) פ
admission (of guilt), confession	הוֹדָאָה נ
be emphasized	הוּדְגַּשׁ (יוּדְגַּשׁ) פ
admit, confess; thank	הוֹדָה (יוֹדֶה) פ
thanks to...	הוֹדוֹת ל...
be expelled	הוּדַּח (יוּדַּח) פ
thanksgiving, thanking	הוֹדָיָה נ
inform, announce	הוֹדִיעַ (יוֹדִיעַ) פ
announcement	הוֹדָעָה נ
be	הָוָה (יֶהֱוֶה) פ
the present; present tense	הֹוֶה ז
way of life, cultural pattern	הֲוָיי, הֲוַי ז
visionary, dreamer	הוֹזֶה ז
cheapen, make cheaper	הוֹזִיל (יוֹזִיל) פ
be made cheaper	הוּזַל (יוּזַל) פ
reduction (in price), cheapening	הוֹזָלָה נ
be neglected	הוּזְנַח, הָזְנַח (יוּזְנַח) פ
be held, be grasped, be considered	הוּחְזַק, הָחְזַק (יוּחְזַק) פ
be decided	הוּחְלַט (יוּחְלַט) פ
be weakened	הוּחְלַשׁ (יוּחְלַשׁ) פ
be made more severe	הוּחְמַר (יוּחְמַר) פ
be stored (goods)	הוּחְסַן (יוּחְסַן) פ
be confiscated; be boycotted	הוּחְרַם, הָחֳרַם (יוּחְרַם) פ
be suspected	הוּחְשַׁד (יוּחְשַׁד) פ
be improved	הוּטַב (יוּטַב) פ
be flown (a plane, by plane), be sent by plane	הוּטַס (יוּטַס) פ
be misled	הוּטְעָה (יוּטְעָה) פ
be stressed, be accented, be emphasized	הוּטְעַם (יוּטְעַם) פ
be bothered	הוּטְרַד (יוּטְרַד) פ
alas!!	הוֹי מ"ק
be hit, be beaten	הוּכָּה (יוּכֶּה) פ
be proved, be proven	הוּכַח (יוּכַח) פ
proof	הוֹכָחָה נ
prove; scold	הוֹכִיחַ (יוֹכִיחַ) פ
be prepared, be made ready	הוּכַן (יוּכַן) פ
be doubled; be multiplied	הוּכְפַּל (יוּכְפַּל) פ
be recognized	הוּכַּר (יוּכַּר) פ
be compelled, be forced	הוּכְרַח (יוּכְרַח) פ
be trained	הוּכְשַׁר (יוּכְשַׁר) פ
be crowned	הוּכְתַּר (יוּכְתַּר) פ
birth	הוּלֶּדֶת ת
beget (father), procreate; cause	הוֹלִיד (יוֹלִיד) פ
lead, conduct	הוֹלִיךְ (יוֹלִיךְ) פ
profligacy, dissipation	הוֹלֵלוּת נ

הוֹלֶם ז	stroke, beat
הוֹמֶה ת	humming, noisy
הוּמְלַח (יוּמְלַח) פ	be salted
הוּמַת (יוּמַת) פ	be put to death
הוֹן ז	capital; wealth, riches
הוֹנָאָה נ	fraud, deceit
הוֹנָה (יוֹנֶה) פ	defraud, cheat
הוּנַח (יוּנַח) פ	be set at rest
הוּנַח, הֻנַּח (יוּנַּח) פ	be put down, be laid down; be assumed, be supposed
הוֹן חוֹזֵר	working capital
הוּנַס (יוּנַס) פ	be put to flight
הוּנַף (יוּנַף) פ	be brandished, be waved (flag), be wielded
הוּנצַח (יוּנצַח)פ	be perpetuated
הוּסַדַּר (יוּסַדַּר) פ	be arranged, be settled
הוּסוָה (יוּסוֶה) פ	be camouflaged, be disguised
הוֹסִיף (יוֹסִיף) פ	add, increase
הוּסכַּם (יוּסכַּם) פ	be agreed to, be approved
הוּסמַך, הָסמַך (יוּסמַך) פ	be graduated (academic); be authorized
הוֹסָפָה נ	addition; supplement
הוּסרַט (יוּסרַט) פ	be filmed, be shot (film)
הוּעֲבַר (יוּעֲבַר) פ	be transferred, be brought across
הוֹעִיד (יוֹעִיד) פ	fix an appointment with, invite to a meeting
הוֹעִיל (יוֹעִיל) פ	be useful, be profitable
הוּעַם (יוּעַם) פ	be dimmed, be dulled
הוּעֲרַך (יוּעֲרַך) פ	be estimated, be valued
הוֹפִיעַ (יוֹפִיעַ) פ	appear, come into view
הוּפנַט (יְהוּפנַט) פ	be hypnotized
הוֹפָעָה נ	appearance
הוּפעַל (יוּפעַל) פ	be set in motion, be put to work (employ), be brought into action
הוּפעַל, הופעל (הִפעִיל)	Hoph'al (causative passive verb stem of
הוּפַץ (יוּפַץ) פ	be distributed
הוּפצַץ (יוּפצַץ) פ	be bombed
הוּפקַד (יוּפקַד) פ	be deposited
הוּפקַע (יוּפקַע) פ	be requisitioned, be appropriated
הוּפקַר (יוּפקַר) פ	be abandoned
הוּפרַד (יוּפרַד) פ	be separated
הוּפרָה (יוּפרֶה) פ	be impregnated
הוּפרַע (יוּפרַע) פ	be disturbed, be hindered, be bothered
הוּפתַּע (יוּפתַּע) פ	be surprised
הוּצָא (יוּצָא) פ	be taken out, be removed
הוֹצָאָה נ	taking out, removing; expenses; publication (of books), publishing firm
הוֹצָאָה לְאוֹר	publication
הוֹצָאָה לְפוֹעַל	execution
הוֹצָאַת סְפָרִים	publishing firm
הוּצַב (יוּצַב) פ	be put in position, be stationed
הוּצַג (יוּצַג) פ	be presented, be put on (a play)

הוֹצִיא (יוֹצִיא) פ take out, bring out, produce

הוּצְנַח (יוּצְנַח) פ be dropped by parachute

הוּצְנַע (יוּצְנַע) פ be concealed, be hidden away

הוּצַּע (יוּצַּע) פ be suggested, be proposed

הוּצְרַךְ (יוּצְרַךְ) פ be obliged, be required; be in need of

הוּצַּת (יוּצַּת) פ be set on fire

הוּקְדַּם (יוּקְדַּם) פ be done earlier

הוּקְדַּשׁ (יוּקְדַּשׁ) פ be dedicated, be devoted

הוֹקִיעַ (יוֹקִיעַ) פ stigmatize, censure

הוֹקִיר (יוֹקִיר) פ esteem, regard highly, respect

הוּקַל (יוּקַל) פ be made lighter, be lightened

הוּקַע (יוּקַע) פ be censured, be stigmatized

הוֹקָעָה נ censure, condemnation

הוּקַּף (יוּקַּף) פ be surrounded, be encircled

הוּקְפָּא (יוּקְפָּא) פ be frozen, be congealed

הוּקְצַב (יוּקְצַב) פ be allocated (money), be allotted

הוּקְצָה (יוּקְצֶה) פ be set aside; be allocated

הוֹקָרָה נ esteem, respect

הוּקְרַן (יוּקְרַן) פ be projected

הוֹרָאָה נ teaching, instruction; order; meaning; directive

הוּרַד (יוּרַד) פ be brought down

הוֹרָדָה נ taking down ,lowering

הוֹרֶה ז הוֹרָה נ parent

הוֹרָה (יוֹרֶה) פ teach, instruct; show, point out to

הוֹרִיד (יוֹרִיד) פ bring down, lower

הוֹרִים ז״ר parents

הוֹרִיק (יוֹרִיק) פ turn green

הוֹרִישׁ (יוֹרִישׁ) פ bequeath

הוּרַע (יוּרַע) פ grow worse

הוּשַׁב (יוּשַׁב) פ be put back

הוּשְׁבַּץ (יוּשְׁבַּץ) פ be fitted in, be worked in

הוּשַּׂג (יוּשַּׂג) פ be caught up with; be obtained; be grasped (idea)

הוֹשִׁיב (יוֹשִׁיב) פ seat, set

הוֹשִׁיט (יוֹשִׁיט) פ extend, hold out (hand)

הוֹשִׁיעַ (יוֹשִׁיעַ) פ save, rescue

הוּשְׁלַךְ (יוּשְׁלַךְ) פ be thrown

הוּשַׂם (יוּשַׂם) פ be placed

הוּשְׁמַט (יוּשְׁמַט) פ be omitted

הוּשְׁמַץ (יוּשְׁמַץ) פ be defamed

הוּשְׁפַּע (יוּשְׁפַּע) פ be influenced

הוּשַּׁק (יוּשַּׁק) פ be launched (ship)

הוּשְׁתַּל (יוּשְׁתַּל) פ be planted; be transplanted

הוֹתִיר (יוֹתִיר) פ leave, leave over

הוּתְנָה (יוּתְנֶה) פ be conditioned

הוּתְנַע, הֻתְנַע (יוּתְנַע) פ be started up (car engine)

הוּתְקַן (יוּתְקַן) פ be set, be installed, be fitted

הַזָּאָה נ sprinkling

הִזְדַּהָה (יִזְדַּהֶה) פ identify oneself, be identified

הִזְדַּוֵּג (יִזְדַּוֵּג) פ couple, copulate; join, go together
הִזְדַּוְּגוּת נ coupling, pairing; copulation
הִזְדַּיֵּן (יִזְדַּיֵּן) פ arm, arm oneself; have sexual intercourse (slang)
הִזְדַּמֵּן (יִזְדַּמֵּן) פ chance, happen, have the opportunity
הִזְדַּמְּנוּת נ opportunity; occasion, chance
הִזְדַּנֵּב (יִזְדַּנֵּב) פ trail along, trail after
הִזְדַּעֲזֵעַ (יִזְדַּעֲזֵעַ) פ be shocked, be appalled
הִזְדַּעֵף (יִזְדַּעֵף) פ grow angry
הִזְדַּקֵּן (יִזְדַּקֵּן) פ grow old, age
הִזְדַּקֵּף (יִזְדַּקֵּף) פ straighten up
הִזְדַּקֵּק (יִזְדַּקֵּק) פ need, be in need of
הִזְדַּקֵּר (יִזְדַּקֵּר) פ stick out
הִזְדָּרֵז (יִזְדָּרֵז) פ be alert, be brisk
הָזָה (יֶהֱזֶה) פ daydream, dream
הִזָּה (יַזֶּה) פ sprinkle
הִזְהִיב (יַזְהִיב) פ become golden
הִזְהִיר (יַזְהִיר) פ warn, admonish
הַזְהָרָה נ warning, caution
הֲזָזָה נ moving, removal
הֲזָיָה נ phantasy, delusion
הֵזִיז (יָזִיז) פ move, shift
הֵזִיחַ (יָזִיחַ) פ budge, displace
הִזִּיל (יַזִּיל) פ cause to flow, distil
הֵזִין (יָזִין) פ feed, nourish
הִזִּיעַ (יַזִּיעַ) פ sweat, perspire
הִזִּיק (יַזִּיק) פ harm, damage
הִזְכִּיר (יַזְכִּיר) פ remind; mention
הַזְכָּרָה נ reference, mention; commemoration
הִזְלִיף (יַזְלִיף) פ sprinkle, spray
הֵזֵם (יָזֵם) פ confute
הִזְמִין (יַזְמִין) פ invite, summons; order (goods)
הֲזָנָה נ nourishing, feeding
הַזְנָחָה נ neglect, omission
הִזְנִיחַ (יַזְנִיחַ) פ neglect, leave undone
הֲזָעָה נ sweating, perspiring
הִזְעִים (יַזְעִים) פ infuriate, enrage
הִזְעִיק (יַזְעִיק) פ sound an alarm
הַזְעָקָה נ cry of alarm, warning-cry
הִזְקִין (יַזְקִין) פ be old; become old
הִזְקִיק (יַזְקִיק) פ oblige, compel
הִזְרִים (יַזְרִים) פ set flowing, cause to flow
הִזְרִיעַ (יַזְרִיעַ) פ impregnate, inseminate
הִזְרִיק (יַזְרִיק) פ inject
הַזְרָעָה נ impregnation, insemination
הֶחְבִּיא (יַחְבִּיא) פ hide, conceal
הֶחְדִּיר (יַחְדִּיר) פ instil, cause to penetrate
הַחְדָּרָה נ insertion, instilment
הֶחֱוִיר (יַחֲוִיר) פ blanch, turn pale
הֶחֱזִיק (יַחֲזִיק) פ hold, seize
הֶחֱזִיר (יַחֲזִיר) פ return, give back
הַחֲזָקָה נ possession, maintenance
הֶחֱטִיא (יַחֲטִיא) פ miss (a target)
הַחְיָאָה נ revival, reviving
הֶחֱיָה (יְחַיֶּה) פ revive, restore to life
הֵחִיל (יָחִיל) פ enforce (a law)
הֵחִישׁ (יָחִישׁ) פ rush, hasten

הֶחְכִּים (יַחְכִּים) פ make wise, teach wisdom; grow wise

הֶחְכִּיר (יַחְכִּיר) פ lease

הֵחֵל (יָחֵל) פ begin, start

הַחְלָטָה נ decision, resolution

הֶחְלֵטִי ת decisive, absolute

הֶחֱלִיד (יַחֲלִיד) פ rust, become rusty; make rusty

הֶחְלִיט (יַחְלִיט) פ decide; determine

הֶחֱלִים (יַחֲלִים) פ cure; recover

הֶחֱלִיף (יַחֲלִיף) פ change, exchange; replace

הֶחֱלִיק (יַחֲלִיק) פ slide, slip; skate (on ice);

הֶחֱלִישׁ (יַחֲלִישׁ) פ weaken, enfeeble

הַחְלָמָה נ recovery

הֶחְמִיא (יַחְמִיא) פ flatter

הֶחְמִיץ (יַחְמִיץ) פ become sour

הֶחְמִיר (יַחְמִיר) פ make more severe, become graver

הַחְמָרָה נ aggravation, deterioration; greater severity

הֶחֱנָה (יַחֲנֶה) פ park (a vehicle)

הֶחֱנִיף (יַחֲנִיף) פ flatter

הֶחֱנִיק (יַחֲנִיק) פ strangle, suffocate

הֶחְסִין (יַחְסִין) פ store (goods)

הֶחְסִיר (יַחְסִיר) פ subtract, deduct

הַחְסָנָה נ storage, storing

הֶחֱרִיא (יַחֲרִיא) פ excrete, defecate

הֶחֱרִיב (יַחֲרִיב) פ destroy, ruin

הֶחֱרִיד (יַחֲרִיד) פ frighten, terrify

הֶחֱרִים (יַחֲרִים) פ confiscate; ban

הֶחֱרִיף (יַחֲרִיף) פ worsen, make worse, aggravate

הֶחֱרִישׁ (יַחֲרִישׁ) פ deafen, silence

הֶחֱשָׁה (יַחֲשֶׁה) פ fall silent, be still

הֶחֱשִׁיב (יַחֲשִׁיב) פ appreciate, esteem

הֶחְשִׁיד (יַחְשִׁיד) פ throw suspicion on

הֶחְשִׁיךְ (יַחְשִׁיךְ) פ darken: make dark

הֶחְתִּים (יַחְתִּים) פ cause to sign

הֲטָבָה נ improvement; bonus

הִטְבִּיל (יַטְבִּיל) פ dip, immerse; baptize

הִטְבִּיעַ (יַטְבִּיעַ) פ sink, drown

הִטָּה (יַטֶּה) פ deflect, divert

הֲטָחָה נ knocking, striking

הֲטָיָה נ diversion, deflecting; bending

הִטִּיל (יַטִּיל) פ impose, set; lay (egg)

הֵטִיל (יָטִיל) פ cast, throw, project

הֵטִיס (יָטִיס) פ send by plane

הִטִּיף (יַטִּיף) פ preach, hold forth

הֲטָלָה נ imposition (of duty, obligation)

הֲטָלָה נ casting, throwing

הִטְלִיא (יַטְלִיא) פ patch

הֲטָלַת כִּידוֹן throwing the javelin

הִטְמִין (יַטְמִין) פ hide, conceal

הִטְמִיעַ (יַטְמִיעַ) פ absorb, take in

הִטְעָה (יַטְעֶה) פ mislead

הִטְעִים (יַטְעִים) פ stress, emphasize

הִטְעִין (יַטְעִין) פ load

הֲטָפָה נ preaching, sermonizing

הַטְרָדָה נ bothering

הִטְרִיד (יַטְרִיד) פ bother, trouble

הִטְרִיחַ (יַטְרִיחַ) פ harass, bother

הִיא מ״ג she

הִיאָחֲזוּת נ settling, taking root

הִיבָּדְלוּת נ	isolation
הֶיבֵּט ז	aspect
הִיבָּרְאוּת נ	creation
הִיגּוּי ז	pronunciation
הִיגָּיוֹן ז	logic, reason
הִיגָּמְלוּת נ	weaning
הִיגֵּר (יְהַגֵּר) פ	migrate, immigrate
הִיגָּרְרוּת נ	being dragged
הִידַּבְּקוּת נ	infection
הִידָּבְרוּת נ	rapprochement
הֵידָד מ״ק	hurrah! bravo!
הִידּוּק ז	fastening, tightening
הִידּוּר ז	splendor, adornment
הִידַּלְדֵּל, נִידַּלְדֵּל (יִידַּלְדֵּל) פ	waste away, dwindle
הִידַּמּוּת נ	resemblance, likeness
הִידֵּק (יְהַדֵּק) פ	tighten, fasten
הִידֵּר (יְהַדֵּר) פ	adorn, bedeck
הִידַּרְדֵּר, נִידַּרְדֵּר (יִידַּרְדֵּר) פ	roll down; decline, deteriorate
הָיָה (יִהְיֶה) פ	be, exist
הִיוּוָדְעוּת נ	making known
הִיוָּה (יְהַוֶּה) פ	constitute, comprise
הִיוּוָלְדוּת נ	birth, being born
הִיוּוָצְרוּת נ	forming, formation
הִיוּלִי ת	primeval; formless
הַיּוֹם ז, תה״פ	today
הֱיוֹת תה״פ	since, seeing that
הֶיזֵּק ז	damage, harm
הִיזָּקְקוּת נ	need, necessity
הֵיטֵב תה״פ	well, very well
הִיטַּהֵר (יִיטַּהֵר) פ	become pure, purify oneself
הֵיטִיב (יֵיטִיב) פ	better, improve; benefit, do good
הֶיטֵּל ז	levy, impost
הִיטַּלְטֵל, נִיטַּלְטֵל (יִיטַּלְטֵל) פ	be moved about
הִיטַּמֵּא (יִיטַּמֵּא) פ	become unclean
הִיטַּמְטֵם, נִיטַּמְטֵם (יִיטַּמְטֵם) פ	become dull (mentally)
הִיטָּמְעוּת נ	absorption, assimilation
הִיטַּנְּפוּת נ	contamination, defilement, becoming filthy
הִיטַּשְׁטֵשׁ, נִיטַּשְׁטֵשׁ (יִיטַּשְׁטֵשׁ) פ	blur, become blurred
הַיְינוּ תה״פ	that is
הַיְינוּ הַךְ	it's all the same
הֵיךְ מ״ש	how?
הִיכָּווּת נ	scorching, burning
הִיכּוֹן ז	(state of) alert
הֵיכָל ז	palace, temple
הֵיכָן תה״פ	where?
הִיכָּנְעוּת נ	resignation, surrender
הֶיכֵּר ז	recognition
הֶיכֵּרוּת נ	acquaintanceship
הִיכָּשְׁלוּת נ	failure, failing
הִילָּה נ	halo
הִילּוּךְ ז	gear (of a car); gait, carriage
הִילּוּךְ סָרָק	neutral gear
הִילּוּלָה נ	merry-making
הִילּוּלָה וְחִינְגָּה	joyous celebration, revelry
הִילֵּךְ (יְהַלֵּךְ) פ	walk about
הִילֵּל (יְהַלֵּל) פ	praise
הִימּוּר ז	betting
הֵימִין (יֵימִין) פ	go to the right
הֵימֶנּוּ מ״ג	from him, of him
הִינֵּה, הִנֵּה תה״פ	here, now

הִינָּה (יְהַנֶּה) פ — give pleasure to, please

הִינּוּמָה נ — bridal veil

הֵינִיקָה, הֲנִיקָה (תֵּינִיק) פ — suckle, breast-feed

הִינָּתְקוּת, הִנָּתְקוּת נ — being cut off; isolation, separation

הִיסּוּס ז — hesitation

הֶיסֵּחַ ז — diversion, distraction

הֶיסַּח הַדַּעַת — absent-mindedness

הִיסֵּס (יְהַסֵּס) פ — hesitate, waver

הֵיעָדֵר ז, הֵיעָדְרוּת נ — absence

הֵיעָנוּת נ — assent, consent, response

הִיעָרְכוּת נ — deployment (military), arrangement

הִיפּוּךְ ז — reverse, contrary

הֶיצֵּעַ ז — supply (economics)

הֶיצֵּף ז — flooding

הֶיקֵּף ז — perimeter, circumference; scope, extent

הֶיקֵּשׁ נ — comparison, analogy

הֵירָגְעוּת נ — calming down

הֵירָיוֹן, הֵרָיוֹן ז — pregnancy

הִישָּׁאֲרוּת נ — remaining, staying behind

הֶישֵּׂג ז — achievement, attainment

הֵישִׁיר (יֵישִׁיר) פ — proceed directly

הִישָּׁמְדוּת נ — destruction, being destroyed

הִישָּׁנוּת נ — return (a second time), repetition

הִישָּׁעֲנוּת ת — reliance, dependence; leaning (on), reclining

הִיתּוּךְ ז — smelting

הִיתּוּל ז — mockery, irony

הֶיתֵּז ז — ricochet, shrapnel; splash

הֲיִתָּכֵן? הֲיִיתָּכֵן? — is it possible? could it be?

הִיתַּמֵּם (יִיתַּמֵּם) פ — pretend innocence

הֶיתֵּר ז — permission, permit

הַכָּאָה נ — striking, hitting

הִכְאִיב (יַכְאִיב) פ — hurt, cause pain

הַכְבָּדָה נ — burden, inconvenience

הִכְבִּיד (יַכְבִּיד) פ — make heavier

הִכָּה (יַכֶּה) פ — hit, strike

הִכְהָה (יַכְהֶה) פ — make darker

הִכְוִוין (יַכְוִוין) פ — set, regulate (controls); guide

הֶכְוֵון ז — guidance

הַכְוָונָה נ — guidance, direction

הִכְזִיב (יַכְזִיב) פ — disappoint

הִכְחִיד (יַכְחִיד) פ — wipe out

הִכְחִיל (יַכְחִיל) פ — be blue; turn blue

הִכְחִישׁ (יַכְחִישׁ) פ — deny; contradict

הַכְחָשָׁה נ — denial

הֲכִי מ״ה — really? the most (coll)

הֵכִיל (יָכִיל) פ — contain, include

הֵכִין (יָכִין) פ — prepare

הִכִּיר (יַכִּיר) פ — know, recognize

הִכִּישׁ (יַכִּישׁ) פ — bite (snake)

הַכְלָאָה נ — cross-breeding (animals); crossing (plants)

הִכְלִיב (יַכְלִיב) פ — tack (temporary stitches)

הִכְלִיל (יַכְלִיל) פ — generalize, include

הִכְלִים (יַכְלִים) פ — humiliate, insult

הַכְלָלָה נ — generalization; inclusion

הַכְלָמָה נ — humiliation

הִכְמִישׁ (יַכְמִישׁ) פ — wither, wrinkle

הָכֵן תה״פ — at the ready, on the alert

הֲכָנָה נ — preparation
הִכְנִיס (יַכְנִיס) פ — bring in, insert
הִכְנִיעַ (יַכְנִיעַ) פ — subdue
הַכְנָסָה נ — income, revenue
הִכְסִיף (יַכְסִיף) פ — turn silver
הִכְעִיס (יַכְעִיס) פ — anger, enrage
הִכְפִּיל (יַכְפִּיל) פ — double; multiply
הַכְפָּלָה נ — doubling, duplication
הַכָּרָה נ — consciousness, acquaintance
הַכְרָזָה נ — proclamation, declaration
הֶכְרֵחַ ז — necessity
הֶכְרֵחִי ת — essential, indispensable
הִכְרִיז (יַכְרִיז) פ — proclaim, declare
הִכְרִיחַ (יַכְרִיחַ) פ — compel, force
הִכְרִיעַ (יַכְרִיעַ) פ — subdue, decide
הִכְרִית (יַכְרִית) פ — destroy, cut down
הַכְרָעָה נ — decision
הַכָּרָתִי ת — conscious
הַכָּשָׁה נ — bite (of a snake)
הִכְשִׁיל (יַכְשִׁיל) פ — fail; mislead
הִכְשִׁיר (יַכְשִׁיר) פ — train
הֶכְשֵׁר ז — authorization, permit (issued by a rabbi)
הַכְשָׁרָה נ — training, preparation
הַכְתָּבָה נ — dictation
הִכְתִּיב (יַכְתִּיב) פ — dictate
הִכְתִּים (יַכְתִּים) פ — stain, soil
הִכְתִּיף (יַכְתִּיף) פ — shoulder
הִכְתִּיר (יַכְתִּיר) פ — crown
הַכְתָּרָה נ — crowning, coronation
הֲלֹא תה״פ — surely!
הָלְאָה תה״פ — further, beyond, away
הֶלְאָה (יַלְאֶה) פ — weary, exhaust
הִלְאִים (יַלְאִים) פ — nationalize
הַלְאָמָה נ — nationalization
הִלְבִּין (יַלְבִּין) פ — turn white, make white
הִלְבִּישׁ (יַלְבִּישׁ) פ — dress, clothe
הַלָּה מ״ג — that one
הִלְהִיב (יַלְהִיב) פ — inflame, enthuse
הַלְוָאָה נ — loan (of money)
הַלְוַאי מ״ק — if only...! would that...!
הִלְוָה (יַלְוֶה) פ — lend, loan
הַלְוָיָה נ — funeral procession
הָלוֹךְ וָשׁוֹב — there and back, 'return' (fare)
הֲלוֹם תה״פ — hither, (to) here
הַלָּז, הַלָּזֶה מ״ג — that one
הַלֵּזוּ מ״ג — that one (fem.)
הִלְחִים (יַלְחִים) פ — solder
הִלְחִין (יַלְחִין) פ — set to music, compose
הַלְחָמָה נ — soldering
הֵלִיז (יָלִיז) פ — slander, speak ill of
הֵלִיט (יָלִיט) פ — wrap, enclose
הָלִיךְ ז — custom, practice
הֲלִיכָה נ — walking, going
הֲלִיכִים מִשְׁפָּטִיִּים — legal proceedings
הֲלִימוּת נ — suitability
הֵלִין (יָלִין) פ — put up for the night
הַלָּךְ ז — walker
הָלַךְ (יֵלֵךְ) פ — go (on foot), walk
הֵלֶךְ ז — traveller
הֲלָכָה נ — law, religious practice; theory
הֲלָכָה לְמַעֲשֶׂה — by practical implementation of principle
הֲלָכָה פְּסוּקָה — authoritative law
הַלְכָן ז — walker

הֲלַךְ־נֶפֶשׁ, הֲלוֹךְ־נֶפֶשׁ ז — mood; fancy
הֲלַךְ־רוּחַ — mood
הַלֵּל ז — praise, thanksgiving
הַלָּלוּ מ״ג — these
הַלְלוּיָהּ נ — hallelujah (lit. praise the Lord)
הָלַם (יַהֲלוֹם) פ — fit, become; strike, bang
הֶלֶם ז — shock
הָלְאָה, לְהַלָּן תה״פ — below (in a text), further on
הֲלָנָה נ — leaving till morning; providing night's lodging
הַלְעָזָה נ — slander, defamation
הַלְעָטָה — feeding, stuffing
הִלְעִיג (יַלְעִיג) פ — mock, guy
הִלְעִיט (יַלְעִיט) פ — feed, stuff
הֲלָצָה נ — joke
הַלְקָאָה נ — flaggelation, whipping
הִלְקָה (יַלְקֶה) פ — flog, whip
הֶלְקֵט ז — capsule (botanic)
הִלְשִׁין (יַלְשִׁין) פ — "tell tales", inform
הֵם מה״ג — they (masc.)
הִמְאִיס (יַמְאִיס) פ — make loathsome
הִמְדִּיר (יַמְדִּיר) פ — bevel (wood), make a slope
הֵמָּה מ״ג — they (masc.)
הָמָה (יֶהֱמֶה) פ — growl, coo, rumble
הִמְהֵם (יְהַמְהֵם) פ — hum, buzz; murmur
הֲמוּלָּה נ — tumult, din, uproar
הָמוּם ת — shocked, stunned
הָמוֹן ז — crowd, mob
הֲמוֹנִי ת — common; vulgar
הֲמוֹנִית נ — slang, colloquial speech

הַמְחָאָה נ — check, cheque
הַמְחָאַת דּוֹאַר — postal order
הַמְחָזָה נ — dramatization
הִמְחִישׁ (יַמְחִישׁ) פ — illustrate, concretize
הַמְחָשָׁה נ — illustration, concretization
הִמְטִיר (יַמְטִיר) פ — rain, shower
הֶמְיָה נ — sound, noise
הֵמִיט (יָמִיט) פ — fell, bring down
הֵמִיר (יָמִיר) פ — exchange, convert
הֵמִית (יָמִית) פ — execute, kill
הַמְלָחָה נ — salting, salination
הַמְלָטָה נ — giving birth (animals)
הִמְלִיחַ (יַמְלִיחַ) פ — salt, pickle
הִמְלִיטָה (תַּמְלִיט) פ — give birth (animals)
הִמְלִיךְ (יַמְלִיךְ) פ — make king, crown king
הִמְלִיץ (יַמְלִיץ) פ — recommend, speak
הַמְלָצָה נ — recommendation
הָמַם (יָהוֹם) פ — daze; stupefy
הִמְנוֹן ז — hymn, anthem
הֵמֵס (יָמֵס) פ — melt, dissolve
הִמְסָה (יַמְסֶה) פ — melt, thaw
הֲמַסָּה נ — melting, dissolving
הַמְעָטָה נ — reduction, decrease
הִמְעִיד (יַמְעִיד) פ — cause to stumble
הִמְעִיט (יַמְעִיט) פ — reduce, decrease
הַמְצָאָה נ — invention, device
הִמְצִיא (יַמְצִיא) פ — supply, invent, devise
הֵמַר (יָמֵר) פ — embitter
הַמְרָאָה נ — take-off (airplane)
הִמְרָה (יַמְרֶה) פ — rebel, defy

exchange, barter — הֲמָרָה נ
take off (plane) — הִמְרִיא (יַמְרִיא) פ
incite to rebel — הִמְרִיד (יַמְרִיד) פ
urge on, stimulate — הִמְרִיץ (יַמְרִיץ) פ
continue, go on — הִמְשִׁיךְ (יַמְשִׁיךְ) פ
compare — הִמְשִׁיל (יַמְשִׁיל) פ
continuation — הֶמְשֵׁךְ ז
continuity — הֶמְשֵׁכִיּוּת נ
execution, killing — הֲמָתָה נ
wait — הִמְתִּין (יַמְתִּין) פ
sweeten, desalinate — הִמְתִּיק (יַמְתִּיק) פ
waiting — הַמְתָּנָה נ
sweetening; desalination — הַמְתָּקָה נ
they (fem.) — הֵן מ״ג
yes — הֵן מ״ק
pleasure, enjoyment — הֲנָאָה נ
germination — הַנְבָּטָה נ
cause to germinate — הִנְבִּיט (יַנְבִּיט) פ
intonation — הַנְגָּנָה נ
geometry; engineering — הַנְדָּסָה נ
geometric(al); engineering — הַנְדָּסִי ת
(to) here, hither — הֵנָּה תה״פ
management, direction — הַנְהָגָה נ
establish, lay down — הִנְהִיג (יַנְהִיג) פ
management, executive — הַנְהָלָה נ
bookkeeping — הַנְהָלַת חֶשְׁבּוֹנוֹת
leave off! leave it! — הַנַּח! פ
reduction, discount — הֲנָחָה נ
laying; assumption, premise — הַנָּחָה נ
guide, direct — הִנְחָה (יַנְחֶה) פ
instruction; direction — הַנְחָיָה נ
bequeath; impart — הִנְחִיל (יַנְחִיל) פ
deal (a blow); bring down, land — הִנְחִית (יַנְחִית) פ
endowing (with); imparting — הַנְחָלָה נ
instruction in Hebrew (to adults) — הַנְחָלַת הַלָּשׁוֹן
landing; bringing down — הַנְחָתָה נ
prevent, dissuade — הֵנִיא (יָנִיא) פ
yield (crops), produce — הֵנִיב (יָנִיב) פ
nod, blink, move — הֵנִיד (יָנִיד) פ
put at ease, calm — הֵנִיחַ (יָנִיחַ) פ
put down, lay down; leave (in a will); assume, suppose; allow, permit — הִנִּיחַ (יַנִּיחַ) פ
put to flight, rout — הֵנִיס (יָנִיס) פ
toss; set in motion; impel (to act), urge — הֵנִיעַ (יָנִיעַ) פ
swing (arm), brandish — הֵנִיף (יָנִיף) פ
suckle, breast-feed — הֵינִיקָה (תָּנִיק) פ
abovementioned — הַנַּ״ל, הַנִּזְכָּר לְעֵיל
lower, depress — הִנְמִיךְ (יַנְמִיךְ) פ
justification — הַנְמָקָה נ
(here) we are — הִנְנוּ מ״ג
(here) I am — הִנְנִי מ״ג
setting in motion — הֲנָעָה נ
put shoes on — הִנְעִיל (יַנְעִיל) פ
make pleasant, entertain — הִנְעִים (יַנְעִים) פ
swinging, waving — הֲנָפָה נ
issue (shares) — הַנְפָּקָה נ
sprout; shine — הֵנֵץ (יָנֵץ) פ
word of honor — הֵן צֶדֶק
perpetuation — הַנְצָחָה נ
perpetuate — הִנְצִיחַ (יַנְצִיחַ) פ
suckling, breast-feeding — הֲנָקָה נ

הַס מ״ק hush! silence!

הֵסֵב (יָסֵב) פ lead round; endorse (check); recline

הֲסָבָה נ endorsement (check); reclining

הִסְבִּיר (יַסְבִּיר) פ explain

הֶסְבֵּר ז explanation

הַסְבָּרָה נ explanation (act of); information

הַסָּגָה נ moving back

הִסְגִּיר (יַסְגִּיר) פ hand over, deliver up, extradite

הֶסְגֵּר ז quarantine

הַסְגָּרָה נ extradition, handing over

הַסָּגַת גְּבוּל encroachment, trespass

הִסְדִּיר (יַסְדִּיר) פ settle, arrange

הֶסְדֵּר ז arrangement, order

הַסְוָאָה נ camouflage; disguise

הִסְוָה (יַסְוֶה) פ camouflage; disguise

הַסָּחָה נ diversion

הִסִּיחַ (יַסִּיחַ) פ divert

הֵסִיחַ (יָסִיחַ) פ talk, speak

הֵסִיט (יָסִיט) פ budge, shift

הֵסִיךְ (יָסִיךְ) פ wipe (with oil), oil

הִסִּיעַ (יַסִּיעַ) פ transport, give a ride

הִסִּיק (יַסִּיק) פ heat; conclude

הֵסִיר (יָסִיר) פ take off, remove

הִסִּית (יַסִּית) פ incite, instigate

הִסְכִּים (יַסְכִּים) פ agree, consent

הִסְכִּית (יַסְכִּית) פ listen

הֶסְכֵּם ז agreement

הַסְכָּמָה נ agreement; approval

הַסְלָמָה נ escalation

הִסְמִיךְ (יַסְמִיךְ) פ attach, link; authorize

הִסְמִיק (יַסְמִיק) פ turn red, blush

הַסְּסָן ז waverer

הַסְּסָנוּת נ vacillation, wavering

הַסָּעָה נ transport, carrying; "lift"

הִסְעִיר (יַסְעִיר) פ enrage; agitate

הֶסְפֵּד ז obituary

הִסְפִּיד (יַסְפִּיד) פ eulogize (the dead)

הִסְפִּיק (יַסְפִּיק) פ be sufficient, suffice

הֶסְפֵּק ז capacity, output

הַסְפָּקָה נ provision, supply

הַסָּקָה נ heating; conclusion

הַסְרָטָה נ filming

הִסְרִיחַ (יַסְרִיחַ) פ stink

הִסְרִיט (יַסְרִיט) פ film, shoot (a film)

הִסְתָּאֵב (יִסְתָּאֵב) פ become corrupt

הִסְתַּבֵּךְ (יִסְתַּבֵּךְ) פ become entangled

הִסְתַּבֵּר (יִסְתַּבֵּר) פ become evident, become clear

הִסְתַּבְּרוּת נ probability

הִסְתַּגֵּל (יִסְתַּגֵּל) פ adapt (oneself), adjust

הִסְתַּגֵּף (יִסְתַּגֵּף) פ mortify (the flesh)

הִסְתַּגֵּר (יִסְתַּגֵּר) פ shut oneself up

הִסְתַּדֵּר be organized; settle in

הִסְתַּדְּרוּת נ organization

הַסָּתָה נ incitement

הִסְתּוֹבֵב (יִסְתּוֹבֵב) פ revolve, rotate

הִסְתּוֹדֵד (יִסְתּוֹדֵד) פ confer in secret

הִסְתּוֹפֵף (יִסְתּוֹפֵף) פ frequent, visit frequently

הִסְתַּחֵף (יִסְתַּחֵף) פ erode

הִסְתַּחְרֵר פ go round and round; be giddy

הִסְתַּיֵּג (יִסְתַּיֵּג) פ	have reservations
הִסְתַּיְּדוּת נ	calcification
הִסְתַּיֵּם פ	finish, end
הִסְתַּיֵּעַ (יִסְתַּיֵּעַ) פ	be aided, be helped
הִסְתִּיר (יַסְתִּיר) פ	hide, conceal
הִסְתַּכֵּל פ	look at
הִסְתַּכְּלוּת נ	looking, observation
הִסְתַּכֵּם (יִסְתַּכֵּם) פ	amount to, add up to
הִסְתַּכֵּן פ	endanger oneself
הִסְתַּכְסֵךְ פ	dispute, wrangle
הִסְתַּלְסֵל (יִסְתַּלְסֵל) פ	curl, become curly
הִסְתַּלֵּק פ	go away, depart
הִסְתַּמֵּא פ	become blind
הִסְתַּמֵּךְ (יִסְתַּמֵּךְ) פ	rely on
הִסְתַּמֵּן (יִסְתַּמֵּן) פ	be indicated, be marked
הִסְתַּנְווֵר (יִסְתַּנְווֵר) פ	be dazzled
הִסְתַּנֵּן (יִסְתַּנֵּן) פ	be filtered; infiltrate
הִסְתָּעֵף (יִסְתָּעֵף) פ	fork (roads), branch out
הִסְתָּעֵר (יִסְתָּעֵר) פ	assault, charge, assail
הִסְתַּפֵּחַ (יִסְתַּפֵּחַ) פ	join
הִסְתַּפֵּק (יִסְתַּפֵּק) פ	be satisfied with
הִסְתַּפֵּר (יִסְתַּפֵּר) פ	have one's hair cut
הֶסְתֵּר ז	concealment
הִסְתַּרְבֵּל (יִסְתַּרְבֵּל) פ	become clumsy
הִסְתָּרֵג (יִסְתָּרֵג) פ	be intertwined
הַסְתָּרָה נ	concealment
הִסְתָּרֵחַ (יִסְתָּרֵחַ) פ	sprawl

הִסְתָּרֵק (יִסְתָּרֵק) פ	comb one's hair
הִסְתַּתֵּם (יִסְתַּתֵּם) פ	be sealed up, be stopped up
הִסְתַּתֵּר (יִסְתַּתֵּר) פ	hide, conceal oneself
הֶעֱבִיד (יַעֲבִיד) פ	employ, put to work
הֶעֱבִיר (יַעֲבִיר) פ	bring across; transfer
הַעֲבָרָה נ	transfer
הֶעגִּין (יַעגִּין) פ	anchor (a ship)
הֶעְדִּיף (יַעְדִּיף) פ	prefer, give priority to
הַעְדָּפָה נ	preferring, giving preference
הֶעְדֵּר ז	absence, lack
הַעֲוָיָה נ	grimace, facial contortion
הֵעֵז (יָעֵז) פ	dare, be bold
הֶעָזָה נ	boldness
הֶעֱטָה (יַעֲטֶה) פ	wrap, cover
הֶעֱטִיר (יַעֲטִיר) פ	crown
הֵעִיב (יָעִיב) פ	cloud over
הֵעִיד (יָעִיד) פ	testify, give evidence
הֵעִיז (יָעִיז) פ	dare, be bold
הֵעִיף (יָעִיף) פ	fly, set flying
הֵעִיק (יָעִיק) פ	weigh heavily
הֵעִיר (יָעִיר) פ	wake; rouse
הַעֲלָאָה נ	increase; lifting
הַעֲלָבָה נ	insulting, offending
הֶעֱלָה (יַעֲלֶה) פ	raise, lift
הֶעֱלִיב (יַעֲלִיב) פ	insult, offend
הֶעֱלִיל (יַעֲלִיל) פ	accuse falsely
הֶעְלִים (יַעְלִים) פ	hide, conceal
הַעֲלָמָה נ	concealing, hiding
הֵעֵם (יָעֵם) פ	dim, dull

הַעֲמָדָה נ	setting up, placing
הֶעֱמִיד (יַעֲמִיד) פ	set up; stop
הֶעֱמִיד פָּנִים	pretend
הֶעְמִיס (יַעְמִיס) פ	load
הֶעֱמִיק (יַעֲמִיק) פ	deepen
הֶעֱנִיק (יַעֲנִיק) פ	grant, award
הֶעֱנִישׁ (יַעֲנִישׁ) פ	punish, penalize
הַעֲנָקָה נ	granting, awarding
הֶעֱסִיק (יַעֲסִיק) פ	employ
הֶעָפָה נ	flying
הֶעְפִּיל (יַעְפִּיל) פ	climb, struggle upwards
הֶעָקָה נ	weighing heavily
הֶעֱרָה (יַעֲרֶה) פ	lay bare, uncover
הֶעָרָה נ	note, remark
הֶעֱרִיךְ (יַעֲרִיךְ) פ	estimate, value
הֶעֱרִים (יַעֲרִים) פ	act with cunning
הֶעֱרִיץ (יַעֲרִיץ) פ	admire, venerate
הַעֲרָכָה נ	valuing; appreciation
הַעֲרָצָה נ	admiration, veneration
הֶעְשִׁיר (יַעְשִׁיר) פ	make wealthy; become rich
הֶעְתִּיק (יַעְתִּיק) פ	transfer; copy
הֶעְתִּיר (יַעְתִּיר) פ	entreat
הֶעְתֵּק ז	copy
הַפְגָּזָה נ	shelling, bombardment
הִפְגִּיז (יַפְגִּיז) פ	shell, bombard
הִפְגִּין (יַפְגִּין) פ	demonstrate
הִפְגִּיעַ (יַפְגִּיעַ) פ	afflict with
הִפְגִּישׁ (יַפְגִּישׁ) פ	bring together
הַפְגָּנָה נ	demonstration
הֲפוּגָה נ	respite; cease-fire
הִפְחִיד (יַפְחִיד) פ	frighten, scare
הִפְחִית (יַפְחִית) פ	reduce, diminish
הַפְחָתָה נ	lessening
הִפְטִיר (יַפְטִיר) פ	dismiss; release
הֵפִיג (יָפִיג) פ	relieve; relax
הֵפִיחַ (יָפִיחַ) פ	blow; exhale (breath), breathe out
הִפִּיחַ (יַפִּיחַ) פ	blow on, blow away
הָפִיךְ ז	invertible; convertible
הֲפִיכָה נ	inversion; overthrow, overwhelming
הִפִּיל (יַפִּיל) פ	bring down, cast down
הִפִּילָה (תַּפִּיל) פ	have a miscarriage
הֵפִיס (יָפִיס) פ	appease, pacify
הֵפִיץ (יָפִיץ) פ	spread; scatter
הֵפִיק (יָפִיק) פ	obtain; produce
הִפִּיק (יַפִּיק) פ	draw out, bring forth
הֵפִיר (יָפִיר) פ	nullify, annul
הָפַךְ (יַהֲפוֹךְ) פ	invert, reverse
הֶפֶךְ ז	contrary, opposite
הֲפֵכָה, הֲפֵיכָה נ	overthrow (of a kingdom etc.)
הֲפַכְפַּךְ ת	fickle, changeable
הַפְלֵא!, הַפְלֵא וָפֶלֶא!	how wonderful!
הַפְלָגָה נ	departure (of a ship), sailing; exaggeration
הִפְלָה (יַפְלֶה) פ	discriminate
הַפָּלָה נ	dropping; miscarriage
הַפְלָטָה נ	ejection
הִפְלִיא (יַפְלִיא) פ	amaze, astonish
הִפְלִיג (יַפְלִיג) פ	overdo; depart, embark
הַפְלָיָה נ	discrimination
הִפְלִיט (יַפְלִיט) פ	eject; let slip

הִפְנָה (יַפְנֶה) פ turn; refer; divert
הִפְנֵט (יְהַפְנֵט) פ hypnotize
הַפְנָיָה נ turning; referring
הִפְנִים (יַפְנִים) פ internalize; indent
הַפְנָמָה נ internalization
הֶפְסֵד ז loss, damage
הִפְסִיד (יַפְסִיד) פ lose
הִפְסִיק (יַפְסִיק) פ stop; interrupt
הֶפְסֵק ז interruption, stopping
הַפְסָקָה נ stopping; break, interval
הִפְעִיל (יַפְעִיל) פ set in motion, put to work
הִפְעִים (יַפְעִים) פ excite, rouse
הַפְעָלָה נ putting to work, setting in motion
הֲפָצָה נ distribution, dissemination
הִפְצִיץ (יַפְצִיץ) פ bomb
הִפְצִיר (יַפְצִיר) פ insist, press; entreat
הֶפְצֵר ז, הַפְצָרָה נ insistent request, entreaty
הַפְקָדָה נ depositing, bailing; appointment (to a post)
הֲפָקָה נ production; bringing out
הִפְקִיד (יַפְקִיד) פ deposit
הִפְקִיעַ (יַפְקִיעַ) פ requisition (property)
הִפְקִיר (יַפְקִיר) פ abandon, renounce (ownership)
הַפְקָעָה נ requisitioning (of property)
הֶפְקֵר ז ownerless property; irresponsibility
הַפְקָרָה נ abandonment
הֶפְקֵרוּת נ lawlessness, irresponsibility
הֵפֵר (יָפֵר) פ violate, infringe
הֶפְרֵד ז, הַפְרָדָה נ separation
הִפְרָה (יַפְרֶה) פ fertilize (sexual), impregnate
הֲפָרָה נ violation, infringement
הַפְרָזָה נ exaggeration, overstatement
הַפְרָטָה נ detailing
הִפְרִיד (יַפְרִיד) פ separate, part; decompose
הַפְרָיָה נ fertilization (of cells), impregnation
הִפְרִיז (יַפְרִיז) פ exaggerate, overdo, be excessive
הִפְרִיחַ (יַפְרִיחַ) פ flower, blossom; set flying
הִפְרִיךְ (יַפְרִיךְ) פ refute (claims)
הִפְרִיס (יַפְרִיס) פ be cloven-hoofed, have hoofs
הִפְרִיעַ (יַפְרִיעַ) פ disturb
הִפְרִישׁ (יַפְרִישׁ) פ set aside
הַפְרָכָה נ refutation
הַפְרָעָה נ disturbance
הֶפְרֵשׁ ז difference, remainder
הַפְרָשָׁה נ setting aside; excretion
הַפְשָׁטָה נ abstraction
הִפְשִׁיט (יַפְשִׁיט) פ undress (another person)
הִפְשִׁיל (יַפְשִׁיל) פ roll up (sleeves, trousers)
הִפְשִׁיר (יַפְשִׁיר) פ melt (ice), defrost
הַפְשָׁרָה נ melting, thaw
הִפְתִּיעַ (יַפְתִּיעַ) פ surprise
הַפְתָּעָה נ surprise

הַצָּבָה נ — setting up, placing (in position)
הִצְבִּיעַ (יַצְבִּיעַ) פ — vote
הַצְבָּעָה נ — voting; indicating
הַצָּגָה נ — play (theatrical), show; introducing
הִצְדִּיד (יַצְדִּיד) פ — avert, turn aside
הִצְדִּיעַ (יַצְדִּיעַ) פ — salute (military)
הִצְדִּיק (יַצְדִּיק) פ — vindicate, justify
הַצְדָּעָה נ — salute (military)
הַצְדָּקָה נ — justification, vindication
הִצְהִיב (יַצְהִיב) פ — yellow, turn yellow
הִצְהִיל (יַצְהִיל) פ — gladden, make happy
הִצְהִיר (יַצְהִיר) פ — declare
הַצְהָרָה נ — declaration
הִצְחִין (יַצְחִין) פ — cause to smell, make stink
הִצְחִיק (יַצְחִיק) פ — make laugh
הִצְטַבֵּעַ (יִצְטַבֵּעַ) פ — paint oneself, make up
הִצְטַבֵּר (יִצְטַבֵּר) פ — accumulate
הִצְטַבְּרוּת נ — accumulation
הִצְטַדֵּד (יִצְטַדֵּד) פ — move aside
הִצְטַדְּקוּת נ — apology
הִצְטַדֵּק (יִצְטַדֵּק) פ — justify oneself
הִצְטוֹפֵף (יִצְטוֹפֵף) פ — crowd together
הִצְטַחֵק (יִצְטַחֵק) פ — chuckle, titter
הִצְטַיֵּד (יִצְטַיֵּד) פ — equip oneself
הִצְטַיֵּן (יִצְטַיֵּן) פ — excel, be excellent
הִצְטַיֵּר (יִצְטַיֵּר) פ — be drawn, be portrayed
הִצְטַלֵּב (יִצְטַלֵּב) פ — cross; cross oneself
הִצְטַלֵּם (יִצְטַלֵּם) פ — be photographed
הִצְטַלֵּק (יִצְטַלֵּק) פ — form a scar
הִצְטַמְצֵם (יִצְטַמְצֵם) פ — limit oneself, be reduced
הִצְטַמֵּק (יִצְטַמֵּק) פ — shrink
הִצְטַנֵּן (יִצְטַנֵּן) פ — cool; catch (a) cold
הִצְטַנְּנוּת נ — cold
הִצְטַנֵּעַ (יִצְטַנֵּעַ) פ — be modest
הִצְטַנֵּף (יִצְטַנֵּף) פ — be wound, be wrapped
הִצְטַעְצֵעַ (יִצְטַעְצֵעַ) פ — preen oneself; toy (with)
הִצְטַעֵר (יִצְטַעֵר) פ — regret, be sorry
הִצְטָרֵד (יִצְטָרֵד) פ — become hoarse
הִצְטָרֵךְ (יִצְטָרֵךְ) פ — have to; have need of
הִצְטָרֵף (יִצְטָרֵף) פ — be refined; join
הִצְטָרְפוּת נ — joining
הִצִּיב (יַצִּיב) פ — put in position
הִצִּיג (יַצִּיג) פ — present; show, exhibit
הַצִּידָה — out of the way!
הִצִּיל (יַצִּיל) פ — save, rescue
הִצִּיעַ (יַצִּיעַ) פ — suggest, propose
הֵצִיף (יָצִיף) — flood, overflow
הֵצִיץ (יָצִיץ) פ — peep
הֵצִיק (יָצִיק) פ — bully, persecute
הִצִּית (יַצִּית) פ — set on fire
הֵצֵל (יָצֵל) פ — shade, give shade
הַצְלָבָה נ — crossbreeding, hybridization
הַצָּלָה נ — rescue
הַצְלָחָה נ — success
הִצְלִיב (יַצְלִיב) פ — cross (plants, animals)
הִצְלִיחַ (יַצְלִיחַ) פ — succeed, prosper

הִצְלִיף (יַצְלִיף) פ — lash, whip
הַצְמָדָה נ — attachment, tying
הִצְמִיחַ (יַצְמִיחַ) פ — cause to grow
הִצְמִית (יַצְמִית) פ — destroy, annihilate
הִצְנִיחַ (יַצְנִיחַ) פ — drop by parachute
הִצְנִיעַ (יַצְנִיעַ) פ — conceal, hide away
הַצָּעָה נ — suggestion, proposal
הִצְעִיד (יַצְעִיד) פ — lead, cause to march
הִצְעִיר (יַצְעִיר) פ — rejuvenate
הֲצָפָה נ — flood; overflowing
הִצְפִּין (יַצְפִּין) פ — hide; face north
הִצְפִּיף (יַצְפִּיף) פ — pack together
הֲצָצָה נ — glance, peep
הֲצָקָה נ — bullying, nagging
הֵצַר (יָצֵר) פ — narrow, make narrower
הִצְרִיד (יַצְרִיד) פ — become hoarse
הִצְרִיךְ (יַצְרִיךְ) פ — oblige, compel
הַצָּתָה נ — setting on fire
הֲקָאָה נ — vomiting
הִקְבִּיל (יַקְבִּיל) פ — make parallel; welcome
הַקְבָּלָה נ — comparing, contrasting
הַקְבָּעָה נ — fixation
הַקָּדוֹשׁ־בָּרוּךְ־הוּא — God
הִקְדִּיחַ (יַקְדִּיחַ) פ — burn (food)
הִקְדִּים (יַקְדִּים) פ — anticipate, precede; do earlier
הִקְדִּישׁ (יַקְדִּישׁ) פ — dedicate, devote
הֶקְדֵּם ז — earliness
הַקְדָּמָה נ — introduction
הֶקְדֵּשׁ ז — dedicated objects
הַקְדָּשָׁה נ — dedication
הִקְהָה (יַקְהֶה) פ — blunt, dull
הִקְהִיל (יַקְהִיל) פ — summon (a meeting), assemble
הִקְטִין (יַקְטִין) פ — make smaller
הִקְטִיר (יַקְטִיר) פ — burn incense
הַקְטָנָה נ — reduction, diminution
הֵקִיא (יָקִיא) פ — vomit
הִקִּיז (יַקִּיז) פ — bleed, let blood
הֵקִים (יָקִים) פ — raise, set up
הִקִּיף (יַקִּיף) פ — surround, encircle
הֵקִיץ (יָקִיץ) פ — awake, be awake
הִקִּישׁ (יַקִּישׁ) פ — beat, strike
הֵקִישׁ (יָקִישׁ) פ — compare, contrast
הֵקֵל (יָקֵל) פ — lighten, make lighter
הֲקַלָּה, הֲקָלָה נ — alleviation
הַקְלָטָה נ — recording
הִקְלִיט (יַקְלִיט) פ — record (on tape or gramophone)
הֲקָמָה נ — setting up, establishment
הִקְמִיחַ (יַקְמִיחַ) פ — add flour, flour
הִקְנָה (יַקְנֶה) — sell, dispose of (by sale); transfer (property); provide with, afford
הַקְנָיָה נ — transferring (property)
הִקְנִיט (יַקְנִיט) פ — tease, irritate
הִקְסִים (יַקְסִים) פ — fascinate
הַקְפָּאָה נ — freezing (lit. and fig.)
הַקְפָּדָה נ — meticulousness; strictness
הֲקָפָה, הַקָּפָה נ — surrounding, encompassing; credit
הִקְפִּיא (יַקְפִּיא) פ — freeze (lit. and fig.)
הִקְפִּיד (יַקְפִּיד) פ — be strict, be meticulous
הִקְפִּיץ (יַקְפִּיץ) פ — cause to jump
הַקְצָאָה נ — allocation, setting aside

הַקְצָבָה נ allocation (of funds), allotment

הִקְצָה (יַקְצֶה) פ set aside, allocate

הֲקָצָה נ awakening, waking up

הִקְצִיב (יַקְצִיב) פ allocate (money), allot

הִקְצִיעַ (יַקְצִיעַ) פ plane (wood), smooth

הִקְצִיף (יַקְצִיף) פ whisk (an egg); cause to foam

הַקְרָאָה נ reading aloud, recitation

הַקְרָבָה נ sacrifice

הִקְרִיא (יַקְרִיא) פ read out, recite

הִקְרִיב (יַקְרִיב) פ sacrifice; bring nearer

הִקְרִיחַ (יַקְרִיחַ) פ go bald

הִקְרִין (יַקְרִין) פ radiate, shine

הִקְרִישׁ (יַקְרִישׁ) פ congeal, coagulate

הַקְרָנָה נ radiation; projection (of films)

הַקְשָׁבָה נ attention; listening

הִקְשָׁה (יַקְשֶׁה) פ harden; argue

הִקְשִׁיב (יַקְשִׁיב) פ listen, pay attention

הִקְשִׁיחַ (יַקְשִׁיחַ) פ harden (the heart)

הֶקְשֵׁר ז context

הַר ז mountain

הֶרְאָה (יַרְאֶה) פ show

הִרְבָּה (יַרְבֶּה) פ increase, multiply

הַרְבֵּה תה״פ many, much, plenty

הִרְבִּיעַ (יַרְבִּיעַ) פ cause to mate (animals)

הִרְבִּיץ (יַרְבִּיץ) פ beat, hit (colloquial); cause to lie down (animals)

הָרַג (יַהֲרוֹג) פ kill, slay

הֶרֶג ז slaughter, killing

הֲרֵגָה, הֲרֵיגָה נ slaughter, killing

הִרְגִּיז (יַרְגִּיז) פ annoy

הִרְגִּיל (יַרְגִּיל) פ accustom, habituate

הִרְגִּיעַ (יַרְגִּיעַ) פ calm, pacify

הִרְגִּישׁ (יַרְגִּישׁ) פ feel, sense

הֶרְגֵּל ז habit

הַרְגָּעָה נ calming, tranquilizing

הַר גַּעַשׁ ז volcano

הַרְגָּשָׁה נ feeling, sensation

הַרְדּוּף ז oleander

הִרְדִּים (יַרְדִּים) פ put to sleep; anaesthetize

הַרְדָּמָה נ anaesthesia (general)

הָרָה, הָרְתָה (יַהֲרֶה) פ conceive (a child)

הָרָה ת׳ נ pregnant woman

הִרְהוּר ז thought; meditating

הִרְהִיב (יַרְהִיב) פ excite, fascinate; embolden

הִרְהֵר (יְהַרְהֵר) פ think, meditate

הָרוּג ת׳ ז (a person) slain

הִרְוָה (יַרְוֶה) פ saturate

הַרְוָחָה נ relief, easement

הִרְוִיחַ (יַרְוִיחַ) פ profit

הִרְזָה (יַרְזֶה) פ become thinner, slim

הַרְחָבָה נ widening, enlargement

הֲרָחָה נ smelling, sniffing

הִרְחִיב (יַרְחִיב) פ widen, broaden

הִרְחִיק (יַרְחִיק) פ remove, put at a distance; go far

הַרְחֵק תה״פ far away, far off

הַרְחָקָה נ removal; keeping away

הַרְטָבָה נ moistening, wetting
הִרְטִיב (יַרְטִיב) פ moisten, dampen
הִרְטִיט (יַרְטִיט) פ make tremble; quiver
הֲרֵי here is..., you see...
הֲרִיגָה נ homicide, killing
הֵרִיחַ (יָרִיחַ) פ smell, scent
הֵרִים (יָרִים) פ lift, raise; pick up
הֲרֵינִי מ״ג I am (see also הֲרֵי)
הֲרִיסָה נ demolition, destruction
הֵרִיעַ (יָרִיעַ) פ shout, cheer
הֵרִיץ (יָרִיץ) פ make run
הֵרִיק (יָרִיק) פ empty
הֵרַךְ (יָרֵךְ) פ soften, mollify
הֶרְכֵּב ז composition, make-up
הַרְכָּבָה נ grafting; inoculation; putting together
הַרְכָּבַת אֲבַעְבּוּעוֹת vaccination
הִרְכִּיב (יַרְכִּיב) פ make ride, put in the saddle; carry (on shoulder); put together, assemble (parts of a machine); inoculate
הִרְכִּין (יַרְכִּין) פ lower, bow (the head)
הֲרָמָה נ lifting, raising
הִרְמוּן ז hormone treatment; harmonization
הַרְמוֹן ז harem
הַרְמוֹנִי ת harmonious
הַרְמוֹנְיָה נ harmony
הִרְנִין (יַרְנִין) פ gladden, cheer up
הָרַס (יַהֲרוֹס) פ destroy, ruin
הֶרֶס ז destruction
הַרְסָנִי ת destructive, ruinous

הֲרָעָה נ deterioration
הִרְעִיב (יַרְעִיב) פ starve, cause hunger
הִרְעִיד (יַרְעִיד) פ tremble; cause to tremble
הִרְעִיל (יַרְעִיל) פ poison
הִרְעִים (יַרְעִים) פ thunder
הִרְעִיף (יַרְעִיף) פ drip, trickle
הִרְעִישׁ (יַרְעִישׁ) פ make a noise; bomb, bombard
הַרְעָלָה נ poisoning
הֶרֶף! stop it! leave it alone!
הֶרֶף ז pause (momentary), instant
הִרְפָּה (יַרְפֶּה) פ desist, leave alone
הַרְפַּתְקָה נ adventure, exploit
הַרְפַּתְקָנִי ת adventurous
הַרְצָאָה נ lecture
הִרְצָה (יַרְצֶה) פ lecture
הֲרָצָה נ making run; running in (car)
הִרְצִין (יַרְצִין) פ become serious
הֲרָקָה נ emptying
הִרְקִיב (יַרְקִיב) פ rot, decay
הִרְקִיד (יַרְקִיד) פ set dancing
הִרְקִיעַ (יַרְקִיעַ) פ be exalted, reach the sky
הֲרָרִי ת mountainous
הַרְשָׁאָה נ permission
הִרְשָׁה (יַרְשֶׁה) פ allow, permit
הִרְשִׁים (יַרְשִׁים) פ impress
הִרְשִׁיעַ (יַרְשִׁיעַ) פ convict, find guilty
הַרְשָׁמָה נ registration
הִרְתִּיחַ (יַרְתִּיחַ) פ boil

הִרְתִּיעַ (יַרְתִּיעַ) פ deter, daunt
הִרְתִּית (יַרְתִּית) פ tremble, quiver
הַרְתָּעָה נ deterrence
הִשְׁאִיל (יַשְׁאִיל) פ lend
הִשְׁאִיר (יַשְׁאִיר) פ leave, leave behind
הַשְׁאָלָה נ lending; metaphor
הַשָּׁבוּעַ this week
הַשְׁבָּחָה נ improvement
הִשְׁבִּיחַ (יַשְׁבִּיחַ) פ improve
הִשְׁבִּיעַ (יַשְׁבִּיעַ) פ swear in
הִשְׂבִּיעַ (יַשְׂבִּיעַ) פ sate, glut
הִשְׁבִּיר (יַשְׁבִּיר) פ sell provisions
הִשְׁבִּית (יַשְׁבִּית) פ lock out (workers), stop (work)
הַשְׁבָּעָה נ swearing in
הַשְׁבָּתָה נ lock-out
הַשָּׂגָה נ achievement; perception; criticism
הַשְׁגָּחָה נ supervision, watching
הִשְׁגִּיחַ (יַשְׁגִּיחַ) פ watch; supervise
הִשְׁגִּיר (יַשְׁגִּיר) פ habituate, accustom; run in
הַשְׁגָּרָה נ running in
הִשְׁהָה (יַשְׁהֶה) פ delay, hold back
הַשְׁהָיָה נ delay
הַשְׁוָאָה נ comparison
הַשְׁוָאָתִי ת comparative
הִשְׁוָה (יַשְׁוֶה) פ compare, equate
הִשְׁחִיז (יַשְׁחִיז) פ sharpen, whet
הִשְׁחִיל (יַשְׁחִיל) פ pass through a hole, thread
הִשְׁחִיר (יַשְׁחִיר) פ blacken; become black
הִשְׁחִית (יַשְׁחִית) פ corrupt, mar
הִשִּׂיא (יַשִּׂיא) פ marry off
הֵשִׁיב (יָשִׁיב) פ answer, reply; return
הִשִּׂיג (יַשִּׂיג) פ catch up with; obtain, attain
הֵשִׂיחַ (יָשִׂיחַ) פ talk; get to talk
הֵשִׁיט (יָשִׁיט) פ set afloat
הִשִּׁיל (יַשִּׁיל) פ drop, shed (skin)
הִשִּׁיק (יַשִּׁיק) פ touch, graze
הִשִּׁיר (יַשִּׁיר) פ drop, shed (skin)
הֵשִׁית (יָשִׁית) פ set
הַשְׁכָּבָה נ laying down
הִשְׁכִּיב (יַשְׁכִּיב) פ lay down, put to bed
הִשְׁכִּיחַ (יַשְׁכִּיחַ) פ banish from mind
הִשְׂכִּיל (יַשְׂכִּיל) פ learn
הִשְׁכִּים (יַשְׁכִּים) פ rise early
הִשְׂכִּיר (יַשְׂכִּיר) פ lease, let (property)
הַשְׂכָּלָה נ education, learning; culture, enlightenment
הַשְׁכֵּם תה״פ early
הַשְׁכָּמָה נ early rising
הִשְׁלָה (יַשְׁלֶה) פ mislead, delude
הַשְׁלָיָה נ deluding
הִשְׁלִיט (יַשְׁלִיט) פ put in control, establish
הִשְׁלִיךְ (יַשְׁלִיךְ) פ cast; throw away
הִשְׁלִים (יַשְׁלִים) פ complete; accomplish
הִשְׁלִישׁ (יַשְׁלִישׁ) פ hand over to a third party
הַשְׁלָכָה נ throwing, casting; effect, implication

הַשְׁלָמָה נ	completion; resignation
הֵשַׁם (יָשֵׁם) פ	lay waste, devastate
הַשְׁמָדָה נ	destruction
הַשְׁמָטָה נ	omission
הִשְׁמִיד (יַשְׁמִיד) פ	destroy, annihilate
הִשְׁמִיט (יַשְׁמִיט) פ	omit, leave out
הִשְׂמִיל, הִשְׂמְאִיל (יַשְׂמִיל) פ	turn left
הִשְׁמִין (יַשְׁמִין) פ	become fatter
הִשְׁמִיעַ (יַשְׁמִיעַ) פ	make heard
הִשְׁמִיץ (יַשְׁמִיץ) פ	defame, libel
הַשְׁמָצָה נ	defamation
הַשָּׁנָה	this year
הִשְׁעָה (יַשְׁעֶה) פ	suspend (an employee, etc)
הִשְׁעִין (יַשְׁעִין) פ	lean against, prop up
הַשְׁעָרָה נ	hypothesis, supposition
הִשְׁפִּיל (יַשְׁפִּיל) פ	humiliate; lower
הִשְׁפִּיעַ (יַשְׁפִּיעַ) פ	influence, affect; give generously
הַשְׁפָּלָה נ	humiliation, abasement
הַשְׁפָּעָה נ	influence, effect
הַשְׁקָאָה נ	irrigation, watering
הַשָּׁקָה נ	touching, grazing; launching (ship)
הִשְׁקָה (יַשְׁקֶה) פ	water, irrigate
הִשְׁקִיט (יַשְׁקִיט) פ	calm, quieten
הִשְׁקִיעַ (יַשְׁקִיעַ) פ	invest
הִשְׁקִיף (יַשְׁקִיף) פ	observe, watch
הַשְׁקָעָה נ	investment
הַשְׁקָפָה נ	outlook, view
הַשְׁקָפַת עוֹלָם	outlook on life
הַשְׁרָאָה נ	inspiration
הִשְׁרָה (יַשְׁרֶה) פ	inspire; immerse
הִשְׁרִישׁ (יַשְׁרִישׁ) פ	strike root
הִשְׁתָּאָה (יִשְׁתָּאֶה) פ	be astonished
הִשְׁתַּבֵּחַ (יִשְׁתַּבֵּחַ) פ	praise oneself
הִשְׁתַּבֵּשׁ (יִשְׁתַּבֵּשׁ) פ	be spoilt, deteriorate
הִשְׁתַּגֵּעַ (יִשְׁתַּגֵּעַ) פ	go mad
הִשְׁתַּדֵּךְ (יִשְׁתַּדֵּךְ) פ	arrange to get married
הִשְׁתַּדֵּל (יִשְׁתַּדֵּל) פ	try hard, endeavor
הִשְׁתַּדְּלוּת נ	endeavor, striving
הִשְׁתַּהָה (יִשְׁתַּהֶה) פ	be delayed
הִשְׁתּוֹבֵב (יִשְׁתּוֹבֵב) פ	be naughty
הִשְׁתַּוָּה (יִשְׁתַּוֶּה) פ	be equal to, become equal
הִשְׁתּוֹחֵחַ (יִשְׁתּוֹחֵחַ) פ	be cast down
הִשְׁתּוֹלֵל (יִשְׁתּוֹלֵל) פ	run wild
הִשְׁתּוֹמֵם (יִשְׁתּוֹמֵם) פ	be astonished
הִשְׁתּוֹקֵק (יִשְׁתּוֹקֵק) פ	long for, crave
הִשְׁתַּזֵּף (יִשְׁתַּזֵּף) פ	be tanned (by the sun)
הִשְׁתַּזֵּר (יִשְׁתַּזֵּר) פ	be interwoven
הִשְׁתַּחֲוָה (יִשְׁתַּחֲוֶה) פ	bow down
הִשְׁתַּחֵל (יִשְׁתַּחֵל) פ	squeeze through
הִשְׁתַּחֵק (יִשְׁתַּחֵק) פ	be rubbed away
הִשְׁתַּחְרֵר (יִשְׁתַּחְרֵר) פ	be set free, be released
הִשְׁתַּטָּה (יִשְׁתַּטֶּה) פ	play the fool
הִשְׁתַּטֵּחַ (יִשְׁתַּטֵּחַ) פ	stretch oneself out
הִשְׁתַּיֵּךְ (יִשְׁתַּיֵּךְ) פ	belong to, be associated with
הִשְׁתַּיֵּר (יִשְׁתַּיֵּר) פ	remain, be left
הִשְׁתִּיל (יַשְׁתִּיל) פ	transplant
הִשְׁתִּין (יַשְׁתִּין) פ	urinate
הִשְׁתִּיק (יַשְׁתִּיק) פ	silence

הִשְׁתִּית (יַשְׁתִּית) פ base, found

הִשְׁתַּכְלֵל (יִשְׁתַּכְלֵל) פ become perfect

הִשְׁתַּכֵּן (יִשְׁתַּכֵּן) פ find oneself housing

הִשְׁתַּכְנֵעַ (יִשְׁתַּכְנֵעַ) פ become convinced

הִשְׂתַּכֵּר (יִשְׂתַּכֵּר) פ earn

הִשְׁתַּכֵּר (יִשְׁתַּכֵּר) פ get drunk

הִשְׁתַּכְשֵׁךְ (יִשְׁתַּכְשֵׁךְ) פ paddle, dabble

הִשְׁתַּלֵּב (יִשְׁתַּלֵּב) פ intertwine, integrate

הַשְׁתָּלָה נ transplanting

הִשְׁתַּלְהֵב (יִשְׁתַּלְהֵב) פ go up in flames, be afire

הִשְׁתַּלֵּט (יִשְׁתַּלֵּט) פ take control of

הִשְׁתַּלֵּם (יִשְׁתַּלֵּם) פ be profitable; complete one's studies

הִשְׁתַּלְשֵׁל (יִשְׁתַּלְשֵׁל) פ hang down; evolve

הִשְׁתַּמֵּד (יִשְׁתַּמֵּד) פ become converted (from Judaism)

הִשְׁתַּמֵּט (יִשְׁתַּמֵּט) פ dodge, evade

הִשְׁתַּמֵּעַ (יִשְׁתַּמֵּעַ) פ be heard; be understood

הִשְׁתַּמֵּר (יִשְׁתַּמֵּר) פ be preserved, be kept

הִשְׁתַּמֵּשׁ (יִשְׁתַּמֵּשׁ) פ use, make use of

הַשְׁתָּנָה נ urination

הִשְׁתַּנָּה (יִשְׁתַּנֶּה) פ change, vary

הִשְׁתַּעְבֵּד (יִשְׁתַּעְבֵּד) פ be subjugated

הִשְׁתַּעֵל (יִשְׁתַּעֵל) פ cough

הִשְׁתַּעְמֵם (יִשְׁתַּעְמֵם) פ be bored

הִשְׂתָּעֵר (יִשְׂתָּעֵר) פ storm, assault

הִשְׁתַּעֲשֵׁעַ (יִשְׁתַּעֲשֵׁעַ) פ play with, dally with

הִשְׁתַּפֵּךְ (יִשְׁתַּפֵּךְ) פ be poured out

הִשְׁתַּפֵּר (יִשְׁתַּפֵּר) פ improve

הִשְׁתַּפְשֵׁף (יִשְׁתַּפְשֵׁף) פ be rubbed away; be put through the mill (slang)

הִשְׁתַּקֵּעַ (יִשְׁתַּקֵּעַ) פ settle permanently

הִשְׁתַּקֵּף (יִשְׁתַּקֵּף) פ be visible; be reflected

הִשְׁתַּרְבֵּב, נִשְׁתַּרְבֵּב (יִשְׁתַּרְבֵּב) פ be introduced out of place

הִשְׂתָּרֵךְ (יִשְׂתָּרֵךְ) פ drag oneself along

הִשְׂתָּרֵעַ (יִשְׂתָּרֵעַ) פ spread out, extend

הִשְׂתָּרֵר, נִשְׂתָּרֵר (יִשְׂתָּרֵר) פ reign over; prevail

הִשְׁתָּרֵשׁ (יִשְׁתָּרֵשׁ) פ take root, strike root

הִשְׁתַּתֵּף (יִשְׁתַּתֵּף) פ participate, take part

הִשְׁתַּתֵּק (יִשְׁתַּתֵּק) פ fall silent

הִתְאַבֵּד (יִתְאַבֵּד) פ commit suicide

הִתְאַבֵּךְ (יִתְאַבֵּךְ) פ billow upwards (smoke)

הִתְאַבֵּל (יִתְאַבֵּל) פ mourn

הִתְאַבֵּן (יִתְאַבֵּן) פ be petrified, turn to stone

הִתְאַבֵּק (יִתְאַבֵּק) פ be covered with dust; wrestle, grapple

הִתְאַגֵּד (יִתְאַגֵּד) פ unite, combine

הִתְאַגְרֵף (יִתְאַגְרֵף) פ box

הִתְאַדָּה (יִתְאַדֶּה) פ evaporate

הִתְאַדֵּם (יִתְאַדֵּם) פ blush, flush

הִתְאַהֵב (יִתְאַהֵב) פ fall in love

הִתְאַוְורֵר (יִתְאַוְורֵר) פ be ventilated, be aired

הִתְאוֹנֵן (יִתְאוֹנֵן) פ complain, grumble

הִתְאוֹשֵׁשׁ (יִתְאוֹשֵׁשׁ) פ recover, pull oneself together

הִתְאַזֵּן (יִתְאַזֵּן) פ be balanced, balance

הִתְאַזֵּר (יִתְאַזֵּר) פ gird oneself

הִתְאַזְרֵחַ (יִתְאַזְרֵחַ) פ become naturalized

הִתְאַחֵד (יִתְאַחֵד) פ unite, combine

הִתְאַחֲדוּת נ association, union, confederation

הִתְאַחָה (יִתְאַחֶה) פ be repaired, be patched, be sewn together

הִתְאַחֵר (יִתְאַחֵר) פ be late, arrive late

הִתְאִים (יַתְאִים) פ match, fit, suit

הִתְאַכְזֵב (יִתְאַכְזֵב) פ be disappointed

הִתְאַכְזֵר (יִתְאַכְזֵר) פ behave cruelly

הִתְאַכֵּל (יִתְאַכֵּל) פ be digested

הִתְאַכְסֵן (יִתְאַכְסֵן) פ stay (as guest), be accommodated

הִתְאַלְמֵן (יִתְאַלְמֵן) פ become a widower

הֶתְאֵם ז accord, accordance, harmony

הַתְאָמָה נ accord, harmony; suitability; adjustment

הִתְאַמֵּן (יִתְאַמֵּן) פ train, practise

הִתְאַמֵּץ (יִתְאַמֵּץ) פ make an effort; exert oneself

הִתְאַמֵּר (יִתְאַמֵּר) פ boast, brag

הִתְאַמֵּת (יִתְאַמֵּת) פ be verified (fact); come true

הִתְאַנָּה (יִתְאַנֶּה) פ seek occasion (to do harm), seek a quarrel

הִתְאַנֵּחַ (יִתְאַנֵּחַ) פ groan, sigh

הִתְאַסְלֵם (יִתְאַסְלֵם) פ become a Moslem

הִתְאַסֵּף, נִתְאַסֵּף (יִתְאַסֵּף) פ gather, collect, assemble

הִתְאַפֵּק (יִתְאַפֵּק) פ control oneself, restrain oneself

הִתְאַפֵּר (יִתְאַפֵּר) פ make up (actor, woman)

הִתְאַפְשֵׁר (יִתְאַפְשֵׁר) פ be made possible, become possible

הִתְאַקְלֵם (יִתְאַקְלֵם) פ become acclimated

הִתְאַרְגֵּן (יִתְאַרְגֵּן) פ get organized

הִתְאָרֵחַ (יִתְאָרֵחַ) פ stay (as a guest)

הִתְאָרֵךְ, נִתְאָרֵךְ (יִתְאָרֵךְ) פ grow longer

הִתְאָרֵס (יִתְאָרֵס) פ become engaged

הִתְאָרַע (יִתְאָרַע) פ occur, happen

הִתְאַשֵּׁר (יִתְאַשֵּׁר) פ be confirmed

הִתְבָּאֵר (יִתְבָּאֵר) פ become clear; be expounded

הִתְבַּגֵּר (יִתְבַּגֵּר) פ mature, become adult

הִתְבַּדָּה (יִתְבַּדֶּה) פ be proved false

הִתְבַּדֵּחַ (יִתְבַּדֵּחַ) פ be amused, be entertained

הִתְבַּדֵּל (יִתְבַּדֵּל) פ segregate oneself

הִתְבַּדֵּר (יִתְבַּדֵּר) פ be entertained, be diverted

הִתְבַּהֵם (יִתְבַּהֵם) פ become brutalized

הִתְבַּהֵר (יִתְבַּהֵר) פ become bright, brighten
הִתְבּוֹדֵד (יִתְבּוֹדֵד) פ seek solitude
הִתְבּוֹלֵל (יִתְבּוֹלֵל) פ assimilate
הִתְבּוֹנֵן (יִתְבּוֹנֵן) פ stare, look intently; observe
הִתְבּוֹסֵס (יִתְבּוֹסֵס) פ welter, be rolled
הִתְבּוֹשֵׁשׁ (יִתְבּוֹשֵׁשׁ) פ be delayed
הִתְבַּזְבֵּז (יִתְבַּזְבֵּז) פ be wasted
הִתְבַּזָּה (יִתְבַּזֶּה) פ be despised
הִתְבַּטֵּא (יִתְבַּטֵּא) פ express oneself
הִתְבַּטֵּל (יִתְבַּטֵּל) פ be cancelled
הִתְבַּיֵּשׁ (יִתְבַּיֵּשׁ) פ be ashamed
הִתְבַּיֵּת (יִתְבַּיֵּת) פ home
הִתְבַּלְבֵּל (יִתְבַּלְבֵּל) פ become confused
הִתְבַּלֵּט (יִתְבַּלֵּט) פ stand out, protrude
הִתְבַּסֵּם (יִתְבַּסֵּם) פ put on scent; become tipsy
הִתְבַּסֵּס (יִתְבַּסֵּס) פ be based, be founded
הִתְבַּצֵּעַ (יִתְבַּצֵּעַ) פ be performed, be executed
הִתְבַּצֵּר (יִתְבַּצֵּר) פ fortify oneself
הִתְבַּקַּע (יִתְבַּקַּע) פ burst, split open
הִתְבַּקֵּשׁ (יִתְבַּקֵּשׁ) פ be asked
הִתְבָּרֵג (יִתְבָּרֵג) פ be screwed (in)
הִתְבַּרְגֵּן (יִתְבַּרְגֵּן) פ become bourgeois
הִתְבָּרֵךְ (יִתְבָּרֵךְ) פ be blessed
הִתְבָּרֵר (יִתְבָּרֵר) פ be clarified
הִתְבַּשֵּׁל (יִתְבַּשֵּׁל) פ be boiled
הִתְבַּשֵּׂר (יִתְבַּשֵּׂר) פ receive news

הִתְגָּאָה (יִתְגָּאֶה) פ be proud (of)
הִתְגַּבֵּב (יִתְגַּבֵּב) פ be piled up
הִתְגַּבֵּר (יִתְגַּבֵּר) פ overcome
הִתְגַּבֵּשׁ (יִתְגַּבֵּשׁ) פ crystallize
הִתְגַּדֵּל (יִתְגַּדֵּל) פ be magnified
הִתְגַּדֵּר (יִתְגַּדֵּר) פ distinguish oneself, excel
הִתְגּוֹדֵד (יִתְגּוֹדֵד) פ form groups
הִתְגּוֹלֵל (יִתְגּוֹלֵל) פ roll about; grumble at
הִתְגּוֹנֵן (יִתְגּוֹנֵן) פ defend oneself
הִתְגּוֹרֵר (יִתְגּוֹרֵר) פ stay, dwell
הִתְגּוֹשֵׁשׁ (יִתְגּוֹשֵׁשׁ) פ wrestle
הִתְגַּיֵּס (יִתְגַּיֵּס) פ be mobilized
הִתְגַּיֵּר (יִתְגַּיֵּר) פ become a Jew
הִתְגַּלְגֵּל (יִתְגַּלְגֵּל) פ roll, revolve
הִתְגַּלָּה (יִתְגַּלֶּה) פ be revealed, become known
הִתְגַּלֵּחַ (יִתְגַּלֵּחַ) פ shave (oneself)
הִתְגַּלֵּם (יִתְגַּלֵּם) פ be embodied, take bodily form
הִתְגַּלַּע (יִתְגַּלַּע) פ break out
הִתְגַּמֵּד (יִתְגַּמֵּד) פ reduce oneself
הִתְגַּנֵּב (יִתְגַּנֵּב) פ creep (in, out, or away), move stealthily
הִתְגַּנְדֵּר (יִתְגַּנְדֵּר) פ dress up, “show off”
הִתְגַּעְגֵּעַ (יִתְגַּעְגֵּעַ) פ yearn
הִתְגַּעֵל (יִתְגַּעֵל) פ be soiled, be tainted
הִתְגַּעֵשׁ (יִתְגַּעֵשׁ) פ erupt; be agitated
הִתְגָּרֵד (יִתְגָּרֵד) פ scratch oneself
הִתְגָּרָה (יִתְגָּרֶה) פ provoke, tease
הִתְגָּרֵשׁ (יִתְגָּרֵשׁ) פ be divorced

הִתְגַּשֵּׁם (יִתְגַּשֵּׁם) פ be realized, materialize
הִתְגַּשְּׁמוּת נ realization, materialization
הִתְדַּבֵּק (יִתְדַּבֵּק) פ become infected; be joined together
הִתְדַּיֵּן, נִתְדַּיֵּן (יִתְדַּיֵּן) פ litigate, go to law
הִתְדַּלְדֵּל (יִתְדַּלְדֵּל) פ waste away, dwindle
הִתְדַּפֵּק (יִתְדַּפֵּק) פ keep knocking
הִתְדָּרֵג (יִתְדָּרֵג) פ be graded
הִתְדַּרְדֵּר (יִתְדַּרְדֵּר) פ decline; roll down
הִתְהַדֵּק (יִתְהַדֵּק) פ be tightened
הִתְהַדֵּר (יִתְהַדֵּר) פ be ostentatious, overdress
הִתְהַוָּה (יִתְהַוֶּה) פ be formed, come into existence
הִתְהוֹלֵל (יִתְהוֹלֵל) פ live riotously; act madly
הִתְהַלֵּךְ (יִתְהַלֵּךְ) פ move about
הִתְהַלֵּל (יִתְהַלֵּל) פ boast
הִתְהַפֵּךְ (יִתְהַפֵּךְ) פ be turned upside down; be inverted; turn over
הִתְוַדָּה (יִתְוַדֶּה) פ confess
הִתְוַדַּע (יִתְוַדַּע) פ become acquainted with
הִתְוָה (יַתְוֶה) פ mark; sketch
הִתְוַכֵּחַ (יִתְוַכֵּחַ) פ argue, debate
הַתָּזָה נ breaking off; spraying
הִתְחַבֵּא (יִתְחַבֵּא) פ hide (oneself)
הִתְחַבֵּב (יִתְחַבֵּב) פ be liked
הִתְחַבֵּט (יִתְחַבֵּט) פ take pains, struggle hard

הִתְחַבֵּק (יִתְחַבֵּק) פ embrace, hug each other
הִתְחַבֵּר (יִתְחַבֵּר) פ be connected, be allied with
הִתְחַדֵּד (יִתְחַדֵּד) פ become sharp, be sharpened
הִתְחַדֵּשׁ (יִתְחַדֵּשׁ) פ be renewed, be restored
הִתְחַוֵּר (יִתְחַוֵּר) פ become clear
הִתְחוֹלֵל (יִתְחוֹלֵל) פ be brewing (storm, trouble); be generated
הִתְחַזֵּק (יִתְחַזֵּק) פ take courage, gather strength
הִתְחַיָּה (יִתְחַיֶּה) פ be revived, live again
הִתְחַיֵּב (יִתְחַיֵּב) פ undertake, take upon oneself
הִתְחַיְּבוּת נ obligation, liability
הִתְחַיֵּךְ (יִתְחַיֵּךְ) פ smile, smile to oneself
הִתְחַיֵּל (יִתְחַיֵּל) פ become a soldier, enlist
הִתְחִיל (יַתְחִיל) פ begin, start with; have a brush
הִתְחַכֵּם (יִתְחַכֵּם) פ try to be too clever
הַתְחָלָה נ beginning, start
הִתְחַלָּה (יִתְחַלֶּה) פ malinger
הִתְחַלְחֵל (יִתְחַלְחֵל) פ be shocked
הִתְחַלֵּף (יִתְחַלֵּף) פ be exchanged
הִתְחַלֵּק (יִתְחַלֵּק) פ be divisible (number); slip, slide
הִתְחַמֵּם (יִתְחַמֵּם) פ warm oneself; warm up
הִתְחַמֵּץ (יִתְחַמֵּץ) פ turn sour

הִתְחַמְצֵן (יִתְחַמְצֵן) פ be oxidized, oxidize
הִתְחַמֵּק (יִתְחַמֵּק) פ sneak off, dodge, evade
הִתְחַנְחֵן (יִתְחַנְחֵן) פ prettify oneself; coquet
הִתְחַנֵּךְ (יִתְחַנֵּךְ) פ be educated
הִתְחַנֵּן (יִתְחַנֵּן) פ beg, implore, beseech, entreat
הִתְחַנֵּף (יִתְחַנֵּף) פ fawn, toady
הִתְחַסֵּד (יִתְחַסֵּד) פ assume piety
הִתְחַסֵּל (יִתְחַסֵּל) פ be liquidated
הִתְחַסֵּן (יִתְחַסֵּן) פ be strengthened; be immunized
הִתְחַפֵּר (יִתְחַפֵּר) פ dig oneself in
הִתְחַפֵּשׂ (יִתְחַפֵּשׂ) פ disguise oneself
הִתְחַצֵּף (יִתְחַצֵּף) פ be impertinent
הִתְחַקָּה (יִתְחַקֶּה) פ search for; hunt up
הִתְחַרְבֵּן (יִתְחַרְבֵּן) פ (slang) make a mess of things
הִתְחָרָה (יִתְחָרֶה) פ compete, rival
הִתְחָרֵז (יִתְחָרֵז) פ rhyme
הִתְחָרֵט (יִתְחָרֵט) פ regret, repent
הִתְחַשֵּׁב (יִתְחַשֵּׁב) פ consider
הִתְחַשֵּׁל (יִתְחַשֵּׁל) פ be forged (iron, character)
הִתְחַשְׁמֵל (יִתְחַשְׁמֵל) פ be electrified; be electrocuted
הִתְחַשֵּׁק (יִתְחַשֵּׁק) פ feel like, have an urge to
הִתְחַתֵּן (יִתְחַתֵּן) פ marry, wed
הִתִּיז (יַתִּיז) פ splash, spray; chop off
הִתְיָאֵשׁ (יִתְיָאֵשׁ) פ despair
הִתְייַבֵּשׁ (יִתְייַבֵּשׁ) פ dry, dry up
הִתְייַגֵּעַ (יִתְייַגַּע) פ tire oneself out
הִתְייַדֵּד (יִתְייַדֵּד) פ become friendly with
הִתְייַהֵד (יִתְייַהֵד) פ become a Jew
הִתְייַחֵד (יִתְייַחֵד) פ isolate oneself
הִתְייַחֵם (יִתְייַחֵם) פ be on (in) heat (animals), rut
הִתְייַחֵס (יִתְייַחֵס) פ treat, deal with; be related to, refer to
הִתְייַמֵּר (יִתְייַמֵּר) פ purport; boast
הִתְייַסֵּר (יִתְייַסֵּר) פ suffer affliction
הִתְייָעֵץ (יִתְייָעֵץ) פ consult with
הִתְייַפָּה (יִתְייַפֶּה) פ prettify oneself
הִתְייַפֵּחַ (יִתְייַפַּח) פ sob
הִתְייַצֵּב (יִתְייַצֵּב) פ report, present oneself
הִתְייַקֵּר (יִתְייַקֵּר) פ rise in price
הִתְייָרֵא (יִתְייָרֵא) פ fear, be afraid
הִתְייַשֵּׁב (יִתְייַשֵּׁב) פ settle, colonize; sit down
הִתְייַשֵּׁן (יִתְייַשֵּׁן) פ become old-fashioned, age
הִתְייַשֵּׁר (יִתְייַשֵּׁר) פ be straightened (up, out), straighten (up, out)
הִתְייַתֵּם (יִתְייַתֵּם) פ be orphaned
הִתִּיךְ (יַתִּיךְ) פ melt (metal), fuse
הִתִּיר (יַתִּיר) פ release, set free; untie
הִתִּישׁ (יַתִּישׁ) פ weaken
הִתְכַּבֵּד (יִתְכַּבֵּד) פ be honored
הַתָּכָה נ melting, fusing
הִתְכַּוֵּן (יִתְכַּוֵּן) פ mean, intend
הִתְכַּוֵּץ (יִתְכַּוֵּץ) פ shrink, contract
הִתְכּוֹנֵן (יִתְכּוֹנֵן) פ prepare oneself

הִתְכּוֹפֵף (יִתְכּוֹפֵף) פ bend (over, down), stoop

הִתְכַּחֵשׁ (יִתְכַּחֵשׁ) פ disown, deny

הִתְכַּנֵּס (יִתְכַּנֵּס) פ assemble

הִתְכַּנֵּף (יִתְכַּנֵּף) פ huddle together

הִתְכַּסָּה (יִתְכַּסֶּה) פ cover oneself

הִתְכַּעֵס (יִתְכַּעֵס) פ become angry

הִתְכַּעֵר (יִתְכַּעֵר) פ become ugly

הִתְכַּרְבֵּל (יִתְכַּרְבֵּל) פ wrap oneself up

הִתְכַּרְכֵּם (יִתְכַּרְכֵּם) פ turn orange-red

הִתְכַּתֵּב (יִתְכַּתֵּב) פ correspond, exchange letters

הִתְכַּתֵּשׁ (יִתְכַּתֵּשׁ) פ wrangle, fight

הֵתֵל (יְהַתֵּל) פ joke, jest

הִתְלַבֵּט (יִתְלַבֵּט) פ take pains

הִתְלַבֵּן (יִתְלַבֵּן) פ become white-hot; be explained

הִתְלַבֵּשׁ (יִתְלַבֵּשׁ) פ dress oneself

הִתְלַהֵב (יִתְלַהֵב) פ become excited

הִתְלַהֵט (יִתְלַהֵט) פ blaze, burn

הִתְלוֹנֵן (יִתְלוֹנֵן) פ complain, make a complaint

הִתְלוֹצֵץ (יִתְלוֹצֵץ) פ joke, jest, clown

הִתְלַחְלֵחַ (יִתְלַחְלֵחַ) פ be moistened, be made damp

הִתְלַחֵשׁ (יִתְלַחֵשׁ) פ whisper together

הִתְלִיל (יַתְלִיל) פ become steep

הִתְלַכֵּד (יִתְלַכֵּד) פ unite

הִתְלַכְלֵךְ (יִתְלַכְלֵךְ) פ become dirty

הִתְלַכְסֵן (יִתְלַכְסֵן) פ be oblique

הִתְלַמֵּד (יִתְלַמֵּד) פ teach oneself

הִתְלַקֵּחַ (יִתְלַקֵּחַ) פ take fire

הִתְלַקֵּק (יִתְלַקֵּק) פ lick oneself; fawn

הִתְמַגֵּל (יִתְמַגֵּל) פ fester, suppurate

הַתְמֵד ז constant practice

הַתְמָדָה נ diligence, perseverance

הִתְמַהְמֵהַּ (יִתְמַהְמֵהַּ) פ linger; be late

הִתְמוֹגֵג (יִתְמוֹגֵג) פ melt

הִתְמוֹדֵד (יִתְמוֹדֵד) פ compete with

הִתְמוֹטֵט (יִתְמוֹטֵט) פ break down

הִתְמוֹסֵס (יִתְמוֹסֵס) פ dissolve

הִתְמַזֵּג (יִתְמַזֵּג) פ merge, fuse

הִתְמַזֵּל (יִתְמַזֵּל) פ be lucky

הִתְמַזְמֵז (יִתְמַזְמֵז) פ become soft; pet, neck (slang)

הִתְמַחָה (יִתְמַחֶה) פ become proficient; specialize

הִתְמִיד (יַתְמִיד) פ persist

הִתְמִיהַּ (יַתְמִיהַּ) פ astonish, amaze

הִתְמַיֵּן (יִתְמַיֵּן) פ be classified

הִתְמַכֵּן (יִתְמַכֵּן) פ be mechanized

הִתְמַכֵּר (יִתְמַכֵּר) פ devote oneself

הִתְמַלֵּא (יִתְמַלֵּא) פ become full

הִתְמַלֵּט (יִתְמַלֵּט) פ escape; slip out

הִתַּמֵּם (יִתַּמֵּם) פ feign simplicity

הִתְמַמֵּשׁ (יִתְמַמֵּשׁ) פ be realized, become a fact

הִתְמַנָּה (יִתְמַנֶּה) פ be appointed

הִתְמַסְמֵס, נִתְמַסְמֵס (יִתְמַסְמֵס) פ be dissolved

הִתְמַסֵּר (יִתְמַסֵּר) פ devote oneself; surrender

הִתְמַעֵט (יִתְמַעֵט) פ diminish

הִתְמַעֲרֵב (יִתְמַעֲרֵב) פ become westernized

הִתְמַצֵּא (יִתְמַצֵּא) פ know one's way about

הִתְמַצְּאוּת נ orientation, adaptability

הִתמַצֵּק (יִתמַצֵּק) פ solidify
הִתמַקֵּחַ (יִתמַקֵּחַ) פ bargain, haggle
הִתמַקֵּם (יִתמַקֵּם) פ be located, be situated
הִתמַקמֵק (יִתמַקמֵק) פ rot, decay
הִתַּמֵּר (יִתַּמֵּר) פ rise, go up
הִתמָרֵד (יִתמָרֵד) פ rebel, revolt
הִתמַרמֵר (יִתמַרמֵר) פ grumble
הִתמַשֵּׁךְ (יִתמַשֵּׁךְ) פ extend
הִתמַתֵּחַ (יִתמַתֵּחַ) פ be stretched; stretch oneself
הִתמַתֵּן (יִתמַתֵּן) פ become moderate
הִתמַתֵּק (יִתמַתֵּק) פ be sweetened
הִתנַבֵּא (יִתנַבֵּא) פ prophesy, foretell
הִתנַגֵּב (יִתנַגֵּב) פ dry oneself
הִתנַגֵּד (יִתנַגֵּד) פ oppose, resist
הִתנַגְּדוּת נ opposition, resistance
הִתנַגֵּחַ (יִתנַגֵּחַ) פ contend with, tussle
הִתנַגֵּשׁ (יִתנַגֵּשׁ) פ collide; clash
הִתנַדֵּב (יִתנַדֵּב) פ volunteer; donate
הִתנַדנֵד (יִתנַדנֵד) פ be rocked, rock; fluctuate; swing
הִתנַדֵּף (יִתנַדֵּף) פ evaporate
הִתנָה (יַתנֶה) פ make conditional
הִתנַהֵג (יִתנַהֵג) פ behave
הִתנַהֲגוּת נ behavior
הִתנַהֵל (יִתנַהֵל) פ be conducted, be carried on
הִתנוֹדֵד (יִתנוֹדֵד) פ oscillate, fluctuate
הִתנַוֵּן (יִתנַוֵּן) פ degenerate
הִתנוֹסֵס (יִתנוֹסֵס) פ be flaunted, be displayed
הִתנוֹעֵעַ (יִתנוֹעֵעַ) פ move, sway
הִתנוֹפֵף (יִתנוֹפֵף) פ flutter, be waved to and fro
הִתנוֹצֵץ (יִתנוֹצֵץ) פ sparkle, twinkle
הִתנַזֵּר (יִתנַזֵּר) פ abstain from
הִתנַחֵל (יִתנַחֵל) פ settle (on land)
הִתנַחֵם (יִתנַחֵם) פ be consoled
הִתנִיעַ (יַתנִיעַ) פ start up (machine)
הִתנַכֵּל (יִתנַכֵּל) פ plot, conspire
הִתנַכֵּר (יִתנַכֵּר) פ be estranged
הִתנַמנֵם (יִתנַמנֵם) פ doze, drowse
הִתנַסָּה, נִתנַסָּה (יִתנַסֶּה) פ experience
הַתנָעָה נ starting up (machine)
הִתנַעֲנֵעַ (יִתנַעֲנֵעַ) פ sway; vibrate
הִתנַעֵר (יִתנַעֵר) פ shake oneself
הִתנַפֵּחַ (יִתנַפֵּחַ) פ be inflated
הִתנַפֵּל (יִתנַפֵּל) פ attack, fall on
הִתנַפְּלוּת נ attack, assault
הִתנַפֵּץ (יִתנַפֵּץ) פ be shattered
הִתנַצֵּחַ (יִתנַצֵּחַ) פ dispute, contest; wrangle
הִתנַצֵּל (יִתנַצֵּל) פ apologize
הִתנַצְּלוּת נ apology
הִתנַצנֵץ (יִתנַצנֵץ) פ sparkle, twinkle
הִתנַצֵּר (יִתנַצֵּר) פ be converted to Christianity
הִתנַקֵּם (יִתנַקֵּם) פ avenge oneself
הִתנַקֵּשׁ (יִתנַקֵּשׁ) פ attack with intent to harm or kill
הִתנַקְּשׁוּת נ attempt to kill
הִתנַשֵּׂא (יִתנַשֵּׂא) פ arise, be borne aloft; boast
הִתנַשֵּׁם (יִתנַשֵּׁם) פ breathe, pant
הִתנַשֵּׁף (יִתנַשֵּׁף) פ exhale, breathe
הִתנַשֵּׁק (יִתנַשֵּׁק) פ kiss each other
הִתסִיס (יַתסִיס) פ ferment; animate

הִתְעַבָּה (יִתְעַבֶּה) פ become thicker, become denser
הִתְעַבּוּת נ condensation, thickening
הִתְעַבֵּר (יִתְעַבֵּר) פ become pregnant; become angry
הִתְעַגֵּל (יִתְעַגֵּל) פ become round
הִתְעַדֵּן (יִתְעַדֵּן) פ become refined; be sublimated
הִתְעָה (יַתְעֶה) פ mislead, lead astray
הִתְעוֹדֵד (יִתְעוֹדֵד) פ be encouraged, cheer up
הִתְעַוֵּר (יִתְעַוֵּר) פ go blind
הִתְעַוֵּת (יִתְעַוֵּת) פ be contorted
הִתְעוֹלֵל (יִתְעוֹלֵל) פ maltreat
הִתְעוֹפֵף (יִתְעוֹפֵף) פ fly about, fly
הִתְעוֹרֵר (יִתְעוֹרֵר) פ wake up
הִתְעוֹרְרוּת נ waking up, awakening; stirring
הִתְעַטֵּף (יִתְעַטֵּף) פ wrap oneself
הִתְעַטֵּשׁ (יִתְעַטֵּשׁ) פ sneeze
הַתְעָיָה נ misleading
הִתְעַיֵּף (יִתְעַיֵּף) פ become tired
הִתְעַכֵּב, נִתְעַכֵּב (יִתְעַכֵּב) פ be delayed, be held up
הִתְעַכֵּל (יִתְעַכֵּל) פ be digested
הִתְעַלָּה, נִתְעַלָּה (יִתְעַלֶּה) פ rise; be exalted
הִתְעַלֵּל (יִתְעַלֵּל) פ abuse, maltreat
הִתְעַלְּלוּת נ abuse, maltreatment
הִתְעַלֵּם (יִתְעַלֵּם) פ ignore, overlook
הִתְעַלְּמוּת נ overlooking, deliberately ignoring
הִתְעַלֵּס (יִתְעַלֵּס) פ play (at love), dally
הִתְעַלֵּף (יִתְעַלֵּף) פ faint, lose consciousness
הִתְעַמֵּל (יִתְעַמֵּל) פ do exercises
הִתְעַמְּלוּת נ physical training, exercises
הִתְעַמְעֵם (יִתְעַמְעֵם) פ become faint, become dim
הִתְעַמֵּק (יִתְעַמֵּק) פ go deeply into
הִתְעַמֵּר (יִתְעַמֵּר) פ abuse, treat harshly
הִתְעַנֵּג (יִתְעַנֵּג) פ take pleasure
הִתְעַנָּה (יִתְעַנֶּה) פ be tormented
הִתְעַנְיֵן (יִתְעַנְיֵן) פ take an interest
הִתְעַנֵּן (יִתְעַנֵּן) פ become cloudy
הִתְעַסֵּק (יִתְעַסֵּק) פ have dealings with; quarrel; (sl.) flirt
הִתְעַסְּקוּת נ occupation
הִתְעַפֵּר (יִתְעַפֵּר) פ become dusty
הִתְעַצֵּב (יִתְעַצֵּב) פ be grieved
הִתְעַצְבֵּן (יִתְעַצְבֵּן) פ be irritated
הִתְעַצֵּל (יִתְעַצֵּל) פ be lazy
הִתְעַצֵּם, נִתְעַצֵּם (יִתְעַצֵּם) פ become stronger
הִתְעַקֵּל (יִתְעַקֵּל) פ be twisted
הִתְעַקֵּם (יִתְעַקֵּם) פ be bent
הִתְעַקֵּשׁ (יִתְעַקֵּשׁ) פ be obstinate
הִתְעָרֵב (יִתְעָרֵב) פ be mixed with; intervene; bet
הִתְעַרְבֵּב (יִתְעַרְבֵּב) פ be mixed up together
הִתְעַרְבֵּל (יִתְעַרְבֵּל) פ be mixed (concrete, mortar)
הִתְעָרָה (יִתְעָרֶה) פ become rooted
הִתְעַרְטֵל (יִתְעַרְטֵל) פ expose one's body
הִתְעָרֵם (יִתְעָרֵם) פ be piled up

הִתְעַרְעֵר (יִתְעַרְעֵר) פ be sapped (strength); be undermined
הִתְעַרְפֵּל (יִתְעַרְפֵּל) פ become dim
הִתְעַשֵּׁר (יִתְעַשֵּׁר) פ become wealthy
הִתְעַתֵּד (יִתְעַתֵּד) פ be destined
הִתְפָּאֵר (יִתְפָּאֵר) פ boast, brag
הִתְפַּגֵּר (יִתְפַּגֵּר) פ become a corpse or carcass
הִתְפַּדֵּר (יִתְפַּדֵּר) פ powder oneself
הִתְפּוֹטֵר (יִתְפּוֹטֵר) פ (sl.) be compelled to resign
הִתְפּוֹצֵץ (יִתְפּוֹצֵץ) פ explode
הִתְפּוֹרֵר (יִתְפּוֹרֵר) פ crumble
הִתְפַּזֵּר (יִתְפַּזֵּר) פ be scattered, be spread
הִתְפַּחֵם (יִתְפַּחֵם) פ be carbonized
הִתְפַּטֵּר (יִתְפַּטֵּר) פ resign; get rid of
הִתְפַּיֵּס (יִתְפַּיֵּס) פ be reconciled
הִתְפִּיל (יַתְפִּיל) פ desalinate (sea-water)
הִתְפַּכֵּחַ (יִתְפַּכֵּחַ) פ become sober
הִתְפַּלֵּא (יִתְפַּלֵּא) פ be surprised, wonder
הִתְפַּלְבֵּל (יִתְפַּלְבֵּל) פ roll one's eyes
הִתְפַּלֵּג (יִתְפַּלֵּג) פ split up
הַתְפָּלָה נ desalination
הִתְפַּלֵּחַ (יִתְפַּלֵּחַ) פ be split; sneak in, out (slang)
הִתְפַּלֵּל (יִתְפַּלֵּל) פ pray
הִתְפַּלְמֵס (יִתְפַּלְמֵס) פ engage in polemics
הִתְפַּלְסֵף (יִתְפַּלְסֵף) פ philosophize
הִתְפַּלְפֵּל (יִתְפַּלְפֵּל) פ quibble, split hairs

הִתְפַּלֵּץ (יִתְפַּלֵּץ) פ be deeply shocked
הִתְפַּלֵּשׁ (יִתְפַּלֵּשׁ) פ roll about
הִתְפַּנָּה (יִתְפַּנֶּה) פ have free time
הִתְפַּנֵּק (יִתְפַּנֵּק) פ indulge oneself
הִתְפָּעֵל (יִתְפָּעֵל) פ be impressed
הִתְפָּעֲלוּת נ excited admiration
הִתְפַּעֵם (יִתְפַּעֵם) פ be agitated, be stirred
הִתְפַּצֵּל (יִתְפַּצֵּל) פ be divided, be ramified
הִתְפַּקֵּד (יִתְפַּקֵּד) פ be numbered
הִתְפַּקֵּחַ (יִתְפַּקֵּחַ) פ become clever
הִתְפַּקֵּעַ (יִתְפַּקֵּעַ) פ burst, split
הִתְפַּקֵּר (יִתְפַּקֵּר) פ apostatize, renounce one's faith
הִתְפָּרֵד (יִתְפָּרֵד) פ be parted, be separated
הִתְפַּרְחֵחַ (יִתְפַּרְחֵחַ) פ behave loutishly
הִתְפַּרְכֵּס (יִתְפַּרְכֵּס) פ spruce oneself up
הִתְפַּרְנֵס (יִתְפַּרְנֵס) פ earn a living
הִתְפָּרֵס (יִתְפָּרֵס) פ spread out; deploy
הִתְפַּרְסֵם (יִתְפַּרְסֵם) פ become famous; be published
הִתְפָּרֵעַ (יִתְפָּרֵעַ) פ cause a disturbance
הִתְפַּרְפֵּר (יִתְפַּרְפֵּר) פ (sl.) go away
הִתְפָּרֵץ (יִתְפָּרֵץ) פ burst in, break out
הִתְפָּרֵק (יִתְפָּרֵק) פ relieve oneself; be dismantled
הִתְפַּרְקֵד (יִתְפַּרְקֵד) פ lie on one's back

הִתְפָּרֵשׁ (יִתְפָּרֵשׁ) פ be interpreted, be explained

הִתְפָּרֵשׂ (יִתְפָּרֵשׂ) פ be dispersed, be deployed

הִתְפַּשֵּׁט (יִתְפַּשֵּׁט) פ become widespread; strip, undress

הִתְפַּשְּׁטוּת נ spreading; expansion

הִתְפַּשֵּׂק (יִתְפַּשֵּׂק) פ be spread wide

הִתְפַּשֵּׁר (יִתְפַּשֵּׁר) פ compromise

הִתְפַּתָּה (יִתְפַּתֶּה) פ be enticed

הִתְפַּתֵּחַ (יִתְפַּתֵּחַ) פ develop

הִתְפַּתֵּל (יִתְפַּתֵּל) פ meander, wind, twist

הִתְקַבֵּל (יִתְקַבֵּל) פ be received, be accepted

הִתְקַבֵּץ (יִתְקַבֵּץ) פ assemble, gather together

הִתְקַדֵּם (יִתְקַדֵּם) פ advance, move forward

הִתְקַדְּמוּת נ advance, progress

הִתְקַדֵּשׁ (יִתְקַדֵּשׁ) פ be hallowed, become holy

הִתְקַהֲלוּת נ assembly, gathering

הִתְקוֹטֵט (יִתְקוֹטֵט) פ quarrel

הִתְקוֹמֵם (יִתְקוֹמֵם) פ rebel, rise up

הִתְקַטֵּן (יִתְקַטֵּן) פ contract, become smaller

הִתְקַיֵּם (יִתְקַיֵּם) פ be fulfilled; be preserved

הִתְקִין (יַתְקִין) פ set up, install

הִתְקִיף (יַתְקִיף) פ attack, assault

הִתְקַלֵּחַ (יִתְקַלֵּחַ) פ take a shower

הִתְקַלֵּס (יִתְקַלֵּס) פ mock, deride

הִתְקַלֵּף (יִתְקַלֵּף) פ peel off, be peeled off

הִתְקַלְקֵל (יִתְקַלְקֵל) פ get spoilt

הִתְקַמֵּט (יִתְקַמֵּט) פ crease, be crumpled

הֶתְקֵן ז device, mechanism

הִתְקַנֵּא (יִתְקַנֵּא) פ become envious

הַתְקָנָה נ adjustment; installation

הִתְקַעֵר (יִתְקַעֵר) פ curve inwards

הֶתְקֵף ז attack (of fear, pain, etc.)

הַתְקָפָה נ attack, onslaught

הִתְקַפֵּל (יִתְקַפֵּל) פ be folded; cave in, withdraw opposition

הִתְקַצֵּף (יִתְקַצֵּף) פ become angry

הִתְקַצֵּר (יִתְקַצֵּר) פ become shorter

הִתְקָרֵא (יִתְקָרֵא) פ be called

הִתְקָרֵב (יִתְקָרֵב) פ approach, draw near

הִתְקָרֵחַ (יִתְקָרֵחַ) פ become bald

הִתְקָרֵר (יִתְקָרֵר) פ grow cold

הִתְקָרֵשׁ, נִתְקָרֵשׁ (יִתְקָרֵשׁ) פ congeal (blood), coagulate

הִתְקַשָּׁה (יִתְקַשֶּׁה) פ harden, become hard

הִתְקַשֵּׁט (יִתְקַשֵּׁט) פ adorn oneself, dress oneself up

הִתְקַשֵּׁר (יִתְקַשֵּׁר) פ get in touch with, contact

הַתְרָאָה נ warning, caution

הִתְרָאָה (יִתְרָאֶה) פ see each other

הִתְרַבָּה (יִתְרַבֶּה) פ increase, multiply

הִתְרַבְרֵב (יִתְרַבְרֵב) פ show off, "swank"

הִתְרַגֵּז (יִתְרַגֵּז) פ be enraged, become angry

הִתְרַגֵּל (יִתְרַגֵּל) פ get used to

הִתְרַגֵּשׁ (יִתְרַגֵּשׁ) פ be moved (emotionally), be excited

הִתְרַגְּשׁוּת נ emotion; excitement

הִתְרָה (יַתְרֶה) פ caution, warn

הַתָּרָה נ untying, loosening; permission

הִתְרוֹמֵם (יִתְרוֹמֵם) פ raise oneself; rise

הִתְרוֹמְמוּת נ rising, ascending; exaltation

הִתְרוֹמְמוּת הָרוּחַ spiritual uplift

הִתְרוֹנֵן (יִתְרוֹנֵן) פ shout for joy, rejoice

הִתְרוֹעֵעַ (יִתְרוֹעֵעַ) פ be friendly, become intimate

הִתְרוֹפֵף (יִתְרוֹפֵף) פ become slack, become unsteady

הִתְרוֹצֵץ (יִתְרוֹצֵץ) פ run about, run around

הִתְרוֹקֵן (יִתְרוֹקֵן) פ become empty

הִתְרוֹשֵׁשׁ (יִתְרוֹשֵׁשׁ) פ become poor

הִתְרַחֵב (יִתְרַחֵב) פ expand, broaden

הִתְרַחֵץ (יִתְרַחֵץ) פ wash oneself, bathe

הִתְרַחֵק (יִתְרַחֵק) פ keep away, keep at a distance

הִתְרַחֵשׁ (יִתְרַחֵשׁ) פ occur, happen

הִתְרַטֵּב (יִתְרַטֵּב) פ become wet

הִתְרִים (יַתְרִים) פ elicit contributions

הִתְרִיס (יַתְרִיס) פ defy; challenge

הִתְרִיעַ (יַתְרִיעַ) פ protest vigorously

הִתְרַכֵּז (יִתְרַכֵּז) פ concentrate; be concentrated

הִתְרַכֵּךְ (יִתְרַכֵּךְ) פ soften, become soft

הַתְרָמָה נ obtaining contributions

הַתְרָסָה נ defiance, challenge

הִתְרַסֵּן (יִתְרַסֵּן) פ restrain oneself, curb oneself

הִתְרַסֵּק (יִתְרַסֵּק) פ be shattered, be smashed up

הִתְרַעֵם (יִתְרַעֵם) פ resent, grumble

הִתְרַעֲנֵן (יִתְרַעֲנֵן) פ refresh oneself, be refreshed

הִתְרַפֵּא (יִתְרַפֵּא) פ receive medical treatment; recover

הִתְרַפְּאוּת נ recovery (from illness), being healed

הִתְרַפָּה (יִתְרַפֶּה) פ grow slack, become slack

הִתְרַפֵּט (יִתְרַפֵּט) פ wear out

הִתְרַפֵּס (יִתְרַפֵּס) פ abase oneself

הִתְרַפֵּק (יִתְרַפֵּק) פ cuddle up to

הִתְרַצָּה (יִתְרַצֶּה) פ become reconciled

הִתְרַקֵּם (יִתְרַקֵּם) פ take shape, be formed

הִתְרַשֵּׁל (יִתְרַשֵּׁל) פ be careless, be slovenly

הִתְרַשֵּׁם (יִתְרַשֵּׁם) פ get an impression, be impressed

הִתְרַשְּׁמוּת נ impression

הִתְרַתֵּחַ (יִתְרַתֵּחַ) פ boil over; get angry

הַתָּשָׁה נ weakening; attrition

וְ־ 76 וַתְּרָנִי

ו

וְ־ (וּ־, וַ־, וָ־, וֶ־, וִי־) and; but
וְאִילוּ מ״ח but, whereas
וּבְכֵן מ״ח so, accordingly
וְגוֹמֵר, וְגוֹ׳ and so on to the end
וַדָּאוּת נ certainty, certitude
וַדַּאי תה״פ certainty; certainly
וַדָּאִי ת certain, undoubted
וָו ז hook, peg
וָוִית נ small hook
וַי מ״ק alas, woe
וִידֵּא (יְוַדֵּא) פ certify, state with certainty, validate
וִידָּה (יְוַדֶּה) פ hear confession of
וִידּוּי ז confession
וִיכּוּחַ ז argument, debate
וִילוֹן ז curtain
וִיסּוּת ז regulation
וִיסֵּת (יְוַסֵּת) פ regulate, control
וִיתּוּר ז giving way, concession
וִיתֵּר (יְוַתֵּר) פ give way, concede
וְכַדּוֹמֶה, וכד׳ and such like
וְכוּלֵי, וְכוּ׳ and so on, etc.
וַכְּחָן ז argumentative person
וָלָד ז young (of an animal); child
וַלְדָּנִית נ prolific mother
וֶסֶת זו״נ menstrual period, menstruation
וַסָּת ז regulator, regulating instrument
וַעַד ז committee
וָעֶד תה״פ forever
וַעֲדָה נ sub-committee, commission
וְעִידָה נ conference, congress
וְעִידַת פִּסְגָּה summit conference
וֶרֶד ז rose
וַרְדִּי ת rosy, rose
וַרְדִּינוֹן ז oil made from roses
וְרַדְרַד ת pinkish, rose-tinted
וֶרֶדֶת נ erysipelas, St. Anthony's fire
וָרוֹד, וָרֹד ת pink, rose-colored
וָרִיד ז vein
וְרִידִי ת venous
וֵשֶׁט ז gullet, (o)esophagus
וְתוּ מ״ח that also
וְתוּ לֹא and no more, and that's all
וָתִיק ת veteran, long-standing; old timer
וֶתֶק ז seniority, length of service
וַתְּרָן ז acquiescent, compliant person
וַתְּרָנִי ת compliant, acquiescent

ז

זְאֵב ז	wolf
זְאֵב־הַיָּם	wolf-fish
זַאֲטוּט ז	youngster, nipper
זֹאת מ״ג	this (feminine gender)
זָב (יָזוּב) פ	flow, discharge
זִבְדָּה נ	sour cream
זְבוּב ז	fly
זְבוּבוֹן ז	small fly
זְבוּל ז	abode
זָבַח (יִזְבַּח) פ	slaughter (for a sacrifice)
זֶבַח ז	sacrifice (of meat)
זְבִיל ז	bomb-holder
זֶבֶל ז	dung, manure, fertilizer; garbage
זַבָּל ז	dustman
זַבְלְתָן ז	lachrymose person
זַבָּן ז	shop-assistant
זַבָּנִית נ	saleslady
זַגָּג ז	glazier
זְגוּגִית נ	sheet of glass
זֵד ז	evil-doer
זָדוֹן ז	malignity, malice
זֶה מ״ג	this (masc.); it
זָהָב ז	gold
זְהַבְהַב ת	golden (color)
זֶהָבִי ת	goldsmith
זֵהֶה ת	identical
זֶהוּ מ״ג	this is..., that is...; that's it!
זָהוֹב ת	golden
זְהוֹרִית נ	rayon
זֶהוּת נ	identity
זָהִיר ת	careful, prudent
זְהִירוּת נ	caution, carefulness
זָהַר (יִזְהַר) פ	glow, gleam
זְהַרוּר ז	red glimmer
זוֹ מ״ג	this (feminine)
זוּבַּל (יְזוּבַּל) פ	be manured, be fertilized
זוּג ז	pair, couple
זוּגַּג (יְזוּגַּג) פ	be fitted with glass
זוּגָה נ	partner (female), wife
זוּגִי ת	even (number)
זוּהָה (יְזוּהֶה) פ	be identified
זוּהַם (יְזוּהַם) פ	be infected, be contaminated
זוּהֲמָה נ	filth, muck; scum
זוֹהַר ז	brightness, shine, glow
זְוָד ז	kit; personal luggage
זָוִית נ	angle
זָוִיתוֹן ז	square, try-square
זְוָעָה נ	horror, dread
זְוָעָתִי ת	horrible, ghastly
זוֹחֵל ז	reptile
זוּטָא ת	little, tiny
זוּטוֹת נ״ר	bagatelles, trifles
זוּטָר ת	junior (official)
זוּיַּן (יְזוּיַּן) פ	be armed; (slang) be "had", be "laid"
זוּיַּף (יְזוּיַּף) פ	be forged, be faked
זוֹךְ ז	purity, clarity
זוּכָּה (יְזוּכֶּה) פ	be acquitted; be credited with (money)

be cleansed, be purified	זוּכַּך (יְזוּכַּך) פ
cheapness	זוֹל ז
cheap, inexpensive	זוֹל ת
greedy, gluttonous	זוֹלֵל ת
apart from, except	זוּלַת־זוּלָתִי־ מ״י
scheming (evil), plotting	זוֹמֵם ת
be prepared, be fixed, be appointed	זוּמַּן (יְזוּמַּן) פ
prostitute	זוֹנָה נ
be shocked, be shaken	זוּעֲזַע (יְזוּעֲזַע) פ
be tarred	זוּפַּת (יְזוּפַּת) פ
old age	זוֹקֶן ז
be refined (oil), be purified	זוּקַּק (יְזוּקַּק) פ
move, move away	זָז (יָזוּז) פ
rise; be proud	זָח (יָזוּחַ) פ
sliding caliper	זָחוֹן ז
sliding, movable	זָחִיחַ ת
haughtiness, hauteur	זְחִיחוּת נ
creeping, crawling	זְחִילָה נ
slide (part of tool)	זַחַית נ
crawl, creep	זָחַל (יִזְחַל) פ
larva, caterpillar	זַחַל ז
light tank, bren-gun carrier	זַחְלָם ז
toady, crawler	זַחְלָן ז
drip; gonorrhea	זִיבָה נ
manuring, fertilizing	זִיבּוּל ז
poor quality, shoddy	זִיבּוּרִי ת
manure, fertilize	זִיבֵּל (יְזַבֵּל) פ
tight-fitting coat, jacket	זִיג ז
fit with glass	זִיגֵּג (יְזַגֵּג) פ

identify	זִיהָה (יְזַהֶה) פ
identification	זִיהוּי ז
infection, soiling	זִיהוּם ז
infect, soil	זִיהֵם (יְזַהֵם) פ
radiance, brightness	זִיו ז
match, pair	זִיווּג (יְזַווֵג) פ
matching, pairing	זִיווּג ז
arming; (slang) fornication	זִיּוּן ז
forgery, fake	זִיּוּף ז
projection, bracket	זִיז ז
arm; (sl.) fornicate	זִייֵן (יְזַייֵן) פ
forge, fake	זִייֵף (יְזַייֵף) פ
forger	זַייפָן ז
acquit; credit with	זִיכָּה (יְזַכֶּה) פ
acquittal (legal); crediting	זִיכּוּי ז
concession, grant of rights	זִיכָּיוֹן ז
cleansing, purifying	זִיכּוּך ז
cleanse, purify	זִיכֵּך (יְזַכֵּך) פ
memory, remembrance	זִיכָּרוֹן, זִכְרוֹן ז
spraying, sprinkling	זִילּוּף ז
licentiousness	זִימָּה נ
invitation, summons	זִימּוּן ז
fix, appoint; invite	זִימֵּן (יְזַמֵּן) פ
sing; play (a musical instrument)	זִימֵּר (יְזַמֵּר) פ
arms, weapons; the letter Zayin; (sl.) penis	זַיִן ז
dock (tail), trim (vine), foreshorten, cut short	זִינֵּב (יְזַנֵּב) פ
feeding	זִינָה נ
spring, leap forth	זִינֵּק (יְזַנֵּק) פ
quake, tremor	זִיעַ ז
bristle	זִיף ז
tarring	זִיפּוּת ז

זִיפֵּת (יְזַפֵּת) פ tar
זִיק ז spark
זִיקָה נ relation, connection
זִיקּוּק ז refining, purifying; spark
זִיקּוּקֵי אֵשׁ, זִיקּוּקִין דִּינוּר fireworks
זִיקִית נ chameleon
זִיקֵּק (יְזַקֵּק) פ refine
זִירָה נ arena
זֵירוּז ז urging, hurrying
זֵירֵז (יְזָרֵז) פ hurry, hustle
זֵירָעוֹן ז sperm, seed
זַיִת ז olive (tree, wood, or fruit)
זַךְ ת pure, transparent
זַכַּאי ת guiltless, acquitted
זָכָה (יִזְכֶּה) פ win (prize), gain
זְכוּכִית נ glass
זְכוּכִית מַגְדֶּלֶת magnifying glass
זָכוּר ת remembered
זְכוּת נ right, privilege
זַכּוּת נ purity, innocence
זְכִיָּה נ winning, gaining
זְכִירָה נ remembering
זָכַר (יִזְכּוֹר) פ remember
זָכָר ז male, masculine
זֵכֶר, זֶכֶר ז memory
זַכְרוּת נ maleness; penis
זָלַג (יִזְלוֹג) פ drip; flow
זַלְדְּקָן ז thin-bearded person
זִלְזוּל ז disrespect, scorn
זִלְזֵל (יְזַלְזֵל) פ despise, scorn
זַלְזַל ז sprig, young shoot
זָלַח (יִזְלַח) פ spray
זְלִילָה נ eating greedily
זָלַל (יִזְלוֹל) פ eat greedily
זָלַף (יִזְלוֹף) פ drip, sprinkle

זְמוֹרָה נ twig, sprig
זִמְזוּם ז buzzing, humming
זַמְזָם ז electric siren, buzzer
זִמְזֵם (יְזַמְזֵם) פ buzz, hum
זָמִין ת available
זְמִינוּת נ availability
זָמִיר ז nightingale
זָמַם (יָזוֹם) פ plot; muzzle
זְמָם ז plot; muzzle
זְמַן, זְמָן ז time; season, term
זְמַנִּי ת temporary
זִמְנֵן (יְזַמְנֵן) פ time
זָמַר (יִזְמוֹר) פ prune, trim
זֶמֶר ז song, tune
זַמָּר ז singer
זְמָרַגְד ז emerald
זִמְרָה נ singing
זַמֶּרֶת נ singer (female)
זָן (יָזוּן) פ feed, nourish
זַן ז variety (of plant species), sort, kind
זַנַּאי ז adulterer, lecher
זָנָב ז tail
זַנְגְּבִיל ז ginger
זָנָה (יִזְנֶה) פ prostitute oneself
זְנוּנִים ז״ר prostitution, whoredom
זְנוּת נ prostitution
זָנַח (יִזְנַח) פ abandon, neglect
זְנִיקָה נ spring, leap forward
זָע (יָזוּעַ) פ move, budge
זֵעָה, זֵיעָה נ sweat, perspiration
זָעוּם ת meagre, scanty
זָעוּף ת irate, angry
זַעֲזוּעַ ז shaking, rocking
זִעֲזַע (יְזַעֲזַע) פ shock; shake

זָעִיר ת	tiny, little
זְעֵיר תה״פ	a little, a trifle
זָעַם (יִזְעַם) פ	be angry with
זַעַם ז	fury, rage
זָעַף (יִזְעַף) פ	be angry
זָעֵף ת	ill-tempered, cross
זָעַק (יִזְעַק) פ	cry out, shout
זְעָקָה נ	cry, shout
זַעֲרוּרִי ת	tiny, minute
זִפְזִיף ז	sand (used for building)
זֶפֶק ז	crop (in bird's gullet)
זֶפֶת נ	tar, pitch
זַפָּת ז	worker with tar or pitch
זְקוּנִים ז״ר	old age
זָקוּף ת	erect, upright
זָקוּק ת	needing, in need of
זָקִיף ז	sentry, guard
זְקִיפוּת נ	erectness
זָקֵן (יִזְקַן) פ	grow old, age
זָקֵן ת	old, aged; grandfather
זָקָן ז	beard
זִקְנָה נ	old age
זְקַנְקַן ז	small beard
זָקַף (יִזְקוֹף) פ	straighten up (or out)
זָקֵף ז	adjacent side (of a right-angle)
זִקְפָּה נ	erection (of male organ)
זֵר ז	garland, wreath
זָר ת	foreign, alien
זָרָא ז	abhorrence, disgust
זַרְבּוּבִית נ	spout
זֶרֶג	(sl.) penis
זֶרֶד ז	sprig, shoot
זָרָה (יִזְרֶה) פ	scatter, spread
זְרוֹעַ נ	arm, upper arm
זָרוּעַ ת	sown, seeded
זָרוּת נ	strangeness, oddness
זַרְזִיף ז	shower of rain
זַרְזִיר ז	starling
זָרַח (יִזְרַח) פ	shine, rise (sun)
זַרְחָן ז	phosphorus
זָרִיז ת	brisk, agile, alert
זְרִיזוּת נ	alertness, agility
זְרִיחָה נ	sunrise; shining
זָרִים ת	streamlined
זְרִימָה נ	flow, flowing
זְרִיעָה נ	sowing, seeding
זְרִיקָה נ	throwing; injection
זָרַם (יִזְרוֹם) פ	flow
זֶרֶם ז	flow, current
זֶרֶם ז	stream
זַרְנוּק ז	hose, flexible hose
זַרְנִיךְ ז	arsenic
זָרַע (יִזְרַע) פ	sow, seed
זֶרַע ז	seed
זָרַק (יִזְרוֹק) פ	throw, toss
זֶרֶק ז	serum (for injection)
זַרְקוֹל ז	amplifier
זַרְקוֹר ז	searchlight
זֶרֶת נ	the little finger

ח

חָב (יָחוּב) פ — owe, be in debt
חָבַב (יַחֲבוֹב) פ — love, like
חָבוּט ת — stricken, beaten
חָבוּי ת — latent; hidden, concealed
חָבוּל ת — pawned, pledged
חֲבוּר ז — counterfoil
חַבּוּרָה נ — bruise
חֲבוּרָה נ — company; band, group
חָבוּשׁ ת — (of hat) worn, wearing; imprisoned
חַבּוּשׁ ז — quince
חָבוּת ת — indebtedness, debt
חָבַט (יַחְבּוֹט) פ — beat; knock down
חֲבָטָה נ — stroke, blow
חֲבִי ז — hiding-place, retreat
חָבִיב ת — lovable, likable
חֲבִיבוּת נ — amiability
חֶבְיוֹן ז — hiding-place, hide
חָבִיל ז — bale
חֲבִילָה נ — parcel, package
חָבִיץ ז חֲבִיצָה נ — pudding, pie; dumpling
חֲבִישָׁה נ — bandaging; wearing (a hat); imprisonment
חָבִית נ — barrel, cask
חֲבִיתָה נ — omelette
חֲבִיתִית נ — pancake
חָבַל (יַחְבּוֹל) פ — wound, injure
חֲבָל מ״ק — what a pity! a pity...
חֶבֶל ז — cord, rope; region
חֵבֶל ז — pain
חֲבַלְבַּל ז — convolvulus, bind-weed
חַבָּלָה נ — sabotage
חֶבְלֵי לֵידָה — labor, labor pains; birth pangs (fig.)
חַבְּלָן ז — "sapper", saboteur
חַבְּלָנוּת נ — destruction, demolition, sabotage
חַבְּלָנִית נ — destroyer (ship)
חֲבַצֶּלֶת נ — pancratium, sand-lily
חָבַק (יַחֲבוֹק) פ — hug, embrace; encircle
חָבָק ז — clamp
חָבַר (יַחֲבוֹר) פ — join together, unite
חֶבֶר ז — band, association, company
חָבֵר ז — friend; member; fellow; partner
חֶבְרָה נ — society, company, community
חֶבֶר הַלְּאוּמִּים — the League of Nations
חֲבֵרוּת נ — comradeship, friendship; membership
חִבְרוּת ז — socialization
חַבְרוּתִי ת — friendly, sociable
חֲבֵרִית תה״פ — friendly
חֲבַרְיָא, חֲבַרְיָה נ — group of friends, "gang"
חִבְרֵת (יְחַבְרֵת) פ — socialize
חֶבְרָתִי ת — social, communal
חָבַשׁ (יַחֲבוֹשׁ) פ — dress, bandage, bind; imprison
חַבְתָּן ז — barrel-maker
חָג (יָחוּג) פ — draw a circle; go round

חַג ז holiday, festival
חָגָב ז locust, grasshopper
חָגַג (יָחוֹג, יַחגוֹג) פ celebrate (a festival), observe
חָגָו ז cleft, crack
חָגוּר ת belted, girded
חֲגוֹר ז equipment; belt, girdle
חֲגוֹרָה נ belt, girdle
חֲגִיגָה נ celebration, festivity
חֲגִיגִי ת solemn; festive
חֲגִיגִיּוּת נ solemnity, ceremoniousness
חָגְלָה נ mock partridge
חָגַר (יַחגוֹר) פ gird (a sword), put on (a belt)
חַד ת sharp, acute, shrill
חָד (יָחוּד) פ set (a riddle)
חַדגּוֹנִי ת monotonous
חִדּוּד ז point, sharp edge
חֲדוּדִית נ cone
חֶדוָה נ joy, gladness
חֲדִילָה נ cessation, ceasing
חָדִיר ת permeable, penetrable
חֲדִירָה נ penetration, permeation
חֲדִירוּת נ permeability, penetrability
חָדִישׁ ת modern, up-to-date
חָדַל (יֶחדַל) פ cease, stop; omit
חַד־צְדָדִי ז one-sided
חֵדֶק ז thorn, thorn-bush
חֶדֶק ז trunk; slot
חִדקוֹנִית נ weevil
חָדַר (יַחדוֹר) פ penetrate
חֶדֶר ז room
חַדרָנִית נ chambermaid
חָדָשׁ ת new
חֲדָשָׁה נ item of news
חַדְשָׁן ז innovator, neologist
חוֹב ז debt; obligation
חוֹבֵב ת lover; amateur
חוֹבְבָן ז amateur, hobbyist
חוֹבָה נ obligation, duty
חוֹבֵל ז seaman, sailor
חוּבַּל (יְחוּבַּל) פ be harmed, be injured
חוֹבֶץ ז חוֹבְצָה נ whey
חוּבַּר (יְחוּבַּר) פ be joined, be connected, be attached
חוֹבֶרֶת נ booklet, pamphlet
חוֹבֵשׁ ז medical orderly, medical assistant
חוּג ז circle; range
חוֹגֵג ת, ז celebrant; pilgrim
חוּגָה נ dial
חוֹגֵר ז O.R. (other rank)
חוֹד ז point, sharp edge
חוּדַּד (יְחוּדַּד) פ be sharpened
חוֹדֶשׁ ז month
חוּדַּשׁ (יְחוּדַּשׁ) פ be renewed; be renovated
חוֹדשִׁי ת monthly
חַוּוַאי ז farmer
חַוָּה נ farm
חֲוָיָה נ experience (deeply felt)
חֲוִילָה נ villa
חָווָק ז transom
חָוַר (יֶחֱוַר) פ pale, go white
חוּוַּר (יְחוּוַּר) פ be clarified
חַוָּר ז mixed soil (containing clay, chalk and limestone)
חֲוַרְוַר ת palish, somewhat pale

חֲוַרוּרִי ת palish

חַוַּת־דַּעַת opinion, pronouncement

חוֹזֶה ז contract (legal)

חוּזַּק (יְחוּזַּק) פ be strengthened, be reinforced

חוֹזֶק ז strength, might

חוֹזְקָה, חָזְקָה נ strength, might

חוֹזֵר ז circular (letter); person returning

חוֹזֵר בִּתְשׁוּבָה penitent

חוּזְרָר ז sorb-apple

חוֹחַ ז thorn-bush

חוֹחִית נ goldfinch

חוּט ז thread

חוֹטֵא ז sinner, evil-doer

חוּטָּא (יְחוּטָּא) פ be disinfected

חוּט הַשִּׁדְרָה spinal cord

חוֹטֶם ז nose

חוֹטֵף ז kidnapper; grabber

חוֹטֶר ז branch; stick; pointer

חוּיַּב (יְחוּיַּב) פ be bound; be found guilty

חוּיַּג (יְחוּיַּג) פ be dialled

חוּיַּל (יְחוּיַּל) פ be enlisted, be called up

חוֹכֵר ז tenant, lessee

חוֹל ז sand

חו״ל, חוּץ לָאָרֶץ abroad

חוֹל, חֹל ז secular; profane

חוֹלֵב ת milkman; dairyman

חוֹלֶד ז mole

חוּלְדָּה נ rat

חוֹלֶה ת sick, ill; patient

חוֹלָה נ dune, sand-dune

חוֹלֵה רוּחַ mentally ill

חוֹלִי ז illness, sickness

חוּלְיָה נ link (in chain); vertebra; section (military)

חוֹלִירָע נ cholera

חוֹלֵל (יְחוֹלֵל) פ perform, do

חוּלַּל (יְחוּלַּל) פ be profaned, be desecrated

חוֹלְמָנִי ת dreamy

חוֹלָנִי ת sickly, infirm

חוֹלֵץ ז corkscrew

חוּלְצָה נ shirt, blouse

חוּלַּק (יְחוּלַּק) פ be divided; be shared

חוּלְשָׁה נ weakness, feebleness

חוֹם ז heat, warmth

חוּם ת brown

חוֹמָה נ wall, city-wall

חוּמַּם (יְחוּמַּם) פ be heated, be warmed

חוֹמֵס ז robber

חוֹמֶץ ז vinegar

חוּמְצָה נ acid

חוּמְצָה גוֹפְרָתִית sulphuric acid

חוּמְצָה חַנְקָנִית nitric acid

חוּמְצִיּוּת נ acidity

חוּמְצַן (יְחוּמְצַן) פ be oxidized

חוֹמֶר ז clay, clay soil; material; severity

חוּמְרָה נ severity; strict measure

חוּמְרִיּוּת נ materialism; materiality

חוּמְרָנוּת נ materialism

חוֹמֶר נֶפֶץ explosives

חוֹמֶשׁ ז a fifth; belly

חוּמָּשׁ ז one of the five books of the Pentateuch

חוּמַשׁ (יְחוּמַשׁ) פ be multiplied by five, fivefold
חוּנַּךְ (יְחוּנַּךְ) פ be educated; be inaugurated
חוּנַּן (יְחוּנַּן) פ be granted mercy
חוֹנֵן (יְחוֹנֵן) פ favor, be gracious to; endow
חוֹנַן (יְחוֹנַן) פ be favored with, be blessed with
חוּסַּל (יְחוּסַּל) פ be liquidated
חוֹסֶן ז strength, power
חוּסַּן (יְחוּסַּן) פ be immunized
חוּסְפַּס (יְחוּסְפַּס) פ be roughened
חוֹסֶר ז lack, want
חוּסַּר (יְחוּסַּר) פ be subtracted; be deprived of
חוֹף ז coast, beach
חוּפָּה נ canopy, covering; bridal canopy; wedding ceremony
חוּפְזָה, חִפָּזוֹן נ haste, hurry
חוֹפֶן ז handful
חוֹפֵף ת congruent
חוֹפֶשׁ ז freedom, liberty
חוּפְשָׁה ז leave, vacation
חוֹפְשִׁי ת free, unrestricted, irreligious
חוּץ ז out of doors; outside
חוּץ תה״פ apart from, except for, except
חוֹצֵב ז stone-cutter
חוֹצֶה, חוֹצֵה זָוִית ז bisector
חוֹצֶן ז bosom
חוּצְפָּה נ impudence, "cheek"
חוּצְפָּן ז impudent person
חוֹק ז law; rule
חוּקָּה נ constitution (of a country)
חוּקִּי ת lawful, legal
חוּקִּיּוּת נ legality, lawfulness
חוֹקֶן ז enema
חוֹקֵק (יְחוֹקֵק) פ legislate, enact
חוֹקֵר ז investigator, researcher
חוּקָּתִי ת constitutional
חוֹר ז hole
חוּר ז white linen
חוֹרֶב ז drought, dryness
חוּרְבָּה נ ruin
חוּרְבָּן ז destruction
חוֹרִי־אַף, חֳרִי־אַף ז wrath, fury
חוֹרַךְ (יְחוֹרַךְ) פ be scorched, be charred
חוֹרְמָה, חָרְמָה נ extermination, annihilation
חוֹרֶף ז winter
חוֹרְפִּי ת wintry
חוֹרְפָּן ז mink
חוֹרֶשׁ ז grove, copse
חוֹרְשָׁה, חוּרְשָׁה נ grove, copse
חוּשׁ ז sense
חוּשַּׁב (יְחוּשַּׁב) פ be calculated, be thought out
חוּשְׁחָשׁ ז wild orange
חוֹשֶׁךְ ז darkness, dark
חוּשַּׁל (יְחוּשַּׁל) פ be forged; be steeled
חוֹשֶׁם ז duffer, dolt, simpleton
חוּשְׁמַל (יְחוּשְׁמַל) פ be electrified
חוֹשֶׁן ז breastplate
חוּשָׁנִי ת sensual
חוֹשְׂפָנִי ת blatant, all-revealing
חוֹשֵׁק ז adorer, lover

חוּשׁ רֵיחַ	sense of smell
חוּשׁ שְׁמִיעָה	sense of hearing
חוֹששני, חוֹשְׁשַׁנִי	I'm afraid, I fear
חוֹתָל ז, חוֹתֶלֶת נ	wrapping, wrapper
חוֹתָלוֹת נ״ר	puttees, leggings
חוֹתָם ז	seal; mark, stamp
חוֹתֶמֶת נ	stamp (instrument or sign), seal
חוֹתֵן ז	father-in-law
חוֹתֶנֶת נ	mother-in-law
חַזַּאי ז	weather forecaster
חָזָה (יֶחֱזֶה) פ	watch; see (visions)
חָזֶה ז	chest, breast
חָזוֹן ז	vision, prophecy
חָזוּת נ	vision (prophetic); appearance
חָזוּתִי ת	visual
חֲזָזִית נ	acne
חָזִיז ז	flash of lightning
חֲזִיָּה נ	brassiére (for women); waistcoat (for men)
חֲזִיר ז	pig, swine
חֲזִירוּת נ	swinishness, hoggishness
חֲזִיר־יָם	guinea-pig
חֲזִית נ	front, facade
חֲזִיתִי ת	frontal
חַזָּן ז	cantor (in synagogue)
חַזָּנוּת נ	office of cantor; cantillation
חָזַק (יֶחֱזַק) פ	be strong; become strong
חָזָק ז	strong, firm, powerful
חֶזְקָה נ	force, severity; power (algebra)
חֲזָקָה נ	usucaption, right or claim based on possession

חָזַר (יַחֲזוֹר) פ	return, repeat
חֲזָרָה נ	return; repetition, rehearsal
חֲזֶרֶת נ	horse-radish
חַזֶּרֶת נ	mumps
חָט ז	incisor
חָטָא (יֶחֱטָא) פ	sin, transgress
חֵטְא ז	sin, fault
חַטָּא ז	sinner
חַטָּאָה, חַטָּאת נ	sin; sin-offering
חַטְּאוֹת נְעוּרִים	sins of youth
חָטַב (יַחְטוֹב) פ	cut up, hew
חָטוּב ת	hewn; well-shaped
חֲטוֹטֶרֶת נ	hump
חָטוּף ת	abducted; snatched
חָטָט ז	papule, pimple
חַטְטָן ז	fussy person (over details); nosy
חַטֶּטֶת נ	furunculosis
חֲטִיבָה נ	brigade; section, unit
חֲטִיפָה נ	snatching, grabbing
חָטַף (יַחְטוֹף) פ	snatch, grab
חַטְפָן ז	snatcher; kidnapper
חַי ת	alive, living, live; lively
חִיבֵּב (יְחַבֵּב) פ	like, be fond of
חִיבָּה נ	affection, fondness
חִיבּוּב ז	liking, fondness
חִיבּוּט ז	beating, striking
חִיבּוּק ז	hug, hugging, embrace
חִיבּוּר ז	connection, joining; joint, junction; composition
חִיבֵּל (יְחַבֵּל) פ	harm, injure, damage
חִיבֵּל ז	rigging (on a ship)
חִיבֵּק (יְחַבֵּק) פ	hug, embrace

חִיבֵּר (יְחַבֵּר) פ join, connect; add; joint; compose
חִיגֵּר ז lame, limping person
חִידֵּד (יְחַדֵּד) פ sharpen
חִידָה נ riddle, puzzle
חִידּוּד ז joke, witticism
חִידוֹן ז quiz
חִידּוּשׁ ז renewal; innovation
חִידָּלוֹן ז non-existence, nullity
חִידֵּשׁ (יְחַדֵּשׁ) פ renew; renovate, innovate
חִידַת הַרְכָּבָה jigsaw puzzle
חָיָה, חַי (יִחְיֶה) פ live, exist
חַיָּה נ animal, beast
חִיּוּב ז affirmation; being in favor of; guilt, conviction
חִיּוּבִי ת positive, affirmative
חִיּוּג ז dialling
חִיוָּה (יְחַוֶּה) פ state, pronounce
חִיוֵּר ת pale
חִיוָּרוֹן ז pallor, wanness
חִיּוּךְ ז smile
חִיּוּל ז mobilization, enlistment
חִיּוּנִי ת vital, essential
חִיּוּנִית נ vitamin
חִיּוּת, חַיּוּת נ life, vitality
חִיזּוּי ז forecast, prediction
חִיזּוּק ז strengthening, fortifying
חִיזּוּר ז wooing, courting
חִיזָּיוֹן ז vision; drama, play
חִיזֵּק (יְחַזֵּק) פ strengthen, fortify
חִיזֵּר (יְחַזֵּר) פ woo, court
חִיטֵּא (יְחַטֵּא) פ disinfect, cleanse
חִיטָּה נ wheat
חִיטּוּב ז hewing, carving
חִיטּוּט ז scratching, scrabbling
חִיטּוּי ז disinfection
חִיטֵּט (יְחַטֵּט) פ scrabble, dig up, scratch about
חִייֵּב (יְחַייֵּב) פ oblige, force; convict, find guilty
חַייָּב ז obliged; owing; guilty
חִייֵּג (יְחַייֵּג) פ dial
חַיידַּק ז microbe, bacterium
חִייָּה (יְחַייֶּה) פ keep alive, leave alive; revive
חַייָּט ז tailor
חַייָּטוּת נ tailoring
חִייֵּךְ (יְחַייֵּךְ) פ smile
חַייְכָנִי ת smiling, cheerful by nature
חַייָּל ז soldier
חִייֵּל (יְחַייֵּל) פ call up, enlist
חַיִּים ז״ר life
חַייעַד ז aizoon (flower); everlasting
חִיכָּה (יְחַכֶּה) פ wait, await; expect
חִיכּוּךְ ז friction; rubbing
חִיכִּי ת palatal
חִיכֵּךְ (יְחַכֵּךְ) פ rub against
חַיִל ז strength, might, bravery
חֵיל ז rampart, low wall
חִיל ז חִילָה נ pain; fear
חֵיל אֲוִויר air force
חִילָּה (יְחַלֶּה) פ sweeten
חִילּוּל ז desecration, profanation
חִילּוּל הַשֵּׁם blasphemy
חִילּוֹנִי ת secular
חִילּוּף ז exchange, change
חִילּוּף חוֹמָרִים metabolism
חִילּוּפִית נ amoeba

חִילּוּץ ז — deliverance, rescue
חִילּוּץ עֲצָמוֹת — exercise, physical training
חִילּוּק ז — division; sharing
חִילּוּקֵי דֵעוֹת — differences of opinion
חִילָּזוֹן ז — snail
חֵיל הַיָּם — navy
חִילֵּל (יְחַלֵּל) פ — profane, desecrate
חִילֵּן (יְחַלֵּן) פ — secularize; fenestrate
חִילֵּף (יְחַלֵּף) פ — change, replace
חִילֵּץ (יְחַלֵּץ) — deliver, rescue; pull out
חִילֵּק (יְחַלֵּק) פ — divide; share out
חֵיל רַגְלִים, חִי״ר — infantry
חִימּוּם ז — heating, warming
חִימּוּשׁ, חִמּוּשׁ ז — arming, ordnance
חִימֵּם (יְחַמֵּם) פ — heat, warm
חִימְצָה נ — chick pea
חִימֵּר (יְחַמֵּר פ — drive (donkey or other pack animal)
חִימֵּשׁ ז — child of the fifth generation, great-great-great-grandchild
חִימֵּשׁ (יְחַמֵּשׁ) פ — arm; divide by five; multiply by five
חִינּוּךְ ז — education, upbringing
חִינּוּכִי ת — educational
חִינֵּךְ (יְחַנֵּךְ) פ — educate, bring up
חִינָּם, חִנָּם תה״פ — free (of charge)
חִינֵּן (יְחַנֵּן) פ — implore, beseech
חִינָּנִי ז — graceful, charming, comely
חִינָּנִית נ — daisy
חִינֵּק (יְחַנֵּק) פ — strangle, throttle
חִיסּוּי ז — finding shelter, seeking refuge

חִיסּוּל ז — elimination, liquidation
חִיסּוּם ז — hardening (of metal)
חִיסּוּן ז — immunization
חִיסּוּר ז — subtraction (arithmetic), deduction
חִיסָּכוֹן ז — economy; thrift
חִיסֵּל (יְחַסֵּל) פ — eliminate, liquidate
חִיסֵּן (יְחַסֵּן) פ — immunize, strengthen
חִיסֵּר (יְחַסֵּר) פ — subtract; deprive
חִיסָּרוֹן ז — disadvantage, defect
חִיפָּה נ — lampshade; bonnet
חִיפָּה (יְחַפֶּה) פ — cover, overspread
חִיפּוּי ז — covering; cover (by gunfire etc.); shielding
חִיפּוּשׂ ז — search, quest; inquiry
חִיפּוּשִׁית נ — beetle
חִיפָּזוֹן ז — haste, hurry
חִיפֵּשׂ (יְחַפֵּשׂ) פ — look for, seek
חַיִץ ז — barrier; screen
חִיצּוּי ז — bisection, division in two
חִיצוֹן, חִיצוֹנִי ת — outer, external
חִיצוֹנִיּוּת נ — outward appearance
חֵיק ז — bosom, lap
חִיקָּה (יְחַקֶּה) פ — copy, imitate
חִיקּוּי ז — imitation
חִיקּוּן ז — giving an enema
חִיקּוּק ז — legislation, enacting
חִיקּוּר ז — investigation
חֵירוּם ז — stress, strained situation
חֵירוּף ז — abuse, curse
חֵירוּק ז — gnashing
חֵירוּק שִׁינַּיִים — gnashing one's teeth, fury
חֵירוּת, חֵרוּת נ — freedom, liberty
חֵירֵף (יְחָרֵף) פ — abuse, revile

חֵירֵשׁ, חֵרֵשׁ ז — deaf

חֵירֵשׁ־אִילֵּם — deaf and dumb

חֵירְשׁוּת, חֵרְשׁוּת נ — deafness

חִישׁ תה״פ — quickly, fast

חִישֵּׁב (יְחַשֵּׁב) פ — calculate, reckon, compute

חִישּׁוּב ז — calculation

חִישּׁוּל ז — forging

חִישּׂוּף ז — exposure, uncovering

חִישּׁוּק ז — rim, hoop

חִישּׁוּר ז — spoke (of wheel)

חִישֵּׁל (יְחַשֵּׁל) פ — forge, toughen

חִישֵּׁק (יְחַשֵּׁק) פ — gird, tie round

חִיתּוּךְ ז — cutting up, carving

חִיתּוּךְ הַדִּיבּוּר — articulation

חִיתּוּל ז — diaper, napkin

חִיתּוּם ז — stamping, sealing

חִיתּוּן ז — marrying off, marrying

חִיתֵּל (יְחַתֵּל) פ — put a diaper on (a baby)

חִיתֵּן (יְחַתֵּן) פ — marry off, give in marriage

חֵךְ ז — palate, roof of the mouth

חַכָּה נ — fish-hook

חֲכִירָה נ — tenancy (of property); leasehold

חָכַךְ (יַחכּוֹךְ) פ — rub, scratch; hesitate, be in doubt

חַכְלִיל, חַכְלִילִי ת — dull red, reddish

חָכַם (יֶחְכַּם) פ — become wise

חָכָם ת — wise, sage

חָכָם בַּלַּיְלָה — wiseacre (ironically)

חָכְמָה נ — wisdom

חָכַר (יַחכּוֹר) פ — lease, rent

חֵל ז — rampart

חָל (יָחוּל) פ — apply (laws, regulations); fall on, occur

חָל (יָחִיל) פ — tremble, fear

חֶלְאָה נ — filth, foulness

חָלַב (יַחֲלוֹב) פ — milk

חָלָב ז — milk

חֵלֶב ז — animal fat, tallow

חַלְבָה, חַלְוָוה נ — halva

חֶלְבּוֹן ז — white of egg; protein

חֲלָבִי ת — milky, lactic

חֲלַבְלוּב ז — spurge

חַלְבָּן ז — milkman

חָלַד (יַחֲלוֹד) פ — rust, become rusty

חֶלֶד ז — this world, this life

חָלָה (יֶחֱלֶה) פ — fall sick, be ill

חַלָּה נ — halla, loaf eaten on Sabbath

חָלוּד ת — rusty

חֲלוּדָה נ — rust, rustiness

חַלְוָוה ר׳ חַלְבָה

חָלוּט ת — absolute, final

חָלוּל ת — hollow

חֲלוֹם ז — dream

חַלּוֹן ז — window

חַלּוֹן רַאֲוָוה — display window

חֲלוֹף ז — vanishing, perishing

חָלוּץ ז — pioneer, vanguard; forward (football)

חֲלוּצִיּוּת נ — pioneering spirit

חָלוּק ז — dressing-gown; work-coat

חָלוּק ת — differing (in opinion)

חַלּוּק ז — pebble

חֲלוּקָּה נ — division; distribution partition

חַלּוּקֵי אֲבָנִים — pebbles

חָלוּשׁ ת — frail, weak

חֲלוּשָׁה נ feebleness, weakness

חֶלְזוֹנִי ת helical, spiral

חִלְחוּל ז permeation; seeping

חִלְחֵל (יְחַלְחֵל) פ permeate, penetrate

חַלְחָלָה נ trembling, shudder

חָלַט (יַחלוֹט) פ pour boiling water on

חַלְטָנִי ת decisive, resolute, determined

חֲלִיבָה נ milking

חָלִיד ת liable to rust

חָלִיל ז flute

חֲלִילָה תה״פ repeatedly

חָלִילָה תה״פ God forbid!

חֲלִילִית נ recorder (flute)

חֲלִילָן ז flautist

חָלִיף ז new shoot (from pruned branch); caliph; substitute

חָלִיף ת interchangeable

חֲלִיפָה נ costume (for women), suit (for men)

חֲלִיפוֹת תה״פ alternately

חֲלִיפוּת נ caliphate; interchangeability

חֲלִיפִים, חֲלִיפִין ז״ר barter; thing bartered

חֲלִיצָה נ taking off, removing; halitza (release from obligation to marry brother's widow)

חֲלִישׁוּת נ weakness, debility; enfeeblement

חֲלִישׁוּת הַדַּעַת dejection

חֵלֶךְ, חֵלְכָה ת wretched, poor, unfortunate

חֵלְכָּאִים wretches, the poor and needy

חָלָל ז dead, fatal casualty; outer space; vacuum

חֲלָלַאי ז spaceman

חֲלָלִית נ space-ship

חָלַם (יַחֲלוֹם) פ dream

חֶלְמוֹן ז egg-yolk

חֶלְמוֹנָה נ egg brandy, egg-nog

חַלָּמִישׁ ז flint, silex

חָלַף (יַחֲלוֹף) פ pass by

חֵלֶף תה״פ in exchange for

חֵלֶף ז spare part

חַלָּף ז ritual slaughterer's knife

חִלְפִּית נ swordfish

חַלְפָן ז money-changer

חָלַץ (יַחֲלוֹץ) פ draw off, take off (shoe); rescue remove

חֲלָצַיִם loins

חָלַק (יַחֲלוֹק) פ apportion, allot

חָלָק ת smooth

חֵלֶק ז part, portion; share

חֶלְקָה נ plot, field

חֶלְקִי ת partial, fractional

חֶלְקִיק ז particle

חֶלְקִית תה״פ partly

חֲלַקְלַק ת slippery

חֲלַקְלַקָּה נ skating-rink; slippery ground

חֲלַקְלַקּוֹת תה״פ by flattery, with a smooth tongue

חָלַשׁ (יֶחֱלַשׁ) פ be weak, be feeble

חַלָּשׁ ת weak, feeble

חִלְתִּית נ asafetida

חַם, חָם ת warm, hot

חָם 90 חֲמֵשׁ־עֶשְׂרֵה

חָם ז (חָמִי, חָמִיךָ... חָמִיו...) father-in-law
חֶמְאָה נ butter
חָמַד (יַחמוֹד) פ covet, lust after
חֶמֶד ז delight, loveliness
חֶמְדָּה נ desire, object of desire
חַמְדָּנוּת נ covetousness, lustfulness
חַמָּה נ sun
חֵמָה נ anger, wrath
חָמוּד ת delightful, charming
חֲמוּדוֹת נ״ר delightfulness
חֲמוּלָה נ clan
חָמוּם ת heated
חֲמוּם מוֹחַ, חֲמוּם מֶזֶג hot-tempered, excitable
חָמוּץ ת sour
חַמּוּק ז curve, roundness
חֲמוֹר ז donkey, ass
חָמוּר ת grave, severe
חָמוּשׁ ת armed, equipped (for war)
חָמוֹת נ mother-in-law
חֲמִיטָה נ pancake
חָמִים ת warm
חֲמִימוּת נ warmth; warm-heartedness
חַמִּין ז 'cholnt'; food kept warm for the Sabbath
חֲמִיצָה נ sour soup, beetroot soup, 'borsht'
חֲמִיצוּת נ sourness, acidity
חֲמִישָּׁה ש״מ five (masc.)
חֲמִישָּׁה עָשָׂר ש״מ fifteen (masc.)
חֲמִישִׁי ת fifth
חֲמִישִׁיָּה נ group of five; quintet
חֲמִישִּׁים ש״מ fifty

חֲמִישִׁית נ one fifth
חָמַל (יַחמוֹל) פ have pity on, spare
חֶמְלָה נ pity, compassion
חֲמָמָה נ hothouse, glasshouse
חַמָּנִית נ sunflower
חָמַס (יַחֲמוֹס) פ rob, extort
חָמָס ז violent crime, brigandage
חַמְסִין ז hamsin (hot dry wind)
חַמְסָן ז brigand
חָמֵץ (יֶחמַץ) פ go sour, turn sour
חָמֵץ ז leavened bread
חִמְצוּן ז oxidation, oxygenation
חַמְצִיץ ז wood-sorrel
חֲמַצְמַץ ת a little sour, sourish
חַמְצָן ז oxygen
חִמְצֵן (יְחַמְצֵן) פ oxidize, oxygenate
חַמְצָנִי ת oxygenic, containing oxygen
חֲמֶצֶת נ acidosis
חָמַק (יֶחמַק) פ slip away, run off
חַמְקָן ז shirker, dodger
חַמְקָנוּת נ shirking, evasiveness
חָמַר (יֶחמַר) פ seethe, foam; cover with asphalt
חֵמָר ז asphalt, bitumen
חֹמֶר ר׳ חוֹמֶר
חַמָּר ז ass-driver
חִמְרִיָּה נ rufous warbler
חַמְרָן ז aluminum
חַמְרָנוּת ר׳ חוֹמְרָנוּת
חֲמֶרֶת נ caravan of asses
חָמֵשׁ ש״מ, נ five (feminine)
חַמְשִׁיר ז limerick
חַמְשִׁית נ quintet(te) (musical)
חֲמֵשׁ־עֶשְׂרֵה fifteen (fem.)

חֵמֶת נ waterskin, skin bottle
חֵמַת חֲלִילִים bagpipes
חֵן ז charm, grace; favor
חֵן־חֵן thank you
חָנָה (יַחֲנֶה) פ be parked (a car); encamp (an army)
חֶנְוָנִי ז shopkeeper
חָנוּט ז mummy, embalmed body
חֲנוּכָּה נ inauguration, dedication; Hanukka, the feast of dedication
חֲנוּכִּיָּה נ Hanukka candlestick
חַנּוּן ת merciful, compassionate
חֲנוּפָּה נ flattery
חָנוּק ת strangled, choked
חֲנוּת נ shop, store
חָנַט (יַחֲנוֹט) פ embalm (a body), mummify
חֲנָיָה נ parking (place)
חֲנִיטָה נ embalming, mummification
חֲנִיָּיה נ parking; encampment
חָנִיךְ ז pupil, cadet (military), apprentice
חֲנִיכַיִים ז״ר gums
חֲנִינָה נ pardon, amnesty
חֲנִיפָה נ flattery, blandishment
חֲנִיקָה נ strangulation, throttling
חֲנִית נ spear, javelin
חָנַךְ (יַחֲנוֹךְ) פ inaugurate, formally open
חֲנָמַל ז hail, sleet
חָנַן (יָחוֹן, יֶחֱנַן) פ pardon (criminal), show mercy to
חָנַף (יַחֲנוֹף) פ flatter, toady
חָנֵף ת flatterer, toady
חַנְפָן ז sycophant, toady, flatterer
חָנַק (יַחֲנוֹק) פ strangle, throttle
חֶנֶק ז strangulation
חַנְקָה נ nitrate
חִנְקוּן ז nitrification
חַנְקָן ז nitrogen
חִנְקֵן (יְחַנְקֵן) פ nitrogenize
חַנְקָנִי ת nitric, nitrogenous
חַנְקָתִי ת nitrous
חָס (יָחוּס) פ spare, pity
חֶסֶד ז benevolence; charity
חָסָה (יֶחֱסֶה) פ find protection, find refuge
חַסָּה נ lettuce
חָסוּד ת graceful, charming
חַס וְחָלִילָה! חַס וְשָׁלוֹם! God forbid!
חָסוּי ת protected, guarded; restricted (documents)
חָסוּךְ ת lacking, wanting
חָסוּם ת muzzled (animal); enclosed
חָסוֹן ת sturdy, strong
חָסוּת נ protection, patronage
חַסְחוּס ז cartilage
חֲסִי ז leeward
חָסִיד ת Hassid; pious man; devotee, fan
חֲסִידָה נ stork
חֲסִימָה נ barring, blocking, shutting in
חֲסִין, חָסִין ת proof (against...), immune (from...)
חֲסִין־אֵשׁ fireproof
חֲסִינוּת נ immunity

חֲסִין־מַיִם waterproof
חָסַךְ (יַחְסוֹךְ) פ save; withhold
חֶסֶךְ ז deprivation
חַסְכָן ז thrifty person
חַסְכָנִי ת thrifty, economical
חֲסַל! מ״ק stop! enough!
חָסַם (יַחְסוֹם) פ block, bar
חִסְפּוּס ז roughening (a surface), coarsening
חִסְפֵּס (יְחַסְפֵּס) פ roughen (surface); coarsen
חָסַר (יֶחְסַר) פ be absent, be missing; lack, be without
חָסֵר ת lacking, short of, in need of; less, minus
חֶסֶר ז shortage; poverty
חֲסַר דַּעַת brainless, witless
חֶסְרוֹן ז disadvantage; deficiency
חַף ת clean, pure, innocent
חָף ז tooth of a key; dowel
חָפָה (יֶחְפֶּה) פ cover, wrap
חָפוּז ת rushed, hurried, slapdash
חָפוּי ת covered, wrapped
חָפוּת ת rolled-up
חָפַז (יַחְפּוֹז) פ rush, hurry
חִפִּיזוּת נ impulsiveness
חֲפִיָּה נ covering, wrapping
חֲפִיסָה נ packet, small bag
חֲפִיפָה נ shampooing, washing the head; congruence
חֲפִירָה נ digging; ditch
חַף מִפֶּשַׁע innocent, guiltless
חָפַף (יַחְפּוֹף) פ shampoo, wash (the hair); be congruent, overlap
חֶפֶף ז carp; pumice
חֲפָפִית נ rash, eczema
חָפֵץ, חָפַץ (יַחְפּוֹץ) פ desire, wish, want
חֵפֶץ ז desire, wish; object, article
חָפַר (יַחְפּוֹר) פ dig, excavate
חַפָּר ז digger; pioneer (military)
חֲפַרְפֵּרָה, חֲפַרְפֶּרֶת נ mole
חָפַת (יַחְפּוֹת) פ roll up (sleeves)
חֵפֶת ז fold (in garment)
חֵץ ז arrow, dart
חֲצָאִית נ skirt
חָצַב (יַחְצוֹב) פ quarry (stone), hew; chisel
חַצֶּבֶת נ measles
חָצָה (יֶחֱצֶה) פ halve; divide; cross (road, river, etc.)
חָצוּב ת quarried, dug out
חֲצוּבָה נ tripod
חָצוּי ת halved, bisected
חָצוּף ת saucy, cheeky, impudent
חֲצוֹצְרָה נ trumpet
חֲצוֹצְרָן ז trumpeter
חֲצוֹת נ midnight
חֲצִי ז half; middle, center
חֲצִי־אִי peninsula
חֲצָיָה, חֲצִיָּה נ halving, bisection
חָצִיל ז egg-plant
חֲצִיצָה נ partitioning, separating
חָצִיר ז hay, grass
חָצַץ (יַחְצוֹץ) פ partition off, separate (by a partition)
חָצָץ ז gravel, stones
חִצֵּר (יְחַצֵּר) פ blow a trumpet, bugle

חָצֵר נ	yard, courtyard
חֲצֵרִים ז״ר	premises
חַצְרָן ז	storeman (on a farm), janitor (in a house)
חַקְיָן ז	imitator, mimic, copier
חֲקִיקָה נ	legislation, enactment; engraving (on stone)
חֲקִירָה נ	investigation
חַקְלָאוּת נ	agriculture
חַקְלַאי ז	agriculturalist, farmer
חָקַק (יַחקוֹק) פ	engrave (on stone); legislate, enact
חָקַר (יַחקוֹר) פ	investigate
חֵקֶר ז	investigation, inquiry
חֵקֶר הַמִּקְרָא	Bible study
חָרַב (יֶחֱרַב) פ	be destroyed
חָרֵב ת	in ruins, desolate; dry
חֶרֶב נ	sword
חָרָבָה נ	arid land
חֶרְבּוֹן ז	(slang) mess, failure
חִרְבֵּן (יְחַרְבֵּן) פ	(slang) ruin, mess up, foul up
חָרַג (יַחרוֹג) פ	exceed, go beyond
חַרְגּוֹל ז	locust, grasshopper
חָרַד (יֶחֱרַד) פ	tremble; be anxious, be worried
חָרֵד ת	fearful; anxious; God-fearing
חֲרָדָה נ	dread; anxiety
חַרְדָּל ז	mustard
חָרָה (יֶחֱרֶה) פ, חָרָה לוֹ	resent
חָרוּב ז	carob
חָרוּז ז	bead; rhyme
חָרוּט ת	engraved
חָרוּט ז	cone

חָרוּךְ ת	scorched, burnt
חָרוּל ז	nettle, thistle
חָרוּם ת	flat-nosed
חֲרוּמַף ז	flat-nosed person
חָרוֹן, חֲרוֹן־אַף ז	wrath, fury
חֲרוֹסֶת נ	haroset (mixture of nuts, fruit and wine, eaten on Passover night)
חָרוּץ ת	industrious, diligent
חָרוּר ת	perforated, full of holes
חָרוּשׁ ת	ploughed, furrowed
חֲרוֹשֶׁת נ	industry, manufacture
חֲרוֹשְׁתָּן ז	manufacturer, industrialist
חָרוּת ת	carved, engraved
חָרַז (יַחֲרוֹז) פ	string (beads); rhyme
חַרְזָן ז	versifier, rhymester
חַרְחֲבִינָה נ	sea-holly
חִרְחוּר ז	provocation
חִרְחוּר רִיב	trouble-making, quarrel-mongering
חִרְחֵר (יְחַרְחֵר) פ	stir up
חָרַט (יַחרוֹט) פ	carve; engrave
חֶרֶט ז	stylus
חָרָט ז	engraver, etcher
חֲרָטָה נ	regret, repentance
חַרְטוֹם ז	beak, snout
חַרְטוּמָן ז	woodcock
חָרִיג ז	exception, irregular form
חֲרִיגָה נ	exceeding, going beyond
חֲרִיזָה נ	stringing (beads, etc.); rhyming
חָרִיט ז	purse
חֲרִיטָה נ	etching, engraving

sharp, pungent; acute; severe, trenchant	חָרִיף ת
groove, fluting	חָרִיץ ז
diligence, industriousness	חָרִיצוּת נ
creaking	חֲרִיקָה נ
small hole	חָרִיר ז
ploughing; ploughing season	חָרִישׁ ז
ploughing	חֲרִישָׁה נ
still, quiet	חֲרִישִׁי ת
scorch, singe	חָרַךְ (יַחֲרוֹךְ) פ
lattice window, loophole	חֶרֶךְ ז
excommunication, boycott	חֵרֶם ז
scythe, sickle	חֶרְמֵשׁ ז
clay; shard, broken pottery	חֶרֶס ז
porcelain	חַרְסִינָה נ
clay soil; shards	חַרְסִית נ
winter, spend the winter	חָרַף (יֶחֱרַף) פ
in spite of, despite	חֶרֶף תה״פ
disgrace, shame	חֶרְפָּה נ
groove, cut into; decide, decree	חָרַץ (יַחֲרֹץ) פ
bond, shackle	חַרְצוּבָּה נ
pip, stone; date-stone	חַרְצָן ז
grate, creak; gnash (teeth)	חָרַק (יַחֲרוֹק) פ
insect; grating, creaking	חֶרֶק ז חֲרָקִים ז״ר
secretly, silently	חֶרֶשׁ תה״פ
plough	חָרַשׁ (יַחֲרוֹשׁ) פ
artisan, craftsman	חָרָשׁ ז
artichoke	חַרְשָׁף ז
feel, sense; rush, hurry	חָשׁ (יָחוּשׁ) פ
stillness	חֲשַׁאי ז
secret, clandestine	חֲשָׁאִי ת
secrecy	חֲשָׁאִיוּת נ
think; intend	חָשַׁב (יַחְשׁוֹב) פ
accountant	חַשָּׁב ז
account; bill, invoice; arithmetic	חֶשְׁבּוֹן ז
accountancy	חֶשְׁבּוֹנָאוּת נ
abacus; counting frame	חֶשְׁבּוֹנִיָּה נ
current account	חֶשְׁבּוֹן עוֹבֵר וָשָׁב
figure, calculate	חִשְׁבֵּן (יְחַשְׁבֵּן) פ
suspect	חָשַׁד (יַחְשׁוֹד) פ
suspicion	חָשָׁד ז
suspicious person	חַשְׁדָן ז
be silent, be still	חָשָׁה (יֶחֱשֶׁה) פ
important	חָשׁוּב ת
suspected	חָשׁוּד ת
Heshvan (Oct.-Nov.)	חֶשְׁוָון ז
dark, obscure	חָשׁוּךְ ז
lacking, without	חָשׂוּךְ ת
childless	חֲשׂוּךְ בָּנִים
bare, exposed	חָשׂוּף ת
hoop (of a barrel)	חִשׁוּק ז
beloved, adored	חָשׁוּק ת
thinking, cogitation	חֲשִׁיבָה נ
importance	חֲשִׁיבוּת נ
forgeable (metal)	חָשִׁיל ת
laying bare, exposing	חֲשִׂיפָה נ
hashish	חֲשִׁישׁ ז
darken, grow dark	חָשַׁךְ (יֶחְשַׁךְ) פ
darkness, obscurity	חֲשֵׁכָה נ
electricity	חַשְׁמַל ז
electrify; thrill	חִשְׁמֵל (יְחַשְׁמֵל) פ
electrical engineering	חַשְׁמַלָּאוּת נ
electrician	חַשְׁמַלַּאי ז
electric	חַשְׁמַלִּי ת

חַשְׁמַלִּית נ — tram, streetcar
חַשְׁמָן ז — cardinal; noble
חָשַׂף (יַחְשׂוֹף) פ — expose, bare
חַשְׂפָנוּת נ — strip tease
חַשְׂפָנִית נ — strip-tease artist
חָשַׁק (יַחְשׁוֹק) פ — desire, long for, crave
חֵשֶׁק ז — desire, longing; pleasure, enthusiasm
חַשְׁקָנִיּוֹת נ״ר — (slang) adolescent pimples
חָשַׁשׁ (יַחֲשׁוֹשׁ) פ — be afraid, be apprehensive
חֲשָׁשׁ ז — fear, apprehension
חֲשַׁשׁ ז — hay, chaff
חָתָה (יַחְתֶּה) פ — rake (coals)
חָתוּךְ ת — cut, cut up
חָתוּל ז — cat
חָתוּם ת — stamped, signed
חֲתוּנָּה נ — wedding
חָתִיךְ ז — (slang) good-looking boy
חֲתִיכָה נ — piece, bit; (slang) attractive girl
חֲתִימָה נ — signature
חֲתִירָה נ — rowing (with oars); making headway; undermining
חָתַךְ (יַחְתּוֹךְ) פ — cut
חֲתָךְ ז — cut, incision
חֲתַלְתּוּל ז — kitten, pussy
חָתַם (יַחְתּוֹם) פ — sign; seal, stamp; complete
חָתָן ז — bridegroom; son-in-law
חָתַר (יַחְתּוֹר) פ — sabotage, undermine; row (a boat)
חַתְרָנוּת נ — sabotage, undermining

ט

טִאטֵא (יְטַאטֵא) פ — sweep (with a broom)
טָב, טָבָא ת — good
טָבוּל ת — dipped, immersed
טָבוּעַ ת — drowned, sunk
טַבּוּר ז — navel; hub
טַבּוּרִי ת — navel orange
טָבַח (יִטְבַּח) פ — slaughter, kill
טֶבַח ז — slaughtering; massacre
טַבָּח ז — cook, chef
טַבַּחַת, טַבָּחִית נ — female cook
טְבִילָה נ — dipping, immersion; baptism
טָבִין וּתְקִילִין — good money, cash
טְבִיעָה נ — stamping, imprinting, drowning
טָבַל (יִטְבּוֹל) פ — dip, immerse
טַבְלָה נ — table, plate
טַבְלִית נ — tablet
טָבַע (יִטְבַּע) פ — drown, sink; stamp

טֶבַע ז	nature, Nature
טִבְעוֹנִי ת	naturist
טִבְעִי ת	natural
טִבְעִיּוּת נ	naturalness
טִבְעִית תה"פ	naturally, obviously
טַבַּעַת נ	ring
טַבָּק ז	tobacco
טֵבֵת ז	Tevet (December-January)
טִגְרִיס ז	tiger
טָהוֹר ת	pure, untainted
טָהַר (יִטְהַר) פ	become clean
טַהֲרָנוּת נ	purism
טוּאטָא (יְטוּאטָא) פ	be swept (with a broom)
טוֹב ת	good, fair, fine; kind
טוֹב תה"פ	well, good
טוֹב ז	goodness, fairness
טוּב ז	goodness, virtue
טוֹבָה נ	favor, kindness, good deed
טוּבִים ז"ר	goods
טוֹבְלָן ז	plunger
טוּבַּע (יְטוּבַּע) פ	be sunk, be drowned
טוֹבְעָנִי ת	loose and yielding (sand, mud)
טוּגַּן (יְטוּגַּן) פ	be fried
טוֹהַר (יְטוֹהַר) פ	be cleansed; be purged
טוֹהַר ז	purity; purification
טוֹהֳרָה, טָהֳרָה נ	purity; purification
טָוָה (יִטְוֶה) פ	spin
טוּוַּח (יְטוּוַּח) פ	be ranged (gun, target)
טְוָח ז	range
טַוָּס ז	peacock
טְוִוי ז	fabric, cloth
טְוִויָּה נ	spinning
טוּזִיג ז	picnic, feast
טוֹחֵן ז	miller
טוֹחֶנֶת נ	molar (tooth)
טוּיַּח (יְטוּיַּח) פ	be plastered, be coated
טוּיַּט (יְטוּיַּט) פ	be written out in rough, be drafted
טוּלָא (יְטוּלָא) פ	be patched
טוּלְטַל (יְטוּלְטַל) פ	be moved about
טוּמָּא (יְטוּמָּא) פ	be defiled
טוּמְאָה נ	defilement, impurity
טוּמְטַם (יְטוּמְטַם) פ	be made stupid, be besotted
טוּנַּף (יְטוּנַּף) פ	be made filthy, be befouled
טוֹעֶה ת	mistaken
טוֹעֵן ז	claimant (legal)
טוֹעַן ז	load; statement
טוֹפַח ז	vetchling
טוּפַּח (יְטוּפַּח) פ	be tended, be cherished
טוּפַּל (יְטוּפַּל) פ	be burdened
טוֹפֶס ז	copy, exemplar; form
טוּר ז	column; progression; row
טוּרַאי ז	private (soldier)
טוֹרְדָנִי ת	worrying, vexing, troublesome
טוֹרַח ז	bother, trouble
טוֹרֵף ת	predatory, rapacious; carnivorous
טוֹרַף (יְטוֹרַף) פ	be seized as prey; be confused, be deranged

טוּרפַּד (יְטוּרפַּד) פ	be torpedoed
טוּשְׁטַשׁ (יְטוּשְׁטַשׁ) פ	be blurred
טָח (יָטוּחַ) פ	plaster, smear
טַחַב ז	damp
טָחוּב ת	damp, moist
טְחוֹל ז	spleen
טָחוּן ת	ground, milled
טְחוֹרִים ז״ר	haemorrhoids, piles
טָחַן (יִטחַן) פ	grind, mill
טֶחָן ז	miller
טַחֲנָה נ	mill
טִיב ז	quality, character
טִיבּוּעַ ז	sinking, drowning
טִיבַּע (יְטַבֵּעַ) פ	sink, drown
טִיגּוּן ז	frying
טִיגֵּן (יְטַגֵּן) פ	fry
טִיהוּר ז	purification, purge
טִיהֵר (יְטַהֵר) פ	purify; purge
טִיוּב ז	improvement
טִיוּוּחַ ז	ranging, range-finding
טִיוֵּחַ (יְטַוֵּחַ) פ	range (guns), find the range
טִיוּחַ ז	plastering, coating
טְיוּטָה נ	rough draft
טִיוּל ז	excursion, trip; walk
טֵיוֹן ז	teapot
טְיוֹנֶת נ	alluvium, silt
טִיחַ ז	plaster
טִיט ז	clay, soil; mud
טִייֵּב (יְטַייֵּב) פ	improve
טִייֵּחַ (יְטַייֵּחַ) פ	plaster, coat
טַייָּח ז	plasterer
טִייֵּל (יְטַייֵּל) פ	go for a walk, go on an excursion
טַייֶּלֶת נ	walk, promenade
טַייָּס ז	pilot
טַייֶּסֶת נ	squadron; pilot (female)
טִיכֵּס (יְטַכֵּס) פ	arrange, organize
טִיל ז	rocket; missile
טִימֵּא (יְטַמֵּא) פ	defile, taint
טִין ז	silt, mud
טִינָא, טִינָה נ	grudge, resentment
טִינּוֹפֶת נ	filth, dirt
טִינֵּף (יְטַנֵּף) פ	make filthy, befoul
טַיִס ז	(airplane); flying, flight
טִיסָה נ	flight (by plane)
טִיסָן ז	flying model
טִיסַת שֶׂכֶר	charter flight
טִיפָּה נ	drop, drip
טִיפָּה מָרָה	strong drink
טִיפ־טִיפָּה	just a drop, just a spot
טִיפִּין־טִיפִּין	drop by drop, little by little
טִיפּוּחַ ז	fostering, tending
טִיפּוּל ז	care, attention, treatment
טִיפּוּסִי ת	typical, characteristic
טִיפֵּחַ (יְטַפֵּחַ) פ	foster, tend, care
טִיפֵּל (יְטַפֵּל) פ	look after, care for, take care of
טִיפֵּס (יְטַפֵּס) פ	climb, clamber
טִיפֵּשׁ ת	silly, stupid
טִיפְּשׁוּת נ	silliness
טִיפְּשִׁי ת	silly, foolish, doltish
טִירָה נ	palace; fortress
טִירוֹן ז	recruit; novice, beginner
טִירוֹנוּת נ	recruit service, novitiate
טֵירוּף ז	madness, insanity
טֶכְנַאי ז	technician
טַכְסִיס ז	tactic, device
טַל ז	dew

טְלַאי ז	patch
טִלְגְּרֵף (יְטַלְגְּרֵף) פ	telegraph, cable
טֵלֶגְרָפִית תה״פ	by telegram, by cable
טָלֶה ז	lamb
טָלוּא ת	patched
טִלְוֵז (יְטַלְוֵז) פ	televise
טָלוּל ת	dewy, bedewed
טִלְטוּל ז	moving about; wandering
טִלְטֵל (יְטַלְטֵל) פ	move about
טַלְטֵלָה נ	hurling, throwing
טַלִּיסְמָה נ	talisman
טַלִּית נ	praying-shawl
טְלָלִים ז״ר	dew
טֶלֶף ז, טְלָפַיִם ז״ז	hoof; hooves
טֶלֶפוֹנִית תה״פ	by telephone
טִלְפֵּן (יְטַלְפֵּן) פ	telephone
טֶלֶפַּתִית תה״פ	telepathically
טָמֵא ת	unclean, impure, defiled
טִמְטוּם ז	dulling, stupefying; dullness
טִמְטֵם (יְטַמְטֵם) פ	make stupid, dull the wits of
טִמְיוֹן ז	royal treasury
טְמִיעָה נ	assimilation, absorption
טָמִיר ת	latent, concealed
טָמַן (יִטְמוֹן) פ	hide, conceal
טֶנֶא ז	basket (for fruit)
טַס ז	tray; metal plate
טָס (יָטוּס) פ	fly
טַסִּית נ	small tray
טָעָה (יִטְעֶה) פ	make a mistake, err
טָעוּן ת	requiring, needing; charged
טְעוֹנֶת נ	river-load
טָעוּת נ	mistake, error
טְעִיָּה נ	making a mistake, erring
טָעִים ת	tasty, palatable
טְעִינָה נ	loading, charging
טָעַם (יִטְעַם) פ	taste
טַעַם ז	taste, flavor; reason
טָעַן (יִטְעַן) פ	load, charge
טַעֲנָה נ	claim; argument
טַף ז	small children
טְפוֹלֶת נ	putty
טֶפַח ז	span, handsbreadth
טָפַח (יִטְפַּח) פ	slap, strike
טְפָחָה נ	roof-beam, cross-beam
טִפְטוּף ז	dripping, dropping
טִפְטֵף (יְטַפְטֵף) פ	drip, drop
טַפְטֶפֶת נ	dropper
טְפִי ז	oil-can; dropping flask
טַפִּיל ז	parasite
טַפִּילוּת נ	parasitism
טְפִיפָה נ	mincing walk
טָפַל (יִטְפּוֹל) פ	stick, paste attach; smear
טָפֵל ת	subsidiary, subordinate
טֶפֶל ז	putty
טַפְסָן ז	molder (in concrete)
טָפַף (יִטְפּוֹף) פ	mince, trip
טִקְטוּק ז	ticking (of a clock), tick
טִקְטֵק (יְטַקְטֵק) פ	tick
טֶקֶס ז	ceremony
טָרַד (יִטְרוֹד) פ	banish, drive away
טְרָדָה נ	trouble, bother
טַרְדָן ז	nuisance (person), bothersome
טַרְדָנִי ת	troublesome, bothersome
טָרוּד ת	preoccupied, busy
טָרוּט ת	bleary

טְרוֹם תה"פ	before; pre-, ante-
טְרוֹמִי ת	prefabricated
טְרוּנְיָה נ	severity
טְרוֹפֶת נ	wreckage (of ship)
טַרְזָן ת, ז	foppish; fop
טָרַח (יִטְרַח) פ	take pains, exert oneself
טִרְחָה נ	bother, effort, trouble
טַרְחָן ז	nuisance
טִרְטוּר ז	clatter, rattle
טָרִי ת	fresh
טְרִידָה נ	drift
טְרִיּוּת נ	freshness
טְרִיז ז	wedge
טְרֵיפָה, טְרֵפָה נ	non-kosher food
טְרִיקָה נ	slamming
טְרִית נ	sardine
טִרְלֵל (יְטַרְלֵל) פ	trill; (slang) act crazy
טֶרֶם תה"פ	not yet; before
טָרַף (יִטְרוֹף) פ	tear to pieces, ravage; mix, shuffle (cards); confuse, scramble (eggs)
טֶרֶף ז	prey; food
טָרֵף ת	non-kosher
טִרְפֵּד (יְטַרְפֵּד) פ	torpedo
טַרְפֶּדֶת נ	torpedo-boat
טָרַק (יִטְרוֹק) פ	slam
טְרַקְלִין ז	salon, guest-room
טְרָשִׁים ז"ר	rocky ground
טָרֶשֶׁת הָעוֹרְקִים	sclerosis, hardening of the arteries
טִשְׁטֵשׁ (יְטַשְׁטֵשׁ) פ	blur, make indistinct

יָאֶה ת	seemly, fitting, proper
יְאוֹר ז	the Nile; river, lake
יָאוּת ת	right
יְבָבָה נ	whimper, whine
יְבוּא ז	import(s), importation
יְבוּאָן, יְבוּאָר ז	importer
יְבוּל ז	yield, crop
יְבוּשֶׁת נ	dryness
יַבְחוּשׁ ז	gnat
יַבְּלִית נ	crab grass
יַבֶּלֶת נ	blister, corn
יָבָם ז	husband's brother
יָבֵשׁ (יִיבַשׁ) פ	be dry, be dried up
יָבֵשׁ ת	dry
יַבָּשָׁה נ	dry land
יַבְשׁוּת נ	dryness, aridity
יַבֶּשֶׁת נ	continent; dry land
יַבַּשְׁתִּי ת	continental
יָגוֹן ז	distress, sorrow
יָגוֹר (יָגוּר) פ	fear, be afraid
יָגִיעַ ת	weary, tired
יְגִיעַ ז	toil, labor

יְגִיעָה נ toil, pains
יְגִיעַ כַּפַּיִם fruit of one's labors
יָגַע (יִיגַע) פ toil, labor, take pains; become weary
יָגֵעַ ת weary, tired out, exhausted; wearisome
יֶגַע ז toil, exertion; weariness, exhaustion
יָד נ (נ״ז יָדַיִם, נ״ר יָדַיִים, יָדוֹת) hand, arm; handle; memorial
יָדָה נ cuff
יָדָה (יִידֶה) פ cast, throw
יְדוֹנִית נ muff; handcuff
יָדוּעַ ת well-known, famous
יָדוּעַ לְשִׁמְצָה infamous
יָדִיד ז friend, close friend
יְדִידוּת נ friendship
יְדִידוּתִי ת friendly
יְדִיעָה נ information (item of), knowledge
יְדִיעוֹן ז bulletin, information sheet
יָדִית נ handle
יָדַע (יֵדַע) פ know
יֶדַע ז know-how; knowledge
יִדְעוֹנִי ז wizard
יַדְעָן ז erudite person
יֶדַע־עַם folklore
יָהּ ז God
יְהֵא will be
יְהָב ז charge, burden
יַהֲדוּת נ Judaism; Jewry
יְהוּדִי ז Jew
יָהִיר ת conceited, proud
יַהֲלוֹם ז diamond
יַהֲלוֹמָן ז diamond merchant; diamond polisher
יוּבָא (יְיוּבָא) פ be imported
יוֹבֵל ז jubilee, golden jubilee; anniversary
יוּבַל ז stream, brook
יוֹבֶשׁ ז dryness
יוּבַּשׁ (יְיוּבַּשׁ) פ be dried, be dried up
יוֹד ז iodine
יוּדִית נ Yiddish (language)
יוּהַד (יְיוּהַד) פ be converted to Judaism, be Judaized
יוּהֲרָה נ arrogance, pride, conceit
יָוֵן ז mire, silt, mud
יוֹזֵם ז initiator
יוֹזְמָה נ initiative
יוּחַד (יְיוּחַד) פ be singled out, be set apart, be assigned
יוּחַל (יְיוּחַל) פ be hoped for, be awaited
יוּחַם (יְיוּחַם) פ be excited (sexually)
יוּחַס (יְיוּחַס) פ be attached, be ascribed, be attributed
יוּלַּד (יְיוּלַּד) פ be born
יוֹלְדָה, יוֹלֶדֶת נ woman in confinement
יוֹם ז day; daylight
יוֹם הוּלֶּדֶת birthday
יוֹמוֹן ז daily newspaper
יוֹמִי ת daily
יוֹם־יוֹמִי, יוֹמְיוֹמִי ת daily; ordinary
יוֹם כִּיפּוּר Yom Kippur, Day of Atonement
יוֹמֵם ז commuter
יוֹמָם תה״פ by day, during the day
יוֹמָן ז diary, daily work-book

יוֹמָנַאי ז	diarist; duty officer (in police station)
יוֹם רִאשׁוֹן, שֵׁנִי, שְׁלִישִׁי, רְבִיעִי, חֲמִישִׁי, שִׁשִּׁי	Sunday, Monday, Tuesday, Wednesday, Thursday, Friday
יוּמְרָה נ	pretension
יוּמְרָנִי ת	pretentious
יוֹן ז, יוֹנָה נ	dove, pigeon
יוֹנֵק ז	mammal
יוּעַד (יְיוּעַד) פ	be assigned
יוּעַל (יְיוּעַל) פ	be made efficient
יוֹעֵץ ז	adviser, counsellor
יוּעַר (יְיוּעַר) פ	be afforested
יוֹפִי ז	beauty, fairness
יוּצָא (יְיוּצָא) פ	be exported
יוֹצֵא צָבָא	person liable for military service
יוּצַב (יְיוּצַב) פ	be stabilized
יוּצַג (יְיוּצַג) פ	be represented
יוֹצֵר ז	creator
יוּצַר (יְיוּצַר) פ	be manufactured
יוֹקֶר ז	expensiveness
יוּקְרָה נ	prestige
יוֹקֶשֶׁת נ	minelayer
יוֹרֵד ז	emigrant (from Israel)
יוֹרֶה ז	first rain
יוֹרָה נ	boiler
יוּרַט (יְיוּרַט) פ	be intercepted
יוֹרֵשׁ ז	heir
יוֹשֵׁב ז	inhabitant
יוּשַׁב (יְיוּשַׁב) פ	be settled
יוֹשְׁבֵי קְרָנוֹת	loafers, layabouts
יוֹשֵׁב־רֹאשׁ	chairman
יוֹשֶׁן ז	oldness, antiquity
יוּשַּׁן (יְיוּשַּׁן) פ	be aged, be made old
יוֹשֶׁר ז	straightness; honesty, integrity
יוּשַּׁר (יְיוּשַּׁר) פ	be straightened, be levelled
יוּתַּם (יְיוּתַּם) פ	be orphaned
יוֹתֵר תה״פ	more
יוֹתֶרֶת נ, יוֹתֶרֶת הַכָּבֵד	the lobe of the liver
יָזוּם ת	initiated, undertaken
״יִזְכּוֹר״ ז	Memorial Service
יָזָם ז	initiator
יָזַם (יִיזוֹם) פ	undertake, take the initiative
יֶזַע ז	sweat, perspiration
יַחַד, יַחְדָּיו תה״פ	together
יָחִיד ת	only, single, sole; singular (grammar)
יְחִידָה נ	unit
יְחִידוּת נ	solitariness
יְחִידִי ת׳ ותה״פ	sole, single
יְחִידָנִי ת	individual
יָחַם (יֵיחַם) פ	rut
יַחְמוּר ז	fallow-deer, roebuck
יַחַס ז	relation, proportion
יַחֲסָה נ	case (grammar)
יַחֲסוּת, יַחֲסִיּוּת נ	relativity
יַחֲסִי ת	relative, proportional
יַחֲסִית תה״פ	relatively
יַחְסָן ז	high-born person; haughty person
יָחֵף ת ותה״פ	barefooted
יֵיאוּשׁ ז	despair, hopelessness
יֵיאֵשׁ (יְיָאֵשׁ) פ	drive to despair
יִיבֵּא (יְיַבֵּא) פ	import

יִבֵּב (יְיַבֵּב) פ whine, whimper
יִבּוּא ז importing, importation
יִבּוּם ז levirate marriage
יִבּוּשׁ ז drying, draining
יִבֵּשׁ (יְיַבֵּשׁ) פ dry, drain
יִגֵּעַ (יְיַגֵּעַ) פ tire, weary
יִדָּה (יְיַדֶּה) פ throw
יִהֵד (יְיַהֵד) פ convert to Judaism
יִזּוּם ז initiating
יִחֵד (יְיַחֵד) פ assign, single out
יִחוּד ז setting apart
יִחוּדִי ת exclusive
יִחוּדִיּוּת נ exclusivenesss
יִחוּל ז hope, expectation
יִחוּם ז rut (in mammals), sexual excitation
יִחוּס ז lineage, distinguished birth; attaching, ascribing, attribution, connection
יִחוּר ז shoot (of tree)
יִחֵל (יְיַחֵל) פ hope for, await
יִחֵס (יְיַחֵס) פ attach, ascribe
יִלֵּד (יְיַלֵּד) פ assist in childbirth, act as midwife
יִלּוֹד ת born
יִלֵּל (יְיַלֵּל) פ mew (cat); howl, wail
יַיִן ז (ר׳ יֵינוֹת) wine
יִנּוּן ז ionization
יֵינִי ת vinous, winy
יֵינָן ז wine maker; wine merchant
יִסֵּד (יְיַסֵּד) פ found, establish
יִסּוּד ז founding, establishing
יִסּוּף ז revaluation
יִסּוּרִים ז״ר affliction, suffering, torment
יִסֵּר (יְיַסֵּר) פ chastise, torment
יִעֵד (יְיַעֵד) פ designate, assign
יִעוּד ז designation; destiny, appointed task
יִעוּל ז making (more) efficient
יִעוּץ ז counselling
יִעוּר ז afforestation
יִעֵל (יְיַעֵל) פ make efficient (or more efficient)
יִעֵץ (יְיַעֵץ) פ advise, counsel
יִעֵר (יְיַעֵר) פ afforest
יִפָּה (יְיַפֶּה) פ beautify, embellish
יִפּוּי ז beautification, embellishment
יִפּוּי־כֹּחַ authorization; power of attorney
יִצֵּא (יְיַצֵּא) פ export
יִצֵּב (יְיַצֵּב) פ stabilize
יִצֵּג (יְיַצֵּג) פ represent
יִצּוּא ז exporting
יִצּוּב ז stabilization, stabilizing
יִצּוּג ז representation
יִצּוּר ז production, manufacturing
יִצֵּר (יְיַצֵּר) פ produce, manufacture
יִקּוּר ז raising of price
יִקֵּר (יְיַקֵּר) פ make dearer, make more expensive
יֵרוּט ז interception (as of enemy airplane)
יֵרַט (יְיָרֵט) פ intercept
יי״שׁ spirits
יִשֵּׁב (יְיַשֵּׁב) פ settle; colonize; solve, clarify
יִשּׁוּב ז settlement; settled area

יִישּׁוּם ז	application
יִישּׁוּר ז	straightening, levelling
יִישֵּׁם (יְיַשֵּׁם) פ	apply
יִישֵּׁן (יְיַשֵּׁן) פ	put to sleep
יִישֵּׁר (יְיַשֵּׁר) פ	straighten
יִיתָּכֵן תה״פ	maybe, perhaps
יָכוֹל ת	able, capable
יָכוֹל (יוּכַל) פ	can, be able to
יְכוֹלֶת נ	ability, capability
יֶלֶד ז	child, small boy
יַלְדָּה נ	girl, small girl
יָלְדָה (תֵּלֵד) פ	give birth to, bear
יַלְדוּת נ	childhood
יַלְדוּתִי ת	childish
יָלוּד ז	child, babe
יְלוּד אִשָּׁה	mortal (born of woman)
יְלוּדָה נ	birth rate
יָלִיד ז	native, native-born
יְלָלָה נ	howl, wail
יֶלֶק ז	locust larva
יַלְקוּט ז	satchel, bag; anthology
יָם ז	sea, ocean
יַמָּאוּת נ	seamanship
יַמַּאי ז	sailor, seaman
יָמָּה תה״פ	westwards
יַמָּה נ	inland sea
יְמוֹת הַמָּשִׁיחַ	the Messianic Age
יַמִּי ת	of the sea, marine
יְמֵי הַבֵּינַיִים	the Middle Ages
יַמִּיָּה נ	navy, naval force
יָמִין ז	the right, the right hand, the Right (political)
יָמִינָה תה״פ	right, to the right
יְמִינִי ת	right
יְמֵי קֶדֶם	olden times
יַמְלוּחַ ז	nitraria
יְמָמָה נ	a day (24 hours)
יְמָנִי ת	right, right-hand
יָם סוּף	Red Sea
יָם תִּיכוֹן	Mediterranean Sea
יְנוּקָא ז	child
יְנִיקָה נ	suction, sucking
יָנַק (יִינַק) פ	suckle (baby), suck
יַנְקוּת נ	babyhood
יַנְקוּתָא נ	babyhood, childhood
יַנְשׁוּף ז	owl
יָסַד (יִיסַד) פ	found, establish
יִסוּד ז	foundation, founding
יְסוֹד ז (ר׳ יְסוֹדוֹת)	basis, element; foundation
יְסוֹדִי ת	fundamental, basic
יְסוֹדִיּוּת נ	thoroughness
יָסַף (יוֹסִיף) פ	continue, go on; increase, add to
יָעַד (יִיעַד) פ	assign, designate
יַעַד ז	objective, goal, aim
יָעֶה ז	shovel
יָעוּד ת	designated, assigned
יָעִיל ת	effective, efficient
יְעִילוּת ת	efficiency, effectiveness
יָעֵל ז	mountain-goat
יָעֵן ז	ostrich
יַעַן, יַעַן אֲשֶׁר, יַעַן כִּי	because
יָעַץ (יִיעַץ) פ	advise
יַעַר ז	wood, forest
יַעְרָה נ	honeycomb
יַעֲרָן ז	forester
יָפֶה ת	beautiful, fair, lovely
יָפֶה תה״פ	well, properly
יְפֵהפֶה, יְפֵיפֶה ת״ז	very handsome

יְפֵהפִיָּה, יְפֵיפִיָּה ת״נ	very beautiful (woman)
יְפֵה־תֹּאַר	handsome, comely
יְפֵיפוּת נ	beauty, loveliness
יִפְעָה נ	splendor
יָצָא (יֵיצֵא, יֵצֵא) פ	emerge, come out, leave; go out
יַצְאָנִית נ	prostitute
יִצְהָר ז	fine oil
יְצוּא ז	export(s)
יְצוּאָן, יְצוּאָר ז	exporter
יָצוּל ז	shaft
יָצוּעַ ז	couch, bed
יָצוּק ת	cast, poured
יְצוּר ז	creature
יְצִיאָה נ	emergence, coming out, going away
יַצִּיב ת	stable, firm
יַצִּיבוּת נ	stability, firmness
יָצִיעַ ז	gallery, balcony
יְצִיקָה נ	casting, pouring
יְצִיר ז	creature
יְצִירָה נ	creation; work of art
יָצַק (יִיצַק) פ	cast, pour
יָצַר (יִיצוֹר) פ	produce, create
יֵצֶר ז	instinct; impulse, desire
יַצְרָן ז	manufacturer
יֶקֶב ז	winery, wine-cellar
יָקַד (יִיקַד) פ	blaze, burn
יְקוֹד ז	blaze, fire
יְקוּם ז	nature (all created things); the world, the universe
יַקִּינְתּוֹן ז	hyacinth
יְקִיצָה נ	awakening, waking up
יַקִּיר ת	beloved, dearest
יָקַץ (יִיקַץ) פ	awake, wake up
יָקַר (יִיקַר, יֵקַר) פ	be dear, be precious
יָקָר ת	dear, precious; costly
יְקָר ז	honor, worthiness
יַקְרָן ז	profiteer
יָרֵא (יִירָא) פ	fear, be afraid of
יָרֵא ת	fearful, afraid
יִרְאָה נ	awe, fear
יְרֵא־שָׁמַיִם	God-fearing
יָרַד (יֵרֵד) פ	go down, come down; decline, deteriorate; emigrate (from Israel)
יַרְדָּה נ	companionway
יָרָה (יִירֶה) פ	fire, shoot
יָרוּד ת	shabby, run-down
יָרוֹק ת	green (lit. and fig.)
יְרוֹקָה נ	green algae; chlorosis
יְרוֹק־עַד ת	evergreen
יְרוּשָּׁה נ	inheritance, legacy
יָרֵחַ ז	moon
יֶרַח ז	month (lunar)
יַרְחוֹן ז	monthly (publication, review)
יַרְחִי ת	lunar
יְרִי ז	fire, firing
יָרִיב ז	rival; adversary
יָרִיד ז	market, fair
יְרִידָה נ	descent, going down; decline, fall; emigration (from Israel)
יְרִיָּה נ	firing, shooting, shot
יְרִיעָה נ	length of cloth, tent-cloth, tent-canvas; curtain, hanging

יְרִיקָה נ	spitting
יָרֵךְ נ	thigh; leg (of letter),
יְרֵכָה נ, יַרְכָּתַיִם נ״ז	end, outermost part
יָרַק (יִירַק) פ	spit, expectorate
יֶרֶק ז	greens, vegetables, greenstuff, greenery
יָרָק ז	vegetable; herbage, green plants
יַרְקָן ז	greengrocer
יְרַקְרַק ת	greenish
יָרַשׁ (יִירַשׁ) פ	inherit, take possession of
יֵשׁ תה״פ	there is, there are
יֵשׁ ז	existence, reality
יָשַׁב (יֵישֵׁב, יֵשֵׁב) פ	sit, sit down; reside, dwell, live
יַשְׁבָן ז	behind, buttocks
יָשׁוּב ת	seated, sitting
יְשׁוּעָה נ	salvation
יֵשׁוּת נ	being, existence
יְשִׁיבָה נ	sitting; meeting, session; religious academy (Jewish)
יְשִׁימוֹן ז	desert, waste
יָשִׁיר ת	direct; non-stop (bus, train)
יְשִׁירוֹת תה״פ	directly
יָשִׁישׁ ז	old man
יָשֵׁן, יָשַׁן (יִישַׁן) פ	sleep
יָשָׁן ת	old (not new)
יֶשְׁנָהּ	she is, there is (feminine)
יֶשְׁנוֹ	he is, there is (masculine)
יֶשַׁע ז	salvation, deliverance
יָשְׁפֵה ז	jasper
יָשַׁר (יִישַׁר) פ	go straight; be straight
יָשָׁר ת	straight, level; honest, upright
יִשְׂרְאֵלִי ת	Israeli
יַשְׁרוּת נ	straightness; honesty
יְשָׁרוֹת תה״פ	directly, straight
יָתֵד ז	peg
יַתּוּךְ ז	tongs
יָתוֹם ז	orphan
יַתּוּשׁ ז	mosquito; gnat
יַתִּיר ת	superfluous, excessive
יַתְמוּת נ	orphanhood
יָתֵר, יָתִיר ת	extra, more than usual
יֶתֶר ז	the rest, the remainder; abundance, excess; string (of bow)
יִתְרָה נ	balance (financial)
יִתְרוֹן ז	advantage; profit, gain
יַתֶּרֶת נ	appendix, lobe (anatomy)

כ

כְּ־ כַּ־... — as, like; about
כָּאַב (יִכְאַב) פ — hurt, ache
כְּאֵב ז — pain, ache
כָּאוּב ת — painful
כְּאִילוּ תה״פ — as if
כָּאן תה״פ — here; now
כַּאֲשֶׁר — when, as
כַּבָּאוּת נ — fire-fighting
כַּבַּאי ז — fireman, fire-fighter
כָּבֵד (יִכְבַּד) פ — be heavy; be weighty
כָּבֵד ת — heavy, weighty; grave, serious
כָּבֵד ז — liver
כְּבֵדוּת נ — heaviness, weight
כָּבָה (יִכְבֶּה) פ — go out (fire, light)
כָּבוֹד ז — honor, respect
כְּבוּדָה נ — property, baggage; load
כָּבוּי ת — extinguished
כָּבוּשׁ ת — conquered, subjugated; pickled
כְּבוּשִׁים ז״ר — preserves, pickles
כְּבִידָה נ — gravitation
כִּבְיָכוֹל תה״פ — so-called, as it were
כָּבִיס ת — washable
כְּבִיסָה נ — washing, laundering
כַּבִּיר ת — great, mighty
כְּבִישׁ ז — road, highway
כָּבַל (יִכְבּוֹל) פ — tie, chain, fetter
כֶּבֶל ז — chain, fetter; cable
כַּבְלִיל ז — cablet
כַּבְלִית נ — telpher, cableway
כַּבְלָר ז — (cable) jointer, splicer

כָּבַס (יִכְבּוֹס) פ — wash (clothes), launder
כְּבָסִים ז״ר — washing, laundry
כְּבָר תה״פ — already
כְּבָרָה נ — sieve
כִּבְרַת אֶרֶץ, כִּבְרַת אֲדָמָה, כִּבְרַת קַרְקַע — measure of distance; a small patch of land
כֶּבֶשׂ ז, כִּבְשָׂה נ — sheep
כֶּבֶשׁ ז — ramp, slope, gangplank
כָּבַשׁ (יִכְבּוֹשׁ) פ — conquer, subdue; subjugate
כִּבְשָׁן ז — furnace, kiln
כְּגוֹן תה״פ — such as, as for instance
כַּד ז — jar, pitcher, pot
כְּדָאִי, כְּדַאי, כְּדַיי ת, תה״פ — worth-while, "worth it"
כְּדָאִיּוּת נ — worthwhileness, profitableness
כִּדְבָעֵי תה״פ — properly
כַּדּוֹמֶה, וְכַדּוֹמֶה (וכד׳) — and such like, and so on
כַּדּוּר ז — ball; globe, sphere; bullet; pill
כַּדּוּרֶגֶל ז — football
כַּדּוּרִי ת — spherical, round, globular
כַּדּוּרְסַל ז — basketball
כַּדּוֹרֶת נ — bowling, bowls
כְּדֵי תה״פ — in order to; as much as
כַּדְכֹּד ז — carbuncle, jacinth (jewel)
כִּדְלְהַלָּן, כִּלְהַלָּן תה״פ — as follows
כִּדְלְקַמָּן תה״פ — as follows

כְּדרוּר ז — dribbling (football, basketball)
כִּדרֵר (יְכַדרֵר) פ — dribble
כֹּה תה״פ — so, thus; here; now
כָּהָה (יִכהֶה) — grow dark; grow dim
כֵּהֶה ת — dark; dull, dim
כְּהוֹגֵן תה״פ — properly, decently
כָּהוּי ת — faint dim, dull
כְּהוּנָּה נ — priesthood; public office
כַּהֲלָכָה תה״פ — properly, thoroughly
כַּהֶלֶת נ — alcoholism
כָּהֵנָּה מ״ג — like them
כָּהֵנָּה וְכָהֵנָּה — many times as much
כְּהֶרֶף עַיִן — instantaneously
כּוֹאֵב ת — suffering, in pain
כּוֹבֶד ז — weight, heaviness
כּוּבַּד (יְכוּבַּד) פ — be honored, be treated with respect
כּוֹבֵס ז — laundryman
כּוּבַּס (יְכוּבַּס) פ — be washed (clothes)
כּוֹבַע ז — hat
כּוֹבָעִית נ — cap
כּוֹבְעָן ז — hat-maker; hat-merchant
כּוֹהֶל ז — alcohol
כּוֹהֲלִי ת — alcoholic
כּוֹהֵן, כֹּהֵן ז — priest
כּוָּוה (יִכוֶוה) פ — burn, scorch, scald
כַּוָּוה נ — window, manhole
כְּוִויָּה נ — burn (on skin), scald
כָּוִויץ ת — shrinkable
כּוּוַּן (יְכוּוַּן) פ — be directed, be aimed; be adjusted, be set (instrument etc)
כַּוָּונָה נ — intention, purpose
כְּוונוּן ז — adjustment, regulation
כַּוֶּונֶת נ — regulator (on machine)
כַּוֶּונֶת נ — sight (of a weapon)
כַּוֶּורֶת נ — hive, beehive
כּוֹזֵב ת — lying, false
כּוֹחַ ז — power, force
כּוֹחַ רָצוֹן — will-power
כּוּיַּר (יְכוּיַּר) פ — be modelled (in clay)
כּוּך ז — burial cave
כּוֹכָב ז — star; planet
כּוֹלֵל ת — including, inclusive
כּוֹמֶר ז — priest (Christian), parson
כּוּמְתָּה נ — beret
כּוּנָּה (יְכוּנֶּה) פ — be named, be called; be nicknamed
כּוֹנֵן (יְכוֹנֵן) פ — found, set up
כּוֹנְנוּת נ — readiness, state of alert
כּוֹנָנִית נ — bookstand, rack of shelves
כּוֹנֶרֶת נ — viola
כּוֹס נ — glass, tumbler
כּוֹס ז — owl
כּוּסבָּר ז — coriander
כּוּסָּה (יְכוּסֶּה) ז — be covered
כּוֹסִייָה, כּוֹסִית נ — small glass
כּוּסֶּמֶת נ — spelt
כּוֹפֵל ז — multiplier (arithmetic)
כּוֹפֵף (יְכוֹפֵף) פ — bend
כּוֹפֵר ז — unbeliever, atheist; heretic
כּוֹפֶר ז — ransom
כּוּפַּר (יְכוּפַּר) פ — be expiated, be atoned for
כּוּפְתָּה נ — dumpling
כּוּפתַּר (יְכוּפתַּר) פ — be buttoned up
כּוּר ז — smelting furnace, melting-pot
כּוּרבַּל (יְכוּרבַּל) פ — be wrapped up

necessity — כּוֹרַח ז
bookbinder — כּוֹרֵךְ ז
be bound (book) — כּוֹרַךְ (יְכוֹרַךְ) פ
file, binder — כּוֹרְכָן ז
winegrower, vinedresser — כּוֹרֵם ז
armchair — כּוּרְסָה נ
be gnawed, be nibbled — כּוֹרְסַם (יְכוֹרְסַם) פ
be cut down, be hewn — כּוֹרַת (יְכוֹרַת) פ
Ethiopian; negro — כּוּשִׁי ת
feeble, helpless, failing; bungler — כּוֹשֵׁל ת, ז
be enchanted, be bewitched — כּוּשַׁף (יְכוּשַׁף) פ
fitness; capability, faculty — כּוֹשֶׁר ז
shirt — כּוּתּוֹנֶת, כְּתוֹנֶת נ
wall — כּוֹתֶל ז
cotton — כּוּתְנָה נ
epaulette — כּוֹתֶפֶת נ
title (of book) — כּוֹתָר ז
be encircled, be surrounded — כּוּתַּר (יְכוּתַּר) פ
heading, headline; corolla — כּוֹתֶרֶת נ
lie, falsehood — כָּזָב ז
little, minute — כְּזַיִת ז
spit, phlegm — כָּח (יָכוּחַ) פ
blue — כָּחוֹל ת
thin, lean — כָּחוּשׁ ת
hawk, clear one's throat — כִּחְכֵּחַ (יְכַחְכֵּחַ) פ
kohl, eye-shadow — כַּחַל ז
roller (bird) — כָּחָל ז
udder — כְּחָל ז

bluish, light blue — כְּחַלְחַל ת
become thin — כָּחַשׁ (יִכְחַשׁ) פ
deceit, lies — כַּחַשׁ ז
because, for; that — כִּי מ״ח, תה״פ
properly, as is proper — כַּיָּאוּת תה״פ
ulcer — כִּיב ז
honor — כִּיבֵּד (יְכַבֵּד) פ
extinguish, put out — כִּיבָּה (יְכַבֶּה) פ
honoring; respect — כִּיבּוּד ז
extinguishing, putting out (fire, light) — כִּיבּוּי ז
conquest, subjection — כִּיבּוּשׁ ז
wash (clothes), launder — כִּיבֵּס (יְכַבֵּס) פ
spear; bayonet — כִּידוֹן ז
round, shape into a ball — כִּידֵּר (יְכַדֵּר) פ
serve as a priest; hold office — כִּיהֵן (יְכַהֵן) פ
direction; adjustment (of an instrument) — כִּיווּן ז
direct, aim; adjust — כִּיוֵּן (יְכַוֵּן) פ
since, because — כֵּיוָן שֶׁ...
shrinking, contracting — כִּיווּץ ז
shrink, contract — כִּיוֵּץ (יְכַוֵּץ) פ
gauging, measuring — כִּיוּל ז
now, nowadays — כַּיּוֹם תה״פ
similar to him, his like, the like — כַּיּוֹצֵא בּוֹ
sink, wash-basin — כִּיּוֹר ז
modelling (in clay, plasticine) — כִּיּוּר ז
plasticine — כִּיּוֹרֶת נ
lie, mislead — כִּיזֵּב (יְכַזֵּב) פ
phlegm — כִּיחַ ז

כִּיחָה נ expectoration, coughing up (phlegm)
כִּיחוּד ז suppression, concealment
כִּיחֵשׁ (יְכַחֵשׁ) פ deny
כִּייֵל (יְכַייֵל) פ calibrate; gauge, measure
כִּייֵף (יְכַייֵף) פ (slang) enjoy oneself
כַּיָּס ז pickpocket
כִּייֵר (יְכַייֵר) פ model (in clay etc.)
כִּיכָּר נ circus, circle, square; loaf
כִּילָּה נ canopy (over a bed)
כִּילָּה (יְכַלֶּה) פ finish
כִּילַיי, כִּילַי ז skinflint, miser
כִּילָּיוֹן ז destruction, extermination
כֵּילָף ז adze
כִּימַאי ז chemist
כִּימִי ת chemical
כִּימִיָּה נ chemistry
כִּינָּה נ louse
כִּינָּה (יְכַנֶּה) פ name; nickname
כִּינּוּי ז name; nickname
כִּינּוּן ז founding, establishing
כִּינּוּס ז conference, convention
כִּינּוֹר ז violin
כִּינֶּמֶת נ pediculosis
כִּינֵּס (יְכַנֵּס) פ gather, collect
כִּיס ז pocket
כִּיסֵּא ז chair; throne
כִּיסָּה (יְכַסֶּה) פ cover; cover up
כִּיסּוּי ז cover; covering (act of)
כִּיסֵּחַ (יְכַסֵּחַ) פ clear (weeds and thorns), cut down
כִּיסָן ז stuffed pastry
כִּיעוּר ז ugliness
כִּיעֵר (יְכַעֵר) פ make ugly
כִּיפָּה נ dome, cupola; cap
כִּיפּוּף ז bending
כִּיפּוּר ז atonement, expiation
כִּיפֵּחַ ת very tall, long-legged
כִּיפֵּל (יְכַפֵּל) פ double, duplicate
כִּיפֵּר (יְכַפֵּר) פ expiate, atone for
כֵּיצַד תה"פ how
כִּירָה נ stove
כִּירַיִים נ"ז stove, cooking-stove
כִּישּׁוּף ז witchcraft
כִּישּׁוֹר ז distaff
כִּישּׁוּרִים ז"ר qualifications (for post etc.)
כִּישָּׁלוֹן ז failure; downfall
כִּישֵּׁף (יְכַשֵּׁף) פ bewitch
כִּיתָּה נ class; section; sect, faction
כִּיתּוּר ז encirclement, surrounding
כִּיתֵּף (יְכַתֵּף) פ shoulder, carry
כִּיתֵּר (יְכַתֵּר) פ encircle, surround
כִּיתֵּת (יְכַתֵּת) פ shatter, crush
כָּךְ תה"פ so, thus
כָּכָה תה"פ so, thus
כָּל, כּוֹל all, whole
כָּלָא (יִכְלָא) פ imprison, jail
כֶּלֶא ז prison, jail
כִּלְאַיִים ז"ז cross-breeding (animals), cross–fertilization (flowers)
כֶּלֶב ז dog
כֶּלֶב יָם seal
כְּלַבְלָב ז puppy, small dog
כַּלְבָן ז dog breeder
כֶּלֶב נָהָר (כֶּלֶב מַיִם) otter
כַּלֶּבֶת נ rabies, hydrophobia

כָּלָה (יִכלֶה) פ end, come to an end
כַּלָּה נ bride, betrothed; daughter-in-law
כִּלְהַלָּן תה״פ as follows
כָּלוּא ת imprisoned, jailed
כְּלוּב ז cage
כָּלוּחַ ת obsolete, extinct
כָּלוּל ת included
כְּלוּלוֹת נ״ר engagement; wedding
כְּלוּם ז something; (after negative) nothing
כְּלוֹמַר תה״פ in other words, that is to say
כְּלוֹנָס ז stilt, pole
כֶּלַח ז obsolescence
כְּלִי ז tool, implement; utensil
כִּלַי, כֵּלַי ת stingy, mean
כַּלִּיא־בָּרָק lightning-arrester
כִּלְיָה נ kidney
כְּלָיָה נ destruction, annihilation
כְּלֵי זֶמֶר musical instruments; entertainers
כָּלִיל ת׳ תה״פ entire, total; entirely
כְּלִימָה נ shame, disgrace
כָּלִיף ז caliph
כְּלֵי קוֹדֶשׁ sacred objects; religious officials
כְּלֵי קֶשֶׁת string instruments
כִּלְכֵּל (יְכַלכֵּל) פ maintain
כַּלְכָּלָה נ economics; economy
כַּלְכְּלָן ז economist
כָּלַל (יִכלוֹל) פ include, comprise
כְּלָל ז rule
כְּלָלִי ת general; universal
כַּלָּנִית נ anemone

כִּלְעוּמַּת שֶׁ־ just as
כְּלַפֵּי תה״פ towards, in the direction of
כִּמְדוּמֶה it seems
כִּמְדוּמַּנִי it seems to me
כַּמָּה תה״פ how many, how much; several
כָּמַהּ (יִכמַהּ) פ pine, yearn
כָּמֵהַּ ת pining, yearning
כְּמֵהָה נ truffle (mushroom)
כְּמוֹ תה״פ like, as
כַּמּוּבָן of course
כְּמוֹ כֵן likewise
כַּמּוֹן ז cumin
כָּמוּס ת latent; hidden
כְּמוּסָה נ capsule
כְּמוּרָה נ clergy
כָּמוּשׁ ת withered, wrinkled
כְּמוֹת תה״פ as, like
כַּמּוּת נ quantity, amount
כַּמּוּתִי ת quantitative
כְּמִטַּחֲוֵי תה״פ within the range of
כְּמִיהָה נ languishing, yearning
כְּמִישָׁה נ withering, wrinkling
כִּמְעַט תה״פ almost, nearly
כָּמַשׁ (יִכמוֹשׁ) פ wither, wrinkle, shrivel
כֵּן תה״פ yes; so, thus
כֵּן ת truthful, right, honest
כַּן ז base, stand
כַּנָּה נ easel, stand
כְּנוּפְיָה נ gang, band
כֵּנוּת נ honesty, truthfulness
כְּנִימָה נ insect-pest, plant-louse
כְּנִיסָה נ entry; entrance

כְּנִיעָה נ — surrender, yielding
כָּנַס (יִכְנוֹס) פ — collect, assemble
כֶּנֶס ז — conference, congress
כְּנֵסִיָּה נ — church
כְּנֶסֶת נ — Knesset (Israel's parliament); gathering
כָּנָף נ — wing
כַּנָּר ז — violinist
כַּנִּרְאֶה תה״פ — apparently, it seems
כַּנָּרִית נ — canary
כִּסּוּי ז — cover, lid
כָּסוּף ת — silvered, silvery
כְּסוּת נ — covering, garment
כָּסַח (יִכְסַח) פ — cut down, trim
כְּסָיָה נ — glove
כְּסִיחָה נ — cutting down (thorns), trimming
כְּסִיל ז — fool, dunce
כִּסְכּוּס ז — scrubbing
כִּסְכּוּסִים ז״ר — ground barley
כֶּסֶל ז — folly, stupidity
כִּסְלֵיו ז — Kislev (Nov.–Dec.)
כֵּסְנוֹחַ ז — easy chair, arm-chair
כֵּסְנוֹעַ ז — rocking-chair
כָּסַס (יִכְסוֹס) פ — gnaw, bite (nails)
כֶּסֶף ז — silver; money
כַּסְפִּי ת — financial, monetary
כַּסְפִּית נ — mercury
כַּסֶּפֶת נ — safe; cash register
כֶּסֶת נ — cushion, bolster; quilt
כָּעוּס ת — angry, irate
כָּעוּר ת — hideous, ugly
כְּעֵין תה״פ — a sort of, a kind of
כַּעַךְ ז — ring-shaped roll, "beigel"
כִּעְכּוּעַ ז — coughing

כִּעְכֵּעַ (יְכַעְכֵּעַ) פ — cough
כָּעַס (יִכְעַס) פ — be angry, rage
כַּעַס ז — anger, rage
כַּעֲסָן ז — irascible person
כַּף נ — palm (of hand); spoon
כֵּף ז — cape, headland; cliff, rock
כְּפַאי ז — (chess) zugzwang
כָּפָה (יִכְפֶּה) פ — force, compel
כָּפוּי ת — compelled, forced
כְּפוּי טוֹבָה — ungrateful
כָּפוּל ת — double, multiplied
כָּפוּל וּמְכוּפָּל — manifold
כָּפוּף ת — bent, bowed; subordinate
כְּפוֹר ז — frost
כָּפוּת ת — tied up
כְּפִי תה״פ — as, according to
כְּפִי הַנִּרְאֶה — apparently
כְּפִיָּה נ — compulsion, forcing
כְּפִיל ז — double, duplicate
כְּפִילוּת נ — duplication
כָּפִיס ז — rafter
כָּפִיף ת — bendable, flexible
כְּפִיפָה נ — bending, bowing; wicker-basket
כְּפִיפוּת נ — subordination
כְּפִיר ז — young lion
כְּפִירָה נ — denial; heresy; atheism
כַּפִּית נ — teaspoon
כְּפִיתָה נ — binding, tying up
כָּפַל (יִכְפּוֹל) פ — double; multiply
כֶּפֶל ז — duplication, doubling; multiplication
כְּפָל ז — duplicate, second copy
כִּפְלַיִים תה״פ — twice, doubly
כָּפָן ז — hunger, famine

כָּפַף (יִכְפּוֹף) פ bend; stoop
כֶּפֶף ז bend
כְּפָפָה נ glove
כָּפַר (יִכְפּוֹר) פ deny; disbelieve
כְּפָר ז village
כַּפָּרָה נ expiation, atonement
כַּפְרִי ת rural, rustic, village, country
כָּפַת (יִכְפּוֹת) פ truss, tie up
כַּפְתּוֹר ז button, stud; knob; capital (of pillar); bud
כִּפְתֵּר (יְכַפְתֵּר) פ button up
כַּר ז pillow; field, meadow
כָּרָאוּי תה״פ properly, fittingly
כַּרְבּוֹלֶת נ cock's comb, crest
כָּרֶגַע תה״פ at the moment
כָּרָגִיל תה״פ as usual
כָּרָה (יִכְרֶה) פ dig up, dig a hole; mine
כְּרוּב ז cabbage; angel; cherub
כְּרוּבִית נ cauliflower
כְּרוּז ז proclamation
כָּרוֹז ז herald
כָּרוּי ת dug, dug up
כָּרוּךְ ת wrapped, bound (book), involved
כְּרוּכְיָה נ crane
כְּרוּכִית נ strudel
כָּרוּת ת cut down, cut off
כְּרָזָה נ placard
כַּרְטִיס ז ticket; card
כַּרְטִיסִיָּה נ card-index, card file; season ticket
כַּרְטִיסָן ז ticket-seller
כִּרְטֵס (יְכַרְטֵס) פ card-index
כַּרְטֶסֶת נ card-index, card catalogue
כְּרִייָה נ digging up, mining
כָּרִיךְ ז sandwich
כְּרִיכָה נ binding (book)
כְּרִיכִיָּה נ bookbindery
כְּרִיעָה נ kneeling
כָּרִישׁ ז shark
כָּרִית נ pillow, cushion
כְּרִיתָה נ cutting down; contracting (an alliance)
כְּרִיתוּת נ divorce
כָּרַךְ (יִכְרוֹךְ) פ wrap, bind; combine, tie together
כֶּרֶךְ ז volume (of a series)
כְּרַךְ ז city, large town
כַּרְכּוֹב ז rim, brim, cornice
כַּרְכּוֹם ז saffron
כִּרְכֵּר (יְכַרְכֵּר) פ dance in a circle, skip round
כִּרְכָּר ז spinning top
כִּרְכָּרָה נ cart
כַּרְכֶּשֶׁת נ large intestine, colon
כֶּרֶם ז vineyard
כָּרֵס, כֶּרֶס נ belly
כִּרְסוּם ז gnawing, nibbling; etching, serrating, milling
כַּרְסוֹם ז milling cutter
כַּרְסוֹמֶת נ milling machine
כִּרְסֵם (יְכַרְסֵם) פ gnaw, nibble; tooth (metal), serrate
כַּרְסְמָן ז rodent
כַּרְסְתָן ז big-bellied
כָּרַע (יִכְרַע) פ kneel
כֶּרַע ז leg (of chicken, small animal)

כַּרְפַּס ז	celery
כֶּרֶץ ז	thread-worm
כָּרַת (יִכְרוֹת) פ	cut down, fell (tree), cut off
כַּרְתִּי ז	leek; pale green
כַּשּׁוּרָה תה״פ	properly, correctly
כְּשׁוּת נ	hops (plant)
כַּשִּׁיל ז	sledge-hammer
כְּשִׁירוּת נ	qualification
כִּשְׁכֵּשׁ (יְכַשְׁכֵּשׁ) פ	wag (tail), wiggle
כָּשַׁל (יִכְשַׁל) פ	stumble; fail
כֶּשֶׁל ז	failure, lapse
כְּשֵׁם שֶׁ... תה״פ	as, just as
כְּשָׁפִים ז״ר	magic
כָּשֵׁר ת	fit, proper, legitimate; kosher
כִּשְׁרוֹן ז	talent, aptitude
כִּשְׁרוֹנִי ת	talented
כַּשְׁרוּת נ	ritual fitness; fitness
כַּת נ	sect; group
כָּתַב (יִכְתּוֹב) פ	write
כְּתָב ז	writing; handwriting
כַּתָּב ז	correspondent (newspaper)
כַּתָּבָה נ	despatch (of journalist), report
כְּתַב הַאֲמָנָה	credentials
כִּתְבֵי קוֹדֶשׁ	Holy Scripture
כַּתְבָנִית נ	typist (female)
כְּתַב פְּלַסְתֵּר	lampoon, libel
כָּתוּב ת	written
כְּתוּבָּה נ	marriage contract
כְּתוֹבֶת נ	address (of letter); inscription
כָּתוֹם ת	orange (color)
כְּתוֹשֶׁת נ	pulp
כְּתִיב ז	spelling
כְּתִיבָה נ	writing
כְּתִיבוֹן ז	spelling-book
כְּתִישָׁה נ	pounding, crushing
כְּתִיתָה נ	pounding, crushing
כֶּתֶם ז	stain, blot
כָּתֵף נ	shoulder
כַּתָּף ז	porter
כְּתֵפָה נ	shoulder strap, braces
כְּתֵפִיָּה נ	cape, mantle
כֶּתֶר ז	crown
כָּתַשׁ (יִכְתּוֹשׁ) פ	pound, crush
כָּתַת (יָכוֹת) פ	pound, hammer flat

ל

לְ... (לָ..., לַ..., לֶ..., לִ..., לֵ...) to, towards, into
לֹא not, no
לָאָה (יִלְאֶה) פ fail; be weary
לָאו no; negative
לָאו דַוְוקָא actually no; not necessarily
לְאוֹם ז nation, people
לְאוּמִי ת national; nationalist, patriotic
לְאוּמָנוּת נ nationalism; chauvinism
לְאוּמָנִי ת nationalistic; chauvinistic
לְאַט תה״פ slowly, calmly
לֹא־יִצְלַח good-for-nothing
לֹא כְלוּם nothing
לְאַלְתַּר תה״פ immediately
לֵאמוֹר תה״פ as follows, in these words
לְאָן? תה״פ where? where to?
לֵב ז heart; mind, brain; core, center
לֵבָב ז heart
לְבָבִי ת hearty, cordial
לְבָבִיּוּת נ heartiness, cordiality
לְבַד תה״פ alone, by oneself
לֶבֶד ז felt
לָבוּד ת joined, glued together
לְבוֹנָה ת frankincense
לְבוּשׁ ז dress, attire
לָבוּשׁ ת dressed, clothed
לֶבֶט ז exertion, difficulty
לָבִיא ז lion
לְבִיבָה נ pancake
לָבִיד ז sheet of plywood
לְבַל תה״פ lest
לִבְלֵב (יְלַבְלֵב) פ sprout, bud
לַבְלָב ז pancreas
לַבְלָר ז clerk
לָבָן ת white
לֶבֶּן ז sour milk
לְבַנְבַּן ת whitish
לְבָנָה נ moon
לְבֵנָה נ brick
לִבְנֶה ז styrax
לִבְנָה נ lymph
לַבְנוּן ז bleak (fish)
לַבְנוּנִי ת whitish
לַבְנוּנִית נ whitenesss
לֶבֶּנִיָּה, לֶבֶּנִית נ soured milk (enriched)
לְבָנִים ז״ר underwear; bed-linen
לַבְנִין, לַבְנִין הַכְּרוּב ז cabbage butterfly
לַבְקָן ת albino
לַבְקָנוּת נ albinism
לִבְרִית, לִיבְּרִית נ libretto
לָבַשׁ (יִלְבַּשׁ) פ put on, wear
לְגַבֵּי מ״י concerning
לָגַז (יִלְגּוֹז) פ stack (with a pitchfork)
לִגְיוֹן ז legion
לְגִימָה נ sipping, tasting (drink)
לָגִין ז jar, jug

לִגְלֵג (יְלַגְלֵג) פ sneer, mock, scoff
לִגְלוּג ז sneering, mockery
לָגַם (יִלְגּוֹם) פ take a mouthful (of drink), gulp
לְגַמְרֵי תה״פ entirely, completely
לְדִידִי מ״ג for my part
לַהַב ז blade (of knife); flame; flash
לָהַב (יִלְהַב) פ flash, flame
לְהַבָּא תה״פ in future
לֶהָבָה נ flame
לַהֲבִיוֹר ז flame-thrower
לַהַג ז prattle, twaddle
לָהַג (יִלְהַג) פ prattle, talk nonsense
לַהֲדַ״ם it's completely false (initial letters of (לֹא הָיוּ דְבָרִים מֵעוֹלָם))
לָהוּט ת eager, desirous
לָהַט (יִלְהַט) פ blaze, flame
לַהַט ז blaze, fierce heat
לַהֲטוּט ז conjuring trick
לַהֲטוּטָן ז conjurer
לָהִיט ז popular song, "hit"
לְהִיטוּת נ ardor; craving
לְהַלָּן תה״פ from then on; further on
לְהֶפֶךְ תה״פ on the contrary
לַהַק ז group (in air-force)
לַהֲקָה נ troupe (of artists); group, flight (of birds)
לְהִתְרָאוֹת! au revoir!
לוּא, לוּ מ״ח if; if only
לוֹבֶן ז whitenesss
לוּבַּן (יְלוּבַּן) פ be whitened, be bleached

לוּבְנָן ז sponge cake
לוֹהֵט ת blazing, burning
לְוַאי תה״פ if only..., would that...
לְוַאי ז adjunct (grammar); accompaniment
לוֹוֶה ז borrower (of money)
לָוָה (יִלְוֶה) פ borrow (money)
לוּוָּה (יְלוּוֶּה) פ be accompanied; be escorted
לִוְיָה נ diadem, fillet
לְוָיָה נ escort, funeral
לַוְיָן ז satellite
לִוְיָתָן ז whale
לִוְיַת־חֵן ornament, decoration
לוּז ז almond; gland
לוּחַ ז board, plate; table (math.)
לוּחִית נ small board, tablet or plate
לוּחְלַח (יְלוּחְלַח) פ be moistened, be damped
לוֹחֵם ז fighter, warrior
לוֹחְמָה נ warfare, fighting
לוּחַ קִיר wall calendar
לוּט ת enclosed (in a letter)
לוּכְלַךְ (יְלוּכְלַךְ) פ be dirtied, be soiled
לוֹכְסָן ז stroke (between figures), oblique
לוּל ז hen-roost
לוּלֵא, לוּלֵי מ״ת if not for..., were it not that...
לוּלָאָה נ loop, tie
לוּלָב ז palm branch
לוֹלָב ז bolt
לוּלְיָין ז acrobat
לוּלְיָינוּת נ acrobatics

לוּלְיָינִי ת	spiral
לוּלָן ז	poultry-keeper
לוֹעַ ז	mouth (of animal, volcano)
לוֹעֲזִי ת	foreign (not Hebrew)
לוֹעֲזִית נ	a foreign language
לוּקַט (יְלוּקַט) פ	be gleaned, be gathered
לַזְבֵּז ז	rim
לְזוּת נ	perverseness
לְזוּת שְׂפָתַיִם	slander, calumny
לֵחַ ז	moisture
לַח ת	damp, moist
לֵחָה נ	moisture
לְחוּד תה"פ	alone, separately
לָחוּץ ת	pressed
לַחוּת נ	dampness
לַחֲזוֹרִין תה"פ	by rotation
לְחִי, לֶחִי נ	cheek; jaw
לֶחִ"י	Lehi, the "Stern Group"
לְחַיִּים! מ"ק	your health! cheers!
לְחִימָה נ	fighting
לָחִין ת	tuneful, melodic
לְחִיץ ז	push-button
לְחִיצָה נ	pressing, urging
לְחִישָׁה נ	whispering
לַחְלוּחִי ת	slightly moist, dampish
לַחְלוּחִית נ	dampness; freshness
לַחֲלוּטִין תה"פ	absolutely, utterly, completely
לִחְלֵחַ (יְלַחְלֵחַ) פ	moisten, dampen
לָחַם (יִלְחַם) פ	fight, make war
לֶחֶם ז	bread
לַחְמָנִיָּה, לַחְמָנִית נ	roll (of bread)
לַחַן ז	tune, melody
לָחַץ (יִלְחַץ) פ	press; oppress
לַחַץ ז	pressure; oppression
לַחְצָנִית נ	press-stud
לָחַשׁ (יִלְחַשׁ) פ	whisper
לַחַשׁ ז	whisper
לַחְשָׁן ז	prompter (on stage)
לָט (יָלוּט) פ	wrap up, enwrap
לְטָאָה נ	lizard
לְטִיפָה נ	patting, caressing
לָטַשׁ (יִלְטוֹשׁ) פ	polish; sharpen
לִיבֵּב (יְלַבֵּב) פ	capture the heart, captivate
לִיבָּה (יְלַבֶּה) פ	set alight
לִיבָּה, לִבָּה נ	core, heart
לִיבּוּן ז	whitening, bleaching; clarifying
לִיבֵּן (יְלַבֵּן) פ	whiten, bleach; clarify
לִיבְּרִית נ	libretto
לְיַד מ"י	beside, by
לֵידָה, לֵדָה נ	birth
לִיוָּה (יְלַוֶּה) פ	accompany, escort
לִיוּוּי ז	accompaniment, escort
לִיחֵךְ (יְלַחֵךְ) פ	chew, graze
לִיטוּף ז	caressing
לִיטוּשׁ ז	polishing
לִיטֵּף (יְלַטֵּף) פ	caress
לִיטֵּשׁ (יְלַטֵּשׁ) פ	polish; improve
לִיכֵּד (יְלַכֵּד) פ	unite, combine
לִיכּוּד ז	uniting, combining
לַיִל, לֵיל, לַיְלָה ז	night
לֵילִי ת	nocturnal, nightly
לִילִית נ	owl; Lilith
לִילָךְ ז	lilac
לֵיל שַׁבָּת	Sabbath eve (Friday night)

לִימֵּד (יְלַמֵּד) פ teach, instruct
לִימּוּד ז teaching; study, learning
לִימוֹן ז lemon
לִינָה נ lodging, overnight stay
לִיפֵּף (יְלַפֵּף) פ swathe, wrap up
לִיפֵּת (יְלַפֵּת) פ flavor, make tasty
לֵיצָן ז clown, jester
לִיקּוּי ז blemish, defect; eclipse
לִיקֵּט (יְלַקֵּט) פ collect, gather, pick
לִיקֵּק (יְלַקֵּק) פ lick, lap
לַיִשׁ ז lion
לֵךְ! go!
לְךָ מ״ג to you, for you, you (masc.)
לָךְ מ״ג to you, for you, you (fem.)
לִכְאוֹרָה תה״פ apparently, at first glance
לָכַד (יִלְכּוֹד) פ capture, take prisoner
לָכִיד ת coherent
לְכִידָה נ capture, seizure
לְכָל הַיּוֹתֵר תה״פ at most, at the most
לְכָל הַפָּחוֹת תה״פ at least
לִכְלוּךְ ז dirtying; dirt
לִכְלֵךְ (יְלַכְלֵךְ) פ dirty, soil
לַכְלְכָן ז dirty person
לָכֵן תה״פ accordingly, therefore
לִכְסֵן (יְלַכְסֵן) פ slant, turn aside
לֶכֶשׁ ז raffia
לְכַתְּחִילָּה תה״פ from the beginning, a priori
לְלֹא without
לָמַד (יִלְמַד) פ learn, study
לָמֵד ת taught, instructed

לְמַדַּיי תה״פ sufficiently; quite, considerably
לַמְדָן ז scholar, learned man
לַמְדָנוּת נ erudition
לָמָּה, לָמָה? תה״פ why? what for?
לָמִיד ת learnable; teachable
לְמִידָה נ learning
לְמַעֵט תה״פ with the exception of, except for
לְמַעְלָה, לְמַעְלָן תה״פ above, up
לְמַעַן תה״פ in order that, so that; for the sake of
לְמַעֲשֶׂה תה״פ actually, in fact
לְמַפְרֵעַ תה״פ retroactively
לַמְרוֹת תה״פ in spite of, despite
לְמָשָׁל תה״פ e.g., for example
לָן (יָלוּן, יָלִין) פ stay overnight
לָנוּ מ״ג to us, for us
לְסוּטָה נ blouse
לִסְטוּת נ robbery
לִסְטִים, לִסְטִיס ז robber
לִסְטֵם (יְלַסְטֵם) פ rob
לֶסֶת נ jaw
לָעַג (יִלְעַג) פ jeer at, mock
לַעַג ז jeering, mockery
לָעַד תה״פ for ever
לְעוֹלָם תה״פ for ever, eternally
לְעוֹלָם וָעֶד for ever and ever
לְעוּמַּת תה״פ in contrast with, as against
לָעוּס ת chewed, masticated
לַעַז ז slander; foreign language (not Hebrew)
לְעֵיל תה״פ above, supra (in a book)
לְעִיסָה נ chewing, mastication

לְעַלַע (יְלַעֲלַע) פ stutter, stammer
לַעֲנָה נ wormwood; bitterness, gall
לָעַס (יִלְעַס) פ chew, masticate
לְעֵרֶךְ תה״פ about, approximately
לְעֵת תה״פ at the time
לָפוּף ת wrapped round, coiled round
לְפָחוֹת תה״פ at least
לְפִי מ״י according to
לַפִּיד ז torch
לְפִיכָךְ מ״ח therefore
לְפִיתָה נ clasping, gripping
לִפְנוֹת תה״פ just before
לִפְנֵי תה״פ before (in time); in front of (in space)
לִפְנֵי הַסְּפִירָה B.C.E., B.C.
לִפְנַיי תה״פ inside
לְפָנִים תה״פ in the distant past; in front; forward
לִפְנִים תה״פ inside
לִפְעָמִים תה״פ sometimes
לָפַף (יִלְפּוֹף) פ wrap round, swathe
לִפְרָקִים תה״פ occasionally, sometimes
לָפַת (יִלְפּוֹת) פ clasp, grip
לֶפֶת נ turnip
לִפְתָּן ז compote, stewed fruit
לְפֶתַע, לְפֶתַע פִּתְאוֹם suddenly
לֵץ ז joker, jester
לָצוֹן ז fun, frivolity
לִצְמִיתוּת תה״פ for good, permanently
לָקָה (יִלְקֶה) פ be stricken
לָקוֹחַ ז customer, client
לָקוּי ת faulty, defective
לִקּוּת נ defect, deficiency
לָקַח (יִקַּח) פ take
לֶקַח ז lesson, moral lesson
לָקַט (יִלְקוֹט) פ gather; pick
לֶקֶט ז gleanings; collection
לְקִיחָה נ taking
לְקִיקָה נ licking
לִקְלוּק ז licking, lapping up
לִקְלֵק (יְלַקְלֵק) פ lick, lap up
לְקַמָּן תה״פ further on, below
לָקַק (יָלוֹק) פ lick, lap
לַקְקָן ז sweet-tooth (person)
לִקְרַאת תה״פ towards; for, in view of
לֶקֶשׁ ז late crop
לָרִאשׁוֹנָה תה״פ for the first time
לְרַבּוֹת תה״פ including
לְרֶגֶל תה״פ on account of, because of; on the occasion of
לָרוֹב תה״פ generally, mostly; in plenty
לָרִיק תה״פ in vain
לָשׁ (יָלוּשׁ) פ knead
לְשַׁד ז marrow (of bones); juice, fat; vigor, vitality
לָשׁוֹן נ tongue; language
לְשׁוֹנַאי ז linguist
לְשׁוֹן הַקּוֹדֶשׁ the Hebrew language
לְשׁוֹן הָרַע slander
לְשׁוֹנִי ת linguistic, lingual
לִשְׁכָּה נ office, bureau
לִשְׁלֶשֶׁת נ poultry manure
לֶשֶׁם ז ligure; opal
לְשֵׁם מ״י for, for the sake of
לְשֶׁעָבַר תה״פ formerly, previously; ex –, past
לְתוֹךְ into
לֶתֶת ז malt

מ

מִ־ (מֵ־)	from, of; more than
מַאֲבוּס ז	feeding-trough
מַאֲבָק ז	struggle, fight; anther
מַאֲגָר ז	storage reservoir
מְאַגְרֵף ז	trainer (boxing)
מְאַדֶּה ז	evaporator ; carburettor
מַאְדִּים ז	Mars
מֵאָה ש״מ	hundred; century
מְאַהֵב ז	suitor, lover
מַאֲהָל ז	encampment
מְאוּבָּן ז	fossil
מְאוּבָּק ת	dusty, dust-covered
מְאוּגָּד ת	associated
מְאוֹד תה״פ	very
מְאוּדֶּה ת	steamed
מְאוֹהָב ת	in love, loving
מַאֲוַי ז, מַאֲוַיִּים ז״ר	desire, longing
מְאַוְרֵר ז	ventilator, fan (electric)
מְאוּוְרָר ת	ventilated, aired
מְאוּזָּן ת	horizontal; balanced
מְאוּחָד ת	united
מְאוּחֶה ת	united, joined together
מְאוּחְסָן ת	stored, in storage
מְאוּחָר ת	late
מְאוּיָּשׁ ת	manned
מְאוּכְזָב ת	disappointed
מְאוּכְלָס ת	populated
מְאוּלָּף ת	tamed, trained
מְאוּלָּץ ת	compelled
מְאוּם, מְאוּמָה ז	something; (colloquial) nothing
מְאוּמָּן ת	trained
מְאוּמָּץ ת	adopted; effortful
מְאוּמָּת ת	verified, confirmed
מְאוּנָּךְ ת	perpendicular
מְאוּנְקָל ת	hooked, hook-shaped
מָאוּס ת	repulsive, loathsome
מְאוּפְיָין ת	characterized
מְאוּפָּל ת	darkened; blacked-out
מְאוּפָּס ת	zeroed (weapon)
מְאוּפָּק ת	restrained
מְאוּפָּר ת	made up (actor)
מְאוּצְבָּע ת	digitate (botany)
מְאוּקְלָם ת	acclimated
מָאוֹר ז	light; source of light
מְאוּרְגָּן ת	organized
מְאוּרָה נ	den, lair
מְאוֹרָס ז	fiancè, betrothed
מְאוֹרָע ז	event, occurrence
מְאוּשָּׁר ת	happy, content; confirmed
מְאוּשָּׁשׁ ת	firm, steady
מְאוּתָּר ת	localized
מְאוֹתֵת ז	signaller
מַאֲזִין ז	listener
מַאֲזָן ז	balance sheet, balance
מֹאזְנַיִים ז״ז	balance, scales
מַאֲחָז ז	handle; hold
מַאֲחֵז ז	paper clamp, paper clip
מְאַחֵר ת	late, tardy; latecomer
מֵאַחַר שֶׁ־ תה״פ	since
מַאי? מ״ג	what? how?
מֵאִידָךְ, מֵאִידָךְ גִּיסָא	on the other hand
מֵאֵימָתַי? תה״פ	since when?

מֵאַיִן תה״פ	whence, where from
מְאִיסָה נ	repulsion, loathing
מֵאִיץ ז	accelerator
מֵאִית נ	hundredth part
מַאֲכָל ז	food; meal
מַאֲכֶלֶת נ	slaughterer's knife
מְאַלְחֵשׁ ז	anaesthetic; anaesthetist
מֵאֵלָיו מ״ג	by itself, self-
מַאֲלֶמֶת נ	binder (mechanical)
מְאַלֵּף ז	trainer (of animals)
מְאַלֵּף ת	instructive
מַאֲמִין ז	believer
מְאַמֵּן ז	trainer, instructor
מַאֲמָץ ז	effort, exertion
מַאֲמָר ז	article, essay; saying
מָאַס (יִמְאַס) פ	loathe, despise
מְאַסֵּף ז	rearguard; collection, anthology; slow (stopping) bus (or train)
מַאֲסָר ז	imprisonment
מַאֲפֶה ז	pastry
מַאֲפִיָּה נ	bakery
מַאֲפֵרָה נ	ash-tray
מַאֲרָב ז	ambush
מְאַרְגֵּן ז	organizer
מְאָרֵחַ ז	host
מַאֲרֵךְ ז	extension rod
מֵאֵת מ״י	from; by (an author, composer etc.)
מָאתַיִם ש״מ	two hundred
מַבְאִישׁ ת	stinking, putrid, nauseating
מַבְדֵּד ז	insulator
מִבְדּוֹק ז	dry dock
מְבַדֵּחַ ת	amusing, funny
מַבְהִיל ת	frightening
מַבְהִיק ת	shining, glowing
מָבוֹא ז	entry, entrance; introduction
מְבוֹאָר ת	explained, annotated
מְבוּגָּר ת	adult
מְבוּדָּד ת	insulated; isolated
מְבוּדָּח ת	amused, merry
מְבוֹהָל ת	hurried; frightened
מְבוּזְבָּז ת	wasted, squandered
מְבוּטָּא ת	pronounced, expressed
מְבוּטָּח ת	insured
מְבוּטָּל ת	inconsiderable, insignificant
מָבוֹי ז	lane, alley
מְבוּיָּל ת	stamped
מְבוּיָּם ת	staged
מָבוֹי סָתוּם	impasse
מְבוּיָּץ ת	mixed with egg, coated with egg
מְבוּיָּשׁ ת	shamed, ashamed
מְבוּיָּת ת	domesticated
מָבוֹךְ ז	maze, labyrinth
מְבוּכָה נ	confusion, embarrassment
מַבּוּל ז	flood, deluge
מְבוּלְבָּל ת	confused, bewildered
מְבוּסָּם ת	perfumed; tipsy
מְבוּסָּס ת	established, well-based
מַבּוּעַ ז	fountain, spring
מְבוּצָּע ת	carried out, performed, executed
מְבוּצָּר ת	fortified
מְבוּקָּר ת	criticized; controlled
מְבוּקָּשׁ ת	sought after, required
מְבוֹרָג ת	unscrewed

מְבוֹרָךְ ת blessed
מְבוּשִׁים ז״ר genitalia, pudenda
מְבוּשָּׁל ת cooked, boiled
מְבוּשָּׂם ת scented, perfumed
מְבוּתָּר ת dissected, cut up
מַבְזֵק ז flash; salt-shaker
מִבַּחוּץ תה״פ from outside, from without
מִבְחָן ז test, examination
מַבְחֵנָה, מִבְחָנָה נ test tube
מִבְחָר ז selection; choice
מַבְחֵשׁ ז ladle
מַבָּט, מֶבָּט ז look, glance
מִבְטָא ז accent, pronunciation
מִבְטָח ז trust, confidence
מַבְטֵחַ ז safety-fuse
מִבֵּין תה״פ from among, from
מֵבִין ז expert, adept, connoisseur
מְבִינוּת נ expertise, knowledgeability
מֵבִישׁ ת shameful
מִבַּיִת תה״פ from within, from inside
מַבְלֵט ז die
מִבְּלִי תה״פ without
מַבְלִיג ת restrained, controlled
מִבַּלְעֲדֵי מ apart from, except
מִבְנֶה ז structure, build
מַבָּע ז utterance, expression
מִבַּעַד לְ־ תה״פ through, from behind
מִבְּעוֹד תה״פ while it is still...
מַבְעֵר ז burner, torch (for welding)
מִבִּפְנִים תה״פ from within
מְבַצֵּעַ ז performer, executor
מִבְצָע ז project, operation
מִבְצָר ז fortress, castle

מְבַקֵּר ז critic; inspector (of tickets); visitor
מְבַקֵּשׁ ז applicant, supplicant
מַבְרָאָה נ rest home, sanatorium
מִבְּרֵאשִׁית תה״פ from the beginning
מַבְרֵג ז screwdriver
מַבְרִיא ז convalescent
מַבְרִיחַ ז smuggler
מַבְרִיק ת shining, brilliant
מִבְרָק ז telegram
מִבְרָקָה נ telegraph office
מִבְרֶשֶׁת נ brush
מְבַשֵּׁל ז cook
מְבַשֶּׁלֶת נ cook (female)
מִבְשָׂמָה נ perfumery
מְבַשֵּׂר ז herald, forerunner
מִבְתָּר ז cutting (railway); cut
מַגֵּב ז wiper
מַגְבֵּהַ ז jack
מִגְבּוֹל ז range, gamut
מַגְבִּיר ת strengthening
מַגְבִּיר־קוֹל megaphone
מַגְבִּית נ fund-drive, collection
מִגְבָּלָה נ limitation, restriction
מִגְבָּע ז top hat
מִגְבַּעַת נ hat (with brim)
מַגְבֵּר ז amplifier
מַגֶּבֶת נ towel
מַגְדִּיר ז definer
מִגְדָּל ז tower
מִגְדַּלּוֹר ז lighthouse
מַגְדֶּלֶת, זְכוּכִית מַגְדֶּלֶת magnifying glass
מִגְדָּנִיָּה נ pastry shop
מַגְהֵץ ז pressing iron

מַגּוֹב ז rake
מְגוּבָּב ת piled up, heaped
מְגוּבְנָן ת hunchbacked, humped
מָגוֹד ז clothes hanger
מְגוּדָּל ת large, sizeable
מְגוּדָּר ת fenced
מְגוּהָץ ת pressed, ironed
מְגוּוָּן ת varied, diversified
מִגְוָן ז range, range of colors
מְגוּחָךְ ת ridiculous
מְגוּיָּס ת mobilized
מְגוּלְגָּל ת rolled up, rounded
מְגוּלֶּה ת revealed, visible
מְגוּלְוָן ת galvanized
מְגוּלָּח ת shaven
מְגוּלָּל ת rolled up
מְגוּלָּף ת carved, engraved
מְגוּמְגָּם ת stammered, faltering
מְגוּנְדָּר ת dressed up, dandified
מְגוּנֶּה ת nasty, indecent
מָגוֹף ז gate valve, stop-cock
מְגוּפָה נ plug, cap
מְגוּפָּר ת sulphurized
מָגוֹר ז terror, dread
מְגוּרִים ז״ר living quarters
מִגְזָזַיִם ז״ז shears
מִגְזָר ז section
מַגְזֵרָה נ board saw, frame saw
מִגְזָרַיִים ז״ז wire-cutters
מַגִּיד ז preacher
מַגִּיהַּ ז proof-reader, corrector
מְגִילָּה נ scroll, roll
מְגִינָּה נ distress, sorrow
מָגִינּוֹר ז lampshade
מַגִּיעַ ת arriving, coming;
deserved, merited
מַגִּישׁ ז waiter, steward
מַגִּישָׁה נ waitress, stewardess
מַגָּל ז sickle, reaping-hook
מַגְלֵב ז whip, lash
מַגְלוּל ז tape measure
מַגְלֵחַ ז razor, shaver
מַגְלֵף ז engraving tool
מִגְלָפָה נ engraver's workshop
מַגְלֵשׁ ז skid (aeron.)
מִגְלָשׁ ז runner (on sled)
מַגְלֵשָׁה נ slide; toboggan
מִגְלָשַׁיִים ז״ז skis
מְגַמְגֵּם ז stutterer, stammerer
מְגַמָּה נ aim, object, purpose; tendency
מְגַמָּתִי ת tendentious
מָגֵן ז shield
מָגֵן־דָּוִיד shield of David
מֵגֵן ז defender; back (football)
מַגְנֵט ז magnet
מִגְנֵט (יְמַגְנֵט) פ magnetize
מִגְנָן ז defence structure
מִגְנָנָה נ defensive
מָגֵס ז tureen
מַגָּע ז touch, contact
מַגָּף ז gum-boot, high boot
מַגֵּפָה נ plague
מַגְפֵּר ז sulfurator
מַגְרֵד ז scraper; strigil
מְגֵרָה נ drawer (of desk etc.)
מְגָרֶה ת provocative; stimulating
מַגְרֵסָה נ mill, grinder
מִגְרָע ז groove
מִגְרָעָה נ niche, recess

defect, fault מִגְרַעַת נ
fillister plane מַגְרַעַת נ
rake מַגְרֵפָה נ
sled, sledge מִגְרָרָה נ
grater מִגְרֶרֶת נ
plot; pitch, playing-field מִגְרָשׁ ז
tray מַגָּשׁ ז
realizer, embodier מַגְשִׁים ז
measure, gauge מַד ז
gliding-field מִדְאָה נ
photometer, lightmeter מַדְאוֹר ז
gummed label, sticker מַדְבֵּקָה נ
desert, wilderness מִדְבָּר ז
desert מִדְבָּרִי ת
sample, specimen מִדְגָּם ז
incubator מַדְגֵּרָה נ
rain-gauge מַדְגֶּשֶׁם ז
measure, survey מָדַד (יִמְדֹּד) פ
index מַדָּד ז
cost of living index מַדַּד יוֹקֶר הַמִּחְיָה
sparse, straggly מְדוּבְלָל ת
affliction, ill מַדְוֶה ז
lure מַדּוּחַ ז
exact, accurate מְדוּיָּק ת
dejected, depressed מְדוּכָּא ת
depressed, dejected מְדוּכְדָּךְ ת
mortar; saddle מְדוֹכָה נ
hanging loosely (limb) מְדוּלְדָּל ת
dazed, stupefied מְדוּמְדָּם ת
imaginary; seeming מְדוּמֶּה ת
contention, quarrel מָדוֹן ז
why מַדּוּעַ תה״פ
diplomaed, qualified מְדוּפְלָם ת
department, section מָדוֹר ז

graded מְדוֹרָג ת
bonfire, fire מְדוּרָה נ
protractor מַדְזָוִית ז
chronometer; stop-watch מַדְזְמַן ז
ammeter, ampermeter מַדְזֶרֶם ז
thermometer מַדְחוֹם ז
parking meter מַדְחָן ז
compressor מַדְחֵס ז
propeller מַדְחֵף ז
whenever מִדֵּי תה״פ
than required, than enough מִדַּי, מִדַּאי, מִדַּיי תה״פ
measurable מָדִיד ת
gauge מַדִּיד ז
measurement, surveying מְדִידָה נ
seducer, enticer מַדִּיחַ ז
daily, every day מִדֵּי יוֹם בְּיוֹמוֹ
uniform, costume מַדִּים ז״ר
statesman, politician מְדִינַאי ז
state, country מְדִינָה נ
political מְדִינִי ת
politics, policy מְדִינִיּוּת נ
sometimes מִדֵּי פַּעַם
depressing, oppressive מְדַכֵּא ת
depressing, distressing מְדַכְדֵּךְ ת
derrick, crane מַדְלֶה ז
hygrometer מַדְלַחוּת, מַד־לַחוּת
manometer מַדְלַחַץ, מַד־לַחַץ
lighter, igniter מַדְלֵק ז
imaginative מְדַמֶּה ת
speedometer מַד־מְהִירוּת
water-meter מַדְמַיִם, מַד־מַיִם
dungpit מַדְמֵנָה נ
quarrel, contention מְדָנִים ז״ר
spirometer מַדְנֶשֶׁם, מַד־נֶשֶׁם

מְדַסְקֶסֶת נ disc-harrow
מַדָּע ז science; knowledge
מַדָּעִי ת scientific
מַדְּעֵי הַחֶבְרָה social sciences
מַדְּעֵי הַטֶּבַע natural sciences
מַדְּעֵי הַיַּהֲדוּת Jewish studies
מַדְּעֵי הָרוּחַ humanities
מַדְּעָן ז, מַדְעָן ז scientist
מַדָּף ז shelf
מַדְפִּיס ז printer
מְדַקְדֵּק ז grammarian; precise person, punctual person
מְדַקְלֵם ז reciter
מַדְקֵר ז awl
מַדְקֵרָה נ stab, piercing
מֶדֶר ז bevel
מְדַרְבֵּן ת incentive, stimulating
מַדְרֵגָה נ step; terrace
מַדְרוּחַ, מַד־רוּחַ anemometer, wind-gauge
מִדְרוֹן ז slope
מַדְרִיךְ ז instructor, guide
מִדְרָךְ ז footrest; tread
מִדְרָכָה נ pavement, sidewalk
מִדְרָס ז foot support
מִדְרָסָה נ doormat
מַדְרַעַשׁ ז seismograph
מִדְרָשׁ ז study, learning; exposition
מִדְרָשָׁה נ academy, college
מִדְרָשִׁי ת midrashic, homiletic
מִדְשָׁאָה נ lawn
מַדְשֶׁטַח, מַד־שֶׁטַח planimeter
מַה, מָה, מֶה מ״ג, מ״ק what; which?; a little
מְהַבְהֵב ת flickering, glimmering

מְהַגֵּר ז immigrant, emigrant
מַהֲדוּרָה נ edition
מַהְדִּיר ז editor, reviser
מְהַדֵּק ז paper-clip
מַהוּ מ״ג what is it? what is he?
מְהוּגָּן ת decent, proper
מָהוֹד ז sonator
מְהוּדָּק ת tight, fastened
מְהוּדָּר ת adorned, elegant
מָהוּהַ ת shabby, tattered
מָהוּל ת dilute(d), adulterated; circumcized (boy)
מְהוּלָּל ת praised
מְהוּמָה נ riot, confusion
מְהוּפְנָט ת hypnotized
מְהוּקְצָע ת planed, smoothed
מְהוּרְהָר ת pensive, thoughtful
מַהוּת נ nature, character
מַהוּתִי ת essential
מֵהֵיכָן תה״פ where from? whence?
מְהִילָה נ dilution, adulteration; circumcision
מְהֵימָן ת reliable, trustworthy
מָהִיר ת quick, fast
מְהִירוּת נ rapidity, speed, velocity
מָהַל (יִמְהַל) פ dilute, adulterate
מַהֲלוּמָה נ blow, knock
מַהֲלָךְ ז walking distance; walk, movement; move (as in chess), step; stroke (of engine)
מַהֲמוֹרָה נ pit
מְהַנְדֵּס ז engineer
מַהְפֵּכָה נ revolution; overthrow
מַהְפְּכָן ז revolutionary
מַהְפְּכָנִי ת revolutionary

מְהַפְּנֵט ז hypnotist
מַהֵר תה"פ quickly, fast
מְהֵרָה תה"פ quickly, fast
מַהֲתַלָּה נ joke, jest
מוּאָר ת lit, illuminated
מוּאֳרָךְ ת lengthened
מוּאֳרָק ת earthed (electricity)
מוּבָאָה נ quotation
מוּבְדָּל ת separated
מוּבְהָק ת outstanding
מוּבְחָר ת choice, selected
מוּבְטָח ת promised, guaranteed
מוּבְטָחַנִי I am certain
מוּבְטָל ת unemployed, laid-off
מוֹבִיל ז carrier, transporter, conduit (as of water)
מוּבָל ז conduit, duct
מוּבְלָע ת syncopated (letters), slurred over, elided
מוּבְלָעָה נ enclave
מוּבָן ז meaning, sense
מוּבָן ת understood
מוּבָן מֵאֵלָיו obvious, self-evident
מוּבָס ת trounced, well-beaten
מוּבְרָח ת smuggled
מוּג־לֵב coward
מוּגְבָּל ת limited, restricted
מוּגְבָּלוּת נ (state of) being limited, paucity
מוּגְבָּר ת strengthened, reinforced
מוּגְדָּל ת enlarged, magnified
מוּגְדָּר ת defined, classified
מוּגָּה ת corrected, free from error
מוּגְזָם ת exaggerated
מוּגְלָד ת congealed

מוּגְלָה נ pus
מוּגְלָתִי ת purulent, suppurating
מוּגְמָר ז, ת completed, finished
מוּגָן ת defended, protected
מוּגְנַט (יְמוּגְנַט) פ be magnetized
מוּגָף ת closed, shut
מוּגַּר (יְמוּגַּר) פ be defeated, be destroyed
מוּגָּשׁ ת offered, presented
מוּגְשָׁם ת realized; materialized
מוּדְאָג ת worried, anxious
מוּדְגָם ת exemplified, demonstrated
מוּדְגָּשׁ ת emphasized, stressed
מוֹדֵד ז surveyor; index; measuring instrument
מוֹדֶה ת thankful, grateful; admitting
מוּדָּח ת expelled, dismissed
מוֹדִיעַ ז announcer, informer
מוֹדִיעִין ז information; intelligence
מוֹדָע ז acquaintance, friend
מוּדָע ז conscious mind
מוֹדָעָה נ notice, announcement; advertisement
מוּדְפָּס ת printed
מוּדְרָג ת graded, graduated
מוּדְרָךְ ת instructed, guided
מוֹהֵל ז circumcizer
מוֹהַר ז bride-price
מָוֶת death
מוֹזֵג ז barkeeper, bartender
מוּזַּג (יְמוּזַּג) פ be blended, be combined
מוּזְהָב ת gilded

מוזֵיאון ז museum
מוזכָּר ת mentioned, referred to
מוזָל ת reduced (in price), cheaper
מוזמָן ת invited (people), ordered (goods)
מוזנָח ת neglected
מוזָר ת strange, queer
מוֹחַ ז brain; brains, mind
מוחזָק ת held; supported
מוחזָר ת returned, restored
מוחכָּר ת leased, rented
מוחלָד ת rusty
מוחלָט ת absolute, definite
מוחֵק ז eraser, rubber
מוּחֳרָם ת boycotted; confiscated
מוּחֳרָת, מָחֳרָת תה״פ next day, the following day
מוּחֳרָתַיִם תה״פ the day after tomorrow
מוחָשׁ ת concrete, tangible, perceptible
מוחָשִׁי ת perceptible, tangible, real
מוט ז pole, rod, bar
מוטָב תה״פ better
מוטבָּל ת immersed; baptized
מוֹטָה נ small yoke
מוֹטֵט (יְמוֹטֵט) פ shake, knock over
מוֹטֶטֶת נ linkage, assembly of rods in a machine
מוֹטִיּוֹת הַמִּשְׁקָפַיִים spectacle earpieces
מוֹטִית נ stick, short rod
מוטָל ת imposed, inflicted; tossed, thrown
מוטָל בְּסָפֵק in doubt
מוּטָס ת flown (by plane)
מוּטעֶה ת mistaken, erroneous
מוטעָם ת stressed, accented
מוטרָד ת bothered, troubled
מוּיַּן (יְמוּיַּן) פ be sorted, be classified
מוֹךְ ז down (on birds, cheeks); cotton wool
מוּכֶּה ת beaten, smitten; sick, ill
מוכוונָן ת set, adjusted, tuned
מוֹכָ״ז ז bearer (initial letters of (מוֹסֵר כְּתָב זֶה)
מוכָח ת proved, proven
מוכחָד ת destroyed, wiped out
מוֹכִיחַ ז reprover, rebuker, admonisher
מוּכַּן (יְמוּכַּן) פ be mechanized
מוכָן ת ready, prepared
מוכָן ומזומָן ready and willing
מוכנָס ת brought in, inserted
מוֹכֵס ז customs-officer
מוֹכְסָן ז tax-gatherer, tax-collector
מוכסָף ת silver-plated
מוכפָּל ת doubled; multiplied
מוֹכֵר ז seller
מוּכָּר ת known, familiar
מוכרָח ת forced, obliged
מוכרָע ת determined; defeated
מוכשָׁר ת talented; koshered
מוכתָּב ת dictated
מוכתָּר ת, ז crowned; village chief
מול מ״י opposite, up against
מו״ל ז publisher
מוּלָּא (יְמוּלָּא) פ be filled, be stuffed
מולאָם ת nationalized
מוֹלָד ז birth; new moon

מוֹלֶדֶת נ native land, homeland
מו״לוּת נ publishing
מוּלְחָם ת soldered
מוֹלִיד ז procreator, progenitor
מוֹלִיךְ ז conductor; leader
מוֹלִיכוּת נ conductivity, conductance
מוֹלֶךְ ז Moloch
מוּם ז disability, defect
מוּמְחֶה ת, ז expert, specialist
מוּמְחָז ת dramatized
מוּמְחָשׁ ת actualized, made perceptible
מוּמַּן (יְמוּמַּן) פ be financed
מוּמָס ת dissolved
מוּמָר ז apostate, convert (from Judaism)
מוּמַּשׁ (יְמוּמַּשׁ) פ be realized, be actualized
מוּמָת ת put to death, slain
מוֹנֶה ז numerator; meter
מוּנָּה (יְמוּנֶּה) פ be nominated, be appointed
מוּנְהָג ת led, directed
מוּנָּח ת, ז lying, resting, placed; term
מוּנְחֶה ת guided, directed
מוֹנִיטִין ז״ר reputation, fame
מוֹנִית נ taxi
מוֹנֵעַ ת preventive
מוּסָב ת endorsed (check etc)
מוּסְבָּר ת explained
מוּסְגָּר ת extradited, handed over
מוֹסָד ז (ר׳ מוֹסָדוֹת) institution, establishment

מוּסְוֶה ת camouflaged, disguised
מוּסָךְ ז garage
מוּסְכָּם ת agreed; accepted
מוּסְמָךְ ת authorized, qualified
מוּסָף ת additional, supplementary
מוּסָף ז addition, supplement
מוּסְפַּר (יְמוּסְפַּר) פ be numbered
מוּסָּק ת lit, heated
מוּסָר ז morals, ethics; reproof
מוֹסֵר ז informer, delator
מוּסְרָט ת filmed, screened
מוּסָרִי ת moral, ethical
מוּסָרִיּוּת נ morality, ethics
מוּסַר כְּלָיוֹת remorse
מוּסְתָּר ת hidden, concealed
מוּעֳבָר ת transferred, carried over
מוֹעֵד ז appointed time; festival
מוּעָד ת forewarned, cautioned; turned, set; notorious
מוֹעֲדוֹן ז club, club-house
מוּעָט ת. few, scanty
מוֹעִיל ת useful, profitable
מוּעַךְ (יְמוּעַךְ) פ be squeezed, be squashed
מוּעֳמָד, מוֹעֲמָד ז candidate
מוּעֲמָדוּת נ candidature
מוּעַן (יְמוּעַן) פ be addressed (letter)
מוֹעָצָה נ council, board
מוֹעֶצֶת הַבִּיטָּחוֹן the Security Council
מוּעָקָה נ oppression, depression
מוּעְשָׁר ת enriched
מוּפְלָא ת marvellous, wonderful
מוּפְלָג ת distant; distinguished; superlative
מוּפְלֶה ת set apart

מוּפְנֶה ת turned, set, directed
מוּפְנָם ת introvert; indented (typography)
מוּפְסָק ת interrupted, discontinued
מוֹפָע ז appearance; phase (electric)
מוּפְעָל ת set in motion, put into effect
מוּפָץ ת distributed, diffused
מוּפְצָץ ת bombed, bombarded
מוּפָק ת extracted, produced
מוּפְקָד ת deposited
מוּפְקָע ת requisitioned, expropriated; exorbitant
מוּפְקָר ת licentious
מוּפְרָד ת separated; disjointed
מוּפְרֶה ת fertilized, impregnated
מוּפְרָז ת exaggerated, overdone
מוּפְרָךְ ת refuted, groundless
מוּפְרָע ת mentally disturbed
מוּפְרָעוּת נ mental disturbance
מוּפְשָׁט ת abstract
מוּפְשָׁל ת thrown back, rolled up (sleeves)
מוּפְשָׁר ת thawed, unfrozen
מוֹפֵת ז model, exemplar; proof
מוֹפְתִי ת exemplary, model
מוּפְתָּע ת surprised
מוֹץ ז chaff
מוֹצָא ז exit, outlet; source, origin
מוּצָא ת taken out
מוֹצָאֵי שַׁבָּת end of Sabbath, Saturday night
מוּצָב ת set, placed
מוּצָב ז position (military)

מוּצָג ז exhibit
מוּצְדָק ת justified
מוּצָה (יְמוּצֶה) פ be drained; be exhausted
מוּצְהָר ת affirmed, declared
מוֹצִיא ת taking out, bringing out
מוֹצִיא לְאוֹר, מו"ל publisher
מוּצַל ת shaded
מוּצָּל ת saved, rescued
מוּצְלָח ת successful
מוּצְנָע ת concealed, hidden
מוּצָע ת proposed, suggested; made (bed)
מוּצָף ת flooded
מוּצָק ת solid
מוּצָר ז product
מוֹקֵד ז focus
מוּקְדָם ת early
מוּקְדָּשׁ ת dedicated
מוּקְטָן ת reduced, diminished
מוּקְיוֹן ז clown, jester
מוֹקִיר ז admirer, one who appreciates
מוּקְלָט ת recorded
מוּקָם ת erected, set up
מוּקְסָם ת fascinated, charmed
מוּקָע ת censured, blamed
מוּקָּף ת surrounded, encircled
מוּקְפָּא ת frozen
מוּקְצֶה ת assigned, set apart
מוּקְרָשׁ ת congealed, solidified
מוֹקֵשׁ ז mine
מוּקַשׁ (יְמוּקַשׁ) פ be mined
מוֹר ז myrrh
מוֹרָא ז awe, dread

מוֹרָאָה נ gizzard, crop
מוּרְגָּשׁ ת felt, sensed
מוֹרָד ז descent, slope
מוֹרֵד ז rebel, mutineer
מוּרָד ת turned down, lowered
מוּרְדָּף ת persecuted
מוֹרֶה ת rebellious
מוֹרֶה ז teacher
מוֹרֵה־דֶרֶךְ guide; guide-book
מוּרְחָב ת enlarged, expanded
מוּרְכָּב ת composed (of), consisting (of); complex
מוֹרֶךְ לֵב timidity, faint-heartedness
מוּרָם ת raised, elevated
מוּרְסָה נ abscess
מוּרְעָל ת poisoned, poisonous
מוּרָק ת emptied, vacated
מוֹרַק (יְמוֹרַק) פ be scoured, be polished
מוּרְקָב ת rotten, decayed
מוֹרָשָׁה, מוֹרֶשֶׁת נ inheritance; heritage
מוּרְשֶׁה ז deputy, delegate
מוֹרְשׁוֹן ז parliament
מוּרְשָׁע ת convicted
מוּרְתָּח ת boiled; infuriated
מוֹרַת רוּחַ displeasure
מוּשָּׂא ז object (grammar)
מוּשְׁאָל ת lent; figurative
מוֹשָׁב ז seat; session; residence, cooperative village
מוּשָׁב ת returned, restored
מוֹשָׁבָה נ colony; large village
מוּשְׁבָּע ת sworn in, sworn; confirmed
מוּשְׁבָּת ת laid-off (worker); stopped (work)
מוּשָּׂג ז idea, concept
מוּשְׁזָר ת interwoven, intertwined
מוּשְׁחָז ת sharpened, whetted
מוּשְׁחָל ת threaded
מוּשְׁחָר ת blackened
מוּשְׁחָת ת corrupt
מוֹשִׁיעַ ז savior, deliverer
מוֹשְׁכוֹת נ״ר reins
מוּשְׂכָּל ז idea, concept
מוּשְׂכָּל רִאשׁוֹן axiom, first principle
מוּשְׁכַּן (יְמוּשְׁכַּן) פ be mortgaged, be pawned
מוּשְׂכָּר ת let, hired
מוֹשֵׁל ז governor
מוּשְׁלָם ת perfect, complete
מוּשְׁמָד ת destroyed, annihilated
מוּשְׁמָץ ת slandered, defamed
מוּשְׁפָּל ת humiliated
מוּשְׁפָּע ת influenced, affected
מוּשְׁקֶה ת irrigated, watered
מוּשְׁרָשׁ ת rooted
מוּתְאָם ת adapted, fitted
מוּתְנֶה ת conditioned
מוֹתְנַיִים ז״ר loins; waist
מוֹתֶק ז sweetness; (slang) "honey"
מוּתָּר ת permitted
מוֹתָר ז remainder
מוֹתָרוֹת ז״ר luxuries
מוֹתַת (יְמוֹתַת) פ put to death
מִזְבֵּחַ ז altar
מִזְבָּלָה נ manure-heap
מֶזֶג ז blend, mixture; temperament, disposition

מָזַג (יִמְזוֹג) פ — pour out (drink)

מֶזֶג אֲוִויר — weather

מִזְגָג ז — stained glass window

מִזְגָגָה נ — glass factory

מַזֶּה ז — sprinkler

מַזְהִיר ת — shining; cautionary, warning

מְזוּבָּל ת — manured, fertilized

מָזוּג ת — blended; poured out

מְזוּגָּג ת — fitted with glass

מְזוֹהֶה ת — identified

מְזוֹהָם ת — infected (wound); contaminated, filthy

מְזוּוָג ת — coupled, paired

מִזְוָד ז — kitbag

מִזְוָדָה נ — valise

מְזָוֶה ז — storehouse, granary

מַזוִית נ — bevel

מְזוּזָה נ — doorpost; mezuza

מְזוּיָּן ת — armed; (slang) "done"

מְזוּיָּף ת — forged, fake, counterfeit

מְזוּכָּךְ ת — cleansed, purified

מְזוּמָּן ת, ז — ready (money), cash

מָזוֹן ז — food

מְזוּעְזָע ת — shocked, shaken

מְזוּפָּת ת — (slang) "lousy"; tarred

מְזוּקָּן ת — bearded

מְזוּקָּק ת — refined, purified

מָזוֹר ז — wound; remedy; bandage

מְזוֹרָז ת — accelerated

מֵזַח ז — pier, jetty

מִזְחֶלֶת נ — sled, sleigh

מְזִיגָה נ — blending, mixing

מֵזִיד ת — malicious, wilful

מְזַיֵּף ז — forger, counterfeiter

מְזִימָּה נ — scheme, evil intent, plot

מֵזִין ת — nourishing

מַזִּיק ז, ת — damager; harmful

מַזְכִּיר ז — secretary

מַזְכִּירוּת נ — secretariat, secretary's office

מַזְכֶּרֶת נ — souvenir, reminder

מַזָּל ז — luck, good luck

מַזְלֵג ז — fork

מַזְלְגָן ז — fork-lift operator

מַזְלֵף ז — spray

מִזְמוּז ז — necking, petting; softening

מִזְמוּט ז — amusement, frolic

מִזְמוֹר ז — song, psalm

מִזְמֵז (יְמַזְמֵז) פ — neck, pet; soften

מִזְּמַן תה"פ — long ago

מַזְמֵרָה נ — pruning-shears

מִזְנוֹן ז — bar, buffet; kitchen cabinet

מַזְנֵק ז — spout; jot branch (aeron.)

מַזְעֲזֵעַ ת — shocking, appalling

מִזְעָר תה"פ — a little, a trifle

מִזְרָח ז — east

מִזְרָחִי ת — east, eastern, oriental

מִזְרְחָן ז — orientalist

מִזְרָן ז — mattress

מַזְרֵעָה נ — sowing machine

מַזְרֵק ז — injector, syringe

מַזְרֵקָה נ — fountain (ornamental)

מָחָא (יִמְחָא) פ — clap together

מְחָאָה, מֶחָאָה נ — protest, objection

מַחֲבוֹא ז — hiding-place

מַחֲבוֹשׁ ז — detention

מַחְבֵּט ז — carpet-beater; racquet

מְחַבֵּל ת, ז — sabotaging; saboteur

מַחְבֵּצָה נ — churn

מְחַבֵּר ז author

מַחְבֵּר ז joint (carpentry)

מַחְבָּר ז joint (machinery)

מַחְבֶּרֶת נ exercise-book, copy-book

מַחֲבַת נ frying-pan, pan

מֵחַד, מֵחַד גִּיסָא on the one hand

מַחְדֵּד, מְחַדֵּד ז pencil-sharpener

מֶחְדָּל ז omission; neglect

מְחַדֵּשׁ ז innovator; renewer

מָחָה (יִמְחֶה) פ wipe; erase; protest

מְחוּבָּר ת connected, joined

מָחוֹג ז pointer, hand (on watch)

מְחוּגָה נ pair of compasses, calipers

מְחוּדָּד ת pointed; sharp

מְחוּדָּשׁ ת renewed, restored

מַחֲוֶה ז pointer

מֶחֱוָה נ gesture

מַחֲוָן ז indicator

מְחוּוָּר ת elucidated, clarified

מָחוֹז ז district, region

מְחוּזָּק ת strengthened

מְחוּטָּא ת disinfected

מְחוּיָּב ת obliged, bound

מְחוּיָּל ת enlisted

מָחוֹךְ ז corset

מְחוּכָּם ת clever, cunning

מָחוּל ת forgiven

מָחוֹל ז dance

מְחוֹלִית נ St. Vitus dance

מְחוֹלֵל ז dancer; performer; generator

מְחוּלָּק ת divided; dividend (arithmetic)

מְחוּמָּם ת heated

מְחוּמְצָן ת oxidized

מְחוּמָּשׁ ת fivefold; pentagon

מְחוּנָּךְ ת educated

מְחוֹנָן ת gifted

מְחוּסָּל ת eliminated, liquidated

מְחוּסָּן ת immune, immunized

מְחוּסְפָּס ת rough, uneven

מְחוּסָּר ת lacking (in), devoid of

מְחוּפָּשׂ ת disguised, in fancy dress

מְחוּצָּף ת impertinent, rude, insolent

מְחוֹקֵק ז legislator

מְחוּרְבָּן ת (slang) "lousy"

מְחוֹרָז ת threaded; rhymed

מֵחוֹשׁ, מֵחוּשׁ ז ache

מָחוֹשׁ ז feeler, antenna

מְחוּשָּׁל ת forged, steeled

מְחוּשְׁמָל ת electrified

מְחוּתָּן ז relation by marriage, in-law

מַחֲזַאי ז playwright, dramatist

מַחֲזֶה ז play, drama; sight, spectacle

מַחֲזוֹר ז cycle (lunar, solar), period; series; turnover; year, class; festival prayer-book

מַחֲזוֹרִיּוּת נ periodicity, recurrence

מַחֲזִירוֹר ז reflector

מַחֲזֶמֶר ז "musical"

מַחֲזֵק ז holder, handle

מְחַזֵּר ת suitor, wooer

מָחַט (יִמְחוֹט) פ blow (nose); trim (candle, lamp)

מַחַט נ needle, pin

מַחֲטָנִי ת needle-shaped, coniferous

מְחִי ז blow, smack

מְחִיאוֹת כַּפַּיִם	applause, hand-clapping
מִחְיָה נ	subsistence
מְחַיֵּב ת	obliging, binding
מְחִילָה נ	pardon, forgiveness
מְחִיצָה נ	partition
מְחִיקָה נ	erasure, deletion
מְחִיר ז	price, cost
מְחִירוֹן ז	tariff, price-list
מְחִית נ	purée
מַחְכִּיר ז	lessor
מָחַל (יִמְחוֹל, יִמְחַל) פ	forgive
מַחְלָבָה נ	dairy
מַחֲלָה נ	disease, illness
מַחֲלוֹקֶת נ	disagreement, dispute
מַחֲלִים ת	convalescent
מַחֲלִיקַיִים ז״ז	skates
מַחְלָפָה נ	plait (of hair)
מַחְלֵץ ז	cork-screw
מַחֲלָצוֹת נ״ר	festive costume
מַחְלָקָה נ	department; class; platoon
מַחְמָאָה נ	compliment
מַחֲמֵאָה נ	butterdish
מַחְמָד ז	darling
מַחְמִיר ז	strict person, martinet
מֵחֲמַת תה״פ	because of, on account of
מַחֲנָאוּת נ	campcraft, camping lore
מַחֲנֶה ז	camp, encampment
מַחֲנֵה רִיכּוּז	concentration camp
מְחַנֵּךְ ז	educator, teacher
מַחֲנָק ז	strangulation, suffocation
מַחְסֶה ז	shelter, refuge
מַחְסוֹם ז	muzzle; roadblock
מַחְסוֹר ז	shortage, lack
מַחְסָן ז	store, warehouse
מַחְסְנַאי ז	storekeeper, storeman
מַחְסָנִית נ	magazine (on rifle, etc.)
מְחַסֵּר ז	subtracter, detractor
מַחְפּוֹרֶת נ	trench (military), dugout
מַחְפִּיר ת	shameful, disgraceful
מַחְפֵּר ז	digger (machine)
מָחַץ (יִמְחַץ) פ	smite, crush
מַחַץ ז	severe wound, blow
מַחְצָבָה נ	quarry
מֶחֱצָה נ	half
מֶחֱצָה עַל מֶחֱצָה	fifty-fifty
מַחֲצִית נ	half
מַחְצֶלֶת נ	straw matting
מְחַצְצֵר ז	trumpeter, bugler
מָחַק (יִמְחַק, יִמְחוֹק) פ	erase, rub out
מַחַק ז	eraser, rubber
מְחַקֶּה ז	imitator
מֶחְקָר ז	research
מָחָר תה״פ	tomorrow
מַחֲרָאָה נ	lavatory
מַחֲרוֹזֶת נ	necklace; series, chain
מְחַרְחֵר ז	trouble-maker
מַחֲרֵטָה נ	lathe
מַחֲרִיב ז	destroyer
מַחֲרִיד ז	terrible, horrible
מַחֲרִישׁ ת	deafening
מַחֲרֵשָׁה נ	plough
מַחְשֵׁב ז	computer
מַחֲשָׁבָה נ	thought, thinking
מַחְשׂוֹף ז	neck-line, open neck
מַחְשָׁךְ ז	darkness
מְחַשְׁמֵל ת	electrifying
מַחְתָּה נ	censer, fire-pan
מַחְתֵּךְ ז	cutter (for metal)

מַחְתֵּכָה נ	bread-cutter
מַחְתֶּרֶת נ	underground
מָט (יָמוּט) פ	totter, shake
מַט ז	mate (chess)
מַטְאֲטֵא ז	broom
מְטַאטֵא ז	sweeper, cleaner
מִטְבָּח ז	kitchen
מִטְבַּח ז	slaughter, massacre
מִטְבָּחַיִם ז״ז	slaughterhouse
מַטְבִּיל ז	baptizer, dipper
מַטְבֵּעַ ז	coin; type, form
מִטְבָּעָה נ	mint
מַטֶּה ז	walking-stick; staff
מַטָּה תה״פ	down, downwards
מְטוּאטָא ת	swept, cleaned
מְטוּגָּן ת	fried
מְטוֹהָר ת	purified
מַטְוֶה ז	yarn, spun yarn
מִטְוָח ז	range, rifle-range
מַטְוִויָּה נ	spinning-mill, spinnery
מְטוּטֶלֶת נ	pendulum
מְטוּיָּח ת	plastered
מָטוֹל ז	projector (film)
מְטוּלָּא ת	patched
מְטוּמָּא ת	defiled, unclean (ritually)
מְטוּמְטָם ת	stupid; imbecile
מְטוּנָּף ת	filthy, dirty
מָטוֹס ז	plane, airplane
מְטוּפָּח ת	tended, nurtured; well-groomed
מְטוּפָּשׁ ת	silly, foolish
מְטוֹרָף ת	crazy, mad, insane
מְטוּרְפָּד ת	torpedoed
מְטוּשְׁטָשׁ ת	blurred, unclear
מַטָּח ז	salvo
מְטַחֲוֶה ז	range
מַטְחֵנָה נ	mincer, mincing-machine
מֵטִיב, מֵיטִיב ת, ז	beneficent; benefactor
מְטַיֵּיל ז	walker, rambler
מְטִיל ז	bar (of metal)
מַטִּיף ז	preacher
מַטְלִית נ	rag, duster
מַטְמוֹן ז	treasure
מַטָּע ז	plantation
מַטְעֶה ת	delusive, deceptive
מִטַּעַם תה״פ	on behalf of; under the auspices of
מַטְעַמִּים ז״ר	delicatessen, sweetmeats
מִטְעָן ז	load, freight; charge
מַטְפֶּה ז	fire-extinguisher
מִטְפַּחַת נ	headscarf; handkerchief
מְטַפְטֵף ז	dropper
מְטַפֵּל ז	attendant
מְטַפֶּלֶת נ	nursemaid, day nurse
מְטַפֵּס ז	creeper, climber
מָטָר ז	rain, shower
מִטְרָד ז	nuisance; (naut.) drift
מַטָּרָה נ	purpose, aim; target
מִטְרִיָּיה נ	umbrella
מַטְרֵף ז	egg-beater, whisk
מִי מ״ג	who? whoever, anyone
מֵיאוּן ז	refusal
מִיאוּס ז	loathing, abhorrence
מֵיאֵן (יְמָאֵן) פ	refuse, repudiate
מֵי בּוֹשֶׂם	perfume
מִיגּוּל ז	infection (with pus)
מִיגּוּר ז	overcoming, defeat
מִיגֵּל (יְמַגֵּל) פ	infect (with pus)

מִיגֵר (יְמַגֵר) פ — overwhelm, defeat; knock-out (boxing)
מִיגָשָׁה נ — wharf
מִידַבֵּק ת — infectious
מִידָה נ — measure, extent
מִידוּעַ ז — scientification
מִידֵי מ״י — from
מִיָּדִי ת — immediate
מֵידָע ז — information, knowledge
מִיהוּ — who is he?
מִיהוּת נ — identity
מִיהֵר (יְמַהֵר) פ — hurry, hasten
מְיוּאָשׁ ת — desperate
מְיוּבָּשׁ ת — dried
מְיוּגָּע ת — exhausted
מְיוּדָּד ת — friendly
מְיוּדָּע ת — friend, acquaintance; (grammar) marked as definite
מְיוּזָּע ת — sweaty, perspiring
מְיוּחָד ת — special, particular
מְיוּחָל ת — long-awaited, expected
מְיוּחָס ת — of good family; attributed, ascribed
מְיוּמָּן ת — skilled
מְיוּמָּנוּת נ — skill
מִיּוּן ז — sorting, classification
מַיּוֹנִית נ — mayonnaise
מְיוּעָד ת — intended, designated
מְיוּפֶּה ת — beautified; empowered
מְיוּפֵּה כּוֹחַ — commissioned, empowered
מְיוּצָּא ת — exported
מְיוּצָּג ת — represented
מְיוּצָּר ת — produced, manufactured
מְיוּשָּׁב ת — calm, sedate
מְיוּשָּׁן ת — sleepy; ancient, antique
מְיוּשָּׁר ת — straightened
מְיוּתָּם ת — orphaned
מְיוּתָּר ת — redundant, superfluous
מִיזֵג (יְמַזֵג) פ — blend
מִיחָה (יְמַחֶה) פ — protest; wipe clean
מִיחוּשׁ ז — ache, pain
מֵיחַם ז — samovar
מֵיטָב ז — the best
מִיטָּה נ — bed, couch
מֵיטִיב ז — benefactor
מִיטַּלְטֵל ת — portable, movable
מִיטַּלְטְלִים ז״ר — movables
מְייַגֵּעַ ת — tiring
מִייָּד, מִיָּד תה״פ — immediately
מִייָּדִי, מִיָּדִי ת — immediate, instant
מְייַלֶּדֶת נ — midwife
מִייֵּן (יְמַיֵּן) פ — sort, classify
מְייַסֵּד ז — founder
מִיכּוּן ז — mechanization
מֵיכָל, מְכָל ז — container, tank (oil)
מֵיכָלִית נ — oil-tanker
מִיכֵּן (יְמַכֵּן) פ — mechanize
מֵילָא מ״ק — never mind, so be it
מִילֵא (יְמַלֵּא) פ — fill
מִילָה נ — circumcision
מִילּוּי ז — packing, stuffing, filling
מִילּוּי מָקוֹם — substitution
מִילּוּלִי ת — verbal
מִילּוֹן ז — dictionary
מִילוֹן ז — melon
מִילּוֹנוּת נ — lexicography
מִילֵּט (יְמַלֵּט) פ — deliver, save
מִילִית, מִלִּית נ — particle (grammar)
מִילֵּל (יְמַלֵּל) פ — speak, mouth

מַיִם ז״ר	water
מֵימָה נ	hydroxide
מִימּוּן ז	financing
מִימּוּשׁ ז	realization
מֵימִי ת	watery
מֵימִיָּה נ	water-bottle
מִימֵּן (יְמַמֵּן) פ	finance
מֵימָן ז	hydrogen
מִימְסָד ר׳ מִמְסָד	
מֵימְרָה נ	saying, maxim
מִימֵּשׁ (יְמַמֵּשׁ) פ	realize
מִין ז	kind, sort; sex
מִינָּה (יְמַנֶּה) פ	appoint, nominate
מִינּוּחַ ז	terminology
מִינּוּי ז	appointment
מִינּוּן ז	dosage
מִינוּת נ	heresy
מִינִי ת	sexual
מִינֵּן (יְמַנֵּן) פ	dispense, apportion
מֵינֶקֶת נ	wet nurse
מִיסָּה נ	mass (Catholic)
מִיסּוּי ז	taxation
מִיעוּט ז	minority
מִיעֵט (יְמַעֵט) פ	reduce, lessen
מִיעֵן (יְמָעֵן) פ	address (a letter)
מִיפּוּי ז	mapping
מִיץ ז	juice
מִיצָּה (יְמַצֶּה) פ	drain; exhaust
מִיצּוּי ז	exhausting, extraction
מִיצּוּעַ ז	averaging
מִיקֵּד (יְמַקֵּד) פ	focus
מִיקּוּד ז	focussing; coding
מִיקּוּחַ ז	bargaining, haggling
מִיקּוּם ז	location, siting
מִיקּוּשׁ ז	mine-laying
מִיקָּח ז	purchase, buying
מִיקֵּם (יְמַקֵּם) פ	locate, site
מִיקֵּשׁ (יְמַקֵּשׁ) פ	lay mines, mine
מֵירַב, מֵרַב ז	maximum
מֵירַבִּי, מְרַבִּי ת	maximal
מֵירוּט ז	polishing, burnishing
מֵירוֹץ, מֵרוֹץ ז	race; racing
מֵירַק (יְמָרֵק) פ	scour, polish
מֵירַר (יְמָרֵר) פ	embitter
מֵי שׁוֹפְכִין	sewage water
מִישׁוֹר ז	plane; plain, flat land
מִישֵּׁשׁ (יְמַשֵּׁשׁ) פ	feel, grope
מִיתֵּג (יְמַתֵּג) פ	switch
מֵיתָד ז	dowel
מִיתָה נ	death
מִיתּוּן ז	moderation
מֵיתָר ז	string, chord
מַכְאוֹב ז	pain, suffering
מַכְאִיב ת	painful, hurtful
מִכָּאן תה״פ	hence, from here
מְכַבֶּה ז	extinguisher
מְכַבֵּה־אֵשׁ	fireman
מַכְבֵּנָה נ	hair-pin
מִכְבָּסָה נ	laundry
מַכְבֵּשׁ ז	press, roller
מַכָּה נ	hit, blow
מְכוּבָּד ת	honored, respected
מְכוּדָּן ת	armed with a bayonet
מַכְוֵון ז	tuner, regulator
מְכוּוָּן ת	aimed, directed
מְכוּוָּנוּת נ	orientation
מְכוּוָּץ ת	shrunk, contracted
מִכְוֶורֶת נ	apiary
מְכוּלָה נ	container
מַכּוֹלֶת נ	grocery

מָכוֹן ז	institute
מְכוֹנָאוּת נ	mechanical engineering
מְכוֹנַאי ז	machinist, mechanic
מְכוֹנָה נ	machine
מְכוֹנִית נ	automobile, car
מְכוּסֶּה ת	covered
מְכוֹעָר ת	ugly, repulsive
מָכוּר ת	sold
מְכוּרְבָּל ת	wrapped up
מְכוֹרָה נ	native land
מְכוֹרָךְ ת	bound (book)
מַכּוֹשׁ ז	pick, pick-axe
מַכּוֹשִׁית נ	xylophone
מִכְחוֹל ז	artist's paint-brush
מִכֵּיוָן תה"פ	since, seeing that
מֵכִיל ת	containing
מְכִינָה נ	preparatory course
מַכִּיר ז	acquaintance, friend
מְכִירָה נ	selling, sale
מִכְלָאָה נ	fold, pen
מִכְלוֹל ז	sum total, totality
מִכְלָל ז	perfection; encyclopaedia
מִכְלָלָה נ	university
מִכָּל מָקוֹם	in any case, anyway
מַכָּ"ם ז	radar
מִכְמוֹרֶת נ	fishing-net
מִכְמָן ז, מִכְמַנִּים ז"ר	treasure(s)
מְכַנֶּה ז	denominator
מַכְנִיס ת	profitable, producing income
מִכְנָסַיִם ז"ז	trousers; drawers
מֶכֶס ז	customs, duty
מִכְסָה נ	norm, quota
מִכְסֶה ז	cover, lid
מַכְסֵחָה נ	lawn-mower
מַכְסִיף ת	silvery
מְכָעֵר ת	making ugly
מַכְפִּיל ז	duplicator, multiplier
מִכְפָּל ז	multiple
מַכְפֵּלָה נ	product
מָכַר (יִמְכּוֹר) פ	sell; hand over
מַכָּר ז	acquaintance
מִכְרֶה ז	mine
מִכְרָז ז	tender (for a contract), announcement (of a job)
מַכְרִיז ז	announcer; auctioneer
מַכְרִיעַ ת	decisive
מְכַרְסֵם ז, ת	rodent; gnawing
מְכַרְסֶמֶת נ	milling machine
מִכְשׁוֹל ז	obstacle
מַכְשִׁיר ז	instrument, tool
מַכְשִׁירָן ז	instrument mechanic
מַכְשֵׁלָה נ	obstacle; mess
מְכַשֵּׁף ז	wizard, sorcerer
מְכַשֵּׁפָה נ	witch
מִכְתָּב ז	letter
מַכְתֵּבָה, מִכְתָּבָה נ	writing-desk
מִכְתָּם ז	epigram
מַכְתֵּשׁ ז	mortar (tool)
מַכַּת שֶׁמֶשׁ	sunstroke
מָל (יָמוּל) פ	circumcize
מָלֵא (יִמְלָא) פ	be full
מָלֵא ת	full
מְלַאי ז	stock
מַלְאָךְ ז	angel; messenger
מְלָאכָה נ	work; craft
מַלְאֲכוּת נ	mission
מְלָאכוּתִי ת	artificial
מְלֶאכֶת־יָד	handicraft
מְלַבֵּב ת	heart-warming

מִלְּבַד מ״ח in addition to, besides
מַלְבּוּשׁ ז dress, clothing
מַלְבֵּן ז rectangle
מִלְגָּה נ scholarship, award
מַלְגֵּז ז pitchfork
מִלָּה נ word
מִלָּה בְּמִלָּה word for word
מְלוֹא ז fullness, full measure
מְלוּבָּן ת whitened, white-hot
מְלוּבָּשׁ ת clothed, dressed
מַלְוֶה ז moneylender
מִלְוֶה ז, מִלְוָוה נ loan
מְלַוֶּה ז escort; accompanist
מָלוּחַ ת salty
מְלוּטָּשׁ ת polished
מְלוּכָּד ת combined, united
מְלוּכָה נ kingdom, kingship
מְלוּכְלָךְ ת dirty
מְלוּכָנִי ת monarchic
מְלוּכְסָן ת oblique, slanting, skew
מְלוּמָּד ת scholar, learned man
מָלוֹן, בֵּית־מָלוֹן ז hotel
מְלוֹנָאוּת נ hotel management
מְלוּנָה נ kennel (for dogs)
מָלוֹשׁ ז kneading-trough
מֶלַח ז salt
מַלָּח ז seaman, sailor
מְלֵחָה נ salt lands, desert
מַלְחִין ז composer
מְלַחֵךְ ז licker
מְלַחֵךְ פִּינְכָּא toady, lickspittle
מַלְחֵם ז soldering iron
מִלְחָמָה נ war
מִלְחַמְתִּי ת warlike, militant
מַלְחֵץ ז pinchcock

מֶלְחָצַיִם ז״ז vice, jaw-vice
מְלַחַת נ saltpetre
מֶלֶט ז mortar; cement
מִלְטָשָׁה נ diamond-polishing workshop
מָלִיא ז stuffed vegetable
מְלִיאָה נ plenum
מָלִיחַ ז salt herring
מְלִיחוּת נ salinity
מְלִיל ז dumpling
מֵלִיץ ז interpreter; advocate; rhetorician
מְלִיצָה נ figure of speech
מְלִיצִי ת flowery, rhetorical
מְלִית נ stuffing, filling
מָלַךְ (יִמְלוֹךְ) פ reign, be king
מֶלֶךְ ז king, sovereign
מַלְכָּה נ queen
מַלְכּוֹדֶת נ trap, snare
מַלְכוּת נ kingdom
מַלְכוּתִי ת regal, royal, sovereign
מִלְּכַתְּחִילָּה תה״פ from the first, from the beginning
מֶלֶל ז talk; chatter
מְלָל ז border, hem, seam
מַלְמָד ז goad
מְלַמֵּד ז teacher, tutor
מִלְמוּל ז mumbling, muttering
מִלְּמַטָּה תה״פ from below
מִלְמֵל (יְמַלְמֵל) פ mumble, mutter
מַלְמָלָה נ muslin, fine cloth
מִלְּעֵיל תה״פ accented on the penultimate syllable
מַלְעָן ז awn, husk
מְלָפְפוֹן ז cucumber

מֶלְצַר ז waiter, steward
מָלַק (יִמְלוֹק) פ pinch off (a fowl's head)
מַלְקוֹחַ ז booty, plunder
מַלְקוֹשׁ ז last rain
מַלְקוּת, מַלְקוֹת נ flogging, lashing
מֶלְקָחַיִים ז״ז tongs, pincers
מֶלְקַחַת נ pliers
מַלְקֶטֶת נ tweezers, pincers
מִלְּרַע תה״פ accented on the final syllable
מַלְשִׁין ז informer
מִלַּת הַגּוּף pronoun
מֶלְתָּחָה נ cloakroom, wardrobe
מִלַּת חִיבּוּר conjunction
מִלַּת יַחַס preposition
מַלְתָּעָה נ tooth (of a beast of prey)
מִלַּת קִישּׁוּר conjunction
מִלַּת קְרִיאָה interjection
מַמְאִיר ת malignant
מַמְגּוּרָה נ silo, granary
מֵמַד ז dimension
מַמְדֵּד ז measuring instrument
מְמַדִּי ת dimensional
מְמוּגָּל ת infected (with pus)
מְמוּזָּג ת temperate, moderate
מְמוּיָּן ת sorted, classified
מְמוּכָּן ת mechanized
מִמּוּל תה״פ opposite
מְמוּלָּא ת stuffed, filled
מְמוּלָּח ת salty; sharp
מְמוּמָּן ת financed
מָמוֹן ז money, Mammon
מְמוּנֶּה ת in charge of, responsible for, appointed

מְמוּנָּע ת motored, motorized
מְמוּסָּד ת institutionalized
מְמוּסְפָּר numbered
מְמוּצָּע ת average
מְמוּקָּשׁ ת mined
מְמוֹרָט ת polished
מְמוּרְטָט ת frayed, threadbare
מְמוּרְמָר ת embittered
מְמוּשָּׁךְ ת prolonged; continuous
מְמוּשְׁכָּן ת mortgaged, pawned
מְמוּשְׁמָע ת disciplined
מְמוּשְׁקָף ת bespectacled
מְמוּתָּק ת sweetened, sugared
מַמְזֵר ז bastard
מִמְחָטָה נ handkerchief
מִמְטָר ז shower
מַמְטֵרָה נ sprinkler
מִמֵּילָא תה״פ in any case, anyway
מִמְּךָ מ״י from you (masc.)
מִמֵּךְ מ״י from you (fem.)
מִמְכָּר ז sale; goods
מְמַלֵּא מָקוֹם substitute, relief
מִמְלָחָה נ salt-cellar
מַמְלָכָה נ kingdom; reign
מַמְלַכְתִּי ת state, governmental
מִמֶּנָּה מ״י from her, from it (fem.)
מִמֶּנּוּ מ״י from him, from it (masc.); from us
מֵמֵס ת, ז solvent, dissolvent
מִמְסָד, מִימְסָד ז establishment
מְמַסְפֵּר ז number stamp
מִמְסָר ז relay
מִמְסָרָה נ transmission line (gear)
מִמְצָא ז finding
מַמְצִיא ז inventor

מַמְרֵא, מַמְרֶה ת	rebellious
מִמְרָאָה נ	air-strip
מִמְרָח ז	spread, paste
מַמָּשׁ ז, תה״פ	reality; really, exactly
מַמָּשׁוּת נ	reality, substance
מַמָּשִׁי ת	real, concrete
מַמָּשִׁיּוּת נ	reality, actuality
מִמְשָׁל ז	government, rule
מֶמְשָׁלָה נ	government, rule
מֶמְשַׁלְתִּי ת	government(al)
מִמְשָׁק ז	administration (economic)
מַמְתָּק ז	sweetmeat, candy
מָן ז	manna
מִן מ״י	from; of; more than
מְנָאֵף ז	adulterer
מִנְבָּטָה נ	seedbed
מַנְגִּינָה נ	tune, melody
מְנַגֵּן ז	player
מַנְגָּנוֹן ז	mechanism; apparatus; administrative staff
מְנַדֵּב ז	donor, benefactor
מָנָה (יִמְנֶה) פ	number; count
מָנָה נ	portion; ration; quotient
מִנְהָג ז	custom, practice
מַנְהִיג ז	leader
מַנְהִיגוּת נ	leadership
מְנַהֵל ז	director, manager
מִנְהָל, מִינְהָל ז	management, administration
מִנְהָלָה נ	directorate
מְנַהֵל חֶשְׁבּוֹנוֹת	accountant
מִנְהָלִי ת	administrative
מִנְהָרָה נ	tunnel
מְנוּאָץ ת	despised
מְנוּגָּד ת	opposed
מְנוּגָּן ת	played
מְנוּדֶּה ת	ostracized
מְנוּוָּל ת	despicable, contemptible
מְנוּוָּן ת	degenerate
מְנוּזָּל ת	catarrhal
מָנוֹחַ ז	rest, repose
מְנוּחָה נ	rest, repose
מָנוּי ת	subscriber; counted,
מָנוּי וְגָמוּר	resolved, decided once and for all
מְנוּמְנָם ת	drowsy, sleepy
מְנוּמָּס ת	polite, courteous
מְנוּמָּק ת	argued, reasoned
מְנוּמָּר ת	spotted, speckled
מָנוֹס ז	flight; refuge
מְנוּסָה נ	rout, flight
מְנוּסֶּה ת	experienced
מָנוֹעַ ז	engine, motor
מְנוֹעִי ת	engined, motored
מָנוֹף ז	lever
מְנוֹפַאי ז	crane-driver
מְנוֹרָה נ	lamp
מְנוּשָּׁל ת	evicted (from property)
מְנוּתָּק ת	cut off
מִנְזָר ז	monastery, convent
מִנְחָה נ	gift, offering; afternoon prayers; afternoon
מְנַחֵם ז	comforter, consoler
מְנַחֵשׁ ז	diviner, fortune-teller
מַנְחֵת ז	damper, absorber
מִנִּי מ״י	from, of
מְנָיָה נ	share
מִנְיָן ז	counting; ten
מִנַּיִן תה״פ	where from; whence
מֵנִיעַ ז	motive, factor

מְנִיעָה נ	hindrance; prevention
מְנִיפָה נ	fan
מִנְסָרָה נ	prism; sawmill
מָנַע (יִמְנַע) פ	hold back, prevent
מֶנַע ז	prevention
מַנְעוּל ז	lock
מִנְעָל ז	footwear, shoe
מַנְעַמִּים ז״ר	pleasures
מְנַצֵּחַ ז	conqueror; conductor
מְנַצֵּל ז	exploiter
מְנַקֵּב ז	punch
מְנַקֵּד ז	pointer, vocalizer
מְנַקָּה נ	cleaner
מְנַקִּיָּה נ	cleaning instrument
מְנַקֵּר ז	porger
מִנְשָׁר ז	manifesto
מְנַתֵּחַ ז	surgeon
מַס ז	tax, levy
מֵסַב ז	bearing
מִסְבָּאָה נ	public house, saloon, bar
מַסְבֵּב ז	stocks and dies
מִסְבָּךְ ז	tangle, maze
מִסְבָּנָה נ	soap factory
מִסְגָּד ז	mosque
מְסַגְנֵן ז	stylizer
מַסְגֵּר ז	metal-worker, locksmith
מַסְגְּרוּת נ	metal-work
מַסְגֵּרִיָּה נ	metal workshop
מִסְגֶּרֶת נ	frame, framework
מַסָּד ז	basement, basis
מִסְדָּר ז	parade; order
מִסְדָּרָה נ	composing room
מִסְדְּרוֹן ז	corridor
מַסְדֶּרֶת נ	composing machine
מַסָּה נ	trial, test; essay

מַס הַכְנָסָה	income tax
מְסוּבָּךְ ת	complicated, complex
מְסוּגָּל ת	competent, capable
מְסוּגָּר ת	closed in
מְסוּדָּר ת	neat, tidy
מְסוּוָּג ת	classified
מַסְוֶה ז	disguise
מְסוּיָּג ת	reserved; fenced
מְסוּיָּד ת	whitewashed
מְסוּיָּם ת	specific, certain
מְסוּכָה נ	hedge (of thorn-bushes); lubricator
מְסוּכָּן ת	dangerous, risky
מְסוּכְסָךְ ת	quarreling, at odds
מְסוּלָּא ת	worth, valued
מְסוּלְסָל ת	curly; elaborate (style)
מְסוּלָּע ת	rocky
מְסוּלָּף ת	distorted, garbled
מְסוּמָּם ת	drugged, poisoned
מְסוּמָּן ת	marked
מְסוּנְוָור ת	dazzled, blinded
מְסוּנָּן ת	strained, filtered
מְסוּנָּף ת	affiliated
מְסוּנְתָּז ת	synthesized
מְסוּעָף ת	having branches
מְסוּפָּק ת	doubtful
מְסוּפָּר ת	told, related
מְסוּפְרָר ת	numbered
מַסּוֹק ז	helicopter
מְסוּקָּל ת	cleared of stones
מְסוּקָּס ת	knotty (wood)
מַסּוֹר ז	saw
מָסוּר ת	devoted
מְסוּרְבָּל ת	clumsy, awkward
מְסוֹרָג ת	knitted; with a grille

מְסוּרגָל ת	ruled, lined
מְסוּרטָט ת	drawn
מְסוֹרָס ת	castrated
מְסוֹרָק ת	combed
מָסוֹרֶת נ	tradition
מְסוּתָּת ת	chiselled
מַסחֵט ז	squeezer
מִסחָר ז	commerce, trade
מִסחָרִי ת	commercial
מְסַחרֵר ת	dizzying
מְסִיבָּה נ	party, get-together
מֵסִיחַ ת	talking, speaking
מַסִּיחַ ת	averting, removing
מְסַייֵעַ ת	auxiliary, aiding
מְסִילָּה נ	path, track
מְסִילַּת בַּרזֶל	railway track
מְסִיסוּת נ	solubility
מַסִּיק ז	fireman, stoker
מָסִיק ז	olive harvest
מְסִירָה נ	delivery, handing over
מְסִירוּת נ	devotion
מֵסִית, מַסִּית ז	inciter
מָסַךְ (יִמסוֹךְ) פ	mix drinks, blend
מָסָךְ ז	curtain; screen
מַסֵּכָה נ	mask
מִסכֵּן ז, ת	wretch, miserable
מִסכֵּנוּת נ	misery, poverty
מִסכֶּרֶת נ	sugar-bowl
מַסֶּכֶת נ	web; tractate; pageant
מַסכֵּת ז	stethoscope
מַסֶּכתָּא נ	tractate (of the Talmud)
מַסלוּל ז	course, orbit
מִסלָקָה נ	clearing (banking)
מִסמָךְ ז	document
מִסמֵס (יְמַסמֵס) פ	dissolve
מַסמֵר ז	nail
מְסַנווֵר ת	dazzling, blinding
מַסנֵן ז	filter
מְסַנֶּנֶת נ	strainer, filter
מַסָּע ז	journey; move (in chess)
מִסעָדָה נ	restaurant
מַסעֵי הַצְּלָב	the Crusades
מִסעָף ז	branching; road junction
מַספֵּג ז	blotter
מִספֵּד ז	lament
מִספּוֹא ז	fodder
מִספּוּר ז	numbering
מַספִּיק ת	sufficient, adequate
מִספָּנָה נ	dockyard
מִספָּר ז	number; some, a few
מִספֵּר (יְמַספֵּר) פ	number, numerate
מְסַפֵּר ז	story-teller
מִספָּרָה נ	barber's shop
מִספָּרִי ת	numerical
מִספָּרַיִים ז״ז	scissors
מָסַק (יִמסוֹק) פ	pick olives
מַסקָנָה נ	conclusion
מָסַר (יִמסוֹר) פ	hand over, deliver
מֶסֶר ז	message
מַסרֵגָה נ	knitting-needle
מַסרֵטָה נ	movie camera
מְסַרטֵט ז	draughtsman
מַסרִיט ז	film-maker
מַסרֵק ז	comb
מִסתּוֹר ז	hiding-place
מִסתּוֹרִי ת	mysterious
מִסתּוֹרִין ז	mystery
מִסתַּייֵג ז	one who has reservations
מִסתַּכֵּל ז	onlooker, observer
מַסתֵּם ז	stopper

מִסְתָּמָא תה״פ	apparently, probably
מִסְתַּנֵּן ז	infiltrator
מִסְתַּפֵּק ת	satisfied, content
מְסַתֵּת ז	stone-cutter
מַעְבָּדָה נ	laboratory
מַעֲבֶה ז	thickness
מַעְבּוֹרֶת נ	ferry
מַעֲבִיד ז	employer
מַעֲבִיר ז	transferor, conveyer
מַעֲבָר ז	transition, transit, passage
מַעֲבַר חֲצִיָּיה	pedestrian crossing
מַעְבָּרָה נ	ford, river-crossing; transit camp
מַעְגִּילָה נ	roller; mangle
מַעְגָּל ז	circle, ring; course
מַעֲגָן ז	anchorage, quayside
מָעַד (יִמְעַד) פ	stumble, slip
מַעֲדָן ז, מַעֲדַנִּים ז״ר	delicacies
מַעְדֵּר ז	hoe, mattock
מָעָה נ	coin
מְעוּבֶּרֶת נ	pregnant
מְעוּגָּל ת	round, rounded
מְעוֹדֵד ת	encouraging
מְעוֹדָד ת	encouraged
מְעוּדְכָּן ת	up-to-date
מְעוּדָּן ת	delicate, dainty
מְעוּוֶּה ת	deformed
מְעוּוָּת ת	crooked, distorted
מָעוֹז ז	stronghold, fastness
מְעוּטָּף ת	wrapped
מְעוּיָּן ת, ז	balanced; rhombus
מָעוּךְ ת	squashed, crumpled
מְעוּכָּב ת	delayed, held up
מְעוּכָּל ת	digested
מְעוּלֶּה ת	excellent, superlative
מֵעוֹלָם תה״פ	ever, from of old
מֵעוֹלָם לֹא	never (in the past)
מְעוּמְלָן ת	starched
מְעוּמְעָם ת	faint, hazy
מָעוֹן ז	home, residence
מְעוּנֶּה ת	tortured
מְעוּנְיָין ת	interested, concerned
מְעוּנָּן ת	cloudy
מָעוֹף ז	flight
מְעוּפָּשׁ ת	rotten, moldy
מְעוּצָּב ת	molded
מְעוּצְבָּן ת	nervous, nervy
מְעוּצֶּה ת	woody
מְעוּקָּב ת	cubic, cube
מְעוּקָּל ת	crooked
מְעוּקָּם ת	curved, twisted
מְעוּקָּר ת	sterilized
מְעוֹרָב ת	mixed; involved
מְעוּרְבָּב ת	mixed; jumbled
מְעוֹרָבוּת נ	involvement
מְעוֹרֶה ת	connected, rooted
מְעוּרְטָל ת	uncovered, nude
מְעוֹרָם ת	heaped, piled up
מְעוּרְפָּל ת	misty, foggy
מְעוֹרֵר ת	stimulant
מְעוּשֶּׂה ת	artificial
מְעוּשָּׁן ת	smoked; smoky
מָעוֹת נ״ר	money, small change
מָעַט (יִמְעַט) פ	diminish
מְעַט תה״פ, ת	little, few; a little, a few
מַעֲטֶה ז	wrap, covering
מַעֲטָפָה נ	envelope
מְעִי ז, מֵעַיִים ז״ר	bowels, intestines; guts, entrails

מַעְיָן — spring, fountain
מְעַיֵּן ז — reader, browser
מְעִיכָה נ — crumpling, crushing
מְעִיל ז — coat, overcoat; jacket
מְעִילָה נ — embezzlement
מֵעֵין תה״פ — somewhat like, "kind of"
מְעִי עִיוֵּר — appendix (anat.)
מֵעִיק ת — oppressive
מֵעִיקָּרָא תה״פ — fundamentally, a priori
מָעַךְ (יִמְעַךְ) פ — crush, crumple
מְעַכֵּב ת — delaying, detaining
מָעַל (יִמְעַל) פ — embezzle, betray trust
מַעַל ז — betrayal of trust
מַעֲלֶה ז — rise, ascent
מַעֲלָה נ — degree; step; advantage
מַעְלָה תה״פ — up, upwards
מַעֲלִית נ — lift, elevator
מַעֲלָל ז — action, act
מֵעִם מ״י — from
מַעֲמָד ז — class; status, position
מַעֲמָדִיּוּת נ — class loyalty
מְעַמֵּל ז — physical training instructor
מַעֲמָס ז — load, burden
מַעֲמָסָה נ — great burden, heavy load
מַעֲמָק ז — depth
מַעַן ז — address
מַעֲנֶה ז — answer, reply
מְעַנְיֵן ת — interesting
מַעֲנָק ז — bonus; scholarship, grant
מַעֲפוֹרֶת נ — overall, smock
מַעְפִּיל ז — pioneer, brave man; illegal immigrant into Mandated Palestine

מְעַצֵּב ת, ז — fashioner, shaper
מַעֲצֵבָה נ — pain, sorrow
מְעַצְבֵּן ת — irritating, nerve-racking
מַעְצוֹר ז — hindrance, hold-up; stoppage; inhibition; brake
מַעֲצִיב ת — saddening
מַעֲצָמָה נ — great nation, power
מַעְצָר ז — arrest, detention
מַעֲקָב ז — follow-up
מַעֲקֶה ז — railing, parapet, rail
מַעֲקוֹבֶת נ — sequence
מַעֲקוֹף ז — traffic island
מַעֲרָב ז — west
מַעֲרָבָה תה״פ — westwards
מְעַרְבּוֹלֶת נ — whirlpool
מַעֲרָבוֹן ז — western (film)
מַעֲרָבִי ת — west, western
מְעַרְבֵּל ז — mixer, concrete-mixer
מַעַרְבָּל ז — eddy, whirlpool
מְעָרָה נ — cave, cavern
מַעֲרוּמִּים ז״ר — nakedness
מַעֲרִיב ז — evening prayer; evening
מַעֲרִיךְ ז — assessor, valuer
מַעֲרִיץ ז — admirer, fan
מַעֲרָךְ ז — arrangement, lay-out; alignment
מַעֲרָכָה נ — battle line; front, battlefield; battle, fight; act (of a play); order; set
מַעַרְכוֹן ז — one-act play
מַעֲרֶכֶת נ — editorial board
מְעַרְעֵר ז — appellant
מַעַשׂ ז — action, deed
מַעֲשֶׂה ז — deed, action; tale, story
מַעֲשִׂי ת — practical, praticable; actual

מַעֲשִׂיּוּת נ practicality; praticability

מַעֲשִׂיָּה נ tale, fairy story

מְעַשֵּׁן ז smoker

מַעֲשֵׁנָה נ chimney

מַעֲשֵׂר ז tenth, tithe

מֵעֵת לְעֵת a full day (24 hours)

מַעְתָּק ז displacement, fault (geography); shift (semantics)

מִפְּאַת תה״פ because of

מִפְגָּן ז parade, demonstration

מִפְגָּע ז obstacle

מְפַגֵּר ת backward

מִפְגָּשׁ ז meeting-place; meeting

מִפְדֶּה ז repayment

מַפָּה נ map; tablecloth

מְפוֹאָר ת magnificent

מְפוּגָּל ת tainted, unfit for use

מְפוּזָּר ת scattered, strewn; scatterbrained

מַפּוּחַ ז bellows

מַפּוּחוֹן ז accordion

מַפּוּחוֹנַאי ז accordionist

מַפּוּחִית, מַפּוּחִית פֶּה mouth-organ

מְפוּחָם ת sooty, sooted; charred

מְפוּטָּם ת fattened, stuffed

מְפוּטָּר ת discharged, fired

מְפוּיָּח ת sooty, blackened

מְפוּיָּס ת appeased

מְפוּכָּח ת sober

מְפוּלָּג ת divided, separated

מְפוּלְפָּל ת peppery; subtle

מַפּוֹלֶת נ collapse, fall

מְפוּנֶּה ת cleared, emptied (of contents), evacuated

מְפוּנָּק ת spoilt, pampered

מְפוּסְטָר ת pasteurized

מְפוּסָּל ת carved, sculptured

מְפוּסְפָּס ת striped

מְפוּסָּק ת punctuated; parted

מְפוּצֶּה ת compensated

מְפוּצָּל ת split up, divided

מְפוּקָּח ת shrewd, astute

מְפוּקְפָּק ת doubtful, dubious

מְפוֹרָד ת scattered, dispersed

מְפוֹרָז ת demilitarized

מְפוּרְזָל ת shod (horse); iron-clad

מְפוֹרָט ת detailed

מְפוּרְסָם ת famous

מְפוֹרָק ת disassembled; wound up

מְפוֹרָר ת crumbled

מְפוֹרָשׁ ת explained; explicit

מְפוּתָּח ת developed

מְפוּתָּל ת twisted

מַפָּח ז frustration

מַפָּחָה נ forge, smithy

מַפְטִיר ז reading from the Prophets

מַפִּיּוֹן ז serviette-holder

מֵפִיץ ז distributor

מֵפִיק ת,ז producer (of films)

מַפִּיק ז the point placed in a final ה

מֵפֵר שְׁבִיתָה strike-breaker

מַפִּית נ serviette, napkin

מַפָּל ז fall

מַפְלֵג ז distributor (in automobile)

מִפְלָג ז branching off; department

מִפְלָגָה נ party (political)

מִפְלַגְתִּי ת party

מַפָּלָה נ downfall, defeat

מִפְלָט ז refuge

מַפְלֵט ז ejector; exhaust

מִפְלָס ז — level (area); altitude
מַפְלֵס ז — level, grader (for roads)
מִפְלֶצֶת נ — monster
מִפְנֶה ז — turning-point
מִפְּנֵי מ״י — because of
מַפְסִיק ז — separator
מַפְסֶלֶת נ — chisel
מַפְסֵק ז — cut-off switch
מַפְעִיל ז — operator
מִפְעָל ז — enterprise; factory
מִפְעַל הַפַּיִס — Israel national lottery
מִפְעָם ז — tempo
מַפְצֵחַ ז — nut-cracker
מַפְצִיץ ז — bomber (plane)
מִפְקָד ז — census; parade
מְפַקֵּד ז — commander
מִפְקָדָה נ — command, headquarters
מְפַקֵּחַ ז — inspector, supervisor
מַפְקִיד ז — depositor
מַפְקִיעַ ז — one who breaks, violator
מַפְקִיעַ שְׁעָרִים, מַפְקִיעַ מְחִירִים — profiteer
מַפְרֵדָה נ — separator
מִפְרָט ז — specification
מַפְרֵט ז — plectrum
מַפְרִיס ת — hoofed
מַפְרִיסֵי־פַּרְסָה — ungulata (animals with cloven hoofs)
מְפַרְנֵס ז — provider, bread-winner
מְפַרְסֵם ז — advertiser
מִפְרָעָה נ — (colloquial) advance payment
מִפְרָץ ז — bay, gulf, inlet
מִפְרָק ז — joint, link
מְפָרֵק ז — liquidator

מַפְרֶקֶת נ — nape (of the neck)
מִפְרָשׂ ז — sail (of ship); spread, expanse
מְפָרֵשׁ ז — commentator
מִפְרָשִׂית נ — sailing-boat
מִפְשָׂעָה נ — groin; hip
מִפְשָׂק ז — astride position, leap-frog
מְפַשֵּׁר ז — conciliator
מְפַתֶּה ז — seducer, enticer
מַפְתֵּחַ ז — key; index; spanner
מִפְתֵּחַ (יְמַפְתֵּחַ) פ — key, index
מִפְתָּח ז — opening; aperture
מְפַתֵּחַ ז — engraver; developer
מַפְתִּיעַ ת — surprising, startling
מִפְתָּן ז — threshold
מָצָא (יִמְצָא) פ — find; find out
מְצַאי ז — inventory
מַצָּב ז — state, position
מַצֵּבָה נ — gravestone; monument
מַצָּבָה נ — return (monthly, etc. on strength)
מִצְבָּטַיִם ז״ז — pincers, nippers
מַצְבִּיא ז — commander of an army
מַצְבִּיעַ ת, ז — voter, elector
מִצְבָּעָה נ — dye-works
מַצְבֵּר ז — accumulator
מַצַּב־רוּחַ — mood, (coll.) bad mood
מַצַּד ז — catch, lock
מְצָד ז — pill-box, stronghold
מְצַדֵּד ת, ז — supporter
מְצָדָה נ — fortress, stronghold
מַצָּה נ — unleavened bread, matza
מִצְהָר ז — meridian; affirmation
מָצוֹד ז — hunt, manhunt
מְצוֹדֵד ת — captivating

מְצוּדָה נ fortress
מִצְוָה נ commandment, precept; good deed
מְצוּחְצָח ת polished
מָצוּי ת common; existing
מְצוּיָּד ת equipped
מְצוּיָּן ת excellent, fine; marked
מְצוּיָּץ ת fringed
מְצוּיָּר ת drawn
מְצוּלָה נ deep water
מְצוּלָּם ת photographed
מְצוּלָּע ת polygon
מְצוּלָּק ת scarred
מְצוּמְצָם ת reduced; limited
מְצוּמָּק ת shrivelled, wrinkled (face)
מְצוּנָּן ת chilled
מְצוּעָף ת veiled
מְצוּעְצָע ת showy, ornate
מָצוֹף ז float; buoy
מְצוּפֶּה ת expected; plated
מָצוּץ ת sucked
מָצוֹק ז distress
מְצוּקָה נ distress, trouble
מָצוֹר ז siege
מְצוּרָה נ fortress
מְצוֹרָע ת, ז leprous, leper
מְצוֹרָף ת attached; refined
מֵצַח ז forehead, brow
מִצְחָה נ eye-shade, peak
מִצְטַלֵּב ת crossing, crossing oneself
מְצִיאָה נ find, discovery; bargain
מְצִיאוּת נ reality; existence
מְצִיאוּתִי ת real, realistic
מַצִּיג ז demonstrator, exhibitor
מַצִּיָּה נ cracker (biscuit)
מַצִּיל ז life-saver; rescuer
מְצִילָה נ bell
מְצִיצָה נ sucking, suction
מֵצִיק ז, ת oppressor; pestering
מַצִּית נ lighter, cigarette lighter
מֵצֵל ת shady
מַצְלִיחַ ת successful, prosperous
מַצְלִיף ז flogger; Whip (parliamentary)
מַצְלֵמָה נ camera
מְצַלְצְלִים ז״ר small change, coins
מְצִלְתַּיִם ז״ז cymbals
מַצְמֵד ז clutch (auto.)
מִצְמוּץ ז blinking; wink
מִצְמֵץ (יְמַצְמֵץ) פ blink, wink
מַצְנֵחַ ז parachute
מַצְנֵן ז radiator
מִצְנֶפֶת נ head-scarf, turban
מַצָּע ז bedding; platform (political)
מִצְעָד ז step, walk; march
מְצַעֵר ת sad, distressing
מַצְעֶרֶת נ throttle
מִצְפֶּה ז observation point
מַצְפּוּן ז conscience
מַצְפֵּן ז compass
מָצַץ (יִמְצוֹץ) פ suck
מַצֶּקֶת נ ladle, casting ladle
מֵצַר, מֵיצַר ז straits; isthmus
מֶצֶר ז boundary, border
מִצְרִי ת Egyptian
מִצְרַיִם נ Egypt
מִצְרָךְ ז commodity
מִצְרָנִי, מַצְרָנִי ת adjacent
מַצְרֵף ז crucible

מַצָּת ז spark plug; lighter
מַק ז decay, rottenness
מַקָּב ז punch, piercer
מַקָּבַיִים ז״ז punching tongs
מַקְבִּיל ז, ת parallel; parallel line
מַקְבִּילַיִים ז״ז parallel bars
מַקְבִּילִית נ parallelogram
מִקְבָּע ז fixation
מִקְבָּץ ז assembly point; group (in target practice)
מַקֶּבֶת נ sledge-hammer
מַקְדֵּחַ ז drill, borer
מַקְדֵּחָה נ drilling machine, drill press
מְקַדֵּם ז coefficient
מִקְדָּם ז introduction (music); handicap (in race, etc.)
מִקְדָּמָה נ advance payment
מִקַּדְמַת דְּנָה תה״פ from of old, from before
מִקְדָּשׁ ז shrine, temple
מַקְהֵלָה נ choir
מְקוּבָּל ת conventional, accepted
מְקוּבָּץ ת grouped together
מַקּוֹד ז center punch
מְקוּדָּשׁ ת sanctified, consecrated
מִקְוֶה ז ritual bath
מְקוּוֶּה ת hoped for
מְקוּוְקָו ת lined, shaded (with lines)
מְקוּטְלָג ת catalogued
מְקוּטָּע ת cut down; interrupted
מָקוֹל ז gramophone
מְקוּלָּל ת cursed, accursed
מְקוּלְקָל ת spoilt, bad
מָקוֹם ז place, locality; room
מְקוּמָּט ת creased, crumpled
מְקוֹמִי ת local
מְקוּמָּר ת arched, convex
מְקוֹנֵן ז mourner
מְקוּעָר ת concave
מַקּוֹף ז beat
מְקוּפָּח ת discriminated against
מְקוּפָּל ת folded
מְקוּצָּץ ת cut down; curtailed
מְקוּצָּר ת shortened
מָקוֹר ז origin; spring
מַקּוֹר ז beak (birds); firing-pin (on rifle)
מְקוֹרָב ת, ז close friend
מְקוֹרֶה ת roofed
מְקוּרְזָל ת frizzy
מְקוֹרִי ת original
מְקוֹרִיּוּת נ originality
מְקוֹרָר ת chilled
מַקּוֹשׁ ז drumstick; knocker (on door)
מְקוּשָּׁט ת decorated
מַקּוֹשִׁית נ xylophone
מְקוּשְׁקָשׁ ת scribbled
מְקוּשְׂקָשׂ ת scaly
מְקוּשָּׁר ת connected
מְקוּשָּׁת ת arched
מִקְטוֹרֶן ז jacket
מִקְטָע ז segment
מִקְטֶרֶת נ pipe (for tobacco)
מַקִּיף ת surrounding
מֵקִיץ ת waking up, rousing
מַקִּישׁ ת knocking, banging
מַקֵּל ז stick; staff
מֵקֵל ת lenient

מִקְלֶדֶת נ	keyboard
מַקְלֶה ז	toaster
מִקְלַחַת נ	shower
מִקְלָט ז	shelter
מַקְלֵט ז	wireless set
מַקְלֵעַ ז	machine-gun
מַקְלְעָן ז	machine-gunner
מִקְלַעַת נ	braided, plaited, or woven work
מַקְלֵף ז	vegetable-peeler
מְקַנֵּא ת	jealous, envious
מִקְנֶה ז	cattle
מַקְסִים ת	attractive, charming
מִקְסָם ז	charm, attraction
מַקָּף, מַקֵּף ז	hyphen
מִקְפָּא ז	jelly
מַקְפִּיד ת	strict, particular
מַקְפֵּצָה נ	spring-board
מִקְצָב ז	meter (poetic); rhythm
מִקְצוֹעַ ז	profession, trade; subject (at school)
מַקְצוּעָה נ	plane (tool)
מִקְצוֹעִי ת	professional, vocational
מִקְצוֹעָנִי ת	professional (in sport, etc.)
מַקְצִיף ת	foaming, frothy
מַקְצֵף ז	egg-beater
מַקְצֵצָה נ	chopping machine
מַקְצֵרָה נ	reaping machine
מִקְצָת נ	part, a little
מַקָּק ז	cockroach
מֶקֶק ז	rot; gangrene
מִקְרָא ז	reading; the Bible
מִקְרָאָה נ	reader, language textbook
מִקְרָאִי ת	biblical
מִקְרֶה ז	happening, event, incident
מִקָּרוֹב	recently
מִקְרִי ת	accidental, casual
מַקְרֵן ז	radiator
מְקַרְקְעִים, מְקַרְקְעִין ז״ר	real estate, landed property
מַקְרֵר ז	refrigerator
מַקָּשׁ ז	key (of typewriter)
מִקְשָׁאָה נ	field of cucumbers
מִקְשָׁה נ	hammered work
מַקְשֵׁחַ ז	stiffener, stiffening bar
מַקְשָׁן ז	heckler, one who questions everything
מְקַשְׁקֵשׁ ז	prattler, chatterbox
מְקַשֵּׁר ז	binder; liaison officer
מַר ת	bitter
מַר ז	Mr.
מַרְאֶה ז	sight; appearance
מַרְאָה נ	mirror
מַרְאֵה מָקוֹם	reference
מְרַאְיֵן ז	interviewer
מַרְאִית נ	appearance
מֵרֹאשׁ תה״פ	in advance
מְרַאֲשׁוֹת נ״ר	the head of the bed
מֵרַב, מֵירַב ז	maximum
מַרְבַד ז	carpet
מִרְבָּד ז	deposit; stratification
מְרַבִּי, מֵירַבִּי ת	maximal
מַרְבִּית נ	majority
מִרְבָּץ ז	deposit (geology)
מַרְגּוֹעַ ז	rest, repose
מְרַגֵּל ז	spy
מַרְגְּלוֹת נ״ר	foot of the bed
מַרְגָּלִית נ	pearl

מַרְגֵּמָה נ mortar (weapon)
מַרְגָּנִית נ pimpernel
מַרְגָּשׁ ז disposition, feeling
מָרַד (יִמְרוֹד) פ rebel, revolt
מֶרֶד ז revolt, mutiny
מַרְדֶּה ז baker's shovel
מַרְדָּנוּת נ rebelliousness
מַרְדַּעַת נ saddle-cloth
מָרָה (יִמְרֶה) פ disobey, rebel
מָרָה נ bile; gall bladder
מָרָה שְׁחוֹרָה melancholy
מְרוּאְיָן ת interviewed
מְרוּבֶּה ת much, numerous
מְרוּבָּע ת square
מְרוּגָּז ת angry, irate
מְרוּגָּשׁ ת excited
מָרוּד ת wretched, depressed
מְרוּדָּד ת beaten, flat
מְרוּהָט ת furnished
מְרוּוָּח ת spacious, roomy
מִרְוָח ז clearance; distance
מְרוּחָץ ת washed, bathed
מְרוּחָק ת remote, far
מְרוּטָּשׁ ת ripped open
מְרוּכָּז ת concentrated
מְרוּכָּךְ ת softened
מָרוֹם ז height; heaven
מְרוּמֶּה ת deceived, deluded
מְרוּמָּז ת hinted, implied
מְרוֹמָם ת exalted, uplifted
מְרוּסָּן ת restrained
מְרוּסָּס ת sprayed
מְרוּסָּק ת crushed
מְרוּעֲנָן ת refreshed
מְרוֹעָף ת tiled

מְרוּפָּד ת upholstered
מְרוּפָּט ת shabby, worn-out
מְרוּפָּשׁ ת muddy, swampy
מְרוּצָה נ running
מְרוּצֶּה ת satisfied
מְרוּצָּף ת paved, tiled
מְרוּקָּן ת emptied, empty
מְרוּקָּע ת flattened, beaten flat
מָרוֹר ז bitter herb
מְרוּשָּׁל ת slovenly, careless
מְרוּשָּׁע ת wicked
מְרוּשָּׁשׁ ת run down, impoverished
מְרוּשָּׁת ת net-like; covered with a net
מָרוּת נ mastery, authority
מְרוּתָּח ת boiled
מְרוּתָּךְ ת welded
מְרוּתָּק ת tied; confined
מַרְזֵב ז drainpipe
מָרַח (יִמְרַח) פ spread, smear
מֶרְחָב ז open space
מֶרְחָפָה נ hovercraft
מֶרְחָץ ז bath
מֶרְחָק ז distance; distant place
מַרְחֶשְׁוָן ז Marheshvan (October–November)
מָרַט (יִמְרוֹט) פ pluck
מְרִי ז rebelliousness
מְרִיבָה נ quarrel, dispute
מְרִידָה נ mutiny, revolt
מְרִיצָה נ wheelbarrow
מְרִיקָה נ cleansing; purging
מָרִיר ת bitterish, bitter
מְרִירוּת נ bitterness, acrimony
מֵרְכָאוֹת כְּפוּלוֹת inverted commas

מֶרְכָּב ז saddle, chassis (of a car), body
מֶרְכָּבָה נ chariot; cab, carriage
מֵרְכָה נ quotation mark
מִרְכּוּז ז centralizing, centralization
מַרְכּוֹלֶת נ merchandise
מֶרְכָּז ז center
מְרַכֵּז ז organizer
מִרְכֵּז (יְמַרְכֵּז) פ center; centralize
מֶרְכָּזִי ת central
מֶרְכָּזִיָּה נ telephone exchange
מִרְכֶּזֶת נ telephone exchange
מַרְכִּיב ז component
מִרְמָה נ fraud, cheating
מַרְנִין ת gladdening
מַרְסֵס ז spray, sprayer
מַרְסֵק ז masher
מִרְעֶה ז pasture
מַרְעוֹם ז fuse (of mine, bomb, etc.)
מַרְעִית נ flock at pasture
מַרְפֵּא ז cure
מִרְפָּאָה נ clinic
מִרְפֶּסֶת נ verandah, balcony
מַרְפֵּק ז elbow
מְרַפְרֵף ת superficial
מֶרֶץ ז energy
מַרְצֶה ז lecturer
מֵרָצוֹן of one's free will
מְרַצֵּחַ ז murderer
מַרְצֵעַ ז awl
מְרַצֵּף ז tiler, tile-layer
מַרְצֶפֶת נ paving-stone; pavement, tiled area
מָרָק ז soup
ז putty

מַרְקוֹעַ ז biscuit, wafer
מִרְקַחַת נ mixture of spices or perfumes; jam
מִרְקָם ז texture, weave
מַרְקֵקָה נ spittoon
מַרְשִׁים impressive
מִרְשָׁם ז sketch; recipe
מָרַת נ Mrs.; Miss
מַרְתֵּף ז cellar
מְרַתֵּק ת binding; thrilling
מַשָּׂא ז load, burden; prophetic vision
מַשְׁאָב ז (ר׳ מַשְׁאַבִּים) resource
מַשְׁאֵבָה נ pump
מַשָּׂא וּמַתָּן negotiations
מַשָּׂאִית ז truck, lorry
מִשְׁאָל ז referendum, poll
מִשְׁאָלָה נ wish
מִשְׁאֶרֶת נ kneading-trough
מַשָּׁב נ breeze, blowing
מַשְׂבִּיעַ רָצוֹן satisfactory
מִשְׁבֶּצֶת נ square
מַשְׁבֵּר ז crisis
מִשְׁבָּר ז heavy wave
מִשְׁגֶּה ז error, mistake
מַשְׁגִּיחַ ז inspector, monitor
מִשְׁגָּל ז sexual intercourse
מְשַׁגֵּעַ ת maddening; (colloquial) exciting, wonderful
מַשְׂדֵּדָה נ harrow
מַשְׁדֵּר ז transmitter
מִשְׁדָּר ז wireless program
מָשָׁה (יִמְשֶׁה) פ draw out (of the water)
מַשֶּׁהוּ ז something

מַשּׂוּאָה נ smoke-signal
מַשּׂוֹא פָּנִים partiality, favoritism
מְשׁוּבָה נ mischief
מְשׁוּבָּח ת fine, excellent
מְשׁוּבָּץ ת check, chequered
מְשׁוּבָּשׁ ת faulty, corrupt
מְשׁוּגָּע ת mad, crazy
מְשׁוּדָּר ת broadcast, transmitted
מִשְׁוָואָה נ equation
מַשְׁוֶה, קַו הַמַּשְׁוֶה ז equator
מַשְׁוָנִי ת equatorial
מָשׁוּחַ ת oiled; anointed
מְשׁוּחָד ת bribed; biassed
מְשׁוּחְרָר ת set free, liberated
מָשׁוֹט ז oar
מְשׁוֹטֵט ז wanderer, rambler
מְשׂוּכָה נ hedge; hurdle
מְשׁוּכְלָל ת perfect, perfected
מְשׁוּכָּן ת housed
מְשׁוּכְנָע ת convinced
מָשׁוּל ת comparable, similar
מְשׁוּלָּב ת combined, interwoven
מְשׁוּלְהָב ת aflame, flaming
מְשׁוּלָּח ת, ז sent away
מְשׁוּלָּל ת deprived of, lacking
מְשׁוּלָּשׁ ז, ת triangle; threefold
מִשּׁוּם תה״פ on account of, because of
מְשׁוּמָּד ת, ז converted, apostate
מְשׁוּמָּן ת, ז oiled; octagon
מְשׁוּמָּר ת preserved
מְשׁוּמָּשׁ ת used, second-hand
מְשׁוּנֶּה ת odd, queer
מְשׁוּנָּן ת toothed
מְשׁוּסָּע ת mangled, torn to pieces
מְשׁוּעְבָּד ת enslaved; mortgaged
מְשׁוּעֲמָם ת bored
מְשׁוֹעָר ת estimated
מְשׁוּפֶּה ת planed, smoothed
מְשׁוּפָּם ת moustached
מְשׁוּפָּע ת sloping, slanting
מְשׁוּפָּץ ת restored, renovated
מְשׁוּפָּר ת improved; embellished
מְשׁוּפְשָׁף ת rubbed, burnished; (army slang) put through the mill
מְשׁוּקָּם ת rehabilitated
מְשׁוּקָּע ת immersed
מְשׁוּקָּץ ת abominable
מַשּׂוֹר, מַסּוֹר ז saw
מְשׂוּרָה נ measuring vessel
מְשׂוּרְטָט, מְסוּרְטָט ת drawn, sketched
מְשׁוּרְיָין ת armored
מַשּׂוֹרִית, מַסּוֹרִית נ fret-saw
מְשׁוֹרֵר ז poet
מְשׁוּרְשָׁר ת chain-like
מָשׂוֹשׂ ז joy, gladness
מְשׁוּשֶּׁה ת, ז hexagon
מְשׁוֹשָׁה נ antenna
מְשׁוּתָּף ת common, shared, joint
מְשׁוּתָּק ת paralyzed
מָשַׁח (יִמְשַׁח) פ oil; anoint
מִשְׂחֶה ז swimming-race
מִשְׁחָה נ paste, ointment, polish
מַשְׁחֵז ז knife-sharpener
מַשְׁחֵזָה נ grinding machine
מַשְׁחֶזֶת נ grindstone
מַשְׁחִית ז destroyer
מִשְׂחָק ז game, play; acting
מַשְׁחֶתֶת נ destroyer (naval)
מִשְׁטָח ז surface; flat ground

מַשְׂטֵמָה נ hatred, enmity
מִשְׁטָר ז regime; authority
מִשְׁטָרָה נ police
מִשְׁטַרְתִּי ת police (used attributively)
מֶשִׁי ז silk
מָשִׁיחַ ז Messiah; the anointed
מְשִׁיחִיּוּת נ Messianism
מֵשִׁיט ת, ז oarsman
מְשִׁיכָה נ pulling, drawing, attraction
מְשִׂימָה נ task, mission
מַשִּׁיק ז tangent
מָשַׁךְ (יִמְשׁוֹךְ) פ pull, draw
מֶשֶׁךְ ז continuum
מִשְׁכָּב ז couch, bed
מַשְׁכּוֹן ז pledge, security
מַשְׂכּוֹרֶת נ salary
מַשְׂכִּיל ז man of culture, intellectual
מַשְׁכִּים ז early riser
מַשְׂכִּיר ז lessor
מַשְׂכִּית נ mosaic
מִשְׂכָּל ז intelligence
מִשְׁכָּן ז dwelling place
מִשְׁכֵּן (יְמַשְׁכֵּן) פ pawn, pledge
מְשַׁכְנֵעַ ת convincing
מַשְׁכַּנְתָּא, מַשְׁכַּנְתָּה נ mortgage
מְשַׁכְפֶּלֶת נ mimeograph
מְשַׁכֵּר ת intoxicating
מָשָׁל ז fable; proverb; example
מָשַׁל (יִמְשׁוֹל) פ rule, govern
מַשְׁלֵב ז drive (technology)
מִשְׁלוֹחַ ז consignment; sending
מִשְׁלַח־יָד profession, employment
מִשְׁלַחַת נ delegation, deputation
מִשְׁלָט ז vantage-point, strong point
מַשְׁלִים ת, ז completing, complementary
מְשַׁלְשֵׁל ת, ז purgative
מִשְׁמוּעַ ז disciplining
מִשְׁמוּשׁ ז touching, feeling
מְשַׂמֵּחַ ת gladdening
מַשְׁמִיץ ת defamatory
מִשְׁמָע ז hearing
מַשְׁמָע ז meaning, sense
מַשְׁמָעוּת נ meaning; implication
מַשְׁמָעִי ת significant
מִשְׁמַעַת נ discipline; obedience
מְשַׁמֵּר ת conservative
מִשְׁמָר ז guard, watch
מִשְׁמֶרֶת נ watch, guard; shift
מְשַׁמֶּרֶת נ strainer, colander
מִשְׁמֵשׁ (יְמַשְׁמֵשׁ) פ touch, feel
מִשְׁמֵשׁ ז apricot
מִשְׁנֶה ז double, twice; deputy, second in rank
מִשְׁנָה נ the Mishna; doctrine
מִשְׁנִי ת secondary
מַשְׁנֵק ז choke (auto)
מִשְׁעוֹל ז path, lane
מְשַׁעֲמֵם ת boring, tedious
מַשְׁעֵן ז support
מַשְׁעֵן ז, מַשְׁעֵנָה נ support, buttress
מִשְׁעֶנֶת נ support, prop; arm (of chair)
מִשְׁעֶנֶת קָנֶה רָצוּץ a broken reed
מִשְׁעֶרֶת נ clothes-brush
מְשַׁעֲשֵׁעַ ת amusing, diverting
מִשְׁפָּחָה נ family
מִשְׁפַּחְתִּי ת family (used attributively), familial

מִשְׁפַּחְתִּיּוּת נ intimacy, family atmosphere
מִשְׁפָּט ז trial; judgment; laws; (gram.) sentence
מִשְׁפָּטִי ת legal, judicial
מִשְׁפְּטָן ז jurist
מַשְׁפִּיל ת, ז degrading, humiliating
מַשְׁפֵּךְ ז funnel
מֶשֶׁק ז economy (state); farm
מַשָּׁק ז noise, rustling
מַשָּׁ״ק ז non-commissioned officer, N.C.O.
מַשְׁקֶה ז drink; liquor, spirits
מִשְׁקוֹלֶת נ weight
מַשְׁקוֹף ז framehead; lintel
מִשְׁקִי ת economic
מַשְׁקִיף ז observer, onlooker
מִשְׁקָל ז weight; weighing
מִשְׁקָע ז precipitate, sediment
מִשְׁקָפַיִם ז״ז glasses, spectacles
מִשְׁקֶפֶת נ field-glasses; telescope
מִשְׂרָד ז office; ministry (government)
מִשְׂרָדִי ת office (used attributively), clerical
מִשְׂרָה נ post, position
מַשְׁרוֹקִית נ whistle
מְשַׂרְטֵט, מְסַרְטֵט ז draftsman
מְשָׁרֵת ז servant
מַשָּׁשׁ ז massage
מִשְׁתֶּה ז banquet, feast
מַשְׁתֵּלָה, מִשְׁתָּלָה נ nursery, seedbed
מִשְׁתַּמֵּט ז shirker, dodger
מִשְׁתָּנָה נ urinal
מִשְׁתַּנֶּה ת variable; changeable
מִשְׁתַּתֵּף ז participant
מֵת ז dead
מִתְאַבֵּד ז suicide (person)
מִתְאַגְרֵף ז boxer
מִתְאוֹנֵן ת, ז complainant, grumbler
מַתְאִים ת appropriate, fitting
מַתְאֵם ז adapter
מִתְאַמֵּן ז trainee
מִתְאָר ז contour, outline
מִתְבּוֹדֵד ת, ז solitary, hermit
מִתְבּוֹלֵל ז assimilator
מִתְבַּיֵּית ת homing
מַתְבֵּן ז hay loft
מֶתֶג ז bit (for horses); switch (electric); bacillus
מִתְגּוֹשֵׁשׁ ז wrestler
מִתְגַּיֵּס ז recruit, mobilized soldier
מְתוֹאָם ת correlated, coordinated
מְתוֹאָר ת described
מְתוּבָּל ת seasoned, spiced
מְתַוֵּךְ ז mediator
מָתוּחַ ת stretched; tense
מְתוּחְכָּם ת sophisticated
מְתוּכְנָן ת planned
מְתוּלָּע ת wormy
מְתוּלְתָּל ת curly
מָתוּן ת mild, moderate
מְתוּסְבָּךְ ת complex-ridden
מְתוּסְכָּל ת frustrated
מְתוֹעָב ת abominable, despicable
מְתוֹפֵף ז drummer
מָתוֹק ת sweet; pleasant
מְתוּקָּן ת repaired; amended; proper
מְתוּרְבָּת ת cultured, civilized
מְתוּרְגָּל ת practised, exercised

מְתוּרְגָּם ת translated
מְתוּרְגְּמָן ז translator; interpreter
מָתַח (יִמְתַּח) פ stretch; stimulate, arouse curiosity; bluff
מֶתַח ז tension; voltage; suspense
מַתְחִיל ז beginner
מִתְחַכֵּם ז wit, wisecracker
מִתְחַלֶּה ת malingerer
מִתְחָם ז delimited area
מִתְחָרֶה ז competitor
מָתַי מ״ש when?
מָתִיחַ ת elastic, stretchable
מְתִיחָה נ stretching; leg-pulling
מְתִיחוּת נ tension
מִתְיַיהֵד ת, ז convert to Judaism
מִתְיַישֵּׁב ז settler, colonist
מְתִינוּת נ moderation
מְתִיקוּת נ sweetness
מַתִּירָנוּת נ permissiveness
מַתְכּוֹן ז prescription, recipe
מַתְכּוֹנֶת נ measurement, proportion
מַתֶּכֶת נ metal
מַתַּכְתִּי ת metallic
מַתְלוּל ז escarpment
מִתְלוֹנֵן ז grumbler, complainer
מִתְלַמֵּד ז self-taught person; apprentice
מַתְמִיד ת, ז diligent, persevering
מַתְמִיהַּ ת surprising

מַתָּן ז giving; gift
מִתְנַגֵּד ת, ז opponent, adversary
מַתְנֵד ז oscillator
מִתְנַדֵּב ז volunteer
מַתָּנָה נ present, gift
מִתְנַיֵּעַ ת mobile
מַתְנֵעַ ז starter, self-starter
מַתֶּנֶת נ lumbago
מַתְסִיס ז enzyme
מַתְעֶה ת misleading
מִתְעַמֵּל ז gymnast, athlete
מִתְפַּלֵּל ז prayer, worshipper
מִתְפַּלְסֵף ז philosopher; casuist, sophist
מִתְפָּרָה נ sewing-room
מֶתֶק ז sweetnesss
מַתֵּק ז cut-out (switch)
מִתְקַדֵּם ת progressing, progressive
מִתְקוֹמֵם ז rebel
מַתְקִין ז installer
מַתְקִיף ז attacker, aggressor
מְתַקֵּן ז mender; reformer
מִתְקָן ז installation, mechanism
מִתְקַפֵּל ת folding
מְתַקְתַּק ת sweetish
מְתַרְגֵּם ז translator
מַתְרִים ז fund-raiser
מִתְרָס ז barricade
מַתָּת נ gift, present; tip

נ

please	נָא מ"ק, תה"פ
half-cooked	נָא ת
be lost; perish	נֶאֱבַד (יֵיאָבֵד) פ
struggle, wrestle	נֶאֱבַק (יֵיאָבֵק) פ
water-bottle (of leather)	נֹאד ז
pleasant, fine	נָאֶה ת
beloved, lovable	נֶאֱהָב ת
lovely, beautiful	נָאוָה ת
speech	נְאוּם ז
enlightened, cultured	נָאוֹר ת
consent, agree	נֵאוֹת (יֵיאוֹת) פ
proper, suitable	נָאוֹת ת
oases	נְאוֹת מִדְבָּר
be held, be seized	נֶאֱחַז (יֵיאָחֵז) פ
be sealed	נֶאֱטַם (יֵיאָטֵם) פ
be eaten	נֶאֱכַל (יֵיאָכֵל) פ
dirty; mean	נֶאֱלָח ת
fall silent	נֶאֱלַם (יֵיאָלֵם) פ
be compelled	נֶאֱלַץ (יֵיאָלֵץ) פ
make a speech	נָאַם (יִנְאַם) פ
be assessed, be estimated	נֶאֱמַד (יֵיאָמֵד) פ
loyal, faithful	נֶאֱמָן ת
trustworthiness, trusteeship	נֶאֱמָנוּת נ
be said, be told	נֶאֱמַר (יֵיאָמֵר) פ
sigh, groan	נֶאֱנַח (יֵיאָנַח) פ
be raped	נֶאֶנְסָה (תֵּיאָנֵס) פ
groan, moan	נֶאֱנַק (יֵיאָנֵק) פ
be gathered, be collected	נֶאֱסַף (יֵיאָסֵף) פ
be imprisoned; be forbidden	נֶאֱסַר (יֵיאָסֵר) פ

commit adultery	נָאַף (יִנְאַף) פ
adultery	נַאֲפוּפִים ז"ר
reviling	נָאָצָה, נֶאָצָה נ
groan, moan	נָאַק (יִנְאַק) פ
groan, moan	נְאָקָה נ
female camel	נָאקָה נ
be woven	נֶאֱרַג (יֵיאָרֵג) פ
be packed; be tied up	נֶאֱרַז (יֵיאָרֵז) פ
be accused	נֶאֱשַׁם (יֵיאָשֵׁם) פ
become repulsive	נִבְאַשׁ (יִבָּאֵשׁ) פ
spore	נֶבֶג ז
be different, be distinct	נִבְדַּל (יִבָּדֵל) פ
separate; (football) offside	נִבְדָּל ת
be tested, be examined	נִבְדַּק (יִבָּדֵק) פ
be frightened, be scared	נִבְהַל (יִבָּהֵל) פ
prophesy	נִבוּאָה נ
prophetic	נְבוּאִי ת
hollow	נָבוּב ת
be confused	נָבוֹךְ (יִבּוֹךְ) פ
sensible, wise	נָבוֹן ת
vile, nasty	נִבְזֶה ת
contemptible action	נְבָזוּת נ
bark	נָבַח (יִנְבַּח) פ
be examined	נִבְחַן (יִבָּחֵן) פ
examinee	נִבְחָן ז
be chosen	נִבְחַר (יִבָּחֵר) פ
selected, picked; elected representative	נִבְחָר ת, ז

נֶבֶט ז	sprout
נָבַט (יִנְבּוֹט) פ	germinate, sprout
נָבִיא ז	prophet
נְבִיבוּת נ	empty-headedness
נְבִיחָה נ	bark, barking
נְבִיטָה נ	sprouting
נְבִילָה נ	wilting, fading
נָבַל (יִבּוֹל) פ	wilt, wither, fade
נָבָל ז	scoundrel, villain
נֶבֶל, נֵבֶל ז	harp
נְבָלָה נ	villainy; baseness
נְבֵלָה, נְבֵילָה	carcass
נִבְלַם (יִיבָּלֵם) פ	be braked, be curbed
נִבְלַע (יִיבָּלַע) פ	be swallowed
נִבְנָה (יִיבָּנֶה) פ	be built
נָבַע (יִנְבַּע) פ	flow, gush forth
נִבְעַט (יִיבָּעֵט) פ	be kicked
נִבְעָר ת	ignorant, stupid
נִבְעַת (יִיבָּעֵת) פ	be frightened, be startled
נִבְצַר (יִיבָּצֵר) פ	be too difficult
נִבְקַע (יִיבָּקַע) פ	be split, be cleft
נָבַר (יִנְבּוֹר) פ	scrabble about
נִבְרָא (יִיבָּרֵא) פ	created
נִבְרַג (יִיבָּרֵג)	be screwed (in)
נַבְרָן ז	vole
נִבְרֶשֶׁת נ	chandelier
נִגְאַל (יִיגָּאֵל) פ	be delivered, be set free
נֶגֶב ז	south
נֶגְבָּה תה״פ	southwards
נָגַד (יִנְגּוֹד) פ	oppose
נַגָּד ז	(army) warrant officer; (radio) resistor
נֶגֶד מ״י	against; opposite
נֶגְדִּי ת	opposite; opposing
נִגְדַּם (יִיגָּדֵם) פ	be amputated
נִגְדַּע (יִיגָּדַע) פ	be lopped off
נָגַהּ (יִגַּהּ) פ	shine, glow
נָגוֹז (יִיגּוֹז) פ	vanish, disappear
נָגוֹל (יָגוֹל) פ	be rolled
נָגוּעַ ת	afflicted
נִגְזַל (יִיגָּזֵל) פ	be robbed
נִגְזַר (יִיגָּזֵר) פ	be cut; be decreed
נִגְזָר ת	cut; derived
נָגַח (יִיגַּח) פ	gore, butt
נָגִיד ז	leader, ruler; director
נְגִיחָה נ	goring; "header" (football)
נְגִינָה נ	playing; music; accent
נְגִיסָה נ	biting, bite
נְגִיעָה נ	touching, touch
נְגִיעוּת נ	vulnerability to infection
נָגִיף ז	virus
נְגִישָׁה נ	pressure, oppression
נִגְלָה (יִיגָּלֶה) פ	be revealed, be disclosed
נִגְמַל (יִיגָּמֵל) פ	be weaned
נִגְמַר (יִיגָּמֵר) פ	be finished
נַגָּן ז	musician, player
נִגְנַב (יִיגָּנֵב) פ	be stolen
נִגְנַז (יִיגָּנֵז) פ	be stored away
נָגַס (יִנְגּוֹס) פ	bite (food)
נֶגֶס ז	bite
נָגַע (יִיגַּע) פ	touch
נֶגַע ז	plague
נָגַף (יִיגּוֹף) פ	smite, injure
נַגָּר ז	carpenter, joiner
נַגָּרוּת נ	carpentry, joinery
נַגָּרִיָּה נ	carpentry workshop

נִגְרַם (יִיגָּרֵם) פ be caused
נִגְרַע (יִיגָּרַע) פ be diminished, be reduced; be thought worse
נִגְרַר (יִיגָּרֵר) פ be dragged, be drawn, be towed; be sawn
נִגְרָר ז trailer
נָגַשׂ (יִנְגּוֹשׂ) פ oppress; drive, impel
נִגְשַׁר (יִיגָּשֵׁר) פ be bridged
נָד (יָנוּד) פ move, wander; shake one's head
נְדָבָה נ donation; alms
נִדְבָּךְ ז course (of bricks)
נַדְבָן ז philanthropist, donor
נִדְבַּק (יִידָּבֵק) פ be stuck, be affixed; be infected (with disease, etc.)
נִדְבַּר (יִידָּבֵר) פ reach agreement
נָדַד (יִדּוֹד, יָדֵד) פ wander
נִדְהַם (יִידָּהֵם) פ be amazed, be stunned
נְדוּדִים ז״ר wanderings
נְדוּדֵי שֵׁינָה insomnia, sleeplessness
נְדוּנְיָה נ dowry
נָדוֹשׁ ת threshed; hackneyed
נִדְחָה (יִידָּחֶה) פ be deferred, be postponed; be refused (request)
נִדְחַק (יִידָּחֵק) פ be pressed
נָדִיב ת generous
נְדִיבוּת נ generosity
נְדִידָה נ wandering
נָדִיף ת volatile
נָדִיר ת rare, scarce
נִדְלָה (יִידָּלֶה) פ be drawn out, be elicited
נִדְלַף (יִידָּלֵף) פ leak, be "leaked"
נִדְלַק (יִידָּלֵק) פ be lit
נָדַם (יִידַּם) פ fall silent
נִדְמֶה תה״פ apparently, it seems
נָדָן ז scabbard
נִדְנֵד (יְנַדְנֵד) פ rock, swing; (colloquial) nag, pester
נַדְנֵדָה נ see-saw; swing
נִדְנוּד ז rocking, swinging; (colloquial) nagging
נָדַף (יִידּוֹף, יִנְדּוֹף) פ be given off (scent), be wafted
נִדְפַּס (יִידָּפֵס) פ be printed
נִדְפַּק (יִידָּפֵק) פ be knocked, be beaten; (slang) be "done", be "fixed", be had sexually
נִדְקַר (יִידָּקֵר) פ be pierced, be pricked
נָדַר (יִידּוֹר) פ vow
נֶדֶר, נֵדֶר ז vow
נִדְרַךְ (יִידָּרֵךְ) פ be trampled; be run over
נִדְרַס (יִידָּרֵס) פ be run over (by a vehicle)
נִדְרַשׁ (יִידָּרֵשׁ) פ be required, be requested; be interpreted
נָהַג (יִנְהַג) פ drive (a vehicle); lead, conduct
נֶהָג ז driver, chauffeur
נֶהְגָּה (יֵיהָגֶה) פ be uttered, be pronounced
נֶהְדַּף (יֵיהָדֵף) פ be pushed back, be repulsed
נֶהְדָּר ת glorious, splendid
נָהָה (יִנְהֶה) פ follow; yearn for
נָהוּג ת customary, usual
נְהִי ז lament, wailing

נְהִיגָה נ driving (vehicle)
נְהִיָּה נ following; weeping
נְהִימָה נ growling, roaring
נְהִיקָה נ bray (of an ass)
נָהִיר ת clear, lucid
נְהִירָה נ flowing, streaming
נָהַם (יִנְהוֹם) פ roar; groan
נַהַם ז roar
נֶהֱנָה (יֵיהָנֶה) פ enjoy, benefit
נַהֲפוֹך הוּא on the contrary
נֶהְפַּךְ (יֵיהָפֵךְ) פ be inverted; be changed
נָהַק (יִנְהַק) פ bray
נָהַר (יִנְהַר) פ stream
נָהָר ז river
נֶהֱרַג (יֵיהָרֵג) פ be killed
נְהָרָה נ brightness, light
נֶהֱרַס (יֵיהָרֵס) פ be destroyed
נוֹאֵם ז speaker, orator
נוֹאֵף ז adulterer
נוֹאַשׁ (יִיוָּאֵשׁ) פ be in despair
נוֹאָשׁ desperate
נוֹבֵעַ ת gushing; deriving
נוּגַּב (יְנוּגַּב) פ be dried, be wiped
נוֹגְדָן ז antibody
נוּגֶה ת sad
נוֹגַהּ ז light, radiance
נוּגַּן (יְנוּגַּן) פ be played
נוֹגֵעַ ת touching
נוֹגֵעַ בַּדָּבָר interested party
נוֹגֵשׂ ז slave-driver
נוֹדֵד ז wanderer, nomad
נוּדָּה (יְנוּדֶּה) פ be ostracized
נוֹדַע (יִיוָּדַע) פ become known
נוֹדָע ת well-known, famous

נוֹהַג ז procedure, practice
נוּהַל (יְנוּהַל) פ be managed, be administered
נוֹהַל ז procedure
נוֹהֳלִי ת procedural
נַוָּד ז nomad
נָוֶה ז pasture; dwelling
נָוֶה ת comely, beautiful
נַוָּט ז helmsman; navigator
נַוָּטוּת נ navigation
נַוָּלוּת נ disfigurement; villainy
נוֹזֵל ז liquid
נוֹזְלִי ת liquid
נוֹחַ ת comfortable, easy; convenient; easy-going
נוֹחוּת נ convenience, amenity
נוֹחִיּוּת נ comfort; convenience
נוֹחַם ז consolation
נוּחַם (יְנוּחַם) פ be consoled, be comforted
נוֹטֶה ת tending, inclined
נוֹטֵר ז guard, supernumerary policeman
נוֹטַרְיוֹן ז notary
נוּטְרִיָּה נ coypu (animal or fur)
נוֹטָרִיקוֹן ז abbreviation
נוּטְרַל (יְנוּטְרַל) פ be neutralized
נוּטְרַק (יְנוּטְרַק) פ be abbreviated
נוּטַשׁ (יְנוּטַשׁ) פ be deserted
נוֹי ז beauty, ornament
נוּכָּה (יְנוּכֶּה) פ be deducted, be discounted
נוֹכַח (יִיוָּכַח) פ realize
נוֹכֵחַ ת present
נוֹכַח תה״פ opposite; in face of

נוֹכְחוּת נ presence
נוֹכְחִי ת present, present-day
נוֹכֵל ז rogue, crook
נוֹכְרִי, נָכְרִי ז foreigner, alien
נוּכַּשׁ (יְנוּכַּשׁ) פ be weeded
נוֹל, נוּל ז loom
נוֹלַד (יִיוָּלֵד) פ be born; be created
נוֹסַד (יִיוָּסֵד) פ be founded
נוּסָּה (יְנוּסֶּה) פ be tried, be tested
נוֹסַח, נוּסָּח ז form; version
נוּסַּח (יְנוּסַּח) פ be formulated
נוּסְחָה נ formula
נוֹסֵעַ ז passenger
נוֹסֵעַ סָמוּי stowaway
נוֹסָף ת additional, extra
נוֹסַף (יִיוָּסֵף) פ be added
נוֹעַ ז movement, motion
נוֹעַד (יִיוָּעֵד) פ be designated; meet by appointment
נוֹעָז ת daring, bold
נוֹעַם ז pleasantness, delight
נוֹעַץ (יִיוָּעֵץ) פ take advice, be advised
נוֹעַר ז young people
נוֹף ז landscape, scenery
נוּפָּה (יְנוּפֶּה) פ be sifted, be sieved
נוּפַּח (יְנוּפַּח) פ be inflated; be exaggerated
נוֹפֶךְ ז turquoise
נוֹפֵף (יְנוֹפֵף) פ wave, brandish
נוּפַּץ (יְנוּפַּץ) פ be shattered, be broken up
נוֹפֶשׁ ז rest, recreation
נוֹפֵשׁ ז holiday-maker
נוֹפֶת נ flowing honey

נוֹצָה נ feather, quill
נוּצַּח (יְנוּצַּח) פ be defeated, be beaten
נוּצַּל (יְנוּצַּל) פ be exploited
נוֹצֵץ ת sparkling, gleaming
נוֹצַר (יִיוָּצֵר) פ be created
נוֹצְרִי ת Christian
נוֹקֵב ת penetrating
נוּקַּב (יְנוּקַּב) פ be pierced, be punched
נוּקְבַּב (יְנוּקְבַּב) פ be perforated
נוּקַּד (יְנוּקַּד) פ be pointed (Hebrew script); be dotted
נוֹקְדָן ז pedant
נוּקָּה (יְנוּקֶּה) פ be cleaned
נוּקַּז (יְנוּקַּז) פ be drained
נוּקְשֶׁה ת stiff, hardened
נוּקְשׁוּת נ stiffness, harshness
נוּר ז fire
נוֹרָא ת, תה״פ dreadful, awful; (slang) "awfully"
נוֹרָה (יִירֶה) פ be fired, be shot
נוּרָה נ electric bulb
נוֹשֵׂא ז subject, topic
נוֹשֵׂא מִכְתָּבִים postman
נוֹשַׁב (יִיוָּשֵׁב) פ be inhabited, be populated
נוֹשֶׁה ז creditor, dun
נוֹשָׁן ת old, ancient
נוּשַּׁךְ (יְנוּשַּׁךְ) פ be bitten
נוּשַּׁל (יְנוּשַּׁל) פ be dispossessed
נוּתַּח (יְנוּתַּח) פ be cut up, be operated on
נוּתַּץ (יְנוּתַּץ) פ be smashed
נוֹתָר ת remaining, left over

נוֹתַר (יִיוָּתֵר) פ	be left, remain
נִזְהַר (יִיזָּהֵר) פ	take care, beware
נָזִיד ז	pottage
נָזִיל ת	fluid, liquid
נְזִילָה נ	flowing; leak
נְזִילוּת נ	fluidity, liquidity
נְזִיפָה נ	reprimand, admonition
נְזִיקִים ז״ר	damages, torts
נָזִיר ז	abstainer, monk
נְזִירוּת נ	monasticism
נִזְכַּר (יִיזָּכֵר) פ	remember, be reminded
נָזַל (יִזַּל)	flow
נַזֶּלֶת נ	cold, catarrh
נֶזֶם ז	nose-ring
נִזְעָם ת	furious, angry
נִזְעַק (יִיזָּעֵק) פ	gather together
נָזַף (יִנְזוֹף) פ	admonish, reprimand
נֶזֶק ז	damage
נִזְקַק (יִיזָּקֵק) פ	be in need of
נֵזֶר ז	crown, diadem
נִזְרַע (יִיזָּרַע) פ	be sown
נִזְרַק (יִיזָּרֵק) פ	be thrown, be flung
נָח (יָנוּחַ) פ	rest, be at rest
נֶחְבָּא ת	hidden
נֶחְבָּא (יֵיחָבֵא) פ	hide
נֶחְבַּט (יֵיחָבֵט) פ	be beaten with a stick
נֶחְבַּל (יֵיחָבֵל) פ	be injured
נֶחְבַּשׁ (יֵיחָבֵשׁ) פ	be bandaged; be imprisoned
נָחָה (יִנְחֶה) פ	lead, guide
נָחוּץ ת	urgent; necessary
נָחוּשׁ ת	hard, enduring
נְחוֹשֶׁת נ	copper
נְחוּשְׁתַּיִם ז״ז	fetters
נָחוּת ת	inferior
נֶחְטַף (יֵיחָטֵף) פ	be kidnapped; be snatched
נְחִיל ז	swarm (of bees)
נְחִיצוּת נ	urgency
נְחִירָה נ	snoring
נְחִירַיִים ז״ז	nostrils
נְחִיתָה נ	landing
נְחִיתוּת נ	inferiority
נָחַל (יִנְחַל) פ	inherit, take possession of; acquire, obtain
נַחַל ז	stream, small river; wadi
נֶחֱלַד (יֵיחָלֵד) פ	rust, become rusty
נַחֲלָה נ	estate; inheritance
נֶחֱלַץ (יֵיחָלֵץ) פ	escape, be rescued
נֶחֱלַשׁ (יֵיחָלֵשׁ) פ	grow weak
נֶחְמָד ת	lovely, delightful
נֶחָמָה נ	comfort, consolation
נֶחְמַץ	turn sour
נֵחַן (יֵיחַן) פ	be pardoned; be blessed with
נֶחֱנַט (יֵיחָנֵט) פ	be embalmed
נֶחֱנַךְ (יֵיחָנֵךְ) פ	be opened for use (usu. of building)
נֶחֱנַק (יֵיחָנֵק) פ	be throttled, be strangled
נֶחְסַךְ (יֵיחָסֵךְ) פ	be saved
נֶחְסַם (יֵיחָסֵם) פ	be blocked
נֶחְפַּז (יֵיחָפֵז) פ	rush, hurry
נַחַץ ז	(grammar) stress, emphasis
נֶחְצַב (יֵיחָצֵב) פ	be quarried
נֶחֱצָה (יֵיחָצֶה) פ	be halved
נֶחְקַק (יֵיחָקֵק) פ	be engraved; be passed (law), be enacted

נֶחְקַר (יֵיחָקֵר) פ be investigated
נָחַר (יִנְחַר) פ snore
נֶחֱרַב (יֵיחָרֵב) פ be destroyed
נֶחֱרַד (יֵיחָרֵד) פ be alarmed
נַחֲרָה נ snore
נֶחֱרַז (יֵיחָרֵז) פ be threaded; be rhymed
נֶחֱרַט (יֵיחָרֵט) פ be engraved
נֶחֱרַךְ (יֵיחָרֵךְ) פ be scorched
נֶחֱרַץ (יֵיחָרֵץ) פ be decreed, be decided
נֶחֱרָצוּת נ decisiveness
נֶחֱרַשׁ (יֵיחָרֵשׁ) פ be ploughed
נֶחֱרַת (יֵיחָרֵת) פ be engraved
נָחָשׁ ז snake
נֶחְשַׁב (יֵיחָשֵׁב) פ be considered
נֶחְשַׁד (יֵיחָשֵׁד) פ be suspected
נַחְשׁוֹל ז wave, torrent
נַחְשׁוֹנִי ת audacious, bold
נֶחְשָׁל ת backward
נֶחְשַׂף (יֵיחָשֵׂף) פ be bared, be revealed
נָחַת (יִנְחַת) פ come down, land
נַחַת נ repose; satisfaction
נַחְתּוֹם ז baker
נֶחְתַּךְ (יֵיחָתֵךְ) פ be cut up; be decided
נֶחְתַּם (יֵיחָתֵם) פ be signed; be stamped
נַחַת רוּחַ satisfaction
נַחֶתֶת נ landing craft
נִטְבַּח (יִיטָּבַח) פ be slaughtered
נִטְבַּל (יִיטָּבֵל) פ be dipped
נִטְבַּע (יִיטָּבַע) פ be coined
נָטָה (יִטֶּה) פ turn, tend
נָטוּי ת extended, bent
נָטוּל ת lacking, devoid of
נָטוּעַ ת planted
נַטּוּף נִיצָּב stalagmite
נַטּוּף תָּלוּי stalactite
נָטוּשׁ ת abandoned, deserted
נִטְחַן (יִיטָּחֵן) פ be milled, be ground
נְטִיָּה נ inclination, tendency; (grammar) inflection
נְטִילָה נ taking, receiving
נְטִיעָה נ planting; young plant
נְטִירָה נ bearing a grudge
נְטִישָׁה נ abandonment
נָטַל (יִיטּוֹל) פ take, receive
נֵטֶל ז burden, load
נִטְמָא (יִיטָּמֵא) פ be defiled, be polluted; be claimed
נִטְמַן (יִיטָּמֵן) פ be hidden
נִטְמַע (יִיטָּמַע) פ be absorbed
נָטַע (יִטַּע) פ plant; implant
נֶטַע ז seedling, plant
נִטְעַן (יִיטָּעֵן) פ be loaded, be charged; be claimed
נָטַף (יִיטּוֹף) פ drip, drop
נֶטֶף ז drop
נִטְפַּל (יִיטָּפֵל) פ cling to, pester
נָטַר (יִיטּוֹר, יִנְטוֹר) פ guard, watch; bear (a grudge)
נִטְרוּל ז neutralization
נִטְרוּק ז abbreviation
נִטְרֵל (יְנַטְרֵל) פ neutralize
נִטְרַף (יִיטָּרֵף) פ be torn to pieces
נָטַשׁ (יִיטּוֹשׁ) פ abandon, desert
נִיאוּף ז adultery

נִיאוּץ ז reviling, abuse
נִיאֵף (יְנָאֵף) פ commit adultery
נִיאֵץ (יְנָאֵץ) פ revile, abuse
נִיב ז idiom; dialect
נִיבֵּא (יְנַבֵּא) פ predict
נִיבָּא (יִינָּבֵא) פ prophesy
נִיבּוּי ז prediction
נִיבּוּל פֶּה obscene language
נִיבֵּל (יְנַבֵּל) פ disgrace, dishonor
נִיגֵּב (יְנַגֵּב) פ wipe, dry
נִיגּוּב ז wiping, drying
נִיגּוּד ז contrast
נִיגּוּחַ ז goring, butting
נִיגּוּן ז tune, melody
נִיגַּח (יְנַגַּח) פ gore, butt
נִיגֵּן (יְנַגֵּן) פ play (music)
נִיגַּף (יִינָּגֵף) פ be smitten, be defeated
נִיגַּר (יִינָּגֵר) פ be poured out
נִיגַּשׁ (יִיגַּשׁ) פ approach, go up to; begin
נִיד ז movement; swing
נִידֵּב (יְנַדֵּב) פ donate
נִידָּה נ menstruation
נִידָּה (יְנַדֶּה) פ banish, thrust out
נִידּוּי ז excommunication
נִידּוֹן, נָדוֹן (יִידּוֹן) פ be sentenced, be discussed
נִידּוֹן, נָדוֹן ת under discussion
נִידָּח ת banished, expelled; remote, out-of-the-way
נִידָּף ת scattered, blown, fallen
נִיהוּל ז management, administration
נִיהֵל (יְנַהֵל) פ manage, administer; lead

נִיהֵם (יְנַהֵם) פ growl, roar; coo
נִיווּט ז navigation
נִיוֵּט (יְנַוֵּט) פ navigate, pilot
נִיוּוּל ז disfigurement, ugliness
נִיוֵּל (יְנַוֵּל) פ disfigure, make ugly
נִיוּוּן ז degeneration, atrophy
נִיוֵּן (יְנַוֵּן) פ cause to degenerate
נִיזּוֹן (יִיזּוֹן) פ be fed, be nourished
נִיזָּק תה״פ injured, damaged
נִיחָא ת good! all right!
נִיחוֹחַ ז pleasant
נִיחוֹחִי ת scented, aromatic
נִיחוּם ז comforting, consoling
נִיחוּשׁ ז guess, guesswork
נִיחוּתָא נ ease, serenity
נִיחֵם (יְנַחֵם) פ console, comfort
נִיחַם (יִינָּחֵם) פ repent, regret
נִיחֵשׁ (יְנַחֵשׁ) פ guess
נִיטַּל (יִינָּטֵל) פ be taken
נִיטַּע (יִינָּטַע) פ be planted
נִיטַּשׁ (יִינָּטֵשׁ) פ be abandoned
נַיָּיד ת mobile, moveable
נַיָּידוּת נ mobility
נַיֶּידֶת נ patrol car
נַיָּיח ת stationary, at rest
נַיָּיע ת mobile
נְיָיר ז paper; document
נְיֶירֶת נ paper work, bureaucracy
נִיכָּה (יְנַכֶּה) פ deduct; discount
נִיכּוּי ז deduction; discount
נִיכּוּר ז alienation
נִיכּוּשׁ ז weeding
נִיכָּיוֹן ז discount
נִיכָּר ת recognizable; considerable
נִיכֵּשׁ (יְנַכֵּשׁ) פ weed

נִים ת asleep, drowsing
נִימָה נ thread, filament; note
נִימּוֹל (יִימּוֹל) פ be circumcized
נִימוּס ז good manners, etiquette
נִימוּסִי ת polite, well-mannered
נִימוּק ז reason; argument
נִימִי ת capillary
נִימִיּוּת נ capillarity
נִימֵּק (יְנַמֵּק) פ justify by argument
נִימֵּר (יְנַמֵּר) פ spot, bespeckle
נִין ז great-grandson
נִינּוֹחַ (יִינּוֹחַ) פ be at ease
נִיסָּה (יְנַסֶּה) פ test; try, attempt
נִיסּוּחַ ז formulation
נִיסּוֹט (יִיסּוֹט) פ be shifted, be removed
נִיסּוּי ז experiment; test, trial
נִיסּוּיִי ת experimental
נִיסּוֹךְ (יִיסּוֹךְ) פ be oiled, be rubbed with oil
נִיסָּיוֹן ז experience; experiment; temptation
נִיסַּךְ (יִינָּסֵךְ) פ be poured out (as a libation)
נִיסֵּךְ (יְנַסֵּךְ) פ pour out
נִיסָן ז Nisan (March-April)
נִיסַּר (יִינָּסֵר) פ be sawn
נִיסֵּר (יְנַסֵּר) פ saw
נִיעַ ז quiver, slight movement
נִיעוּר ז shaking out
נִיעֵר (יְנַעֵר) פ shake out, shake
נִיפָּה (יְנַפֶּה) פ sift, sieve
נִיפּוּחַ ז blowing up, inflation
נִיפּוּי ז sieving, sifting
נִיפּוּץ ז splitting, shattering

נִיפּוּק ז issue
נִיפַּח (יְנַפֵּחַ) פ inflate, blow up
נִיפֵּט (יְנַפֵּט) פ beat (wool, cotton)
נִיפֵּץ (יְנַפֵּץ) פ split, break up; shatter
נִיצַּב (יִיצָּב) פ stand, stand up
נִיצָּב ז, ת perpendicular; standing, upright
נִיצּוֹד (יִיצּוֹד) פ be caught
נִיצּוּחַ ז conducting (orchestra, etc.)
נִיצּוּל ז exploitation
נִיצּוֹל ת rescued, saved
נִיצּוֹלֶת נ salvage
נִיצּוֹץ ז spark
נִיצֵּחַ (יְנַצֵּחַ) פ defeat, vanquish; conduct (orchestra, etc.)
נִיצָּחוֹן ז victory, triumph
נִיצַּל (יִינָּצֵל) פ be saved, be rescued
נִיצֵּל (יְנַצֵּל) פ exploit; utilize
נִיצָּן ז bud
נִיצַּת (יִיצָּת) פ be ignited, be lit
נִיקֵּב (יְנַקֵּב) פ perforate, punch
נִיקֵּד (יְנַקֵּד) פ point (Hebrew script), vocalize; draw a dotted line
נִיקָּה (יְנַקֶּה) פ clean
נִיקּוּד ז pointing (of Hebrew script), vocalization
נִיקּוּז ז drainage
נִיקּוּי ז cleaning
נִיקּוּר ז poking out, gouging out
נִיקֵּז (יְנַקֵּז) פ drain (land)
נִיקָּיוֹן ז cleanliness, cleanness
נִיקְיוֹן כַּפַּיִם integrity, incorruptibility
נִיקֵּר (יְנַקֵּר) פ poke out, gouge out

נִיר ז — ploughed field
נִישָּׂא, נִישְּׂאָה (יִינָּשֵׂא, תִּינָּשֵׂא) פ — be carried, be borne; be married; be raised on high
נִישֵּׂא (יְנַשֵּׂא) פ — raise on high, exalt
נִישָּׂא ת — lofty, exalted
נִישֵּׁב (יְנַשֵּׁב) פ — blow
נִישּׂוּאִים ז״ר — marriage, wedlock
נִישּׁוֹבֶת נ — chaff
נִישּׁוּל ז — eviction
נִישּׁוֹם ז — assessed person, tax-payer
נִישּׁוֹם (יִישּׁוֹם) פ — be assessed, be rated
נִישָּׁיוֹן ז — amnesia
נִישֵּׁל (יְנַשֵּׁל) פ — evict, oust
נִישֵּׁם (יְנַשֵּׁם) פ — breathe heavily
נִישֵּׁק (יְנַשֵּׁק) פ — kiss
נִיתּוּב ז — routing, directing
נִיתּוּחַ ז — dissection; operation; analysis
נִיתּוּץ ז — demolition, smashing
נִיתּוּק ז — cutting off
נִיתּוּק יְחָסִים — breaking off relations
נִיתּוּר ז — hopping, skipping
נִיתַּז (יִינָּתֵז) פ — be sprayed, be splashed
נִיתַּח (יְנַתַּח) פ — cut up; operate; analyze
נִיתַּךְ (יִינָּתֵךְ) פ — flow down; be melted
נִיתַּן (יִינָּתֵן) פ — be given
נִיתַּץ (יִינָּתֵץ) פ — be demolished, be broken up
נִיתֵּץ (יְנַתֵּץ) פ — shatter, smash
נִיתַּק (יִינָּתֵק) פ — be removed; be cut off
נִיתֵּק (יְנַתֵּק) פ — cut off, break off
נִיתֵּר (יְנַתֵּר) פ — hop, skip
נָכֵא ת — depressed, dejected
נְכָאִים ז״ר — depression, dejection
נִכְבָּד ת — respected, honored
נִכְבַּד (יִיכָּבֵד) פ — be honored, be respected
נִכְבָּדִי — My dear Sir
נִכְבָּה (יִיכָּבֶה) פ — go out, be extinguished
נִכְבַּל (יִיכָּבֵל) פ — be fettered, be chained
נִכְבַּשׁ (יִיכָּבֵשׁ) פ — be conquered, be captured
נֶכֶד ז — grandchild, grandson
נֶכְדָּה נ — granddaughter
נָכֶה ז׳ ת — disabled, crippled
נִכְווָה (יִיכָּווֶה) פ — be burnt, be scalded
נְכוֹחָה תה״פ — uprightly, straightforwardly
נָכוֹן ת, תה״פ — right, correct
נְכוֹנוּת נ — readiness
נְכוֹת ז — treasure
נָכוּת ז — disablement, disability
נָכַח (יִנְכַּח, יִהְיֶה נוֹכֵחַ) פ — be present
נִכְחַד (יִיכָּחֵד) פ — be wiped out
נֶכֶל ז — villainy
נִכְלָא (יִיכָּלֵא) פ — be imprisoned
נַכְלוּל ז, נַכְלוּלִים ז״ר — artful tricks, wiles
נְכָלִים ז״ר — vices
נִכְלַל (יִיכָּלֵל) פ — be included
נִכְלָם ת — ashamed
נִכְלַם (יִיכָּלֵם) פ — be ashamed

נִכְמַר (יִיכָּמֵר) פ	grow hot
נִכְמַשׁ (יִיכָּמֵשׁ) פ	wither, fade
נִכְנַס (יִיכָּנֵס) פ	enter, go in
נִכְנַע (יִיכָּנַע) פ	yield, submit
נֶכֶס ז	property; asset
נִכְסֵי דְלָא נַיְידֵי	immovable propery
נִכְסַס (יִיכָּסֵס) פ	be chewed, be gnawed (fingernails)
נִכְסָף ת	longed for; yearning
נִכְסַף (יִיכָּסֵף) פ	yearn, long for
נִכְפֶּה ז	epileptic
נִכְפָּה (יִיכָּפֶה) פ	be forced, be compelled
נִכְפּוּת נ	epilepsy
נִכְפָּל ז	multiplicand
נִכְפַּל (יִיכָּפֵל) פ	be doubled; be multiplied
נִכְפַּף (יִיכָּפֵף) פ	be bent
נִכְפַּשׁ (יִיכָּפֵשׁ) פ	be pressed down
נִכְפַּת (יִיכָּפֵת) פ	be trussed, be tied hand and foot
נֵכָר ז	foreign land; foreignness
נִכְרָה (יִיכָּרֶה) פ	be dug, be mined
נָכְרִי, נוֹכְרִי ז	foreigner, gentile
נִכְרַת (יִיכָּרֵת) פ	be destroyed; be cut down
נִכְשַׁל (יִיכָּשֵׁל) פ	fail; stumble
נִכְתַּב (יִיכָּתֵב) פ	be written
נִכְתַּם (יִיכָּתֵם) פ	be stained
נִלְאָה (יִילָּאֶה) פ	be exhausted
נִלְבַּב (יִילָּבֵב) פ	endear, attract
נִלְהַב (יִילָּהֵב) פ	be enthusiastic, be keen
נִלְוָוה (יִילָּוֶוה) פ	accompany
נָלוֹז ת	perverse, wayward
נִלְחַם (יִילָּחֵם) פ	fight, make war
נִלְחַץ (יִילָּחֵץ) פ	be pressed
נִלְכַּד (יִילָּכֵד) פ	be captured, be caught
נִלְמַד (יִילָּמֵד) פ	be learnt, be studied
נִלְעַג (יִילָּעֵג) פ	be mocked
נִלְקַח (יִילָּקַח) פ	be taken
נָם (יָנוּם) פ	slumber, drowse
נִמְאַס (יִימָּאֵס) פ	be loathed
נִמְדַּד (יִימָּדֵד) פ	be measured
נִמְהַל (יִימָּהֵל) פ	be diluted; be circumcized
נִמְהָר ת	hasty, rash
נָמוֹג ת	melting away, fading away
נָמוּךְ, נָמוֹךְ ת	low, short
נָמוֹשׁ ת	backward, belated
נִמְזַג (יִימָּזֵג) פ	be mixed (as wine with water); be poured out (drink)
נִמְחָה (יִימָּחֶה, יִימַּח) פ	be erased, be deleted
נִמְחַל (יִימָּחֵל) פ	be forgiven, be pardoned
נִמְחַץ (יִימָּחֵץ) פ	be severely wounded, be crushed
נִמְחַק (יִימָּחֵק) פ	be erased, be rubbed out
נְמִייָה נ	marten
נְמִיכוּת נ	lowness, shortness (of stature)
נְמִיסָה נ	melting, dissolving
נְמַכְמַךְ ת	rather low
נִמְכַּר (יִימָּכֵר) פ	be sold
נָמֵל ז	harbor, port

נִמְלָא (יִימָּלֵא) פ	be filled; be full
נְמָלָה נ	ant
נִמְלַח (יִימָּלַח) פ	be salted
נִמְלַט (יִימָּלֵט) פ	escape, flee
נִמְלַךְ (יִימָּלֵךְ) פ	consider, ponder; consult
נִמְלָץ ת	ornate, rhetorical
נִמְלַק (יִימָּלֵק) פ	be pinched off, be nipped off
נְמַל תְּעוּפָה	airport
נִמְנָה (יִימָּנֶה) פ	be counted, be numbered
נִמְנוּם ז	doze, light sleep
נִמְנֵם (יְנַמְנֵם) פ	doze, drowse
נִמְנָע ת	impossible; abstaining (from a vote)
נִמְנַע (יִימָּנַע) פ	avoid, abstain
נָמֵס ת	melting, dissolving
נָמַס (יִימַּס) פ	melt, dissolve
נִמְסַךְ (יִימָּסֵךְ) פ	be mixed (drinks), be blended
נִמְסַק (יִימָּסֵק) פ	be picked (olives)
נִמְסַר (יִימָּסֵר) פ	be handed over, be delivered
נִמְעַד (יִימָּעֵד) פ	slip, stumble
נִמְעַךְ (יִימָּעֵךְ) פ	be crushed, be crumpled
נִמְעָן ז	addressee
נִמְצָא (יִימָּצֵא) פ	be found
נָמַק (יִימַּק) פ	rot, putrefy
נָמֵר ז	leopard
נִמְרַח (יִימָּרַח) פ	be spread (butter, etc.)
נִמְרָץ ת	powerful, vigorous
נֶמֶשׁ ז	freckle
נִמְשָׁה (יִימָּשֶׁה) פ	be pulled out (of water)
נִמְשַׁךְ (יִימָּשֵׁךְ) פ	be drawn; continue
נִמְשַׁל (יִימָּשֵׁל) פ	be compared, be likened
נִמְתַּח (יִימָּתַח) פ	be stretched
נִנְהָה (יִינָּהֶה) פ	be drawn towards
נִנְזַף (יִינָּזֵף) פ	be admonished
נַנָּס ז, ת	dwarf, midget
נִנְעַל (יִינָּעֵל) פ	be locked
נִנְעַץ (יִינָּעֵץ) פ	be stuck in
נִנְעַר (יִינָּעֵר) פ	be shaken out
נִנְקַט (יִינָּקֵט) פ	be taken (steps), be adopted (measures)
נָס (יָנוּס) פ	flee
נֵס ז	miracle
נָסַב (יִיסַּב, יִיסּוֹב) פ	turn aside, go round
נִסְבָּל ת	tolerated, on sufferance
נִסְבַּל (יִיסָּבֵל) פ	be tolerated
נַסְגָּנִי ת	recessive
נִסְגַּר (יִיסָּגֵר) פ	be shut, be closed
נִסְדַּק (יִיסָּדֵק) פ	be cracked
נִסְדַּר (יִיסָּדֵר) פ	be arranged
נָסוֹג (יִיסּוֹג) פ	retreat
נְסוֹרֶת נ	sawdust
נָסַח (יִיסַּח) פ	uproot, tear out
נֻסָּח ז	copy, text
נַסָּח ז	formulator
נִסְחַב (יִיסָּחֵב) פ	be dragged, be pulled along
נִסְחַט (יִיסָּחֵט) פ	be wrung out; be squeezed
נִסְחַף (יִיסָּחֵף) פ	be swept along; be eroded (land)

נְסִיבָּה נ	circumstance
נְסִיגָה נ	retreat, withdrawal
נַסְיוּב ז	serum
נַסְיָין ז	experimenter
נִסְיֵן (יְנַסְיֵן) פ	experiment
נָסִיךְ ז	prince
נְסִיכוּת נ	principality, princedom
נְסִיעָה נ	journey, voyage
נְסִיעָה טוֹבָה	bon voyage
נְסִיקָה נ	taking off (of plane, missile, etc.)
נְסִירָה נ	sawing
נָסַךְ (יִיסּוֹךְ) פ	pour out; inspire
נֶסֶךְ, נֵסֶךְ ז	libation; molten image
נִסְלַח (יִיסָּלַח) פ	be forgiven, be pardoned
נִסְלַל (יִיסָּלֵל) פ	be paved
נִסְמַךְ (יִיסָּמֵךְ) ת	be supported; be authorized
נָסַע (יִיסַּע) פ	travel, journey
נִסְעַר (יִיסָּעֵר) פ	be enraged, be excited
נִסְפַּג (יִיסָּפֵג) פ	be absorbed
נִסְפַּד (יִיסָּפֵד) פ	be lamented, be mourned
נִסְפָּה (יִיסָּפֶה) פ	be destroyed, be wiped out
נִסְפָּח ז	attaché; appendix (to book)
נִסְפַּח (יִיסָּפֵחַ) פ	be attached, join
נִסְפַּר (יִיסָּפֵר) פ	be counted
נָסַק (יִיסַּק) פ	rise
נִסְקַל (יִיסָּקֵל) פ	be stoned
נִסְקַר (יִיסָּקֵר) פ	be surveyed, be scanned

נִסְרַג (יִיסָּרֵג) פ	be knitted
נִסְרַט (יִיסָּרֵט) פ	be scratched
נִסְרַךְ (יִיסָּרֵךְ) פ	be joined, adhere
נִסְרַק (יִיסָּרֵק) פ	be combed
נִסְתַּם (יִיסָּתֵם) פ	be stopped up, be blocked
נִסְתַּר (יִיסָּתֵר) פ	be hidden, be concealed
נָע (יָנוּעַ) פ	move; wander, roam
נָע ת	mobile, moving
נֶעְדַּר (יֵיעָדֵר) פ	be absent, be missing
נָעוּל ת	locked
נָעוּץ ת	inserted, stuck in
נֵעוֹר ת	awake, awakened
נְעוּרִים ז״ר	youth
נְעוֹרֶת נ	tow
נֶעֱזַב (יֵיעָזֵב) פ	be left
נֶעֱזַר (יֵיעָזֵר) פ	be helped
נֶעֱטַף (יֵיעָטֵף) פ	be wrapped, be enveloped
נְעִילָה נ	locking (door); closing
נָעִים ת	pleasant, agreeable
נְעִימָה נ	melody, tune
נְעִימוּת נ	pleasantness
נָעִים מְאוֹד!	pleased to meet you! very pleasant
נָעִיץ ת	insertable (nail), penetrable (wall)
נְעִיצָה נ	insertion, sticking in
נְעִירָה נ	shaking out (tablecloth, etc.); braying (donkey)
נֶעְכַּל (יֵיעָכֵל) פ	be digested
נֶעְכַּר (יֵיעָכֵר) פ	be muddied; (mind, spirit) be befuddled

נָעַל (יִנְעַל) פ — lock, close; put on (shoe)
נַעַל נ — shoe, boot
נֶעֱלָב ת — insulted, offended
נֶעֱלַב (יֵיעָלֵב) פ — be insulted, be offended
נַעֲלֶה ת — lofty, exalted
נַעֲלָה (יֵיעָלֶה) פ — be superior to, be exalted
נֶעְלָם ת — concealed, hidden; unknown
נֶעְלַם (יֵיעָלֵם) פ — vanish, disappear
נֶעֱלַס (יֵיעָלֵס) פ — be joyful, be jolly
נָעַם (יִנְעַם) פ — be pleasant, be delightful
נֶעֱמַד (יֵיעָמֵד) פ — (colloquial) stand still
נֶעֱנַד (יֵיעָנֵד) פ — be tied, be worn (medal, jewellery)
נַעֲנָה (יֵיעָנֶה) פ — be answered (positively), be accepted; consent
נִעְנוּעַ ז — shaking, tossing
נִעְנַע (יְנַעְנַע) פ — shake, toss
נֶעֱנַשׁ (יֵיעָנֵשׁ) פ — be punished
נָעַץ (יִנְעַץ) פ — stick in, insert
נַעַץ ז — drawing-pin, tack
נֶעֱצַב (יֵיעָצֵב) פ — be sorrowful
נֶעֱצַר (יֵיעָצֵר) פ — stop, come to a halt
נֶעֱקַד (יֵיעָקֵד) פ — be trussed
נֶעֱקַף (יֵיעָקֵף) פ — be by-passed
נֶעֱקַץ (יֵיעָקֵץ) פ — be stung, be bitten
נֶעֱקַר (יֵיעָקֵר) פ — be uprooted, be pulled out
נָעַר (יִנְעַר) פ — shake out
נַעַר ז — lad, youth
נַעֲרָה נ — young girl, lass
נַעֲרוּת נ — youth, boyhood
נֶעֱרַךְ (יֵיעָרֵךְ) פ — be arranged; be edited; be valued
נֶעֱרַם (יֵיעָרֵם) פ — be piled
נֶעֱרַף (יֵיעָרֵף) פ — be beheaded
נַעֲרָץ ת — admired, esteemed
נַעֲשָׂה (יֵיעָשֶׂה) פ — be made, be produced
נֶעְתַּק (יֵיעָתֵק) פ — be removed, be shifted; be copied
נֶעְתַּר (יֵיעָתֵר) פ — accede (to request, etc.)
נִפְגַּם (יִיפָּגֵם) פ — be spoiled, be marred
נִפְגַּע (יִיפָּגַע) פ — be injured, be stricken
נִפְגַּשׁ (יִיפָּגֵשׁ) פ — meet, encounter
נִפְדָּה (יִיפָּדֶה) פ — be redeemed, be ransomed
נָפָה נ — sieve; district, region
נָפוֹג (יִיפּוֹג) פ — become weak
נָפוּחַ ת — swollen; inflated
נְפוֹלֶת נ — fallout
נָפוֹץ ת — widespread
נָפוֹץ (יִיפּוֹץ) פ — be scattered, be spread
נָפוּשׁ ת — resting, relaxing
נָפַח (יִיפַּח) פ — breathe out, exhale, blow
נֶפַח ז — volume, bulk
נַפָּח ז — blacksmith
נִפְחַד (יִיפָּחֵד) פ — be frightened, be afraid

נַפָּחוּת נ smithery
נַפַּח־זְכוּכִית glassblower
נַפָּחִיָּה נ smithy
נִפְחַס (יִיפָּחֵס) פ be flattened
נֵפְט ז oil, mineral oil; kerosene
נָפַט (יִנְפּוֹט) פ hackle (wool)
נִפְטַם (יִיפָּטֵם) פ be fattened, be stuffed
נִפְטָר ז deceased
נִפְטַר (יִיפָּטֵר) פ be released; go away from; pass away
נְפִיחָה נ blowing, puffing; breaking wind
נְפִיחוּת נ swelling
נְפִיל ז, נְפִילִים ז״ר giants, titans
נְפִילָה נ fall; defeat, collapse
נָפִיץ ת explosive
נָפַל (יִיפּוֹל) פ fall; fall in battle, die; happen
נֵפֶל ז abortion
נִפְלָא (יִיפָּלֵא) פ be wonderful, be marvelous
נִפְלַט (יִיפָּלֵט) פ be given off, escape, come out; be let slip
נִפְנָה (יִיפָּנֶה) פ turn round; be free
נִפְנוּף ז waving, flapping
נִפְנֵף (יְנַפְנֵף) פ wave, flap
נִפְסָד ת faulty, spoilt
נִפְסַל (יִיפָּסֵל) פ be disqualified, be ruled out
נִפְסַק (יִיפָּסֵק) פ cease, stop, be interrupted
נִפְעָל ת (gram.) passive
נִפְעַם (יִיפָּעֵם) פ be deeply moved, be stirred
נֶפֶץ ז explosion
נַפָּץ ז detonator
נִפְצַע (יִיפָּצַע) פ be wounded
נִפְקַד (יִיפָּקֵד) פ be counted, be numbered; absent
נִפְקָדוּת נ absenteeism
נִפְקַח (יִיפָּקַח) פ be opened (eyes or ears)
נִפְרָד ת separate, apart
נִפְרַד (יִיפָּרֵד) פ be separated
נִפְרַט (יִיפָּרֵט) פ be changed (into small money); be specified
נִפְרַם (יִיפָּרֵם) פ be ripped (along the line of stitches)
נִפְרַס (יִיפָּרֵס) פ be sliced (bread); be spread out
נִפְרַע (יִיפָּרַע) פ be paid up; be collected (debt)
נִפְרַץ (יִיפָּרֵץ) פ be broken through, be torn open
נִפְרַק (יִיפָּרֵק) פ be unloaded
נִפְרַשׂ ר׳ נִפְרָס
נִפְרַשׁ (יִיפָּרֵשׁ) פ be separated, be removed
נָפַשׁ (יִיפּוֹשׁ) פ rest, relax
נֶפֶשׁ ז soul, spirit of life; person, man; character (in a play)
נַפְשִׁי ת mental; warm-hearted
נִפְשָׁע ת sinful
נִפְתָּה (יִיפָּתֶה) פ be enticed
נַפְתּוּל ז meander
נַפְתּוּלִים ז״ר struggling(s), wrestling
נִפְתַּח (יִיפָּתַח) פ be opened
נִפְתַּל (יִיפָּתֵל) פ be twined, be twisted

נִפְתַּר (יִיפָּתֵר) פ — be solved
נֵץ ז — sparrow hawk
נְצוֹלֶת נ — salvage
נָצוּר ת, ז — besieged, locked
נֵצַח ז — eternity, perpetuity
נִצְחִי ת — eternal, perpetual
נַצְחָנוּת נ — stubborn argumentativeness
נְצִיב ז — commissioner, governor
נְצִיבוּת נ — governorship
נָצִיג ז — delegate, representative
נְצִיגוּת נ — representation
נְצִילוּת נ — efficiency (of machine, etc.)
נָצִיץ ז — mica
נַצְלָנִי ת — exploiting
נִצְנוּץ ז — sparkle, twinkle
נִצְנֵץ (יְנַצְנֵץ) פ — sparkle, twinkle
נָצַץ (יִנְצוֹץ) פ — sparkle, gleam
נָצַר (יִנְצוֹר) פ — guard, preserve; lock (rifle)
נֵצֶר ז — shoot, sprout; scion, offspring
נִצְרָה נ — safety-catch (on a gun)
נַצְרוּת נ — Christianity
נִצְרָךְ ת — needy, indigent
נַקָּב ז — perforator
נָקַב (יִיקּוֹב) פ — perforate, punch; specify, designate
נֶקֶב ז — hole, aperture
נִקְבֵּב (יְנַקְבֵּב) פ — perforate
נְקֵבָה נ — female
נִקְבָּה נ — tunnel
נִקְבּוּב ז — perforation
נַקְבּוּבִי ת — porous, perforated
נַקְבּוּבִית נ — pore
נְקֵבִי ת — feminine, female
נַקְבָנִית נ — punch-typist
נִקְבַּע (יִיקָּבַע) פ — be determined, be fixed
נִקְבַּץ (יִיקָּבֵץ) פ — be assembled, be grouped
נִקְבַּר (יִיקָּבֵר) פ — be buried
נָקַד (יִנְקוֹד) פ — dot, point
נֶקֶד ז — center point (for drilling); coccus (microbe)
נִקְדֵּד (יְנַקְדֵּד) פ — draw a dotted line, mark with dots
נִקְדַּח (יִיקָּדַח) פ — be drilled (hole, well), be bored
נַקְדָן ז — pointer (of Hebrew texts), vocalizer; pedant
נַקְדָנוּת נ — pedantry
נִקְהָה (יִיקָּהֶה) פ — be blunted, be dulled
נִקְהַל (יִיקָּהֵל) פ — assemble, convene
נָקוּב ת — perforated, pierced; nominal (value)
נָקוּד ת — spotted, dotted
נְקוּדָה נ — point, dot; full stop
נְקוּדָה וּפְסִיק (;) — semi-colon (;)
נְקוּדָתַיִים נ״ז — colon
נְקוּדַת רְאוּת — viewpoint
נִקְוָה (יִיקָּוֶה) פ — be collected, be gathered together
נָקַט (יִנְקוֹט) פ — take (measures, steps), take hold of
נִקְטַל (יִיקָּטֵל) פ — be slain, be killed
נִקְטַף (יִיקָּטֵף) פ — be picked (fruit, flowers)
נָקִי ת — clean; innocent

נְקִיּוּת נ	cleanliness
נְקִיעָה נ	dislocation, sprain
נְקִיפַת מַצְפּוּן	pricking of conscience
נְקִיק ז	crevice, cleft
נְקִישָׁה נ	tapping, knocking
נָקֵל תה״פ	easy
נִקְלֶה ת	base, dishonorable
נִקְלָה (יִיקָּלֶה) פ	be roasted (coffee)
נִקְלַט (יִיקָּלֵט) פ	be absorbed; take root
נִקְלַע (יִיקָּלַע) פ	be hurled; chance
נִקְלַשׁ (יִיקָּלֵשׁ) פ	be thinned (air, soup); be weakened
נָקַם (יִיקּוֹם) פ	avenge, take vengeance
נָקָם ז	revenge, vengeance
נְקָמָה נ	revenge, vengeance
נִקְנָה (יִיקָּנֶה) פ	be bought, be purchased
נַקְנִיק ז	sausage
נַקְנִיקִיָּה נ	sausage-shop
נַקְנִיקִית, נַקְנִיקִיָּה נ	small sausage, frankfurter
נִקְנַס (יִיקָּנֵס) פ	be fined; be punished
נָקַע (יֵקַע) פ	be dislocated, be sprained
נֶקַע ז	dislocation (of limb), sprain
נָקַף (יִנְקוֹף) פ	beat, bang, knock; rotate
נֶקֶף ז	bruise, wound
נִקְפָּא (יִיקָּפֵא) פ	be frozen, be solidified
נִקְפָּה נ	wound, bruise
נִקְצַץ (יִיקָּצֵץ) פ	be cut down, be chopped; be minced
נִקְצַר (יִיקָּצֵר) פ	be reaped, be harvested
נָקַר (יִיקּוֹר) פ	peck; pierce, bore
נֶקֶר ז	pecking, pecked hole
נַקָּר ז	woodpecker
נִקְרָא (יִיקָּרֵא) פ	be read; be called; be summoned
נִקְרַב (יִיקָּרֵב) פ	draw near, approach
נִקְרָה נ	crevice, cleft
נִקְרָה (יִיקָּרֶה) פ	happen upon
נִקְרַח (יִיקָּרֵחַ) פ	go bald, lose hair
נִקְרַם (יִיקָּרֵם) פ	be covered with skin
נַקְרָן ז	fussy person
נַקְרָנוּת נ	fussiness
נִקְרַע (יִיקָּרַע) פ	be torn, be rent
נִקְרַשׁ (יִיקָּרֵשׁ) פ	solidify, congeal
נָקַשׁ (יִיקּוֹשׁ) פ	knock, rap
נֶקֶשׁ ז	click
נִקְשַׁר (יִיקָּשֵׁר) פ	be bound, be tied up
נֵר ז	candle
נִרְאֶה ת	visible; acceptable
נִרְאָה (יֵירָאֶה) פ	be visible; seem
נִרְבְּעָה (תֵּירָבַע) פ	be mated (animal)
נִרְגַּז (יֵירָגֵז) פ	be enraged, be annoyed
נִרְגַּם (יֵירָגֵם) פ	be stoned
נִרְגַּן (יֵירָגֵן) פ	grumble, complain
נִרְגַּע (יֵירָגַע) פ	calm down, relax
נִרְגָּשׁ ת	moved, excited
נִרְדַּם (יֵירָדֵם) פ	fall asleep
נִרְדָּף ת	hunted; persecuted

נִרְדַּף (יֵירָדֵף) פ be pursued; be persecuted
נִרְחַב (יֵירָחֵב) פ be wide, be spacious
נִרְחַץ (יֵירָחֵץ) פ be washed
נִרְטַב (יֵירָטֵב) פ get wet
נִרְכַּס (יֵירָכֵס) פ be fastened, be buttoned
נִרְכַּשׁ (יֵירָכֵשׁ) פ be acquired, be obtained
נִרְמַז (יֵירָמֵז) פ be hinted, be suggested
נִרְמַס (יֵירָמֵס) פ be trampled, be trodden on
נִרְעַד (יֵירָעֵד) פ tremble, shudder, shiver
נִרְעַשׁ (יֵירָעֵשׁ) פ be shaken (mentally), be upset
נִרְפָּא (יֵירָפֵא) פ get well, recover
נִרְפֶּה ת slack, idle
נִרְפָּה (יֵירָפֶה) פ become slack, weaken
נִרְפַּשׁ (יֵירָפֵשׁ) פ be muddied, become muddy
נִרְצָה (יֵירָצֶה) פ be acceptable, be accepted
נִרְצַח (יֵירָצַח) פ be murdered
נִרְצַע (יֵירָצַע) פ be pierced
נִרְקַב (יֵירָקֵב) פ decay, rot
נַרְקִיס ז narcissus
נִרְקַם (יֵירָקֵם) פ be embroidered; be formed
נִרְשַׁם (יֵירָשֵׁם) פ be registered, be written down
נַרְתִּיק ז case, sheath; vagina
נִרְתַּם (יֵירָתֵם) פ be harnessed
נִרְתַּע (יֵירָתַע) פ flinch, quail; be deterred
נָשָׂא (יִישָּׂא) פ carry; lift, raise; endure; marry
נִשְׁאַב (יִישָּׁאֵב) פ be drawn
נִשְׁאַל (יִישָּׁאֵל) פ be asked
נִשְׁאַף (יִישָּׁאֵף) פ be inhaled
נִשְׁאַר (יִישָּׁאֵר) פ remain, be left
נָשַׁב (יִישׁוֹב) פ blow, puff
נִשְׁבָּה (יִישָּׁבֶה) פ be taken prisoner; be captured
נִשְׁבַּע (יִישָּׁבַע) פ swear, take an oath
נִשְׁבַּר (יִישָּׁבֵר) פ be broken
נִשְׂגָּב ת lofty, exalted; powerful
נִשְׂגַּב (יִישָּׂגֵב) פ be elevated, be set on high
נִשְׁדַּד (יִישָּׁדֵד) פ be robbed
נַשְׁדּוּר ז ammonia
נִשְׁדַּף (יִישָּׁדֵף) פ be burnt, dry by heat
נָשָׁה (יִישֶׁה) פ dun, demand payment (of a debt); forget
נָשֶׁה, גִּיד הַנָּשֶׁה ז "sinew of the thigh", sciatic nerve
נָשׂוּא ת carried, borne; married (man); (grammar) predicate
נְשׂוּאָה נ married woman
נְשׂוּאִי ת predicative
נְשׂוּאִים ז"ר married (couple)
נָשׂוּי ת married (man)
נָשׁוּךְ ת bitten
נְשׁוֹפֶת נ filings
נָשׁוּק ת kissed
נְשׂוֹרֶת נ fallout; droppings

be sun-tanned	נִשְׁזַף (יִישָׁזֵף) פ
be interwoven	נִשְׁזַר (יִישָׁזֵר) פ
be slaughtered	נִשְׁחַט (יִישָׁחֵט) פ
be ground, be pulverized	נִשְׁחַק (יִישָׁחֵק) פ
be spoiled, be marred, be destroyed	נִשְׁחַת (יִישָׁחֵת) פ
be washed, be rinsed	נִשְׁטַף (יִישָׁטֵף) פ
womanly, feminine	נָשִׁי ת
president	נָשִׂיא ז
presidency, the office of president; presidium	נְשִׂיאוּת נ
blowing (of wind)	נְשִׁיבָה נ
womanliness, femininity	נְשִׁיּוּת נ
forgetfulness	נְשִׁייָה נ
bite, biting	נְשִׁיכָה נ
women	נָשִׁים נ"ר
breathing	נְשִׁימָה נ
blowing, exhaling	נְשִׁיפָה נ
kiss	נְשִׁיקָה נ
deciduous	נָשִׁיר ת
falling off (out)	נְשִׁירָה נ
sciatica	נָשִׁית נ
bite	נָשַׁך (יִישּׁוֹך, יִישַּׁך) פ
excessive interest	נֶשֶׁך ז
be forgotten	נִשְׁכַּח (יִישָּׁכַח) פ
given to biting	נַשְׁכָן ת
hired; rewarded	נִשְׂכָּר ת
be hired	נִשְׂכַּר (יִישָּׂכֵר) פ
be sent, be despatched	נִשְׁלַח (יִישָּׁלַח) פ
be deprived of	נִשְׁלַל (יִישָּׁלֵל) פ
be completed	נִשְׁלַם (יִישָּׁלֵם) פ
breathe	נָשַׁם (יִנְשׁוֹם) פ

be destroyed	נִשְׁמַד (יִישָּׁמֵד) פ
soul, spirit	נְשָׁמָה נ
be omitted, be left out	נִשְׁמַט (יִישָּׁמֵט) פ
be heard; be listened to	נִשְׁמַע (יִישָּׁמַע) פ
be kept, be guarded	נִשְׁמַר (יִישָּׁמֵר) פ
be repeated; be learned, be studied	נִשְׁנָה (יִישָּׁנֶה) פ
be split	נִשְׁסַע (יִישָּׁסַע) פ
lean, be supported; rely on	נִשְׁעַן (יִישָּׁעֵן) פ
blow, breathe out	נָשַׁף (יִישּׁוֹף) פ
party (at night), soiree	נֶשֶׁף ז
be tried, be brought to trial	נִשְׁפַּט (יִישָּׁפֵט) פ
small party	נִשְׁפִּייָה נ
be spilled, be poured out	נִשְׁפַּך (יִישָּׁפֵך) פ
kiss; come together	נָשַׁק (יִישַּׁק) פ
armorer	נַשָּׁק ז
weapons, arms	נֶשֶׁק ז
atomic (nuclear) weapons	נֶשֶׁק אָטוֹמִי, נֶשֶׁק גַּרְעִינִי
firearms	נֶשֶׁק חַם
be weighed; be considered	נִשְׁקַל (יִישָּׁקֵל) פ
be seen, be visible, overlook; look out, look through	נִשְׁקַף (יִישָּׁקֵף) פ
fall off, fall away	נָשַׁר (יִישּׁוֹר) פ
(biblical) vulture; (colloquial) eagle	נֶשֶׁר ז
be steeped, be soaked	נִשְׁרָה (יִישָּׁרֶה) פ

נִשְׂרַט (יִישָּׂרֵט) פ — be scratched
נִשְׂרַף (יִישָּׂרֵף) פ — be burnt
נִשְׂרַץ (יִישָּׂרֵץ) פ — swarm, teem
נִתְבָּע ז — defendant, respondent
נִתְבַּע (יִיתָּבַע) פ — be claimed, be demanded; be required
נָתוּן ז — given; datum
נְתוּנִים ז״ר — data
נֶתֶז ז — spray, splash
נֵתַח ז — cut, piece
נִתְחַם (יִיתָּחֵם) פ — be delimited
נָתִיב ז — path; way
נָתִיךְ ז — fuse-wire
נָתִין ז — subject; Temple slave
נְתִינָה נ — giving
נְתִינוּת נ — citizenship, nationality
נָתִיק ת — severable
נֶתֶךְ ז — alloy
נִתְלָה (יִיתָּלֶה) פ — be hung
נִתְמַךְ (יִיתָּמֵךְ) פ — be supported
נָתַן (יִיתֵּן) פ — give, present
נִתְעָב ת — loathsome, abhorrent
נִתְעָה (יִיתָּעֶה) פ — be misled, be led astray
נִתְפַּס (יִיתָּפֵס) פ — be caught, be seized; be grasped
נִתְפַּר (יִיתָּפֵר) פ — be sewn, be stitched
נִתְפַּשׂ ר׳ נִתְפַּס
נָתַץ (יִיתּוֹץ) פ — demolish, shatter
נֶתֶק ז — contact-breaker (elect.)
נִתְקַל (יִיתָּקֵל) פ — bump into
נִתְקַע (יִיתָּקַע) פ — be stuck
נִתְקַף (יִיתָּקֵף) פ — be attacked
נֶתֶר ז — washing soda; nitre
נִתְרַם (יִיתָּרֵם) פ — be contributed, be donated
נַתְרָן ז — sodium

ס

סְאָה נ — seah (ancient dry measure)
סָב, סָבָא ת — old, grandfather
סַבָּא ז — grandfather, grandpa
סָבָא (יִסְבָּא) פ — drink (to excess)
סָבַב (יִיסּוֹב) פ — go round, rotate
סַבֶּבֶת נ — pinion, cog-wheel
סָבוּךְ ת — tangled; complicated
סְבוֹלֶת נ — tolerance; endurance
סַבּוֹן ז — soap
סַבּוֹנִיָּה, סַבּוֹנִית נ — soap-holder
סָבוּר ת — of the opinion
סַבּוֹרֶג ז — screwdriver
סָבוּרְנִי, סְבוּרַנִי — I think, I am of the opinion
סְבִיאָה נ — drinking (to excess)
סָבִיב תה״פ — around, round
סְבִיבוֹת — surroundings, environs
סְבִיבָה נ — vicinity, neighborhood
סְבִיבוֹל ז — swivel
סְבִיבוֹן ז — top (toy)

סַבְיוֹן ז	ragwort
סָבִיךְ ת	easily entangled, tangly
סְבִיכוּת נ	complexity
סָבִיל ת	passive
סְבִילוּת נ	passivity; endurance
סָבִיר ת	reasonable
סְבִירוּת נ	reasonableness
סְבַךְ, סְבָךְ ז	thicket; tangle
סְבָכָה נ	grate, trellis, lattice
סִבְכִּי, סִיבְכִּי ז	warbler
סָבַל (יִסבּוֹל) פ	suffer, endure
סַבָּל ז	porter
סֵבֶל ז	load, burden; suffering
סַבְלָנוּת נ	patience; tolerance
סָבַר (יִסבּוֹר) פ	think, be of the opinion; understand
סֵבֶר ז	expectation; countenance
סְבָרָה נ	opinion, theory
סְבָרוֹת כֶּרֶס	baseless supposition
סֵבֶר פָּנִים יָפוֹת	warm welcome
סַבְתָּא נ	granny, grandma
סָגַד (יִסגּוֹד) פ	worship
סְגוֹל ז	segol (Hebrew vowel)
סָגוֹל ת	violet, mauve
סְגוּלָּה נ	treasured possession; characteristic
סְגוּלִּי ת	specific, characteristic
סָגוּר ת	closed, shut
סְגוֹרֶץ ז	zip
סַגִּי תה"פ	plenty, enough
סְגִידָה נ	worship
סָגִיל ת	adaptable
סְגִילוּת נ	adaptability
סַגִּי נְהוֹר	blind man (euphemism)
סְגִיר ז	shackle

סְגִירָה נ	shutting, closing
סֶגֶל ז	cadre (military); staff
סְגַלְגַּל ת	oval
סְגָן ז	deputy, vice
סֶגֶן ז	lieutenant
סִגְנוֹן ז	style
סִגְנוּן ז	stylizing
סֶגֶן מִשְׁנֶה	second lieutenant
סִגְנֵן (יְסַגְנֵן) פ	stylize, improve the style
סַגְסוֹגֶת נ	alloy
סַגְּפָן ז	ascetic
סָגַר (יִסגּוֹר) פ	shut, close
סֶגֶר ז	valve disc, valve gate
סַגְרִיר ז	rainstorm
סַגְרִירִי ת	very rainy, torrential
סַד ז	stocks, pillory
סָדוּק ת	cracked, split
סָדוּר ת	arranged, set in order
סָדִין ז	sheet
סָדִיר ת	regular
סְדִירוּת נ	regularity
סַדָּן ז	anvil
סַדְנָה נ	workshop
סֶדֶק ז	crack, split, fissure
סִדְקִית נ	haberdashery
סָדַר (יִסדּוֹר) פ	order, arrange
סֵדֶר ז	order, arrangement
סַדָּר ז	compositor, type-setter
סְדָר ז	set-up type
סִדְרָה נ	sequence, series
סַדְּרָן ז	steward (at meetings), usher (theater, cinema)
סַדְּרָנוּת נ	stewarding, ushering
סַהַר ז	moon

סַהַר פּוֹרֶה Fertile Crescent
סַהֲרוּרִי ת sleepwalking
סוֹאֵן ת noisy
סוֹבֵא ז drunkard
סוֹבֵב ז (anat.) radius
סוֹבֵב (יְסוֹבֵב) פ go round, encircle
סוּבַּב (יְסוּבַּב) פ be surrounded, be encircled
סוּבִּין ז״ר bran
סוּבַּךְ (יְסוּבַּךְ) פ be complicated; be entangled
סוֹבֶךְ ז lair (in a thicket)
סוֹבְלָנוּת ת tolerance
סוֹבְלָנִי ת tolerant
סוּבַּן (יְסוּבַּן) פ be soaped
סוּג ז class; kind, type
סוּגְיָה נ problem, issue
סוּגַּל (יְסוּגַּל) פ be acquired; be adapted
סוּגְנַן (יְסוּגְנַן) פ be stylized, be polished
סוּגַר ז cage; muzzle
סוּגַּר (יְסוּגַּר) פ be closed up
סוֹגֵר ז bracket
סוֹגְרַיִים מְרוּבָּעִים square brackets
סוֹד ז secret
סוֹדִי ת confidential
סוֹדֵר ת ordinal
סוּדָר ז shawl, scarf
סוּדַּר (יְסוּדַּר) פ be arranged, be put in order
סוֹדְרָן ז index file
סוֹהֵר ז prison officer, warder
סוּוַּג (יְסוּוַּג) פ be classified
סַוָּר ז stevedore

סוֹחֲפָנִי ת erosive
סוֹחֵר ז merchant, trader
סוֹטֶה ת deviating, divergent
סוּיַּד (יְסוּיַּד) פ be whitewashed
סוּיַּם (יְסוּיַּם) פ be ended, be terminated
סוֹךְ ז, סוֹכָה נ branch, bough
סוּכָּה נ booth; succah
סוּכּוֹת, חַג־הַסּוּכּוֹת Succot, the Feast of Tabernacles
סוֹכֵךְ ז umbrella, sunshade
סוּכַּךְ (יְסוּכַּךְ) פ be covered over
סוֹכְכִי ת umbelliferous
סוּכַּל (יְסוּכַּל) פ be frustrated (plan, contract), be foiled
סוּכַּם (יְסוּכַּם) פ be added up, be totalled; be summarized
סוֹכֵן ז agent
סוּכַּן (יְסוּכַּן) פ be risked; be endangered
סוֹכְנוּת נ agency
סוּכסַך (יְסוּכסַך) פ be involved in a quarrel
סוּכָּר ז sugar
סוּכַּר (יְסוּכַּר) פ be sugared, be sugar-coated
סוּכָּרִייָה נ candy, sweet
סוּכֶּרֶת נ diabetes
סוּלָּא (יְסוּלָּא) פ be valued
סוֹלֵד ת shrinking from, revolted by
סוֹלְדָנוּת נ allergy
סוֹלְחָן ת forgiving, condoning
סוֹלְחָנוּת נ forgiveness, leniency
סוּלְיָה נ sole (of a shoe)
סוֹלְלָה נ embankment; dike; battery

סוּלָם ז ladder; scale
סוֹלָן ז soloist
סוּלְסַל (יְסוּלְסַל) פ be curled, be waved (hair); be trilled (voice)
סוּלַף (יְסוּלַף) פ be distorted, be garbled
סוּלַק (יְסוּלַק) פ be removed, be taken away
סוֹלֶת ז fine flour; semolina
סוּמָא, סוּמֵא ז blind man
סוֹמֶךְ ז consistency (of soup, etc.)
סוֹמֵךְ ז support, prop
סוּמַּם (יְסוּמַּם) פ be poisoned; be drugged
סוּמַּן (יְסוּמַּן) פ be marked
סוֹמֶק ז redness, crimson
סוּמְרַר (יְסוּמְרַר) פ be riveted
סוּנְוַר (יְסוּנְוַר) פ be dazzled
סוּנַּן (יְסוּנַּן) פ be strained
סוּנַּף (יְסוּנַּף) פ be affiliated
סוּס ז horse
סוּסָה נ mare
סוֹעֵר ת stormy, raging
סוּף ז rush, reed
סוֹף ז end, finish
סוֹפֵג ז blotting-paper
סוּפְגָן ז sponge cake
סוּפְגָּנִיָּה, סוּפְגָּנִית נ doughnut
סוּפָה נ storm, gale
סוּפַּח (יְסוּפַּח) פ be attached, be annexed
סוֹפִי ת final; finite
סוֹפִית נ, תה״פ suffix; finally
סוּפַּק (יְסוּפַּק) פ be supplied
סוֹפֵר ז author, writer
סוּפַּר (יְסוּפַּר) פ be told, be narrated; have one's hair cut
סוּפְרַר (יְסוּפְרַר) פ be numbered, be given a number
סוּקַל (יְסוּקַל) פ be cleared of stones; be stoned (man)
סוֹר ז leaven; original state
סוּרְבַּל (יְסוּרְבַּל) פ be wrapped up, be made cumbersome
סוֹרֶג ז lattice (wood), grille (metal), grid
סוֹרַג (יְסוֹרַג) פ be plaited, be interwoven
סוּרְגַּל (יְסוּרְגַּל) פ be ruled (lines)
סוּרוֹ רַע fundamentally evil
סוּרְטַט (יְסוּרְטַט) פ be drawn, be sketched, be designed
סוּרִי ת Syrian
סוֹרַס (יְסוֹרַס) פ be castrated; be muddled (text)
סוֹרַק (יְסוֹרַק) פ be combed
סוֹרֵר ת stubborn, rebellious
סוּת נ garment, apparel
סוֹתֵר ת contradictory, conflicting
סוֹתְרָנִי ת ambivalent
סוּתַּת (יְסוּתַּת) פ be chipped, be chiselled
סָח (יָסִיחַ) פ say, speak
סָחַב (יִסְחַב) פ drag; (colloquial) pilfer, "pinch"
סְחָבָה נ rag
סַחֶבֶת נ (colloq.) red-tape
סָחוּט ת squeezed; wrung out
סָחוּס ז cartilage
סְחוּפֶת נ sediment, silt, erosion

סְחוֹרָה נ goods, merchandise
סְחוֹר־סְחוֹר round and round; indirectly, circuitously
סָחַט (יִסְחַט) פ squeeze (fruit); wring out
סַחְטָן ז blackmailer
סְחִי ז refuse, garbage
סְחִיבָה נ dragging; (colloq.) pilfering
סְחִיטָה נ squeezing (fruit); wringing out; blackmail
סְחִיפָה נ erosion, sweeping away
סָחִיר ת negotiable
סַחְלָב ז orchid
סָחַף (יִסְחַף) פ erode, sweep away
סַחַף ז alluvial soil; erosion
סָחַר (יִסְחַר) פ do business, trade
סַחַר ז trade, commerce
סְחַרְחוֹרֶת נ giddiness, dizziness
סְחַרְחַר ת dizzy, whirling round
סְחַרְחֵרָה נ merry-go-round
סַחַר־מֶכֶר crooked dealings
סִחְרֵר (יְסַחְרֵר) פ whirl round
סָטָה (יִסְטֶה) פ deviate
סְטָו, סְטָיו ז colonnade, portico
סְטִיָּה נ deviation, aberration (mental)
סְטִירָה נ slap
סָטַר (יִסְטוֹר) פ slap
סֵיאוּב ז dirtying, soiling
סֵיאוּר, סְאוֹר ז leaven; original state
סְאוֹר שֶׁבָּעִיסָּה the best part, the vital part
סִיב ז fiber

סִיבֵּב (יְסַבֵּב) פ cause; surround
סִיבָּה נ reason, cause
סִיבּוּב, סִיבוּב ז rotation; round
סִיבּוּבִי, סִיבוּבִי ת rotatory, circulatory
סִיבּוּךְ ז complication; entanglement
סִיבּוֹלֶת נ endurance
סִיבּוּן ז soaping; soap-making
סִיבִי ת fibrous
סִיבִית נ fiber-board
סִיבֵּךְ (יְסַבֵּךְ) פ complicate; entangle
סִיבֵּן (יְסַבֵּן) פ soap; make soap
סִיבָּתִי ת causal
סִיבָּתִיּוּת נ causality
סִיג ז dross, base metal
סִיגִים ז״ר cinder, slag
סִיגּוּף ז mortification of the flesh
סִיגֵּל (יְסַגֵּל) פ adapt, adjust
סִיגֵּף (יְסַגֵּף) פ mortify (the flesh)
סִיד ז lime, whitewash; plaster
סִידּוּק ז cracking, splitting
סִידּוּר ז arrangement; daily prayer book
סִידּוּרִי ת serial, ordinal
סִידָן ז calcium
סִידֵּר (יְסַדֵּר) פ arrange, put in order; "fix", "do"
סִיּוּד ז whitewashing
סִיוֵּג (יְסַוֵּג) פ classify, categorize
סִיוּוּג ז classification
סִיוָן ז Sivan (May–June)
סִיוּט ז nightmare; horror
סִיּוּם ז end, finish
סִיּוֹמֶת נ suffix
סִיּוּעַ ז assistance, aid

סִיּוּף ז fencing
סִיּוּר ז tour
סִיטוֹנַאי ז wholesaler
סִיטוֹנוּת ז wholesale trading
סְיָג ז fence, hedge
סִיֵּד (יְסַיֵּד) פ whitewash
סַיָּיד, סַיָּד ז whitewasher
סְיָח ז colt, foal
סִיֵּם (יְסַיֵּם) פ end, terminate
סַיָּס ז groom, ostler
סִיֵּעַ (יְסַיֵּעַ) פ assist, support
סַיָּף ז fencer
סִיֵּף (יְסַיֵּף) פ fence
סִיֵּר (יְסַיֵּר) פ tour, survey
סַיֶּרֶת, סַיֶּרֶת נ battle-cruiser
סִיכָה נ lubrication, oiling
סִיכָּה, סִכָּה נ pin, clip
סִיכּוּי ז chance, prospect
סִיכּוּךְ ז covering, thatching
סִיכּוּל ז frustration, foiling
סִיכּוּם ז addition; summing up
סִיכּוּן ז risk; endangering
סִיכֵּךְ (יְסַכֵּךְ) פ cover over, thatch
סִיכֵּל (יְסַכֵּל) פ frustrate, foil
סִיכָּלוֹן ז frustration
סִיכֵּם (יְסַכֵּם) פ add up, sum up
סִיכֵּן (יְסַכֵּן) פ risk; endanger
סִיכֵּר (יְסַכֵּר) פ sugar, sugar-coat
סִילּוּם ז modulation (music)
סִילוֹן ז jet (plane), stream
סִילוֹנִית נ siren, water-nymph
סִילּוּף ז distortion, perversion
סִילּוּק, סִלּוּק ז removal, disposal
סִילֵּם (יְסַלֵּם) פ modulate (music)
סִילֵּף (יְסַלֵּף) פ distort, garble

סִילֵּק (יְסַלֵּק) פ remove, take away
סִילֵּת (יְסַלֵּת) פ sift; select
סִימֵּא (יְסַמֵּא) פ blind; dazzle
סִימּוּי ז blinding
סִימּוּכִין ר׳ סְמוּכִין
סִימּוּל ז symbolization
סִימּוּם ז poisoning
סִימּוּן ז notation, marking
סִימּוּר ז nailing; bristling
סִימְטָה נ alley, narrow lane; boil
סִימֵּךְ (יְסַמֵּךְ) פ sustain, support
סִימֵּל (יְסַמֵּל) פ symbolize
סִימֵּם (יְסַמֵּם) פ poison
סִימָן ז sign, mark; omen
סִימֵּן (יְסַמֵּן) פ mark, indicate
סִימָנִיָּה, סִימָנִית נ bookmark; sign, mark
סִימַן שְׁאֵלָה question mark
סִימְפּוֹזְיוֹן, רַב־שִׂיחַ symposium
סִינּוּן ז straining, filtration
סִינְכְּרוּן, סִנְכְּרוּן ז synchronization
סִינְכְּרוֹנִי ת synchronous
סִינְכְּרֵן, סִנְכְּרֵן (יְסַנְכְּרֵן) פ synchronize
סִינֵּן (יְסַנֵּן) פ strain, filter; mutter
סִינָּר ז apron
סִיס ז fringe
סִיסְמָה נ password (military); slogan
סִיעָה נ faction, group
סִיעָתִי ת factional, group
סַיִף ז sword; fencing (sport)
סֵיפָא ז ending, final section
סִיפּוּחַ ז attachment; annexation
סִיפּוּן ז ceiling; deck (of a ship)

סִיפּוּק ז satisfaction; supplying, providing
סִיפּוּר ז story, tale; story-telling
סִיפּוּרִי ת narrative
סִיפּוֹרֶת נ fiction
סִיפֵּחַ (יְסַפֵּחַ) פ attach, annex
סֵיפָן ז gladiolus
סִיפֵּק (יְסַפֵּק) פ supply; satisfy, please
סִיפֵּר (יְסַפֵּר) פ tell; cut hair
סִיקּוּל ז clearing of stones
סִיקוּס ז knot (in wood)
סִיקּוּר ז survey, review; covering (as a journalist)
סִיקּוֹרֶת נ review
סִיקֵּל (יְסַקֵּל) פ clear of stones; stone
סִיקֵּר (יְסַקֵּר) פ cover (as a journalist)
סִיקָרִי, סִיקָרִיקוֹן ז armed bandit
סִיר ז pot, vessel
סֵירַב (יְסָרֵב) פ refuse
סִירָה נ boat
סִיר הַבָּשָׂר plenty, the fleshpots
סֵירוּב ז refusal
סֵירוּג ז interweaving
סִירוֹנִית נ mermaid, siren
סֵירוּס ז castration; jumbling
סִיר לַיְלָה chamber-pot
סֵירֵס (יְסָרֵס) פ castrate; jumble, muddle
סִיתּוּת ז stone-cutting; chip
סִיתֵּת (יְסַתֵּת) פ chip, cut (stone)
סַךְ ז wire-tack, wire-nail
סָךְ (יָסוּךְ) פ lubricate, grease

סַךְ ז amount
סַךְ הַכּוֹל total
סָכוּךְ ת covered, thatched
סְכוּכִית נ lamp-shade
סְכוּם ז total, sum
סַכּוּ״ם ז cutlery (from initial letters of (סַכִּין, כַּף וּמַזְלֵג
סַכִּין ז knife
סַכִּינַאי ז armed robber, cut-throat
סָכַךְ (יָסוֹךְ) פ screen, cover
סְכָךְ ז covering, thatch
סְכָכָה נ covering; covered yard
סָכָל ת stupid, witless
סִכְלוּת נ stupidity, foolishness
סַכָּנָה נ danger, peril
סִכְסוּךְ ז quarrel, strife
סִכְסֵךְ (יְסַכְסֵךְ) פ foment a quarrel
סִכְסָךְ ז zigzag
סַכְסְכָן ת trouble-maker
סַכְסְכָנוּת נ trouble-making
סָכַר (יִסְכּוֹר) פ dam up, stop up
סֶכֶר ז dam; lock
סַל ז basket
סָלַד (יִסְלוֹד) פ recoil, shrink back
סַלֶּדֶת נ allergy
סֶלָה מ״ק selah
סָלוּחַ ת forgiven, pardoned
סָלוּל ת paved
סָלַח (יִסְלַח) פ forgive, pardon
סַלְחָן, סוֹלְחָן ת forgiving, clement
סַלְחָנִי ת forgiving, clement, lenient
סָלָט ז salad
סְלִידָה נ revulsion, disgust
סְלִיחָה נ pardon, forgiveness
סְלִיל ז coil, spool

סְלִילָה נ paving, road-building
סְלִילִי ת spiral, coiled
סְלִיק ז end, conclusion; (colloq.) cache (for illegal possessions)
סָלַל (יִסלוֹל) פ pave, build a road
סַלָמַנדְרָה נ salamander
סַל נְצָרִים wicker basket
סִלסוּל ז curl, wave (of the hair); trill (of the voice)
סַלסִילָה נ small basket
סִלסֵל (יְסַלסֵל) פ curl, wave (hair); trill (voice)
סֶלַע ז rock
סֶלַע הַמַחֲלוֹקֶת bone of contention, point at issue
סַלעִי ת rocky, craggy
סַלעִית נ chat (bird), wheatear
סֶלֶף ז distortion, falsification
סַלְפָן ז one who distorts
סֶלֶק ז beetroot
סַם ז drug; poison
סַמבּוּק ז elder
סְמָדַר ז incipient fruit
סָמוּי ת concealed, invisible
סָמוּך ת adjoining, nearby; firm
סָמוּך ז, סָמוּכָה נ support, prop
סְמוּכִין, סִימוּכִין ז״ר documentary evidence
סָמוּק ת flushed, red
סָמוּר ת bristly, stiff
סַמּוּר ז marbled polecat
סַם חַיִּים healing drug
סִמטָה, סִימטָה נ alley, narrow lane
סַמֶּטֶת נ boils

סָמִיךְ ת thick
סְמִיכָה נ support, dependence; leaning; ordaining (of priests)
סְמִיכוּת נ ordination (of a Rabbi); construct state (grammar) proximity; density
סְמִיכוּת הַפָּרָשִׁיּוֹת connection between themes
סָמִיר ת bristly, stiff
סַמֵּי רְפוּאָה medicines
סָמַךְ (יִסמוֹךְ) פ support, sustain; lay (hands); rely, depend
סֶמֶךְ ז support, prop
סַמכָא ז support
סַמכוּת נ authority
סֵמֶל, סֶמֶל ז emblem, badge; symbol
סַמָּל ז sergeant
סִמלוֹן ז collar (of a yoke)
סִמלִי ת symbolic, token
סִמלִיוּת נ symbolism
סַם מָוֶת poison
סְמָמִית נ house-lizard
סַמְמָן ז ingredient of perfume, drug; flavor
סַם מַרגִיעַ tranquilizer
סַמָּן ז (military) marker
סַמָּן יְמָנִי right marker
סִמפּוֹנוֹן ז, סִמפּוֹנִית נ bronchial tube
סָמַר (יִסמַר) פ bristle, stiffen
סָמָר ז rush
סִמרוּר ז riveting
סְמַרטוּט ז rag
סְמַרטוּטָר ז rag-merchant
סִמרֵר (יְסַמרֵר) פ rivet
סְנָאִי ז squirrel

סַנֵּגוֹר, סַנֵּיגוֹר ז defending counsel
סַנֵּגוֹרְיָה, סַנֵּיגוֹרְיָה נ defense (in law) case
סִנֵּגֵר (יְסַנֵּגֵר) פ defend (in law)
סַנְדָּל ז sandal
סַנְדְּלָר ז shoemaker, cobbler
סַנְדְּלָרוּת נ shoemaking
סַנְדְּלָרִיָּה נ shoemaker's workshop
סַנְדָּק ז godfather (at a circumcision, the one who holds the baby)
סִנְדֵּק (יְסַנְדֵּק) פ act as godfather; sponsor
סְנֶה ז thorn-bush
סַנְהֶדְרִין נ Sanhedrin
סִנְוֵר (יְסַנְוֵר) פ dazzle
סִנְווּר ז dazzle, dazzling
סַנְוֵרִים ז״ר sudden blindness, dazzle
סְנוּנִית נ swallow
סְנוֹקֶרֶת נ a punch in the jaw
סָנַט (יִסְנוֹט) פ taunt, jeer at, mock
סַנְטֵר ז chin
סְנִיף ז branch
סְנַפִּיר ז fin; bilge keel (of a ship)
סְנַפִּירִית נ hydrofoil
סָנַק (יִסְנוֹק) פ put aside, reject
סָס ז clothes moth
סַסְגּוֹנִי ת variegated, multi-colored
סַסְגּוֹנִיּוּת נ variegation, multicolor
סַסְקוֹלִי ת polyphonic
סַסְקוֹלִיּוּת נ polyphony
סָעַד (יִסְעַד) פ sustain, support; eat, dine

סַעַד ז support, assistance; corroboration
סְעוּדָה נ meal
סָעִיף ז branch; cleft; paragraph, clause
סָעִף נ branch (of tree)
סַעֶפֶת נ manifold
סָעַר (יִסְעַר) פ storm, rage
סַעַר ז סְעָרָה נ storm, tempest
סְעָרָה בִּצְלוֹחִית שֶׁל מַיִם a storm in a teacup
סַף ז threshold, sill; verge
סָפַג (יִסְפּוֹג) פ absorb; blot, dry
סָפַד (יִסְפּוֹד) פ lament, mourn
סַפָּה נ couch, sofa
סַף הַהַכָּרָה the verge of consciousness
סַף הַמָּוֶת the verge of death
סְפוֹג ז sponge, absorbent material
סָפוּג ת permeated with, imbued with
סְפוֹגִי ת absorbent, spongy
סְפוֹגִיּוּת נ sponginess, absorptiveness
סָפוּר ת numbered
ספּוֹרטַאי ז sportsman
ספּוֹרטִיבִי ת sportive
סֶפַח ז addition, attachment; aftergrowth
סַפַּחַת נ skin-disease
סְפִיגָה נ absorption, taking in
סְפִיגוּת נ absorbency, absorptiveness
סָפִיחַ ז aftergrowth
סְפִינָה נ ship
סְפִיקָה נ flow, capacity, possibility; requirement

סַפִּיר ז	sapphire
סָפִיר ת	countable
סְפִירָה נ	counting, numbering; era; sphere
סְפֵירָה נ	sphere
סַפִּירִי ת	like sapphire
סְפִירַת מְלַאי	stocktaking
סֵפֶל ז	cup, mug
סִפְלוֹן ז	small cup
סֶפֶן ז	plywood
סַפָּן ז	sailor, seaman
סַפָּנוּת נ	seamanship
סִפְנֵן (יְסַפְנֵן) פ	siphon
סַפְסָל ז	bench
סַפְסָר ז	speculator, profiteer; broker
סִפְסֵר (יְסַפְסֵר) פ	speculate, profiteer
סַפְסָרוּת נ	speculation, profiteering
סַפְסָרִי ת	speculative
סָפַק (יִספּוֹק) פ	clap
סָפֵק ז	doubt
סַפָּק ז	supplier
סַפְקָן ז	doubter, sceptic
סַפְקָנוּת נ	scepticism
סַפְקָנִי ת	sceptical
סַפֶּקֶת מַיִם	water-boat
סָפַר (יִספּוֹר) פ	count, number
סֵפֶר ז	book, volume
סַפָּר ז	hairdresser, barber
סְפָר ז	border, frontier
סָפְרָא ז	scholar, man of letters
סְפָרַד ז	Spain
סְפָרַדִּי ת, ז	Spanish; Sepharadi Jew
סְפָרַדִּית נ	Spanish (language)
סִפְרָה נ	numeral, figure, number
סִפְרוֹן ז	booklet
סַפָּרוּת נ	hairdressing
סִפְרוּת נ	literature
סִפְרוּתִי ת	literary
סִפְרוּת יָפָה	belles-lettres, literature
סִפְרִיָּה נ	library
סֵפֶר לִימּוּד	textbook
סַפְרָן ז	librarian
סַפְרָנוּת נ	librarianship
סֵפֶר עֵזֶר	reference book
סֵפֶר תּוֹרָה	Scroll of the Law
סְקִילָה נ	stoning
סְקִירָה נ	glance, look; review, survey
סָקַל (יִסקוֹל) פ	stone
סָקַר (יִסקוֹר) פ	glance at, scan; survey, review
סֶקֶר ז	survey
סַקְרָן ז	inquisitive person
סִקְרֵן (יְסַקְרֵן) פ	arouse curiosity, intrigue
סַקְרָנוּת נ	curiosity, inquisitiveness
סָר (יָסוּר) פ	turn, turn aside, drop in
סִרְבּוּל ז	wrapping, swathing; awkwardness, clumsiness
סַרְבָּל ז	overalls
סִרְבֵּל (יְסַרְבֵּל) פ	make cumbersome, make awkward
סַרְבָן ת	uncompliant, disobedient
סַרְבָנוּת נ	non-compliance, disobedience
סָרַג (יִסרוֹג) פ	knit; plait, weave
סִרְגּוּל ז	ruling (lines)
סִרְגֵּל (יְסַרְגֵּל) פ	rule (lines)

סַרְגֵּל ז ruler
סָרָה נ slander
סִרְהֵב (יְסַרְהֵב) פ insist, importune
סָרוּג ת knitted
סָרוּחַ ת stinking; sinful;
sprawled (on a bed)
סָרוּק ת combed, carded
סָרַח (יִסְרַח) פ stink, smell;
spread out, sprawl
סֶרַח ז overhang; train; excess
סִרְחוֹן ז stink, stench
סֶרַח עוֹדֵף amount left over
סָרַט (יִסְרוֹט) פ scratch
סֶרֶט ז strip, ribbon, tape; film
סִרְטוּט ז drawing, design
סִרְטוֹן ז film-strip
סִרְטֵט (יְסַרְטֵט) פ draw, design
סַרְטָט ז draughtsman, draftsman
סִרְטִיָּה נ film-library
סַרְטָן ז Cancer; crab; cancer
סַרְטַן הַדָּם leukemia
סְרִיג ז lattice, network, grille;
(elec.) grid
סְרִיגָה נ knitting
סְרִיטָה נ scratch
סָרִיס ז castrated person, eunuch
סְרִיקָה נ combing; thorough search
סֶרֶן ז axle; captain (army);
prince (Philistine)
סַרְסוּר ז agent, middleman
סִרְסֵר (יְסַרְסֵר) פ act as agent
סַרְסָרוּת נ brokery, mediation
סַרְסוּר לִדְבַר עֲבֵירָה pimp, procurer
סַרְעַפִּים ז״ר thoughts

סַרְעֶפֶת נ diaphragm
סִרְפָּד ז nettle
סִרְפֶּדֶת נ urticaria, nettle-rash
סָרַק (יִסְרוֹק) פ comb, card;
search thoroughly
סְרָק ז emptiness, barrenness
סָרַר (יִסְרוֹר) פ disobey, rebel
סְתַגְלָן ז adaptable person;
opportunist
סְתַגְלָנוּת נ adaptability;
opportunism
סְתַגְּרָן ז introvert
סְתַגְּרָנוּת נ introversion
סְתָו ר׳ סְתָיו
סְתָוִי ת autumnal
סְתָוָנִית נ meadow saffron
סָתוּם ת blocked, plugged;
obscure; vague
סָתוּר ת unkempt, dishevelled
סְתָיו ז autumn, fall
סְתִימָה נ plugging, stopping up
סְתִירָה נ demolition; contradiction
סָתַם (יִסְתּוֹם) פ stop up, block
סְתָם תה״פ just, merely
סְתָ״ם (initial letters of
(סְפָרִים, תְּפִילִין, מְזוּזוֹת
סֶתֶם ז seal, plug
סְתָמִי ת vague, indefinite; neuter
(gender), abstract (number)
סָתַר (יִסְתּוֹר) פ destroy; contradict
סֵתֶר ז hiding-place
סְתַרְשָׁף ז flash eliminator (on gun)
סַתָּת ז stone-cutter
סַתָּתוּת נ stone-cutting

ע

עָב נ	cloud
עָב ת	thick, coarse
עָבַד (יַעֲבוֹד) פ	work
עֶבֶד ז	slave, serf
עַבְדוּת נ	slavery, serfdom
עֶבֶד נִרְצָע	willing slave
עַבְדְּקָן ז	thick-bearded person
עָבֶה ת	thick, coarse
עֲבוֹדָה נ	work, labor, employment
עֲבוֹדָה זָרָה	idolatry, idol-worship, paganism
עֲבוֹדַת אֲדָמָה	agriculture
עֲבוֹדַת אֱלִילִים	idolatry
עֲבוֹדַת פֶּרֶךְ	hard labor
עֲבוֹט ז	pledge, surety
עֲבוּר מ״י	for
עָבוֹת ת	thick, bushy
עֲבוֹת זו״נ	rope, cable
עָבַט (יַעֲבוֹט) פ	pledge, pawn
עָבִיב ז	light cloud
עָבִיד ת	workable
עָבִיט ז	tub
עָבִיר ת	passable
עֲבִירָה נ	crossing
עֲבֵירָה, עֲבֵרָה נ	transgression, offence, crime
עֲבִירוּת נ	passability, negotiability
עָבַר (יַעֲבוֹר) פ	cross, pass
עָבָר ז	past, past tense
עֵבֶר ז	side
עֶבְרָה נ	wrath, anger
עִבְרוּר ז, עִבְרוּת ז	Hebraization
עִבְרִי ז, ת	Hebrew
עֲבַרְיָן ז	transgressor; criminal
עֲבַרְיָנוּת נ	crime, delinquency
עִבְרִית נ	Hebrew (language)
עִבְרֵר (יְעַבְרֵר), עִבְרֵת (יְעַבְרֵת) פ	Hebraize
עָבַשׁ (יֶעְבַּשׁ) פ	go moldy, go musty
עָבֵשׁ ת	moldy, musty
עָג (יָעוּג) פ	bake a cake; draw a circle
עָגַב (יַעֲגוֹב) פ	make love
עֲגָבָה נ	coquetry; sexual passion
עֲגָבִים ז״ר	lust, sensual love
עֲגָבַיִים ז״ז	buttocks
עַגְבָנוּת נ	lust, sexuality
עַגְבָנִיָּה נ	tomato
עַגֶּבֶת נ	syphilis
עָגָה נ	vernacular, dialect
עָגוֹל ת	round, circular
עָגוּם ת	sad, sorrowful
עֲגוּנָה נ	deserted wife (who cannot remarry)
עָגוּר ז	crane (bird)
עֲגוּרָן ז	crane (for lifting)
עָגִיל ז	ear-ring
עֲגִינָה נ	anchoring; dependence, reliance
עֵגֶל ז	calf
עֲגַלְגַּל ת	rounded
עֶגְלָה נ	heifer
עֲגָלָה נ	cart, pram
עֶגְלוֹן ז	carter, coachman

be sad, be distressed עָגַם (יֶעְגַּם) פ
a little sad, rather sad עֲגמוּמִי ת
be anchored; rely עָגַן (יַעֲגוֹן) פ
eternity, perpetuity עַד ז
until, till; up to עַד מ״י
witness עֵד ז
community; congregation עֵדָה נ
adorned, bejewelled עָדוּי ת
evidence; precept עֵדוּת נ
adornment, jewel עֲדִי ז
still עֲדַיִן תה״פ
not yet עֲדַיִן לֹא
fine, delicate עָדִין ת
refinement, delicacy עֲדִינוּת נ
preferable עָדִיף ת
priority, preference עֲדִיפוּת נ
hoeing, digging עֲדִירָה נ
bringing up-to-date עִדְכּוּן ז
bring up-to-date עִדְכֵּן (יְעַדְכֵּן) פ
up-to-date עַדְכָּנִי ת
Purim carnival עַדְלָיָדַע נ
pleasure; Eden, paradise עֵדֶן ז
delight, pleasure עֶדְנָה נ
hoe, dig over עָדַר (יַעֲדוֹר) פ
herd, flock עֵדֶר ז
characteristics of a herd עֶדְרִיּוּת נ
lentil; lens; eyeball עֲדָשָׁה נ
communal עֲדָתִי ת
communal segregation עֲדָתִיּוּת נ
beam, rafter עוֹב ז
worker, laborer עוֹבֵד ז
be worked; עוּבַּד (יְעוּבַּד) פ
be adapted, be arranged
fact עוּבְדָה נ
factual עוּבְדָתִי ת

thickness עוֹבִי ז
spider-web; (coll.) עוֹבִי הַקּוֹרָה
heart of the the matter
transient; passer-by עוֹבֵר ת
embryo, fetus עוּבָּר ז
wayfarer עוֹבֵר אוֹרַח
senile עוֹבֵר בָּטֵל
be made עוּבְּרָה (תְּעוּבַּר) פ
pregnant, be made to conceive
current (bank account) עוֹבֵר וָשָׁב
legal tender עוֹבֵר לַסּוֹחֵר
be Hebraized עוּבְרַר (יְעוּבְרַר),
עוּבְרַת (יְעוּבְרַת) פ
mold, mildew עוֹבֶשׁ ז
organ עוּגָב ז
libertine, philanderer עוֹגֵב ז
cake; circle עוּגָה נ
small cake עוּגִיָּה
sorrow, distress עוֹגְמַת נֶפֶשׁ
more; again; yet, still עוֹד תה״פ
encourage, support עוֹדֵד (יְעוֹדֵד) פ
be encouraged, עוֹדַד (יְעוֹדַד) פ
be supported
be brought עוּדְכַּן (יְעוּדְכַּן) פ
up-to-date
in a little while עוֹד מְעַט
be refined, עוּדַּן (יְעוּדַּן) פ
be ennobled
surplus, extra עוֹדֵף ת
surplus, excess; change עוֹדֶף ז
twisted expression עֲוָויָה נ
convulsion, spasm עֲווִית נ
convulsive עֲווִיתִי ת
wrong, injustice עָוֶל ז עַוְלָה נ
sin, crime עָוֹן ז

עִוְעִים ז״ר confusion
עָוָק ז rung, step
עַוֶּרֶת נ blindness
עוּוַּת (יְעוּוַּת) פ be perverted (justice); be distorted
עוֹז ז strength, force, boldness
עוֹזְנִיָּה נ osprey
עוֹזֵר ז helper, assistant
עוֹז רוּחַ courage
עוּזְרָר ז hawthorn
עוֹזֶרֶת, עוֹזֶרֶת־בַּיִת נ domestic help, charwoman
עוּטַּף (יְעוּטַּף) פ be wrapped, be swathed
עוֹטְפָן ז folder
עוּטַּר (יְעוּטַּר) פ be adorned, be decorated
עוֹיֵן ת hostile, inimical
עוֹיְנוּת נ hostility, enmity
עוּכַּל (יְעוּכַּל) פ be digested
עוֹכֵר , ת defiling; making trouble for
עוּל ז young
עוֹל ז yoke; burden
עוֹלֵב ת offensive, insulting
עוֹלֶה ז immigrant (to Israel)
עוֹלָה נ sacrifice, burnt offering
עוֹלֵה רֶגֶל pilgrim
עוֹלֵל, עוֹלָל ז baby, infant
עוֹלֵל (יְעוֹלֵל) פ perpetrate, commit, do (evil)
עוֹלַל (יְעוֹלַל) פ be caused (evil), be perpetrated
עוֹלָם ז world, the world; universe; eternity
עוֹלָם הָאֱמֶת the world to come
עוֹלָמִי ת universal, world-wide; (slang) wonderful
עוֹלָמִית תה״פ eternally
עוֹלָם תַּחְתּוֹן underworld
עוּלְפֶּה ת faint, swooning
עוֹלֶשׁ ז chicory
עוּמַּד (יְעוּמַּד) פ be set up (print in pages)
עוּמְלַן (יְעוּמְלַן) פ be starched
עוֹמֵם ת flickering, growing dim
עוּמַּם (יְעוּמַּם) פ be dimmed, be dipped (lights)
עוֹמֶס ז load, burden; maximum load (of a vehicle)
עוּמְעַם (יְעוּמְעַם) פ be dimmed; be vague
עוֹמֶק ז depth, profundity
עוֹמֶר ז sheaf (of corn); omer (ancient dry measure)
עוּמַּת, לְעוּמַּת תה״פ against, opposite
עוֹנֶג ז pleasure, delight
עוֹנָה נ season, term
עוּנָּה (יְעוּנֶּה) פ be tortured, be tormented
עוֹנִי ז poverty
עוּנְיַין (יְעוּנְיַין) פ be interested
עוֹנֵן ז fortune-teller
עוּנַּן (יְעוּנַּן) פ be overcast, be overclouded
עוֹנֶשׁ ז punishment, penalty
עוֹנָתִי ת seasonal
עוֹף ז fowl, bird
עוֹפֶל ז citadel, fortified height
עוֹפֵף (יְעוֹפֵף) פ fly, flutter

עוֹסְפָן ז kite

עוֹפֶר ז deer foal

עוּפַּר (יְעוּפַּר) פ be covered with dust

עוֹפְרָה, עָפְרָה נ deer foal, young doe

עוֹפְרִית נ plumbago (plant)

עוֹפֶרֶת נ lead

עוּפַּשׁ (יְעוּפַּשׁ) פ go moldy, decay

עוֹצֶב ז sadness, grief

עוּצַּב (יְעוּצַּב) פ be modelled, be designed

עוּצְבָּה נ regiment

עוּצְבַּן (יְעוּצְבַּן) פ be made nervous

עוֹצֶם ז force, power

עוֹצְמָה, עָצְמָה נ intensity; force

עוֹצֵר ז regent

עוֹצֶר ז curfew

עוֹקֵב ת consequent

עוּקַּב (יְעוּקַּב) פ be cubed

עוֹקְבָה, עָקְבָה נ guile, subterfuge

עוֹקְדָן ז file, classeur

עוּקָה נ sump

עוּקַּל (יְעוּקַּל) פ (legal) be distrained, be foreclosed

עוּקַּם (יְעוּקַּם) פ be bent, be twisted

עוֹקֶם ז curvature, bend

עוֹקֶץ ז thorn; sting

עוֹקֶץ הָעַקְרָב heliotrope

עוֹקְצָנוּת נ sarcasm, stinging remarks

עוֹקְצָנִי ת sarcastic

עוּקַּר (יְעוּקַּר) פ be sterilized

עוּר פ, ר׳ עָר

עוֹר ז skin, hide; leather

עוֹרֵב ז crow

עוֹרְבָא פָרַח will-o'-the- wisp, illusion

עוּרְבַּב (יְעוּרְבַּב) פ be mixed; be jumbled

עוּרְבַּל (יְעוּרְבַּל) פ be mixed; be churned up

עוֹרְבָנִי ז jay

עוּרְגַּל (יְעוּרְגַּל) פ be rolled (steel)

עוּרְטַל (יְעוּרְטַל) פ be stripped, be laid bare

עוֹרִי ת of leather

עוֹרִית נ artificial leather, leatherette

עוֹרֵךְ ז editor

עוֹרֵךְ־דִּין lawyer, advocate

עוֹרְלָה, עָרְלָה נ foreskin; fruit of a tree in its first three years

עוֹרְמָה, עָרְמָה נ cunning, slyness

עוּרְעַר (יְעוּרְעַר) פ be undermined, be shaken

עוֹרֶף ז back of the neck; (military) rear

עוֹרְפִּי ת rear, in the rear

עוּרְפַּל (יְעוּרְפַּל) פ be obscured, be befogged

עוֹרֵק ז artery

עוֹרֵר ז (legal) appellant

עוֹרֵר (יְעוֹרֵר) פ rouse, wake

עוּשַּׂב (יְעוּשַּׂב) פ be weeded

עוּשַּׁן (יְעוּשַּׁן) פ be smoked (fish etc)

עוֹשֶׁק ז exploitation, extortion, oppression

עוֹשֶׁר ז wealth, riches

עוּשַּׂר (יְעוּשַּׂר) פ be tithed

be made ready, be prepared	עוּתַּד (יְעוּתַּד) פ
exemplar, copy	עוֹתֶק ז
petitioner	עוֹתֵר ז
strong, powerful; sharp, pungent	עַז ת
goat (female), she-goat	עֵז נ
Azazel	עֲזָאזֵל ז
leave, leave behind; abandon	עָזַב (יַעֲזוֹב) פ
abandoned, deserted	עָזוּב ת
neglect (state of)	עֲזוּבָה נ
might, boldness	עִזּוּז ז
insolence, impudence	עַזּוּת נ
insolence, brazenness	עַזּוּת מֵצַח, עַזּוּת פָּנִים
abandonment, desertion	עֲזִיבָה נ
impudent, impertinent	עַזְפָן ז
impudence, impertinence	עַזְפָנוּת נ
washer, ring	עֶזְקָה נ
help, assist	עָזַר (יַעֲזוֹר) פ
help, aid	עֵזֶר ז
help, aid; helper	עֶזְרָה נ
Temple Court	עֲזָרָה נ
mutual assistance	עֶזְרָה הֲדָדִית
first aid	עֶזְרָה רִאשׁוֹנָה
helpmate (i.e. wife)	עֵזֶר כְּנֶגְדּוֹ
women's gallery (in a synagogue)	עֶזְרַת נָשִׁים
pounce, swoop down	עָט (יָעוּט) פ
pen	עֵט ז
wrap oneself in, put on	עָטָה (יַעֲטֶה) פ
wrapped, enveloped	עָטוּי ת
wrapped, enveloped	עָטוּף ת

wreathed, garlanded	עָטוּר ת
crowned with praise	עֲטוּר תְּהִילָה
bad advice	עֵטִי ז
udder	עַטִין ז
covering, wrapping; wrapper, cover	עֲטִיפָה נ
sneeze	עֲטִישָׁה נ
ball point pen	עֵט כַּדּוּרִי
bat	עֲטַלֵּף ז
fountain pen	עֵט נוֹבֵעַ
wrap, cover; wrap in paper	עָטַף (יַעֲטוֹף) פ
encircle, surround	עָטַר (יַעֲטוֹר) פ
crown, diadem; garland; corona (1. of the penis, 2. of a flower); woman's nipple	עֲטָרָה נ
pitch, resin	עִטְרָן ז
coat with resin (cart-wheels)	עִטְרֵן (יְעַטְרֵן) פ
sneeze	עָטַשׁ פ
fit of sneezing	עֲטֶשֶׁת נ
heap of ruins	עִי ז
work over, adapt, arrange	עִיבֵּד (יְעַבֵּד) פ
thicken, coarsen; condense	עִיבָּה (יְעַבֶּה) פ
adaptation, arrangement; working over, working on	עִיבּוּד ז
musical arrangement	עִיבּוּד מוּסִיקָלִי
thickening, coarsening; condensing	עִיבּוּי ז
conception, gestation; Hebraization	עִיבּוּר
outskirts of the town	עִיבּוּרָה שֶׁל עִיר

עִיבּוּשׁ ז turning moldy
עִיבּוּת ז cable-making, rope-making
עִיבֵּר (יְעַבֵּר) פ cause to conceive, impregnate; Hebraize
עִיבְּרָה (תְּעַבֵּר) פ conceive, become pregnant
עִיבֵּשׁ (יְעַבֵּשׁ) פ turn moldy
עִיגּוּל ז circle; rounding off
עִיגּוּלִי ת circular, round
עִיגּוּן ז desertion (of spouse without divorce); anchorage
עִיגֵּל (יְעַגֵּל) פ draw a circle; round, round off
עִיגֵּן (יְעַגֵּן) פ moor (ship); desert (a wife without divorcing her)
עִידּוּד ז encouragement, support
עִידּוּן ז refining, refinement
עִידּוּר ז hoeing
עִידִּית נ good soil; quality goods
עִידֵּן (יְעַדֵּן) פ indulge; refine
עִידָּן ז age, epoch
עִידָּנָה דְרִיתְחָא a moment of temper
עִידֵּר (יְעַדֵּר) פ hoe, dig up
עִיוָּה (יְעַוֶּה) פ deform, contort
עִיוֵּר ז blind, sightless
עִיוֵּר (יְעַוֵּר) פ blind
עִיוָּרוֹן ז blindness
עִיוֵּת (יְעַוֵּת) פ pervert (justice); distort
עִיוּוּת ז distortion, contortion
עִיוּוּת הַדִּין injustice, perversion of justice
עִיּוּן ז reading, perusing; study
עִיּוּנִי ת theoretical
עִיּוּר ז urbanization
עִיזָּבוֹן ז legacy; remains
עִיזָּה נ goat, she-goat
עִיזּוּז, עִזּוּז ז bold, brave
עַיִט ז bird of prey
עֵיט־הַיָּם eagle-fish
עִיטּוּף ז wrapping, enveloping
עִיטּוּר ז ornament, decoration; illustration (of book)
עִיטּוּשׁ ז sneeze
עִיטֵּר (יְעַטֵּר) פ crown; surround; adorn
עָיַן (יַעְיוֹן) פ be hostile to, hate
עִיֵּן (יְעַיֵּן) פ read, study; ponder, reflect
עָיֵף ת tired, weary
עָיֵף (יְעַיַף) פ grow tired, tire
עַיָּף ז henkeeper
עִייֵּף (יְעַיֵּף) פ tire, weary, make tired
עֲיֵפָה נ tiredness, weariness
עֲיֵפוּת נ weariness, fatigue
עִייֵּר (יְעַיֵּר) פ urbanize
עֲיָרָה נ small town, township
עִיכֵּב (יְעַכֵּב) פ delay, hold up
עִיכָּבוֹן ז lien
עִיכּוּב ז delay, hold-up
עִיכּוּל ז digestion
עִיכּוּר ז making muddy, polluting
עִיכֵּל (יְעַכֵּל) פ digest
עִיכֵּס (יְעַכֵּס) פ jingle (with anklets)
עִיכֵּר (יְעַכֵּר) פ make turbid, pollute
עֵיל, לְעֵיל תה״פ above, supra
עֵילָא ז top, up
עִילָּאוּת נ supremacy, superbness

עִילָּאִי ת	supreme, superb
עִילֵּג ת	stammering, stuttering; inarticulate
עִילָּה (יְעַלֶּה) פ	exalt, extol
עִילָּה נ	pretext, cause
עִילּוּי ז	prodigy, boy wonder; elevation, uplift, buoyancy
עִילּוּיִי ת	of a genius, of an infant prodigy
עִילּוּם ז	concealment
עִילּוּם שֵׁם	anonymity
עִילּוּסִים ז״ר	love-play
עִילּוּף ז	faint, swoon
עִילִּי ת	upper, higher, overhead
עִילִּית נ	élite
עִימֵּד (יְעַמֵּד) פ	set up (print in pages), page
עִימָּדִי, עִמָּדִי מ״י	with me
עִימּוּד ז	setting up (print in pages)
עִימּוּל ז	drill, training
עִימּוּם ז	dimming, dipping
עִימּוּץ ז	shutting (eyes)
עִימּוּת ז	comparison; confrontation
עִימֵּל (יְעַמֵּל) פ	exercise, train, drill
עִימֵּם (יְעַמֵּם) פ	dim, dip (lights)
עִימֵּץ (יְעַמֵּץ) פ	shut (eyes)
עִימֵּת (יְעַמֵּת) פ	contrast, compare
עַיִן נ	eye; stitch; shade, color; appearance
עַיִן ז	spring, fountain
עִינֵּג (יְעַנֵּג) פ	delight, please
עִינָּה (יְעַנֶּה) פ	torment, torture
עַיִן הָרַע	the Evil Eye
עִינּוּג ז	delight, pleasure
עִינּוּי ז	torture, torment
עֵינִית נ	mesh; eyepiece
עִינֵּן (יְעַנֵּן) פ	overcloud
עִיסָּה נ	dough
עִיסָּה (יְעַסֶּה) פ	massage
עִיסּוּי ז	massage
עִיסּוּק ז	occupation, business
עִיפּוּשׁ ז	mold
עִיפֵּץ (יְעַפֵּץ) פ	tan (leather)
עִיפָּרוֹן ז	pencil
עִיפֵּשׁ (יְעַפֵּשׁ) פ	turn moldy, cause to decay
עִיצֵּב (יְעַצֵּב) פ	fashion, model, design
עִיצָּבוֹן ז	pain, distress
עִיצָּה (יְעַצֶּה) פ	lignify
עִיצּוּב ז	fashioning, modelling, designing, forming
עִיצּוּי ז	lignification
עִיצּוּם ז	essence, pith; height, peak; strengthening
עִיצּוּר ז	consonant; pressing (olives, grapes)
עִיצֵּר (יְעַצֵּר) פ	press (olives, grapes)
עִיקֵּב (יְעַקֵּב) פ	cube
עִיקּוּב ז	cubing; tracking, following
עִיקּוּל ז	distraint, foreclosure; bending, curve
עִיקּוּם ז	bending, curving, bend; distortion
עִיקּוּף ז	going round, bypassing
עִיקּוּר ז	uprooting, extirpation; sterilization
עִיקֵּל (יְעַקֵּל) פ	attach, foreclose; bend, curve

עִיקֵל ת bandy-legged, bow-legged

עִיקֵם (יְעַקֵם) פ bend, twist; distort

עִיקֵר (יְעַקֵר) פ uproot (plants); hamstring (horses, cattle); sterilize

עִיקָר ז basis, core; principle

עִיקָרָא ז root, basis

עִיקָרוֹן ז principle, tenet

עִיקָרִי ת main, principal, basic

עִיקֵשׁ ת crooked, perverse; stubborn

עִיקֵשׁ (יְעַקֵשׁ) פ pervert, make crooked

עִיר נ town, city

עַיִר ז young ass

עֵירֵב (יְעָרֵב) פ mix

עֵירָבוֹן ז security, pledge

עֵירָה (יְעָרֶה) פ lay bare, strip; pour out

עִיר הַבִּירָה capital, capital city

עִיר הַקּוֹדֶשׁ Jerusalem, the Holy City

עֵירוּב ז mixing, mixture

עֵירוּב פַּרְשִׁיּוֹת a jumble of texts; a muddle

עֵירוּב תְּחוּמִים (fig.) confusion of issues

עֵירוּי ז emptying, pouring out; transfusion

עֵירוֹם תה״פ nude

עִירוֹנִי ת, ז municipal; townsman

עִירוּר ז excitation (elec.)

עֵירוּת נ alertness, vigilance; liveliness, stir

עִירִיָּה נ town council, municipality

עִירִית נ asphodel

עֵירָנוּת, עֵרָנוּת נ alertness, vigilance

עֵירָנִי, עֵרָנִי ת vigilant, alert

עִירֵר (יְעָרֵר) פ excite (elec.)

עַיִשׁ נ the Great Bear, Ursa Major

עִישֵּׂב (יְעַשֵּׂב) פ weed

עִישּׂוּב נ weeding

עִישּׁוּן ז smoking; fumigation

עִישּׂוּר ז tithing

עִישֵּׁן (יְעַשֵּׁן) פ smoke; fumigate

עִישֵּׂר (יְעַשֵּׂר) פ tithe; multiply by ten

עִישֵּׁר (יְעַשֵּׁר) פ enrich, make wealthy

עִישָּׂרוֹן ז one-tenth, decimal

עִיתֵּד (יְעַתֵּד) פ make ready, prepare

עִיתָּה (יְעַתֶּה) פ time

עִיתּוּי ז timing

עִיתּוֹן ז newspaper

עִיתּוֹנָאוּת נ journalism

עִיתּוֹנַאי ז journalist, reporter

עִיתּוֹנָאִי ת journalistic

עִיתּוֹנוּת נ the press

עִיתּוּק ז (railway) shunting, marshalling

עִיתִּי, עִתִּי ת at an appointed time; periodical

עִיתֵּק (יְעַתֵּק) פ shunt; (nautical) shift, haul

עַכָּבָה נ hindrance, delay; inhibition

עַכָּבִישׁ ז spider

עַכְבָּר ז mouse

עַכְבָּרוֹן ז little mouse

עַכְבְּרוֹשׁ ז rat
עַכּוּז ז buttocks
עַכּוּ״ם ז pagan
(עוֹבֵד כּוֹכָבִים וּמַזָּלוֹת)
עָכוּר ת muddy, turbid; gloomy, dejected
עַכִּיל ת digestible
עַכִּילוּת נ digestibility
עֲכִירָה נ muddying, making turbid
עֲכִירוּת נ turbidity, muddiness; gloom
עֶכֶס ז anklet, bangle
עָכַר (יַעְכּוֹר) פ make turbid, muddy; befoul, pollute
עַכְרוּרִי ת slightly turbid
עַכְרוּרִית נ slight turbidity, discoloration
עַכְשָׁוִי ת of the present
עַכְשָׁיו תה״פ now
עָל ז height
עַל מ״י on, over, above, about
עַל אַחַת כַּמָּה וְכַמָּה all the more so
עַל אַף in spite of
עָלַב (יַעֲלוֹב) פ insult, offend
עֶלְבּוֹן ז insult, humiliation
עַל בּוּרְיוֹ thoroughly, perfectly
עַל דְּבַר concerning
עַל דַּעַת in the name of, with the knowledge of
עָלָה ג (יַעֲלֶה) פ go up, rise; cost; immigrate (to Israel)
עָלֶה ז leaf; sheet (of paper)
עֲלֵה גְּבִיעַ sepal
עֲלֵה כּוֹתֶרֶת petal
עֲלֵה תְּאֵנָה fig-leaf, camouflage

עָלוּב ת poor, wretched
עֲלוָה נ foliage
עָלוּל ת liable, prone (usu. in unpleasant sense)
עָלוּם ת hidden, secret
עֲלוּמִים ז״ר youth, young manhood
עָלוֹן ז leaflet
עֲלוּקָה נ leech; bloodsucker
עֲלוּת נ cost
עָלַז (יַעֲלוֹז) פ be gay, rejoice
עָלֵז ת gay, joyful, merry
עֶלֶט ז, עֲלָטָה נ darkness, gloom
עֱלִי ז pestle; (botany) pistil
עֲלֵי מ״י on
עַל יַד beside, close by
עַל יְדֵי by means of, by
עֲלֵי הַגָּהָה proof sheets
עֶלְיוֹן ת supreme; upper, high
עֶלְיוֹנוּת נ supremacy, superiority
עַלִּיז ת gay, merry
עַלִּיזוּת נ gaiety, cheerfulness
עֲלִיָּה נ going up, ascent; rise; promotion,; immigration (to Israel); attic, loft
עֲלִיָּה לָרֶגֶל pilgrimage to Jerusalem
עֲלִיַּת־גַּג attic floor, loft
עֲלִיַּת נְשָׁמָה exaltation
עֲלִילָה נ plot (of novel, play); deed, act; scene; false charge, libel
עֲלִילוּת נ likelihood
עֲלִילַת דָּם blood libel
עֲלִילָתִי ת of a plot
עֲלִיצוּת נ gladness, gaiety

עַל כּוֹרְחוֹ, בְּעַל כּוֹרְחוֹ — against his will
עַל כָּל פָּנִים — in any case, anyway
עַל כֵּן — accordingly
עַל לֹא דָבָר — not at all
עֶלֶם ז — lad, youth
עָלְמָא ז — world
עַלְמָה נ — lass, maiden
עַל מְנָת — in order to...
עֲלֶמֶת נ — demoiselle (geog.)
עַל נְקַלָּה — easily
עָלַס (יַעֲלוֹס) פ — rejoice, exult
עַל סְמַךְ — on the authority of
עִלְעוּל ז — leafing through, browsing
עַלְעוֹל ז — whirlwind, hurricane
עַלְעָל ז — leaf, leaflet
עִלְעֵל (יְעַלְעֵל) פ — leaf through
עַלְעֶלֶת נ — blight (in citrus trees)
עַל פֶּה, בְּעַל פֶּה — orally; by heart
עִלָּפוֹן ז — swoon, faint
עַל פִּי — according to
עַל פִּי רוֹב — generally, mostly
עָלַץ (יַעֲלוֹץ) פ — rejoice, be glad
עַלְקוֹלִי, עַל־קוֹלִי ת — supersonic
עֲלֶקֶת נ — broomrape
עַם ז — people, nation, folk
עִם מ״י — with; by, beside
עָמַד (יַעֲמוֹד) פ — stand; halt; remain; cease; be about to
עֶמְדָּה נ — position, post (military); standpoint
עִמָּדִי, עִימָּדִי מ״י — with me, beside me
עַם הָאָרֶץ — illiterate, ignoramus
עַם הָאַרְצוּת — illiteracy, ignorance
עַם הַסֵּפֶר — the Jews (the people of the Book)
עַמּוּד ז — column, pillar; page
עַמּוּדָה נ — column (in a page)
עַמּוּד הַקָּלוֹן — pillory
עַמּוּד הַשִּׁדְרָה — spinal column
עַמּוּד הַשַּׁחַר — first light, dawn
עַמּוּד הַתָּוֶךְ — (lit.) central pillar of a building; (fig.) kingpin
עָמוּם ת — dim, dull
עֲמוּמוֹת תה״פ — dimly, dully
עָמוּס ת — loaded
עָמוֹק ת, תה״פ — deep; profound; deeply, profoundly
עֲמוּקוֹת תה״פ — deeply, profoundly
עִם זֶה, עִם זֹאת — and yet, for all that, still
עָמִיד ת — resistant, durable
עֲמִידָה נ — standing position; durability
עֲמִידוּת נ — resistance, durability
עָמִיל ז — commission agent
עֲמִילוּת נ — commission, brokerage
עֲמִילָן ז — starch
עֲמִיסָה נ — loading
עָמִיר ז — sheaf (of corn)
עָמִית ז — colleague, comrade
עַמְךָ — common folk
עָמַל (יַעֲמוֹל) פ — toil, labor
עָמֵל ז — worker, laborer
עָמָל ז — toil, labor; suffering, ills
עַמְלָה נ — commission
עִמְלֵן (יְעַמְלֵן) פ — starch
עַמְלָנִי ת — based on practical work
עָמַם (יַעֲמוֹם) פ — dim, darken

עַמָּם, עַמַּם פְּלִיטָה – muffler, dimmer
עַמְמוֹר ז – headlight dimmer
עֲמָמִי ת – popular; of the people
עֲמָמִיּוּת נ – oneness with the people, folksiness
עֲמָמִים ז״ר – peoples
עָמַס (יַעֲמוֹס) פ – load; fetch
עִמְעוּם ז – fading, dimming
עִמְעֵם (יְעַמְעֵם) פ – dim, dull
עַמְעָם ז – silencer (on gun)
עָמַק (יֶעֱמַק) פ – be deep, be profound
עֵמֶק ז – valley, lowland
עַמְקוּת, עַמְקָנוּת נ – profundity
עַמְקָן – profound thinker
עָנַב (יַעֲנוֹב) פ – put on (a tie)
עֵנָב ז – grape; berry
עֲנָבָה נ – single fruit or berry
עִנְּבֵי רוֹשׁ – poisonous grapes
עִנְּבֵי שׁוּעָל – gooseberries
עִנְבָּל ז – bell clapper; uvula
עִנְבָּר ז – amber
עָנַד (יַעֲנוֹד) פ – tie on, decorate (with medal)
עָנָה (יַעֲנֶה) – answer, reply
עָנוֹג ת, עֲנוּגָה ת״נ – tender, delicate
עָנוּד ת – decorated, tied on
עֲנָוָה נ – humility, modesty
עַנְוְתָן ת – humble, modest
עַנְוְתָנוּת נ – humility, meekness
עֱנוּת נ – affliction, suffering
עָנִי ת – poor; wretched
עֲנִיבָה נ – tie; loop
עֲנִיגוּת נ – delicacy, tenderness
עֲנִידָה נ – decorating, tying on
עָנָיו, עָנָו ת – modest, humble
עֲנָיוּת נ – humility, diffidence
עֲנִיּוּת נ – poverty
עִנְיָן ז – interest; topic; affair
עִנְיֵן (יְעַנְיֵן) פ – interest, concern
עִנְיָנִי ת – relevant, appropriate
עֲנִישָׁה נ – punishing
עָנָן ז – cloud
עֲנָנָה נ – storm cloud
עָנָף ז – branch, bough
עָנֵף ת – thick with branches
עֲנָק ז – giant; necklace
עֲנָקִי ת – gigantic, huge
עָנַשׁ (יַעֲנוֹשׁ) פ – punish
עַסַּאי ז – masseur
עָסוּק ת – busy, occupied
עַסְיָן ז – masseur
עָסִיס ז – juice
עֲסִיסִי ת – juicy
עֲסִיסִיּוּת נ – juiciness
עֲסִיקָה נ – occupying, being occupied with
עָסַק (יַעֲסוֹק) פ – engage in, occupy oneself with
עֵסֶק ז – business; affair; concern
עִסְקָה נ – transaction, deal
עִסְקִי ת – business-like, business
עַסְקָן ז – public figure, public worker
עַסְקָנוּת נ – public service
עַסְקָנִי ת – busy, always busy
עָף (יָעוּף) פ – fly
עָפוּץ ת – tanned (as leather)
עַפְיָן ז – anchovy
עֲפִיפָה נ – flight
עֲפִיפוֹן ז – kite

עָפִיץ ת bitter as gall; tanned (as leather)
עֳפָלִים ז״ר haemorrhoids, piles
עִפְעוּף ז blinking
עִפְעֵף (יְעַפְעֵף) פ blink
עַפְעַף ז, עַפְעַפַּיִם ז״ז eyelid(s)
עָפָץ ז gall-nut
עָפָר ז dust; ashes
עַפְרָא ז dust
עַפְרָה נ ore
עֶפְרוֹנִי ז lark
עַפְרוּרִי ת dust-like, earthen
עַפְרוּרִית נ dirt
עֵץ ז tree; wood; timber
עֶצֶב ז pain, sorrow
עָצָב ז, ר׳ עֲצַבִּים nerve
עָצֵב ת sad, sorrowful
עַצְבוּת נ sadness, grief
עִצְבֵּן (יְעַצְבֵּן) פ irritate, get on one's nerves
עַצְבָּנוּת נ nervousness
עַצְבָּנִי ת nervous, edgy
עַצֶּבֶת נ grief, sorrow
עֵצָה נ piece of advice, counsel; lignin
עָצֶה ז lowest vertebra of the spine
עָצוּב ת sad, sorrowful
עָצוּם ת numerous, considerable
עֲצוּמָה נ petition; claim
עָצוּר confined, detained
עֲצוֹר! פ stop! halt!
עֵצִי ת woody
עָצִיץ ז plant-pot
עָצִיר ז detainee
עֲצִירָה נ stopping, checking
עֲצִירוּת נ constipation
עֲצִירַת גְּשָׁמִים drought
עָצֵל ת lazy, slothful
עֵץ לָבוּד plywood
עַצְלָה נ laziness, sloth
עַצְלוּת נ laziness, indolence
עַצְלָן ז idler, lazy person
עַצְלָנוּת נ laziness, idleness
עֲצַלְתַּיִם נ״ז sloth, extreme laziness
עָצַם (יַעֲצֹם) פ flourish, grow powerful; close (one's eyes)
עֶצֶם ז, ר׳ עֲצָמִים object, thing, substance, matter; essence
עֶצֶם נ, ר׳ עֲצָמוֹת bone
עַצְמָאוּת נ independence
עַצְמָאִי ת independent
עָצְמָה ר׳ עוֹצְמָה
עַצְמוֹ himself
עַצְמִי ת of one's own, personal
עַצְמִיּוּת נ essence, essential nature
עָצַר (יַעֲצוֹר) פ stop, halt; detain, arrest; prevent, check
עֲצָרָה נ public meeting, public assembly
עֲצֶרֶת נ convention, public meeting, assembly
עֲצֶרֶת הָאו״ם General Assembly of the United Nations
עֲצֶרֶת עַם mass meeting
עָקָא נ trouble
עָקַב (יַעֲקוֹב) פ follow; track
עָקֵב ז heel; footprint, footstep; trace
עֶקֶב תה״פ as a result of, in consequence of

buzzard	עֲקָב ז
trace	עֲקֵבָה נ
	עֲקֵבָה ר׳ עוֹקְבָה
consistent	עֲקֵבִי ת
bind hand and foot, truss	עָקַד (יַעֲקֹד) פ
collection	עֵקֶד ז
binding (for sacrifice)	עֲקֵדָה, עֲקֵדָה נ
oppression, stress	עָקָה נ
crooked; deceitful	עָקוֹב ת
bloody	עָקוֹב מִדָּם
bound hand and foot	עָקוּד ת
(animal) striped	עָקֹד ת
curved, bent	עָקוּם ת
curve, graph	עָקוֹם ז, עֲקוּמָה נ
with a crooked nose	עֲקוּמָּף ת
stung	עָקוּץ ת
uprooted; displaced person; sterilized	עָקוּר ת, ז
consistent	עֲקִיב ת
consistency	עֲקִיבוּת נ
	עֲקִידָה ר׳ עֲקֵדָה
indirect, roundabout	עָקִיף ת
going round; overtaking (in driving)	עֲקִיפָה נ
sting; sarcastic remark	עֲקִיצָה נ
uprooting, extracting; transferring, removal	עֲקִירָה נ
crooked, winding	עֲקַלְקַל ת
winding road	עֲקַלְקַלָּה נ
winding, crooked; zigzag	עֲקַלָּתוֹן ת, ז
crookedness, crooked behavior	עַקְמוּמִיּוּת נ
curvature, curve	עַקְמוּמִית נ
crookedness; crooked behavior	עַקְמִימוּת נ
bypass, go round, overtake (in driving)	עָקַף (יַעֲקֹף) פ
sting, bite; be sarcastic about	עָקַץ (יַעֲקֹץ) פ
slight sting, itch	עִקְצוּץ ז
sting (slightly)	עִקְצֵץ (יְעַקְצֵץ) פ
uproot, extract, pull out; move (house); remove	עָקַר (יַעֲקֹר) פ
sterile, barren	עָקָר ז
scorpion	עַקְרָב ז
tarantula, large spider	עַקְרַבּוּת ז
barren woman	עֲקָרָה נ
fundamental, basic	עִקְרוֹנִי ת
in principle	עִקְרוֹנִית תה״פ
barrenness, sterility	עֲקָרוּת נ
housewife	עֲקֶרֶת בַּיִת
twist, deform, distort	עָקַשׁ (יְעַקֵּשׁ) פ
crookedness, perverseness; obstinacy, stubbornness	עִקְשׁוּת, עִיקְשׁוּת נ
obstinate, stubborn person	עַקְשָׁן ז
obstinacy, stubbornness	עַקְשָׁנוּת נ
persistent, dogged	עַקְשָׁנִי ת
awake; rouse oneself	עָר (יָעוּר) פ
awake; alert	עֵר ת
chance occurrence, accident	עֲרַאי ז
provisional, temporary; casual, chance	עֲרַאי ת
provisional nature, temporariness	עֲרַאיּוּת נ

עָרַב (יַעֲרוֹב) פ guarantee; pledge, pawn; be pleasant, be agreeable

עָרֵב ת, ז liable, responsible; pleasant, sweet, delicious; guarantor

עֶרֶב ז evening; the eve of, the day before

עֵרֶב ז mixture, jumble; (weaving) woof

עֲרָב נ Arabia

עִרְבֵּב (יְעַרְבֵּב) פ mix; muddle, mix up

עֲרָבָה נ wilderness; steppe, prairie; willow

עִרְבּוּב ז mixing; muddling

עִרְבּוּבְיָה נ mess, muddle

עִרְבּוּל ז mixing; whipping up, churning

עַרְבּוֹלֶת נ whirlpool

עֲרֵבוּת נ guarantee, surety

עַרְבִי, עֲרָבִי ז, ת Arab; Arabian, Arabic

עַרְבַּיִם ז"ז twilight, dusk

עַרְבִית, עֲרָבִית נ Arabic (the language)

עִרְבֵּל (יְעַרְבֵּל) פ mix; whip up, churn

עַרְבָּל ז mixing-machine; concrete-mixer

עֵרֶבְרַב, עֵרֶב־רַב ז rabble, mob

עֶרֶב שַׁבָּת Sabbath eve (Friday night)

עָרַג (יַעֲרוֹג) פ crave, long for

עֶרְגָּה נ craving, longing

עִרְגּוּל ז rolling (steel)

עִרְגֵּל (יְעַרְגֵּל) פ roll (steel)

עַרְדָּל (עַרְדָּלַיִם) ז overshoe, golosh

עֲרוּבָּה נ security, surety

עֲרוּגָה נ flower-bed, garden-bed

עָרוֹד ז wild ass, onager

עֶרְוָה נ nakedness; genitals, pudenda

עָרוּךְ ת arranged, laid (table), set out; edited; dictionary

עָרוֹם ת naked, bare

עָרוּם ת cunning, sly

עֵרוֹם וְעֶרְיָה stark naked

עָרוּץ ז ravine; channel

עִרְטוּל ז stripping, laying bare

עַרְטִילָאִי ת naked, nude; abstract, immaterial

עִרְטֵל (יְעַרְטֵל) פ strip, lay bare

עֲרִיגָה נ yearning, longing

עֶרְיָה נ nakedness

עֲרִיָּה נ seminal fluid, semen

עֲרִיכָה נ arrangement, arranging; editing

עֲרִיכַת דִּין the practice of law

עֲרִיסָה נ cradle

עֲרִיפָה נ beheading, decapitation

עָרִיץ ז cruel; tyrant

עָרִיצוּת נ tyranny, despotism

עָרִיק ז deserter

עֲרִיקָה נ desertion

עֲרִיקוּת נ desertion

עֲרִירוּת נ childlessness, loneliness

עֲרִירִי ת childless, lonely

עָרַךְ (יַעֲרוֹךְ) פ arrange, put in order; edit

עֵרֶךְ ז value; order, set; degree; entry (in a dictionary, etc.)
עַרְכָאָה נ instance (legal)
עֶרְכִּי ת -valent (in chemical terms); valued
עַרְכַּי נ law-court, notary's office
עֶרְכִּיּוּת נ valency (chemistry)
עָרֵל ת uncircumcized; Gentile, non-Jew; unpruned (tree)
עָרְלָה ר׳ עוֹרְלָה
עֲרַל־לֵב brainless, witless
עֲרַל שְׂפָתַיִם stammering
עָרַם (יַעֲרוֹם) פ stack, pile up
עָרְמָה ר׳ עוֹרְמָה
עֲרֵמָה, עֲרֵימָה נ heap, pile, stack
עַרְמוּמִי ת sly, cunning
עַרְמוּמִיּוּת, עַרְמוּמִית נ slyness, cunning, artfulness
עַרְמוֹן ז chestnut
עַרְמוֹנִי ת chestnut (in color)
עַרְמוֹנִיּוֹת נ״ר castanets
עַרְמוֹנִית נ prostate
עַרְמִימוּת נ cunning, slyness
עֵרָנוּת, עֵירָנוּת נ alertness, briskness
עֵרָנִי, עֵירָנִי ת alert, brisk
עַרְסָל ז hammock
עִרְסֵל (יְעַרְסֵל) פ fold, cross (as legs)
עִרְעוּר ז (legal) appeal; protest, objection
עִרְעֵר (יְעַרְעֵר) פ undermine; (legal) appeal, lodge an appeal; object
עַרְעָר ז juniper tree
עָרַף (יַעֲרוֹף) פ behead, decapitate
עַרְפָּד ז vampire-bat; (fig.) bloodsucker

עִרְפּוּל ז fogginess, mistiness; obscurity
עַרְפִּיחַ ז smog
עַרְפִּילִי ת misty, hazy
עַרְפִּילִית נ nebula (astronomy)
עֲרָפֶל ז mist, fog
עִרְפֵּל (יְעַרְפֵּל) פ obscure, befog
עָרַק (יַעֲרוֹק) פ desert (from the army), run away
עַרְקָה נ whiplash
עַרְקוּב ז knee-joint
עַרְקוּם ז talus
עָרַר (יַעֲרוֹר) פ appeal, object
עֲרָר ז appeal, protest, objection
עֶרֶשׂ ז cradle
עָשׁ ז moth, clothes-moth; the Great Bear (constellation)
עֵשֶׂב ז grass
עִשְׂבִּיָּה נ herbarium
עָשָׂה (יַעֲשֶׂה) פ make, do; cause, bring about; perform, accomplish
עָשָׂה אֶת צְרָכָיו relieved himself
עָשָׂה (אֶת) עַצְמוֹ pretended
עָשׂוּי ת made of; done, capable, likely
עָשׁוּק ת exploited, wronged
עָשׂוֹר ש״מ decade; tenth of the month
עֲשׂוֹרִי ת decadic, decimal
עָשׁוֹת ת forged (iron), hardened
עֲשִׂיָּה נ action, doing, making
עָשִׁיר ת rich
עֲשִׁירוּת נ wealth; richness
עֲשִׂירִי ת tenth

a tenth (part); a group of ten — עֲשִׂירִייָה נ
(a) tenth — עֲשִׂירִית נ, ת
fixed, immovable — עָשִׁית ת
smoke, give off smoke — עָשַׁן (יֶעְשַׁן) פ
smoking — עָשֵׁן ת
smoke — עָשָׁן ז
fumitory (plant) — עֲשָׁנָן ז
exploit; oppress, wrong — עָשַׁק (יַעֲשׁוֹק) פ
become rich, get rich — עָשַׁר (יֶעְשַׁר) פ
tithe, take a tenth of — עִשֵּׂר (יַעֲשׂוֹר) פ
ten (fem.) — עֶשֶׂר ש״מ
(in numbers from 11 to 19) -teen (masc.) — עָשָׂר ש״מ
(in numbers from 11 to 19) -teen (fem.) — עֶשְׂרֵה ש״מ
ten (masc.) — עֲשָׂרָה ש״מ
decimal — עֶשְׂרוֹנִי ת
twenty — עֶשְׂרִים ש״מ
icosahedron — עֶשְׂרִימוֹן ז
a group of ten, ten — עֲשֶׂרֶת נ
the Ten Commandments — עֲשֶׂרֶת הַדִּיבְּרוֹת
the Ten (lost) Tribes — עֲשֶׂרֶת הַשְּׁבָטִים
waste away, decay — עָשַׁשׁ (יֶעֱשַׁשׁ) פ

oil-lamp, lantern — עֲשָׁשִׁית נ
decay of bones or teeth, caries — עַשֶּׁשֶׁת נ
be solid, be stout — עָשַׁת (יֶעֱשַׁת) פ
bar, lump; mooring clump, steel — עֶשֶׁת ז
thoughts, ideas — עֶשְׁתּוּנוֹת, עֶשְׁתּוֹנִים ז״ר
Astarte — עַשְׁתּוֹרֶת נ
time, period, season, occasion — עֵת נ
now — עַתָּה תה״פ
goat (male) — עַתּוּד ז
reservist — עֲתוּדַאי ז
reserve — עֲתוּדָה נ
reserves (military or stores) — עֲתוּדוֹת נ״ר
future; ready, prepared; destined — עָתִיד ז, ת
is going to, is destined to — עָתִיד ל...
ancient, antique — עַתִּיק ת
antiquity, great age — עַתִּיקוּת נ
antiquities — עַתִּיקוֹת נ״ר
very old; God — עַתִּיק יוֹמִין
rich — עָתִיר ת
plea (legal), request — עֲתִירָה נ
wealthy, affluent — עֲתִיר נְכָסִים
abundance, plenty — עֲתֶרֶת נ

פ

פֵּאָה, פֵּיאָה נ — edge; side, fringe
פֵּאָה נוֹכְרִית — wig
פֵּאִי ת — facial (geometry)
פְּאֵר ז — glory, magnificence; headdress
פֹּארָה נ — branch, bough
פָּארוּר ז — glow, redness
פִּבְרוּק ז — fabrication
פִּבְרֵק (יְפַבְרֵק) פ — fabricate, make up
פַּג ז — unripe fig; premature baby
פָּג (יָפוּג) פ — grow faint; fade away; expire
פַּגָּה נ — unripe fig; girl (before puberty)
פָּגוּם ת — flawed, faulty
פָּגוּעַ ת — stricken
פָּגוֹשׁ ז — bumper, fender
פָּגָז ז — shell (artillery)
פִּגְיוֹן ז — dagger
פְּגִימָה נ — flaw, defect
פָּגִיעַ ת — vulnerable
פְּגִיעָה נ — attack, blow, hit
פְּגִיעוּת נ — vulnerability
פְּגִישָׁה נ — meeting; reception
פָּגַם (יִפְגּוֹם) פ — spoil, impair
פְּגָם ז — flaw, falut
פָּגַע (יִפְגַּע) פ — harm, wound; hit (target); offend
פֶּגַע ז — mischance; imp
פֶּגַע רַע — evil spirit; (fig.) a pest, a nuisance
פָּגַר (יִפְגַּר) פ — die (like an animal)

פֶּגֶר ז — corpse, carcass
פַּגְרָה נ — holiday; vacation
פַּגְרָן ז — backward person
פָּגַשׁ (יִפְגּוֹשׁ) פ — meet, encounter
פָּדָה (יִפְדֶּה) פ — redeem, ransom; deliver, save
פָּדוּי ת — redeemed, ransomed
פְּדוּת נ — redemption, deliverance
פַּדַּחַת נ — forehead
פִּדְיוֹן ז — ransom money, redemption money; (commercial) turnover
פְּדִיָּה נ — ransoming, redeeming
פֶּה ז — mouth; opening
פֹּה תה"פ — here
פֶּה אֶחָד — unanimously
פְּהִיקָה נ — yawn, yawning
פָּהַק (יִפְהַק) פ — yawn
פּוֹאַר (יְפוֹאַר) פ — be decorated, be adorned
פּוּבְרַק (יְפוּבְרַק) פ — be fabricated, be made up
פוג פ, ר' פָּג
פּוּגַג (יְפוּגַג) פ — de-energize, release
פּוּגָה נ — release, relaxation
פּוּגַּל (יְפוּגַּל) פ — be made unfit; be denatured; be adulterated
פּוּדַּר (יְפוּדַּר) פ — be powdered
פּוּדְרִייָה נ — (colloquial) powder-box, powder-compact
פּוֹזֵל ת — cross-eyed, squinting
פּוּזַּם (יְפוּזַּם) פ — be sung, be hummed
פּוּזְמָק ז — stocking, sock

Right column

פוּזַּר (יְפוּזַּר) פ — be scattered, be dispersed

פּוֹחֵז ת — rash, reckless

פּוֹחֵחַ ת — shabbily dressed, in rags

פּוֹחְלָץ ז — saddlebag; stuffed animal

פּוּחַם (יְפוּחַם) פ — be blackened; be turned into charcoal

פּוֹחֵר ז — potter

פּוֹחֵת ת — lessening, growing less

פּוּחַת (יְפוּחַת) פ — be reduced, be lessened, be devalued (currency)

פּוֹחֵת וְהוֹלֵךְ — dwindling, diminishing

פּוּטַּם (יְפוּטַּם) פ — be fattened (cattle), be stuffed; be crammed (with knowledge); be mixed (incense); be filled (pipe)

פּוּטַּר (יְפוּטַּר) פ — be dismissed, be discharged

פּוּיַּח (יְפוּיַּח) פ — be blackened (with soot)

פּוּיַּס (יְפוּיַּס) פ — be appeased, be soothed

פּוּךְ ז — kohl (for eye-shadow)

פּוּכַּח (יְפוּכַּח) פ — be sobered, begin to see reason

פּוֹל ז — bean, broad bean

פּוּלַּג (יְפוּלַּג) פ — be split up, be divided

פּוּלַּח (יְפוּלַּח) פ — be sliced (fruit), be cut up

פּוּלְחָן ז — religious worship; cult

פּוּלְחָנִי ת — ritual, of a cult

פּוֹלֵט ז — emitter

פּוּלְמוֹס ז — controversy, debate

פּוּלְמוֹסָן ז — controversialist, debater

Left column

פּוּלַּס (יְפוּלַּס) פ — be levelled, be smoothed flat

פּוּמְבֵּי נ — publicity

פּוּמִית נ — mouthpiece

פּוּמְפִּיָּה נ — grater

פּוּנְדָּק ז — inn, tavern

פּוּנְדְּקַאי, פּוּנְדְּקִי ז — innkeeper

פּוּנָּה (יְפוּנֶּה) פ — be cleared, be evacuated

פּוּנַּק (יְפוּנַּק) פ — be spoilt (child), be pampered

פּוּסְטַר (יְפוּסְטַר) פ — be pasteurized

פּוּסַּל (יְפוּסַּל) פ — be carved, be sculptured

פּוּסְפַּס (יְפוּסְפַּס) פ — be striped

פּוֹסֵק ז — arbiter; Rabbinic authority

פּוּסַּק (יְפוּסַּק) פ — be punctuated; be spaced (printing)

פּוֹעֵל ז — worker, laborer

פּוֹעַל ז — action; verb

פּוּעַל ז — Pu'al (name of the verbal conjugation – intensive passive)

פּוֹעֲלִי ת — of the workers, labor

פּוֹעֳלִי ת — verbal (grammar); working, functioning

פּוֹעֵל יוֹצֵא (עוֹמֵד) — transitive (intransitive) verb

פּוּעְנַח (יְפוּעְנַח) פ — be deciphered, be decoded

פּוּצָּה (יְפוּצֶּה) פ — be compensated, be paid damages

פּוּצַּח (יְפוּצַּח) פ — be cracked

פּוּצַּל (יְפוּצַּל) פ — be split up, be subdivided

פּוֹצֵץ ת explosive; plosive
פּוֹצֵץ (יְפוֹצֵץ) פ blow up; smash, shatter
פּוּצַץ (יְפוּצַץ) פ be blown up, be demolished
פּוּקַד (יְפוּקַד) פ be counted
פּוּקַח (יְפוּקַח) פ be inspected, be supervised
פּוּקְפַּק (יְפוּקְפַּק) פ be in doubt, be dubious
פּוּר ז lot
פּוּרְגַל (יְפוּרְגַל) פ be whipped
פּוֹרַד (יְפוֹרַד) פ be dispersed, be scattered
פּוֹרֶה ת fruitful, fertile
פּוֹרַז (יְפוֹרַז) פ be demilitarized
פּוּרְזַל (יְפוּרְזַל) פ be shod (horse)
פּוֹרֵחַ ת flowering, blossoming; flying
פּוֹרַט (יְפוֹרַט) פ be specified, be detailed
פּוֹרְטָן ז plectrum
פּוֹרִיּוּת נ fruitfulness, fertility
פּוּרִים ז Purim, Feast of Esther
פּוּרִימִי ת of Purim, festive, gay
פּוּרְכַּס (יְפוּרְכַּס) פ be beautified, be prettified
פּוֹרַם (יְפוֹרַם) פ be unstitched, come unstitched
פּוּרְנָס ז shaft, furnace, kiln
פּוּרְסַם (יְפוּרְסַם) פ be advertised, be publicized
פּוֹרֵעַ ז rioter
פּוּרְעָנוּת נ tribulation
פּוֹרַץ (יְפוֹרַץ) פ be broken down, be breached
פּוֹרֵץ ז burglar
פּוֹרֵק ז discharger
פּוֹרַק (יְפוֹרַק) פ be dismantled; be unloaded; be wound up; be dissolved
פּוּרְקָן salvation; relief (from tension)
פּוֹרֶקֶת נ lighter (boat)
פּוֹרֵר (יְפוֹרֵר) פ crumble, break up
פּוֹרַר (יְפוֹרַר) פ be crumbled, be broken up
פּוֹרֵשׁ ז dissenter
פּוֹרַשׁ (יְפוֹרַשׁ) פ be specified, be expressly stated; be explained
פּוֹרֶת ת flourishing, fruitful
פּוּרְתָּא נ a little, a bit
פּוֹשֵׁט ת taking off, stripping
פּוּשַׁט (יְפוּשַׁט) פ be simplified
פּוֹשֵׁט יָד beggar
פּוֹשֵׁט עוֹר skinner; profiteer
פּוֹשֵׁט רֶגֶל bankrupt
פּוֹשֵׁעַ ז criminal; sinner
פּוּשַׂק (יְפוּשַׂק) פ be opened wide (e.g. legs, lips)
פּוֹשֵׁר ת lukewarm, tepid
פּוֹשְׁרִין ז״ר lukewarm water
פּוֹת נ vagina, female pudenda
פּוֹתֶה ת gullible, credulous
פּוֹתָה נ vagina, female pudenda
פּוּתָּה (יְפוּתֶּה) מ be seduced; be tempted
פּוּתַּח (יְפוּתַּח) פ be developed; be opened wide
פּוֹתְחָן ז tin-opener, can-opener
פּוֹתַחַת נ master-key, skeleton-key

פּוּתַּל (יְפוּתַּל) פ be twisted
פּוֹתֵר ז solver
פָּז ז gold
פָּזוּר ת scattered, strewn
פְּזוּרָה נ dispersion
פְּזוּר נֶפֶשׁ scatterbrained, absent-minded
פָּזִיז ת rash, impetuous
פְּזִיזָא ת rash, impetuous
פְּזִיזוּת נ rashness, impetuosity
פְּזִילָה נ squint; ogling
פָּזַל (יִפְזוֹל) פ squint; eye, ogle
פַּזְלָן ז squinter
פִּזְמוֹן ז popular song; chorus, refrain
פִּזְמוֹנָאוּת נ song-writing
פִּזְמוֹנַאי ז song-writer
פִּזְמֵק (יְפַזְמֵק) פ put on socks (or stockings); (colloquial) "do", "fix"
פַּזְרָן ז lavish spender
פַּזְרָנוּת נ lavishness
פַּח ז sheet-metal; tin, can (container); trap; snare, pitfall
פָּחַד (יִפְחַד) פ fear, be afraid of
פַּחַד ז fear, fright
פַּחַד מָוֶת mortal fear
פַּחְדָן ת coward
פַּחְדָנוּת נ cowardice, timidity
פֶּחָה ז (biblical) governor, prefect; (modern) pasha
פָּחוּז ת hasty, in a hurry
פַּחוֹן ז tin hut
פָּחוּס ת pressed in, flattened
פָּחוּת ת inferior; lesser
פָּחוֹת תה"פ less; minus (arithmetic)
פָּחוֹת אוֹ יוֹתֵר more or less
פָּחַז (יִפְחַז) פ act rashly, act recklessly
פַּחַז ז rashness, recklessness
פַּחֲזָנוּת נ impetuosity, rashness
פַּחֲזָנִית נ éclair, cream-puff
פֶּחָח ז tinsmith, tinner
פֶּחָחוּת נ the work of a tinsmith
פֶּחָחִיָּה נ tinsmith's workshop
פְּחִיסָה נ flattening, pressing flat
פְּחִיסוּת נ oblateness
פַּחִית נ small can, small tin
פְּחִיתָה נ reduction
פְּחִיתוּת נ decrease, reduction
פְּחִיתוּת כָּבוֹד disrespect
פִּחְלוּץ ז stuffing (animals), taxidermy
פִּחְלֵץ (יְפַחְלֵץ) פ stuff (animals)
פֶּחָם ז coal; charcoal
פַּחְמָה נ carbonate
פֶּחָמִי ת charcoal-burner
פַּחְמִי ת carbonic
פַּחְמֵי אֶבֶן coal, anthracite
פַּחְמֵימָה נ carbohydrate
פַּחְמֵימָן ז hydrocarbon
פַּחְמָן ז carbon
פִּחְמֵן (יְפַחְמֵן) פ carbonize
פַּחְמָן דּוּ־חַמְצָנִי carbon dioxide
פַּחְמָנִי ת carbonic
פַּחֶמֶת נ carbuncle
פַּחְמָתִי ת containing carbon dioxide
פָּחַס (יִפְחַס) פ flatten, squash
פֶּחָר ז potter
פַּחָר ז pottery

depreciate (in value), grow less, diminish פָּחַת (יִפְחַת) פ

depreciation, amortization; waste (in production) פְּחָת ז

pit (for catching wild animals) פַּחַת נ

dent פְּחֶתֶת נ

topaz פִּטְדָה נ

stalk (of fruit); leaf-stalk, petiole פְּטוֹטֶרֶת נ

fattened (poultry), stuffed פָּטוּם ת

exempt, free פָּטוּר ת

exemption פְּטוּר, פְּטוֹר ז

departure; decease פְּטִירָה נ

hammer פַּטִּישׁ ז

small hammer פַּטִּישׁוֹן ז

raspberry פֶּטֶל ז

specialist in fattening animals פַּטָּם ז

fatted ox פְּטָם ז

nipple (of a woman); knob פִּטְמָה נ

chatter, prattle פִּטְפּוּט ז

chatter, prattle פִּטְפֵּט (יְפַטְפֵּט) פ

chatterer, chatterbox פַּטְפְּטָן ז

chattiness פַּטְפְּטָנוּת נ

dismiss, send away; exempt פָּטַר (יִפְטוֹר) פ

first-born פֶּטֶר, פֶּטֶר־רֶחֶם

first-born פִּטְרָה נ

patrolling פִּטְרוּל ז

patron פַּטְרוֹן ז

patronage פַּטְרוֹנוּת נ

parsley פֶּטְרוֹסִילְיוֹן, פֶּטְרוֹסְלִינוֹן ז

patriarchal פַּטְרִיאַרְכָלִי ת

patriarchalism פַּטְרִיאַרְכָלִיּוּת נ

mushroom, fungus פִּטְרִיָּה נ

patrol פִּטְרֵל (יְפַטְרֵל) פ

polyhedron פֵּיאוֹן, פֵּאוֹן ז

decorate, adorn, glorify פֵּיאֵר (יְפָאֵר) פ

taint, stench פִּיגּוּל ז

scaffolding פִּיגּוּם ז

hit, blow פִּיגּוּעַ ז

backwardness, lag; arrears (of payment) פִּיגּוּר ז

make unfit (for sacrifice) פִּיגֵּל (יְפַגֵּל) פ

rue (shrub) פֵּיגָם ז

fall behind, be backward; be slow (clock) פִּיגֵּר (יְפַגֵּר) פ

disaster, calamity פִּיד ז

powder פִּידֵּר (יְפַדֵּר) פ

yawn, yawning פִּיהוּק ז

anus פִּי הַטַּבַּעַת

yawn פִּיהֵק (יְפַהֵק) פ

poetry (particularly liturgical) פִּיּוּט ז

poetic, lyrical פִּיּוּטִי ת

pore (in a leaf) פִּיּוֹנִית נ

conciliation, appeasement פִּיּוּס ז

mouths (plur. of פֶּה) פִּיּוֹת ז״ר

squint פִּיזּוּל ז

humming פִּיזּוּם

scattering, dispersal; disbandment (army); squandering (money) פִּיזּוּר ז

distraction, absent-mindedness פִּיזּוּר נֶפֶשׁ

dance, jump about פִּיזֵּז, (יְפַזֵּז) פ

sing, hum פִּיזֵּם (יְפַזֵּם) פ

פִּיזֵּר (יְפַזֵּר) פ scatter, disperse; disband (army); dissolve (parliament); squander
פִּיחֵד (יְפַחֵד) פ be afraid, fear
פִּיחָה נ breaking wind, "farting"
פִּיחוּם ז charcoal-burning; blackening
פִּיחוּת נ devaluation, reduction
פִּיחוּת הַמַּטְבֵּעַ currency devaluation
פִּיחֵם (יְפַחֵם) פ blacken, cover with carbon
פִּיחֵת (יְפַחֵת) פ reduce, lessen, devalue (currency)
פִּיּוּט ז poetry; liturgical poetry
פִּיטּוּם ז fattening, stuffing
פִּיטּוּרִים, פִּיטּוּרִין ז״ר dismissal, discharge
פִּיטֵּם (יְפַטֵּם) פ fatten, stuff
פִּיטָם ז knob, protuberance (on fruit)
פִּיטֵּר (יְפַטֵּר) פ dismiss, discharge
פִּיָּה נ mouthpiece; aperture, orifice
פִּיֵּחַ (יְפַיֵּחַ) פ blacken (with soot), darken (glass)
פַּיַּחַת נ black rot (fungus disease in plants)
פַּיְטָן ז poet; liturgical poet
פִּיֵּיךְ (יְפַיֵּיךְ) פ paint with kohl, use eye-shadow
פַּיילָה נ bowl, basin
פִּיֵּיס (יְפַיֵּיס) פ appease, pacify
פַּיְּסָן ז conciliator, appeaser
פַּיְּסָנוּת נ conciliation, appeasement
פַּיְּסָנִי ת conciliatory
פִּיכָּה (יְפַכֶּה) פ flow forth, gush

פִּיכּוּי ז flowing, gushing
פִּיכֵּחַ ת sober, clear-headed
פִּיכָּחוֹן ז soberness, sobriety
פִּיכְּחוּת נ soberness, sobriety
פִּיל ז elephant
פִּילֵּג (יְפַלֵּג) פ split, divide
פִּילֶגֶשׁ נ concubine, mistress
פִּילֵּד (יְפַלֵּד) פ steel, make like steel
פִּילָּה (יְפַלֶּה) פ delouse, search for vermin
פִּילּוּג ז split, schism
פִּילּוּחַ ז slicing (fruit), breaking open
פִּילוֹן ז baby elephant
פִּילּוּס ז grading, levelling
פִּילוֹסוֹף ז philosopher
פִּילוֹסוֹפִי ת philosophical
פִּילוֹסוֹפְיָה נ philosophy
פִּילַּח (יְפַלַּח) פ slice (fruit); break open
פִּילֵּחַ (יְפַלֵּחַ) פ (slang) steal, pinch
פִּילֵּט (יְפַלֵּט) פ rescue, deliver
פִּילֵּל (יְפַלֵּל) פ expect; pray; judge
פִּילָנוּת נ elephantism
פִּילֵּס (יְפַלֵּס) פ level, smooth flat; break through
פִּים ז ancient weight and coin
פִּימָה נ fat; double chin
פִּין ז pin, tooth (of wheel); penis
פִּינָּה נ corner
פִּינָּה (יְפַנֶּה) פ clear, clear out; vacate
פִּינּוּי ז clearing; evacuation
פִּינּוּק ז spoiling, pampering
פִּינָךְ ז mess-tin
פִּינֵּק (יְפַנֵּק) פ spoil, pamper

פִּינְקָס ר׳ פִּנְקָס	
פַּיִס ז	lottery
פִּיסָּה נ	scrap, bit, piece
פִּיסּוּל ז	sculpture, stone-carving
פִּיסּוּק ז	punctuation; opening (of legs, lips)
פִּיסַּח (יְפַסַּח) פ	jump over
פִּיסֵּחַ ז	lame person
פִּיסֵּל (יְפַסֵּל) פ	sculpture, carve (in stone)
פִּיסֵּק (יְפַסֵּק) פ	punctuate; space (print)
פִּיסַּת נְיָיר	scrap of paper
פִּיעֵל ז	Pi'el (name of the verbal stem)
פִּיעֵם (יְפַעֵם) פ	excite, animate, inspire
פִּיף ז	fringe, tassel
פִּיפְיוֹן ז	pipit
פִּיפִיָּה נ	blade, sharp edge; mouth, opening
פִּיפִית נ	pipette
פִּיצָּה (יְפַצֶּה) פ	compensate, pay damages
פִּיצּוּחַ ז	cracking (of nuts)
פִּיצּוּי ז	compensation
פִּיצּוּיִים ז״ר	compensation, damages
פִּיצּוּל ז	stripping (bark), peeling; subdivision, splitting up
פִּיצּוּץ ז	blowing up
פִּיצַּח (יְפַצַּח) פ	crack (nuts), split
פִּיצֵּל (יְפַצֵּל) פ	strip (bark from a tree); split up
פִּיק ז	trembling, quivering
פִּיק בִּרְכַּיִים	fear and trembling
פִּיקֵּד (יְפַקֵּד) פ	command; give orders
פִּיקָּדוֹן ז	deposit
פִּיקָּה נ	cap (of bullet), cam (of engine); kneecap
פִּיקּוּד ז	command
פִּיקּוּדֵי ת	command
פִּיקּוּחַ ז	inspection, supervision
פִּיקּוּחַ נֶפֶשׁ	the saving of life
פִּיקּוּק ז	corking (a bottle)
פִּיקַּח (יְפַקַּח) פ	inspect; supervise
פִּיקֵּחַ ז׳ ת	clever, shrewd; not blind (or deaf)
פִּיקְחוּן ז	ability to see, clear vision
פִּיקַּע (יְפַקַּע) פ	split
פֵּירֵד (יְפָרֵד) פ	decompose, separate into component parts
פֵּירוּד ז	separation, split
פֵּירוּז ז	demilitarization
פֵּירוּט ז	detailing, giving in detail
פֵּירוּך ז	crushing, sapping
פֵּירוּס ז	distribution; fanning out
פֵּירוּק ז	dismantling; winding up (company); unloading; dissolution (partnership)
פֵּירוּק נֶשֶׁק	disarmament
פֵּירוּר ז	crumb; crumbling
פֵּירוּשׁ ז	explanation, interpretation
פֵּירוֹת ז״ר	fruits (see פְּרִי)
פֵּירֵז (יְפָרֵז) פ	demilitarize
פֵּירֵט (יְפָרֵט) פ	specify, give in detail
פֵּירֵךְ (יְפָרֵךְ) פ	crush, crumble
פִּירְכָא, פִּירְכָה נ	refutation, rebuttal
פֵּירֵם (יְפָרֵם) פ	unstitch
פֵּירַס (יְפָרֵס) פ	spread out; fan out

פֵּירָעוֹן ז payment (of a debt), paying off

פֵּירֵק (יְפָרֵק) פ dismantle; unload; wind up (company), dissolve (partnership)

פֵּירֵשׂ (יְפָרֵשׂ) פ spread, spread out

פֵּירֵשׁ (יְפָרֵשׁ) פ explain, clarify

פִּישׁוּט ז simplification; spreading out

פִּישֵּׁט (יְפַשֵּׁט) פ simplify; undress; extend, stretch out

פִּי שְׁנַיִם twice as much

פִּישֵּׂק (יְפַשֵּׂק) פ open wide (as legs)

פִּישֵּׁר (יְפַשֵּׁר) פ compromise

פִּיתָּה נ pitta, flat bread

פִּיתָּה (יְפַתֶּה) פ seduce, entice

פִּיתּוּחַ ז development; engraving (stone); developing (film)

פִּיתּוּי ז seduction, temptation

פִּיתּוּךְ ז blending (colors), mixing

פִּיתּוּל ז winding, twisting; bend; torsion (mechanics)

פִּיתוֹם ז ventriloquist

פִּיתֵּחַ (יְפַתַּח) פ engrave (stone), develop, expand

פִּיתָּיוֹן ז bait

פִּיתֵּל (יְפַתֵּל) פ twist

פַּךְ ז container, can (esp. for oil)

פָּכוּר ת clasped, wrung (hands in sorrow)

פַּכִּים קְטַנִּים trifles, trivialities

פַּכִּית נ small container

פַּכְסָם ז rusk, dry biscuit

פִּכְפּוּךְ ז flow, gushing

פִּכְפֵּךְ (יְפַכְפֵּךְ) פ flow, gush

פָּכַר (יִפְכּוֹר) פ break, uproot

פֶּלֶא ז wonder, miracle

פִּלְאִי ת wonderful, miraculous

פִּלְבּוּל ז goggling, rolling (one's eyes)

פִּלְבֵּל (יְפַלְבֵּל) פ goggle, roll (one's eyes)

פֶּלֶג ז brook, rivulet; part, half; section

פְּלַג ז half, part; section

פְּלֻגָּה נ group; brook, stream; detachment (military)

פְּלַגְלָג ז brooklet, rivulet

פַּלְגָן ז dissenter, factious person

פַּלְגָנוּת נ disruption, contentiousness

פַּלְגָנִי ת disrupting, schismatic

פְּלַגְצֵל ז penumbra

פְּלָדָה נ steel

פְּלָדִי ת steel-gray; steely

פָּלָה (יִפְלֶה) פ search for vermin, delouse

פְּלוּגָּה נ (army) company; group

פְּלוּגְתָּא נ controversy, difference of opinion

פְּלוּגָתִי ת company (army)

פְּלוֹטֶת נ emission; exhaust

פְּלוּמָה נ down, fluff

פְּלוֹנִי ת so and so (known but not named)

פְּלוֹנִי אַלְמוֹנִי so and so, such and such

פְּלוֹנִית נ so and so, (jocular) wife

פָּלוּשׁ ז vestry (of a synagogue); corridor

פָּלַח (יִפְלַח) פ plough, break up (soil)

פֶּלַח ז slice, segment, piece
פַּלָּח ז fellah, peasant
פַּלָּחָה נ field crops
פָּלַט (יִפלוֹט) פ throw up, eject
פְּלֵטָה, פְּלֵיטָה נ remnant, residue, remains
פַּלְטִין נ palace
פַּלְטֵרִין ז palace
פְּלִיאָה נ marvel, wonder
פְּלִיג ת opposed
פְּלִיז ז brass
פָּלִיט ז refugee, fugitive
פְּלִיטָה נ casting up, ejecting; (technical) exhaust
פְּלִיטַת פֶּה slip of the tongue
פְּלִיטַת קוּלמוֹס slip of the pen
פְּלִילִי ת criminal
פלירטט (יְפַלַרטֵט) פ flirt
פְּלִישָׁה נ invasion (military), incursion
פֶּלֶךְ ז district, province
פְּלוֹנִי נ so-and-so, such-and-such
פַּלמוּדָה נ tuna fish
פלָנֶלִית נ flannelette; "four-by-two" (army)
פֶּלֶס ז balance, level
פֶּלֶס מַיִם spirit-level
פַּלסְתֵּר, פַּלַסטֵר ז fraud, forgery
פִּלפּוּל ז sophistry, hair-splitting
פִּלפֵּל (יְפַלפֵּל) פ split hairs, be argumentative
פִּלְפֵּל ז pepper
פִּלְפְּלוֹן ז pepper tree
פַּלְפְּלָן ז controversialist, hairsplitter
פִּלְפֶּלֶת נ sweet-pepper, green or red pepper
פְּלָצוּר ז lasso
פַּלָּצוּת נ quaking, shock
פִּלְצֵר (יְפַלְצֵר) פ lasso, rope (an animal)
פָּלַשׁ (יִפלוֹשׁ) פ invade
פְּלִשְׁתִּי ת Philistine
פָּמוֹט ז candlestick
פָּמַלְיָה נ entourage, retinue
פֶּן מ״ח lest
פָּן (יָפוּן) פ be hesitant, waver
פַּן ז face, surface
פְּנַאי ז free time, spare time
פַּנַּג ז millet, panic
פָּנָה (יִפנֶה) פ turn; apply to
פָּנָה עוֹרֶף turned his back; fled
פָּנוּי ת free, unoccupied
פְּנוּת נ bye (sport); partiality; (insurance) unoccupancy
פִּנְטֵס (יְפַנטֵס) פ (music) improvise; have illusions
פְּנֵי הַיָּם sea level
פְּנִיָּה נ turn; application
פָּנִים ז״ר, נ״ר face, countenance; front; appearance; surface
פְּנִים ז inside, interior
פְּנִימַאי ז resident, boarder
פָּנִים אֶל פָּנִים face to face
פְּנִימָה תה״פ inside
פְּנִימִי ת internal, inward
פְּנִימִיּוּת נ inside, interiority
פְּנִימִיָּה נ boarding school
פְּנִינָה נ coral; pearl
פְּנִינִיָּה נ guinea fowl
פִּנְכָּה, פִּינְכָּה נ plate, dish

פָּנָס ז — lantern
פָּנַס כִּיס — electric torch
פָּנַס קֶסֶם — magic lantern
פִּנְקָס, פִּינְקָס ז — ledger; notebook
פִּנְקַס זֶהוּת — identity card
פִּנְקְסָן ז — book-keeper
פִּנְקְסָנוּת כְּפוּלָה — double-entry book-keeping; hypocrisy
פֶּנֶת נ — upper (of a shoe)
פַּס ז — stripe, streak; rail (railway line)
פָּסַג (יִפְסוֹג) פ — pass the peak
פִּסְגָּה נ — summit, peak
פָּסָה (יִפְסֶה) פ — extend, spread
פָּסוּל ת — disqualified, unfit for use; faulty
פְּסוּל ז — fault, flaw
פְּסוֹלֶת נ — refuse, waste
פָּסוּק ז — verse (of the Bible); sentence
פָּסוּק ת — decisive, decided
פְּסוּקִית נ — half-verse, hemistich
פְּסוֹקֶת נ — parting (in the hair)
פָּסַח (יִפְסַח) פ — skip, pass over; celebrate Passover
פֶּסַח — Passover
פַּסְחָא ז — Easter
פִּסְחוּת, פִּיסְחוּת נ — lameness
פִּסְטוּר ז — pasteurization
פִּסְטֵר (יְפַסְטֵר) פ — pasteurize
פְּסִיג ז — cotyledon (botany)
פְּסִיגָה נ — part of a bunch of grapes; zenith
פְּסִיגִי ת — cotyledonous
פַּסְיוֹן ז — pheasant

פְּסִיחָה נ — skipping, passing over
פְּסִיחָה עַל שְׁתֵּי הַסְּעִיפִּים — vacillation, wavering
פְּסִילָה נ — disqualification, declaring unfit (ritually)
פְּסִילִים ז״ר — graven images
פְּסִיס ז — batten, plank, beam
פְּסִיסָה נ — strip
פְּסִיעָה נ — step, pace
פְּסֵיפָס ז — mosaic
פְּסִיק ז — comma
פְּסִיקָה נ — giving judgment
פָּסַל (יִפְסוֹל) פ — carve; declare unfit; rule out
פַּסָּל ז — sculptor
פֶּסֶל ז — piece of sculpture, graven image
פִּסְלוֹן ז — small piece of sculpture
פְּסַנְתֵּר ז — piano
פְּסַנְתֵּר כָּנָף — grand piano
פְּסַנְתְּרָן ז — pianist (male)
פְּסַנְתְּרָנוּת נ — (the art of) piano-playing
פְּסַנְתְּרָנִית נ — pianist (female)
פָּסַע (יִפְסַע) פ — tread, pace
פִּסְפֵּס (יְפַסְפֵּס) פ — muff (slang)
פָּסַק (יִפְסוֹק) פ — stop, cease; pass sentence, give judgment; allocate (money)
פֶּסֶק ז — disconnection (elect.); gap, space; (print.) leading, lead
פְּסָק, פְּסַק־דִין ז — verdict, judgment
פִּסְקָה נ — paragraph
פַּסְקָן ז — authority (empowered to give judgment), arbiter

פַּסְקָנוּת נ indisputability
פָּעָה (יִפְעֶה) פ bleat (goat, calf)
פָּעוֹט ז infant, tot
פָּעוֹט ת petty, trifling, small
פָּעוּל ת creature, creation
פְּעוּלָּה נ action, act
פָּעוּר ת wide open
פְּעִי ז bleat
פְּעִיטוּת נ smallness, insignificance
פְּעִיָּה נ bleating, bleat
פָּעִיל ת active
פְּעִילוּת נ activity
פְּעִים ז knock
פְּעִימָה נ beating, throbbing; beat, throb
פָּעַל (יִפְעַל) פ work, act, function, "go"
פָּעַל ז Kal, simple stem of the Hebrew verb
פַּעֲלוּל ז effect
פַּעַלְתָּן ז active person
פַּעַלְתָּנוּת נ activity
פָּעַם (יִפְעַם) פ beat (heart), throb
פַּעַם נ time, occasion; beat (heart)
פַּעַם אַחַת once, once upon a time
פַּעֲמָה נ beat (in music)
פַּעֲמוֹן ז bell
פַּעֲמוֹנִית נ harebell, campanula
פַּעֲמוֹנָה נ carillon
פַּעֲמוֹנָר ז bell-ringer
פְּעָמִים, לִפְעָמִים תה״פ sometimes, at times
פִּעְנוּחַ ז decipherment, decoding
פִּעְנַח (יְפַעְנֵחַ) פ decode, decipher
פִּעְפּוּעַ ז bubbling
פִּעְפַּע (יְפַעְפַּע) פ bubble
פָּעַר (יִפְעַר) פ open wide, gape
פַּעַר ז gap, difference
פַּעֲרוּר ז small gap
פָּץ (יָפוּץ) פ be dispersed
פָּצָה (יִפְצֶה) פ open (usu. mouth)
פָּצוּעַ ת, ז wounded, injured; casualty
פָּצַח (יִפְצַח) פ open (one's mouth to sing)
פְּצִיחָה נ burst of song, singing; cracking (nuts), breaking
פְּצִיעָה נ wounding, injuring
פְּצִיץ ז piece (of shrapnel), fragment
פְּצִירָה נ file (tool); filing
פְּצָלָה נ peeled part of a tree
פַּצֶּלֶת נ feldspar
פָּצַם (יִפְצוֹם) פ crack, split open
פָּצַע (יִפְצַע) פ wound, injure
פֶּצַע ז wound, injury
פִּצְפֵּץ (יְפַצְפֵּץ) פ shatter
פַּצָּץ ז fuse, detonator
פְּצָצָה נ bomb
פְּצָצַת מֵימָן hydrogen bomb
פְּצָצַת שָׁעוֹן time-bomb
פָּצַר (יִפְצַר) פ entreat, urge
פָּק (יָפוּק) פ wobble (knees), totter
פָּקַד (יִפְקוֹד) פ order, command; number; remember; call upon, visit
פַּקָּד ז chief-inspector (of police)
פָּקוּד ת, ז numbered, counted; soldier
פְּקוּדָה נ command, order

corked, plugged פָּקוּק ת
node of sinews פְּקוֹקֶלֶת נ
open (eyes, ears) פָּקַח (יִפְקַח) פ
controller, inspector פַּקָּח ז
control, inspection, supervision פַּקָּחוּת נ
clever, shrewd פִּקֵּחַ, פִּיקֵּחַ ת
(modern) clerk, official; (biblical) officer פָּקִיד ז
clerk (female), official; period פְּקִידָה נ
petty official פְּקִידוֹן ז
office-work; office staff פְּקִידוּת נ
bureaucratic, clerical פְּקִידוּתִי ת
peelable פָּקִיל ת
diverting; changing course (sailing) פְּקִימָה נ
bursting; lapse (of rights) פְּקִיעָה נ
corking, plugging פְּקִיקָה נ
scaly bark, psorosis פַּקֶּלֶת נ
stop, divert; change course (ship) פָּקַם (יִפְקוֹם) פ
split; lapse (rights) פָּקַע (יִפְקַע) פ
bud; outburst; crack; hernia פֶּקַע ז
bulb (flower); ball (of wool), coil פְּקַעַת נ
doubt, hesitation פִּקְפּוּק ז
doubt, waver פִּקְפֵּק (יְפַקְפֵּק) פ
doubter, sceptic פַּקְפְּקָן ז
scepticism פַּקְפְּקָנוּת נ
cork, plug פָּקַק (יִפְקוֹק) פ
cork, plug, stopper פְּקָק, פֶּקֶק ז
thrombosis פַּקֶּקֶת נ
jumper, sweater פַּקְרֵס ז

bull פַּר ז
savage; wild ass פֶּרֶא ז
savage, wild man, ruffian פֶּרֶא־אָדָם
savagery, wildness פְּרָאוּת נ
savage, wild פְּרָאִי ת
suburb (of a town) פַּרְבָּר ז
poppy פָּרָג ז
screen פַּרְגּוֹד ז
whip פַּרְגּוֹל ז
whipping פִּרְגּוּל ז
chicken; (slang) teenage girl, chick פַּרְגִּית נ
whip פִּרְגֵּל (יְפַרְגֵּל) פ
mule פֶּרֶד ז
mule (fem.) פִּרְדָּה נ
parting, departure פְּרֵדָה, פְּרֵידָה נ
gadabout (woman) פַּרְדָּנִית נ
orchard; citrus grove פַּרְדֵּס ז
citrus-grower פַּרְדְּסָן ז
citriculture, citrus-growing פַּרְדְּסָנוּת נ
be fruitful פָּרָה (יִפְרֶה) פ
cow פָּרָה נ
publication, making public פִּרְהוּס ז
milch-cow (lit. and fig.) פָּרָה חוֹלֶבֶת
publicize, make public פִּרְהֵס (יְפַרְהֵס) פ
publicity, public פַּרְהֶסְיָה נ
divided, separated פָּרוּד ת
molecule; (bot.) mericarp פְּרוּדָּה נ
fur coat; fur פַּרְוָה נ
furrier פַּרְוָן ז
suburb פַּרְוָר ז
demilitarized פָּרוּז ת

corridor	פְּרוֹזְדוֹר ז
small coin	פְּרוּטָה נ
detail; small change	פְּרוּטְרוּט ז
curtain	פָּרוֹכֶת נ
stretched, spread out	פָּרוּס ת
slice (of bread)	פְּרוּסָה נ
wild, dissolute	פָּרוּעַ ת
fastened, pinned	פָּרוּף ת
broken open, destroyed; licentious	פָּרוּץ ת
loose woman	פְּרוּצָה נ
unloaded	פָּרוּק ת
pot, saucepan	פָּרוּר ז
ascetic, abstemious; Pharisee	פָּרוּשׁ ת
spread out, stretched out	פָּרוּשׂ ת
shoeing (horses)	פִּרְזוּל ז
undefended area, open country	פְּרָזוֹן ז
unwalled, unfortified	פְּרָזוֹת תה״פ
shoe (horses)	פִּרְזֵל (יְפַרְזֵל) פ
blossom, flower; break out (rash); fly	פָּרַח (יִפְרַח) פ
lout, urchin	פִּרְחָח ז
irresponsible behavior, loutishness	פִּרְחָחוּת נ
officer cadets	פִּרְחֵי קְצִינִים
change (money); specify, detail; play stringed instrument, strum	פָּרַט (יִפְרוֹט) פ
small change (money); odd number; detailed list, minutiae; small job (printing); detail, particular; individual	פֶּרֶט ז
detail	פְּרָטוּת נ
private; individual	פְּרָטִי ת
in great detail	פְּרָטֵי פְּרָטִים
with the exception of; except for, apart from	פְּרָט ל...
fruit; reward; profit	פְּרִי ז
parting, departure, separation	פְּרִידָה נ
	פְּרֵידָה ר׳ פְּרֵדָה
productivity, productiveness	פִּרְיוֹן ז
flowering, blooming, blossoming; success, prosperity; rash (medical); flight, flying	פְּרִיחָה נ
item	פְּרִיט ז
changing (money), giving small change; playing (stringed instrument), strumming, plucking	פְּרִיטָה נ
fruitfulness, bearing fruit	פְּרִייָה נ
bull-shed	פָּרִייָה נ
having children; (euphem.) copulation	פְּרִייָה וּרְבִייָה
brittle, fragile	פָּרִיךְ ת
breaking, crushing	פְּרִיכָה נ
brittleness, fragility	פְּרִיכוּת נ
spreadable	פָּרִיס ת
spreading out	פְּרִיסָה נ
payment	פְּרִיעָה נ
pin, clasp; fastening	פְּרִיפָה נ
squire (in Poland)	פָּרִיץ ז
violent criminal	פְּרִיץ ז
break-through; breach, burglary	פְּרִיצָה נ
licentiousness	פְּרִיצוּת נ
wild animal	פְּרִיץ חַיּוֹת

פְּרִיצַת דֶּרֶךְ — forcing a way through
פָּרִיק ת — detachable, capable of being dismantled
פְּרִיקָה נ — unloading
פְּרִיקַת עוֹל — lawlessness, irresponsibility
פָּרִיר ת — crumbly
פָּרִישׂ ת — spreadable
פְּרִישׁ ז — quince
פְּרִישָׂה נ — spreading out, extending
פְּרִישָׁה נ — retirement; withdrawal
פְּרִישׁוּת נ — abstinence, abstemiousness
פְּרִישׁוּת דֶּרֶךְ אֶרֶץ — sexual abstinence
פֶּרֶךְ ז — severity, oppression; crushing, smashing
פִּרְכָא, פִּרְכָה נ — refutation, counter-argument, rebuttal
פִּרְכּוּס ז — titivation, self-adornment; twitch, jerk
פִּרְכֵּס (יְפַרְכֵּס) פ — titivate, prettify; twitch, jerk
פָּרַם (יִפְרוֹם) פ — unstitch, take apart; rip
פִּרְנֵס (יְפַרְנֵס) פ — support, provide for
פַּרְנָס ז — community leader
פַּרְנָסָה נ — maintenance, livelihood
פָּרַס (יִפְרוֹס) פ — spread out, extend; slice (or break) bread
פֶּרֶס ז — bearded vulture
פְּרָס ז — prize, reward
פַּרְסָה נ — hoof; horse-shoe
פִּרְסוּם ז — publication; fame, popularity; publicity
פִּרְסוֹמֶת נ — publicity, advertisement
פִּרְסֵם (יְפַרְסֵם) פ — publish; publicize, advertise
פָּרַע (יִפְרַע) פ — repay (a debt), pay off; dishevel; riot; hold a progrom
פַּרְעוֹשׁ ז — flea
פְּרָעוֹת נ״ר — riots, pogroms
פָּרַף (יִפְרוֹף) פ — pin together
פִּרְפּוּר ז — spasm, twitch
פַּרְפַּר ז — butterfly
פִּרְפֵּר (יְפַרְפֵּר) פ — twitch
פַּרְפַּר לַיְלָה — moth
פַּרְפֶּרֶת נ — dessert
פָּרַץ (יִפְרוֹץ) פ — break open, break into
פֶּרֶץ ז — breach; trouble
פִּרְצָה נ — breach, crack
פַּרְצוּף ז — face, countenance
פִּרְצוּף ז — portrayal
פַּרְצוּפִי ת — facial
פָּרַק (יִפְרוֹק) פ — unload
פֶּרֶק ז — chapter, section; joint
פְּרַקְדָּן תה״פ — (lying) on one's back, supine
פְּרַקְלִיט ז — advocate, attorney
פְּרַקְלִיטוּת נ — advocacy, law (as profession)
פְּרַקְמַטְיָה נ — goods; business
פָּרַק עוֹל — threw off the yoke (of law, of morals, etc.)
פָּרַשׂ (יִפְרוֹשׂ) פ — stretch, spread out, extend
פָּרַשׁ (יִפְרוֹשׁ) פ — leave, retire, withdraw

פָּרָשׁ ז	horseman; knight; horse
פָּרָשָׁה נ	affair; chapter (of a book), portion (of Scripture)
פַּרְשָׁן ז	commentator
פַּרְשָׁנוּת נ	commentary, exegesis
פָּרָשַׁת דְּרָכִים	cross-roads
פָּרָשַׁת הַשָּׁבוּעַ	weekly portion of the Law
פָּרָשַׁת מַיִם	watershed
פָּרַת־יָם	sea-cow
פַּרְתֵּם ז	noble
פָּרַת־מֹשֶׁה־רַבֵּנוּ	ladybird
פָּשׁ (יָפוּשׁ) פ	relax, rest
פָּשָׂה (יִפְשֶׂה) פ	spread (usu. of disease, etc.)
פָּשׁוּט ת, תה״פ	simple, plain; undistinguished; extended, outstretched; simply
פְּשׁוּט ז	simple meaning, plain meaning
פְּשׁוּטוֹ כְּמַשְׁמָעוֹ	it's as simple as it sounds
פְּשׁוֹשׁ ז	graceful warbler
פְּשָׁט ז	literal meaning, plain meaning
פָּשַׁט (יִפְשׁוֹט) פ	take off (clothes), strip; extend (hand), stretch out
פָּשַׁט אֶת הָרֶגֶל	went bankrupt
פַּשְׁטוּת נ	simplicity, plainness
פַּשְׁטִידָה נ	pie, pudding
פַּשְׁטָנוּת נ	simplicity, plainness
פַּשְׁטָנִי ת	simple; over-simple
פָּשַׁט עוֹר	skinned; overcharged
פִּשְׂיוֹן ז	spread (of disease)
פְּשִׁיחָה נ	split, break
פַּשִּׁיט ת	extensive
פְּשִׁיטָא תה״פ	obviously! of course!
פְּשִׁיטָה נ	stripping; attack, raid
פְּשִׁיטַת רֶגֶל	bankruptcy
פְּשִׁיעָה נ	sinning, offending; criminal negligence
פָּשַׁע (יִפְשַׁע) פ	commit crime; sin, offend
פֶּשַׁע ז	crime
פָּשַׂע (יִפְשַׂע) פ	step, tread
פֶּשַׂע ז	step, pace
פִּשְׁפּוּשׁ ז	search, examination
פִּשְׁפֵּשׁ ז	bug
פִּשְׁפֵּשׁ (יְפַשְׁפֵּשׁ) פ	search, scrutinize
פִּשְׁפָּשׁ ז	wicket
פָּשַׂק (יִפְשׂוֹק) פ	open wide
פֶּשֶׂק ז	stud (in chain)
פֵּשֶׁר ז	explanation, meaning
פְּשָׁרָה נ	compromise
פַּשְׁרָן ז	compromiser
פַּשְׁרָנוּת נ	tendency to compromise
פִּשְׁתָּה נ	flax
פִּשְׁתָּן ז	linen; linseed
פַּת נ	piece of bread; (snow) flake
פִּתְאוֹם תה״פ	suddenly
פִּתְאוֹמִי ת	sudden
פְּתָאִים ז״ר	fools
פַּתְבַּג, פַּת־בַּג	delicacy, good food
פִּתְגָּם ז	proverb, saying, adage
פָּתָה (יִפְתֶּה) פ	be silly, be simple-minded
פָּתוּחַ ת	open
פָּתוּךְ ת	mixed, blended
פָּתוּל ת	twisted, winding

פְּתוֹת ז crumb

פְּתוֹתֵי לֶחֶם breadcrumbs

פָּתַח (יִפְתַּח) פ open; begin, start

פֶּתַח ז doorway, entrance; opening

פַּתָּח ז patah (vowel as in בַּ)

פַּתָּח גְּנוּבָה patah (when occurring under a final ה, ח, ע)

פֶּתַח דָּבָר foreword, preface

פְּתחָה נ scuttle

פִּתחוֹן־פֶּה excuse, pretext

פֶּתִי ז fool, simpleton

פְּתַיָּה נ simple-minded woman, foolish woman

פְּתַיּוּת נ simple-mindedness, foolishness

פְּתִיחָה נ opening; start

פְּתִיחוּת נ openness

פְּתִיכָה נ mixing, blending

פְּתִיל ז thread, cord

פָּתִיל ת tied, bound

פְּתִילָה נ wick (of candle, stove); fuse (for explosives); suppository (medical)

פְּתִילִיָּה נ paraffin stove

פְּתִילַת הַמִּדְבָּר milkweed

פְּתִיעָה נ surprise

פָּתִיר ת soluble (problem, etc.)

פְּתִירָה נ solving; interpreting (dream)

פָּתִית ז crumb; floccule

פָּתַךְ (יִפְתּוֹךְ) פ mix, blend (colors)

פְּתַלְתּוֹל ת tortuous; perverse, crooked

פֶּתֶן ז cobra

פֶּתַע תה״פ suddenly

פִּתפּוּת ז crumbling, crushing, smashing

פִּתפּוּתֵי בֵּיצִים nonsense (lit. scrambled eggs)

פִּתפֵּת (יְפַתפֵּת) פ crumble, crush

פֶּתֶק ז פִּתְקָה נ note, chit

פָּתַר (יִפְתּוֹר) פ solve, interpret

פִּתרוֹן ז solution (to problem), interpretation (to dream)

פַּתְשֶׁגֶן ז transcript; synopsis, summary

צ

צֵא	go out! (imper. of יָצָא q.v.)
צֶאֱל ז, צֶאֱלִים ז״ר	a kind of shady acacia
צֶאֱלוֹן ז	poinciana
צֹאן נ״ר	flocks (sheep and goats); sheep (or goat)
צֶאֱצָא ז	offspring, descendant
צֵאת	to go (infinitive of יָצָא q.v.)
צָב ז, צַבִּים ז״ר	tortoise
צָבָא (יִצְבָּא) פ	throng, gather
צָבָא ז	army
צְבָא הַהֲגָנָה לְיִשְׂרָאֵל	Israel Defense Force
צְבָאוֹת ז״ר	armies
צְבָאִי ת	military
צְבָאִיּוּת נ	militant spirit, militarism
צְבָאִים ז״ר	deer (plur. of צְבִי, q.v.)
צְבָא קֶבַע	regular army
צָבָה (יִצְבֶּה) פ	swell, become swollen
צָבֶה ת	swollen
צָבוּעַ ת	painted, colored; hypocritical, two-faced
צָבוֹעַ ז	hyena
צָבוּר ת	heaped together
צָבוּת נ	swelling
צָבַט (יִצְבּוֹט) פ	pinch; grip
צְבִי ז	deer, stag
צִבְיוֹן ז	character, quality
צְבִיטָה נ	pinch, pinching
צְבִיָּה נ	hind, gazelle (fem.)
צְבִיעָה נ	painting, coloring
צְבִיעוּת נ	hypocrisy
צְבִיר ז	cluster; galaxy
צָבִיר ת	accumulative
צְבִירָה נ	accumulation, collecting
צָבַע (יִצְבַּע) פ	paint, color, dye
צֶבַע ז	paint, color, dye
צַבָּע ז	painter
צִבְעוֹנִי ת	colorful
צִבְעוֹנִי ז	tulip
צִבְעוֹנִיּוּת נ	colorfulness
צַבָּעוּת נ	painting (house)
צִבְעֵי מָגֵן	protective coloring
צִבְעָן ז	pigment
צָבַר (יִצְבּוֹר) פ	amass, accumulate
צֶבֶר ז	heap, pile; sporangium (botany)
צָבָר, צַבָּר ז	cactus; native-born Israeli, "Sabra"
צַבָּרִיּוּת נ	character of a "Sabra"
צְבָת נ	pliers, tongs
צַבְתָּן ז	earwig
צַד ז	side; page; aspect
צָד (יָצוּד) פ	hunt, catch
צְדָדִי ת	lateral; secondary
צְדָדִים ז״ר	sides (plur. of צַד)
צְדוּדִית נ	profile
צַדּוֹן ז	broadside (military)
צְדִיָּה נ	malice, wilfulness
צַדִּיק ת	godfearing; right, just; Hassidic Rabbi
צַדִּיקוּת נ	righteousness, saintliness

temple צֶדַע ז
shell צֶדֶף ז
oyster צִדְפָּה נ
shell-like, molluscoid צִדְפִּי ת
be right, be justified; be just צָדַק (יִצְדַּק) פ
justice, justness; rightness, correctness; Jupiter (planet) צֶדֶק ז
justice; righteousness; charity, act of charity צְדָקָה נ
righteous woman צַדֶּקֶת נ
tarpaulin צַדְרָה נ
turn yellow, glow צָהַב (יִצְהַב) פ
yellowish צְהַבְהַב ת
jaundice צַהֶבֶת נ
angry, hostile צָהוּב ת
yellow צָהוֹב ת
white צָהוֹר ת
shout for joy; neigh צָהַל (יִצְהַל) פ
Israel Defense Force, the Israel Army צַהַ"ל
shouts of joy צָהֳלָה, צוֹהֳלָה נ
neigh, neighing צַהֲלָה נ
noon, midday צָהֳרַיִים, צוֹהֳרַיִים
order, command צַו ז
excrement צוֹאָה נ
painter; dyer צוֹבֵעַ ז
be painted צוּבַּע (יְצוּבַּע) פ
heap, pile צוֹבֶר ז
beguile, captivate צוֹדֵד (יְצוֹדֵד) פ
be diverted, be turned aside צוּדַּד (יְצוּדַּד) פ
right; just צוֹדֵק ת
yellowness; yellow צוֹהַב ז
merry, joyful, exultant צוֹהֵל ת

skylight, window; zenith (astronomy) צוֹהַר ז
will, testament צַוָּאָה נ
neck צַוָּאר ז
collar צַוָּארוֹן ז
last will and testament (made while sick) צַוָּאַת שְׁכִיב מְרַע
be ordered, be commanded, be bidden צֻוָּה (יְצֻוֶּה) פ
scream, shriek צָוַח (יִצְוַח) פ
cry, scream צְוָחָה נ
screamer צַוְחָן ז
screaming, shrieking צַוְחָנִי ת
scream, shriek צְוִיחָה נ
chirrup צְוִיץ ז
team, crew צֶוֶת ז
team; company צַוְתָּא נ
be polished; be dressed up צוּחְצַח (יְצוּחְצַח) פ
be quoted צוּטַּט (יְצוּטַּט) פ
be equipped, be supplied צוּיַּד (יְצוּיַּד) פ
be marked, be noted צוּיַּן (יְצוּיַּן) פ
be fringed (garment) צוּיַּץ (יְצוּיַּץ) פ
be drawn, be illustrated צוּיַּר (יְצוּיַּר) פ
cruciform, crossed צוֹלֵב ת
depths (of the sea) צוּלָה נ
be gilded, be made bright צוּלְהַב (יְצוּלְהַב) פ
diver, frogman צוֹלֵל ת, ז
submarine צוֹלֶלֶת נ
be photographed צוּלַּם (יְצוּלַּם) פ
lame, limping; shaky, ineffectual צוֹלֵעַ ת

צוֹלְפָנִי ת lashing; (fig.) biting
צוּלַק (יְצוּלַק) פ be scarred
צוֹם ז fast
צוּמַד (יְצוּמַד) פ be coupled, be combined
צוֹמֵחַ ת, ז flora; growing
צוּמְצַם (יְצוּמְצַם) פ be reduced, be cut down
צוֹמֵק ת shrunken, shriveled
צוּמַק (יְצוּמַק) פ be shrunken, be shriveled
צוֹמֶת ז juncture point, joint
צוּמַת (יְצוּמַת) פ be destroyed; be attached, accompany; be pickled in brine, be preserved (meat)
צוֹמֶת דְּרָכִים crossroads
צוֹמֶת רַכָּבוֹת railway junction
צוּנְזַר (יְצוּנְזַר) פ be censored
צוֹנֵן ת, ז cold, chilly; cold water
צוֹנְנִים ז״ר cold water
צוּנַּן (יְצוּנַּן) פ cool down, be cooled
צַו עַל תְּנַאי order nisi
צוֹעֲנִי ז gypsy
צוּעַף (יְצוּעַף) פ be veiled
צוּעֲצַע (יְצוּעֲצַע) פ be ornamented, be decorated
צוֹעֵר ז shepherd boy; assistant, junior; (milit.) cadet
צוּף ז nectar (in flowers); drink made from honey, mead
צוֹפֶה ז observer, look-out; spectator; Boy Scout
צוּפָּה (יְצוּפֶּה) פ be plated
צוֹפִי ת of the Scouts
צוֹפִיּוּת נ Scouting
צוֹפִים ז״ר Boy Scouts
צוּפִית נ Palestine sunbird
צוּפָן ז nectary (botany)
צוֹפֶן ז code
צוֹפֵף (יְצוֹפֵף) פ crowd together, close up
צוּפַּף (יְצוּפַּף) פ be crowded together
צוֹפָר ז siren, hooter, horn
צוֹצֵל ז, צוֹצֶלֶת נ ringed turtle-dove, ring-dove
צוּק ז cliff
צוֹק ז hardship, trouble
צוּקָה נ distress, trouble
צוֹק הָעִיתִּים troubled times
צוֹר ז flint
צוּר ז rock, fortress
צוֹרֵב ת burning, scalding; (fig.) agonizing, painful
צוֹרְבָנִי ת burning, scalding, agonizing
צוּרָה נ shape, form; figure; appearance, structure
צוֹרֶךְ ז need, necessity
צוֹרְכֵי צִיבּוּר public affairs
צוֹרְכֵי שַׁבָּת the requirements of the Sabbath
צוּר מַחֲצַבְתּוֹ his origins, his roots
צוּר מִכְשׁוֹל stumbling block
צוֹרְמָנִי ת discordant
צוֹרָן ז silicon
צוּרָן ז morpheme
צוּרָנִי ת formal; morphemic
צוֹרָנִי ת silicious
צוֹרַע (יְצוֹרַע) פ become leprous

צוֹרֵף ז goldsmith (or silversmith)
צוֹרַף (יְצוֹרַף) פ be added, be attached; be refined (precious metal)
צוֹרְפוּת נ craft of the goldsmith (or silversmith)
צוֹרֵר ז foe, enemy
צוּרָתִי ת formal
צוֹתֵת (יְצוֹתֵת) פ listen in
צַח ת pure, clear
צָחוּן ת stinking, smelly
צְחוֹק ז laughter, laugh
צָחוֹר ת white
צְחוֹר ז whiteness
צַחוּת נ purity, lucidity, clarity
צָחִיחַ ת dry, arid
צְחִיחַ ז parchedness, dryness
צְחִיחוּת נ aridity, dryness
צָחַן (יִצחַן) פ stink
צַחֲנָה נ stench, bad smell
צִחצוּחַ ז polishing
צִחצוּחַ חֲרָבוֹת sabre-rattling
צִחצַח (יְצַחצַח) פ polish, burnish
צָחַק (יִצחַק) פ laugh
צַחֲקָה נ chuckle, smile
צִחקוּק ז faint smile, chuckle
צַחקָן ז laughter-loving person
צִחקֵק (יְצַחקֵק) פ chuckle
צְחַרחַר ת whitish
צִי ז fleet, marine
צֵיאָה, צֵאָה נ excrement, filth
צִיבּוּי ז swelling
צִיבּוּעַ ז paint, painting
צִיבּוּר ז public, community; heap, pile

צִיבּוּרִי ת public, communal
צִיבֵּעַ (יְצַבֵּעַ) פ paint
צַיִד ז hunting; game
צִידֵּד (יְצַדֵּד) פ turn aside; support
צֵידָה נ food for a journey, provisions
צִידּוּד ז turning aside; supporting
צִידּוּק ז justification; proving right
צֵידָנִית נ picnic hamper
צִידֵּק (יְצַדֵּק) פ justify, vindicate
צִיּוּד ז equipment; equipping
צִיוָּה (יְצַוֶּה) פ command, order
צִיוָּה לְבֵיתוֹ made his will
צִיּוּוּי ז order, command; (grammar) imperative
צִיוַּח (יְצַוַּח) פ scream, shriek
צִיוֵּץ (יְצַוֵּץ) פ chirrup, twitter
צִיּוּן ז mark; note, remark
צִיּוֹן נ Zion
צִיּוֹנוּת נ Zionism; (colloquial) moralizing
צִיּוֹנִי ת, ז Zionist
צִיּוֹנִיּוּת נ Zionism
צִיּוּץ ז chirruping, chirping
צִיּוּר ז drawing, picture; figure, description
צִיּוּרִי ת pictorial, descriptive, graphic
צִיּוּת ז obedience
צִיחֵק (יְצַחֵק) פ make merry, jest; laugh
צִיטֵּט (יְצַטֵּט) פ quote, cite
צִיטָטָה נ quotation
צִיֵּד (יְצַיֵּד) פ equip, supply, furnish

צַיָּד ז — hunter
צִיָּה נ — desert, aridity
צִיֵּן (יְצַיֵּן) פ — mark, point out
צִיֵּץ (יְצַיֵּץ) פ — chirrup, twitter
צַיְקָן ז — miser, skinflint
צִיֵּר (יְצַיֵּר) פ — draw, paint; picture, describe
צַיָּר ז — artist, painter
צִיֵּת (יְצַיֵּת) פ — obey, submit
צַיְּתָן ז — obedient (submissive) person
צַיְּתָנוּת נ — obedience, submissiveness
צִילֵּב (יְצַלֵּב) פ — make the sign of the cross
צִילּוּם ז — photograph; photography
צִילּוּעַ ז — diaphragm plate; side beam
צִילֵּם (יְצַלֵּם) פ — photograph
צִילֵּק (יְצַלֵּק) פ — scar
צִימָּאוֹן ז — thirst; arid land
צִימֵּד (יְצַמֵּד) פ — combine, couple
צִימּוּק ז — raisin
צִימַּח (יְצַמַּח) פ — grow, sprout
צִי מִלְחָמָה — navy
צִיָּן ז — caption
צִינָּה נ — cold, chill; shield
צִינּוּן ז — cooling down, chilling
צִינּוֹק ז — solitary cell; prison
צִינּוֹר ז — pipe, tube; drain, conduit
צִינּוֹרָה נ — knitting needle, stream
צִינּוֹרִית נ — knitting needle
צִינֵּן (יְצַנֵּן) פ — cool, cool down
צִי סַחַר — merchant navy
צִיעֵף (יְצָעֵף) פ — veil
צִיעֵר (יְצָעֵר) פ — sadden, grieve
צִיפָּה נ — floatation, floating; fleshy part of a fruit

צִיפָּה (יְצַפֶּה) פ — expect, wait
צִיפָּה נ — covering; bed-cover
צִיפּוּי ז — covering, plating, coating
צִיפּוּף ז — crowding together, closing up
צִיפּוֹר נ — bird
צִיפּוֹרֶן נ — nail (human), claw (animal); nib (writing)
צִיפּוֹר נַפְשׁוֹ — his dearest wish, his aim in life
צִיפּוֹר שִׁיר — songbird
צִיפּוֹרֶת נ — small bird
צִיפִּיָּה נ — expectation, anticipation
צִיפִּית נ — pillow-case, pillow-slip
צִיפָּנִי ת — buoyant
צִיפֵּף (יְצַפֵּף) פ — crowd together, close up
צִיץ ז — blossom, flower
צִיצָה נ — blossom, flower; tuft, cluster; tassel (on clothes)
צִיצִית נ — fringe, fringed garment (worn by observant Jews); tuft (botany)
צִיצִית הָרֹאשׁ — forelock
צִיקְלוֹן ז — cyclone
צִיר ז — hinge, pivot; axis; envoy, messenger; delegate; brine, sauce; ax
צֵירֶה ז — tsere – a vowel (as in צֵ)
צֵירוּף, צֵרוּף ז — refining (gold), removing dross; joining, combination; attaching, attachment; changing money (small for large)
צֵירוּפִי ת — combinatorial

צירוּת נ legation
צִירִי ת axial
צִירֵי לֵידָה labor pains, birth pangs
צֵירֵף (יְצָרֵף) פ add; combine, join together; refine (precious metal)
צִיתוּת ז listening-in
צִיתָר ז zither
צֵל ז shade, shadow
צָלַב (יִצלוֹב) פ crucify
צְלָב ז cross
צְלַב הַקֶּרֶס swastika
צְלָבוֹן ז cross (worn as an ornament)
צַלְבָּן ז Crusader
צַלְבָּנִי ת of the Crusades, Crusader
צָלָה (יִצלֶה) פ roast
צָלוּב ת crucified; Jesus
צְלוֹחִית נ flask
צָלוּי ת roast(ed)
צָלוּל ת clear, transparent; lucid
צְלוֹפָח ז eel
צָלוּק ת scarred
צָלַח (יִצלַח) פ prosper, flourish; fit, be good for; cross (a lake or river)
צָלֵחַ ת successful, prosperous
צִלְחָה נ headache, migraine
צַלְחִית נ saucer
צַלַּחַת נ plate, dish, bowl
צָלִי ז roast meat
צְלִיבָה נ crucifixion
צְלִיחָה נ crossing (a lake or river)
צְלִיָּה נ roasting
צַלְיָין ז pilgrim

צְלִיל ז note (of music); sound, ring
צְלִילָה נ diving; sinking to the bottom
צְלִילוּת נ clarity, lucidity
צְלִילוּת הַדַּעַת clear-mindedness
צְלִילִיּוּת נ resonance
צְלִיעָה נ limp, lameness
צְלִיפָה נ lashing, whipping; sniping
צָלַל (יִצלוֹל) פ dive, plunge; sink to the bottom
צְלָלִים ז״ר shadows (plur. of צֵל q.v.)
צְלָלִית נ silhouette
צֶלֶם ז likeness, image; idol; the Cross
צַלָּם ז photographer
צֶלֶם אֱלוֹהִים image of God; kindness, considerateness
צַלְמָוֶת ז deep shadow, great darkness
צַלְמוֹנִיָּה, צַלָּמָנִיָּה נ photographer's studio
צֶלְסִיוּס ז centigrade(thermometer)
צָלַע (יִצלַע) פ limp; lag
צֶלַע, צֵלָע ז rib
צַלְעוֹן ז polygon
צַלְעִית נ chop, cutlet
צָלָף ז caper bush
צָלַף (יִצלוֹף) פ snipe
צַלָּף ז sniper
צַלָּפוּת נ sniping
צִלְצוּל ז ring, ringing
צְלָצַל ז kind of locust
צִלְצֵל (יְצַלְצֵל) פ ring, chime; ring up, telephone

צִלְצָל ז harpoon

צַלֶּקֶת נ scar; stigma (botany)

צָם (יָצוּם) פ fast

צָמֵא (יִצְמָא) פ be thirsty

צָמֵא ת thirsty

צָמָא ז thirst

צְמֵא דָם bloodthirsty

צֶ'מְבָּלוֹ ז harpsichord

צֶמֶג ז rubber

צְמַגְמַג ת sticky, tacky

צָמַד (יִצְמוֹד) פ couple, join together, pair

צֶמֶד ז pair, couple

צִמְדָּה נ duet

צֶמֶד־חֶמֶד a lovely pair

צַמָּה נ plait, braid

צָמוּג ת sticky, adhesive

צָמוּד ת tied, linked; joined

צָמוּק ת shrivelled, dried up

צָמוּת ת destroyed

צָמַח (יִצְמַח) פ grow, sprout; spring from

צֶמַח ז plant; growth

צִמְחוֹנוּת נ vegetarianism

צִמְחוֹנִי ת vegetarian

צִמְחוֹנִיָּה נ vegetarian restaurant

צִמְחִי ת vegetable, vegetal

צִמְחִיָּה נ vegetation, flora

צְמִיג ז tyre

צָמִיג ת viscous, sticky

צְמִיגוּת נ viscosity, stickiness

צְמִיגִי ת sticky, adhesive

צָמִיד ז bracelet; lid, covering

צָמִיד ת linked, coupled

צְמִידוּת נ attachment, linkage; interdependence

צְמִיחָה נ growing, growth

צָמִיר ת woolly, shaggy

צָמִית ת, ז permanent, perpetual; vassal

צְמִיתוּת נ permanence, perpetuity

צֶמֶל ז ripe fig; adolescent girl

צִמֵּנט (יְצַמְנֵט) פ cement

צִמְצוּם ז reduction, cutting down

צִמְצֵם (יְצַמְצֵם) פ reduce, cut down

צַמְצָם ז condenser (phot.)

צָמַק (יִצְמַק) פ shrivel, shrink, dry up

צֶמֶק ז dried fruit

צֶמֶר ז wool; fiber (on plants)

צֶמֶר גֶּפֶן cotton wool; cotton

צַמְרִי ת woolly, woollen

צְמַרְמוֹרֶת נ shudder; shock

צַמֶּרֶת נ tree-top; top, upper ranks

צַמֶּרֶת הַשִּׁלְטוֹן the upper ranks of the government

צָמַת (יִצְמוֹת) פ destroy; oppress; shrink

צֵן ז thorn

צְנוֹבָר ז pine-cone

צָנוּם ת skinny, thin

צְנוֹן ז radish

צְנוֹנִית נ small radish

צָנוּעַ ת humble, modest

צָנוּף ת turbaned

צִנְזֵר (יְצַנְזֵר) פ censor

צָנַח (יִצְנַח) פ drop, fall to the ground; parachute

צַנְחָן ז parachutist

צַנְחָנוּת נ parachute jumping

צְנִיחָה נ dropping, sinking down; parachute descent
צְנִים ז rusk, toast
צָנִין ז thorn, goad
צְנִיעוּת נ modesty, chastity
צָנִיף ז turban, head-cloth
צְנִיפָה נ putting on a turban
צְנִירָה נ knitting; crocheting
צֶנַע ז austerity; modesty
צִנְעָה נ secrecy, privacy
צָנַף (יִצְנוֹף) פ wrap round; roll
צִנְצֶנֶת נ jar
צַנָּר ז pipe-layer
צַנֶּרֶת נ piping, pipe-system
צַנְתָּר ז thin pipe, tube
צִנְתֵּר (יְצַנְתֵּר) פ catheterize
צָעַד (יִצְעַד) פ march, pace, step
צַעַד ז step, pace, stride
צְעָדָה נ march
צָעָה (יִצְעֶה) פ travel, wander
צָעוּף ת veiled
צְעִידָה נ marching, pacing
צָעִיף ז veil; scarf
צָעִיר ת, ז young, youthful; youth, lad
צְעִירָה נ young girl, young woman
צְעִירוֹן ז youngster, mere lad
צְעִירוּת נ youth, youthfulness
צָעַן (יִצְעַן) פ wander, roam
צַעֲצוּעַ ז toy, plaything
צִעֲצַע (יְצַעֲצַע) פ ornament, decorate
צָעַק (יִצְעַק) פ shout, yell
צְעָקָה נ shout(ing), yell(ing)
צַעֲקָן ז shouter
צַעֲקָנוּת נ shouting, noisiness; (fig.) blatancy, loudness
צַעַר ז sorrow, trouble; pain
צַעַר בַּעֲלֵי חַיִּים prevention of cruelty to animals
צַעַר גִּידּוּל בָּנִים the trouble of bringing up children
צָף (יָצוּף) פ float; flow
צָף ז float
צָפַד (יִצְפּוֹד) פ dry up, shrivel, shrink
צַפְדִּינָה נ scurvy
צַפֶּדֶת נ tetanus
צָפָה (יִצְפֶּה) פ watch, observe; foresee
צָפוּי ת expected; destined
צָפוֹן ז north
צָפוּן ת hidden, concealed
צְפוּנוֹת נ״ר secrets
צְפוֹנִי ת north, northern
צְפוֹנִי־מִזְרָחִי north-east
צָפוּף ת crowded, packed tight
צִפְחָה נ slate
צַפַּחַת נ flat flask (jar)
צַפִּיחִית נ cake, wafer
צְפִיָּיה נ observation, watching
צְפִיעַ ז dung
צְפִיעָה נ infant, baby
צְפִיפוּת נ crowding; denseness, density
צָפִיר ז young goat
צְפִירָה נ hoot, hooting; dawn, morning
צְפִיר עִיזִּים he-goat
צָפִית נ covering, table-cloth

צָפַן (יִצְפּוֹן) פ hide, conceal

צֶפַע ז viper

צִפְעוֹנִי ז viperine snake

צִפְצוּף ז whistling; (coll.) scorn

צִפְצֵף (יְצַפְצֵף) פ whistle; (colloquial) scorn

צַפְצָפָה נ poplar

צַפְצֵפָה נ whistle

צֶפֶק ז peritoneum

צַפֶּקֶת נ peritonitis

צָפַר (יִצְפּוֹר) פ hoot, sound horn (of a car)

צַפָּר ז bird-keeper, bird-fancier

צַפְרָא ז morning

צְפַרְדֵּעַ נ frog

צִפְרוֹנִי ת capricious

צִפְרוֹנִיּוּת נ capriciousness, caprice

צַפָּרוּת נ bird-keeping, bird-raising

צַפְרִיר ז zephyr, morning breeze

צֶפֶת נ capital (of a pillar)

צָץ (יָצִיץ) פ blossom, bloom; spring forth

צָק (יָצוּק) פ pour

צִקְלוֹן ז travelling bag

צַר ז enemy, foe; czar

צָר (יָצוּר) פ besiege (a city); shape, form

צַר ת narrow

צַר־אוֹפֶק narrow-minded

צָרַב (יִצְרוֹב) פ burn, scorch; corrode (metal); cauterize (surgical)

צָרֶבֶת נ heartburn

צְרֵדָה, צְרֵידָה נ middle finger

צְרַדְרַד ת gruff, rather hoarse

צָרֶדֶת נ hoarseness, huskiness

צָרָה נ trouble, misfortune

צָרָה צְרוּרָה great trouble

צָרוּב ת burnt, scorched

צָרוּד ת hoarse

צָרוּעַ ת leprous

צָרוּף ת refined, purified

צָרוּר ת tied up, bound up

צְרוֹר ז bundle, package; bunch (flowers, keys, etc.); burst (of bullets fired); pebble

צָרוּת נ narrowness; crampedness

צָרוּת אוֹפֶק narrow-mindedness

צָרוּת עַיִן meanness, selfishness

צָרַח (יִצְרַח) פ scream

צַרְחָן ז screamer

צַרְחָנִי ת screaming, screeching

צְרִי, צוֹרִי ז balsam

צְרִיבָה burn(ing), scorch(ing); etching; corrosion (metal); heartburn

צְרִידוּת נ hoarseness

צְרִיחַ ז tower; castle, rook

צְרִיחָה נ scream

צָרִיךְ ת necessary, needful

צְרִיכָה נ consumption

צָרִיךְ לִהְיוֹת ...should be

צָרִיךְ לוֹמַר ...should say

צָרִיךְ לַעֲשׂוֹת ...should do

צְרִימָה נ grating (sound), dissonance

צְרִיף ז hut, shack

צְרִיפָה נ refining (precious metal)

צְרִיפוֹן ז small hut

צְרִיר ז dissonance

צָרַךְ (יִצרוֹךְ) פּ use, consume; need, be required to
צַרְכָן ז consumer
צַרְכָנוּת consumers (as a body); consumption
צַרְכָנִיָּה נ cooperative store
צָרַם (יִצרוֹם) פּ grate (of sounds), jar
צִרְעָה נ wasp
צַר־עַיִן mean, stingy
צָרַעַת נ leprosy
צָרַף (יִצרוֹף) פּ refine (metal), smelt, purify; test
צָרְפַת נ France
צָרְפַתִּי ת, ז French, Frenchman
צַרְצוּר ז cricket (insect)
צִרְצוּר ז chirping (of a cricket)
צִרְצֵר (יְצַרְצֵר) פּ chirp (like a cricket)
צָרַר (יִצרוֹר) פּ make into a bundle, pack

ק

קָא (יָקִיא) פּ vomit, be sick
קָאַת נ pelican
קַב ז minimum amount, small quantity; crutch; wooden leg
קָבַב (יִיקוֹב) פּ curse
קָבוֹט ז pickle jar, vat
קָבוּעַ ת regular, constant, fixed
קָבוּעַ ז constant (maths)
קְבוּצָה נ group, team (sport); collective settlement, kvutza
קְבוּצָתִי ת collective, combined
קָבוּר ת buried
קְבוּרָה נ burial
קַבַּיִים ז״ז a pair of crutches
קְבִילָה נ complaint
קְבִילוּת נ acceptability
קְבִיעָה נ fixing, determining
קְבִיעוּת נ permanence (in employment); regularity
קְבִירָה נ burial, burying
קָבַל (יִקבּוֹל) פּ complain
קַבָּל ז condenser, capacitor
קָבָל, קוֹבֶל תה״פ opposite, before
קַבָּלָה נ receiving; receipt (for payment); reception; tradition; Kabbala
קַבְּלָן ז contractor
קַבְּלָנוּת נ piece-work, contracting
קַבְּלָנִי ת contracting, undertaking piece-work
קָבָל עַם openly, publicly
קַבָּלַת פָּנִים reception, welcome
קַבָּלַת שַׁבָּת inauguration of the Sabbath

קֶבֶס ז	nausea, sickness
קַבְסְתָן ז	nauseating individual
קָבַע (יִקְבַּע) פ	fix, determine; fix in, install
קֶבַע ז	permanence, regularity
קָבַץ (יִקְבּוֹץ) פ	gather, assemble
קַבְּצָן ז	beggar
קַבְּצָנוּת נ	beggary
קַבְּצָנִי ת	beggarly
קַבְקַב ז	clog, wooden shoe
קָבַר (יִקְבּוֹר) פ	bury
קֶבֶר ז	grave, tomb
קַבְּרָן ז	gravedigger
קְבַרְנוּן ז	goby
קַבַּרְנִיט ז	captain (of ship, plane); leader
קָדַד (יִיקּוֹד) פ	bow, bow the head
קָדוּד ת	pierced, cut through (or out)
קָדוּחַ ת	drilled, bored
קְדוֹחֶת נ	cuttings (from a boring)
קָדוּם ת	ancient
קְדוּמַנִי ת	forward, front
קְדוֹרַנִי ת	gloomy, dark
קְדוֹרַנִּית תה״פ	gloomily, dismally
קָדוֹשׁ ת	holy, sacred
קְדוּשָּׁה נ	holiness, sanctity
קָדַח (יִקְדַּח) פ	drill, bore; be sick with fever
קֶדַח ז	fume
קְדַחְדַּח ז	spiral drill
קַדַּחַת נ	malaria
קַדַּחְתָּנִי ת	feverish
קְדִיחָה נ	boring, drilling
קָדִים ז	east; east wind
קְדִימָה נ	priority, precedence
קָדִימָה ! מ״ק	forward!
קְדֵירָה, קְדֵרָה נ	pot, cooking-pot
קַדִּישׁ ת, ז	Kaddish (memorial prayer for the dead); (colloquial) son
קָדַם (יִקְדַּם) פ	precede, come before
קְדַם־	pre-
קֶדֶם ז	front; east; ancient times
קַדְמָה נ	antiquity, the distant past
קִדְמָה נ	progress, advance
קֵדְמָה תה״פ	eastward
קַדְמוֹן ת, ז	ancient, primeval
קַדְמוֹנִי ת	ancient, primeval
קַדְמוֹנִיּוֹת נ״ר	antiquities
קַדְמוּת נ	antiquity
קִדְמִי ת	forward, front
קִדְקֵד (יְקַדְקֵד) פ	cluck
קִדְקוּד ז	clucking
קָדַר (יִקְדַּר) פ	darken, grow dark; be gloomy
קַדָּר ז	potter
קַדָּרוּת נ	pottery
קַדְרוּת נ	gloom
קְדֵרִיָּה נ	small pot
קָדַשׁ (יִקְדַּשׁ) פ	become holy, be consecrated
קָדֵשׁ ז	temple prostitute (male)
קְדֵשָׁה נ	temple prostitute (female)
קָהָה (יִקְהֶה) פ	be blunted, be dulled; be faint
קֵהֶה, קֵיהֶה ת	blunt, dull; on edge (teeth); dull witted
קַהֲוָה נ	coffee
קָהוּי ת	blunted, dulled

קֵהוּת נ bluntness, dullness
קְהִילָּה נ community, congregation
קְהִילָּה קְדוֹשָׁה (ק״ק) a Jewish community
קְהִילִיָּה נ republic
קְהִילָּתִי ת communal
קָהָל ז community, public; audience
קַו, קָו ז line (lit. and fig.)
קַו אוֹרֶךְ line of longitude
קוּבָּה, קֵבָה נ womb
קוּבָּה נ tent; brothel
קוּבּוּץ ז Kubbutz – name of a Hebrew vowel sign as in קֻ
קוּבִיָּה נ dice
קוּבְיוּסְטוּס ז dice-player; card-player
קוּבִּיָּה נ cube (geometry); dice (game)
קוּבְלָנָה נ complaint
קוֹבַע ז helmet
קוּבַּעַת נ cup
קוּבַּץ (יְקוּבַּץ) פ be gathered together
קוֹבֶץ ז collection (literary), anthology
קוֹד ז code
קוֹדַאי ז encoder, coder
קוּדַּד (יְקוּדַּד) פ be broached, be reamed (hole)
קוֹדֶדֶת נ pastry cutter
קוֹדֵם ת previous, prior
קוֹדֶם תה״פ before, previously
קוֹדֶם כּוֹל first of all, first
קוֹדֶם לָכֵן before this
קוֹדְמָן ז antecedent
קוֹדֶם שֶׁ־ before
קוֹדקוֹד, קָדקוֹד ז crown (of the head), top; vertex
קוֹדֵר ת dark; gloomy
קוּדַּשׁ (יְקוּדַּשׁ) פ be sanctified, be consecrated; be betrothed
קוֹדֶשׁ ז holiness, sanctity
קוֹדֶשׁ ל... dedicated to, devoted to
קוֹדֶשׁ־קוֹדָשִׁים most holy
קַו הַבְּרִיאוּת good health
קַו הַמַּשְׁוֶה the equator
קוּוָּה (יְקוּוֶּה) פ be hoped for, be expected
קַוִּי ת linear
קַוָּן ז linesman
קַוָּנוּת נ the work of a linesman
קָווּץ ת thorny, prickly; shrunken
קָוַץ (יִקְווֹץ) פ spread thorns
קְוֻוצָּה נ lock (of hair), tress
קִווְקֵד (יְקַווְקֵד) פ line with alternate dots and dashes
קוּוְקַד (יְקוּוְקַד) פ be lined with alternate dots and dashes
קִווְקֵו (יְקַווְקֵו) פ hatch, shade (with lines)
קוּוְקַו (יְקוּוְקַו) פ be hatched, be shaded
קִווְקוּד ז line of dots and dashes
קִווְקוּו ז hatching, shading
קוּוַּז (יְקוּוַּז) פ be set off (in bookkeeping), be compensated
קוֹטֶב ז pole (geography, elec.)
קוֹטְבִּי ת polar
קוֹטְבִּיּוּת נ polarity

קוּטְלַג (יְקוּטְלַג) פ — be catalogued

קוֹטֶן ז — smallness, littleness; little finger

קוּטַּע (יְקוּטַּע) פ — be cut off, be lopped off; be paragraphed; be split up, be interrupted

קוּטַּף (יְקוּטַּף) פ — be plucked, be picked

קוּטַּר (יְקוּטַּר) פ — be perfumed, be scented (with incense)

קוֹטֶר ז — diameter (of circle); caliber (of rifle); axis

קוּטְרַב (יְקוּטְרַב) פ — be fastened with a cotter

קוּיַּם (יְקוּיַּם) פ — be fulfilled (promise), be carried out; be validated, be confirmed; be held (meeting)

קוֹל ז — voice; sound; vote, opinion

קוּל ז — lenient rule or regulation

קוֹלֶב, קוֹלָב ז — clothes-hanger

קוֹלֶג' ז — college (school or university)

קוֹלֶגְיָאלִי ת — collective, fraternal

קוּלָּה נ — lenient rule; misdemeanor, peccadillo

קוּלְטַר (יְקוּלְטַר) פ — be prepared (earth) with cultivator, be cultivated

קוֹלִי ת — vocal

קוּלִית נ — thighbone

קוּלַּל (יְקוּלַּל) פ — be cursed

קוּלְמוֹס ז — pen

קוֹלָן ז — tuning fork

קוֹלְנוֹעַ ז — talking film, movie; cinema

קוֹלְנוֹעִי ת — cinematic, of the films

קוֹלָנִי ת — noisy, vociferous

קוֹלָנִיּוּת נ — noisiness, clamorousness

קוֹלָס ז — stalk

קוּלַּס (יְקוּלַּס) פ — be praised

קוֹלָס שֶׁל כְּרוּב — cabbage head

קוֹלֵעַ ת — to the point, apt

קוּלַּף (יְקוּלַּף) פ — be peeled

קוֹל קוֹרֵא — proclamation, public appeal

קוּלְקַל (יְקוּלְקַל) פ — be spoiled, be impaired

קוֹלָר ז — collar (round dog's or prisoner's neck)

קוֹל רִאשׁוֹן — soprano

קוֹל שֵׁנִי — alto

קוֹם ז — curd

קוֹמְבִּינַצְיָה נ — combination, wangle

קוֹמָה נ — height; storey, floor

קוּמַּח (יְקוּמַּח) פ — be dusted with flour

קוּמַּט (יְקוּמַּט) פ — be creased, be crumpled

קוֹמֵם (יְקוֹמֵם) פ — rebuild, restore; rouse, stir up

קוֹמְמִיּוּת נ, תה״פ — independence, sovereignty; with head erect

קוֹמָנִית נ — mold (on bread)

קוֹמֶץ ז — handful; small group

קוּמְקוּם ז — kettle

קוֹמֶר ז — convexity

קוֹמַת קַרְקַע — ground floor

קוּנְדֵּס ז — prankster, clown

קוּנְדֵּסִי ת — prankish, mischievous

קוֹנֶה ז — buyer, customer

קוּנַּח (יְקוּנַּח) פ — be wiped clean

קוּנטְרֵס ז — booklet, pamphlet; sheet folded as part of book
קוֹנְכִית נ — shell, conch
קוֹנָם ז — oath
קוֹנֵן (יְקוֹנֵן) פ — lament, bewail
קוּנַּן (יְקוּנַּן) פ — reside, live in one's nest, nestle
קוֹנצֶרט ז — concert
קוֹסֵם ז — magician, wizard; conjurer
קוּעֲקַע (יְקוּעֲקַע) פ — be undermined; be tattooed
קוֹעַר (יְקוֹעַר) פ — be made concave
קוֹעַר ז — concavity; bucket (of ship)
קוֹף ז קוֹפִים ז״ר — monkey, ape
קוֹף ז — eye (of a needle)
קוּפַּאי ז — cashier, teller
קוּפַּד (יְקוּפַּד) פ — be cut short, be cut off
קוּפָּה נ — cash-box, till; booking-office, box-office, cash-desk; fund
קוּפָּה (יְקוּפֶּה) פ — be skimmed (liquid)
קוּפַּח (יְקוּפַּח) פ — be deprived of one's due
קוֹפִי ת — ape-like, apish
קוֹפִיץ ז — meat-chopper
קוּפַּל (יְקוּפַּל) פ — be folded, be rolled up
קוֹפָל ז — padlock
קוּפְסָה נ — box, tin
קוּפְסִית נ — small box
קוּפַּת חוֹלִים — Sick Fund
קוּפַּת מִלְוֶוה — Loan Fund
קוֹץ ז — thorn, prickle
קוֹצִי ת — thorny, prickly
קוֹצִיץ ז — acanthus
קוֹצָן ז — thistle
קוֹצָנִי ת — thorny, prickly
קוֹצֵץ ת — cutting, chopping
קוּצַּץ (יְקוּצַּץ) פ — be cut, be curtailed
קוֹצֵר ז — reaper, harvester
קוּצַּר (יְקוּצַּר) פ — be abridged
קוֹצֶר ז — shortness, brevity
קוֹצֶר־יָד — powerlessness, impotence
קוֹצֶר רְאוּת, קוֹצֶר־רְאִייָה — shortsightedness
קוֹצֶר־רוּחַ ז — impatience
קוּקִייָה נ — cuckoo
קוֹר ז — cold, coldness
קוּר ז — spider's web
קוֹרֵא ז — reader
קוֹרָא (יְקוֹרָא) פ — be called, be named
קוּרְאָן ז — Koran
קוֹרַב (יְקוֹרַב) פ — be brought near
קוּרְבָה נ — proximity, nearness
קוֹרְבָּן, קָרְבָּן ז — sacrifice; victim
קוֹרַד (יְקוֹרַד) פ — be combed (horse), be scraped, be curried
קוֹרָה נ — beam, girder, rafter; coolness
קוֹרָה (יְקוֹרֶה) פ — be roofed
קַו רוֹחַב — line of latitude
קוֹרוֹת נ״ר — happenings; history
קוּרְזַל (יְקוּרְזַל) פ — be curled (hair)
קוֹרְחָה, קָרְחָה נ — bald patch, bald spot
קוֹרֶט ז — speck, grain
קוֹרְטוֹב ז — small liquid measure, "dram"; (fig.) speck, drop

קוּרְטַם (יְקוּרְטַם) פ be cropped, be plucked
קוּרְטָם ז safflower
קוּרֵי עַכָּבִישׁ spider web
קוֹרֵן ת shining, radiant
קוֹרָנִית נ thyme
קוּרְנָס ז sledgehammer
קוּרְסַם (יְקוּרְסַם) פ be gnawed, be nibbled
קוֹרַע (יְקוֹרַע) פ be torn, be rent; be cut open
קוּרְפַּף (יְקוּרְפַּף) פ be fenced in, be enclosed
קוֹרַץ (יְקוֹרַץ) פ be shaped, be fashioned
קוּרְצַף (יְקוּרְצַף) פ be scraped (with a comb), be curried (horses)
קוּרְקְבָן ז gizzard (poultry)
קוּרְקַע (יְקוּרְקַע) פ be grounded (of plane, pilot)
קוּרְקַף (יְקוּרְקַף) פ be scalped; be beheaded
קוּרְקַר (יְקוּרְקַר) פ be demolished, be pulled down
קוֹרַר (יְקוֹרַר) פ be chilled, be cooled
קוֹר רוּחַ composure, nonchalance
קוֹרַת גַּג a roof over one's head, shelter
קוֹרַת רוּחַ ת satisfaction
קוּשַּׁט (יְקוּשַּׁט) פ be decorated, be adorned, be ornamented
קוֹשִׁי ז hardness; difficulty
קוּשְׁיָה נ question, poser
קוֹשֵׁר ז rebel, conspirator
קוּשַּׁר (יְקוּשַּׁר) פ be tied; be connected, be joined together
קוֹשֵׁשׁ (יְקוֹשֵׁשׁ) פ gather (straw or wood)
קוֹתֶל ז wall; fat meat
קוֹתלֵי חֲזִיר ham
קַח take (imper. of לָקַח, q.v.)
קַחְוָן ז anthemis
קַחַת, לָקַחַת (infin. of לָקַח, q.v.)
קָט ת little, small
קָט (יָקוּט) פ loathe, be disgusted by
קֶטֶב ז destruction, pestilence
קָטֵגוֹר, קָטֵיגוֹר ז prosecutor, prosecuting counsel
קָטֵגוֹרִי, קָטֵיגוֹרִי ת categorical
קָטֵגוֹרְיָה, קָטֵיגוֹרְיָה נ prosecution; (philosophy) category
קָטוּם ת chopped down, cut down
קְטוּמָה נ trapezium
קָטוֹן (יִקְטַן) פ be small
קָטוּעַ ת cut off, amputated (limb); interrupted, fragmentary
קָטוּף ת picked (fruit), plucked
קְטוֹרָה, קְטוֹרֶת נ incense
קְטָטָה נ quarrel, squabble
קְטִימָה נ chopping, lopping
קָטִין ז minor (legal)
קְטִינָא ת tiny, small
קְטִיעָה נ cutting off; amputation (of limbs)
קָטִיף ז fruit-picking; orange picking season
קְטִיפָה נ velvet (material)
קְטִיפָתִי ת velvety

קָטַל (יִקְטוֹל) פ kill, slay
קֶטֶל ז slaughter, killing
קְטָלָב ז arbutus
קִטְלֵג (יְקַטְלֵג) פ catalogue
קִטְלוּג ז cataloguing
קִטְלֵז (יְקַטְלֵז) פ catalyze
קַטְלִית נ hip
קַטְלָן ז killer, murderer
קַטְלָנִי ת murderous
קָטַם (יִקְטוֹם) פ cut off, lop off
קָטָן, קָטוֹן ת׳ ז small, little; unimportant; small boy
קָטֵן ת bccoming smaller
קְטַן־אֱמוּנָה pessimist, person of little faith
קַטְנוּנִי ת petty, small-minded
קַטְנוּנִיּוּת נ pettiness, small-mindedness
קַטְנוֹעַ ז motor-scooter
קַטְנוּת נ smallness, littleness; pettiness
קְטַנְטַן, קְטַנְטוֹן ת tiny, very small
קִטְנִית נ pulse, legume
קָטַע (יִקְטַע) פ amputate (limb), cut off
קֶטַע ז section; sector (military)
קָטַף (יִקְטוֹף) פ pick (fruit or flowers), pluck
קִטְקֵט (יְקַטְקֵט) פ beat flat, flatten
קָטַר (יִקְטוֹר) פ smoke, give off smoke
קַטָּר ז steam engine, locomotive
קַטָּרַאי ז engine-driver
קַטְרָב ז (mechanical) cotter-pin, split pin; cross-piece (of a yoke)
קִטְרֵב (יְקַטְרֵב) פ fasten with a cotter pin
קִטְרֵג (יְקַטְרֵג) פ prosecute; denounce
קִטְרוּג ז prosecution; denunciation
קִיא ז vomit
קֵיבָה, קֵבָה נ stomach
קִיבּוּל ז receiving, accepting; capacity
קִיבּוּלִי ת capacitive (electrical)
קִיבּוּלִית נ jerrycan, container
קִיבּוֹלֶת נ piece-work, contract work
קִיבּוּעַ ז fixing, installing
קִיבּוּץ ז kibbutz, communal settlement; gathering, collecting
קִיבּוּץ גָּלוּיוֹת ingathering of the exiles
קִיבּוּצִי ת collective, communal
קִיבּוּצִיּוּת נ collectivism, collective living
קִיבּוֹרֶת נ biceps (muscle)
קִיבֵּל (יְקַבֵּל) פ receive; accept
קִיבָּעוֹן ז fixture
קִיבֵּץ (יְקַבֵּץ) פ gather together, collect
קִיבָּר ז coarse flour
קִידֵּד (יְקַדֵּד) פ broach, cut a hole in, ream
קִידָּה נ bow, curtsey
קִידּוּד ז broaching, cutting a hole
קִידּוּחַ ז drilling, boring
קִידּוּם ז advancement, progress
קִידּוֹמֶת נ prefix
קִידּוּשׁ ז sanctification, hallowing

קִידּוּשׁ הַשֵּׁם martyrdom
קִידּוּשִׁים, קִידּוּשִׁין ז״ר marriage
קִידֵּחַ (יְקַדֵּחַ) פ drill, bore
קִידֵּם (יְקַדֵּם) פ advance, push forward; greet, welcome
קִידֵּשׁ (יְקַדֵּשׁ) פ sanctify, consecrate; betroth (a woman)
קִיהֵל (יְקַהֵל) פ assemble, convoke
קִיוָּה (יְקַוֶּה) פ hope, expect
קִיוִית נ lapwing, pewit
קִיוֵּץ (יְקַוֵּץ) פ remove thorns, clear away thorns
קִיּוּם ז fulfilment (of a promise), carrying out; confirmation; existence; preservation
קִיזּוּז ז compensation, equalization; setting off (in bookkeeping)
קִיזֵּז (יְקַזֵּז) פ compensate, set off (in bookkeeping)
קִיחָה נ taking
קַיִט ז summer holiday, vacation
קִיטּוּב ז polarization
קִיטוֹן ז bed-room
קִיטּוּעַ ז cutting off, amputation (of limb)
קִיטוֹר ז steam; thick smoke
קִיטֶל ז white robe (worn by orthodox Jews)
קִיטֵּם (יְקַטֵּם) פ cut down, chop down
קִיטַּע (יְקַטַּע) פ cut off, lop off
קִיטֵּעַ ז person with one limb amputated
קִיטֵּר (יְקַטֵּר) פ burn incense, perfume (with incense)

קִייֵּט (יְקַייֵּט) פ spend one's summer vacation
קַייְטָן ז vacationist, holidaymaker
קַייְטָנָה נ summer vacation resort; summer camp
קִייֵּם (יְקַייֵּם) פ fulfil (promise), carry out; confirm; (colloquial) hold (meeting), arrange
קַייָּם ת existing, extant, alive
קְייָם ז duration, life period; existence
קָיְימָא ת standing
קַייָּמוּת נ existence, durability
קַייְּן ת having large testicles
קִייֵּץ (יְקַייֵּץ) פ spend the summer
קַייָּץ ז fig-picker, fig-dryer
קִיכְלִי ז thrush
קִילּוּחַ ז jet
קִילּוּס ז praise
קִילּוּף ז peeling
קִילֵּחַ (יְקַלֵּחַ) פ spout, jet forth; flow
קִילֵּל (יְקַלֵּל) פ curse
קִילֵּס (יְקַלֵּס) פ praise; scorn
קִילֵּף (יְקַלֵּף) פ peel
קִילֵּשׁ (יְקַלֵּשׁ) פ thin, thin out
קִימָה נ standing up
קִימּוּחַ ז dusting with flour; addition of flour
קִימּוּט ז creasing, wrinkling; crease, wrinkle
קִימּוּם ז rebuilding, restoration
קִימּוּץ ז thrift, frugality
קִימּוּר ז arching, vaulting
קִימּוֹרֶת נ anticlinorium; arch, dome

קִימוֹשׁ ז thorn, thistle
קִימֵּחַ (יְקַמֵּחַ) פ dust with flour; mix with flour
קִימָחוֹן ז mold (on food); fungus disease
קִימֵּט (יְקַמֵּט) פ crease, wrinkle
קִימָלוֹן ז fungus disease (in lemons)
קִימֵּץ (יְקַמֵּץ) פ save, be thrifty
קִינֵּא (יְקַנֵּא) פ envy; be jealous
קִינֵּב (יְקַנֵּב) פ cut up, chop up
קִינָה נ elegy, threnody
קִינָּה ז nest, roost (of hens)
קִינּוּב ז trimming (leaves)
קִינּוּחַ ז wiping clean
קִינּוּחַ סְעוּדָה dessert
קִינּוּי ז envy, jealousy
קִינּוּן ז nesting, infesting; occupying (mind); taking hold (disease)
קִינֵּחַ (יְקַנֵּחַ) פ wipe clean
קִינָּמוֹן ז cinnamon
קִינֵּן (יְקַנֵּן) פ make one's nest, nestle; infest (insects, etc.); occupy (mind); take hold (disease)
קִיסוֹס ז ivy
קִיסוֹסִית נ greenbrier
קִיסָם ז chip, splinter; toothpick
קִיסֵּם (יְקַסֵּם) פ practise magic
קֵיסָר ז emperor, Kaiser, Czar, Caesar
קֵיסָרוּת נ empire
קֵיסָרִי ת imperial; Caesarean
קִיעוּר ז concavity
קִיעֵר (יְקַעֵר) פ make concave
קִיפָּאוֹן ז freezing; deadlock

קִיפֵּד (יְקַפֵּד) פ cut short, cut off
קִיפָּה (יְקַפֶּה) פ skim (liquid)
קִיפּוֹד ז hedgehog
קִיפּוֹדָן ז globe thistle
קִיפּוּחַ ז depriving of one's due
קִיפּוּי ז skimming; scum
קִיפּוּל ז fold(ing), pleat(ing)
קִיפּוֹן ז mullet
קִיפּוֹף ז long-tailed ape
קִיפַּח (יְקַפַּח) פ deprive of one's due, overlook; discriminate against; lose; beat, strike
קִיפֵּחַ ת very tall
קִיפֵּל (יְקַפֵּל) פ fold, pleat, roll up; include
קִיפֵּץ (יְקַפֵּץ) פ skip, leap suddenly
קַיִץ ז summer
קִיצֵּב (יְקַצֵּב) פ ration, allocate
קִיצָה נ awakening
קִיצָּה (יְקַצֶּה) פ cut off, chop off
קִיצּוּב ז rationing, allocation
קִיצוֹן ת extreme
קִיצוֹנִי ת extremist, extreme, outside (in football)
קִיצוֹנִיּוּת נ extremism
קִיצּוּעַ ז smoothing off, planing
קִיצּוּץ ז cutting off, lopping; curtailing
קִיצּוּר ז shortening; abridgement
קֵיצִי ת summer (used attributively), summery
קִיצָנִית נ carline
קִיצֵּעַ (יְקַצֵּעַ) פ plane, smooth off
קִיצֵּץ (יְקַצֵּץ) פ cut off, chop off, curtail

קִיצֵּר (יְקַצֵּר) פ — shorten, curtail, abridge
קִיק ז — castor oil seed
קִיקָיוֹן ז — castor-oil plant
קִיקְיוֹנִי ת — ephemeral, short-lived
קִיקָלוֹן ז — shame, disgrace
קִיר ז — wall
קֵירַב (יְקָרֵב) פ — bring near, bring closer; befriend
קֵירֵד (יְקָרֵד) פ — comb (a horse), scrape
קֵירָה (יְקָרֶה) פ — roof
קֵירוּב ז — bringing nearer
קֵירוּי ז — roofing
קֵירוּן ז — radiation
קֵירוּס ז — squatting, crouching; knees bent position
קֵירוּר ז — chilling, cooling
קֵירֵחַ, קֵרֵחַ ת — bald
קֵירְחוּת, קֵרְחוּת נ — baldness
קֵירַע (יְקָרַע) פ — rend, tear to pieces
קֵירֵר (יְקָרֵר) פ — chill, cool, refrigerate
קִישּׁוּא ז — squash, marrow
קִישּׁוּט ז — decorating (act of), adorning; decoration, ornament
קִישּׁוּי ז — hardening
קִישּׁוּר ז — connection, tying together; ribbon, bow
קִישׁוֹשֶׁת נ — splint
קִישׁוּת נ — squash, marrow
קִישֵּׁחַ ת — harsh, callous
קִישֵּׁט (יְקַשֵּׁט) פ — decorate, adorn, ornament
קִישֵּׁר (יְקַשֵּׁר) פ — tie, bind; connect
קִיתוֹן ז — jug
קַל ת — light; easy; nimble, swift
קַלְבּוֹסֶת נ — hip-bone
קַלְגַּס ז — soldier
קַל־דַּעַת — frivolous, light-minded
קָלָה (יִקְלֶה) פ — roast, parch; burn
קָלוּי ת — roasted, parched
קָלוֹן ז — disgrace, shame
קָלוּעַ ת — woven, plaited
קָלוּף ת — peeled, skinned
קְלוּפִית נ — skin (of a sausage)
קְלוֹקֵל ת — poor quality, "cheap", shoddy
קָלוּשׁ ת — thin (not dense); weak, flimsy
קַלּוּת נ — lightness; easiness, ease
קַלּוּת דַּעַת — frivolity, light-mindedness
קַלּוּת רֹאשׁ — levity, frivolity
קָלַח (יִקְלַח) פ — flow, gush
קֶלַח ז — head (of cabbagc); stalk
קַלַּחַת נ — large saucepan; (fig.) turmoil
קָלַט (יִקְלוֹט) פ — absorb, take in
קֶלֶט ז — reception center (military)
קִלְטוּר ז — cultivation
קַלַּטְקוֹל ז — dictaphone
קִלְטֵר (יְקַלְטֵר) פ — cultivate
קָלִי נ — parched corn
קְלִיבוֹסֶת נ — hip-bone
קְלִיד ז — key (of piano)
קְלִיטָה נ — absorption, taking in; comprehension, grasp
קְלִיָּיה נ — roasting, parching

קַלִּיל, קָלִיל ת very light, slight

קַלִּילוּת נ lightness, slightness

קָלִיעַ ז projectile, missile; bullet (of rifle)

קָלִיעַ אֲטוֹמִי atomic warhead

קְלִיעָה נ weaving, plaiting; network; target practice

קָלִיעַ מוּדְרָךְ guided missile

קָלִיף ת easily peeled

קְלִיפָה נ peeling; peel

קְלִיפָּה נ peel, shell; rind, skin, evil spirit

קְלִישׁוּת נ thinness, wateriness

קָלָל ז burnished metal

קְלָלָה נ curse; misfortune

קַלְמִית נ shepherd's pipe

קַלְמָר ז pencil-box

קַלְנוֹעַ ז motorized pedal-cycle, moped

קֶלֶס ז praise; scorn

קַלָּסָה נ scorn, derision

קְלַסְתְּרוֹן ז indentikit

קְלַסְתֵּר פָּנִים countenance, facial features

קָלַע (יִקְלַע) פ weave, plait; sling, shoot, hit

קַלָּע ז marksman

קֶלַע ז bullet

קַל־עֶרֶךְ trivial, unimportant

קִלֵּף (יְקַלֵּף) פ peel, skin

קְלָף ז parchment card, playing card

קַלְפֵּי נ ballot-box

קַלְפָן ז card-player

קִלְקוּל ז deterioration, damage; corruption (moral), sin

קִלְקוּל קֵיבָה stomach upset

קִלְקֵל (יְקַלְקֵל) פ spoil, impair, damage

קַלְקָלָה נ corrupt behavior, misconduct

קַל־רַגְלַיִם ת fleet-footed

קְלַרְנִית נ clarinet

קָלַשׁ (יִקְלוֹשׁ) פ thin, water down

קִלְשׁוֹן ז pitchfork

קֶלֶת נ fruit basket

קַלְתִּית נ tartlet

קַל־תְּפִיסָה quick-minded

קָם ז enemy, foe

קָם (יָקוּם) פ get up; stand up, rise

קָמָה נ standing crop

קָמוּט ת creased, wrinkled

קָמוּל ת withered, wilted

קָמוּץ ת clamped, closed, shut tight

קָמוּר ת convex; arched

קָמוּר־קָעוּר convexo-concave

קֶמַח ז flour; (fig.) food

קִמְחִי ת floury, mealy

קָמַט (יִקְמוֹט) פ crease, wrinkle, crumple

קֶמֶט ז crease, wrinkle

קַמְטוּט ז small wrinkle, crinkle

קַמְטָר ז chest of drawers

קָמִיז ת elastic

קְמִיזוּת נ elasticity

קְמִיחוּת נ flouriness

קָמִיט ת liable to crease

קְמִילָה נ wilting, withering

קָמִין ז stove; fireplace

קָמֵיעַ ז talisman, charm

קְמִיצָה נ fourth finger

קָמַל (יִקְמַל) פ wilt, wither, fade
קָמֵל ת withered, faded
קִמְעָה, קִמְעָא תה"פ a little, somewhat
קִמְעָה־קִמְעָה little by little
קִמְעוֹנַאי ז retailer
קִמְעוֹנוּת נ retail, retail trade
קִמְעוֹנִי ת retail
קָמַץ (יִקְמוֹץ) פ take a handful; close, shut tight
קַמְצוּץ ז pinch
קַמְצוּץ טַבַּאק a pinch of snuff
קַמְצָן ת miser
קַמְצָנוּת נ miserliness, parsimony
קַמְצָנִי ת miserly, mean
קָמַר (יִקְמוֹר) פ arch, vault, build a dome
קִמְרוֹן ז arch, vault, dome
קִמְּשׁוֹן ז nettle, thorn
קֵן ז nest, socket
ק"ן ש"מ 150
קַנָּא ת jealous
קִנְאָה נ envy; jealousy
קַנָּאוּת נ fanaticism
קַנַּאי ז fanatic, zealot
קַנָּאִי ת fanatical, zealous
קַנְאֲתָנִי ת jealous, jealous-natured
קַנָּבוֹס ז hemp
קָנָה (יִקְנֶה) פ buy, purchase; acquire, gain, win, get
קָנֶה ז stalk (of plants), stem; barrel (of a gun); cane; reed
קְנֵה מִידָּה scale; measuring-rod
קְנֵה סוּכָּר sugar-cane
קְנֵה רוֹבֶה rifle barrel
קַנּוֹא ת jealous, stern

קְנוֹבֶת נ waste leaves (on vegetables)
קָנוּט ת cross, annoyed, vexed
קָנוּי ת bought, purchased
קָנוֹן ז canon
קְנוּנְיָה נ conspiracy, intrigue
קְנוֹקֶנֶת נ tendril
קִנְטוּר ז teasing, annoying
קִנְטֵר (יְקַנְטֵר) פ tease, annoy, vex
קַנְטְרָנוּת נ quarrelsomeness, provocativeness
קַנְטְרָנִי ת provocative, quarrelsome
קְנִיבָה נ trimming waste leaves
קְנִיָּיה נ buying, purchase
קִנְיָן ז property; purchase; value, quality
קַנְיָין ז purchaser, buyer
קָנַס (יִקְנוֹס) פ fine
קְנָס ז fine
קַנְקַן ז jar, jug, flask
קִנְרֵס ז artichoke
קֶנֶת נ handle
קַסְדָּה נ helmet
קָסוּם ת enchanted, bewitched
קְסָיָה נ glove
קָסַם (יִקְסוֹם) פ practise magic; enchant, bewitch
קֶסֶם ז witchcraft; fascination, charm
קִסְמִית נ chip, splinter
קְסָסָה נ clod
קְסַרְקְטִין ז barracks
קֶסֶת נ inkwell
קָעוּר ת concave
קָעוּר־קָמוּר ת concave-convex
קְעוֹרֶת נ synclinorium

קְעִירוּת נ concavity
קִעְקוּעַ ז tattooing; destruction
קַעֲקַע ז tattooing, tattoo mark
קִעְקַע (יְקַעֲקַע) פ tattoo; destroy
קַעַר ז syncline
קְעָרָה נ bowl, basin, dish
קַעֲרוּר ז synclinal bowl
קַעֲרוּרִי ת concave
קַעֲרִי ת synclinal
קַעֲרִית נ small bowl
קָפָא (יִקְפָּא) פ freeze, solidify
קַפְּדָן ת strict, pedant
קַפְּדָנוּת נ strictness, pedantry
קַפְּדָנִי ת pedantic
קָפֶה ז coffee
קָפֶה הָפוּךְ (coll.) coffee with lots of milk
קָפֶה נָמֵס instant coffee
קָפֶה קָפוּא iced coffee
קָפוּא ת frozen, solidified, congealed
קַפּוֹטָה נ long coat (worn by orthodox Jews)
קָפוּי ת frozen, solidified, congealed
קָפוּץ ת closed tight, clenched (fist)
קְפַזְנָב ז springtail
קְפִיאָה נ freezing, solidifying
קְפִידָה נ strictness, sternness
קְפִיחָה נ beating down, stroke
קְפִיץ ז spring
קְפִיצָה נ jump(ing), leap(ing)
קְפִיצִי ת springy, elastic
קְפִיצִיּוּת נ springiness, elasticity
קְפִיצַת הַדֶּרֶךְ short cut
קִפֵּל (יְקַפֵּל) פ fold up, roll up
קֶפֶל ז fold, pleat
קַפְלֵט ז wig
קִפְלִית נ dog-ear
קַפֶּנְדַּרְיָא נ short cut
קַפְסוּלֶת נ capsule
קָפַץ (יִקְפּוֹץ) פ jump, leap
קֵץ ז end; destruction
קָץ (יָקִיץ) פ wake up
קָץ (יָקוּץ) פ loathe, abhor, detest
קָצַב (יִקְצוֹב) פ allot, assign, ration
קַצָּב ז butcher
קֶצֶב ז rhythm (music); metre (verse); beat (of pulse); tempo, rate
קִצְבָּה נ annuity, pension
קָצֶה ז end, edge
קָצוּב ת rhythmic(al); allotted, allocated
קְצוּבָּה נ allowance
קְצוּנָּה נ officer class, commissioned officers
קָצוּץ ת minced, chopped (up); cut off (tail)
קְצוֹצֶת נ clippings (of metal); trimmings
קֶצַח ז black cumin
קָצִין ז officer
קְצִינוּת נ commissioned rank, commission
קְצִין סַעַד welfare officer
קְצִין תּוֹרָן orderly officer
קְצִיעָה נ cassia (in incense)
קָצִיף ת foamy
קְצִיפָה נ foam (fruit, chocolate, etc.), whip
קָצִיץ ז mince loaf
קְצִיצָה נ mince ball, rissole; fritter

קָצִיר ז harvest; harvest season
קְצִירָה נ harvesting, reaping
קָצַף (יִקְצוֹף) פ rage, be furious
קֶצֶף ז rage, fury; foam
קַצֶּפֶת נ whipped cream
קָצַץ (יִקְצוֹץ) פ chop up, cut up
קָצַר (יִקְצוֹר) פ reap, harvest; be short
קֶצֶר ז short circuit
קְצָרוֹת תה״פ in short, briefly
קְצַר־יָד ת powerless, impotent
קְצַר־יָמִים ת short-lived
קַצְרָן ז shorthand
קַצְרָנוּת נ shorthand writer
קְצַר־קוֹמָה ת short (in stature)
קְצַרְצַר ת very short, very brief
קְצַר־רְאוּת ת short-sighted
קְצַר־רוּחַ ת impatient, short-tempered
קַצֶּרֶת נ asthma
קְצָת תה״פ a little, a few
קְצָתָם some of them
קַר ת cold
קָרָא (יִקְרָא) פ read; call, name; call out
קְרָא ז a verse of the Bible
קָרָאִי ת Karaite
קָרַב (יִקְרַב) פ draw near, approach
קְרָב ז battle; match
קִרְבָה נ proximity, nearness
קְרָבַיִם ז״ר intestines, bowels, "innards"
קְרָבִי ת battle (used attributively)
קַרְבִּית נ corvette
קִרְבַת מָקוֹם proximity

קֶרֶד ז lime (on kettles, etc.)
קַרְדָּה נ thistle
קַרְדּוֹם ז adze; ax, hatchet
קָרָה (יִקְרֶה) פ happen, occur
קָרָה נ frost
קָרוּא ת invited
קָרוֹב ת, ז near, close; relative, relation
קְרוּם ז crust, skin membrane
קְרוּמִי ת crusty, membraneous
קְרוּמִית נ thin skin, membrane
קָרוֹן ז coach (railway), carriage; cart, waggon, truck
קְרוֹנַאי ז carter, coachman
קְרוֹנוֹעַ ז Diesel car (on railways)
קְרוֹנִית נ small truck, trolley
קָרוּעַ ת torn, tattered
קָרוּץ ת formed, hewn
קָרוּשׁ ת solid, jellied
קִרְזוּל ז curling
קִרְזֵל (יְקַרְזֵל) פ curl
קֵרַח (יְקָרֵחַ) פ make bald, remove hair
קֶרַח ז ice
קַרְחוֹן ז glacier, iceberg
קָרַחַת נ baldness, bald patch
קִרְטוּם ז cutting, lopping
קַרְטוֹן ז cardboard
קִרְטֵל (יְקַרְטֵל) פ cartelize, form a cartel
קִרְטֵם (יְקַרְטֵם) פ cut, lop
קַרְטֶנֶת נ cretinism
קִרְטֵעַ (יְקַרְטֵעַ) פ fidget
קְרִי, קֶרִי ז violent opposition; nocturnal emission (of semen)

קָרֵי ז masoretic reading of the Bible
קָרִיא ת legible; readable
קְרִיאָה נ reading; call, cry
קְרִיאַת בֵּינַיִים interruption, interjection
קִרְיָה נ town, district
קַרְיָין ז announcer (radio, etc.)
קַרְיֵין (יְקַרְיֵין) פ (slang) announce
קַרְיָינוּת נ announcing
קְרִימָה נ forming a crust, forming a skin
קְרִינָה נ radiation, shining
קְרִיסָה נ kneeling, (gymnastics) knees bend position, buckling
קְרִיעָה נ tearing, rending
קְרִיצָה נ winking
קָרִיר ת cool
קְרִירוּת נ coolness
קָרִישׁ ז jelly
קְרִישׁ דָם infarct
קְרִישָׁה נ jellification, congealing
קְרִישׁוּת נ jellification, congealment
קִרְיַת אוּנִיבֶרְסִיטָה university campus
קָרַם (יִקְרַם) פ form a crust, form a skin; cover with a skin
קְרָם ז covering
קַר מֶזֶג cool-tempered
קַרְמִית נ cow-wheat
קָרֶמֶת נ diphtheria
קָרַן (יִקְרַן) פ radiate, shine
קֶרֶן נ horn; corner; ray; capital; fund
קֶרֶן הַיְסוֹד Keren Hayesod ("Foundation Fund" of the Zionist Organisation)
קֶרֶן זָוִית unobtrusive corner
קַרְנְזוֹל ז diagonal
קַרְנִי ת horny, made of horn
קֶרֶן יַעַר French horn
קַרְנֵי רֶנְטְגֶן X-rays
קַרְנִית נ cornea (of eye)
קַרְנָן ז hornwort (plant)
קַרְנַף ז rhinoceros
קֶרֶן קַיֶּמֶת לְיִשְׂרָאֵל Jewish National Fund
קָרַס (יִקְרוֹס) פ collapse, bend at the knees
קֶרֶס ז brace, hook
קַרְסוֹל ז ankle
קַרְסוּלִית נ gaiter
קִרְסוּם ז gnawing, nibbling
קִרְסֵם (יְקַרְסֵם) פ gnaw, nibble
קָרַע (יִקְרַע) פ tear, rend
קֶרַע ז tear, rent; split, schism
קַרְפָּדָה נ toad
קַרְפִּיוֹן ז carp
קַרְפִּיף ז enclosure
קִרְפֵּף (יְקַרְפֵּף) פ fence in, enclose
קָרַץ (יִקְרוֹץ) פ wink; cut off, nip off; form, fashion
קֶרֶץ ז slaughter, destruction
קִרְצוּף ז scraping, currying
קַרְצִית נ tick
קִרְצֵף (יְקַרְצֵף) פ scrape, curry
קִרְקוּר ז croaking, caw, clucking; undermining
קִרְקָס ז circus
קַרְקַע זו״נ soil, ground; land

קִרְקַע (יְקַרְקַע) פ ground (plane, pilot)
קַרְקָעִי ת of the soil or ground
קַרְקָעִית נ bottom, base
קִרְקֵף (יְקַרְקֵף) פ scalp; behead
קַרְקֶפֶת נ skull, head, scalp; head (of composite flowers)
קִרְקֵר (יְקַרְקֵר) פ croak, cluck, caw
קִרְקֵשׁ (יְקַרְקֵשׁ) פ knock, ring, rattle
קַרְקָשׁ ז ratchet brace, drill
קָרָר ז carter, coachman
קַר־רוּחַ cool-headed, composed
קָרַשׁ (יִקְרוֹשׁ) פ harden, solidify
קֶרֶשׁ ז board, plank
קֶרֶת נ town, city
קַרְתָּנוּת נ provincialism
קַרְתָּנִי ת provincial
קַשׁ ז straw
קֶשֶׁב ז attentiveness, keen listening
קָשָׁה (יִקְשֶׁה) פ harden, be hard; be difficult
קָשֶׁה ת hard; difficult; severe
קְשֵׁה־הֲבָנָה slow-witted
קְשֵׁה־חִינּוּךְ difficult to educate
קָשֶׁה לִכְעוֹס slow to anger
קָשֶׁה לִרְצוֹת hard to pacify
קְשֵׁה־עוֹרֶף stubborn
קְשֵׁה־תְּפִיסָה slow to grasp things
קַשּׁוּב ת attentive, listening
קַשׁ וּגְבָבָה trash, rubbish
קַשְׂוָה נ cup, libation-cup; valve (botany)
קָשׁוּחַ ת callous, harsh
קָשׁוֹט ז truth
קָשׁוּר ת connected, related; tied (up), bound
קָשׁוּת ת arched, vaulted
קָשׁוֹת תה״פ hard words, harsh words
קָשַׁט (יִקְשׁוֹט) פ decorate, adorn
קַשָּׁט ז interior decorator
קַשָּׁטָנוּת נ the art of decoration
קַשְׁיוּת נ hardness; severity
קַשְׁיוּת עוֹרֶף stubbornness
קָשִׁיחַ ת rigid, stiff
קְשִׁיחוּת נ rigidity, stiffness
קְשִׁיחוּת לֵב callousness, harshness
קְשִׂיטָה נ ancient coin
קָשִׁיר ת connectable, connected
קְשִׁירָה נ tieing up, binding
קָשִׁישׁ ת elderly, aged; senior
קַשִּׁישׁ ז splint (on a fracture)
קְשִׁישׁוּת נ elderliness, old age
קַשִּׁית נ straw (for cold drinks)
קִשְׁקוּשׁ נ tinkle, rattle; prattle, gabble; scribble
קִשְׁקֵשׁ (יְקַשְׁקֵשׁ) פ tinkle, rattle; prattle; scribble
קַשְׂקַשׂ ז, קַשְׂקֶשֶׂת נ scale (of fish, etc.; of armor)
קַשְׁקְשָׁן ת chatterbox, prattler
קָשַׁר (יִקְשׁוֹר) פ tie, bind; conspire
קֶשֶׁר ז knot; contact; conspiracy; signals
קַשָּׁר ז signaller (army)
קִשֵּׁשׁ (יְקוֹשֵׁשׁ) פ gather straw
קֶשֶׁת נ bow; rainbow; arc; arch
קַשָּׁת ז archer, bowman
קַשְׁתִּי ת arched, bow-shaped
קַשְׁתִּית נ retina (of the eye); fret-saw; coat-hanger

קַשְׁתָּנִית נ bow (of stringed instrument)
קַת נ butt (of a rifle), helve
קָתֶדְרָה נ chair (at a university)
קַתְרוֹס ז (ancient) lyre, lute; guitar

ר

רָאָה (יִרְאֶה) פ see; behold
רַאֲוָה נ show, display
רַאַוְתָן ז exhibitionist
רָאוּי proper, fit, suitable
רְאוּת נ sight, vision
רְאִי ז mirror
רְאָיָה נ proof, evidence
רְאִיּוּת נ visibility
רְאִיָּה נ seeing, looking
רִאְיֵן (יְרַאְיֵן) פ interview
רְאִיַּת הַנּוֹלָד foresight
רְאִינוֹעַ ז cinematograph, cinema
רְאִינוֹעִי ת cinematic
רְאֵם ז wild ox
רֹאשׁ ז head; leader, chief; top; beginning, start
רֹאשׁ, רוֹשׁ ז poison; opium
רֹאשׁ גֶּשֶׁר bridgehead
רִאשׁוֹן ת first; foremost; prime; initial
רִאשׁוֹנָה תה״פ first, firstly
רִאשׁוֹנוּת נ priority
רִאשׁוֹנִי ת first, foremost
רִאשׁוֹנִיּוּת נ primeness (of numbers); originality
רִאשׁוֹנִים ז״ר forefathers, ancestors
רָאשׁוּת נ leadership, headship
רֹאשׁ חוֹדֶשׁ New Moon
רֹאשׁ חֵץ spearhead
רָאשִׁי ת chief, principal, head
רֹאשִׁיָּה נ (football) header
רָאשֵׁי פְּרָקִים chapter headings
רֵאשִׁית נ beginning, start
רֵאשִׁית תה״פ first of all
רֵאשִׁיתִי ת primitive
רָאשֵׁי תֵּיבוֹת initials
רֹאשׁ מֶמְשָׁלָה Prime Minister
רֹאשָׁן ז tadpole
רֹאשׁ עִיר mayor
רֹאשׁ פִּנָּה cornerstone, foundation stone
רַב, רָב ת numerous, many; great, vast; mighty; poly-, multi-
רַב תה״פ enough
רַב ז Rabbi, teacher
רָב (יָרִיב) פ dispute, quarrel
רַב־אַלּוּף Lieutenant-General
רְבָב ז grease-stain
רְבָבָה נ ten thousand
רְבָבִית נ one ten thousandth part

רַבְגּוֹנִי ת	multi-colored, variegated
רַבְגּוֹנִיּוּת נ	variegation, multi-colored nature
רָבָה (יִרְבֶּה) פ	be many, be numerous
רָבוּךְ ת	soaked in hot water and lightly baked
רָבוּעַ ת	square
רָבוּץ ת	lying down (of animals)
רְבוּתָה נ	remarkable thing, great thing
רַב־חוֹבֵל	captain (of ship)
רַב־חֶסֶד	magnanimous
רַב־טוּרַאי, רַבָּ"ט ז	corporal
רַבִּי ז	Rabbi; teacher; sir! (form of address to scholars)
רְבִיב ז	light rain, drizzle
רַבִּיב ת	major (music)
רָבִיד ז	necklace
רְבִיָּה נ	propagation, natural increase
רְבִיכָה נ	flour mixed with hot water or oil
רְבִיעַ ז	quarter
רְבִיעָה נ	mating (animals); rainy season
רְבִיעוֹנִי ת	quaternary
רְבִיעִי ת	fourth
רְבִיעִיָּה נ	quartet; quadruplets
רְבִיעִית ש"מ, נ	fourth; quarter
רְבִיצָה נ	lying down (animals)
רַב־מֶכֶר	best-seller
רַבָּן ז	Rabbi; teacher
רַבָּנוּת נ	rabbinate
רַבָּנוּת רָאשִׁית	Chief Rabbinate
רַבָּנִי ת	Rabbinic
רַבָּנִית נ	rabbi's wife
רַבָּנָן ז"ר	our Rabbis
רַב־סַמָּל	sergeant-major
רַב־סֶרֶן	major (army)
רָבַע (יִרְבַּע) פ	mate (animal)
רֶבַע ז	quarter
רִבְעוֹן ז	quarterly (journal)
רְבָעִי ת	of the fourth year (of planting)
רָבַץ (יִרְבַּץ) פ	lie down (animal)
רַב־צְדָדִי	many-sided: versatile
רַב־צְדָדִיּוּת	many-sidedness; versatility
רִבְצָל ז	haversack; perfume-bag
רַב־צַלְעוֹן	polygon
רַב־קוֹלִי	polyphonic
רַבְרְבָן ת	boastful, bragging
רַבְרְבָנוּת נ	boastfulness, brag
רַבְרְבָנִי ם	boastful, bragging
רַב־שִׂיחַ	symposium
רַבָּתִי ת	great; capital (letter)
רְגַבּוּבִית נ	lump of earth, small clod
רָגוּז ת	enraged, angry
רָגוּעַ ת	relaxed, rested
רָגַז (יִרְגַּז) פ	be vexed, be angry
רַגְזָן ז	bad tempered person
רַגְזָנוּת נ	bad-temper
רָגִיל ת	ordinary, usual; used, accustomed
רְגִילוּת נ	habit, usual practice
רְגִימָה נ	stoning
רְגִינָה נ	grumbling
רְגִיעָה נ	relaxation

רָגִישׁ ת sensitive; touchy
רְגִישָׁה נ excitement
רְגִישׁוּת נ sensitivity; touchiness
רָגַל (יְרַגֵּל) פ slander, calumniate
רֶגֶל נ leg; foot
רְגֵלָה נ portulaca
רַגְלִי ז pedestrian, going on foot; (chess) pawn
רַגְלִי תה״פ on foot
רֶגֶל שְׁטוּחָה flat-foot
רָגַם (יִרְגּוֹם) פ stone
רַגָּם ז gunner, mortarman
רָגַן (יִרְגּוֹן) פ grumble
רָגַע (יִרְגַּע) פ be calm, be at rest
רֶגַע ז instant, moment
רִגְעִי ת momentary, transient
רִגְעִיּוּת נ momentary nature, transience
רַגֶּפֶת ז eclampsia
רָגַשׁ (יִרְגַּשׁ) פ be in commotion
רֶגֶשׁ ז feeling, emotion, sentiment
רַגָּשׁ ת emotional, sensitive
רִגְשָׁה נ tumult, uproar
רִגְשִׁי ת emotive, sentimental
רִגְשִׁיּוּת נ emotionalism, sentimentality
רַגְשָׁן ת emotional person; sentimental person
רַגְשָׁנוּת נ sentimentality
רַגְשָׁנִי ת sentimental, emotional
רַדַּאי ז one who removes honey from a hive
רָדָה (יִרְדֶּה) פ rule over; tyrannize
רָדוּד ת flattened; shallow
רָדוּם ת asleep; sleepy
רָדוּף ת hunted, pursued
רְדִיד ז woman's scarf
רְדִיָּה נ rule, dominion; removal (of honey, etc.)
רַדְיָן ז dictator, tyrant
רָדִים ת sleepy; lethargic
רְדִיפָה נ hunt, pursuit
רְדִיפַת כָּבוֹד pursuit of honors
רַדֶּמֶת נ lethargy; extreme sleepiness
רָדַף (יִרְדּוֹף) פ hunt, chase; persecute; seek after
רַהַב ז boasting
רָהוּט ת fluent; hasty
רַהַט ז drinking-trough
רְהֵטָא, רִיהֲטָא ז haste, hurry
רָהִיט ז article of furniture
רְהִיטָה, רְהִיטוּת נ fluency
רָהִיטִים ז״ר furniture
רוֹאֶה ז spectator, onlooker; prophet
רוֹאֶה חֶשְׁבּוֹן auditor (of accounts)
רוֹאֶה שְׁחוֹרוֹת pessimist
רוֹאִי ז video; sight
רוּאיֵן (יְרוּאיַן) פ be interviewed
רוֹב ז plenty, abundance; majority, greater part
רוֹבָאוּת נ rifle-shooting
רוֹבַאי ז rifleman
רוּבַּב (יְרוּבַּב) פ be stained
רוֹבֶד ז layer, stratum
רוֹבֶה ז rifle
רוּבָּה (יְרוּבֶּה) פ be numerous, be many, be plentiful
רוֹבֵה צַיִד ז shotgun
רוּבּוֹ כְּכוּלוֹ almost entirely

רוּבָּנִי ת majority
רוֹבַע ז quarter (of a city)
רוּבַּע (יְרוּבַּע) פ be squared, be square
רוֹב רוּבּוֹ mainly, mostly
רוֹגֵז ת irate, angry
רוֹגֶז ז rage, ire, wrath
רוֹגְזָנִי ת irate, enraged
רוֹגְלִית נ creeping vine, ground vine
רוֹגֵן ת complaining, querulous
רוֹגֵעַ ת tranquil
רוֹגַע ז stillness, quiet
רוּדַּד (יְרוּדַּד) פ be beaten flat, be flattened
רוֹדָן ז dictator, tyrant
רוֹדָנוּת נ dictatorship, tyranny
רוֹדָנִי ת dictatorial
רָוָה (יִרְוֶה) פ drink one's fill
רָוֶה ת saturated
רָוּחַ ת spacious, roomy
רוֹוֵחַ ת widespread, common
רָוַח (יִרְוַח) פ be relieved; be widespread
רוּוַּח (יְרוּוַּח) פ be spacious
רֶוַח ז profit; interval; relief, respite
רְוָחָה נ relief, respite
רְוְחִיּוּת נ profitability
רָווּי ת saturated, well-watered
רְוָיָה נ fill, saturation
רִוְיוֹן ז saturation; buttermilk
רְוִיָּה נ saturating
רַוָּק ז bachelor
רַוָּקָה נ spinster
רַוָּקוּת נ bachelorhood, spinsterhood
רַוָּקִיָּה נ apartment house for bachelors
רוֹזֵן ז baron, count
רוּחַ זו״נ wind; air, breath; soul, spirit; mind; ghost
רוֹחַב ז breadth, width
רוֹחְבִּי ת transverse
רוֹחַב לֵב generosity
רוּחַ הַקּוֹדֶשׁ divine inspiration
רוּחַם (יְרוּחַם) פ be pitied
רוּחָנִי ת spiritual, intellectual
רוּחַ פְּרָצִים draught
רוּחַץ (יְרוּחַץ) פ be washed clean
רוּחַק (יְרוּחַק) פ be placed at a distance
רוֹחַק ז distance
רוּחַ שְׁטוּת folly, stupidity
רוּחַ תְּזָזִית madness
רוֹטֶב ז sauce, gravy
רוֹטְטָנִי ת tremulous, quivering
רוּטְפַּשׁ (יְרוּטְפַּשׁ) פ be fat
רוּטַּשׁ (יְרוּטַּשׁ) פ be retouched (photography); be torn apart
רוֹךְ ז softness, delicacy
רוֹכֵב ז rider
רוֹכֶבֶת נ headpiece (chemistry)
רוּכַּז (יְרוּכַּז) פ be concentrated
רוּכַּךְ (יְרוּכַּךְ) פ be softened
רוֹכֵל ז peddler, hawker
רוֹכְלוּת נ petty trade, peddling
רוּכַּס (יְרוּכַּס) פ be fastened, be buttoned
רוֹכְסָן ז zip fastener
רוּם ז level, altitude; height

רוֹם ז height
רוֹמָאִי ת׳, ז Roman
רוּמָּה (יְרוּמֶּה) פ be cheated, be swindled
רוּמַּז (יְרוּמַּז) פ be alluded to, be hinted at
רוֹמַח ז short spear, lance
רוֹמֵם (יְרוֹמֵם) פ raise, lift up
רוֹמַם (יְרוֹמַם) פ be raised, be lifted up
רוֹמְמוּת נ elevation, supremacy
רוֹמְמוּת רוּחַ high spirits
רוֹן ז song, music
רוֹנַּן (יְרוֹנַּן) פ be heard (music), be sung
רוּסַּן (יְרוּסַּן) פ be curbed, be restrained
רוּסַּס (יְרוּסַּס) פ be sprayed
רוּסַּק (יְרוּסַּק) פ be pulped, be mashed
רוֹעַ ז badness; wickedness
רוֹעֶה ז shepherd, herdsman
רוֹעֵה רוּחַ waster, idler
רוֹעַ־לֵב malice, malevolence
רוֹעֵם ת thunderous
רוֹעֲנַן (יְרוֹעֲנַן) פ be refreshed
רוֹעַע (יְרוֹעַע) פ smash, break down
רוֹעֵץ ז obstacle, stumbling-block
רוֹעֵשׁ ת loud, noisy
רוֹפֵא ז medical doctor
רוּפָּא (יְרוּפָּא) פ be cured, be healed
רוֹפֵא אֱלִיל witch doctor
רוֹפֵא בְּהֵמוֹת veterinary doctor
רוּפַּד (יְרוּפַּד) פ be padded; be upholstered
רוּפַּט (יְרוּפַּט) פ be worn out, be worn through
רוֹפֵס ת soft; weak
רוֹפֵף ת unstable, shaky
רוֹפֵף (יְרוֹפֵף) פ make shaky, make unstable
רוֹפַף (יְרוֹפַף) פ be shaken, be made shaky
רוּפַּשׁ (יְרוּפַּשׁ) פ be muddied
רוּצָּה (יְרוּצֶּה) פ be placated, be appeased; be accepted; be satisfied
רוֹצֵחַ ז murderer, assassin
רוֹצְחָנִי ת murderous
רוּצַּע (יְרוּצַּע) פ be cut into strips
רוּצַּף (יְרוּצַּף) פ be tiled, be paved
רוֹצֵץ (יְרוֹצֵץ) פ shatter, crush
רוֹק ז spit, saliva
רוֹקֵחַ ז chemist, druggist
רוּקַּח (יְרוּקַּח) פ be mixed (spices, perfumes)
רוֹקְחוּת נ pharmacy
רוֹקֵם ז embroiderer
רוֹקֵן (יְרוֹקֵן) פ empty
רוּקַּן (יְרוּקַּן) פ be emptied
רוּקַּע (יְרוּקַּע) פ be hammered flat, be beaten flat
רוֹשׁ ז poison
רוּשַּׁל (יְרוּשַּׁל) פ be neglected, be slovenly
רוֹשֶׁם ז impression
רוֹשֵׁשׁ (יְרוֹשֵׁשׁ) פ impoverish
רוּשַּׁשׁ (יְרוּשַּׁשׁ) פ be impoverished
רוּשַּׁת (יְרוּשַּׁת) פ be covered with netting

רוֹתֵחַ ת — boiling; furious
רוּתַּח (יְרוּתַּח) פ — be boiled
רוּתַּךְ (יְרוּתַּךְ) פ — be welded
רוֹתֶם ז — broom
רוּתַּק (יְרוּתַּק) פ — be chained; be tied; be confined
רָז ז — secret
רָזָה (יִרְזֶה) פ — become thin, lose weight
רָזֶה ת — thin, lean
רָזוֹן ז — thinness, leanness
רָזִי ת — secret, mysterious
רְזִיָּה נ — loss of weight
רְזִימָה נ — wink
רַזַ"ל (רַבּוֹתֵינוּ זִכְרָם לִבְרָכָה) — initials of "our Rabbis, may their memory be blessed"
רָזַם (יִרְזוֹם) פ — wink
רָחַב (יִרְחַב) פ — widen, broaden, expand
רָחָב ת — wide, broad; spacious
רְחַב־אוֹפֶק — of wide horizons
רְחָבָה נ — city square
רַחֲבוּת נ — breadth, extent; generosity
רְחַב־יָדַיִם — extensive, spacious
רְחוֹב ז — street, road
רַחוּם ת — merciful, compassionate
רָחוּם ת — beloved, adored
רְחוֹפֶת נ — suspended load material
רָחוּץ ת — washed
רָחוֹק ת — far, distant; remote
רֵחַיִם, רֵיחַיִם ז"ז — millstone(s)
רֵחַיִם עַל צַוָּארוֹ — married (man)
רָחִים ת — darling, beloved

רְחִימָאִי — my darling, my love
רְחִימוּ נ — love
רְחִיפָה נ — suspension; hovering
רָחִיץ ת — washable
רְחִיצָה נ — washing, bathing
רְחִישָׁה נ — movement, stirring
רָחֵל, רְחֵלָה נ — ewe
רַחַם ז — womb
רֶחֶם ז — womb, uterus
רָחָם ז — Egyptian vulture
רַחֲמִים ז"ר — compassion, pity, mercy
רַחֲמָן ת — compassionate, merciful
רַחֲמָנָא ז — God the Merciful
רַחֲמָנָא לִיצְלַן — God forbid!
רַחֲמָנוּת נ — mercy, clemency
רַחֶמֶת נ — metritis
רָחַף (יִרְחַף) פ — shake, tremble
רַחֶפֶת נ — cable railway
רָחַץ (יִרְחַץ) פ — wash, bathe
רַחַץ ז — wash, bath
רַחְצָה נ — bathing place
רָחַק (יִרְחַק) פ — be far, be distant
רַחַק ז — distance
רִחְרוּחַ ז — sniffing
רִחְרֵחַ (יְרַחְרֵחַ) פ — sniff
רָחַשׁ (יִרְחַשׁ) פ — murmur; feel, sense; creep (insects)
רַחַשׁ ז — whisper, murmur
רַחֲשׁוּשׁ ז — passing thought, passing fancy
רַחַת נ — spade; tennis racquet
רָטַב (יִרְטַב) פ — be wet, be damp, be moist
רָטוֹב ת — wet, damp

רָטוּשׁ ת split open, torn apart

רֶטֶט ז trembling, quaking

רַטָּט ז vibrator

רְטִיבוּת נ wetness, dampness

רְטִיָּה נ poultice, plaster

רָטַן (יִרְטוֹן) פ mutter, grumble

רַטְנָן ז grumbler, complainer

רֵיאָה, רֵאָה נ lung

רֵיאָיוֹן ז interview; appointment

רִיב ז dispute, quarrel

רִיבָּה נ jam

רִיבָּה (יְרַבֶּה) פ increase; raise, rear; add

רִיבָה נ lass, maiden

רִיבּוֹא ז ten thousand

רִיבּוּד ז stratification

רִיבּוּי ז increase, growth; raising, breeding

רִיבּוֹן ז lord, the Lord

רִיבּוֹנוֹ שֶׁל עוֹלָם Lord Almighty

רִיבּוֹנוּת נ sovereignty

רִיבּוֹנִי ת sovereign

רִיבּוּעַ ז square; squaring (algebra)

רִיבִּית נ interest (on money)

רִיבִּית דְּרִיבִּית compound interest

רִיבִּית קְצוּצָה exorbitant interest, usury

רִיבָּס ז rhubarb

רִיבֵּעַ (יְרַבֵּעַ) פ multiply by four; repeat four times; square

רִיבֵּעַ ז member of the fourth generation, great-great-grandchild

רִיגּוּז ז rage, anger

רִיגּוּל ז spying, espionage

רִיגּוּן ז grumbling, complaining

רִיגּוּשׁ ז excitement, agitation; (psychology) emotion

רִיגּוּשִׁי ת emotional

רִיגּוּשִׁיּוּת נ emotionalism

רִיגֵּל (יְרַגֵּל) פ spy

רִיגֵּשׁ (יְרַגֵּשׁ) פ stir

רִידּוּד ז beating flat, hammering flat

רִידּוּף ז gallop

רִיהוּט ז furnishing; furniture

רִיהֵט (יְרַהֵט) פ furnish

רִיוְּוָה (יְרַוְּוֶה) פ saturate

רִיוְּוַח (יְרַוְּוַח) פ space

רִיוּוּי ז saturation

רִיזּוּן ז slimming, thinning

רֵיחַ ז smell, odor

רִיחוּף ז hovering

רִיחוּץ ז washing

רִיחוּק ז putting at a distance, moving away

רִיחוּק מָקוֹם distance

רִיחוּשׁ ז stirring; crawling (of insects)

רִיחֵם (יְרַחֵם) פ pity, show mercy to

רֵיחָנִי ת fragrant, sweet-smelling

רֵיחַ נִיחוֹחַ fragrance

רִיחֵף (יְרַחֵף) פ hover; be imminent

רִיחֵק (יְרַחֵק) פ place at a distance, remove

רִיחֵשׁ (יְרַחֵשׁ) פ crawl, creep

רִיטּוּט ז quivering, vibrating

רִיטּוּן ז muttering, grumbling

רִיטּוּשׁ ז tearing apart; retouching (photography)

רִיטֵט (יְרַטֵּט) פ quiver, quake; vibrate
רִיטֵשׁ (יְרַטֵּשׁ) פ tear apart; retouch (photography)
רִיכּוּז ז concentration
רִיכּוּזִיּוּת נ centralism, centralization
רִיכּוּךְ ז softening, softening up; annealing (metal)
רִיכֵּז (יְרַכֵּז) פ concentrate
רִיכֵּךְ (יְרַכֵּךְ) פ soften, soften up; anneal (metal)
רִיכֵּל, רִיכֵל (יְרַכֵּל, יְרַכֵל) פ (colloquial) gossip
רִיכֵּס (יְרַכֵּס) פ fasten, button
רִימָּה נ worm, maggot
רִימָּה (יְרַמֶּה) פ cheat, swindle
רִימּוּז ז hint, allusion
רִימּוּם ז uplift, elevation
רִימּוֹן ז pomegranate; grenade
רִימּוֹן־יָד hand grenade
רִימֵּז (יְרַמֵּז) פ hint at
רִינָּה נ song, music
רִינּוּן ז song; gossip
רִינֵּן (יְרַנֵּן) פ sing for joy; gossip
רִיס ז eyelash
רִיסּוּן ז curbing, restraining
רִיסּוּס ז pulverization; atomization; spraying
רִיסּוּק ז pulping, mincing, mashing; shattering (injury)
רִיסֵּן (יְרַסֵּן) פ rein in; curb
רִיסֵּס (יְרַסֵּס) פ spray; atomize; pulverize
רִיסֵּק (יְרַסֵּק) פ shatter, crush; pulp, purée, mash, mince

רִיעוּף ז tiling
רִיעֵף (יְרַעֵף) פ tile, cover with tiles
רִיפֵּא (יְרַפֵּא) פ cure, heal; treat; remedy
רִיפֵּד (יְרַפֵּד) פ spread; upholster, pad
רִיפָה נ, רִיפוֹת נ״ר grits
רִיפָּה (יְרַפֶּה) פ relax, slacken
רִיפּוּד ז upholstery; padding
רִיפּוּי ז relaxing, weakening; curing
רִיפֵּשׁ (יְרַפֵּשׁ) פ muddy
רִיצֵּד (יְרַצֵּד) פ skip, dart
רִיצָה נ running, racing
רִיצָּה (יְרַצֶּה) פ placate, appease
רִיצּוּד ז skipping, darting, jumping about
רִיצּוּי ז appeasement, placating
רִיצּוּף ז tiling, paving
רִיצּוּץ ז breaking up, crushing
רִיצֵּעַ (יְרַצֵּעַ) פ flog (with a belt), lash; cut into strips
רִיצֵּף (יְרַצֵּף) פ tile, pave
רִיצֵּץ (יְרַצֵּץ) פ crush, shatter
רֵיק ת empty, vacant
רִיק ז vacuum; emptiness
רֵיקָא, רֵיקָה ת empty head
רִיקָּבוֹן ז rot, decay
רִיקֵּד (יְרַקֵּד) פ dance; jump about
רִיקּוּד ז dance, dancing
רִיקּוּחַ ז perfumed ointment, salve
רִיקּוּן ז emptying
רִיקּוּעַ ז hammering flat, beating flat
רִיקּוּעֵי זָהָב gold leaf
רֵיק וּפוֹחֵז irresponsible, feckless

רֵיקוּת נ emptiness, vacancy
רִיקֵּחַ (יְרַקַּח) פ mix (spices, perfume), compound; dispense
רֵיקָם תה"פ, ת empty-handed; empty
רֵיקָן ת empty; empty-headed
רֵיקָנוּת נ emptiness, vacancy
רִיקֵּעַ (יְרַקַּע) פ hammer flat, beat flat; coat
רִיר ז saliva; mucus
רִירִי ת mucous
רִישׁ, רֵישׁ ז want, indigence
רֵישׁ ז head
רֵישָׁא נ beginning
רִישּׁוּי ז licensing
רִישּׁוּל ז negligence, slovenliness
רִישּׁוּם ז registration; drawing, graphic art; trace
רִישּׁוּת ז covering with netting; network
רִישֵּׁל (יְרַשֵּׁל) פ weaken, enfeeble
רִישֵּׁם (יְרַשֵּׁם) פ draw, sketch
רִישֵּׁת (יְרַשֵּׁת) פ cover with netting
רִיתָּה (יְרַתֶּה) פ show favor, wish well
רִיתּוּחַ ז boiling, stewing
רִיתּוּי ז indulgence, leniency
רִיתּוּךְ ז welding
רִיתּוּק ז joining, combining; tieing (to job, place); confinement; enthralment
רִיתֵּךְ (יְרַתֵּךְ) פ weld
רִיתֵּק (יְרַתֵּק) פ join together; tie; confine; enthral
רִיתֵּת (יְרַתֵּת) פ quiver, shiver

רַךְ (יֵרַךְ, יֵירַךְ) פ soften, become softer
רַךְ ת soft; tender
רָכַב (יִרְכַּב) פ ride
רֶכֶב ז motor vehicle; scion, graft; upper millstone
רַכָּב ז charioteer
רַכֶּבֶל ז telfer, cable railway
רַכֶּבֶת נ railway train; (colloquial) ladder in stocking
רַכֶּבֶת תַּחְתִּית underground railway
רָכוּב ת mounted, riding; ridden
רְכוּבָּה נ knee-cap
רְכוּבָּה נ stirrup
רְכוּלָּה נ merchandise, wares
רָכוּן ת stooping, leaning over
רָכוּס ת fastened, buttoned
רְכוּשׁ ז property; capital
רְכוּשָׁנוּת נ capitalism
רְכוּשָׁנִי ת capitalistic
רַכּוּת נ softness; tenderness
רַכּוּת תה"פ softly, gently, tenderly
רַכָּז ז organizer, co-ordinator
רַכֶּזֶת נ switchboard
רְכִיב ז component
רְכִיבָה נ riding
רְכִיךְ, רַכִּיךְ ת softish, somewhat soft
רַכִּיכָה נ, רַכִּיכוֹת נ"ר mollusc(s)
רַכִּיכוּת, רְכִיכוּת נ softness, slight softness
רְכִיל ז backbiting, gossip
רְכִילַאי ז gossip, backbiter
רְכִילוּת נ gossip, slander
רָכִין ת tipping
רְכִיסָה נ fastening, buttoning

רְכִישָׁה נ acquiring, acquisition
רַכִּית נ rickets, rachitis
רַכֶּכֶת נ rickets, rachitis
רָכַל (יִרְכּוֹל) פ peddle
רַךְ־לֵב cowardly, timorous
רַכְלָן ז gossip, slanderer, gossip-monger
רַכְלָנוּת נ gossip-mongering
רָכַן (יִרְכּוֹן) פ stoop, lean over
רָכַס (יִרְכּוֹס) פ fasten, button
רֶכֶס ז ridge, range; cuff link
רִכְפָּה נ mignonette
רַכְרוּכִי ת soft; pliant, unstable
רַכְרוּכִיּוּת נ softness; instability, pliancy
רַכְרַךְ ת delicate, soft
רִכְרֵךְ (יְרַכְרֵךְ) פ soften a little
רָכַשׁ (יִרְכּוֹשׁ) פ acquire, obtain
רֶכֶשׁ ז purchase of arms
רָם ת high, lofty
רָם (יָרוּם, יָרוֹם) פ rise aloft, rise up
רַמָּאוּת נ swindling, cheating
רַמַּאי ת swindler, cheat
רָמָה (יִרְמֶה) פ hurl, cast
רָמָה נ hill, height; level, standard
רָמוּז ת hinted at, alluded to
רָמוּס ת trampled, trodden
רָמוּץ ת roasted in hot ashes
רָמַז (יִרְמוֹז) פ hint, gesticulate
רֶמֶז ז hint; gesture
רֶמֶז דַּק gentle hint
רַמְזוּז ז slight hint
רַמְזוֹר ז traffic light(s)
רַמַ"ח אֵיבָרִים 248 bodily organs
רַמַטְכָּ"ל (רֹאשׁ הַמַּטֶּה הַכְּלָלִי) Chief of Staff
רְמִיזָא ז hint
רְמִיזָה נ hinting; gesticulation
רְמִיָּה נ falsehood, deceit
רְמִיסָה נ trampling, treading
רַם־לֵב haughty
רַמָּם ז booster
רַם־מַעֲלָה of high degree, very important
רַמָּן ז grenade-thrower, grenadier
רָמַס (יִרְמוֹס) פ trample, stamp
רָמַץ (יִרְמוֹץ) פ roast in hot ashes
רֶמֶץ ז hot ashes
רַמְקוֹל ז loudspeaker
רַם־קוֹמָה ת tall
רָמַשׂ (יִרְמוֹשׂ) פ creep, crawl
רֶמֶשׂ ז creeping things (insects)
רָמַת חַיִּים standard of living
רָן (יָרוֹן) פ sing, chant
רְנָנָה נ joyful music, songs of joy
רָסוּס ת bespangled, sprinkled
רָסוּק ת crushed, shattered; minced
רְסִיס ז splinter, shrapnel, fragment; drop
רֶסֶן ז bridle; restraint
רָסַס (יָרוֹס, יִרְסוֹס) פ sprinkle, spray
רֶסֶק ז purée, mash
רַע, רָע ת bad; evil, wicked; malignant
רַע, רָע ז badness, wickedness; harm
רֵעַ ז friend, companion
רָעֵב (יִרְעַב) פ be hungry, feel hungry; crave
רָעֵב ת hungry; craving

רָעָב ז hunger; famine
רְעָבוֹן ז hunger
רַעַבְתָן ת glutton, voracious eater
רַעַבְתָנוּת נ voracity, greed
רָעַד (יִרְעַד) פ tremble, shiver
רַעַד ז shiver, shudder
רְעָדָה נ shivering
רַעֲדוּד ז tremolo
רָעָה (יִרְעֶה) פ herd, shepherd; lead; pasture
רָעָה נ evil deed, wickedness
רֵעֶה ז friend, companion
רֵעָה נ friend, companion
רָעָה חוֹלָה a serious trouble
רָעוּל ת veiled
רָעוּעַ ת dilapidated, decrepit, unstable
רֵעוּת נ friendship
רְעוּת נ pasturing
רְעוּת רוּחַ vanity, futility
רְעִידָה נ quaking, trembling
רְעִידַת אֲדָמָה earthquake
רַעְיָה נ wife, spouse
רַעְיוֹן ז idea, notion, thought
רַעְיוֹנִי ת notional, intellectual
רַעְיוֹן רוּחַ folly, nonsense
רְעִיָּה נ putting out to pasture, grazing
רְעִימָה נ thundering; backfire (from an exhaust)
רְעִיעוּת נ dilapidation, shakiness
רְעִיפָה נ dripping, trickling
רָעִישׁ ת seismic
רְעִישָׁה נ making a noise
רְעִישׁוּת נ noise, din

רַעַל ז poison
רַע־לֵב wicked
רְעָלָה נ veil
רַעֲלָן ז toxin
רַעֶלֶת נ toxicosis
רָעַם (יִרְעַם) פ thunder, roar
רַעַם ז thunder
רַעְמָה נ mane
רִעֲנוּן ז refreshing, freshening
רִעֲנֵן (יְרַעֲנֵן) פ refresh, freshen
רַעֲנָן ת fresh, refreshed
רַעֲנָנוּת נ freshness
רָעַף (יִרְעַף) פ drizzle, drip
רַעַף ז tile, roof-tile
רָעַץ (יִרְעַץ) פ crush, shatter
רָעַשׁ (יִרְעַשׁ) פ quake; make a noise
רַעַשׁ ז noise, din; earthquake
רַעֲשִׁי ת seismic
רַעֲשִׁיּוּת נ seismicity
רַעֲשָׁן ז noisy person; rattle (toy)
רַעֲשָׁנוּת נ noisiness
רַעֲשָׁנִי ת noisy, clamorous; blatant
רַף ז shelf
רָפָא (יִרְפָּא) פ cure, heal
רְפָאוּת נ medicine, cure
רְפָאִים ז״ר ghosts, spirits of the dead
רֶפֶד ז padding
רַפָּד ז upholsterer
רָפָה (יִרְפֶּה) פ lose strength, grow weak
רָפֶה ת weak, flabby
רְפוּאָה נ recovery; medicine, cure; medical science

רְפוּאָה שְׁלֵמָה!	"complete recovery!" (said to anyone ill)
רְפוּאִי ת	medical
רָפוּי ת	slack, lax
רָפוּף ת	shaky, flimsy
רָפִיא ת	curable
רְפִיד ז	lining, cushion (mechanical)
רְפִידָה נ	inner sole
רִפְיוֹן ז	infirmity, debility; slackness, looseness
רִפְיוֹן יָדַיִים	impotence, weakness
רְפִיסוּת נ	softness, weakness
רְפִיפוּת נ	shakiness, instability
רָפַס (יִרְפּוֹס) פ	trample, tread down; be soft, be frail
רִפְסֵד (יְרַפְסֵד) פ	sail a raft
רַפְסוֹדַאי ז	raftsman
רַפְסוֹדָה נ	raft
רָפַף (יִרְפּוֹף) פ	be shaky, be unstable
רְפָפָה נ	slat, lath; lattice
רִפְרוּף ז	fluttering, hovering
רִפְרֵף (יְרַפְרֵף) פ	flutter, hover; examine superficially
רַפְרָף ז, רַפְרָפִים ז״ר	hawk moth
רַפְרָף ז	(wireless) wobbulator
רַפְרֶפֶת נ	blancmange, custard pudding
רָפַשׂ (יִרְפּוֹשׂ) פ	muddy, befoul; trample, tread down
רֶפֶשׁ ז	mud, mire
רֶפֶת נ	cowshed
רַפְתָּן ז	cowman
רַפְתָּנוּת נ	dairy-farming
רָץ (יָרוּץ) פ	run
רָץ ז	courier, envoy; half-back (football); bishop (chess)
רָצָה (יִרְצֶה) פ	want, wish; be pleased with
רָצוּי ת	desirable, expedient
רָצוֹן ז	desire, wish; will; goodwill
רְצוֹנִי ת	voluntary
רְצוּעָה נ	strap; strip
רָצוּף ת	continuous, non-stop; attached; paved
רָצוּף בָּזֶה, ר״ב	enclosed herewith
רָצוּץ ת	broken, crushed
רָצַח (יִרְצַח) פ	murder
רֶצַח ז	murder
רַצְחָנִי ת	murderous
רְצִיחָה נ	murder
רְצִיָּה נ	wish; willingness
רְצִינוּת נ	seriousness; gravity
רְצִינִי ת	serious; grave
רְצִיעָה נ	piercing with an awl
רָצִיף ז	platform; wharf, quay
רָצִיף ת	continuous
רְצִיפוּת נ	continuity
רָצַע (יִרְצַע) פ	pierce with an awl
רַצְעָן ז	leatherworker; shoemaker, cobbler
רַצְעָנִיָּה נ	leatherworker's workshop
רַצָּף ז	paver, floor-layer
רֶצֶף ז	continuity, duration
רִצְפָּה נ	floor; ember
רַצָּפוּת נ	paving, floor-laying
רָצַץ (יִרְצוֹץ, יָרוֹץ) פ	crush, shatter
רִצְרֵץ (יְרַצְרֵץ) פ	rustle, rattle
רַק תה״פ	only
רָקַב (יִרְקַב) פ	rot, decay, go bad

רָקָב ז decayed matter
רֶקֶב ז plant rot
רַקְבּוּבִי ת putrescent, rotten
רַקְבּוּבִית נ rot, decay
רַקְבִּיבוּת נ rot, corruption
רָקַד (יִרְקוֹד) פ dance
רַקְדָן ז dancer
רַקָּה נ temple
רָקוּב ת rotten, decayed
רָקַח (יִרְקַח) פ dispense (medicine)
רַקָּחוּת נ dispensing (medicines), pharmacy
רָקִיב ת tending to rot easily
רְקִיבוּת נ proneness to rot
רְקִימָה נ embroidery
רָקִיעַ ז sky, heaven
רָקִיעַ ת ductile, malleable
רְקִיעָה נ stamping (of feet)
רָקִיק ז wafer
רְקִיקָה נ spitting, expectoration
רָקַם (יִרְקוֹם) פ embroider; fashion
רָקָם, רֶקֶם ז embroidery
רִקְמָה נ embroidery; tissue
רָקַע (יִרְקַע) פ stamp (foot), trample; beat into sheets
רֶקַע ז background, setting
רַקֶּפֶת נ cyclamen
רָקַק (יִרְקוֹק, יָרוֹק) פ spit, expectorate
רְקָק, רֶקֶק ז shoal, shallow; swamp
רְקָקִית נ spittoon, cuspidor
רָר (יָרִיר) פ salivate (spit)
רָשׁ ת poor, destitute
רַשַּׁאי ת entitled, authorized
רָשׁוּי ת licensed

רָשׁוּם ת registered; recorded
רְשׁוּמָה נ record
רְשׁוּמוֹת נ״ר minutes; official gazette
רָשׁוּת נ authority
רְשׁוּת נ permission, permit; option; possession
רָשׁוּת ת net-like, of net
רְשׁוּת הַיָּחִיד private place
רְשׁוּת הָרַבִּים public place
רָשׁוּת מְקוֹמִית local authority
רִשָׁיוֹן ז licence
רִשְׁיוֹן נְהִיגָה driving licence
רְשִׁימָה נ list; short article (in a newspaper)
רַשְׁלָן ז slovenly person
רַשְׁלָנוּת נ slovenliness; carelessness, negligence
רַשְׁלָנִי ת slovenly; careless
רָשַׁם (יִרְשׁוֹם) פ note down, register; list; draw, sketch
רַשָּׁם ז registrar
רִשְׁמִי ת official
רִשְׁמִיּוּת נ formality
רִשְׁמִית תה״פ officially
רְשַׁמְקוֹל ז tape-recorder
רְשַׁמְקֶשֶׁת ז cyclograph
רָשַׁע (יִרְשַׁע) פ do wrong, act wickedly
רָשָׁע ת, ז wicked; villain
רֶשַׁע ז wickedness, evil
רִשְׁעָה נ wickedness, iniquity
רִשְׁעוּת נ wickedness, malice
רֶשֶׁף ז spark; flash
רִשְׁרוּשׁ ז rustle
רִשְׁרֵשׁ (יְרַשְׁרֵשׁ) פ rustle

רֶשֶׁת נ net, network
רִשְׁתִּי ת of net, made of net
רִשְׁתִּית נ retina
רָתוּחַ ת boiled
רָתוּם ת harnessed, hitched
רַתּוּק ז chain, cable
רַתּוּקָה, רְתוּקָה נ chain
רָתַח (יִרְתַּח) פ boil, rage
רִתְחָה נ boiling; fury, rage
רַתְחָן ת bad-tempered person
רַתְחָנוּת נ irascibility, tetchiness
רְתִיחָה נ boiling; effervescence
רָתִיךְ ת weldable
רְתִיכוּת נ weldability
רְתִיעָה נ flinching, quailing; recoil
רַתָּךְ ז welder
רַתָּכוּת נ welding
רָתַם (יִרְתּוֹם) פ harness, hitch
רִתְמָה נ harness
רֶתַע ז recoiling
רָתַת (יִרְתַּת) פ shake, tremble
רֶתֶת ז trembling, quaking

ש

שֶׁ... that, which; because
שָׁאַב (יִשְׁאַב) פ draw, pump; derive, obtain
שָׁאֶבֶת נ bailer
שָׁאַג (יִשְׁאַג) פ roar (like a lion), bellow
שְׁאָגָה נ roar, bellow
שָׁאוּב ת drawn (water); (fig.) derived
שְׁאוֹל זו״נ Sheol, the underworld
שָׁאוּל ת borrowed
שָׁאוֹן ז roar, noise
שְׂאוֹר ז leaven
שְׁאָט ז contempt
שָׁאַט (יִשְׁאַט) פ despise, be contemptuous of
שְׁאָט נֶפֶשׁ contempt
שְׁאִיבָה נ drawing (water from a well), pump; (fig.) deriving
שְׁאִיָּה נ desolation
שְׁאִילָה נ borrowing
שְׁאִילְתָּה נ question (in Parliament)
שְׁאִיפָה נ breathing in, inhaling; aspiration
שָׁאִיר ז surviving relative
שָׁאַל (יִשְׁאַל) פ ask; ask for, request; borrow
שְׁאֵלָה נ question; request; problem

שְׁאֵלוֹן ז	questionnaire
שְׁאֵלַת תָּם	a plain question
שָׁאנִי ת	different
שַׁאֲנַן פ (רק בעבר)	be tranquil, be serene
שַׁאֲנָן ת	tranquil, serene
שַׁאֲנָנוּת נ	tranquillity, serenity
שָׁאַף (יִשְׁאַף) פ	breathe in; (fig.) aspire
שַׁאֲפָן ת	ambitious person
שַׁאֲפָנוּת נ	ambition
שַׁאֲפָנִי ת	ambitious
שְׁאַפְתָּן ז	ambitious man
שְׁאַפְתָּנוּת נ	ambitiousness
שְׁאַפְתָּנִי ת	ambitious
שָׁאַר (יִשְׁאַר) פ	be left, remain
שְׁאָר ז	the rest, the remainder
שְׁאֵר ז	kinsman
שְׁאֵר בָּשָׂר	blood relation
שְׁאֵרִית נ	remainder, remnant
שְׁאָר־רוּחַ	nobility of mind
שְׂאֵת נ	exaltation, majesty
שָׂב ת	old, grey-haired
שָׁב (יָשׁוּב) פ	return, come (or go) back; repeat
שֵׁב	sit down! (imper. of יָשַׁב q.v.)
שָׂב (יָשִׂיב) פ	become old
שָׁבָב ז, שְׁבָבִים ז״ר	splinter, chip (of wood), shaving (wood or metal)
שָׁבָה (יִשְׁבֶּה) פ	capture, take prisoner
שְׁבוֹ ז	agate
שָׁבוּי ת, ז	captured; prisoner-of-war, captive
שָׁבוּעַ ז	week
שְׁבוּעָה נ	oath
שְׁבוּעוֹן ז	weekly journal
שָׁבוּעוֹת, חַג הַשָּׁבוּעוֹת	Pentecost, the Feast of Weeks, Shavuot
שְׁבוּעִי ת	weekly
שְׁבוּעַת שָׁוְא	vain oath
שְׁבוּעַת שֶׁקֶר	false oath
שָׁבוּר ת	broken, fractured
שְׁבוּת נ	return
שֶׁבַח, שְׁבָח ז	praise; improvement
שְׁבָחָה נ	praise
שֶׁבַח מְקַרְקְעִין	increased value of landed property
שֵׁבֶט ז	rod; sceptre; tribe
שְׁבָט ז	Shevat (January-February)
שְׁבַטְבָּט ז	equisetum
שִׁבְטִי ת	tribal
שְׁבִי ז	captivity; captives
שָׁבִיב ז	spark
שְׁבִיב תִּקְוָה	a spark of hope
שְׁבִיָּה נ	captivity
שָׁבִיט ז	comet
שְׁבִיָּיה נ	taking prisoner; captives
שְׁבִיל ז	pathway
שְׁבִיל הַזָּהָב	the golden mean
שְׁבִיל הֶחָלָב	the Milky Way
שָׁבִיס ז	woman's head ornament
שְׂבִיעָה נ	feeling of satisfaction
שְׁבִיעוֹנִי ת	seven-month baby
שְׂבִיעוּת נ	satiety
שְׂבִיעוּת רָצוֹן	satisfaction
שְׁבִיעִי ת	seventh
שְׁבִיעִיָּה נ	septet; set of seven
שָׁבִיר ת	breakable, fragile

שְׁבִיר ז	diopter
שְׁבִירָה נ	breaking, fracturing, breakage
שְׁבִירוּת נ	fragility
שְׁבִית נ	captivity
שְׁבִיתָה נ	strike
שְׁבִיתַת נֶשֶׁק	armistice, truce
שְׁבִיתַת רָעָב	hunger strike
שְׁבִיתַת שֶׁבֶת	sit-down strike
שְׂבָכָה נ	lattice, trellis, grid
שַׁבְּלוּל ז	snail
שַׁבְּלוֹנָה נ	pattern, model; stereotype
שַׁבְּלוֹנִי ת	stereotyped, hackneyed
שָׂבַע (יִשְׂבַּע) פ	eat one's fill
שָׂבֵעַ ת	satisfied; sated
שָׂבָע ז	plenty, satiety
שֶׁבַע ש״מ	seven (fem.)
שִׁבְעָה ש״מ	seven (masc.)
שָׂבְעָה, שׂוֹבְעָה נ	satiety, satisfaction
שִׁבְעָה־עָשָׂר	seventeen (masc.)
שִׁבְעִים ש״מ	seventy
שַׁבְעִית נ	septet
שְׁבַע־עֶשְׂרֵה	seventeen (fem.)
שְׂבַע־רָצוֹן	satisfied, content
שִׁבְעָתַיִם ש״מ	seven times; sevenfold
שָׁבָץ ז	death throes, convulsion
שָׁבַק (יִשְׁבּוֹק) פ	forsake, abandon
שֶׂבֶר ז	hope, expectation
שָׁבַר (יִשְׁבּוֹר) פ	break, fracture (limb)
שֶׁבֶר ז	break, breaking, fracture; fragment; rupture, hernia; fraction; disaster
שְׁבְרִיר ז	fragment, splinter
שֶׁבֶר־כְּלִי	(fig.) weakling
שֶׁבֶר עָנָן	cloudburst
שַׁבְשֶׁבֶת נ	weathercock, weather-vane
שַׁבְּשְׁתָּא נ	mistake
שָׁבַת (יִשְׁבּוֹת) פ	cease, stop; rest; strike
שֶׁבֶת נ	sitting
שַׁבָּת נ	Sabbath, seventh day; day of rest
שַׁבְּתַאי ז	Saturn
שַׁבְּתַאי הַשָּׁקֵד	saturniid (moth)
שַׁבְּתָה נ	meningitis
שַׁבָּתוֹן ז	complete rest; sabbatical
שַׁבַּתִּי ת	of the Sabbath
שָׂגַב (יִשְׂגַּב) פ	be strong, be great, be high
שֶׂגֶב ז	greatness, sublimity
שָׁגַג (יִשְׁגּוֹג) פ	sin in error, be mistaken
שְׁגָגָה נ	inadvertent sin; mistake
שָׂגָה (יִשְׂגֶּה) פ	prosper, rise
שָׁגָה (יִשְׁגֶּה) פ	make a mistake, err
שָׁגוּר ת	fluent; usual, habitual
שַׂגִּיא ת	great, sublime, exalted
שְׁגִיאָה נ	mistake, error
שַׂגִּיב ת	great, sublime
שְׁגִירוּת נ	fluency; habitual use
שָׁגַל (יִשְׁגַּל) פ	have sexual intercourse with (a woman)
שֵׁגָל נ	concubine
שִׁגְלוֹנָה נ	concubine
שֶׁגֶם ז	tenon (wood), tongue (wood or metal), spline
שִׁגְעוֹנִי, שִׁיגְעוֹנִי ת	insane, crazy
שֶׁגֶר ז	young (of animals)

routine; fluency (of speech)	שְׂגֵרָה, שִׂיגְרָה נ
ambassador	שַׁגְרִיר ז
embassy	שַׁגְרִירוּת נ
routine, habitual	שִׁגְרָתִי ת
routinism, red tape	שִׁגְרָתָנוּת נ
flourish, thrive	שָׂגְשֵׂג (יְשַׂגְשֵׂג) פ
flourishing progress, thriving	שִׂגְשׂוּג ז
breast	שַׁד, שֹׁד ז ר׳ שָׁדַיִים
rob, loot	שָׁד (יָשׁוּד) פ
devil, demon	שֵׁד ז
fieldcraft (military), field training	שָׂדָאוּת נ
rob, loot	שָׁדַד (יִשְׁדּוֹד) פ
little devil	שֵׁד מִשַּׁחַת
demon (female), devil (female)	שֵׁדָה נ
field	שָׂדֶה ז
fallow land	שָׂדֶה־בּוּר
magnetic field	שָׂדֶה מַגְנֶטִי
minefield	שָׂדֶה־מוֹקְשִׁים
battlefield	שָׂדֶה־קֶטֶל, שָׂדֵה־קְרָב
field of vision	שָׂדֵה־רְאִיָּה
airfield	שָׂדֵה־תְּעוּפָה
robbed, looted	שָׁדוּד ת
imp, little devil	שֵׁדוֹן ז
blighted, blasted; meaningless, empty	שָׁדוּף ת
Almighty (epithet for God)	שַׁדַּי ת
robbery, looting	שְׁדִידָה נ
suitable for broadcasting	שָׁדִיר ת
match-maker	שַׁדְכָן ז
match-making	שַׁדְכָנוּת נ
field (of grain or fruit)	שְׂדֵמָה נ

blight (crops), blast	שָׁדַף (יִשְׁדּוֹף) פ
collector (for Jewish institutes of learning)	שַׁדָּ״ר ז
(tree) birch; broadcaster	שַׁדָּר ז
broadcasting transmission	שֶׁדֶר ז
spine, backbone	שִׁדְרָה נ
avenue (of trees); column (of troops); class (of society), rank	שְׂדֵרָה נ
keelson	שִׁדְרוֹן ז
keel	שִׁדְרִית נ
rickets	שַׁדֶּרֶת נ
lamb	שֶׂה זו״נ
witness	שָׂהֵד ז
stay; tarry, linger	שָׁהָה (יִשְׁהֶה) פ
delayed	שָׁהוּי ת
leisure, sufficient time	שָׁהוּת נ
rest (music)	שְׁהִי ז
stay, wait; delay	שְׁהִיָּיה נ
transparent pretext, excuse for delay	שְׁהִ״י פֶּה״י
moon	שַׂהַר ז
moon-shaped ornament	שַׂהֲרוֹן ז
rising, crest	שֹׂוא ז
water-drawer	שׁוֹאֵב ז
dust extractor, vacuum cleaner	שׁוֹאֵב־אָבָק
vacuum cleaner	שׁוֹאֲבָק ז
the crest of the waves	שֹׂוא גַּלִּים
catastrophe, holocaust	שׁוֹאָה נ
questioner; borrower	שׁוֹאֵל ז
	שׁוּב פ, ר׳ שָׁב
again	שׁוּב תה״פ
be chipped, be whittled	שׁוּבַּב (יְשׁוּבַּב) פ

שׁוֹבֵב (יְשׁוֹבֵב) פ restore, put back; go astray
שׁוֹבַב (יְשׁוֹבַב) פ be restored, be regularized
שׁוֹבָב ת naughty (child), mischievous
שׁוֹבְבוּת נ naughtiness, misbehavior
שׁוּבָה נ calm, repose
שׁוֹבֵה לֵב captivating
שׁוּבַּח (יְשׁוּבַּח) פ be praised; be praiseworthy
שׂוֹבֶךְ ז network; tangle of boughs
שׁוֹבֶךְ, שׁוֹבָךְ ז dove-cote
שׁוֹבֶל ז train (of a dress); wake (of a ship)
שׂוֹבַע ז satisfaction, satiety
שׂוֹבְעָה, שָׂבְעָה נ satisfaction, satiety
שׁוּב פַּעַם once again
שׁוּבַּץ (יְשׁוּבַּץ) פ be chequered; be marked out in squares; be graded; be set (jewel)
שׁוֹבֵר ז voucher, warrant (travel)
שׁוּבַּר (יְשׁוּבַּר) פ be shattered (lit. and fig.)
שׁוֹבֵר־גַּלִּים breakwater
שׁוֹבֵר־רוּחַ windbreak
שׁוּבַּשׁ (יְשׁוּבַּשׁ) פ be corrupt (text), be full of mistakes, be thrown into disorder
שׁוֹבֵת ז striker
שׁוֹגֵג ת erring
שׁוּגַּם (יְשׁוּגַּם) פ be joined, be mortised (wood)
שׁוּגַּע (יְשׁוּגַּע) פ be driven mad, be maddened

שׁוֹגֵר ז consignor
שׁוּגַּר (יְשׁוּגַּר) פ be sent, be despatched, be launched (satellite)
שׁוֹד ז robbery, rapine, plunder
שׁוֹדֵד ז robber, bandit
שׁוּדַּד (יְשׁוּדַּד) פ be laid waste, be ravaged
שׂוּדַּד (יְשׂוּדַּד) פ be harrowed
שׁוּדַּךְ (יְשׁוּדַּךְ) פ be brought together (by a marriage-broker)
שׁוּדַּל (יְשׁוּדַּל) פ be coaxed, be persuaded
שׁוּדַּר (יְשׁוּדַּר) פ be broadcast, be transmitted (by radio)
שׁוֹהַם ז onyx
שָׁוְא ז falsehood; vanity
שְׁוָא ז sheva
שְׁוָאִי ת pointed with a sheva
שָׁוָה (יִשְׁוֶה) פ be equal, be comparable
שָׁוֶה ת equal, equivalent; worth
שָׁוֶה בְּשָׁוֶה equally, in equal shares
שְׁוֵה־זְכוּיוֹת with equal rights
שָׁוֶה לְכָל נֶפֶשׁ suitable for everyone
שְׁוֵה־נֶפֶשׁ indifferent
שְׁוֵה־עֵרֶךְ equal in value
שָׁוֶה פְּרוּטָה of little value
שְׁוֵה צְלָעוֹת equilateral (triangle)
שׁוֹוִי ז worth, value
שִׁוְיוֹן ז equality, equivalence
שִׁוְיוֹן־זְכוּיוֹת equality of rights
שִׁוְיוֹן נֶפֶשׁ indifference, equanimity

שָׁוִויק ת — marketable
שֶׁוַע ז, שַׁוְעָה נ — cry for help
שׁוּוַּק (יְשׁוּוַּק) פ — be marketed
שַׁוָּר ז — dancer; rope-dancer
שׁוּזַּר (יְשׁוּזַּר) פ — be twisted, be twined
שׁוּחַד (יְשׁוּחַד) פ — be bribed
שׁוֹחַד ז — bribe
שׁוּחָה נ — deep trench
שׁוּחזַר (יְשׁוּחזַר) פ — be reconstructed
שׂוֹחַח (יְשׂוֹחֵחַ) פ — talk, converse
שׁוֹחֵט ז — slaughterer
שׁוּחַף (יְשׁוּחַף) פ — be consumptive
שׂוֹחֵק ת — laughing, merry
שׁוּחַק (יְשׁוּחַק) פ — be worn away
שׁוֹחֵר ז — friend, supporter; seeker
שׁוּחרַר (יְשׁוּחרַר) פ — be set free;
be released
שׁוֹט ז — whip
שׁוֹטֶה ת — stupid, silly
שׁוּטָה (יְשׁוּטֶה) פ — be mocked,
be jeered at
שׁוּטַח (יְשׁוּטַח) פ — be flattened
שׁוֹטֵט (יְשׁוֹטֵט) פ — rove; loiter
שׁוֹטְטוּת נ — loitering, vagrancy
שׁוּטִית נ — skiff
שׁוֹטֵף ת — continuous, running;
current; swiftly running
שׁוֹטֵר ז — policeman, constable
שׁוֹטֵר־חֶרֶשׁ — detective
שׁוֹטֵר מַקּוֹפִי — policeman on the beat
שׁוֹטֵר תְּנוּעָה — traffic policeman
שׁוּיַּךְ (יְשׁוּיַּךְ) פ — be ascribed,
be attributed
שׁוּיַּף (יְשׁוּיַּף) פ — be filed
שׂוֹךְ ז — booth; bough

שׂוֹךְ פ, ר׳ שָׂךְ
שׂוֹכָה נ — bough, branch
שׁוּכַּח (יְשׁוּכַּח) פ — be forgotten
שׁוּכַּךְ (יְשׁוּכַּךְ) פ — be calmed,
be appeased
שׁוּכַּל (יְשׁוּכַּל) פ — be crossed
(arms or legs)
שׁוּכַּל (יְשׁוּכַּל) פ — be left childless
שׁוּכלַל (יְשׁוּכלַל) פ — be perfected,
be improved
שׁוּכַּן (יְשׁוּכַּן) פ — be housed,
be provided with housing
שׁוּכנַע (יְשׁוּכנַע) פ — be convinced
שׁוּכפַּל (יְשׁוּכפַּל) פ — be duplicated
שׂוֹכֵר ז — hirer, lessee
שׁוּל ז — edge, margin
שׁוֹלֶב ז — interlock
שׁוּלַּב (יְשׁוּלַּב) פ — be interwoven,
be interlocked
שׁוּלהַב (יְשׁוּלהַב) פ — be set alight,
be inflamed
שׁוּלַּח (יְשׁוּלַּח) פ — be sent away
שׁוּלחָן ז — table; desk
שׁוּלחָנִי ז — money-changer, banker
שׁוּלחָנִית נ — plane-table
שׁוּלחָן עָגוֹל — round table
שׁוּלחָן עָרוּךְ — table laid for a meal;
Shulhan Arukh – code of
Jewish religious laws
שׁוּלַּט (יְשׁוּלַּט) פ — be signposted
שׁוּלטָאן ז — Sultan
שׁוּלטָנִי ת — domineering
שׁוּליָה, שְׁוּליָה נ — apprentice
שׁוּלַיִים ז״ז — edge, brim (of hat);
margins (of a book)

שׁוֹלֵל ז one who says no, opponent
שׁוֹלָל ת stripped, deprived, bereft
שׁוֹלַל (יְשׁוֹלַל) פ be devoid of, be deprived of
שׁוֹלַל (יְשׁוֹלַל) פ be deprived of, be devoid of
שׁוֹלְלוּת נ negation, opposition
שׁוּלַם (יְשׁוּלַם) פ be paid
שׁוּלַשׁ (יְשׁוּלַשׁ) פ be tripled, be trebled
שׁוּלְשַׁל (יְשׁוּלְשַׁל) פ be dropped in, be posted
שׁוּם ז garlic; something, anything
שׁוּם דָּבָר nothing
שׁוּמָה נ assessment, valuation
שׁוּמָה ת incumbent
שׁוֹמֵם ת waste, desolate
שׁוֹמֶן ז fatness
שׁוּמָן ז fat
שׁוּמַּן (יְשׁוּמַּן) פ be oiled
שׁוֹמֵר ז guard, watchman, keeper
שׁוּמַּר (יְשׁוּמַּר) פ be preserved
שׁוּמָּר ז fennel
שׁוֹמֵרָה נ watchman's booth (in a vineyard)
שׁוֹמְרוֹנִי ת Samaritan
שׁוֹמֵר־טַף baby-sitter
שׁוֹמֵר יִשְׂרָאֵל Watch of Israel (i.e. God)
שׁוֹמֵר נַפְשׁוֹ cautious, careful
שׁוּמַּשׁ (יְשׁוּמַּשׁ) פ be used, be second-hand
שׁוּמְשׁוּם, שׁוּמְשׁוּם ז sesame
שׂוֹנֵא ז enemy, foe
שׁוֹנֶה ת different
שׁוּנָּה (יְשׁוּנֶּה) פ be changed, be altered
שׁוֹנוּת נ variation, variability
שׁוֹנִי ז variance, variety; difference
שׁוּנִית נ reef; cliff
שׁוּנַּן (יְשׁוּנַּן) פ be learnt by heart; be sharpened
שׁוּנְרָה נ wild cat
שׁוּנַּת (יְשׁוּנַּת) פ be notched, be graduated
שׁוּסָּה (יְשׁוּסֶּה) פ be set on (dog); be provoked
שׁוּסַּע (יְשׁוּסַּע) פ be split; be interrupted (speech)
שׁוּסַּף (יְשׁוּסַּף) פ be split, be hewn apart
שׁוֹעַ ז magnate; noble
שׁוּעְבַּד (יְשׁוּעְבַּד) פ be enslaved; be subjected; be mortgaged
שׁוּעָל ז fox
שׁוֹעַל ז handful
שׁוּעֲמַם (יְשׁוּעֲמַם) פ be bored
שׁוֹעֵר ז gatekeeper, doorkeeper; goalkeeper
שׁוּעַר (יְשׁוּעַר) פ be estimated, be reckoned; be supposed
שׁוּעְשַׁע (יְשׁוּעְשַׁע) פ be amused, be diverted
שׁוּעְתַּק (יְשׁוּעְתַּק) פ be reproduced
שׁוּף ת smooth, polished
שׁוּפָּה (יְשׁוּפֶּה) פ be smoothed
שׁוֹפֵט ז judge; referee
שׁוֹפֵט שָׁלוֹם magistrate
שׁוֹפִי ז ease, comfort
שׁוֹפִין ז file

שׁוּפַּךְ (יְשׁוּפַּךְ) פ be spilt; be poured out
שׁוֹפְכָה, שָׁפְכָה נ penis
שׁוֹפְכִים, שׁוֹפְכִין, שֻׁפְכִין ז״ר dirty water; sewage
שׁוֹפְכֵי תַּעֲשִׂיָּה industrial waste
שׁוֹפֵעַ ת flowing, streaming
שׁוּפַּע (יְשׁוּפַּע) פ abound in, be rich in
שׁוֹפַע ז (of ship) trim
שׁוּפַּץ (יְשׁוּפַּץ) פ be renovated, be restored
שׁוֹפָר ז shofar (ram's horn); mouthpiece
שׁוּפַּר (יְשׁוּפַּר) פ be improved
שׁוּפְרָא ז beauty
שׁוּפְרָא דְשׁוּפְרָא the best quality, the best, first class
שׁוּפְרַט (יְשׁוּפְרַט) פ be elaborated
שׁוּפֶּרְסַל ז supermarket
שׁוּפְשַׁף (יְשׁוּפְשַׁף) פ be rubbed; be burnished
שׁוֹק נ leg (below the knee), (geometry) side
שׁוּק ז market, market-place
שׁוּק חוֹפְשִׁי free market
שׁוּקִי ת vulgar
שׁוֹקִית נ leg (of a high boot)
שׁוּקַּם (יְשׁוּקַּם) פ be rehabilitated
שׁוֹקַע ז (of ship) draft, draught
שׁוּקַּע (יְשׁוּקַּע) פ be submerged (in water), be sunk in
שׁוּקַּץ (יְשׁוּקַּץ) פ be loathsome, be detestable
שׁוֹקֵק ת craving, longing; bustling

שׁוֹקֶת נ drinking-trough
שׁוּר ז high wall
שׁוּר פ, ר׳ שָׁר
שׁוֹר ז ox
שׁוּרְבַּב (יְשׁוּרְבַּב) פ be extended, hang down; be interpolated
שׁוּרָה נ row, rank, line; series
שׁוֹר הַבָּר bison, buffalo
שׁוּרוֹן ז lined paper
שׁוּרְטַט ר׳ סוּרְטַט
שׁוּרְיַן (יְשׁוּרְיַן) פ be armor-plated; be earmarked
שׁוֹרֵר (יְשׁוֹרֵר) פ sing; write poetry
שׁוֹרֶר ז navel, umbilicus
שׁוֹרֶשׁ ז root
שׁוֹרַשׁ (יְשׁוֹרַשׁ) פ be uprooted; be eradicated
שׁוֹרְשׁוֹן ז rootlet, small root
שׁוֹרְשִׁי ת radical; deep-rooted, fundamental
שׁוֹרְשִׁיּוּת נ deep-rootedness, fundamentality
שׁוֹרֶשׁ שְׁלָשִׁי triliteral root
שׁוּשׁ פ, ר׳ שָׂשׂ
שׁוֹשְׁבִין, שׁוֹשְׁבִּין ז best man
שׁוֹשְׁבִינוּת נ status of best man
שׁוּשָּׁה (יְשׁוּשֶּׁה) פ be divided into six; be multiplied by six
שׁוֹשֶׁלֶת נ genealogy; dynasty
שׁוֹשָׁן ז lily; rosette (architecture)
שׁוֹשַׁנָּה נ lily; (colloquial) rose; erysipelas (medical)
שׁוֹשֶׁנֶת נ rosette
שׁוֹשַׁנַּת הָרוּחוֹת compass card
שׁוֹשַׁנַּת־יָם sea anemone

שׁוּתָּף נ	partner
שׁוּתַּף (יְשׁוּתַּף) פ	be made a partner, be allowed to participate
שׁוּתָּפוּת נ	partnership
שׁוּתַּק (יְשׁוּתַּק) פ	be silenced; be paralysed
שָׁזוּף ת	tanned, sun-tanned
שָׁזוּר ת	twisted, twined; interwoven
שְׁזִיף ז	plum
שְׁזִירָה נ	twisting, twining; interweaving
שָׁזַר (יִשְׁזוֹר) פ	twist, twine; interweave
שַׁזָּר ז	rope-maker
שִׁזְרָה נ	spine
שַׁח ת	bowed; cast down (eyes)
שַׁח ז	chess (the game); check (the move); shah (of Persia)
שָׂח (יָשִׂיחַ) פ	talk, speak
שָׁח (יָשׁוּחַ) פ	walk, stroll
שָׂחָה (יִשְׂחֶה) פ	swim
שָׁחָה (יִשְׁחֶה) פ	bow down, stoop
שָׁחוּז ת	sharpened
שְׁחוֹחַ תה״פ	stooped, with head bent
שָׁחוּחַ ת	stooping, bent
שָׁחוּט ת	slaughtered; beaten flat (metal)
שָׁחוּל ת	threaded (needle)
שְׁחוֹלֶת נ	filings (of metal), shavings
שָׁחוֹם, שָׁחוּם ת	swarthy, dark brown
שָׁחוּן ת	very hot
שָׁחוּף ת	consumptive, tubercular
שְׂחוֹק ז	laughter, jest
שָׁחוּק ת	powdered; threadbare, worn
שָׁחוֹר ת	black
שְׁחוֹר ז	blackness
שְׁחוֹר מִשְׁחוֹר	jet black
שִׁחְזוּר ז	reconstruction
שִׁחְזֵר (יְשַׁחְזֵר) פ	reconstruct
שָׁחַח (יָשׁוֹחַ) פ	be bowed; bow one's head
שָׁחַט (יִשְׁחַט) פ	slaughter, massacre
שְׁחִי, שֶׁחִי ז	arm-pit
שְׁחִיטָה נ	slaughter; massacre
שְׂחִיָּה נ	swimming
שַׂחְיָן ז	swimmer
שַׂחְיָנוּת	swimming (sport)
שָׁחִיל ת	threadable
שְׁחִין ז	boils (disease)
שָׁחִיס, סָחִישׁ ז	aftergrowth
שָׁחִיף, שְׁחִיף־עֵץ ז	lath, thin board
שָׁחִיק ת	powdered, ground
שְׁחִיקָה נ	powdering, grinding
שְׁחִיתוּת נ	corruption, demoralization
שַׁחַל ז	lion
שַׁחֲלָה נ	ovary
שִׁחְלוּף ז	rearrangement
שַׁחֲלַיִם ז״ז	cress
שִׁחְלֵף (יְשַׁחְלֵף) פ	rearrange
שַׁחַם ז	granite
שְׁחַמְחַם ת	brownish, darkish
שַׁחְמָט ז	chess
שַׁחְמְטַאי ז	chess-player
שַׁחְמָטִי ת	chess (used attributively)
שַׁחַף ז	seagull
שַׁחֲפָן ז	consumptive
שַׁחֲפָנִי ת	consumptive
שַׁחֶפֶת נ	consumption

שַׁחַץ ז pride
שַׁחֲצָן ת arrogant person
שִׁחְצֵן (יְשַׁחְצֵן) פ bluster, brag
שַׁחֲצָנוּת נ arrogance
שַׁחֲצָנִי ת arrogant, vain
שָׂחַק (יִשְׂחַק) פ laugh, smile; jeer
שַׁחַק ז powder
שָׁחַק (יִשְׁחַק) פ powder, grind to powder
שְׁחָקִים ז״ר sky
שַׂחֲקָן ז actor; player
שַׂחֲקָנוּת נ acting
שַׁחַר ז dawn, daybreak; meaning, sense
שָׁחַר (יִשְׁחַר) פ take an interest in
שַׁחֲרוֹן ז jet (mineral)
שִׁחְרוּר ז release, discharge; liberation
שַׁחֲרוּר ז blackbird
שַׁחֲרוּרִית נ blackness
שַׁחֲרוּת נ youth, boyhood; blackness
שְׁחַרְחוֹר, שְׁחַרְחַר ת blackish, brunette; swarthy
שַׁחֲרִית נ early morning; matinee; morning prayer
שִׁחְרֵר (יְשַׁחְרֵר) פ set free, liberate; release
שַׁחַת נ pit; grave, Sheol
שַׁחַת ז hay, fodder
שָׁט (יָשׁוּט) פ roam, wander; sail
שָׂטָה (יִשְׂטֶה) פ turn aside, turn away
שָׁטוּחַ ת flat, outspread
שְׁטוּיוֹת! nonsense! rot!
שָׁטוּף ת flooded, washed
שָׁטוּף בְּשְׁתִיָּה drunkard
שְׁטוּת נ nonsense, foolishness
שְׁטוּתִי ת nonsensical
שָׁטַח (יִשְׁטַח) פ spread out
שֶׁטַח ז surface; area; domain, sphere
שִׁטְחִי ת superficial
שִׁטְחִיּוּת נ superficiality
שָׁטְיָא ת fool
שַׁטְיָה נ silly girl
שָׁטִיחַ ז carpet, rug
שְׁטִיחוֹן ז small carpet
שְׁטִיפָה נ washing; flooding, washing away
שְׁטִיפוּת נ engrossment, absorption
שָׂטַם (יִשְׂטוֹם) פ hate
שָׂטָן ז Satan, the Devil
שִׂטְנָה נ denunciation, accusation
שְׂטָנִי ת Satanic, diabolical
שָׁטַף (יִשְׁטוֹף) פ wash, rinse; wash away; flood, (fig.) be carried away by
שֶׁטֶף ז flow, flood; fluency
שֶׁטֶף דָּם haemorrhage
שְׁטָר ז bill, promissory note
שְׁטַר־כֶּסֶף banknote
שְׁטַר־מְכִירָה bill of sale
שְׁטַר־עֵרֶךְ security, bond
שַׁי ז gift
שַׁ״י ש״מ 310
שִׂיא ז peak; record
שִׁיבֵּב (יְשַׁבֵּב) פ chip, whittle
שֵׂיבָה נ grey hair; old age
שִׁיבָה נ return
שִׁיבּוּב ז whittling, chipping

ear (of corn)	שִׁבּוֹלִית נ
ear (of corn), torrent, rapids	שִׁבּוֹלֶת נ
oats	שִׁבּוֹלֶת שׁוּעָל
setting; grading; interweaving	שִׁבּוּץ ז
blunder, distortion; confusion, muddle	שִׁבּוּשׁ ז
solecisms, mistakes	שִׁבּוּשֵׁי לָשׁוֹן
praise, extol	שִׁבֵּחַ (יְשַׁבֵּחַ) פ
repeat seven times; multiply by seven	שִׁבַּע (יְשַׁבֵּעַ) פ
mark out in squares, chequer; set; grade; assign a position to; interweave	שִׁבֵּץ (יְשַׁבֵּץ) פ
shatter	שִׁבֵּר (יְשַׁבֵּר) פ
hope, expect	שִׂבֵּר (יְשַׂבֵּר) פ
destruction, crushing	שִׁבָּרוֹן ז
a broken heart	שִׁבְרוֹן לֵב
throw into disorder, render; garble, corrupt, introduce errors	שִׁבֵּשׁ (יְשַׁבֵּשׁ) פ
Return to Zion	שִׁיבַת צִיּוֹן
affair, business	שִׂיג ז
exalt (God), raise up (man)	שִׂגֵּב (יְשַׂגֵּב) פ
exaltation, exalting	שִׂגּוּב ז
sending, despatch, launching (satellite)	שִׁגּוּר ז
disturbance	שִׁגּוּשׁ ז
idée fixe, whim	שִׁגָּיוֹן ז
mortise (wood), join	שִׁגֵּם (יְשַׁגֵּם) פ
drive mad, madden	שִׁגֵּעַ (יְשַׁגֵּעַ) פ
madness, mania	שִׁגָּעוֹן ז
megalomania	שִׁגְעוֹן גַּדְלוּת
send, despatch	שִׁגֵּר (יְשַׁגֵּר) פ
arthritis, rheumatism	שִׁגָּרוֹן ז
muddle, confuse	שִׁגֵּשׁ (יְשַׁגֵּשׁ) פ
harrow	שִׂדֵּד (יְשַׂדֵּד) פ
chest of drawers	שִׁדָּה נ
despoiling, ravaging	שִׁדּוּד ז
harrowing (field)	שִׂדּוּד ז
a thorough change	שִׁדּוּד מַעֲרָכוֹת
marriage negotiations; proposed match	שִׁדּוּךְ ז
persuasion; lobbying	שִׁדּוּל ז
blighting	שִׁדּוּף ז
broadcast, broadcasting	שִׁדּוּר ז
negotiate a marriage, bring together	שִׁדֵּךְ (יְשַׁדֵּךְ) פ
coax, persuade	שִׁדֵּל (יְשַׁדֵּל) פ
blight	שִׁדֵּף (יְשַׁדֵּף) פ
blight	שִׁדָּפוֹן ז
broadcast	שִׁדֵּר (יְשַׁדֵּר) פ
ewe-lamb	שֵׂיָה נ
delay, hold-up	שִׁיהוּי ז
hiccough	שִׁיהוּק ז
hiccough	שִׁיהֵק (יְשַׁהֵק) פ
compare	שִׁיוָּה (יְשַׁוֶּה) פ
equalizing, making even	שִׁיוּוּי ז
equal rights	שִׁיוּוּי זְכוּיוֹת
equilibrium	שִׁיוּוּי מִשְׁקָל
cry for help	שִׁיוַּע (יְשַׁוֵּעַ) פ
marketing	שִׁיוּוּק ז
market	שִׁיוֵּק (יְשַׁוֵּק) פ
align	שִׁיוֵּר (יְשַׁוֵּר) פ
rowing	שִׁיּוּט ז
ascription, attribution	שִׁיּוּךְ ז
filing	שִׁיּוּף ז
remainder, remnant	שִׁיּוּר ז

שִׁיוֹרֶת נ remainder, leavings
שִׁיזּוּף ז tanning, sunbathing
שֵׁיזָף ז jujube
שִׁיזֵּף (יְשַׁזֵּף) פ tan, burn
שִׁיזָּפוֹן ז suntan; sunburn
שִׂיחַ ז bush, shrub; speech, talk
שִׁיחֵד (יְשַׁחֵד) פ bribe
שִׂיחָה נ conversation; talk
שִׁיחָה נ pit
שִׂיחָה דְחוּפָה urgent call
שִׁיחוּד ז bribing
שִׁיחוּל ז extrusion
שִׂיחוֹן ז phrase-book, conversation manual
שִׂיחַ וָשִׂיג dealings, contact
שִׁיחוּת ז corruption, marring
שִׂיחֵק (יְשַׂחֵק) פ act (on stage); play (game)
שִׁיחֵק (יְשַׁחֵק) פ grind fine
שִׁיחֵר (יְשַׁחֵר) פ do early; get up early to see
שִׁיחֵת (יְשַׁחֵת) פ corrupt, spoil
שַׁיִט ז sailing; rowing
שִׁיטָה נ method, system; line
שִׁיטָּה ז acacia
שִׁיטָּה (יְשַׁטֶּה) פ mock, make a fool of
שִׁיטָה עֶשְׂרוֹנִית decimal system
שִׁיטּוּחַ ז flattening, beating flat
שִׁיטוּט ז roaming, roving
שִׁיטּוּי ז mocking, jeering
שִׁיטּוּר ז police work, policing
שִׁיטֵּחַ (יְשַׁטֵּחַ) פ flatten, beat flat
שִׁיטָּפוֹן ז flood
שִׁיטֵּר (יְשַׁטֵּר) פ police

שִׁיטָתִי ת methodical, systematic
שִׁיטָתִיּוּת נ methodicalness, system
שַׁיָּיט ז rower, oarsman
שַׁיֶּיטֶת נ fleet, flotilla
שִׁיֵּיךְ (יְשַׁיֵּיךְ) פ ascribe, attribute
שַׁיָּיךְ ת belonging; relevant
שַׁיָּיכוּת נ possession; connection, relevance
שִׁיֵּיף (יְשַׁיֵּיף) פ file
שִׁיֵּיר (יְשַׁיֵּיר) פ leave over
שְׁיָירָה, שַׁיָּירָה נ caravan, convoy
שְׁיָירִים ז״ר remains, leftovers
שִׁיֵּישׁ (יְשַׁיֵּישׁ) פ cover with marble
שֵׁיךְ ז sheikh
שִׁיכּוּךְ ז appeasing, calming
שִׂיכּוּל ז crossing (arms or legs); transposition, metathesis
שִׁיכּוּל ז loss of children, bereavement
שִׁיכּוּן ז housing (act of); housing estate, housing project
שִׁיכּוֹר ז drunk, intoxicated
שִׁיכֵּחַ (יְשַׁכֵּחַ) פ cause to forget; forget
שִׁיכָּחוֹן ז oblivion
שִׁיכֵּךְ (יְשַׁכֵּךְ) פ appease, calm; damp (wireless)
שִׁיכֵּל (יְשַׁכֵּל) פ bereave, slay the children of
שִׂיכֵּל (יְשַׂכֵּל) פ cross (one's arms or legs)
שִׁיכֵּן (יְשַׁכֵּן) פ house, provide with housing
שִׁיכֵּר (יְשַׁכֵּר) פ intoxicate, make drunk

שִׁכָּרוֹן ז drunkenness, intoxication
שִׁילֵב (יְשַׁלֵב) פ fold (arms); interweave, fit in
שִׁילוּב ז folding (arms); combining, interweaving
שִׁילוּחַ ז dismissal, sending away; release
שִׁילוּט ז signposting
שִׁילוּם ז payment
שִׁילוּמִים ז״ר reparations
שִׁילוּשׁ ז tripling; group of three, Trinity
שִׁילֵחַ (יְשַׁלֵחַ) פ send away; release; divorce (a wife)
שִׁילֵט (יְשַׁלֵט) פ signpost
שִׁילֵם (יְשַׁלֵם) פ pay
שִׁילֵם ז payment, requital
שִׁילֵשׁ (יְשַׁלֵשׁ) פ triple; divide into three
שִׁילֵשׁ ז great-grandchild, member of the third generation
שִׁימָה נ putting, placing
שִׁימוּן ז oiling
שִׁימוּר ז preserving
שִׁימוּרִים ז״ר preserves, canned goods
שִׁימוּשׁ ז use, usage
שִׁימוּשִׁי ת useful, practical; applied (science)
שִׁימוּשִׁיּוּת נ usefulness, practicalness
שִׂימֵחַ (יְשַׂמֵחַ) פ gladden, rejoice
שִׁימָמוֹן ז desolation; depression
שִׁימֵן (יְשַׁמֵן) פ oil
שִׁימֵר (יְשַׁמֵר) פ conserve, preserve, can
שִׁימֵשׁ (יְשַׁמֵשׁ) פ minister, officiate; serve as
שִׁימֵת (יְשַׁמֵת) פ excommunicate
שִׂימַת לֵב attention, heed
שִׁינָּה (יְשַׁנֶּה) פ change, alter
שִׁינּוּי ז change, alteration
שִׁינּוּן ז memorizing (by repetition); inculcation; sharpening
שִׁינּוּס ז girding (one's loins)
שִׁינּוּעַ ז transshipment
שִׁינּוּץ ז rib-lacing
שִׁינּוּק ז throttling, choking (engine)
שִׁינּוּת ז division, graduation
שִׁינֵּן (יְשַׁנֵּן) פ memorize (by repetition), learn by heart; sharpen
שִׁינָּן ז dental mechanic; dandelion
שִׁינֵּס (יְשַׁנֵּס) פ gird
שִׁינֵּק (יְשַׁנֵּק) פ choke (engine), throttle
שִׁינֵּת (יְשַׁנֵּת) פ notch, graduate (instrument)
שִׁיסָּה (יְשַׁסֶּה) פ set on (dog); incite
שִׁיסּוּי ז incitement, provocation
שִׁיסּוּעַ ז splitting; interruption (of speech)
שִׁיסּוּף ז splitting, hewing in pieces
שִׁיסַּע (יְשַׁסַּע) פ split; interrupt (speech)
שִׁיסָּעוֹן ז schizophrenia
שִׁיסֵּף (יְשַׁסֵּף) פ split, hew in pieces
שִׁיעוּל ז cough
שִׁיעוּם ז covering with cork
שִׁיעוּר ז measure, quantity; rate; estimate, approximation; lesson

homework שִׁיעוּרֵי בַּיִת
stature שִׁיעוּר קוֹמָה
estimate, reckon שִׁיעֵר (יְשַׁעֵר) פ
rubbing, filing שִׁיפָּה נ
plane, smooth שִׁיפָּה (יְשַׁפֶּה) פ
jurisdiction, authority; judgment שִׁיפּוּט ז
shavings, splinters; slope, slant שִׁיפּוּי ז
bilge שִׁיפּוּלַיִים ז״ז, שִׁיפּוּלֵי אוֹנִיָּה
lower part, bottom; train (of a dress) שִׁיפּוּלִים ז״ר
rye שִׁיפּוֹן ז
slope, slant שִׁיפּוּעַ ז
renovation, overhaul שִׁיפּוּץ ז
improvement שִׁיפּוּר ז
afflict with skin disease שִׁיפַּח (יְשַׁפֵּחַ) פ
make slanting, make sloping שִׁיפַּע (יְשַׁפֵּעַ) פ
renovate, restore שִׁיפֵּץ (יְשַׁפֵּץ) פ
improve שִׁיפֵּר (יְשַׁפֵּר) פ
drink, beverage שִׁיקּוּי ז
weighing, consideration שִׁיקּוּל ז
consideration, discretion שִׁיקּוּל דַּעַת
rehabilitation שִׁיקּוּם ז
making transparent; X-ray photograph שִׁיקּוּף ז
abomination, idol שִׁיקּוּץ ז
rehabilitate שִׁיקֵּם (יְשַׁקֵּם) פ
sink in, immerse שִׁיקֵּעַ (יְשַׁקַּע) פ
make transparent; reflect שִׁיקֵּף (יְשַׁקֵּף) פ
detest, abominate שִׁיקֵּץ (יְשַׁקֵּץ) פ

lie שִׁיקֵּר (יְשַׁקֵּר) פ
song; poem שִׁיר ז
fine silk שִׁירָאִים ז״ר
interweave, intertwine שֵׁירַג (יְשָׁרֵג) פ
poetry; singing שִׁירָה נ
Song of Songs, Canticles שִׁיר הַשִּׁירִים
songbook שִׁירוֹן ז
spread, extent שֵׁירוּעַ ז
uprooting; eradication שֵׁירוּשׁ ז
service; (colloquial) Israel taxi services שֵׁירוּת ז
sonnet שִׁיר זָהָב
lyrical, poetic שִׁירִי ת
twist, wind; go astray שֵׁירַךְ (יְשָׁרֵךְ) פ
march, marching song שִׁיר לֶכֶת
folksong שִׁיר עַם
lullaby שִׁיר עֶרֶשׂ
uproot; eradicate שֵׁירַשׁ (יְשָׁרֵשׁ) פ
serve, minister שֵׁירֵת (יְשָׁרֵת) פ
marble שַׁיִשׁ ז
six (masc.) שִׁישָּׁה ש״מ
divide into six parts; multiply by six שִׁישָּׁה (יְשַׁשֶּׁה) פ
sixteen (masc.) שִׁישָּׁה־עָשָׂר ש״מ
sixth שִׁישִּׁי ת
made of marble שִׁישִׁי ת
sixty שִׁישִּׁים ש״מ
sixth שִׁישִּׁית נ
thorn-bush שַׁיִת ז
corrosion, rusting שִׁיתּוּךְ ז
partnership; participation שִׁיתּוּף ז
co-operative שִׁיתּוּפִי ת
co-operation שִׁיתּוּף פְּעוּלָּה

שִׁיתּוּק ז	paralysis
שִׁיתּוּק יְלָדִים	infantile paralysis
שִׁתִּית נ	sextet
שִׁיתֵּךְ (יְשַׁתֵּךְ) פ	rust, corrode
שִׁיתֵּף (יְשַׁתֵּף) פ	enable to participate
שִׁיתֵּק (יְשַׁתֵּק) פ	silence; paralyse; soothe
שֵׁךְ ז	thorn, prickle
שָׂךְ (יָשׂוּךְ) פ	hedge with thorns
שָׁכַב (יִשְׁכַּב) פ	lie down, lie; lie (with), sleep (with)
שֶׁכֶב ז	lower millstone
שְׁכָבָה, שִׁכְבָה נ	layer, stratum
שָׁכוּב ת	lying down
שֶׂכְוִי ז	cock
שָׁכוּחַ ת	forgotten
שְׁכוֹל ז	bereavement
שַׁכּוּל ת	bereaved (of children)
שְׁכוּנָה נ	district (in a town), neighbourhood
שָׂכוּר ת	rented, hired, leased
שָׁכַח (יִשְׁכַּח) פ	forget
שִׁכְחָה נ	forgetfulness
שַׁכְחָן ז	forgetful person
שַׁכְחָנוּת	forgetfulness
שְׁכִיבָה נ	lying, lying down
שְׁכִיב־מְרַע ז	dangerously ill person
שְׁכִיחַ ת	common, widespread
שְׁכִיחוּת נ	commonness, frequency
שְׂכִיָּה נ	appearance
שַׂכִּין ר׳ סַכִּין	
שְׁכִינָה נ	God, the Divine Presence
שָׂכִיר ז	hired laborer, wage earner
שְׂכִירָה נ	leasing, renting, hiring
שְׂכִירוּת נ	rent
שָׁכַךְ (יָשׁוֹךְ) פ	calm down
שַׁכָּךְ ז	damper (elec.)
שֵׂכֶל, שֶׂכֶל ז	intelligence, intellect; wit, understanding, wisdom
שָׁכַל, שָׁכוֹל (יִשְׁכַּל) פ	lose (one's children)
שִׁכְלוּל ז	improvement; perfecting
שִׂכְלִי ת	rational, intellectual
שִׂכְלִיּוּת נ	intelligence
שֵׂכֶל יָשָׁר	common sense
שִׁכְלֵל (יְשַׁכְלֵל) פ	improve, perfect
שִׂכְלֵן (יְשַׂכְלֵן) פ	rationalize
שִׂכְלְתָנוּת נ	rationalism
שִׂכְלְתָנִי ת	rationalistic
שֶׁכֶם, שְׁכֶם ז	shoulder
שְׁכֶם אֶחָד	together, shoulder to shoulder
שִׁכְמָה נ	shoulder blade
שִׁכְמִיָּה נ	cape, cloak
שָׁכַן (יִשְׁכּוֹן) פ	dwell, live
שָׁכֵן ז	neighbor
שִׁכְנוּעַ ז	convincing
שְׁכֵנוּת נ	neighborhood, vicinity
שִׁכְנֵעַ (יְשַׁכְנֵעַ) פ	convince
שִׁכְפּוּל ז	duplication
שִׁכְפֵּל (יְשַׁכְפֵּל) פ	duplicate
שַׁכְפֵּלָה נ	duplicating machine
שָׂכַר (יִשְׂכּוֹר) פ	rent, hire
שָׂכָר ז	wages, remuneration; fee
שֶׂכֶר ז	charter
שֵׁכָר, שֵׁיכָר ז	beer
שִׁכְרוּת נ	drunkenness
שְׂכַר־סוֹפְרִים	author's royalties
שִׁכְשׁוּךְ ז	paddling
שִׁכְשֵׁךְ (יְשַׁכְשֵׁךְ) פ	paddle

שֶׁל מ״י (שֶׁלִּי, שֶׁלְּךָ, שֶׁלָּךְ וכו׳)	of, belonging to; made of
שַׁלְאֲנָן ת	tranquil, serene
שָׁלָב ז	stage; rung
שִׁלְבֵּק (יְשַׁלְבֵּק) פ	raise blisters
שֶׁלֶג ז	snow
שִׁלְגּוֹן ז	avalanche, snowslip
שַׁלְגּוֹן ז	ice-cream (brick)
שִׁלְגִּיָּה נ	Snow-white
שֶׁלֶד ז	skeleton; framework
שַׁלְדָּג ז	kingfisher
שָׁלָה (יִשְׁלֶה) פ	be tranquil, be serene; draw out, fish out
שַׁלְהָב ז	meteor
שִׁלְהֵב (יְשַׁלְהֵב) פ	set alight
שַׁלְהָבִית נ	Jerusalem sage (plant)
שַׁלְהֶבֶת נ	flame
שִׁלְהֵי ז״ר	end of
שִׁלְהֵי הַקַּיִץ	end of summer
שְׂלָו, שְׂלָיו ז	quail
שָׁלַו (יִשְׁלַו) פ	be still, be tranquil
שָׁלֵו, שָׁלֵיו ת	tranquil, serene
שָׁלוּב ת	interlaced, interlinked
שְׁלוּבֵי זְרוֹעַ	arm in arm
שְׁלוּבִית נ	pretzel
שְׁלוּגִית נ	slush
שַׁלְוָה נ	tranquillity, serenity
שָׁלוּחַ ת, ז	sent; stretched out; sent on an errand; agent, emissary
שְׁלוּחָה נ	offshoot, branch-line, extension, branch
שְׁלוּלִית נ	puddle
שָׁלוֹם ז	peace; well-being, welfare; greeting formula, shalom!
שְׁלוֹם־בַּיִת	domestic bliss
שְׁלוּמִיאֵל ת	shlemiel, duffer
שְׁלוֹמֵי אֱמוּנֵי יִשְׂרָאֵל	Orthodox Jews
שָׁלוּף ת	drawn (sword)
שָׁלוּק ת	cooked in boiling water
שָׁלוֹשׁ ש״מ	three (fem.)
שְׁלוֹשָׁה ש״מ	three (masc.)
שְׁלוֹשָׁה־עָשָׂר	thirteen (masc.)
שְׁלוֹשִׁים ש״מ	thirty
שְׁלוֹשׁ־עֶשְׂרֵה	thirteen (fem.)
שָׁלַח (יִשְׁלַח) פ	send; stretch out, extend; send away, dismiss
שֶׁלַח ז	spear
שַׁלְחוּפָה נ	tortoise
שָׁלַט (יִשְׁלוֹט) פ	rule, control; master
שֶׁלֶט ז	signboard, sign; shield
שִׁלְטוֹן ז	rule, dominion
שִׁלְטוֹנוֹת ז״ר	authorities
שְׁלִיבָה נ	interlinking, linkage
שִׁלְיָה נ	placenta
שָׁלִיחַ ז	emissary, envoy, agent; messenger
שְׁלִיחוּת נ	errand, mission
שְׁלִיחַ צִיבּוּר	cantor
שַׁלִּיט ז	ruler, governor
שַׁלִּיט בְּרוּחוֹ	self-possessed
שְׁלִיטָה נ	command, control
שָׁלִיל ז	embryo
שְׁלִילָה נ	rejection, negation; deprivation
שְׁלִילִי ת	negative
שְׁלִילִיּוּת נ	negativeness, negative quality
שְׁלִימַזָּל ת	unlucky person
שָׁלִיף ז	saddle-bag

שָׁלִיף ת	extractable, capable of being drawn
שְׁלִיפָה נ	drawing, extracting
שָׁלִישׁ ז	adjutant (army), officer
שְׁלִישׁ ז	third
שְׁלִישׁוֹן ז	triplet (music)
שְׁלִישׁוֹנִי ת	tertiary (geology)
שָׁלִישׁוּת נ	adjutancy (army)
שְׁלִישִׁי ת	third
שְׁלִישִׁיָּה נ	trio; triplets
שָׁלָךְ ז	fish-owl
שַׁלֶּכֶת נ	shedding of leaves (of trees)
שָׁלַל (יִשְׁלוֹל) פ	deny, reject, deprive
שָׁלָל ז	plunder, booty
שְׁלִילִית נ	negative (photography)
שְׁלַל צְבָעִים	a blaze of color
שָׁלַם (יִשְׁלַם) פ	reach completion, be completed; be safe
שָׁלֵם ת	whole, entire; unharmed, full, perfect
שַׁלָּם ז	paymaster, pay clerk
שְׁלָמָא ז	peace
שַׂלְמָה נ	robe, gown
שַׁלְמוֹן ז, שַׁלְמוֹנִים ז״ר	bribe, illegal payment
שְׁלֵמוּת נ	perfection; wholeness
שְׁלָמִים ז״ר	peace-offering
שָׁלַף (יִשְׁלוֹף) פ	draw (sword), extract
שֶׁלֶף ז, שְׂדֵה שֶׁלֶף	stubble, stubble-field
שַׁלְפּוּחִית נ	bladder; bubble
שָׁלַק (יִשְׁלוֹק) פ	cook in boiling water
שְׁלָשָׁה נ	group of three
שִׁלְשׁוּל ז	earthworm; letting down; diarrhea
שִׁלְשׁוֹם תה״פ	the day before yesterday
שְׁלָשִׁי ת	triliteral
שִׁלְשֵׁל (יְשַׁלְשֵׁל) פ	lower, let down; suffer from diarrhea
שַׁלְשֶׁלֶת נ	chain; succession
שַׁלְשַׁלְתִּי ת	chain-like
שֵׁם ז	name; substantive
שָׁם תה״פ	there; (in citation) ibid.
שָׁם (יָשׁוּם) פ	assess, value
שָׂם (יָשִׂים) פ	put, place
שֶׁמָּא תה״פ	perhaps; lest
שַׁמָּאוּת נ	assessing, assessment
שַׁמַּאי ז	assessor, appraiser
שְׂמֹאל ז	left; left hand; the Left (in politics)
שְׂמָאלִי ת	left; of the Left (in politics), radical; left-handed
שְׂמֹאלָנוּת נ	leftism
שְׂמֹאלָנִי ת	leftist
שֵׁם בָּדוּי	pseudonym
שְׁמָד ז	religious persecution, forced conversion
שַׁמָּה נ	devastation
שָׁמָּה תה״פ	there; thither
שֵׁם הַגּוּף	pronoun
שֵׁם הַפּוֹעַל ת	infinitive
שֵׁמוֹן ז	list of names
שְׁמוֹנֶה ש״מ	eight (fem.)
שְׁמוֹנָה ש״מ	eight (masc.)
שְׁמוֹנָה־עָשָׂר	eighteen (masc.)
שְׁמוֹנֶה־עֶשְׂרֵה	eighteen (fem.)

שְׁמוֹנִים ש״מ — eighty
שְׁמוּעָה נ — rumor, hearsay
שָׁמוּר ת — preserved, guarded
שְׁמוּרָה נ — eyelash; trigger guard (on a gun)
שְׁמוּרַת טֶבַע — nature reserve
שָׂמַח (יִשְׂמַח) פ — rejoice, be glad
שָׂמֵחַ ת — glad, joyful
שִׂמְחָה נ — joy, happiness; festivity, glad occasion
שִׂמְחַת יְצִירָה — the joy of creation
שָׁמַט (יִשְׁמוֹט) פ — cast down; drop; slip, move out of place
שַׁמְטָן ז — a bankrupt
שֵׁמִי ת — nominal, by name; Semitic
שָׁמִיט ת — demountable, removable
שְׁמִיטָה נ — leaving, abandoning; Sabbatical year
שְׂמִיכָה נ — blanket
שָׁמַיִם, שָׁמַיִם ז״ר — sky, heavens; Heaven; God
שְׁמֵימִי (שְׁמַיְמִי) ת — heavenly, celestial
שְׁמִינִי ת — eighth
שְׁמִינִיָּה נ — octave; octet
שְׁמִינִית ש״מ — eighth
שְׁמִינִית שֶׁבִּשְׁמִינִית — a sixty-fourth; a touch
שָׁמִיעַ ת — audible
שְׁמִיעָה נ — hearing
שְׁמִיעוּת נ — audibility
שְׁמִיעָתִי ת — auditory, aural
שָׁמִיר ז — legendary worm (that cuts stone); thorn, thistle
שְׁמִירָה נ — guarding, keeping; guard; observance
שָׁמִיר וָשַׁיִת — thorns and thistles (as a symbol of desolation)
שָׁמִישׁ ת — serviceable
שִׂמְלָה נ — woman's garment, dress
שֵׁם לְוַואי — nickname
שִׂמְלָנִית נ — skirt
שָׁמֵם (יָשׁוֹם) פ — be desolate, be deserted
שָׁמֵם ת — desolate, deserted
שְׁמָמָה נ — waste land, desert
שְׂמָמִית נ — house-lizard
שֵׁם מִשְׁפָּחָה — family name
שָׁמַן (יִשְׁמַן) פ — grow fat
שָׁמֵן ת — fat; stout; thick
שֶׁמֶן ז — oil; olive oil
שַׁמְנוּנִי ת — fatty
שַׁמְנוּנִיּוּת נ — fattiness
שַׁמְנִי ת — oil-bearing, oily
שֵׁמָנִי ת — nominal
שְׁמַנְמַן ת — fat, plump
שֶׁמֶן־קִיק — castor oil
שֵׁם נִרְדָּף — synonym
שַׁמֶּנֶת נ — cream
שָׁמַע (יִשְׁמַע) פ — hear; obey
שֵׁמַע ז — report, rumor
שִׁמְעִי ת — auditory, aural
שֵׁם עֶצֶם — noun
שֵׁם עֶצֶם פְּרָטִי — proper noun
שֵׁם פְּרָטִי — first name
שֶׁמֶץ ז — jot, bit
שִׁמְצָה נ — obloquy, disgrace
שָׁמַר (יִשְׁמוֹר) פ — guard; observe, keep
שְׁמַרְחוֹם ז — thermos flask
שְׁמַרְטָף ז — baby sitter

שְׁמָרִים ז״ר yeast; lees, dregs
שַׁמְרָן ז conservative
שַׁמְרָנוּת נ conservatism
שַׁמְרָנִי ת conservative
שַׁמָּשׁ ז servant, caretaker
שֶׁמֶשׁ זו״נ sun
שִׁמְשָׁה נ pane, window-pane
שִׁמְשׁוֹן ז sun-rose
שִׁמְשִׁיָּה נ parasol, sunshade
שַׁמְתָּה נ excommunication,ostracism
שֵׁם תּוֹאַר adjective
שֵׁן נ tooth, cog, ivory
שָׂנֵא (יִשְׂנָא) פ hate
שִׂנְאָה נ hate, hatred
שַׁנַּאי ז transformer
שִׁנְאָן ז angel
שָׁנָה (יִשְׁנֶה) פ repeat; learn; teach
שָׁנָה נ year
שֵׁנָה, שֵׁינָה נ sleep
שֶׁן־הָאֲרִי dandelion
שֶׁנְהָב ז ivory
שַׁנְהֶבֶת נ elephantiasis
שָׁנָה מְעוּבֶּרֶת leap year
שָׂנוּא ת hated, detested
שָׁנוּי ת stated; repeated
שָׁנוּי בְּמַחֲלוֹקֶת controversial
שָׁנוּן ת sharp; trenchant, sharp-witted
שְׁנוּנִית נ cape, promontory
שְׁנוֹרֵר (יְשַׁנוֹרֵר) פ beg
שָׁנִי ז scarlet; scarlet fabric
שֵׁנִי ת second
שֵׁנִי בִּשְׁלִישִׁי relationship between second and third generation, second cousin

שְׁנִיּוֹנִי ת binary; secondary
שְׁנִיּוּת נ duality; duplicity
שְׁנִיָּה נ second
שְׁנִיָּה ת second
שְׁנַיִם ש״מ two (masc.)
שְׁנֵים־עָשָׂר twelve (masc.)
שְׁנִינָה נ taunt, gibe
שְׁנִינוּת נ sharp-wittedness, sharpness
שְׁנִיר ז glacier
שֵׁנִית תה״פ a second time, again; secondly
שָׁנִית נ scarlet fever, scarlatina
שֶׁנֶף ז vanilla
שַׁנְפִּית נ vanillin
שֶׁנֶץ ז strap, lace (on shoes), cord
שָׁנַץ (יִשְׁנוֹץ) פ fasten (with straps), strap, lace
שְׁנָת נ sleep
שֶׁנֶת נ mark, graduation
שְׁנָתוֹן ז annual, yearbook; age-group
שְׁנָתִי ת annual, yearly
שְׁנָתִית תה״פ throughout the year, by the year
שַׁסַּאי ז instigator
שָׁסוּי ת plundered, despoiled
שָׁסוּעַ ת split, cloven, cleft
שָׁסַע (יִשְׁסַע) פ split, cleave
שֶׁסַע ז split, cleft
שַׁסַּעַת נ schizophrenia
שֶׁסֶק ז loquat
שַׁסְתּוֹם ז valve
שִׁעְבֵּד (יְשַׁעְבֵּד) פ enslave; subjugate
שִׁעְבּוּד ז enslavement; subjection; mortgaging

שָׁעָה (יִשְׁעֶה) פ turn towards; pay heed
שָׁעָה נ hour; time, while
שָׁעָה קַלָּה a short while
שַׁעֲוָוה נ wax
שַׁעֲוָונִייָה נ stencil
שַׁעֲוָונִית נ oilcloth
שָׁעוּן ת leaning
שָׁעוֹן ז clock, watch; meter
שְׁעוֹנִית נ passion-flower
שָׁעוֹן מְעוֹרֵר alarm clock
שְׁעוּעִית נ bean
שְׂעוֹרָה נ barley; sty (in the eye)
שָׁעַט (יִשְׁעַט) פ stamp (feet or hooves)
שְׁעָטָה נ stamping (of feet or hooves)
שַׁעַטְנֵז ז mixture of wool and linen
שְׁעִינָה נ leaning
שָׁעִיעַ ת smooth
שָׂעִיר ת hairy, woolly
שָׂעִיר ז he-goat; satyr
שְׂעִירָה נ she-goat
שְׂעִירוּת נ hairiness, furriness
שָׂעִיר לַעֲזָאזֵל scapegoat
שַׁעַל ז step
שַׁעֲלוּל ז fox cub
שַׁעֶלֶת נ whooping-cough
שַׁעַם ז cork
שִׁעֲמֵד (יְשַׁעֲמֵד) פ baptize, convert
שִׁעֲמוּם ז boredom, tedium
שַׁעֲמוּמִי ת bored
שִׁעֲמֵם (יְשַׁעֲמֵם) פ bore
שַׁעֲמָנִית נ linoleum
שָׁעַן (יִשְׁעַן) פ support, hold up
שָׁעָן ז watchmaker
שָׂעַף ז thought
שֵׂעָר, שֵׂיעָר ז hair
שִׁעֵר (יְשַׁעֵר) פ imagine, think
שַׁעַר ז gate, gateway; goal (sport); title-page; measure, rate
שַׂעֲרָה נ hair
שַׁעֲרוּרָה, שַׁעֲרוּרִייָה נ scandal
שַׁעֲרוּרָן ז riotous person
שַׂעֲרוֹת־שׁוּלַמִּית maidenhair (fern)
שַׁעַר חֲלִיפִין rate of exchange
שִׁעֲרֵר (יְשַׁעֲרֵר) פ cause a scandal
שַׁעֲשׁוּעַ ז amusement, pleasure
שִׁעֲשַׁע (יְשַׁעֲשַׁע) פ amuse, delight, entertain
שִׁעתּוּק ז reproducing
שַׁעתּוּק ז reproduction (picture)
שְׁעַת חֵרוּם emergency
שְׁעַת כּוֹשֶׁר opportune moment
שִׁעתֵּק (יְשַׁעתֵּק) פ reproduce, make a reproduction of
שָׁף (יָשׁוּף) פ file, scrape
שָׂפָה נ lip; language, tongue; edge, rim; shore, bank; labium (anatomy)
שָׂפָה בְּרוּרָה clear speech, plain language
שַׁפּוּד ז spit, skewer; (colloquial) knitting needle
שָׁפוּי ת sane
שָׁפוּי בְּדַעְתּוֹ of sound mind, sane
שָׁפוּךְ ת spilt
שְׁפוֹכֶת נ detritus, scree, debris
שָׁפוּן ת, ז hidden, concealed
שָׁפוּף ת bent, stooping

שְׁפוֹפֶרֶת נ	tube
שָׁפוּת ת	placed on the fire
שִׁפְחָה נ	female slave
שָׁפַט (יִשְׁפּוֹט) פ	judge; decide, pass judgment
שְׁפִי ז	bare hill
שֶׁפִי תה״פ	quietly, relaxedly
שָׁפִיד ת	pointed, barbed
שִׁפְיוֹן ז	calm, serenity
שְׁפִיוּת נ	peace, conciliation
שְׁפִיטָה נ	judgment, judging
שְׁפִיָּה נ	tilting, decanting
שְׁפִיכָה נ	spilling, pouring
שְׁפִיכוּת נ	spilling, pouring
שְׁפִיכוּת דָמִים	murder, bloodshed
שְׁפִילָה נ	drawdown, lowering
שְׁפִיעַ ת	(geology) talus (cone)
שְׁפִיעָה נ	slope, rake
שְׁפִיפָה נ	stooping, bending
שְׁפִיפוֹן ז	horned viper
שָׁפִיר ז	foetal sac
שַׁפִּיר ת	fine, excellent
שַׂפִּירִית נ	dragonfly
שָׁפִית נ	labellum
שְׁפִיתָה נ	placing on the fire
שָׁפַךְ (יִשְׁפּוֹךְ) פ	spill, pour
שֶׁפֶךְ ז	estuary, mouth (of a river)
שָׁפֵל, שָׁפַל (יִשְׁפַּל) פ	become low, subside
שָׁפָל ת	mean, base
שֵׁפֶל ז	low condition; ebb tide; slump
שְׁפֵלָה נ	lowland
שִׁפְלוּת נ	baseness, meanness; humility
שַׁפְלָן ז	terrier
שְׁפַל־רוּחַ	meek, humble
שָׂפָם ז	moustache
שְׂפָמוֹן ז	small moustache
שְׂפַמְנוּן ז	catfish
שָׁפָן ז	coney; (colloquial) rabbit
שְׁפַנִיָּה נ	rabbit-hutch
שְׁפַן־נִיסְיוֹנוֹת	guinea-pig
שָׁפַע (יִשְׁפַּע) פ	abound in, give copiously
שֶׁפַע ז	plenty, abundance
שִׁפְעָה נ	plenty, abundance, profusion
שִׁפְעוּל ז	activation
שִׁפְעֵל (יְשַׁפְעֵל) פ	activate
שַׁפַּעַת נ	influenza, flu
שָׁפַר (יִשְׁפַּר) פ	be fine, be good
שֶׁפֶר ז	fairness, beauty
שִׁפְרוּט ז	elaboration
שִׁפְרֵט (יְשַׁפְרֵט) פ	elaborate
שַׁפְרִיר ז	canopy, pavilion
שִׁפְשׁוּף ז	rubbing, friction; (army slang) putting through the mill
שִׁפְשֵׁף (יְשַׁפְשֵׁף) פ	rub; put through the mill
שַׁפְשֶׁפֶת נ	doormat
שָׁפַת (יִשְׁפּוֹת) פ	place on the fire
שְׂפַת אַרְנֶבֶת	harelip
שְׂפָתוֹן ז	lipstick
שִׂפְתּוּת ז	labialization
שְׂפַת־חֲלָקוֹת	flattery, smooth talk
שְׂפָתַיִם נ״ז	lips
שְׂפַת יֶתֶר	verbosity, loquacity
שְׂפָתָנִי ת	labiate (botany)
שְׂפַת עֵבֶר	Hebrew language

cantor (initials of	שַׁ"ץ ז
(שְׁלִיחַ צִיבּוּר)	
flow	שֶׁצֶף ז
great rage, fury	שֶׁצֶף־קֶצֶף
sack	שַׂק ז
check, cheque	שֵׁק, צ׳ק ז
be vigilant; be diligent	שָׁקַד (יִשְׁקוֹד) פ
almond; tonsil	שָׁקֵד ז
almond-shaped	שְׁקֵדִי ת
almond-tree	שְׁקֵדִייָה נ
diligent person	שַׁקְדָן ז
diligence	שַׁקְדָנוּת נ
diligent	שָׁקוּד ת
weighed; equal; balanced	שָׁקוּל ת
submerged, steeped; immersed	שָׁקוּעַ ת
transparent	שָׁקוּף ת
lintel	שְׁקוֹף ז
slide (for projection of picture)	שְׁקוּפִית נ
be still, be quiet	שָׁקַט (יִשְׁקוֹט) פ
stillness; silence	שֶׁקֶט ז
still, quiet	שָׁקֵט ת
diligence, zeal	שְׁקִידָה נ
flamingo	שְׁקִיטָן ז
imbibition, absorption	שְׁקִייָה נ
sinking; immersion; sunset; decline	שְׁקִיעָה נ
blood test (of sedimentation)	שְׁקִיעַת דָם
sunset	שְׁקִיעַת הַשֶּׁמֶשׁ
crag, cliff; bayonet catch (on a rifle)	שָׁקִיף ז
transparence	שְׁקִיפוּת נ

small bag; saccule	שַׂקִּיק ז
grow	שְׁקִיקָה נ
lust, craving	שְׁקִיקוּת נ
small bag	שַׂקִּית נ
weigh; consider	שָׁקַל (יִשְׁקוֹל) פ
shekel	שֶׁקֶל ז
discussion, negotiation	שַׁקְלָא וְטַרְיָא
weigh (statistics)	שִׁקְלֵל (יְשַׁקְלֵל) פ
Shekem – Army Canteen Organization	שֶׁקֶ"ם
sycamore	שִׁקְמָה נ
crossed check	שֵׁק מְסוּרְטָט
pelican	שַׂקְנַאי ז
sink, settle, set (sun); subside; be immersed	שָׁקַע (יִשְׁקַע) פ
hollow, depression; socket (elec.), point; fault (geology)	שֶׁקַע ז
concave	שְׁקַעֲרוּרִי ת
concave surface, concavity	שְׁקַעֲרוּרִית נ
render transparent	שִׁקֵּף (יְשַׁקֵּף) פ
unclean animal; loathsome creature	שֶׁקֶץ ז
bustle, bustle about; be full of bustle	שָׁקַק (יָשׁוֹק) פ
lie	שָׁקַר (יִשְׁקוֹר) פ
lie, untruth	שֶׁקֶר ז
lies! all lies!	שֶׁקֶר וְכָזָב!
liar	שַׁקְרָן ז
lying, mendacity	שַׁקְרָנוּת נ
rustle, rumble	שִׁקְשׁוּק ז
spur-winged plover	שֶׁקְשָׁק ז
rumble, rustle	שִׁקְשֵׁק (יְשַׁקְשֵׁק) פ
minister; chief, ruler	שַׂר ז
singer	שָׁר ז

שָׂר (יָשׂוֹר) פ — wrestle, contend
שָׁר (יָשׁוּר) פ — look, see
שָׁר (יָשִׁיר) פ — sing
שָׁרָב ז — hot dry weather, khamseen; mirage, fata morgana
שִׁרְבֵּב (יְשַׁרְבֵּב) פ — prolong, extend, transpose, interpolate
שִׁרְבּוּב ז — extending, sticking out; transposing, interpolating
שִׁרְבּוּט ז — doodling, aimless scrawling
שִׁרְבֵּט (יְשַׁרְבֵּט) פ — doodle, scribble
שָׁרָבִי ת — hot and dry (weather), khamseen
שַׁרְבִיט ז — sceptre; baton
שַׁרְבְּרָב ז — plumber
שַׁרְבְּרָבוּת נ — plumbing
שְׁרָגָא ז — candle
שָׂרַד (יִשְׂרַד) פ — survive, remain alive
שְׂרָד ז — office, service
שֶׂרֶד ז — stylus
שָׂרָה (יִשְׂרֶה) פ — struggle, wrestle
שָׂרָה נ — minister (female)
שָׁרָה (יִשְׁרֶה) פ — soak, steep
שַׂר הָאוֹצָר — Minister of Finance
שַׁרְווּל נ — sleeve
שַׁרְווּלִית ז — cuff
שָׁרוּי ת — steeped, soaked; dwelling, resting
שְׂרוֹךְ ז — lace, string
שָׂרוּעַ ת — outstretched, extended
שָׂרוּף ת — burnt; fired; scorched
שָׂרַט (יִשְׂרוֹט) פ — scratch
שִׂרְטוֹן ז — sandbank

שִׂרְטֵט ר׳ סִרְטֵט
שָׂרֶטֶת נ — scratch, incision
שְׁרֵי תה״פ — permitted, allowed
שָׂרִיג ז — tendril
שָׂרִיד ז — survivor; vestige
שִׁרְיוֹן ז — mail armor; armor-plate; armored force
שִׁרְיוּן ז — armoring, armor-plating; earmarking
שִׁרְיוֹנַאי ז — member of the armored corps
שִׁרְיוֹנִית נ — armored car
שְׂרִיטָה נ — scratch; scratching; incision
שְׁרִיָּה נ — steeping, soaking; resting, dwelling
שִׁרְיֵן (יְשַׁרְיֵן) פ — armor-plate, armor; earmark
שָׂרִיף ת — burnable, combustible
שָׂרִיק ת — carded, combed
שְׁרִיקָה נ — whistle, whistling
שְׁרִיר ז — muscle
שָׁרִיר ת — strong, firm
שָׁרִיר וְקַיָּם — firm and established
שְׁרִירוּת, שְׁרִירוּת־לֵב נ — obduracy, arbitrariness
שְׁרִירוּתִי ת — arbitrary
שְׁרִירִי ת — muscular
שָׂרָךְ ז — fern
שַׂרְעַף ז — thought
שָׂרַף (יִשְׂרוֹף) פ — burn, fire
שָׂרָף ז — poisonous snake; seraph
שְׂרָף ז — resin (from trees); acrid substance
שְׂרֵפָה, שְׂרֵיפָה נ — fire, conflagration

שְׂרָפִי ת	resinous
שְׁרַפְרַף ז	low stool, footstool
שָׁרַץ (יִשְׁרוֹץ) פ	swarm, teem; produce abundantly
שֶׁרֶץ ז	small, creeping animals
שַׂר צָבָא	general, military commander
שֶׁרֶץ עוֹף	winged insect
שָׁרַק (יִשְׁרוֹק) פ	whistle
שְׂרָק ז	rouge
שְׁרַקְרַק ז	bee eater
שָׂרַר (יִשְׂרוֹר, יָשׂוֹר) פ	rule; reign, prevail
שְׂרָרָה נ	rule, authority, dominion
שַׁרְשׁוּר ז	tapeworm
שִׁרְשׁוּר ז	belting (gun)
שְׁרַשְׁכַּף ז	tarsometatarsus
שִׁרְשֵׁר (יְשַׁרְשֵׁר) פ	chain together. link together
שַׁרְשֶׁרֶת נ	chain
שָׁרָת ז	public servant doing manual work (as caretaker, messenger, etc.)
שָׁרֵת	service, office (religious)
שַׁרְתּוּעַ ז	strut
שִׁרְתֵּעַ (יְשַׁרְתֵּעַ) פ	strut
שֵׁשׁ ש״מ	six (fem.)
שֵׁשׁ ז	marble
שָׂשׂ (יָשִׂישׂ) פ	rejoice
שָׂשׂוֹן ז	joy
שָׂשׂוֹן וְשִׂמְחָה	joy and gladness
שֵׁשׁ־עֶשְׂרֵה	sixteen (fem.)
שָׁשַׁר ז	vermilion, lacquer
שֵׁת ז	buttocks, posterior
שָׁת ז	foundation, basis

שָׁת (יָשִׁית) פ	set, put
שַׁתָּא נ	year
שְׁתַדְּלָן ז	intercessor
שְׁתַדְּלָנוּת נ	intercession
שְׁתַדְּלָנִי ת	intercessory
שָׁתָה (יִשְׁתֶּה) פ	drink
שָׁתוּי ת	drunk
שָׁתוּל ת	planted
שְׁתוּקִי ת	of unknown parentage
שְׁתִי ז	warp
שְׁתִי וָעֵרֶב	warp and woof, crosswise
שְׁתִיָּה נ	drinking; foundation
שְׁתַּיִם ש״מ	two (fem.)
שַׁתְיָן ז	drunkard, heavy drinker
שְׁתִיל ז	seedling, plant (for transplanting)
שְׁתִילָה נ	planting, transplanting
שְׁתַּיִם	two (fem.)
שְׁתֵּים־עֶשְׂרֵה	twelve (fem.)
שְׁתִיקָה נ	silence
שְׁתִיתָה נ	flow (of blood from a wound)
שָׁתַל (יִשְׁתּוֹל) פ	plant, transplant
שְׁתַלְטָן ז	domineering person
שְׁתַלְטָנוּת נ	domineering nature
שַׁתְלָן ז	nurseryman
שַׁתְלָנוּת נ	nursery gardening
שְׁתַמְּטָן ז	shirker, dodger
שְׁתַמְּטָנוּת נ	shirking, dodging duty
שֶׁתֶן ז	urine
שִׁתְנוּן ז	urination
שָׁתַע (יִשְׁתַּע) פ	fear, be afraid
שְׁתַפְּכָנִי ת	effusive
שַׁתְּפָנִי ת	co-operative

שָׁתַק (יִשְׁתּוֹק) פ — keep quiet; be calm

שַׁתְקָן ז — taciturn person

שַׁתְקָנוּת נ — taciturnity

שַׁתֶּקֶת נ — paralysis

שָׁתַת (יִשְׁתּוֹת) פ — flow; lose (blood)

שַׁתָּת ז — bleeder

ת

תָּא ז — cell, cabin; box

תָּאַב (יִתְאַב) פ — long for, crave

תָּאֵב ת — longing, craving

תְּאֵבְדֵעַ ת — inquisitive, curious

תַּאֲגִיד ז — corporation

תָּא־דוֹאַר — post office box

תְּאוֹ, תּוֹא ז — buffalo

תַּאֲוָה נ — desire, passion

תַּאַוְתָן ת — lustful, libidinous

תַּאַוְתָנוּת נ — lustfulness, lust

תַּאַוְתָנִי ת — lustful, libidinous

תְּאוּטָה נ — deceleration

תְּאוֹם ז — twin (boy)

תָּאוֹם ת — symmetrical

תְּאוֹמָה נ — twin (girl)

תְּאוֹמוֹת נ״ר — twins (girls)

תְּאוֹמִים ז״ר — twins (boys)

תְּאוּנָה נ — accident, mishap

תְּאוּצָה נ — acceleration

תְּאוּרָה נ — illumination, lighting

תַּאֲחוּז ז — percentage

תַּאֲחִיזָה נ — cohesion

תָּאִי ת — cellular; built of cells, honeycombed

תְּאִימוּת נ — harmony, symmetry

תָּאִיר ת — figurate (music)

תָּאִית נ — cellulose

תָּאַם (יִתְאַם) פ — match, parallel

תְּאֵנָה נ — fig (fruit or tree)

תַּאֲנָה נ — mating-season

תַּאֲנִיָּה נ — grief, lamentation

תַּאֲנִיָּה וַאֲנִיָּה — grief and lamentation

תָּאַר (יִתְאַר) פ — encompass, surround

תַּאֲרוֹגֶת נ — web, network

תַּאֲרִיךְ ז — date

תַּאֲרִיכוֹן ז — date stamp

תְּאֵרִית נ — figure (music)

תֵּאֲרֵךְ (יְתַאֲרֵךְ) פ — date

תְּאַשּׁוּר ז — box tree

תַּבְדִּיחַ ז — comic strip, cartoon

תַּבְהֵלָה נ — panic

תְּבוּאָה נ — produce, yield; grain crops, cereals

תְּבוּאוֹת חוֹרֶף, תְּבוּאוֹת קַיִץ — winter crops, summer crops

תְּבוּנָה נ — understanding, wisdom

תְּבוּנָתִי ת — intelligent, rational

תְּבוּסָה נ — defeat, rout

תְּבוּסָן ז defeatist
תְּבוּסָנוּת נ defeatism
תְּבוּסָנִי ת defeatistic
תַּבְחִין ז diagnostic test
תְּבִיעָה נ demand, claim
תְּבִיעָה מִשְׁפָּטִית suit, prosecution
תֵּבֵל נ the world
תֶּבֶל ז abomination
תְּבַלּוּל ז cataract
תַּבְלִיט ז relief
תַּבְלִיל ז batter (cookery)
תַּבְלִין ז spice, seasoning
תֶּבֶן ז straw
תַּבְנִית נ mold, form; pattern structure; paradigm
תַּבְנִיתִי ת patterned, structured
תָּבַע (יִתְבַּע) פ demand, claim
תָּבַע לְדִין sued, prosecuted
תַּבְעֵרָה נ conflagration, fire
תַּבְצִיק ז doughnut
תִּבְרֵג (יְתַבְרֵג) פ thread, cut screws
תַּברוּאָה נ sanitation
תַּברוּאִי ת sanitary
תַּברוּאָן ז sanitary worker
תַּברוּאָתִי ת sanitary, of sanitation
תִּברוּג ז threading, screw-cutting
תַּברוֹג ז die stock (for cutting threads)
תַּברוֹגֶת נ thread, screw thread
תַּבְרִיג ז thread, screw thread
תַּבְשִׁיל ז dish, cooked food
תָּג ז tag, serif; apostrophe
תִּגבּוּר ז reinforcement, reinforcing
תִּגבּוֹרֶת נ reinforcement; increase
תִּגְבֵּר (יְתַגְבֵּר) פ reinforce, send reinforcements
תְּגוּבָה נ reaction
תִּגְלַחַת נ shave, shaving
תַּגְלִיף ז engraving
תַּגְלִית נ discovery
תַּגמוּל ז reward, recompense
תִּגמִיר ז final stage, "finish"
תַּגָּר ז merchant, dealer
תִּגָּר ז challenge
תִּגְרָה נ tussle, skirmish
תִּגרוֹבֶת נ hosiery
תִּגרוֹלֶת נ raffle
תַּגְרָן ז small-time merchant, huckster
תַּגְרָנוּת נ petty trade; haggling, bargaining
תִּדגּוֹרֶת נ incubation period
תַּדְהֵמָה נ stupefaction, stupor
תַּדְחִית נ moratorium
תָּדִיר ת, תה״פ frequent, constant; constantly, regularly
תְּדִירוּת נ frequency
תִּדלוּק ז fuelling, refuelling
תִּדְלֵק (יְתַדְלֵק) פ fuel, refuel
תַּדְמִית נ stencil, die; image
תַּדְמִיתָן ז pattern maker
תַּדְפִּיס ז offprint
תֶּדֶר ז frequency
תִּדרוּךְ ז instruction
תַּדְרִיךְ ז briefing, detailed instructions
תִּדְרֵךְ (יְתַדְרֵךְ) פ brief, give detailed instructions
תֵּה ז tea

תָּהָה (יִתְהֶה) פ — gape, gaze in astonishment
תְּהוּדָה נ — resonance
תְּהוֹם זו״נ — the depths; abyss, bottomless pit
תְּהוֹם הַנְּשִׁיָּה — oblivion
תְּהִיָּה נ — surprise, astonishment
תְּהִילָּה נ — praise; glory
תְּהִילִּים, תְּהִלִּים ז״ר — the Book of Psalms
תַּהֲלוּכָה נ — procession, parade
תַּהֲלִיךְ ז — process
תַּהְפּוּכָה נ, תַּהְפּוּכוֹת נ״ר — unreliability, deceitfulness
תַּהְפּוּכָן ז — unreliable person
תָּו ז — mark, sign; note (in music); label
תּוּ תה״פ — more
תּוֹא ר׳ תְּאוֹ
תּוֹאֵם ת — matching, suitable, appropriate; similar
תּוֹאַם (יְתוֹאַם) פ — be correlated, be co-ordinated
תּוֹאַם ז — symmetry; correlation, co-ordination
תּוֹאֲנָה נ — pretext
תּוֹאַר (יְתוֹאַר) פ — be described; be drawn, be portrayed
תּוֹאַר ז — appearance, form; title; adjective
תּוֹאַר הַפּוֹעַל — adverb
תּוֹאֲרַךְ (יְתוֹאֲרַךְ) פ — be dated
תּוּבָּה נ — trunk
תּוּבַּל (יְתוּבַּל) פ — be seasoned, be spiced
תּוֹבָלָה נ — transport
תּוֹבָנָה נ — insight
תּוֹבֵעַ ז — plaintiff; prosecutor
תּוֹבְעָנָה נ — bill of complaint
תּוֹבָר ז — loop
תּוּבְרַג (יְתוּבְרַג) פ — be threaded
תּוּגְבַּר (יְתוּגְבַּר) פ — be reinforced
תּוּגָה נ — sorrow, sadness
תּוֹדָה נ — thanks, gratitude
תּוֹדָה רַבָּה — thanks very much
תּוֹדָעָה נ — consciousness
תּוּדְרַךְ (יְתוּדְרַךְ) פ — be briefed
תּוֹהוּ ז — desolation, emptiness; nothingness
תּוֹהוּ וָבוֹהוּ — utter chaos
תּוֹהֳלָה, תָּהֳלָה נ — fault, blemish
תַּוַּאי ז — plotter
תְּוַי, תְּוַאי ז — alignment
תְּוִויָּה נ — plotting
תַּוְיָן ז — copyist (musical)
תָּוִית נ — label
תָּוֶךְ ז — center, middle; inside, interior
תּוּוַּךְ (יְתוּוַּךְ) פ — be in the middle
תּוּזְמַר (יְתוּזְמַר) פ — be orchestrated, be scored
תּוּחַח (יְתוּחַח) פ — be crumbled, be broken up
תּוּחְלַב (יְתוּחְלַב) פ — be emulsified
תּוֹחֶלֶת נ — expectation, hope
תּוּיָה נ — thiya
תּוּיַּק (יְתוּיַּק) פ — be filed
תּוֹךְ ז — oppression, extortion
תּוֹךְ ז — inside, interior
תּוֹכֵחָה נ — chastisement, correction

תּוֹכָחָה, תּוֹכַחַת נ reproach, rebuke
תּוֹכִי ת inner, internal
תּוּכִּי ז parrot
תּוֹכִיּוּת נ inwardness, inner nature
תּוֹכִית נ infix
תּוֹךְ כְּדֵי in the course of
תּוּכַּן (יְתוּכַּן) פ be measured; be planned
תּוֹכֵן ז astronomer
תּוֹכֶן ז content, contents
תּוֹכֶן הָעִנְיָנִים, הַתּוֹכֶן table of contents (of a book)
תּוּכנַן (יְתוּכנַן) פ be planned
תּוּכנַת (יְתוּכנַת) פ be programed
תּוּכסַס (יְתוּכסַס) פ be planned tactically
תּוּ לֹא no more, that's all
תּוֹלָדָה נ corollary (logical); outcome
תּוֹלְדוֹת נ״ר descendants; history
תּוּלַּל (יְתוּלַּל) פ be made steep
תּוּלַּם (יְתוּלַּם) פ be furrowed
תּוֹלָע ז, תּוֹלֵעָה נ, תּוֹלַעַת נ worm; scarlet cloth
תּוּלַּע (יְתוּלַּע) פ be full of worms, be wormy
תּוֹלַעְנָה נ mahogany
תּוֹלַעַת מֶשִׁי silkworm
תּוּלתַּל (יְתוּלתַּל) פ be curled, be made curly
תּוֹם ז wholeness, integrity; perfection, perfect innocence
תּוּמָּה נ integrity, innocence
תּוֹמֵךְ ת supporter; supporting
תּוּמצַת (יְתוּמצַת) פ be summarized, be précised
תּוֹמֶר ז date-palm, palm tree
תּוּנפָּן ז kettle drum
תּוּסכַּל (יְתוּסכַּל) פ be frustrated
תּוֹסֵס ת fermenting; effervescent, excited
תּוֹסֶס ז ferment
תּוֹסֶפֶת נ addition, supplement
תּוֹסֶפֶת יוֹקֶר cost-of-living bonus
תּוֹסֶפְתָּן ז appendix
תּוֹעַב (יְתוֹעַב) פ be abominable
תּוֹעֵבָה נ abomination, loathsome act or object
תּוֹעַד (יְתוֹעַד) פ be documented
תּוֹעֶלֶת נ use, utility
תּוֹעַלְתִּי ת useful; utilitarian
תּוֹעַלְתִּיּוּת נ utilitarianism
תּוֹעַמְלָן ז agitator, propagandist
תּוֹעָפוֹת נ״ר strength, power
תּוֹעַשׁ (יְתוֹעַשׁ) פ be industrialized
תּוּעתַּק (יְתוּעתַּק) פ be transliterated
תּוּף ז drum
תּוּפִּי ת drum-loaded (revolver), drum-like
תּוּפִּין ז flat pastry; biscuit
תּוּפִּית נ diaphragm
תּוֹפֵס ז (tech.) guard
תּוֹפֵס ת applicable, relevant
תּוֹפָעָה נ phenomenon
תּוֹפֵף (יְתוֹפֵף) פ drum
תּוֹפֵר ז tailor
תּוֹפֶרֶת נ dressmaker, tailoress
תּוֹפֶת ז inferno, fire
תּוֹפְתֶּה ז inferno; place of burning
תּוֹצָא ז effect

תּוֹצָאָה נ result, consequence

תּוֹצָר ז product

תּוֹצֶרֶת נ products, produce

תּוּקַּן (יְתוּקַּן) פ be corrected; be repaired

תּוּקְנַן (יְתוּקְנַן) פ be standardized

תּוֹקֶף ז power; validity, force

תּוֹקְפָן ז aggressor

תּוֹקְפָנוּת ת aggression, aggressiveness

תּוֹקְפָנִי ת aggressive

תּוּקְצַב (יְתוּקְצַב) פ be budgeted for

תּוּקְצַר (יְתוּקְצַר) פ be outlined, be summarized

תּוּקְשַׁר (יְתוּקְשַׁר) פ be communicated

תּוֹר ז turn; queue line; turtle-dove

תּוּר פ, ר׳ תָּר

תּוּרְבַּת (יְתוּרְבַּת) פ be cultured; be cultivated, be tamed

תּוּרְגַּם (יְתוּרְגַּם) פ be translated

תּוּרְגְּמָן ז interpreter; translator

תּוֹרָה נ the Pentateuch; the Law; instruction, teaching; theory

תּוֹרָה נְבִיאִים וּכְתוּבִים ר׳ תְּנַ״ךְ

תּוֹרָה שֶׁבִּכְתָב the written Law (i.e. the Pentateuch)

תּוֹרָה שֶׁבְּעַל־פֶּה the oral Law (i.e. the Talmud)

תּוֹרֵם ז contributor, donor

תּוּרְמוֹס ז lupin

תּוּרְמַל (יְתוּרְמַל) פ be podded, form pods

תּוֹרֶן ז mast (on ship); flag-pole

תּוֹרָן ז person on duty, orderly

תּוֹרָנוּת נ turn of duty

תּוֹרָנִי ת learned in the Tora; observant

תּוֹרְנִית נ main shaft

תּוֹרְעַמְנִי ת resentful, complaining

תּוֹרֶף ז blank spaces on a promissory note which have to be completed

תּוֹרְפָּה נ weakness, weak spot

תּוֹרַץ (יְתוֹרַץ) פ be explained, be clarified

תּוֹרָשָׁה נ heredity

תּוֹרַשְׁתִּי ת hereditary

תּוֹשָׁב ז resident, inhabitant

תּוֹשֶׁבֶת נ chassis (of a vehicle); base

תּוּשִׁיָּה נ resourcefulness, skill, dexterity

תּוּשַּׁע (יְתוּשַּׁע) פ be multiplied by nine

תּוּת ז mulberry

תּוֹתָב ת inserted, fixed in

תּוֹתֶבֶת נ insert, insertion

תּוּת גִּינָּה, תּוּת שָׂדֶה strawberry

תּוֹתָח ז gun, cannon

תּוֹתְחָן ז gunner, artilleryman

תּוֹתְחָנוּת נ gunnery, artillery

תּוֹתְרָן ז anosmic

תּוֹתְרָנוּת נ anosmia

תַּזְגִּיג ז enamel

תְּזוּזָה נ move

תְּזוּנָה נ nutrition

תְּזוּנָתִי ת nutritive

תְּזוּעָה נ slight movement

תְּזָזִית, רוּחַ תְּזָזִית נ demon of unrest, madness

תִּזְכּוֹרֶת נ	memorandum, reminder
תַּזְכִּיר ז	memorandum
תִּזְמוּן ז	timing
תִּזְמוֹנֶת נ	coincidence
תִּזְמוּר ז	orchestration, scoring
תַּזְמוּר ז	orchestral version
תִּזְמֹרֶת נ	orchestra
תִּזְמוֹרְתִּי ת	orchestral
תִּזְמֵן (יְתַזְמֵן) פ	time
תִּזְמֵר (יְתַזְמֵר) פ	orchestrate, score
תַּזְנוּת נ	fornication, whoring
תַּזְרִיק ז	injection
תִּזְרַעַת נ	dissemination (medicine)
תָּחַב (יִתְחַב) פ	insert, stick in
תַּחְבּוּלָה נ	wile, ruse, trick
תַּחְבּוּרָה נ	transport, communication; traffic
תַּחְבּוֹשֶׁת נ	bandage, dressing
תַּחְבִּיב ז	hobby
תַּחְבִּיבָן ז	hobbyist
תַּחְבִּיר ז	syntax
תַּחְבִּירִי ת	syntactic
תִּחְבֵּל (יְתַחְבֵּל) פ	contrive, plot
תַּחְבְּלָן ז	wily person; tactician
תַּחְבְּלָנוּת נ	wiliness, trickiness; tactical skill
תַּחְדִּישׁ ז	word-coining
תָּחוּב ת, ז	inserted, stuck in; shoot (for grafting)
תָּחוּחַ ת	broken up (soil)
תְּחוּלָה נ	time of coming into force
תְּחוּם ז	limit, border; domain
תְּחוּשָׁה נ	feeling, perception
תְּחוּשָׁתִי ת	perceptual
תַּחְזוּקָה נ	maintenance
תַּחְזִיר ז	fly-back, retrace
תַּחֲזִית נ	forecast; spectrum
תִּחְזֵק (יְתַחְזֵק) פ	maintain
תְּחִיבָה נ	insertion, sticking in
תְּחִגָּה נ	festival
תְּחִיחָה נ	breaking up (soil)
תְּחִיחוּת נ	looseness (of soil)
תְּחִיָּה נ	revival, rebirth; renaissance
תְּחִיַּת הַמֵּתִים	resurrection
תְּחִלָּה נ, תה"פ	beginning, start; firstly
תְּחִילִית נ	prefix
תְּחִימָה נ	fixing limits
תְּחִנָּה נ	supplication, entreaty
תְּחִיקָה נ	legislation
תִּחְכּוּם ז	sophistication
תִּחְכֵּם (יְתַחְכֵּם) פ	sophisticate
תִּחְלֵב (יְתַחְלֵב) פ	emulsify
תַּחֲלוּאָה נ	incidence of disease
תַּחֲלוּאִי ת	concerning the incidence of disease
תַּחֲלוּפָה נ	natural replacement
תַּחֲלִיב ז	emulsion
תַּחֲלִיף ז	substitute, alternative
תִּחְלֵף (יְתַחְלֵף) פ	replace
תָּחַם (יִתְחַם) פ	fix limits, fix a boundary
תַּחְמוֹצֶת נ	oxide
תַּחְמוֹשֶׁת נ	ammunition
תַּחְמִיץ ז	silage
תַּחְמִישׁ ז	cartridge
תַּחְמָס ז	falcon
תִּחְמֵץ (יְתַחְמֵץ) פ	ensile, make into silage
תַּחֲנָה נ	station, stop

תַּחֲנוּן ז supplication, entreaty
תַּחַנְחָנוּת נ coquetry
תַּחַנְחָנִי ת coquettish
תַּחְפּוֹשֶׂת נ fancy dress
תִּחְפֵּשׂ (יְתַחְפֵּשׂ) פ dress up (in masquerade)
תַּחְקִיר ז investigation
תִּחְרָה (יְתַחְרֶה) פ compete
תַּחֲרוּת נ competition, tournament; rivalry
תַּחְרִיט ז etching, engraving
תַּחְרִים ז lace edging
תַּחַשׁ ז badger
תַּחְשִׁיב ז calculation
תַּחַת מ״י under, beneath; for, in place of
תַּחַת ז (slang) behind
תַּחְתּוּחַ ז rattle, clatter
תַּחְתּוֹן ת lower
תַּחְתּוֹנִיּוֹת ז״ר piles, haemorrhoids
תַּחְתּוֹנִים ג״ר underpants
תַּחְתּוֹנִית נ petticoat, slip
תַּחְתִּי ת lower
תַּחַת יָדוֹ in his possession
תַּחְתִּיךְ ז jigsaw
תַּחְתִּית נ bottom part; saucer
תֵּיאֵב (יְתָאֵב) פ abominate, abhor
תֵּיאָבוֹן ז appetite
תֵּיאוּם ז correlation, co-ordination
תֵּיאוּר ז description
תֵּיאוּרִי ת descriptive
תֵּיאַטְרוֹן ז theater
תֵּיאַטְרוֹנִי ת theatrical
תֵּיאַטְרָלִי ת theatrical, stagy
תֵּיאַטְרָלִיּוּת נ theatricality, staginess

תֵּיאֵם (יְתָאֵם) פ correlate, co-ordinate
תֵּיאֵר (יְתָאֵר) פ describe, portray
תֵּיבָה נ box, crate; written word
תִּיבּוּל ז seasoning, spicing
תִּיבֵּל (יְתַבֵּל) פ season, spice
תִּיבֵּן (יְתַבֵּן) פ mix with straw
תֵּיבַת־דּוֹאַר Post Office Box
תִּיגָּר ז dispute
תִּיגֵּר (יְתַגֵּר) פ haggle, bargain
תִּיוָּה (יְתַוֶּה) פ put a mark on; sketch
תִּיוּוּי ז sketching, laying out
תִּיווּךְ ז mediation
תִּיוֵּךְ (יְתַוֵּךְ) פ mediate
תִּיוּוּל ז erecting barbed wire
תִּיוּל ז wiring
תְּיוֹמָה, תְּיוֹמֶת נ twin sister
תֵּיוֹן ז teapot
תִּיּוּק ז filing
תִּיּוּר ז touring, tour
תִּיחוּחַ ז breaking up (soil)
תִּיחוּם ז setting limits
תִּיחֵחַ (יְתַחֵחַ) פ break up (soil)
תִּיחֵם (יְתַחֵם) פ set limits
תִּיחֵר (יְתַחֵר) פ compete, contest
תִּייֵּק (יְתַייֵּק) פ file
תַּיָּיק ז filing-clerk
תַּיָּיר ז tourist
תִּייֵּר (יְתַייֵּר) פ tour
תַּיָּירוּת נ tourism
תַּיָּירָן ז promoter of tourism
תִּיכוֹן ת middle, central
תִּיכּוּן ז planning
תִּיכוֹנִי ת intermediate
תִּיכֵּן (יְתַכֵּן) פ plan; measure

תֵּיכֶף תה״פ immediately, instantly
תֵּיכֶף וּמִיָּד at once
תַּיִל ז wire
תִּילּוּי ז hanging up; suspension, deferment
תִּילּוּל ז heaping earth; making steep, steepening
תִּילּוּם ז furrowing
תִּילוֹן ז small mound, hillock
תִּילּוּעַ ז ridding of worms
תִּילֵּי תִּילִים heaps and heaps
תִּילֵּל (יְתַלֵּל) פ heap earth around
תִּילֵּם (יְתַלֵּם) פ furrow
תִּילַּע (יְתַלַּע) פ rid of worms
תִּימָּהוֹן ז surprise, astonishment
תִּימוֹז ז person with no eyelashes
תִּימּוּךְ ז bracing
תִּימּוּכִין ז״ר backing, support
תִּימּוּר ז rising, aloft
תֵּימָן נ Yemen
תֵּימָנִי ת Yemenite
תִּימֵּר (יְתַמֵּר) פ rise, rise aloft
תִּימָרָה נ column (of smoke, dust, etc.)
תִּינֵּד (יְתַנֵּד) פ vibrate, oscillate
תִּינָּה (יְתַנֶּה) פ recount, relate; mourn, grieve
תִּינּוּי ז recounting (particularly sad stories)
תִּינּוּן ז whaling
תִּינוֹק ז baby, babe
תִּינוֹקוֹת שֶׁל בֵּית רַבָּן infants, schoolchildren
תִּינוֹקִי ת babyish, infantile
תִּינוֹקִיּוּת נ babyishness
תִּינֹקֶת נ baby, small baby
תִּיסּוּף ז revaluation
תִּיסֵּף (יְתַסֵּף) פ revaluate
תִּיעֵב (יְתַעֵב) פ abominate, abhor, loathe; make abominable, pollute, defile
תִּיעֵד (יְתַעֵד) פ document
תִּיעוּב ז abhorrence, abomination
תִּיעוּד ז documentation
תִּיעוּל ז sewerage
תִּיעוּשׁ ז industrialization
תִּיעֵל (יְתַעֵל) פ provide with sewers
תִּיעֵשׁ (יְתַעֵשׁ) פ industrialize
תִּיפּוּר ז stitching
תִּיפֵּר (יְתַפֵּר) פ stitch
תִּיפֵּשׂ (יְתַפֵּשׂ) פ catch, seize; climb
תִּיק ז case; briefcase; file, folder
תֵּיקוּ draw; stalemate
תִּיקּוּן ז correction, emendation; repairing
תִּיקּוּן הָעוֹלָם social reform
תִּיקִיּוֹן ז, תִּיקִיָּה נ filing cabinet
תִּיקָן ז cockroach
תִּיקֵּן (יְתַקֵּן) פ correct, emend; repair; reform
תֵּירוּץ ז excuse
תִּירוֹשׁ ז new wine
תִּירָס ז corn, maize
תַּיִשׁ ז he-goat
תִּישּׁוּעַ ז multiplication by nine
תִּישַּׁע (יְתַשַּׁע) פ multiply by nine
תִּיתּוֹרָה נ brim, rim
תֵּיתֵי פ let it come
תֵּיתֵי לוֹ thanks to him
תַּךְ ז stitch

תַּכְבּוֹסֶת נ washing, laundering
תָּכוֹל ת light blue, azure
תְּכוֹל ז light blue, azure
תְּכוּלָה נ content, capacity
תְּכוּנָה נ property, characteristic, trait
תָּכוּף ת in quick succession
תְּכוּפוֹת תה״פ frequently
תְּכִיפוּת נ frequency, recurrence
תְּכָכִים ז״ר intrigue(s)
תַּכְכָן ז intriguer
תַּכְכָנוּת נ intriguing
תִּכְלָה נ end, limit
תַּכְלִיל ז score (music)
תַּכְלִית נ aim, purpose; end
תַּכְלִיתִי ת purposeful
תַּכְלִיתִיּוּת נ purposefulness
תְּכַלְכַּל ת pale blue
תְּכֵלֶת נ light blue, azure
תָּכַן (יִתְכּוֹן) פ design, plan, measure
תֶּכֶן ז design
תַּכָּן ז designer
תִּכְנוּן ז planning
תִּכְנוּת ז programing
תָּכְנִיָּה, תּוֹכְנִיָּה נ program (theater etc.)
תָּכְנִית, תּוֹכְנִית נ plan, scheme; program
תָּכְנִיתִי, תּוֹכְנִיתִי ת planned, programatic
תִּכְנֵן (יְתַכְנֵן) פ plan
תִּכְנֵת (יְתַכְנֵת) פ program
תַּכְסִיס ז tactic(s), stratagem
תַּכְסִיסִי ת tactical
תַּכְסִיסָן ז tactician
תַּכְסִיסָנוּת נ employment of tactics
תִּכְסֵס (יְתַכְסֵס) פ employ tactics
תָּכַף (יִתְכּוֹף) פ come in quick succession
תֶּכֶף ז frequency
תַּכְרִיךְ ז bundle; covering
תַּכְרִיכִים ז״ר shroud
תַּכְשִׁיט ז ornament
תַּכְשִׁיטִים ז״ר jewellery
תַּכְשִׁיר ז preparation
תִּכְתּוֹבֶת נ correspondence
תַּכְתִּיב ז dictate, dictation
תֵּל ז mound, hillock
תְּלָאָה נ hardship, suffering
תַּלְאוּבָה נ blazing heat
תְּלַאי ז handle
תִּלְבּוֹשֶׁת נ dress, attire; uniform
תִּלְבּוֹשֶׁת אֲחִידָה uniform dress
תַּלְבִּיד ז plywood
תָּלָה (יִתְלֶה) פ hang, hang up, suspend; ascribe
תְּלַהֲבָן ז enthusiast
תָּלוּי ת hanging, suspended; dependent
תְּלוּי ז suspender, hanger (on a garment)
תָּלוּי וְעוֹמֵד pending
תָּלוּל ת steep
תְּלוּלִית נ hillock, hummock
תְּלוּנָה נ complaint
תָּלוּשׁ ת plucked, picked, detached; (person) out of touch
תְּלוּשׁ ז counterfoil, coupon
תְּלוּת נ dependence
תְּלִי ז clothes rack, peg

תְּלִיָּה נ hanging, suspending
תַּלְיָן ז hangman
תַּלְיָנוּת נ hangman's work
תְּלִילוּת נ steepness
תָּלִישׁ ז, ת picking (flax); detachable (coupons), perforated
תְּלִישָׁה נ picking, pulling out, plucking, detaching
תְּלִישׁוּת נ state of being out of touch, remoteness
תַּלְכִּיד ז agglomeration
תֶּלֶם ז furrow
תַּלְמוּד ז learning, study; Talmud
תַּלְמוּד־תּוֹרָה Jewish religious school
תַּלְמִיד ז pupil, student; disciple
תַּלְמִיד־חָכָם man learned in the Tora
תַּלְפִּיּוֹת נ״ר forts
תַּלְקִיט ז conglomerate; album
תָּלַשׁ (יִתלוֹשׁ) פ pick; pluck; tear off (out); detach
תְּלָת ש״מ tri-
תְּלָת־אוֹפַן tricycle
תִּלְתּוּל ז curling
תַּלְתַּל ז curl
תִּלְתֵּל (יְתַלְתֵּל) פ curl
תַּלְתֶּלֶת נ curl (plant disease)
תְּלַת־מְמַדִּי three-dimensional
תִּלְתָּן ז clover
תְּלַת־שְׁנָתִי triennial
תָּם ת flawless; simple, innocent, naive
תֶּמֶד, תֶּמֶד ז grape-skin wine
תָּמַהּ (יִתמַהּ) פ be surprised; wonder
תַּמָּהּ ז surprise, wonder
תָּמֵהַּ ת surprised, amazed
תִּמְהוֹנִי ת eccentric, queer, peculiar
תְּמֵהַנִי I doubt whether
תָּמוּהַּ ת peculiar, strange
תַּמּוּז ז Tammuz (June-July)
תְּמוּטָה נ collapse, downfall
תָּמוּךְ ת supported
תְּמוֹכָה נ strut, support
תְּמוֹל תה״פ, ז yesterday
תְּמוֹל שִׁלְשׁוֹם formerly, in the recent past
תְּמוּנָה נ picture
תְּמוּנִי ת pictorial
תְּמוּר מ״י instead of, in lieu of
תְּמוּרָה נ exchange, barter; object exchanged; change; exchange value, price; (grammar) apposition
תְּמוּת נ perfection, soundness
תְּמוּתָה נ mortality
תְּמוּזֶגֶת נ constitution; blend
תַּמְזִיג ז condensation product
תַּמְחוּי ז charity food
תַּמְחִיר ז cost accounting
תַּמְחִירָן ז cost accountant
תִּמְחֵר (יְתַמְחֵר) פ cost
תֶּמֶט ז collapse
תָּמִיד תה״פ, ז always, constantly, eternity
תְּמִידוּת נ continuity, regularity
תְּמִידִי ת constant, perpetual
תְּמִיהָה נ surprise, amazement
תְּמִיכָה נ support
תָּמִים ת whole, entire; faultless; naive

תְּמִימוּת נ naiveté, simplicity; integrity
תְּמִיסָּה נ solution (chemical)
תָּמִיר ת tall and erect
תְּמִירוּת נ erect carriage
תָּמַךְ (יִתמוֹךְ) פ support, maintain
תַּמלוּג ז, תַּמלוּגִים ז״ר royalty; royalties
תְּמלַחַת נ brine, salts
תַּמלִיל ז text (music), libretto
תְּמָנוּן ז octopus
תַּמנוּעַ ז preventive medicine, prophylaxis
תְּמָנִיוֹן ז octahedron
תַּמנִית נ octet
תְּמָנָעָה נ institute of preventive medicine
תְּמָנָעִי ת preventive, prophylactic
תֶּמֶס ז dissolving, solution
תִּמסוֹרֶת נ transmission; gearing ratio
תִּמסָח ז crocodile
תַּמסִיר ז handout, announcement
תַּמצוּת נ summarizing, writing a précis
תַּמצִיק ז concretion
תַּמצִית נ essence, juice; summary, gist
תַּמצִיתִי ת concise
תַּמצִיתִיוּת נ conciseness, succinctness
תִּמצֵת (יְתַמצֵת) פ summarize, précis
תָּמָר ז date-palm (tree), date (fruit)
תְּמָרָה נ date-palm (tree)
תַּמרוּט ז varnish
תִּמרוֹן ז maneuver
תִּמרוּן ז maneuvering
תַּמרוּק ז cosmetic
תַּמרוּקִיָּה נ perfumery, cosmetic shop
תַּמרוּקִים ז cosmetics
תַּמרוּר ז signpost, road-sign
תִּמרוּר ז signposting
תַּמרוּרִים ז״ר bitterness
תַּמרִיץ ז impetus, stimulus
תִּמרֵן (יְתַמרֵן) פ maneuver
תַּמשִׁיחַ ז painting, inscription
תַּן ז jackal
תְּנַאי ז condition, term
תְּנָאִים engagement, betrothal (colloq.)
תְּנַאי מוּקדָם precondition
תְּנגוֹדֶת נ resistance
תִּנגוּן ז instrumentation, arrangement, scoring
תִּנגֵּן (יְתַנגֵּן) פ score, arrange
תָּנַד (יִתנַד) פ oscillate
תְּנוּבָה נ crop, yield
תְּנוּדָה, תְּנִידָה נ oscillation, vibration
תְּנוּחָה נ lie, lay, posture
תְּנוּךְ, תְּנוּךְ־אוֹזֶן ז ear-lobe
תְּנוּמָה נ nap, light sleep
תְּנוּעָה נ movement, move; traffic; motion; vowel
תְּנוּפָה נ upward swing; lifting; momentum
תַּנּוּר ז stove, oven
תַּנחוּמִים ז״ר condolences
תְּנִיָּנִי ת secondary
תַּנִּין ז crocodile

תַּנָ"ךְ, תַּנַ"ךְ ז — the Bible (initial letters of תּוֹרָה, נְבִיאִים, כְּתוּבִים i.e. the Law, the Prophets and the Writings)
תַּנָ"כִי ת — scriptural, biblical
תַּנְצְבָּ"ה — (initial letters for:) may his soul be bound up in the bond of life (inscription on gravestone)
תִּנְשֶׁמֶת נ — barn owl
תִּסְבּוֹכֶת נ — complication(s), mix-up
תִּסְבּוֹלֶת נ — load carrying capacity, deadweight
תַּסְבִּיךְ ז — complex (psychology)
תַּסְבִּיר ז — information brochure
תַּסְדִּיר ז — arrangement, lay-out
תְּסוּגָה נ — withdrawal; retreat
תָּסוּס ת — fermented
תְּסִיבָּה נ — going round, skirting
תָּסִיס ת — fermentable
תְּסִיסָה נ — fermentation, excitement, agitation
תִּסְכּוּל ז — frustration
תַּסְכִּית ז — radio play
תִּסְכֵּל (יְתַסְכֵּל) פ — frustrate
תִּסְמוֹכֶת נ — association (psychology)
תִּסְמוֹנֶת נ — syndrome
תַּסְנִין ז — filtrate
תָּסַס (יִתְסוֹס) פ — ferment, effervesce; seethe, boil; seethe with excitement
תַּסָּס ז — enzyme
תִּסְפּוֹרֶת נ — haircut
תִּסְפֵּק (יְתַסְפֵּק) פ — resupply
תִּסְקוֹרֶת נ — revue
תַּסְקִיר ז — survey
תִּסְרוֹקֶת נ — hairstyle, coiffure
תַּסְרִיט ז — scenario, film-script
תַּסְרִיטַאי ז — scriptwriter
תַּעֲבוּרָה נ — traffic (on the roads)
תָּעָה (יִתְעֶה) פ — lose one's way; go astray
תְּעוּדָה נ — certificate, diploma; document; mission (in life), purpose
תְּעוּדַת בַּגְרוּת — matriculation certificate
תְּעוּדַת זֶהוּת — identity card
תְּעוּזָה נ — daring
תְּעוּפָה נ — flight; aviation
תְּעוּקָה נ — pressure
תְּעוּרָה נ — awakening
תְּעִיָּה נ — losing one's way, straying
תְּעָלָה נ — ditch, trench, u.c. hannel; canal
תַּעֲלוּל ז — mischievous trick
תַּעֲלוּמָה נ — mystery, secret
תְּעָלִית נ — small channel, ditch
תְּעָלַת לַאמַאנְשׁ — the English Channel
תְּעָלַת סוּאֶץ — Suez Canal
תַּעֲמוּלָה נ — propaganda
תַּעֲמוּלָתִי ת — propagandist
תַּעַמְלָן ז — propagandist, agitator
תַּעַמְלָנוּת נ — propagandism
תַּעֲנוּג ז — pleasure, delight
תַּעֲנִית נ — fast
תַּעֲנִית צִיבּוּר — public fast
תַּעֲסוּקָה נ — employment
תַּעֲצוּמָה נ — power, might
תַּעֲקוּב ז — measurement of volume

תַּעֲקִיף ז paraphrase

תִּעֲקֵף (יְתַעֲקֵף) פ paraphrase

תַּעַר ז open razor

תַּעֲרוּבָה נ pledge

תַּעֲרֹבֶת נ mixture; medley, mix-up

תַּעֲרוּכָה נ exhibition

תַּעֲרִיף ז tariff, price list

תַּעֲשִׂיָּה נ industry; manufacture

תַּעֲשִׂיָּן ז industrialist

תַּעֲשִׂיָּנוּת נ industrialism

תַּעֲשִׂיָּתִי ת industrial

תַּעְתּוּעַ ז deceit, deception

תַּעְתִּיק ז transliteration

תִּעְתַּע (יְתַעְתַּע) פ deceive, delude

תִּעְתֵּק (יְתַעְתֵּק) פ transliterate

תַּפְאוּרָה נ decor, stage design

תַּפְאוּרָן ז stage designer

תִּפְאָרָה, תִּפְאֶרֶת נ glory, splendor

תְּפוּגָה נ expiry

תַּפּוּז ז orange

תָּפוּז ת orange (in color)

תַּפּוּחַ ז apple

תָּפוּחַ ת swollen

תַּפּוּחַ־אֲדָמָה potato

תַּפּוּחַ־זָהָב orange

תְּפוּנָה נ doubt

תָּפוּס ת occupied, engaged; held, seized

תְּפוּסָה נ possession; tonnage

תְּפוּצָה נ circulation (of a newspaper), distribution; scattering, diaspora community

תְּפוּקָה נ production, yield

תָּפוּשׂ ת occupied; held

תִּפְזֹרֶת נ loose cargo

תָּפַח (יִתְפַּח) פ swell, swell up

תְּפִיחָה נ swelling

תְּפִיחוּת נ swelling, (medical) tumescence

תַּפִּיחִית נ soufflé

תְּפִילָּה נ prayer; one of the phylacteries

תְּפִילִּין נ״ר phylacteries, tefillin

תְּפִיסָה נ seizing, taking; grasp; outlook, point of view

תְּפִירָה נ sewing

תָּפַל (יִתְפּוֹל) פ paste, plaster

תָּפֵל ת tasteless, insipid

תִּפְלָה נ pointlessness, tastelessness; folly

תִּפְלוּת נ folly; pointless behavior

תְּפֵלוּת נ tastelessness, insipidity

תִּפְלֶצֶת נ dread, horror

תַּפְנוּק ז indulgence, pampering

תַּפְנִים ז interior

תַּפְנִית נ half-turn

תָּפַס (יִתְפּוֹס) פ seize, catch; grasp

תֶּפֶס ז catch

תִּפְעוּל ז operation

תִּפְעֵל (יְתַפְעֵל) פ put into operation

תָּפַף (יִתְפּוֹף) פ drum, beat

תִּפְקֵד (יְתַפְקֵד) פ function

תִּפְקוּד ז functioning

תַּפְקִיד ז duty, office, function; role

תַּפְקִיק ז infarct

תָּפַר (יִתְפּוֹר) פ sew, stitch

תֶּפֶר ז stitch, seam

תַּפָּר ז stitcher

תִּפְרֹשֶׂת נ sails

תַּפָּרוּת נ stitching, hand-sewing

תִּפְרַחַת נ	cluster of flowers; rash
תַּפְרִיט ז	menu
תִּפְרֶצֶת נ	eruption (medical)
תָּפַשׂ (יִתְפּוֹשׂ) פ	seize, grasp; capture, occupy; get
תֶּפֶשׂ ז	grasping, gripping
תַּפְשׁוּעָה נ	delinquency, crime
תִּצְבּוֹרֶת נ	pile, accumulation
תַּצְהִיר ז	affidavit
תְּצוּגָה נ	show, display
תְּצוּרָה נ	configuration, formation
תִּצְלוֹבֶת נ	crossing (of lines); hybrid
תַּצְלוּם ז	photograph
תַּצְלִיל ז	chord
תִּצְפּוֹפֶת נ	congestion
תַּצְפִּית נ	observation; observation post
תִּצְרוֹכֶת נ	consumption
תַּצְרוּם ז	cacophony, dissonance
תַּ״ק	500
תַּקְבּוּל ז	intake, receipts (cash)
תִּקְבּוֹלֶת נ	parallelism
תַּקְדִּים ז	precedent
תִּקְוָה נ	hope
תָּקוּל ת	out of order
תְּקוּמָה נ	revival, renewal; recovery
תָּקוּעַ ת	stuck in, inserted; (slang) stranded, "stuck"
תָּקוּף ת	seized with a fit
תְּקוּפָה נ	period, era, cycle
תְּקוּפָתִי ת	periodic, seasonal
תָּקִיל ת	weighed
תָּקִין ת	normal, standard
תְּקִינָה נ	standardization
תְּקִינוּת נ	normality, regularity
תְּקִיעָה נ	insertion, sticking in; blowing (a trumpet or shofar)
תְּקִיעַת כַּף	shaking hands (on a deal)
תַּקִּיף ת	forceful, hard
תְּקִיפָה נ	assault, attack
תַּקִּיפוּת נ	forcefulness, hardness
תַּקָּלָה נ	obstacle, hindrance; mishap
תַּקְלִיט ז	gramophone record
תַּקְלִיטִיָּה נ	record library, record collection
תֶּקֶן ז	norm, standard; establishment
תַּקָּנָה נ	remedy; reform, improvement; regulation
תַּקָּנוֹן ז	constitution (of organization, etc.)
תִּקְנוּן ז	standardization
תִּקְנִי ת	normal, standard
תִּקְנֵן (יְתַקְנֵן) פ	standardize
תָּקַע (יִתְקַע) פ	sound (a trumpet); stick in, insert
תֶּקַע ז	plug (electric)
תָּקֵף ת	valid, in force
תָּקַף (יִתְקוֹף) פ	attack, assault
תִּקְצֵב (יְתַקְצֵב) פ	budget
תַּקְצִיב ז	budget; allowance, allocation
תַּקְצִיבִי ת	budgetary
תַּקְצִיר ז	summary, synopsis
תִּקְצֵר (יְתַקְצֵר) פ	outline, summarize
תֶּקֶר ז	puncture
תִּקְרָה נ	ceiling
תִּקְרוֹבֶת נ	refreshments

תִּקְרוֹנֶת נ radiation
תַּקְרִישׁ ז thrombosis
תַּקְרִית נ incident
תִּקְשׁוֹרֶת נ communication(s)
תַּקְשִׁיט ז ornament, decoration
תַּקְשִׁי״ר ז (תַּקָּנוֹן שֵׁירוּת הַמְּדִינָה) civil service regulations
תִּקְשֵׁר (יְתַקְשֵׁר) פ communicate
תִּקְתּוּק ז ticking (of a watch); typing
תִּקְתֵּק (יְתַקְתֵּק) פ tick (watch); type
תָּר (יָתוּר) פ tour, survey
תַּרְבּוּת נ culture, civilization; culture (of bacteria)
תִּרְבּוּת ז civilizing; cultivating; taming; preparing a culture
תַּרְבּוּתִי ת cultured, cultural; cultivated
תַּרְבִּיךְ ז stew
תַּרְבִּיץ ז garden; academy
תַּרְבִּית נ interest, usury; breeding, culture
תִּרְבֵּת (יְתַרְבֵּת) פ civilize, make cultured; (tame) animal
תִּרְגּוּל ז exercise, practice
תִּרְגּוֹלֶת נ series of exercises
תִּרְגּוּם ז translation (act of)
תַּרְגּוּם ז translation
תַּרְגּוּם הַשִּׁבְעִים Septuagint
תִּרְגּוֹמֶת נ translated literature
תַּרְגִּיל ז exercise, drill
תַּרְגִּימִית נ drop, lozenge
תַּרְגִּישׁ ז sentiment
תִּרְגֵּל (יְתַרְגֵּל) פ exercise, train
תִּרְגֵּם (יְתַרְגֵּם) פ translate
תֶּרֶד ז spinach

תַּרְדֵּמָה נ deep sleep, torpor
תִּרְדֶּמֶת נ coma
תְּרוֹג ת citron-colored, lemon-colored, citreous
תַּרְוָד ז ladle
תַּרְוִיחַ ז diastole
תְּרוּמָה נ contribution, offering
תְּרוּמִי ת choice, superlative
תְּרוּנָה נ masting
תְּרוּעָה נ shout, cheer; trumpet blast
תְּרוּפָה נ medicine, remedy
תְּרוּצָה נ run (music)
תִּרְזָה נ linden
תֶּרַח ז idle old fool
תַּרְחִיף ז suspension
תַּרְחִיץ ז lotion, embrocation
תַּרְטִיט ז vibration
תַּרְיַ״ג מִצְווֹת 613 commandments (in the Pentateuch)
תְּרִיס ז shutter; shield
תְּרִיסִיָּה נ thyroid gland
תְּרֵיסַר ש״מ twelve; a dozen
תְּרֵיסָרוֹן ז dodecahedron
תְּרֵיסַרְיוֹן ז duodenum
תְּרֵי־עָשָׂר the twelve Minor Prophets (Hosea to Malachi)
תִּרְכּוּב ז vaccination, inoculation
תִּרְכֹּבֶת נ compound (chemical)
תִּרְכֹּזֶת נ concentration
תַּרְכּוֹס ז trunk
תַּרְכִּיב ז vaccine, serum
תַּרְכִּיז ז concentrate
תָּרַם (יִתְרוֹם) פ contribute
תַּרְמִיל ז bag, haversack; pod; cartridge case

fraud, deceit	תַּרְמִית נ
pod, form pods	תִּרְמֵל (יְתַרְמֵל) פ
cock, rooster	תַּרְנְגוֹל ז
hen	תַּרְנְגוֹלֶת נ
turkey	תַּרְנְהוֹד ז
spray	תַּרְסִיס ז
resentment, grudge	תַּרְעוֹמֶת נ
poison	תַּרְעֵלָה נ
household gods	תְּרָפִים ז״ר
compost	תַּרְקוֹבֶת נ
draught, design	תַּרְשִׁים ז
nacre, mother-of-pearl; pearl	תַּרְשִׁישׁ ז
two	תַּרְתֵּי ש״מ
chequer work; crossword puzzle	תַּשְׁבֵּץ ז
broadcast message or report	תִּשְׁדּוֹרֶת נ
cheers, applause	תְּשׁוּאָה נ, תְּשׁוּאוֹת נ״ר
proceeds, capital gains	תְּשׁוּאָה נ
answer, reply; return; repentance	תְּשׁוּבָה נ
input; putting	תְּשׂוּמָה נ
attention	תְּשׂוּמַת לֵב
salvation, deliverance	תְּשׁוּעָה נ
desire, craving	תְּשׁוּקָה נ
present	תְּשׁוּרָה נ
feeble, frail	תָּשׁוּשׁ ת
youth	תְּשְׁחוֹרֶת נ
gargle	תַּשְׁטִיף ז
ninth	תְּשִׁיעִי ת
ninth (fem.); one-ninth	תְּשִׁיעִית נ
frailty, feebleness	תְּשִׁישׁוּת נ
gearing engagement	תִּשְׁלוֹבֶת נ
payment, instalment	תַּשְׁלוּם ז

use; coitus	תַּשְׁמִישׁ ז
coitus, sexual intercourse	תַּשְׁמִישׁ הַמִּטָּה
nine (fem.)	תֵּשַׁע ש״מ
nine (masc.)	תִּשְׁעָה ש״מ
nineteen (masc.)	תִּשְׁעָה־עָשָׂר
ninety	תִּשְׁעִים ש״מ
nineteen (fem.)	תְּשַׁע־עֶשְׂרֵה
ninefold, by nine	תִּשְׁעָתַיִם תה״פ
cosmetics, make-up	תִּשְׁפּוֹרֶת נ
perspective	תִּשְׁקוֹפֶת נ
forecast (of weather)	תַּשְׁקִיף ז
Tishri (Sept.–Oct.)	תִּשְׁרִי ז
draught, plan, blueprint	תַּשְׁרִיט ז
enactment	תַּשְׁרִיר ז
enact	תִּשְׁרֵר (יְתַשְׁרֵר) פ
grow weak, grow feeble	תָּשַׁשׁ, תַּשׁ (יִתַּשׁ) פ
base course, base (in road-building etc., also fig.)	תַּשְׁתִּית נ
to give (infinitive of נָתַן q.v.)	תֵּת
under-, sub-	תַּת־ תה״פ
Brigadier-General	תַּת־אַלּוּף
the subconscious	תַּת־הַכָּרָה
submarine	תַּת־יַמִּי
under-water	תַּת־מֵימִי
sub-machine gun	תַּת־מַקְלֵעַ
underground; subterranean	תַּת־קַרְקָעִי
Jewish religious school (initials of תַּלְמוּד תּוֹרָה)	ת״ת
pituitary gland	תּתּוֹן הַמּוֹחַ ז
(tech.) support	תִּתְמוֹכֶת נ
	תַּתְרָן ז ר׳ תּוֹתְרָן
	תַּתְרָנוּת ר׳ תּוֹתְרָנוּת